화학 I

643제

완자 기출 PICK 차례

I 화학의 첫걸음

II 원자의 세계

Ⅲ 화학 결합과 분자의 세계

Ⅳ 역동적인 화학 반응

완자 기출 PICK 구성 - 기출 문제를 분석하여 핵심을 빠짐 없이 담았다!

PICK 1 핵심 정리

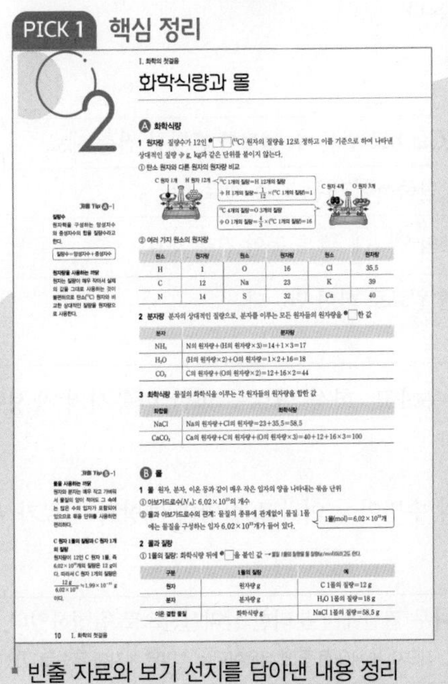

빈출 자료와 보기 선지를 담아낸 내용 정리

PICK 2 필수 기출

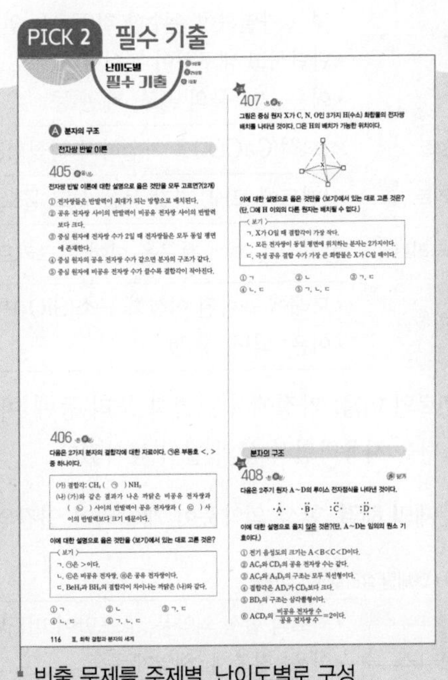

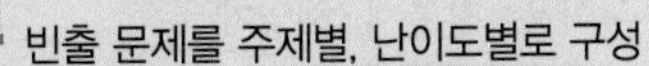

빈출 문제를 주제별, 난이도별로 구성

PICK 3 도전 기출

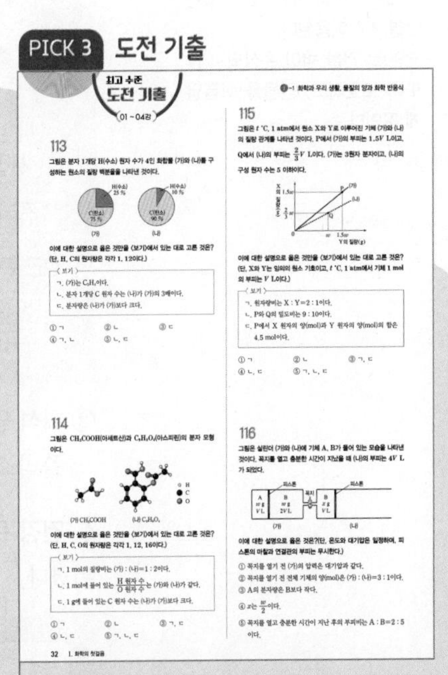

1등급 달성을 위해 꼭 풀어봐야 하는 도전 문제

화학과 우리 생활

Ⓐ 화학의 유용성

1 식량 문제의 해결 비료와 농약 등이 개발되어 인구 증가에 따른 식량 부족 문제를 해결하였다.

① 질소 비료의 개발

암모니아 합성	1906년 하버는 공기 중의 ❶ ☐☐를 수소와 반응시켜 암모니아를 대량으로 합성하는 제조 공정을 개발하였다.	$N_2(g) + 3H_2(g) \xrightarrow[\text{고온, 고압}]{\text{철 촉매}} 2NH_3(g)$
질소 비료의 대량 생산	암모니아를 원료로 하는 질소 비료의 대량 생산이 가능해져 농산물의 생산량이 크게 증가하였다.	

② 복합 비료, 농약 등의 개발: 농산물의 질이 향상되고 농업 생산량이 증대되었다.

2 의류 문제의 해결 합성 섬유와 합성염료가 개발되어 다양한 소재와 색깔의 옷을 입게 되었다.

① 합성 섬유의 개발: 화석 연료를 원료로 하여 질기고 값이 싸며, 대량 생산이 쉬운 합성 섬유를 개발하였다. → 이전에 사용하던 면, 마와 같은 천연 섬유는 흡습성과 촉감이 좋지만 질기지 않아 쉽게 닳고 대량 생산이 어려웠다.

❷ ☐☐☐	• 캐러더스가 개발한 최초의 합성 섬유로, 매우 질기고 유연하며 신축성이 좋다. • 이용: 스타킹, 운동복, 밧줄, 그물, 칫솔 등
폴리에스터	• 가장 널리 사용되는 합성 섬유로, 내구성과 신축성이 좋고 구김이 잘 생기지 않는다. • 이용: 와이셔츠, 양복 등

② 합성염료의 개발: 천연염료에 비해 구하기 쉽고 값이 싸며 다양한 색깔을 나타내는 합성염료가 개발되었다. 예 모브: 퍼킨이 개발한 최초의 합성염료

3 주거 문제의 해결 건축 자재의 발달로 대규모 건설이 가능해져 주거 공간 부족 문제를 해결하였고, 삶의 질을 개선하였다.

① 건축 재료의 개발

철	• 철의 제련: 산화 철(Ⅲ)(Fe_2O_3)이 주성분인 철광석을 코크스(C)와 함께 용광로에 넣고 가열하여 순수한 철(Fe)을 얻는다. • 단단하고 내구성이 뛰어나다. • 이용: 건축물의 골조, 배관 등
시멘트	석회석($CaCO_3$)을 가열하여 생석회(CaO)로 만든 후 점토를 혼합한 건축 재료
콘크리트	시멘트에 모래, 자갈 등을 섞고 물로 반죽하여 만든 건축 재료
철근 콘크리트	콘크리트 속에 철근을 넣어 콘크리트의 ❸ ☐☐를 높인 건축 재료
유리	• 모래에 포함된 이산화 규소(SiO_2)를 원료로 하여 만든다. • 이용: 외벽, 창 등

② 화석 연료의 이용: 가정에서 난방과 조리 등에 이용하고, 화석 연료를 화학 반응시켜 생성한 플라스틱을 사용하면서 삶의 질이 높아졌다.

4 건강 문제의 해결 합성 의약품이 개발되어 인간의 수명이 늘어나고 질병의 예방과 치료가 쉬워졌다.

❹ ☐☐☐☐ (→ 아세틸 살리실산의 상품명)	• 최초의 합성 의약품, 호프만이 버드나무 껍질에서 분리한 살리실산으로 합성하였다. • 이용: 진통제, 해열제 등
페니실린	최초의 ❺ ☐☐☐로, 플레밍이 푸른곰팡이에서 발견하였다. (제2차 세계대전 중에 상용화되어 수많은 환자의 목숨을 구했다.)

기출 Tip Ⓐ-1
질소 비료의 필요성 대두
산업 혁명 이후 인구의 급격한 증가로 식량 부족 문제가 발생하였다. 농업 생산량을 늘리려면 식물 생장에 꼭 필요한 질소 공급이 필요했고, 이에 따라 질소 비료의 원료인 암모니아 합성법이 개발되었다.

기출 Tip Ⓐ-2
화석 연료
화석 연료는 석탄, 석유, 천연가스 등의 연료로, 동물이나 식물의 사체가 땅속에서 오랜 세월에 걸쳐 분해되어 생성된 것이다. 화석 연료의 주요 원소는 탄소(C), 수소(H)이다.

기출 Tip Ⓐ-3
그 밖의 건축 재료
- 알루미늄: 가볍고 단단하여 창틀, 건물 외벽 등에 이용된다.
- 스타이로폼: 건물 내부의 열이 밖으로 빠져나가는 것을 막는 단열재로 이용된다.
- 페인트: 건물 벽이 손상되지 않도록 보호하고, 건물을 아름답게 꾸민다.

B 탄소 화합물

1 탄소 화합물 탄소(C) 원자가 수소(H), 산소(O), 질소(N), 황(S), 할로젠(F, Cl, Br, I) 등의 원자와 결합하여 만들어진 화합물 → 예 우리 몸(탄수화물, 단백질, 지방 등), 음식, 의류 등

① 현재까지 알려진 탄소 화합물은 수천만 가지이며, 지금도 발견되거나 합성된다.

② 탄소 화합물이 다양한 까닭: 탄소 원자는 원자가 전자 수가 ❻ ☐로, 다른 원자들과 최대 4개의 결합을 형성하면서 다양한 구조를 만들 수 있기 때문이다. → 다중 결합, 사슬 모양, 고리 모양 등

2 탄화수소 탄소 원자와 수소 원자만으로 이루어진 탄소 화합물

① 원유의 주성분으로, 완전 연소하면 이산화 탄소(CO_2)와 물(H_2O)이 생성된다.

② 탄화수소는 일반적으로 탄소 수가 많을수록 분자 사이의 인력이 커서 끓는점이 높다.

3 탄소 화합물의 종류

탄소 화합물	분자 모형	특징
❼ ☐☐☐ (CH_4)		• 천연가스에서 주로 얻으며, 온실 기체 중 하나이다. • 냄새와 색깔이 없고, 물에 거의 녹지 않는다. • 이용: 액화 천연가스(LNG) 등 → 가정용 연료로 이용된다.
❽ ☐☐☐ (C_2H_5OH)	물에 잘 녹는 부분 / 물에 잘 녹지 않는 부분	• 곡물, 과일을 발효시켜 얻으며, 특유의 냄새가 나고 색깔이 없다. • 물과 기름에 모두 잘 녹는다. • 살균, 소독 작용을 한다. • 휘발성이 강하고, 불에 잘 탄다. • 이용: 술의 성분, 소독용 의약품, 용매, 연료 등
아세트산 (CH_3COOH)		• 일반적으로 에탄올을 발효시켜 얻는다. • 물에 녹아 ❾ ☐☐을 나타내므로 신맛이 난다. • 녹는점이 17 °C이므로, 이보다 낮은 온도에서는 고체 상태로 존재하여 빙초산이라고도 한다. • 이용: 식초의 성분, 의약품, 합성수지의 원료 등
폼알데하이드 ($HCHO$)		• 자극적인 냄새가 나고 무색이며, 물에 잘 녹는다. • 이용: 플라스틱이나 가구용 접착제의 원료 등 → 새집 증후군을 유발한다.

기출 Tip B-1

원유의 분리

• 원유는 여러 가지 탄소 화합물이 섞여 있는 혼합물이며, 원유를 끓는점 차를 이용하여 분별 증류하면 석유 가스, 휘발유, 등유, 경유, 중유, 아스팔트 등을 얻을 수 있다.

• 원유의 분별 증류로 얻은 물질들은 다양한 석유 화학 제품의 원료로 사용된다.

기출 Tip B-2

탄화수소의 예

메테인(CH_4), 에테인(C_2H_6), 프로페인(C_3H_8), 뷰테인(C_4H_{10}) 등
→ 액화 석유가스(LPG)의 주성분

기출 Tip B-3

아세톤(CH_3COCH_3)

• 특유의 냄새가 나고 무색이며, 물에 잘 녹는다.

• 여러 탄소 화합물을 잘 녹인다.

• 이용: 용매, 매니큐어 제거제 등

구조식

공유 결합 물질에서 각 원자 사이의 결합을 선으로 나타낸 화학식

예 메테인의 구조식

```
    H
    |
H - C - H
    |
    H
```

답 ❶ 질소 ❷ 나일론 ❸ 강도 ❹ 아스피린 ❺ 항생제 ❻ 4 ❼ 메테인 ❽ 에탄올 ❾ 산성

빈출 자료 보기

정답과 해설 1쪽

1 그림은 암모니아의 합성 과정을 모식적으로 나타낸 것이다.

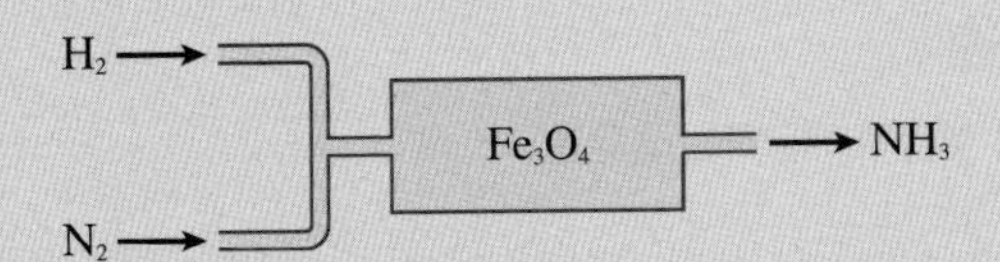

이에 대한 설명으로 옳은 것은 ○, 옳지 않은 것은 ×로 표시하시오.

(1) 암모니아의 합성으로 질소 비료의 대량 생산이 가능해졌다. ( )

(2) Fe_3O_4은 암모니아 합성 반응의 반응물이다. ( )

(3) 암모니아 수용액의 액성은 염기성이다. ( )

(4) 암모니아의 구성 원소는 2가지이다. ( )

2 그림은 탄소 화합물 (가)~(다)의 구조식을 나타낸 것이다.

```
(가)    H         (나)   H  O            (다)   H  H
        |                |  ‖                   |  |
    H - C - H        H - C - C - O - H      H - C - C - O - H
        |                |                      |  |
        H                H                      H  H
```

이에 대한 설명으로 옳은 것은 ○, 옳지 않은 것은 ×로 표시하시오.

(1) (가)는 천연가스의 주성분이다. ( )

(2) (나)를 물에 녹이면 염기성 수용액이 된다. ( )

(3) (다)는 살균, 소독 작용을 한다. ( )

(4) $\frac{\text{H 원자 수}}{\text{C 원자 수}}$가 가장 큰 것은 (다)이다. ( )

A 화학의 유용성

빈출

3 하 중 상

다음은 화학이 식량 문제 해결에 기여한 사례를 나타낸 것이다.

> 20세기 초 (㉠) 비료의 원료인 암모니아를 대량으로 만들 수 있는 방법이 개발되었고, 이로 인해 화학 비료의 대량 생산이 가능해졌다.

이에 대한 설명으로 옳은 것만을 〈보기〉에서 있는 대로 고른 것은?

〈 보기 〉
ㄱ. ㉠은 질소이다.
ㄴ. 암모니아의 구성 원소는 질소와 산소이다.
ㄷ. 암모니아를 이용한 비료의 생산으로 농산물의 생산량이 크게 증가하였다.

① ㄱ ② ㄴ ③ ㄱ, ㄷ
④ ㄴ, ㄷ ⑤ ㄱ, ㄴ, ㄷ

4 하 중 상

다음은 인류의 문제를 해결하는 데 기여한 반응식을 나타낸 것이다.

$$aN_2 + bH_2 \longrightarrow cNH_3$$

이에 대한 설명으로 옳지 않은 것은?(단, a, b, c는 가장 간단한 정수비이다.)

① $a+b<c$이다.
② 하버에 의해 대량 합성 방법이 개발되었다.
③ 식물 생장에 필요한 원소가 포함된 반응이다.
④ 고온, 고압에서 촉매를 이용하여 일어나는 반응이다.
⑤ 이 반응의 생성물은 식량 부족 문제를 해결하는 데 기여하였다.

5 하 중 상

합성 섬유의 개발은 인류의 생활에서 의류 문제 해결에 기여하였다. 이에 대한 설명으로 옳은 것만을 〈보기〉에서 있는 대로 고른 것은?

〈 보기 〉
ㄱ. 합성 섬유의 주요 원소는 탄소와 수소이다.
ㄴ. 합성 섬유는 값이 싸고 대량으로 생산하기 쉽다.
ㄷ. 합성 섬유는 천연 섬유에 비해 질기고 흡습성이 좋다.

① ㄱ ② ㄴ ③ ㄷ
④ ㄱ, ㄴ ⑤ ㄴ, ㄷ

6 하 중 상

다음은 화학이 의류 문제 해결에 기여한 사례를 나타낸 것이다.

> (㉠)은/는 동·식물로부터 얻기 때문에 생산량이 일정하지 않고, 생산 과정에 많은 시간과 노력이 필요하다. 이에 따라 화학자들은 화석 연료를 원료로 하여 대량으로 생산할 수 있는 (㉡)을/를 개발하였다.

이에 대한 설명으로 옳은 것만을 〈보기〉에서 있는 대로 고른 것은?

〈 보기 〉
ㄱ. ㉠은 천연 섬유이다.
ㄴ. ㉡의 예에는 나일론, 폴리에스터 등이 있다.
ㄷ. ㉡이 개발된 이후 ㉠은 우리 생활에서 사라졌다.

① ㄱ ② ㄴ ③ ㄷ
④ ㄱ, ㄴ ⑤ ㄴ, ㄷ

7 하 중 상

다음은 주거 문제 해결에 기여한 2가지 물질에 대한 설명이다.

> (가) 석회석을 가열하여 생석회로 만든 후 점토와 혼합하여 만든다.
> (나) 모래에 포함된 이산화 규소를 원료로 하여 만든다.

(가)와 (나)를 옳게 짝 지은 것은?

	(가)	(나)
①	철	시멘트
②	시멘트	유리
③	유리	콘크리트
④	콘크리트	철근 콘크리트
⑤	철근 콘크리트	철

8 하 중 상

다음 설명에 해당하는 물질은?

> • 최초의 항생제로, 플레밍이 푸른곰팡이에서 발견하였다.
> • 제2차 세계대전 중에 상용화되어 수많은 환자의 목숨을 구했다.

① 나일론 ② 암모니아 ③ 아스피린
④ 페니실린 ⑤ 알루미늄

I

9 하 중 상 ••서술형

인류의 식량 문제를 해결하는 데 기여한 화학의 역할을 다음 용어를 모두 포함하여 서술하시오.

암모니아, 질소 비료

10 하 중 상 多 보기

화학이 우리 생활의 문제점을 해결한 사례로 옳지 <u>않은</u> 것은?

① 질소 비료의 개발은 식량 문제 해결에 기여하였다.
② 합성 의약품의 개발로 인간의 평균 수명이 증가하였다.
③ 스타이로폼을 활용하여 건축물의 단열 문제를 해결하였다.
④ 합성염료의 개발로 원하는 색깔의 옷을 입을 수 있게 되었다.
⑤ 건축 자재의 발달로 높고 튼튼한 건물을 지을 수 있게 되었다.
⑥ 질기고 값이 싼 천연 섬유의 개발로 다양한 기능의 의복을 제작할 수 있게 되었다.

11 하 중 상

다음은 화학이 인류 문명 발달에 영향을 미친 사례이다.

- 하버는 공기 중의 질소를 수소와 반응시켜 (㉠)을/를 대량으로 합성하는 제조 공정을 개발하였다.
- 캐러더스는 (㉡)을/를 개발하였고, (㉡)은/는 스타킹, 밧줄 등의 재료로 이용되고 있다.
- 화학의 발달과 함께 철광석으로부터 (㉢)을/를 얻는 기술이 개발되었다.

이에 대한 설명으로 옳은 것만을 〈보기〉에서 있는 대로 고른 것은?

〈 보기 〉
ㄱ. ㉠은 암모니아이다.
ㄴ. ㉡은 가장 널리 사용되는 합성 섬유이다.
ㄷ. ㉢은 콘크리트 속에 넣어 강도를 높일 수 있으므로 주거 문제 해결에 기여하였다.

① ㄱ ② ㄴ ③ ㄱ, ㄷ
④ ㄴ, ㄷ ⑤ ㄱ, ㄴ, ㄷ

12 하 중 상

다음은 인류의 문제 해결에 기여한 물질 (가)~(다)에 대한 설명이다.

(가) 시멘트에 물, 모래, 자갈 등을 섞어 반죽하여 만든다.
(나) 최초의 합성 섬유로, 질기고 유연성이 좋다.
(다) 최초의 합성 의약품으로, 버드나무 껍질에서 분리한 살리실산으로 합성하였다.

(가)~(다)에 대한 설명으로 옳은 것만을 〈보기〉에서 있는 대로 고른 것은?

〈 보기 〉
ㄱ. (가)는 콘크리트이다.
ㄴ. (나)는 면보다 흡습성이 작다.
ㄷ. (다)는 최초의 항생제인 페니실린이다.

① ㄱ ② ㄴ ③ ㄷ
④ ㄱ, ㄴ ⑤ ㄴ, ㄷ

13 하 중 상

표는 실생활 문제 해결과 관련된 물질에 대한 자료이다.

구분	(가)	(나)	(다)
물질	나일론	아스피린	폴리에스터
성분 원소	C, H, O, N	C, H, O	C, H, O

이에 대한 설명으로 옳은 것만을 〈보기〉에서 있는 대로 고른 것은?

〈 보기 〉
ㄱ. (가)~(다) 중 탄소 화합물은 2가지이다.
ㄴ. (나)와 (다)는 연소 생성물이 같다.
ㄷ. (가)와 (다)는 화학이 의류 문제의 해결에 기여한 사례이다.

① ㄱ ② ㄴ ③ ㄱ, ㄷ
④ ㄴ, ㄷ ⑤ ㄱ, ㄴ, ㄷ

B 탄소 화합물

14 하중상

탄소 화합물에 대한 설명으로 옳은 것만을 〈보기〉에서 있는 대로 고른 것은?

〈 보기 〉
ㄱ. 탄소는 최대 4개의 다른 원자와 결합할 수 있다.
ㄴ. 탄소 수가 같을 때 물질의 결합 구조는 항상 같다.
ㄷ. 단백질, 지방, 탄수화물은 모두 탄소 화합물이다.

① ㄴ ② ㄷ ③ ㄱ, ㄴ
④ ㄱ, ㄷ ⑤ ㄱ, ㄴ, ㄷ

15 하중상

탄소 화합물에 해당하는 물질만을 〈보기〉에서 있는 대로 고르시오.

〈 보기 〉
ㄱ. 물(H_2O) ㄴ. 에탄올(C_2H_5OH)
ㄷ. 메테인(CH_4) ㄹ. 아세트산(CH_3COOH)
ㅁ. 암모니아(NH_3) ㅂ. 염화 나트륨(NaCl)

16 하중상

그림은 증류탑에서 원유가 분리되는 모습을 나타낸 것이다.

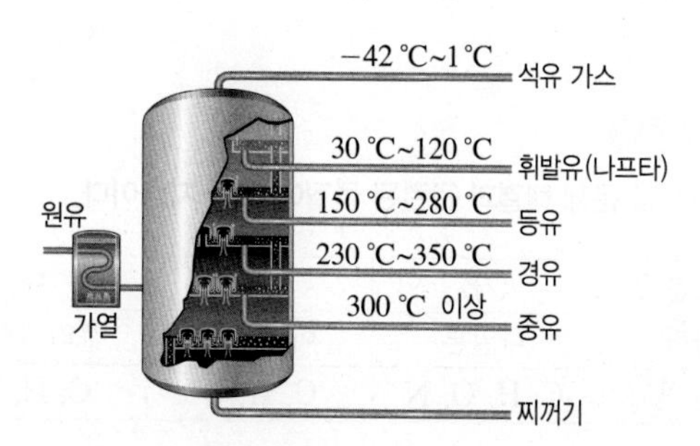

이에 대한 설명으로 옳은 것만을 〈보기〉에서 있는 대로 고른 것은?

〈 보기 〉
ㄱ. 원유는 탄소 화합물의 혼합물이다.
ㄴ. 원유는 성분 물질의 끓는점 차를 이용하여 분리한다.
ㄷ. 원유의 분리로 얻은 물질들은 다양한 화학 제품의 원료가 된다.

① ㄱ ② ㄷ ③ ㄱ, ㄴ
④ ㄴ, ㄷ ⑤ ㄱ, ㄴ, ㄷ

17 하중상

그림은 탄소 원자의 결합 방식을 모형으로 나타낸 것이다.

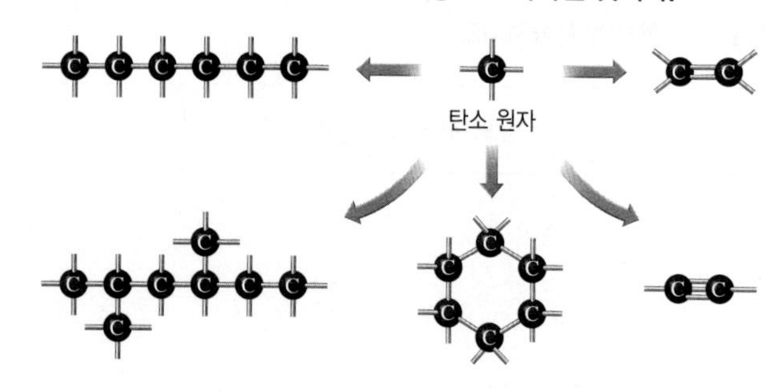

이에 대한 설명으로 옳은 것만을 〈보기〉에서 있는 대로 고른 것은?

〈 보기 〉
ㄱ. 탄소 원자의 원자가 전자 수는 4이다.
ㄴ. 탄소 원자는 사슬 모양, 고리 모양으로 결합할 수 있다.
ㄷ. 탄소 원자는 단일 결합, 2중 결합, 3중 결합을 할 수 있다.

① ㄱ ② ㄷ ③ ㄱ, ㄴ
④ ㄴ, ㄷ ⑤ ㄱ, ㄴ, ㄷ

18 하중상

••서술형

탄소 화합물의 종류가 매우 다양한 까닭을 원자와 관련하여 서술하시오.

19 하중상

그림은 3가지 탄화수소의 분자당 원자 수와 $\frac{\text{H 원자 수}}{\text{C 원자 수}}$를 나타낸 것이다.

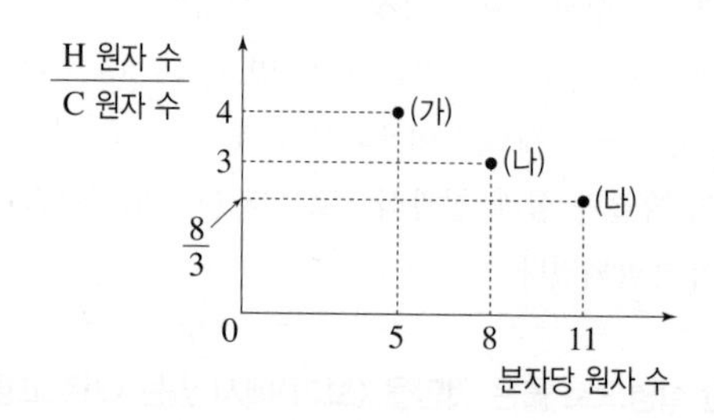

이에 대한 설명으로 옳은 것만을 〈보기〉에서 있는 대로 고른 것은?

〈 보기 〉
ㄱ. (가)는 액화 천연가스(LNG)의 주성분이다.
ㄴ. (나)의 분자식은 C_3H_8이다.
ㄷ. (다)가 완전 연소하면 이산화 탄소와 물이 생성된다.

① ㄱ ② ㄷ ③ ㄱ, ㄴ
④ ㄱ, ㄷ ⑤ ㄴ, ㄷ

20 하 중 상

그림은 2가지 탄화수소의 구조를 모형으로 나타낸 것이다.

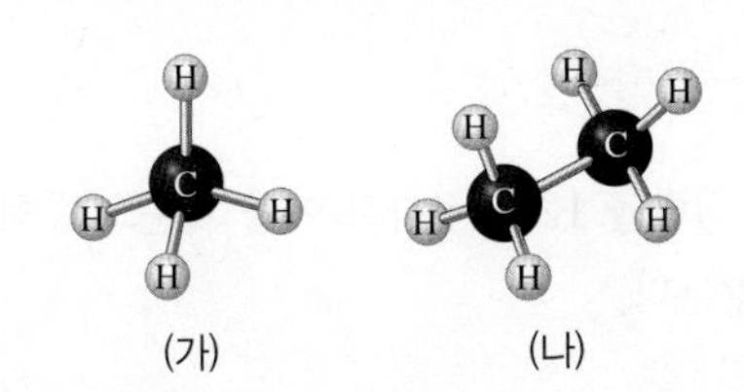

(가)　　　(나)

(나)가 (가)보다 큰 값을 갖는 것만을 〈보기〉에서 있는 대로 고른 것은?

〈 보기 〉

ㄱ. 끓는점

ㄴ. 분자 1개당 $\frac{\text{H 원자 수}}{\text{C 원자 수}}$

ㄷ. 완전 연소했을 때 분자 1개당 생성되는 이산화 탄소의 질량

① ㄱ　② ㄴ　③ ㄷ

④ ㄱ, ㄷ　⑤ ㄴ, ㄷ

21 하 중 상

여러 가지 탄소 화합물에 대한 설명으로 옳은 것은?

① 메테인(CH_4): 새집 증후군을 유발하는 물질이다.

② 폼알데하이드(HCHO): 가정용 연료로 이용된다.

③ 아세톤(CH_3COCH_3): 물이나 다른 탄소 화합물과 잘 섞이므로 용매로 사용된다.

④ 에탄올(C_2H_5OH): 식초의 성분으로, 알코올을 발효시켜 얻는다.

⑤ 아세트산(CH_3COOH): 술의 성분으로, 곡물이나 과일을 발효시켜 얻는다.

빈출

22 하 중 상

•서술형

그림은 2가지 탄소 화합물의 구조식을 나타낸 것이다.

```
    O              H  H
    ‖              |  |
H − C − H      H − C − C − O − H
                   |  |
                   H  H
   (가)             (나)
```

(1) (가)와 (나)의 이름을 각각 쓰시오.

(2) (가)와 (나)의 공통된 성질을 두 가지만 서술하시오.

빈출

23 하 중 상

多 보기

그림은 3가지 탄소 화합물의 구조를 모형으로 나타낸 것이다.

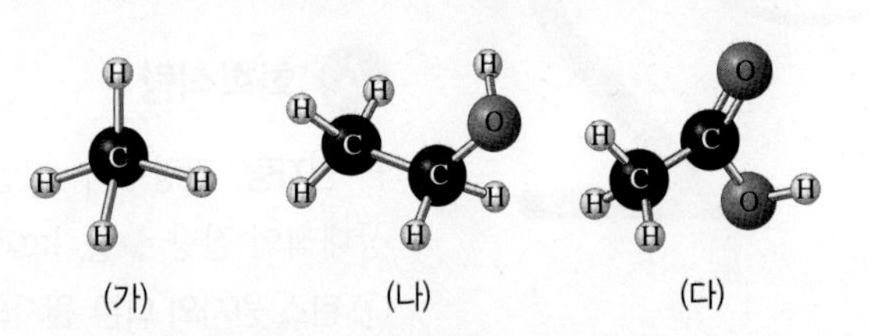

(가)　　　(나)　　　(다)

(가)~(다)에 대한 설명으로 옳지 않은 것만을 모두 고르면?(2개)

① (가)는 연소할 때 많은 에너지를 방출한다.

② (나)는 물에 녹아 염기성을 나타낸다.

③ (나)는 손 소독제의 성분으로 쓰인다.

④ (다)는 의약품, 합성수지의 원료로 이용된다.

⑤ 분자 1개당 총 원자 수는 (나)가 가장 크다.

⑥ C와 H 사이의 결합 수는 (가)가 (다)보다 크다.

⑦ (가)~(다)는 모두 물에 잘 녹는다.

24 하 중 상

그림은 3가지 탄소 화합물을 기준에 따라 분류한 것이다.

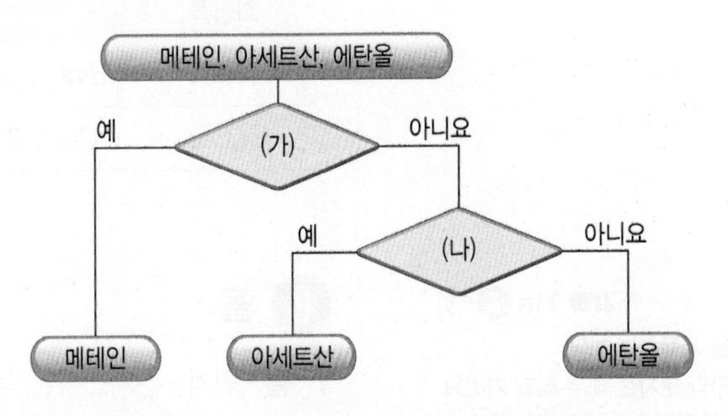

(가), (나)에 적용할 수 있는 기준을 〈보기〉에서 골라 옳게 짝 지은 것은?

〈 보기 〉

ㄱ. 수용액은 산성인가?

ㄴ. 구성 원소가 2가지인가?

ㄷ. 물과 기름에 모두 잘 녹는가?

	(가)	(나)		(가)	(나)
①	ㄱ	ㄴ	②	ㄴ	ㄱ
③	ㄴ	ㄷ	④	ㄷ	ㄱ
⑤	ㄷ	ㄴ			

화학식량과 몰

A 화학식량

1 원자량 질량수가 12인 ❶☐☐(^{12}C) 원자의 질량을 12로 정하고 이를 기준으로 하여 나타낸 상대적인 질량 ➔ g, kg과 같은 단위를 붙이지 않는다.

① 탄소 원자와 다른 원자의 원자량 비교

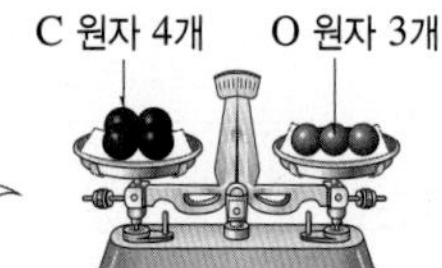

② 여러 가지 원소의 원자량

원소	원자량	원소	원자량	원소	원자량
H	1	O	16	Cl	35.5
C	12	Na	23	K	39
N	14	S	32	Ca	40

기출 Tip A-1

질량수
원자핵을 구성하는 양성자수와 중성자수의 합을 질량수라고 한다.

질량수=양성자수+중성자수

원자량을 사용하는 까닭
원자는 질량이 매우 작아서 실제의 값을 그대로 사용하는 것이 불편하므로 탄소(^{12}C) 원자와 비교한 상대적인 질량을 원자량으로 사용한다.

2 분자량 분자의 상대적인 질량으로, 분자를 이루는 모든 원자들의 원자량을 ❷☐한 값

분자	분자량
NH_3	N의 원자량+(H의 원자량×3)=14+1×3=17
H_2O	(H의 원자량×2)+O의 원자량=1×2+16=18
CO_2	C의 원자량+(O의 원자량×2)=12+16×2=44

3 화학식량 물질의 화학식을 이루는 각 원자들의 원자량을 합한 값

화합물	화학식량
NaCl	Na의 원자량+Cl의 원자량=23+35.5=58.5
$CaCO_3$	Ca의 원자량+C의 원자량+(O의 원자량×3)=40+12+16×3=100

B 몰

1 몰 원자, 분자, 이온 등과 같이 매우 작은 입자의 양을 나타내는 묶음 단위

① 아보가드로수(N_A): 6.02×10^{23}의 개수

② 몰과 아보가드로수의 관계: 물질의 종류에 관계없이 물질 1몰에는 물질을 구성하는 입자 6.02×10^{23}개가 들어 있다.

1몰(mol)=6.02×10^{23}개

2 몰과 질량

① 1몰의 질량: 화학식량 뒤에 ❸☐을 붙인 값 → 물질 1몰의 질량을 몰 질량(g/mol)이라고도 한다.

구분	1몰의 질량	예
원자	원자량 g	C 1몰의 질량=12 g
분자	분자량 g	H_2O 1몰의 질량=18 g
이온 결합 물질	화학식량 g	NaCl 1몰의 질량=58.5 g

기출 Tip B-1

몰을 사용하는 까닭
원자와 분자는 매우 작고 가벼워서 물질의 양이 적어도 그 속에는 많은 수의 입자가 포함되어 있으므로 묶음 단위를 사용하면 편리하다.

C 원자 1몰의 질량과 C 원자 1개의 질량
원자량이 12인 C 원자 1몰, 즉 6.02×10^{23}개의 질량은 12 g이다. 따라서 C 원자 1개의 질량은 $\frac{12\ g}{6.02\times10^{23}}\fallingdotseq1.99\times10^{-23}$ g이다.

② 물질의 양(mol): 물질의 질량을 그 물질 1몰의 질량으로 나누어 구한다.

$$\text{물질의 양(mol)}=\frac{\text{물질의 질량(g)}}{\text{물질 1몰의 질량(g/mol)}}$$

3 몰과 기체의 부피

① 아보가드로 법칙: 온도와 압력이 같을 때 모든 기체는 같은 부피 속에 같은 수의 ❹☐☐가 들어 있다. → 기체의 종류와는 관계없이 모든 기체에 성립한다.

② 기체 1몰의 부피: 0 ℃, 1 atm에서 모든 기체의 부피는 22.4 L이다.

③ 기체 물질의 양(mol): 0 ℃, 1 atm에서 기체의 부피를 기체 1몰의 부피(22.4 L)로 나누어 구한다.

$$\text{기체 물질의 양(mol)}=\frac{\text{기체의 부피(L)}}{22.4\ \text{L}}(0\ ℃,\ 1\ \text{atm})$$

④ 0 ℃, 1 atm에서 기체 1몰의 질량, 분자 수, 부피 사이의 관계

구분	H_2 1몰	O_2 1몰	NH_3 1몰	CO_2 1몰
분자 모형				
질량(g)	2	32	17	44
분자 수(개)	6.02×10^{23}	6.02×10^{23}	6.02×10^{23}	6.02×10^{23}
부피(L)	22.4	22.4	22.4	22.4

4 몰과 입자 수, 질량, 기체의 부피 사이의 관계

$$\text{물질의 양(mol)}=\frac{❺☐☐\ ☐(\text{개})}{6.02\times10^{23}(\text{개/mol})}=\frac{\text{물질의 }❻☐☐(\text{g})}{\text{물질 1몰의 질량(g/mol)}}=\frac{\text{기체의 }❼☐☐(\text{L})}{22.4(\text{L/mol})}(0\ ℃,\ 1\ \text{atm})$$

기출 Tip B-3

아보가드로 법칙이 성립하는 까닭
기체는 분자의 크기를 무시할 수 있을 정도로 분자의 크기보다 분자 사이의 공간이 훨씬 크기 때문이다.

기체 1몰의 부피
기체는 온도와 압력에 따라 부피가 달라진다. 따라서 0 ℃, 1 atm에서 기체 1몰의 부피는 22.4 L이고, 온도가 이보다 높아지면 기체 1몰의 부피는 증가하고, 압력이 이보다 증가하면 기체 1몰의 부피는 감소한다.

기체의 밀도와 분자량
같은 온도와 압력에서 기체의 밀도비는 분자량비와 같다. 예를 들어 기체 A, B의 밀도가 d_A, d_B이고, 분자량이 M_A, M_B일 때 다음 관계가 성립한다.

$$d_A : d_B = M_A : M_B$$

답 ❶ 탄소 ❷ 합 ❸ g ❹ 분자 ❺ 입자 수 ❻ 질량 ❼ 부피

빈출 자료 보기

정답과 해설 2쪽

25 표는 0 ℃, 1 atm에서 질량이 같은 3가지 기체에 대한 자료이다.

기체	분자식	부피(L)
(가)	XY_4	22
(나)	Z_2	11
(다)	XZ_2	8

이에 대한 설명으로 옳은 것은 ○, 옳지 않은 것은 ×로 표시하시오. (단, X~Z는 임의의 원소 기호이다.)

(1) 분자량비는 (가) : (나) : (다)=4 : 8 : 11이다. ( )

(2) 1 g에 들어 있는 원자 수는 (나)가 (가)의 5배이다. ( )

(3) 원자량은 X가 Z보다 크다. ( )

26 표는 25 ℃, 1 atm에서 2가지 기체에 대한 자료이다.

분자식	A_2B_4	A_4B_8
부피(L)	3	2
총 원자 수(상댓값)	3	x
단위 부피당 질량(상댓값)	y	2

이에 대한 설명으로 옳은 것은 ○, 옳지 않은 것은 ×로 표시하시오. (단, A와 B는 임의의 원소 기호이다.)

(1) 몰비는 $A_2B_4 : A_4B_8$=2 : 3이다. ( )

(2) x는 4이다. ( )

(3) y는 2이다. ( )

A 화학식량

27 하 중 상

多 보기

원자량, 분자량, 화학식량에 대한 설명으로 옳지 않은 것은?

① 원자량은 원자의 상대적인 질량이다.
② 원자량의 단위는 g, kg이다.
③ 원자량을 사용하는 까닭은 원자의 질량이 매우 작기 때문이다.
④ 분자량은 분자를 이루는 원자들의 원자량을 합한 값이다.
⑤ CH_4의 분자량은 C의 원자량+(H의 원자량×4)이다.
⑥ NaCl의 화학식량은 Na과 Cl의 원자량을 합한 값이다.

28 하 중 상

그림은 C 원자와 X, Y 원자 사이의 질량 관계를 나타낸 것이다.

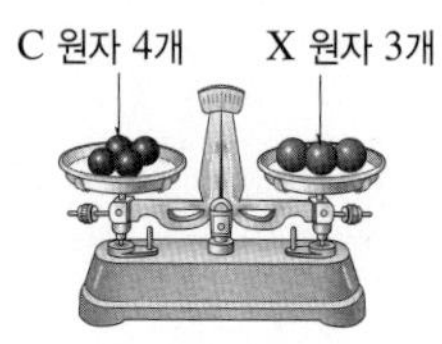

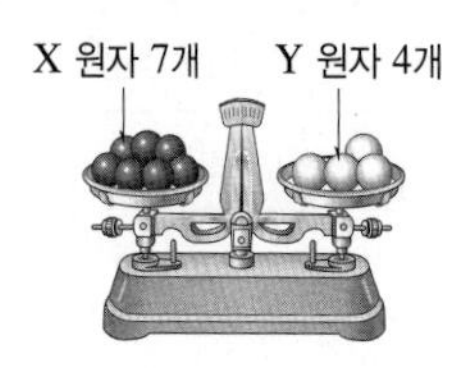

C의 원자량이 12일 때 화합물 YX_2의 화학식량으로 옳은 것은? (단, X와 Y는 임의의 원소 기호이다.)

① 50 ② 52 ③ 58
④ 60 ⑤ 64

29 하 중 상

화학식량이 가장 큰 물질은?(단, H, C, N, O, Na, Cl의 원자량은 각각 1, 12, 14, 16, 23, 35.5이다.)

① O_2 ② CO_2 ③ NH_3
④ C_3H_8 ⑤ NaCl

30 하 중 상

표는 원자 A~C로 이루어진 3가지 물질의 화학식과 화학식량을 나타낸 것이다.

물질	AB	AB_3	CB_2
화학식량	25	55	46

원자량의 크기를 옳게 비교한 것은?(단, A~C는 임의의 원소 기호이다.)

① A>B>C ② B>A>C ③ B>C>A
④ C>A>B ⑤ C>B>A

31 하 중 상

표는 원자 A~C 1개의 질량과 원자량을 나타낸 것이다.

원자	원자 1개의 질량(g)	원자량
A	$\frac{5}{3}\times10^{-24}$	$0.5a$
B	$x\times10^{-23}$	$6a$
C	$\frac{8}{3}\times10^{-23}$	y

이에 대한 설명으로 옳은 것만을 〈보기〉에서 있는 대로 고른 것은? (단, A~C는 임의의 원소 기호이다.)

〈 보기 〉
ㄱ. $x=\frac{1}{2}$이다.
ㄴ. $y=8a$이다.
ㄷ. 1 g에 들어 있는 분자 수는 $BA_4>A_2C$이다.

① ㄱ ② ㄴ ③ ㄷ
④ ㄱ, ㄴ ⑤ ㄴ, ㄷ

32 하 중 상

표는 원자 X와 Y로 이루어진 분자 (가)와 (나)에 대한 자료이다.

분자	분자당 원자 수	분자량
(가)	3	46
(나)	2	30

이에 대한 설명으로 옳은 것만을 〈보기〉에서 있는 대로 고른 것은? (단, X와 Y는 임의의 원소 기호이고, 원자량은 Y가 X보다 크다.)

〈 보기 〉
ㄱ. Y의 원자량은 16이다.
ㄴ. (가)에서 $\frac{\text{X 원자 수}}{\text{Y 원자 수}}=\frac{1}{2}$이다.
ㄷ. 1 g에 포함된 X 원자 수는 (가)<(나)이다.

① ㄱ ② ㄴ ③ ㄱ, ㄷ
④ ㄴ, ㄷ ⑤ ㄱ, ㄴ, ㄷ

B 몰

33 하 중 상

••서술형

원자나 분자, 이온 등의 개수를 나타낼 때 화학에서는 '몰(mol)'이라는 단위를 사용한다. 이와 같은 단위가 필요한 까닭을 서술하시오.

34 하 중 상

몰, 질량, 입자 수에 대한 설명으로 옳지 않은 것은?(단, ^{16}O의 원자량은 16이다.)

① 원자 1 mol의 질량은 원자량 뒤에 g을 붙인 값과 같다.
② ^{16}O 원자 1 mol의 질량은 16 g이다.
③ ^{16}O 원자 1개의 질량은 $\frac{1}{6.02\times10^{23}}$ g이다.
④ 1 mol의 입자 수는 6.02×10^{23}개이다.
⑤ O_2 1 mol에는 O 원자 수가 2×아보가드로수(N_A)만큼 존재한다.

35 하 중 상

••서술형

^{12}C의 원자량은 12이며, C 1 mol의 수는 6.02×10^{23}개이다. 이때 C 원자 1개의 질량을 구하는 방법을 서술하시오.

36 하 중 상

다음은 t ˚C, 1 atm에서 CH_4 기체 8 g에 해당하는 부피와 H 원자 수를 구하는 과정이다.

- CH_4의 양(mol)$=\frac{8\text{ g}}{(\ ㉠\ )}=0.5$ mol
- CH_4의 부피$=0.5$ mol×(㉡)
- CH_4의 H 원자 수$=0.5$ mol×(㉢)$\times6.02\times10^{23}$

이에 대한 설명으로 옳은 것만을 〈보기〉에서 있는 대로 고른 것은?(단, H, C의 원자량은 각각 1, 12이다.)

〈보기〉
ㄱ. ㉠은 'CH_4 1 mol의 질량'이다.
ㄴ. ㉡은 't ˚C, 1 atm에서 기체 1 mol의 부피'이다.
ㄷ. ㉢은 5이다.

① ㄱ ② ㄷ ③ ㄱ, ㄴ
④ ㄴ, ㄷ ⑤ ㄱ, ㄴ, ㄷ

빈출 37 하 중 상

입자 수가 가장 큰 것은?(단, H, C, O의 원자량은 각각 1, 12, 16이고, 0 ˚C, 1 atm에서 기체 1 mol의 부피는 22.4 L이다.)

① H_2O 27 g에 들어 있는 분자 수
② CH_4 16 g에 들어 있는 H 원자 수
③ CO_2 11.2 L에 들어 있는 O 원자 수
④ O_3 1 g에 들어 있는 전체 원자 수
⑤ 0 ˚C, 1 atm에서 C_2H_6 5.6 L에 들어 있는 전체 원자 수

38 하 중 상

0 ˚C, 1 atm에서 $O_2(g)$ 0.5 mol과 $CH_4(g)$ 1 mol이 같은 값을 갖는 것만을 〈보기〉에서 있는 대로 고른 것은?(단, H, C, O의 원자량은 각각 1, 12, 16이다.)

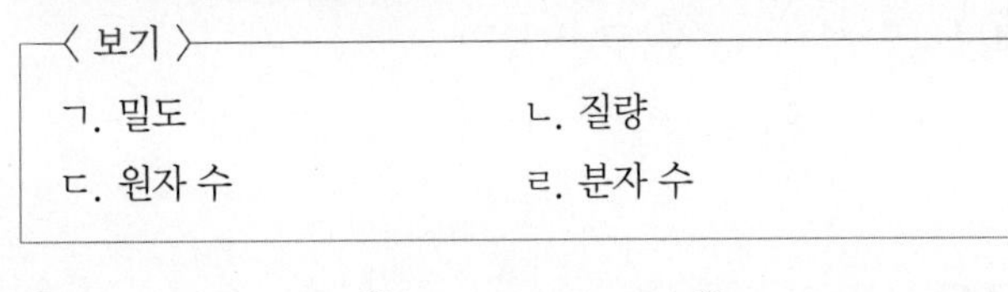
〈보기〉
ㄱ. 밀도 ㄴ. 질량
ㄷ. 원자 수 ㄹ. 분자 수

① ㄱ ② ㄴ ③ ㄷ
④ ㄱ, ㄹ ⑤ ㄴ, ㄷ, ㄹ

39 하 중 상

25 ˚C, 1 atm에서 $NH_3(g)$ 85 g을 담을 수 있는 용기가 있다. 같은 조건에서 같은 용기에 $N_2(g)$를 채울 때 담을 수 있는 최대 질량은?(단, H, N의 원자량은 각각 1, 14이고, 용기의 부피는 변하지 않는다.)

① 48 g ② 56 g ③ 84 g
④ 112 g ⑤ 140 g

40 하 중 상

0 ˚C, 1 atm에서 어떤 기체의 밀도가 2.5 g/L일 때, 이 기체의 분자식으로 가능한 것은?(단, H, C, N, O, S의 원자량은 각각 1, 12, 14, 16, 32이며, 0 ˚C, 1 atm에서 기체 1 mol의 부피는 22.4 L이다.)

① H_2S ② CO_2 ③ NO_2
④ C_4H_8 ⑤ SO_2

41 하 중 상

다음은 0 °C, 1 atm에서 서로 다른 양(mol)의 3가지 기체 분자에 대한 자료이다. 0 °C, 1 atm에서 기체 1 mol의 부피는 22.4 L 이고, 아보가드로수는 6.02×10^{23}이다.

(가) CH_4 분자 33.6 L
(나) NH_3 분자 17 g
(다) CO_2 분자 3.01×10^{23}개

(가)~(다)에 대한 설명으로 옳은 것만을 〈보기〉에서 있는 대로 고른 것은?(단, H, C, N, O의 원자량은 각각 1, 12, 14, 16이다.)

〈 보기 〉
ㄱ. 기체의 질량은 (가)>(나)이다.
ㄴ. 기체의 부피는 (나)=(다)이다.
ㄷ. 기체의 밀도는 (가)<(다)이다.

① ㄱ ② ㄴ ③ ㄱ, ㄷ
④ ㄴ, ㄷ ⑤ ㄱ, ㄴ, ㄷ

42 하 중 상

다음은 3가지 물질에 대한 자료이다.

- $N_2(g)$ $\frac{1}{2}$ mol의 질량: a g
- $C_6H_{12}O_6$(포도당) 60 g에 포함된 $C_6H_{12}O_6$의 양(mol): b mol
- 25 °C, 1 atm에서 $O_2(g)$ 16 g의 부피: c L

$a+b\times c$는?(단, H, C, N, O의 원자량은 각각 1, 12, 14, 16이고, 25 °C, 1 atm에서 기체 1 mol의 부피는 24 L이다.)

① 18 ② $\frac{62}{3}$ ③ 23
④ $\frac{79}{3}$ ⑤ 29

43 하 중 상

표는 0 °C, 1 atm에서 기체 (가)~(다)에 대한 자료이다.

분자	(가)	(나)	(다)
분자량	㉠	44	64
질량(g)	8	㉡	6.4
부피(L)	11.2	5.6	㉢

㉠~㉢에 해당하는 값을 각각 쓰시오.(단, 0 °C, 1 atm에서 기체 1 mol의 부피는 22.4 L이다.)

44 하 중 상

^{12}C의 원자량을 13으로 변경하였을 때 변하는 값으로 옳은 것만을 〈보기〉에서 있는 대로 고른 것은?

〈 보기 〉
ㄱ. 아보가드로수
ㄴ. NH_3의 분자량
ㄷ. H 원자 1개의 질량

① ㄱ ② ㄷ ③ ㄱ, ㄴ
④ ㄴ, ㄷ ⑤ ㄱ, ㄴ, ㄷ

45 하 중 상

서술형

표는 원소 A와 B로 이루어진 분자 (가)~(다)에 대한 자료이다.

분자	(가)	(나)	(다)
분자식	A_2B	AB_2	
분자량	44	46	74

분자 (다)에서 A와 B의 질량비(A : B)를 풀이 과정과 함께 서술하시오.(단, A와 B는 임의의 원소 기호이다.)

46 하 중 상

서술형

다음은 물에 2가지 물질을 용해시키는 과정이다.(단, NaCl과 $MgCl_2$의 화학식량은 각각 58.5, 95이다.)

(가) 비커에 충분한 양의 물을 넣은 후 NaCl(s) 11.7 g과 $MgCl_2$(s) x g을 녹인다.
(나) 과정 (가) 이후 수용액 속 이온 모형은 그림과 같다.

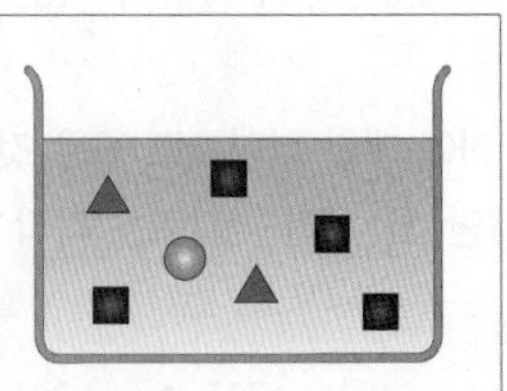

(1) x의 값을 풀이 과정과 함께 서술하시오.

(2) ■의 양(mol)을 풀이 과정과 함께 서술하시오.

47 하중상

그림은 기체 (가)와 (나)의 1 g당 분자 수를 나타낸 것이다. (가)와 (나)는 X_2, X_2Y 중 하나이다.

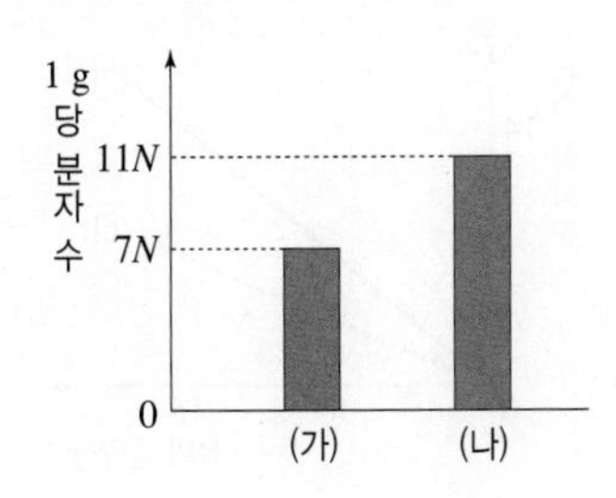

이에 대한 설명으로 옳은 것만을 〈보기〉에서 있는 대로 고른 것은? (단, X와 Y는 임의의 원소 기호이다.)

〈 보기 〉

ㄱ. 원자량은 X > Y이다.

ㄴ. 같은 온도와 압력에서 (가)와 (나)의 밀도비는 11 : 7이다.

ㄷ. 1 g당 원자 수는 (가) < (나)이다.

① ㄱ ② ㄷ ③ ㄱ, ㄴ ④ ㄴ, ㄷ ⑤ ㄱ, ㄴ, ㄷ

48 하중상

그림은 t ˚C, 1 atm에서 기체 (가)와 (나)의 부피와 질량을 나타낸 것이다. (가)와 (나)는 각각 AB_2, A_2B 중 하나이고, 원자량은 A가 B보다 크다.

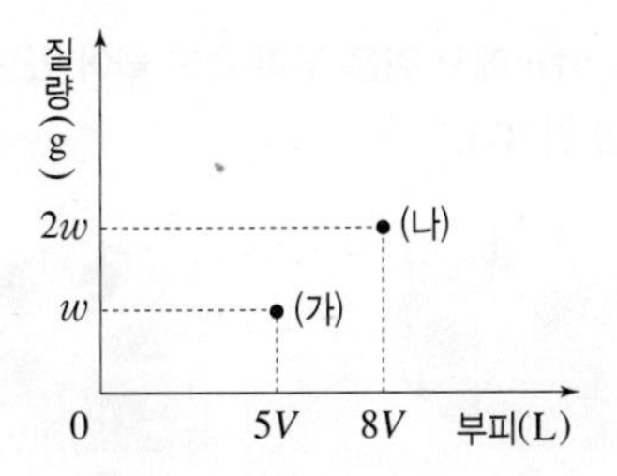

이에 대한 설명으로 옳은 것만을 〈보기〉에서 있는 대로 고른 것은? (단, A와 B는 임의의 원소 기호이다.)

〈 보기 〉

ㄱ. (가)는 AB_2이다.

ㄴ. 기체의 양(mol)은 (가) < (나)이다.

ㄷ. 1 g에 들어 있는 A 원자 수비는 (가) : (나) = 5 : 4이다.

① ㄱ ② ㄷ ③ ㄱ, ㄴ ④ ㄱ, ㄷ ⑤ ㄴ, ㄷ

49 하중상

표는 0 ˚C, 1 atm에서 기체 (가)~(다)에 대한 자료이다.

기체	분자량	분자 수 ($\times 6.02\times10^{23}$)	질량(g)	부피(L)
(가)			8	11.2
(나)	32	1.5		
(다)	28		56	

이에 대한 설명으로 옳은 것만을 〈보기〉에서 있는 대로 고른 것은? (단, 0 ˚C, 1 atm에서 기체 1 mol의 부피는 22.4 L이다.)

〈 보기 〉

ㄱ. 분자량은 (가)가 (나)의 $\frac{1}{2}$배이다.

ㄴ. 분자 수비는 (가) : (다) = 1 : 4이다.

ㄷ. 부피는 (나)가 (다)보다 작다.

① ㄱ ② ㄴ ③ ㄱ, ㄷ ④ ㄴ, ㄷ ⑤ ㄱ, ㄴ, ㄷ

50 하중상

표는 일정한 온도와 압력에서 기체 (가)~(다)에 대한 자료이다. (가)~(다)에 각각 포함된 H 원자의 전체 질량은 같다.

기체	(가)	(나)	(다)
분자식	H_2	CH_4	NH_3
기체의 양	x L	$\frac{1}{2}N_A$	V L

이에 대한 설명으로 옳은 것만을 〈보기〉에서 있는 대로 고른 것은? (단, H의 원자량은 1이며, N_A는 아보가드로수이다.)

〈 보기 〉

ㄱ. (가)에서 x는 $\frac{2}{3}V$이다.

ㄴ. (다)에서 NH_3의 양(mol)은 $\frac{3}{2}$ mol이다.

ㄷ. 총 원자 수비는 (가) : (나) : (다) = 12 : 15 : 16이다.

① ㄱ ② ㄴ ③ ㄷ ④ ㄱ, ㄴ ⑤ ㄴ, ㄷ

51 하 중 상

표는 기체 (가), (나)에 대한 자료이다. (가)와 (나)는 분자량이 같다.

기체	분자식	질량(g)	A의 질량(g)	전체 분자 수
(가)	AB_2	15	㉠	$0.25N_A$
(나)	A_3C	60	36	㉡

이에 대한 설명으로 옳은 것만을 〈보기〉에서 있는 대로 고른 것은? (단, A~C는 임의의 원소 기호이며, N_A는 아보가드로수이다.)

〈 보기 〉

ㄱ. ㉠은 3이다.
ㄴ. ㉡은 N_A이다.
ㄷ. 원자량비는 A : B : C=5 : 4 : 8이다.

① ㄱ ② ㄷ ③ ㄱ, ㄴ
④ ㄱ, ㄷ ⑤ ㄴ, ㄷ

52 하 중 상

표는 일정한 온도와 압력에서 3가지 기체 분자에 대한 자료이다.

분자	분자량	단위 질량당 부피(L/g)	단위 질량당 원자 수(상댓값)
X_2	2	18	d
Y	4	b	3
X_2Z	a	c	2

이에 대한 설명으로 옳은 것만을 〈보기〉에서 있는 대로 고른 것은? (단, X~Z는 임의의 원소 기호이다.)

〈 보기 〉

ㄱ. 밀도비는 X_2 : X_2Z=1 : 9이다.
ㄴ. $a=b\times c$이다.
ㄷ. d는 c의 4배이다.

① ㄱ ② ㄷ ③ ㄱ, ㄴ
④ ㄱ, ㄷ ⑤ ㄴ, ㄷ

53 하 중 상

그림은 원소 A와 B로 이루어진 화합물 (가)와 (나)를 구성하는 원소의 질량 관계를 나타낸 것이다. (가)는 2원자 분자이다.

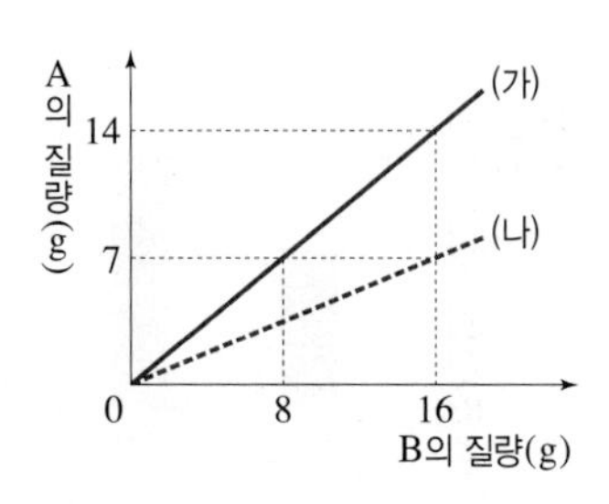

이에 대한 설명으로 옳은 것만을 〈보기〉에서 있는 대로 고른 것은? (단, A와 B는 임의의 원소 기호이다.)

〈 보기 〉

ㄱ. 원자량은 A>B이다.
ㄴ. (나)를 구성하는 원소의 원자 수비는 A : B=1 : 2이다.
ㄷ. 1 g의 A와 결합하는 B의 질량은 (가)>(나)이다.

① ㄱ ② ㄴ ③ ㄱ, ㄷ
④ ㄴ, ㄷ ⑤ ㄱ, ㄴ, ㄷ

54 하 중 상

그림은 0 ℃, 1 atm에서 같은 부피 속에 들어 있는 2가지 기체를 모형으로 나타낸 것이다.

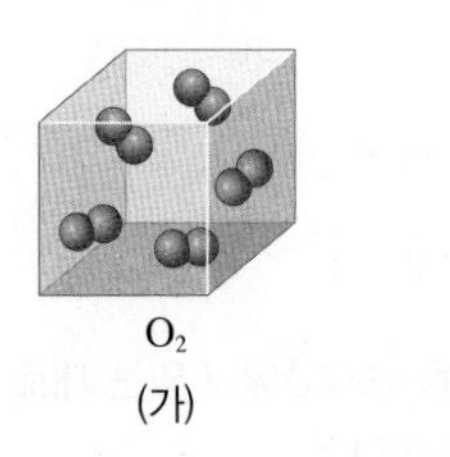
O_2
(가)

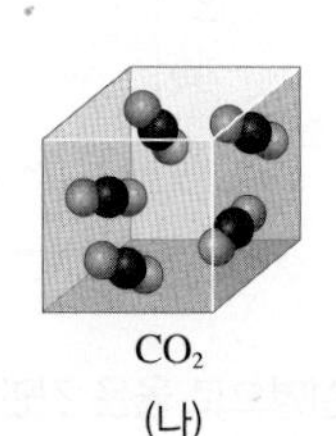
CO_2
(나)

이에 대한 설명으로 옳지 않은 것은?(단, C, O의 원자량은 각각 12, 16이다.)

① (가)와 (나)에는 같은 수의 분자가 들어 있다.
② 1 mol의 부피는 (가)=(나)이다.
③ 1 mol의 질량은 (가)<(나)이다.
④ 밀도는 (가)>(나)이다.
⑤ 전체 원자 수는 (가)<(나)이다.

55 하 중 상

그림은 같은 온도와 압력에서 같은 부피의 용기에 들어 있는 기체의 종류와 질량을 나타낸 것이다.

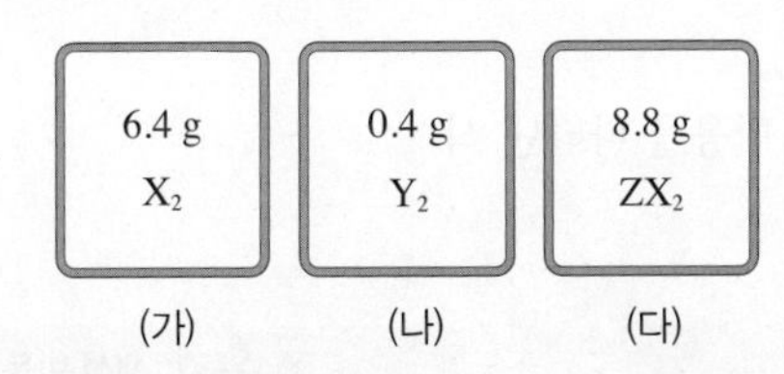

이에 대한 설명으로 옳은 것만을 <보기>에서 있는 대로 고른 것은? (단, X~Z는 임의의 원소 기호이다.)

〈 보기 〉

ㄱ. (가)~(다) 용기에 들어 있는 기체의 양(mol)은 모두 같다.

ㄴ. 원자량은 X가 Z의 $\frac{4}{3}$배이다.

ㄷ. 동일한 조건에서 같은 용기에 들어 있는 $ZY_4(g)$의 질량은 2.8 g이다.

① ㄱ ② ㄷ ③ ㄱ, ㄴ
④ ㄴ, ㄷ ⑤ ㄱ, ㄴ, ㄷ

56 하 중 상

••서술형

그림은 같은 온도와 압력에서 용기에 들어 있는 2가지 기체의 질량과 부피를 나타낸 것이다. (가)와 (나)는 각각 XY_2, Y_2 중 하나이다.

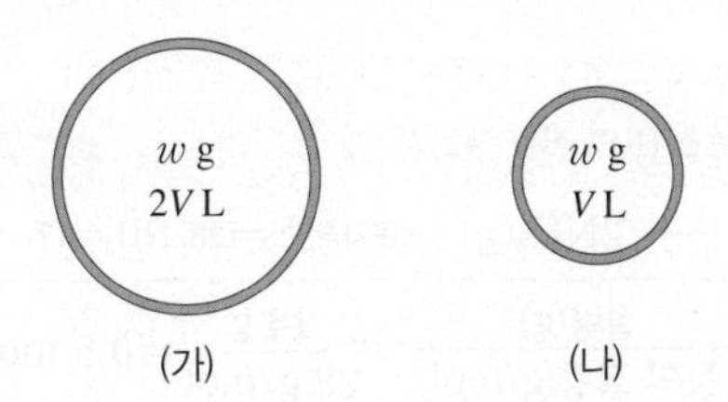

(1) (가)와 (나)의 밀도비를 풀이 과정과 함께 서술하시오.

(2) X와 Y의 원자량비를 풀이 과정과 함께 서술하시오.

57 하 중 상

그림 (가)는 피스톤이 고정된 실린더에 $A(g)$ $2w$ g과 $B(g)$ w g을 넣었을 때의 모습을, (나)는 고정 장치를 풀고 충분한 시간이 흐른 후의 모습을 나타낸 것이다.

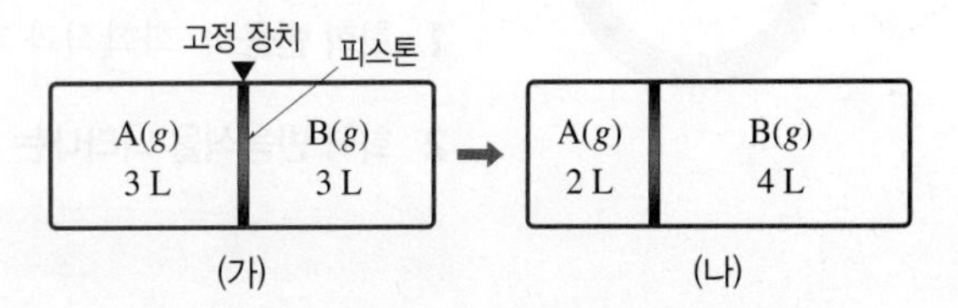

이에 대한 설명으로 옳은 것만을 <보기>에서 있는 대로 고른 것은? (단, 온도는 일정하고, 피스톤의 마찰은 무시한다.)

〈 보기 〉

ㄱ. 분자량은 A가 B의 2배이다.

ㄴ. (나)에서 분자 수비는 A : B=1 : 2이다.

ㄷ. (나)에서 밀도비는 A : B=4 : 1이다.

① ㄱ ② ㄴ ③ ㄱ, ㄷ
④ ㄴ, ㄷ ⑤ ㄱ, ㄴ, ㄷ

58 하 중 상

그림 (가)는 t ˚C, 1 atm에서 각 실린더에 들어 있는 3가지 기체의 질량과 부피를, (나)는 (가)의 각 기체의 전체 원자 수를 상댓값으로 나타낸 것이다. t ˚C, 1 atm에서 기체 1 mol의 부피는 28 L이다.

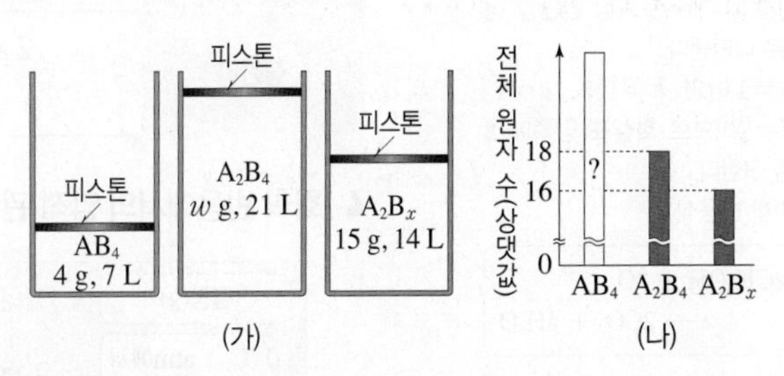

이에 대한 설명으로 옳은 것만을 <보기>에서 있는 대로 고른 것은? (단, A와 B는 임의의 원소 기호이고, 피스톤의 질량과 마찰은 무시한다.)

〈 보기 〉

ㄱ. 원자량비는 A : B=12 : 1이다.

ㄴ. (나)에서 AB_4의 전체 원자 수의 상댓값은 6이다.

ㄷ. w는 21이다.

ㄹ. A_2B_x의 분자 1개당 원자 수는 8이다.

① ㄱ, ㄴ ② ㄴ, ㄷ ③ ㄷ, ㄹ
④ ㄱ, ㄷ, ㄹ ⑤ ㄴ, ㄷ, ㄹ

화학 반응식

Ⓐ 화학 반응식

1 화학 반응식 화학식과 기호를 이용하여 화학 반응을 나타낸 식

2 화학 반응식을 나타내는 방법

	방법	예 수증기 생성 반응
1단계	반응물과 생성물을 화학식으로 나타낸다.	• 반응물: 수소(H_2), 산소(O_2) • 생성물: 수증기(H_2O)
2단계	'⟶'를 기준으로 반응물은 왼쪽에, 생성물은 오른쪽에 쓰고, 물질 사이는 '+'로 연결한다.	$H_2 + O_2 \longrightarrow H_2O$
3단계	반응 전후 원자의 종류와 수가 같도록 계수를 맞춘다. 계수는 가장 간단한 정수로 나타내고, 1이면 생략한다.	$2H_2 + O_2 \longrightarrow 2H_2O$
4단계	물질의 상태는 (　　) 안에 기호를 써서 화학식 뒤에 표시한다. ➔ 고체: s, 액체: l, 기체: g, 수용액: aq	$2H_2(g) + O_2(g) \longrightarrow 2H_2O(g)$

3 화학 반응식으로 알 수 있는 것 → 반응물과 생성물의 종류, 계수비로부터 물질의 양(mol), 분자 수, 기체의 부피, 질량 등의 양적 관계를 파악할 수 있다.

> 계수비＝몰비＝❶☐☐ 수비＝❷☐☐비(기체)≠질량비

화학 반응식	$2H_2(g)$	+	$O_2(g)$	⟶	$2H_2O(g)$
물질의 종류	수소	:	산소	:	수증기
계수비＝몰비	2	:	1	:	2
분자 수비	$2\times6.02\times10^{23}$ 2	:	6.02×10^{23} 1	:	$2\times6.02\times10^{23}$ ❸☐
기체의 부피비 (0 °C, 1 atm)	2×22.4 L 2	:	22.4 L 1	:	2×22.4 L 2
질량비	2×2 g 1	:	32 g 8	:	2×18 g ❹☐

→ 반응물의 질량의 합＝생성물의 질량의 합 ➔ 질량 보존 법칙 성립

4 화학 반응에서의 양적 관계

질량(g)	÷ 1몰의 질량 ＝	반응물의 양(mol)	계수비＝몰비	생성물의 양(mol)	× 1몰의 질량 ＝	질량(g)
0 °C, 1 atm에서 기체의 부피(L)	÷ 22.4 ＝				× 22.4 ＝	0 °C, 1 atm에서 기체의 부피(L)

① 화학 반응에서의 질량 관계

예 N_2 14 g이 충분한 양의 H_2와 모두 반응할 때 생성되는 NH_3의 질량 구하기	
❶ 화학 반응식을 완성한다.	$N_2(g) + 3H_2(g) \longrightarrow 2NH_3(g)$ → 분자량: N_2=28, NH_3=17
❷ N_2의 양(mol)을 구한다.	N_2의 양(mol)$=\dfrac{\text{질량(g)}}{\text{1몰의 질량(g/mol)}}=\dfrac{14\ g}{28\ g/mol}=0.5\ mol$
❸ 계수비＝몰비를 이용하여 NH_3의 양(mol)을 구한다.	$1 : 2 = 0.5\ mol : x$, $x = 1\ mol$
❹ NH_3의 질량을 구한다.	질량(g)＝물질의 양(mol)×1몰의 질량(g/mol) ＝1 mol×17 g/mol＝17 g

기출 Tip Ⓐ-2

화학 반응식을 나타낼 수 있는 까닭
화학 반응이 일어날 때는 반응 전과 후에 원자가 새로 생겨나거나 없어지지 않으므로 반응물과 생성물을 구성하는 원자의 종류와 수가 같다. 따라서 이를 이용하여 화학 반응식을 나타낼 수 있다.

미정 계수법
화학 반응식에서 각 물질의 화학식 앞에 임의의 계수를 붙인 뒤 방정식을 사용하여 계수를 정하는 방법이다.
예 $aCH_3OH + bO_2 \longrightarrow cCO_2 + dH_2O$
❶ 반응물과 생성물의 원자의 종류와 수가 같아야 하므로 다음과 같은 관계식을 세운다.
• C 원자 수: $a=c$
• H 원자 수: $4a=2d$
• O 원자 수: $a+2b=2c+d$
❷ 임의의 계수 중 하나를 1로 가정하고 다른 계수의 값을 구한다. 이때 계수는 가장 간단한 정수로 나타낸다.
• $a=1$이면 $b=1.5$, $c=1$, $d=2$이므로 화살표 양쪽에 2를 곱한다.
• 화학 반응식

$$2CH_3OH + 3O_2 \longrightarrow 2CO_2 + 4H_2O$$

② 화학 반응에서의 부피 관계 → 온도와 압력이 일정한 조건에서만 기체의 부피를 구할 수 있다.

예 일정한 온도와 압력에서 C_3H_8 10 L가 완전 연소할 때 생성되는 CO_2의 부피 구하기	
❶ 화학 반응식을 완성한다.	$C_3H_8(g) + 5O_2(g) \longrightarrow 3CO_2(g) + 4H_2O(l)$
❷ 계수비=부피비를 이용하여 CO_2의 부피를 구한다.	$1:3 = 10\ L : x,\ x = 30\ L$

③ 화학 반응에서의 질량과 부피 관계

→ 기체 1 mol의 부피는 22.4 L이다.

예 0 ℃, 1 atm에서 C_2H_5OH 11.5 g이 완전 연소할 때 생성되는 CO_2의 부피 구하기	
❶ 화학 반응식을 완성한다.	$C_2H_5OH(l) + 3O_2(g) \longrightarrow 2CO_2(g) + 3H_2O(l)$ → 분자량: $C_2H_5OH = 46$
❷ C_2H_5OH의 양(mol)을 구한다.	C_2H_5OH의 양(mol)$=\dfrac{11.5\ g}{46\ g/mol}=0.25\ mol$
❸ 계수비=몰비를 이용하여 CO_2의 양(mol)을 구한다.	$1:2 = 0.25\ mol : x,\ x = 0.5\ mol$
❹ CO_2의 부피를 구한다.	$0.5\ mol \times 22.4\ L/mol = 11.2\ L$

④ 화학 반응에서의 양적 관계를 알아보는 실험 설계

(탄산 칼슘과 묽은 염산의 반응에서 양적 관계)

2개의 삼각 플라스크에 묽은 염산(HCl) 70 mL를 각각 넣고 질량을 측정한 후, 탄산 칼슘($CaCO_3$) 가루 1.0 g, 2.0 g을 각각 넣고 반응이 완전히 끝나면 삼각 플라스크 전체의 질량을 측정한다.

❶ 화학 반응식: $CaCO_3(s) + 2HCl(aq)$

$\longrightarrow CaCl_2(aq) + H_2O(l) + CO_2(g)$

CaCO₃(s)

HCl(aq)

❷ $CO_2(g)$가 발생하여 플라스크 밖으로 빠져나가므로 반응 후 질량이 감소한다.

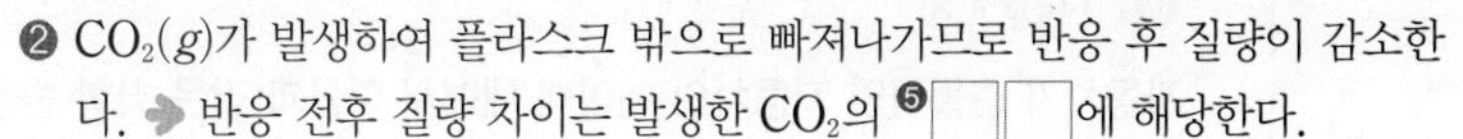

➡ 반응 전후 질량 차이는 발생한 CO_2의 ❺ ☐☐에 해당한다.

❸ 반응한 $CaCO_3(s)$과 발생한 $CO_2(g)$의 양(mol)(단, 화학식량은 $CaCO_3$ 100, CO_2 44이다.)

실험	반응한 $CaCO_3(s)$의 질량(g)	발생한 $CO_2(g)$의 질량(g)	반응한 $CaCO_3(s)$의 양(mol)	발생한 $CO_2(g)$의 양(mol)
Ⅰ	1.0	0.4	$\dfrac{1.0}{100}=0.01$	$\dfrac{0.4}{44}\fallingdotseq 0.01$
Ⅱ	2.0	0.9	$\dfrac{2.0}{100}=0.02$	$\dfrac{0.9}{44}\fallingdotseq 0.02$

❹ 반응한 $CaCO_3(s)$과 발생한 $CO_2(g)$의 몰비는 1 : 1이며, 이는 화학 반응식의 ❻ ☐☐비와 같다.

기출 Tip Ⓐ-4

화학 반응식에서의 부피 관계 구하기

화학 반응에서의 부피 관계는 기체에 대해서만 성립하며, 모든 기체는 종류에 관계없이 온도와 압력이 일정할 때 1 mol의 부피가 같다는 사실을 이용한다.

답 ❶ 분자 ❷ 부피 ❸ 2 ❹ 9 ❺ 질량 ❻ 계수

빈출 자료 보기

정답과 해설 7쪽

59 표는 $X_2(g)$와 $Y_2(g)$가 반응하여 $X_2Y(g)$를 생성하는 반응에 대한 자료이다.

실험	반응 전		반응 후 남은 반응물의 부피(L)
	X_2의 부피(L)	Y_2의 부피(L)	
Ⅰ	$0.5a$	$3b$	
Ⅱ	a	$4b$	0

이에 대한 설명으로 옳은 것은 ○, 옳지 않은 것은 ×로 표시하시오. (단, X와 Y는 임의의 원소 기호이고, 반응 전과 후의 온도와 압력은 일정하다.)

(1) 화학 반응식은 $2X_2(g) + Y_2(g) \longrightarrow 2X_2Y(g)$이다. ( )

(2) $a=4b$이다. ( )

(3) 실험 Ⅰ에서 반응 후 남은 반응물의 부피는 $2b$ L이다. ( )

(4) 생성물의 몰비는 실험 Ⅰ : 실험 Ⅱ = 2 : 1이다. ( )

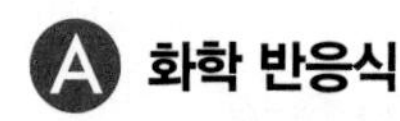

A 화학 반응식

화학 반응식

60 **하** 중 상

다음은 일정한 온도와 압력에서 $H_2O(g)$의 합성 반응을 화학 반응식으로 나타낸 것이다.

$$2H_2(g) + O_2(g) \longrightarrow 2H_2O(g)$$

이 화학 반응식으로 알 수 있는 화학 반응 관계로 옳지 않은 것은?

	$H_2(g)$		$O_2(g)$		$H_2O(g)$
① 몰비	2	:	1	:	2
② 분자 수비	2	:	1	:	2
③ 원자 수비	2	:	1	:	3
④ 부피비	2	:	1	:	2
⑤ 질량비	2	:	1	:	2

61 하 **중** 상

••서술형

다음은 $Fe(s)$의 제련 반응을 화학 반응식으로 나타낸 것이다.

$$a\mathrm{Fe_2O_3}(s) + b\mathrm{CO}(g) \longrightarrow c\mathrm{Fe}(s) + d\mathrm{CO_2}(g)$$

(a~d는 반응 계수)

미정 계수법을 이용하여 반응 계수 a~d를 구하는 과정과 그 값을 서술하시오.

화학 반응에서의 양적 관계

62 **하** 중 상

••서술형

일정량의 고체 X가 충분한 양의 기체 Y_2와 반응하여 고체 X_3Y가 생성되었다.(단, X와 Y는 임의의 원소 기호이다.)

(1) 이 반응을 물질의 상태를 포함하여 화학 반응식으로 나타내시오.

(2) 생성된 고체 X_3Y의 질량이 14 g일 때 반응에 참여한 고체 X의 질량은 몇 g인지 풀이 과정과 함께 서술하시오.(단, 원자 1개의 질량은 $X=\frac{1}{3}\times10^{-23}$ g, $Y=\frac{4}{3}\times10^{-23}$ g이고, 아보가드로수는 6×10^{23}이다.)

63 **하** 중 상

다음은 세포 호흡 반응을 화학 반응식으로 나타낸 것이다.

$$\mathrm{C_6H_{12}O_6}(s) + a\mathrm{O_2}(g) \longrightarrow b\mathrm{CO_2}(g) + c\mathrm{H_2O}(g)$$

(a~c는 반응 계수)

$C_6H_{12}O_6(s)$ 90 g이 모두 반응할 때 생성되는 $H_2O(g)$의 양(mol)을 x mol이라고 할 때, $\left(\frac{a}{b+c}\right)\times x$는?(단, $C_6H_{12}O_6$의 분자량은 180이다.)

① 1　② $\frac{3}{2}$　③ 2　④ $\frac{5}{2}$　⑤ 3

64 **하** 중 상

••서술형

$H_2(g)$와 $O_2(g)$의 혼합 기체 1050 mL를 반응시켜 $H_2O(g)$를 만들었더니 $H_2(g)$ 300 mL가 남았다. 반응 전 $H_2(g)$와 $O_2(g)$의 몰비($H_2 : O_2$)를 풀이 과정과 함께 서술하시오.(단, 반응 전후 온도와 압력은 일정하다.)

65 **하** 중 상

자동차가 충돌하면 자동차의 에어백 내에서 다음과 같은 화학 반응이 일어난다.

$$2\mathrm{NaN_3}(s) \longrightarrow 2\mathrm{Na}(s) + 3\mathrm{N_2}(g)$$

0 ℃, 1 atm에서 자동차가 충돌하여 $N_2(g)$ 6.72 L가 생성되었다면, 이때 반응한 $NaN_3(s)$의 질량은?(단, N, Na의 원자량은 각각 14, 23이고, 0 ℃, 1 atm에서 기체 1 mol의 부피는 22.4 L이다.)

① 6.5 g　② 13.0 g　③ 16.2 g　④ 19.5 g　⑤ 26.0 g

66 **하** 중 상

0 ℃, 1 atm에서 $CH_4(g)$이 완전 연소하면 $CO_2(g)$와 $H_2O(g)$를 생성한다. 이때 반응한 $CH_4(g)$이 6.4 g이라면 생성된 $CO_2(g)$의 부피는?(단, H, C, O의 원자량은 각각 1, 12, 16이고, 0 ℃, 1 atm에서 기체 1 mol의 부피는 22.4 L이다.)

① 2.24 L　② 4.48 L　③ 6.72 L　④ 8.96 L　⑤ 11.2 L

I

67 하 중 상

다음은 어떤 반응의 화학 반응식과 이 반응에 대한 실험 과정이다.

> [화학 반응식]
> $aA(g) + B(g) \longrightarrow 2C(g)$($a$는 반응 계수)
> [실험 과정]
> (가) $A(g)$ 9 mol이 들어 있는 용기에 $B(g)$ 2 mol을 넣어 $B(g)$를 모두 반응시켰다.
> (나) 반응이 완결된 후 남아 있는 반응물에 대한 생성물의 몰비$\left(\frac{n_{생성물}}{n_{반응물}}\right)$는 4였다.
> (다) (나)의 용기에 B 2 mol을 더 넣어 반응을 완결시켰다.

(가)~(다) 과정에서 생성된 C의 총 양(mol)을 구하시오.

68 하 중 상

다음은 $C_2H_4(g)$ 연소 반응의 화학 반응식이다.

$$aC_2H_4(g) + bO_2(g) \longrightarrow cCO_2(g) + dH_2O(g)$$
(a~d는 반응 계수)

이에 대한 설명으로 옳은 것만을 〈보기〉에서 있는 대로 고른 것은? (단, H, C, O의 원자량은 각각 1, 12, 16이다.)

〈 보기 〉
ㄱ. $a+b=c+d$이다.
ㄴ. C_2H_4 2 mol이 완전 연소하면 O_2 4 mol이 소모된다.
ㄷ. C_2H_4 5.6 g이 완전 연소하면 H_2O 3.6 g이 생성된다.

① ㄱ ② ㄴ ③ ㄷ ④ ㄱ, ㄴ ⑤ ㄴ, ㄷ

69 하 중 상

다음은 0 °C, 1 atm에서 $C_2H_5OH(l)$ 연소 반응의 화학 반응식이다.

$$C_2H_5OH(l) + aO_2(g) \longrightarrow bCO_2(g) + cH_2O(g)$$
(a~c는 반응 계수)

이에 대한 설명으로 옳은 것만을 〈보기〉에서 있는 대로 고른 것은? (단, H, C, O의 원자량은 각각 1, 12, 16이고, 0 °C, 1 atm에서 기체 1 mol의 부피는 22.4 L이다.)

〈 보기 〉
ㄱ. $a+b+c=8$이다.
ㄴ. C_2H_5OH 23 g이 완전 연소하면 H_2O 2 mol이 생성된다.
ㄷ. O_2 33.6 L가 반응하면 CO_2 22.4 L가 생성된다.

① ㄱ ② ㄴ ③ ㄱ, ㄷ ④ ㄴ, ㄷ ⑤ ㄱ, ㄴ, ㄷ

70 하 중 상

다음은 0 °C, 1 atm에서 $Al_2O_3(s)$ 제련 반응의 화학 반응식이다.

$$aAl_2O_3(s) + bC(s) \longrightarrow cAl(s) + dCO_2(g)$$
(a~d는 반응 계수)

이에 대한 설명으로 옳지 않은 것은?(단, C, O, Al의 원자량은 각각 12, 16, 27이고, 0 °C, 1 atm에서 기체 1 mol의 부피는 22.4 L이다.)

① $\frac{a+b}{c+d}=\frac{5}{7}$이다.
② Al_2O_3 3 mol을 모두 제련하면 Al 81 g을 얻을 수 있다.
③ Al_2O_3 51 g을 모두 제련하면 CO_2 16.8 L가 발생한다.
④ 반응 전후 원자의 종류와 수는 변하지 않는다.
⑤ 반응물의 총 질량과 생성물의 총 질량이 같으므로 질량 보존 법칙이 성립한다.

71 하 중 상

多 보기

다음은 t °C, 1 atm에서 어떤 반응의 화학 반응식이다.

$$aNH_3(g) + bO_2(g) \longrightarrow cNO(g) + dH_2O(g)$$
(a~d는 반응 계수)

표는 반응물의 양을 달리하여 수행한 실험 Ⅰ과 Ⅱ에 대한 자료이다.

실험	반응물의 양		생성물의 양	
	$NH_3(g)$	$O_2(g)$	$NO(g)$	$H_2O(g)$
Ⅰ	34 g	100 g	x g	y mol
Ⅱ	4 mol	$\frac{5}{2}$ mol	z L	

이에 대한 설명으로 옳지 않은 것은?(단, 반응은 완결되었고, H, N, O의 원자량은 각각 1, 14, 16이며, t °C, 1 atm에서 기체 1 mol의 부피는 24 L이다.)

① $a+b<c+d$이다.
② x는 60이다.
③ y는 3이다.
④ t °C, 1 atm에서 z는 96이다.
⑤ 실험 Ⅰ에서 $NH_3(g)$는 모두 반응한다.
⑥ 실험 Ⅱ에서 남은 반응물은 $NH_3(g)$ 34 g이다.

72 하중상

다음은 A(g)와 B(g)가 반응하여 C(g)를 생성하는 반응의 화학 반응식이다.

$$A(g) + 2B(g) \longrightarrow 2C(g)$$

표는 실린더에 A(g)와 B(g)를 넣어 반응시킬 때 반응 전과 후의 기체에 대한 자료이다.

실험	반응 전		반응 후		
	A의 질량(g)	B의 질량(g)	A의 질량(g)	B의 질량(g)	전체 부피(L)
Ⅰ	4	2	0	1	V_1
Ⅱ	10	2	x	0	V_2

이에 대한 설명으로 옳은 것만을 〈보기〉에서 있는 대로 고른 것은? (단, 반응 전후 온도와 압력은 일정하다.)

〈 보기 〉

ㄱ. x는 2이다.

ㄴ. $V_1 : V_2 = 8 : 9$이다.

ㄷ. 분자량비는 A : B : C = 9 : 1 : 10이다.

① ㄱ ② ㄷ ③ ㄱ, ㄴ
④ ㄴ, ㄷ ⑤ ㄱ, ㄴ, ㄷ

73 하중상

다음은 A(g)와 B(g)가 반응하여 C(g)와 D(g)를 생성하는 반응의 화학 반응식이다.

$$2A(g) + B(g) \longrightarrow C(g) + 2D(g)$$

표는 실린더에 A(g)와 B(g)의 부피를 달리하여 넣고 반응을 완결시켰을 때, 반응 전과 후에 대한 자료이다. 실험 Ⅰ에서는 B가 모두 반응하였고, 실험 Ⅱ에서는 A가 모두 반응하였다.

실험	반응 전		반응 후
	A의 부피(L)	B의 부피(L)	$\dfrac{\text{전체 기체의 양(mol)}}{\text{C의 양(mol)}}$
Ⅰ	x	4	4
Ⅱ	6	9	y

$x+y$는?(단, 반응 전후 온도와 압력은 일정하다.)

① 5 ② 10 ③ 12
④ 15 ⑤ 17

74 하중상

다음은 A(g)와 B(g)가 반응하여 C(g)를 생성하는 반응의 화학 반응식이다.

$$aA(g) + bB(g) \longrightarrow aC(g)\ (a,\ b\text{는 반응 계수})$$

표는 A(g)와 B(g)의 몰비 또는 질량비를 다르게 하여 반응시킬 때, 존재하는 물질의 몰비 또는 질량비에 대한 자료이다.

실험	반응 전	반응 후
Ⅰ	몰비 A : B=1 : 1	몰비 B : C=1 : 2
Ⅱ	질량비 A : B=2 : 1	질량비 A : C=1 : 23
Ⅲ	질량비 A : B=1 : 1	질량비 B : C=x : 23

이에 대한 설명으로 옳은 것만을 〈보기〉에서 있는 대로 고른 것은?

〈 보기 〉

ㄱ. $\dfrac{b}{a} = \dfrac{1}{2}$이다.

ㄴ. x는 7이다.

ㄷ. $\dfrac{\text{A의 분자량}}{\text{B의 분자량}} = \dfrac{16}{15}$이다.

① ㄱ ② ㄷ ③ ㄱ, ㄴ
④ ㄴ, ㄷ ⑤ ㄱ, ㄴ, ㄷ

75 하중상

다음은 20 ˚C, 1 atm에서 A(g)와 B(g)가 반응하여 C(g)를 생성하는 반응의 화학 반응식이다.

$$A(g) + bB(g) \longrightarrow cC(g)\ (b,\ c\text{는 반응 계수})$$

표는 A(g) 12 L가 들어 있는 실린더에 B(g)의 질량을 달리하여 반응시켰을 때, 반응 전과 후에 대한 자료이다. 실험 Ⅰ, Ⅱ에서 생성된 C(g)의 질량은 같다.

실험	반응 전		반응 후
	A의 부피(L)	B의 질량(g)	전체 부피(L)
Ⅰ	12	w	24
Ⅱ	12	$2w$	36

$\dfrac{\text{B의 분자량}}{b+c}$은?(단, 20 ˚C, 1 atm에서 기체 1 mol의 부피는 24 L이다.)

① $\dfrac{2w}{3}$ ② w ③ $\dfrac{4w}{3}$
④ $\dfrac{3w}{2}$ ⑤ $\dfrac{5w}{3}$

76 하 중 상

다음은 A(*s*)와 B(*g*)가 반응하여 C(*g*)를 생성하는 반응의 화학 반응식이다.

$$A(s) + 2B(g) \longrightarrow C(g)$$

표는 A(*s*)와 B(*g*)의 반응을 완결시킨 실험에 대한 자료이다. $\frac{\text{B의 분자량}}{\text{C의 분자량}} = \frac{1}{16}$이다.

넣어 준 물질의 양(mol)		실린더 속 기체의 밀도(상댓값)	
A(*s*)	B(*g*)	반응 전	반응 후
3	8	1	x

이에 대한 설명으로 옳은 것만을 〈보기〉에서 있는 대로 고른 것은? (단, 반응 전후 온도와 압력은 일정하다.)

〈 보기 〉

ㄱ. A의 분자량+(2×B의 분자량)=C의 분자량이다.

ㄴ. 반응 전 기체의 밀도에 영향을 주는 것은 B뿐이다.

ㄷ. x는 7이다.

① ㄴ ② ㄷ ③ ㄱ, ㄴ ④ ㄱ, ㄷ ⑤ ㄱ, ㄴ, ㄷ

77 하 중 상

다음은 A(*g*)와 B(*g*)가 반응하여 C(*g*)를 생성하는 반응의 화학 반응식이다.

$$A(g) + 2B(g) \longrightarrow 3C(g)$$

표는 A(*g*)와 B(*g*)의 반응을 완결시켰을 때 반응 후 기체에 대한 자료이다.

기체	A(*g*)	B(*g*)	C(*g*)
질량(g)	$6w$	0	$6w$
양(mol)	a	0	$2a$

이에 대한 설명으로 옳은 것만을 〈보기〉에서 있는 대로 고른 것은?

〈 보기 〉

ㄱ. 반응 전 분자 수비는 A : B=5 : 4이다.

ㄴ. 분자량비는 B : C=1 : 2이다.

ㄷ. A의 분자 수비는 반응 전 : 반응 후=4 : 5이다.

① ㄱ ② ㄷ ③ ㄱ, ㄴ ④ ㄱ, ㄷ ⑤ ㄴ, ㄷ

78 하 중 상

다음은 $A_2(g)$와 $B_2(g)$가 반응하여 X(*g*)를 생성하는 반응의 화학 반응식이다.

$$aA_2(g) + bB_2(g) \longrightarrow cX(g)\ (a\sim c\text{는 반응 계수})$$

표는 $A_2(g)$와 $B_2(g)$의 양을 달리하여 수행한 실험 Ⅰ, Ⅱ에 대한 자료이다.

실험	반응물의 양		반응 후 남은 반응물의 양	생성물 X(*g*)의 양
	$A_2(g)$	$B_2(g)$		
Ⅰ	2 L	10 L	B_2 4 L	4 L
Ⅱ	20 g	3 g	A_2 6 g	17 g

A와 B의 원자량비(A : B)는?(단, A와 B는 임의의 원소 기호이다.)

① 7 : 1 ② 7 : 3 ③ 14 : 1 ④ 14 : 17 ⑤ 17 : 33

79 하 중 상

그림은 실린더에서 CO(*g*)와 $O_2(g)$가 반응하여 $CO_2(g)$를 생성하는 반응의 반응 전 모습을 나타낸 것이다.

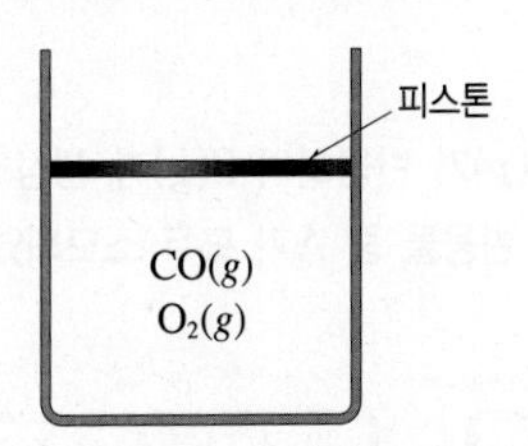

CO(*g*) 2 mol과 $O_2(g)$ 4 mol을 실린더에 넣고 반응을 완결시켰을 때, 이에 대한 설명으로 옳은 것만을 〈보기〉에서 있는 대로 고른 것은?(단, 반응 전후 온도와 압력은 일정하고, 피스톤의 질량과 마찰은 무시한다.)

〈 보기 〉

ㄱ. 화학 반응식은 $CO(g) + O_2(g) \longrightarrow 2CO_2(g)$이다.

ㄴ. 기체의 부피는 반응 후가 반응 전보다 크다.

ㄷ. 반응 후 실린더에 존재하는 총 기체의 양(mol)은 5 mol이다.

① ㄱ ② ㄷ ③ ㄱ, ㄴ ④ ㄴ, ㄷ ⑤ ㄱ, ㄴ, ㄷ

80 하 중 상

다음은 $C_mH_n(g)$의 연소 반응에 대한 화학 반응식이다.

$$C_mH_n(g) + aO_2(g) \longrightarrow 3CO_2(g) + 2H_2O(g)$$

(a는 반응 계수)

그림은 $C_mH_n(g)$ x g이 완전 연소되기 전후 실린더에 들어 있는 물질을 나타낸 것이다.

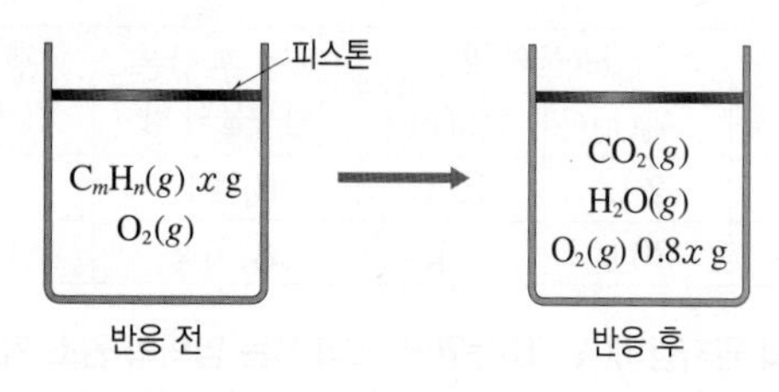

이에 대한 설명으로 옳은 것만을 〈보기〉에서 있는 대로 고른 것은? (단, H, C, O의 원자량은 각각 1, 12, 16이고, 반응 전후 온도와 압력은 일정하다.)

〈 보기 〉

ㄱ. $a \times \frac{m}{n} = 3$이다.

ㄴ. 반응 전 $\frac{O_2(g)\text{의 양(mol)}}{\text{전체 기체의 양(mol)}} = \frac{5}{6}$이다.

ㄷ. 반응 후 생성된 $CO_2(g)$의 질량은 $\frac{8}{5}x$ g이다.

① ㄱ ② ㄷ ③ ㄱ, ㄴ
④ ㄴ, ㄷ ⑤ ㄱ, ㄴ, ㄷ

81 하 중 상

그림은 A(g)와 B(g)가 반응하여 C(g)가 생성되는 반응을 모형으로 나타낸 것이다. 반응물 중 A가 모두 소모되었을 때 반응은 완결되었다.

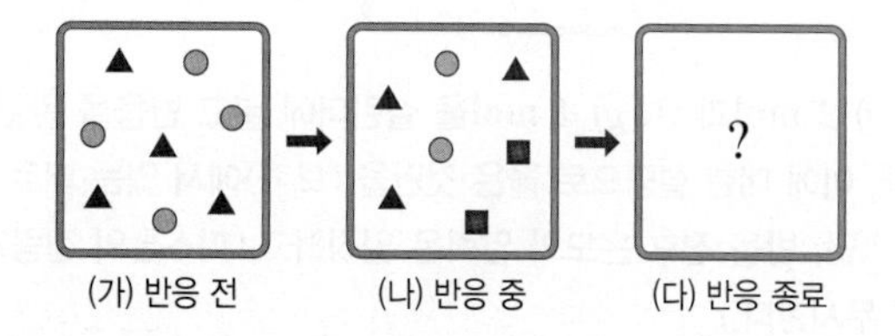

(가) 반응 전 (나) 반응 중 (다) 반응 종료

이에 대한 설명으로 옳은 것만을 〈보기〉에서 있는 대로 고른 것은?

〈 보기 〉

ㄱ. A와 B는 2 : 1의 몰비로 반응한다.

ㄴ. (다)에서 기체의 분자 수비는 B : C=1 : 2이다.

ㄷ. (가)~(다) 중 (다)에서 기체의 총 질량이 가장 작다.

① ㄱ ② ㄷ ③ ㄱ, ㄴ
④ ㄴ, ㄷ ⑤ ㄱ, ㄴ, ㄷ

82 하 중 상

그림은 원소 A로 이루어진 분자와 원소 B로 이루어진 분자의 반응을 모형으로 나타낸 것이다.

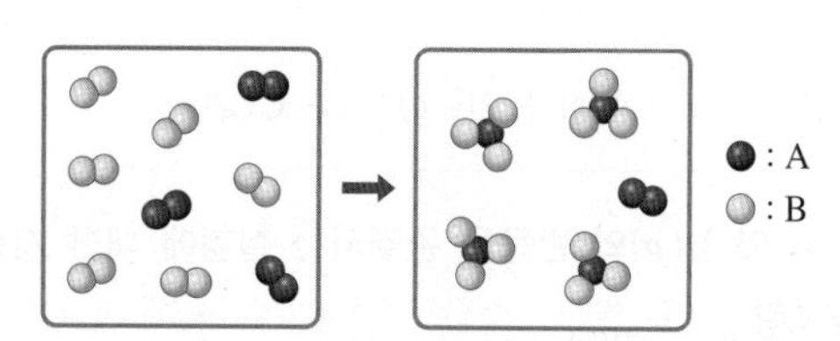

이에 대한 설명으로 옳은 것만을 모두 고르면?(단, A와 B는 임의의 원소 기호이다.)(2개)

① 화학 반응식은 $3A_2 + B_2 \longrightarrow 2A_3B$이다.
② 반응이 끝나면 전체 분자 수는 감소한다.
③ 생성물의 종류는 2가지이다.
④ 반응 후 원자의 종류는 변하지 않는다.
⑤ 반응 후 A_2를 더 넣어 주면 생성물의 양이 증가한다.

83 하 중 상

다음은 A(g)와 B(g)의 반응에 대한 실험이다.

[화학 반응식]

$A(g) + bB(g) \longrightarrow cC(g)$ (b, c는 반응 계수)

[실험 과정]

A(g) 7 g이 들어 있는 실린더에 B(g)의 질량을 달리하여 넣고 반응시킨 후 생성된 C(g)의 질량을 측정한다.

[실험 결과]

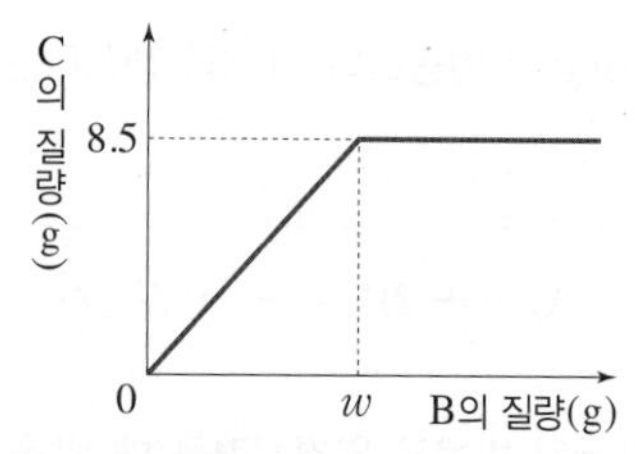

B(g)의 질량(g)	0	$\frac{w}{2}$	w	$\frac{3w}{2}$	$2w$
반응 후 전체 기체의 부피(L)	6	x	12	21	y

이에 대한 설명으로 옳은 것만을 〈보기〉에서 있는 대로 고른 것은?

〈 보기 〉

ㄱ. $b+c=4$이다.

ㄴ. 화학식량의 비는 A : B : C=28 : 2 : 17이다.

ㄷ. $\frac{x}{y} = \frac{3}{10}$이다.

① ㄱ ② ㄴ ③ ㄷ
④ ㄱ, ㄴ ⑤ ㄴ, ㄷ

84 하 중 상

다음은 $X(g)$와 $B_2(g)$가 반응하여 $AB_3(g)$를 생성하는 반응의 화학 반응식이다.

$$aX(g) + B_2(g) \longrightarrow cAB_3(g)\ (a,\ c\text{는 반응 계수})$$

그림은 t °C, 1 atm에서 $X(g)$ $4w$ g이 들어 있는 실린더에 $B_2(g)$를 넣고 반응시켰을 때 $B_2(g)$의 질량에 따른 전체 기체의 부피를 나타낸 것이다.

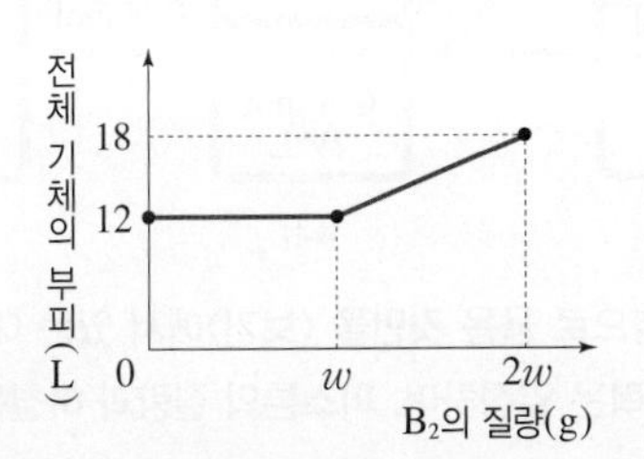

이에 대한 설명으로 옳은 것만을 〈보기〉에서 있는 대로 고른 것은? (단, A와 B는 임의의 원소 기호이다.)

〈보기〉

ㄱ. X의 분자식은 AB_2이다.

ㄴ. $a=c$이다.

ㄷ. A와 B의 원자량비는 3 : 1이다.

① ㄱ ② ㄷ ③ ㄱ, ㄴ ④ ㄱ, ㄷ ⑤ ㄴ, ㄷ

85 하 중 상

그림은 반응 전 실린더 속에 들어 있는 $AB(g)$와 $B_2(g)$를 모형으로 나타낸 것이고, 표는 반응 전후 실린더 속 기체에 대한 자료이다. ㉠은 반응하고 남은 $AB(g)$와 $B_2(g)$ 중 하나이고, 기체인 ㉡은 A를 포함하는 3원자 분자이다.

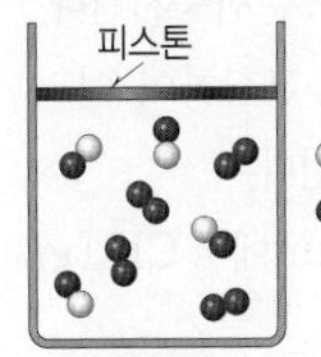

구분	반응 전	반응 후
기체의 종류	AB, B_2	㉠, ㉡
전체 기체의 부피(L)	$4V$	$3V$

이에 대한 설명으로 옳은 것만을 〈보기〉에서 있는 대로 고른 것은? (단, A와 B는 임의의 원소 기호이고, 반응 전후 기체의 온도와 압력은 일정하다.)

〈보기〉

ㄱ. 반응 몰비는 AB : B_2=2 : 1이다.

ㄴ. ㉡은 AB_2이다.

ㄷ. 반응 후 남은 ㉠의 부피는 $2V$ L이다.

① ㄱ ② ㄷ ③ ㄱ, ㄴ ④ ㄴ, ㄷ ⑤ ㄱ, ㄴ, ㄷ

86 하 중 상

표는 C, H로 이루어진 화합물 (가)와 C, H, O로 이루어진 화합물 (나)의 완전 연소 반응에 대한 자료이다.

화합물	구성 원소	반응한 O_2의 질량(mg)	생성물의 질량(mg)		생성물의 총 양(mol)
			CO_2	H_2O	
(가)	C, H	256	$55a$	$27a$	$11n$
(나)	C, H, O	288	$11b$	$2b$	$13n$

이에 대한 설명으로 옳은 것만을 〈보기〉에서 있는 대로 고른 것은? (단, H, C, O의 원자량은 각각 1, 12, 16이고, 화합물 (가)와 (나)를 이루는 각 성분 원소의 원자 수비는 가장 간단한 정수비이다.)

〈보기〉

ㄱ. $\frac{b}{a}=9$이다.

ㄴ. (가)의 화학식은 C_5H_{12}이다.

ㄷ. (나)에 포함된 O의 질량은 64 mg이다.

① ㄱ ② ㄷ ③ ㄱ, ㄴ ④ ㄴ, ㄷ ⑤ ㄱ, ㄴ, ㄷ

87 하 중 상

다음은 $A(g)$와 $B(s)$가 반응하여 $C(s)$를 생성하는 반응의 화학 반응식이다.

$$A(g) + 2B(s) \longrightarrow cC(s)\ (c\text{는 반응 계수})$$

그림은 V L의 $A(g)$가 들어 있는 실린더에 $B(s)$를 넣어 반응을 완결시켰을 때, 넣어 준 $B(s)$의 양(mol)에 따른 반응 후 남은 $A(g)$의 부피(L)와 생성된 $C(s)$의 양(mol)의 곱을 나타낸 것이다.

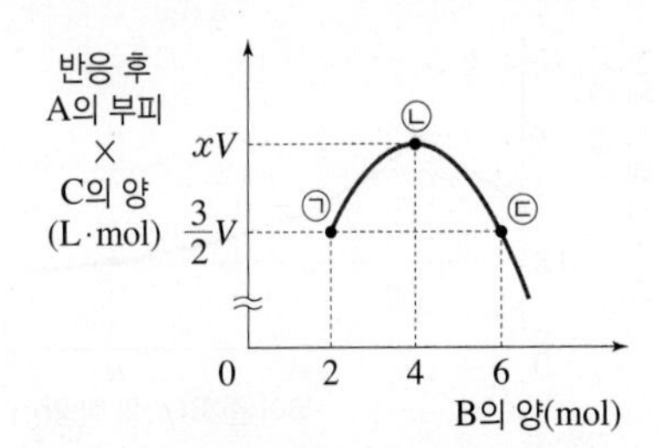

이에 대한 설명으로 옳은 것만을 〈보기〉에서 있는 대로 고른 것은? (단, 온도와 압력은 일정하다.)

〈보기〉

ㄱ. 반응한 B의 양(mol)이 가장 큰 것은 ㉡이다.

ㄴ. V L에 해당하는 A의 양(mol)은 4 mol이다.

ㄷ. c와 x의 값은 같다.

① ㄱ ② ㄷ ③ ㄱ, ㄴ ④ ㄱ, ㄷ ⑤ ㄴ, ㄷ

88

다음은 t °C, 1 atm에서 A(g)와 B(g)가 반응하여 C(g)를 생성하는 반응의 화학 반응식이다.

$$5A(g) + B(g) \longrightarrow 2C(g)$$

그림은 A(g) x L가 들어 있는 실린더에 B(g)의 질량을 달리하여 넣고 반응을 완결시켰을 때 넣어 준 B(g)의 질량에 따른 전체 기체의 부피를 나타낸 것이다.

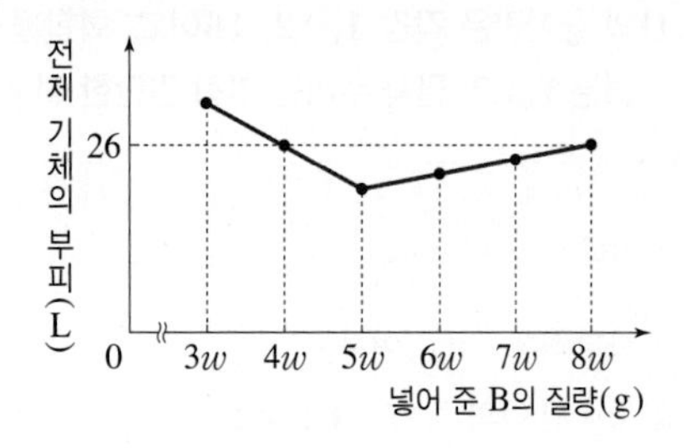

x는?(단, t °C, 1 atm에서 기체 1 mol의 부피는 40 L이다.)

① 10 ② 20 ③ 30
④ 40 ⑤ 50

89

다음은 A(g)와 B(g)가 반응하여 C(g)를 생성하는 반응의 화학 반응식이다. 분자량은 A가 B의 2배이다.

$$aA(g) + B(g) \longrightarrow aC(g) \ (a\text{는 반응 계수})$$

그림은 A(g) V L가 들어 있는 실린더에 B(g)를 넣어 반응을 완결시켰을 때 넣어 준 B(g)의 질량에 따른 반응 후 전체 기체의 밀도를 나타낸 것이다. P에서 실린더의 부피는 $2.5V$ L이다.

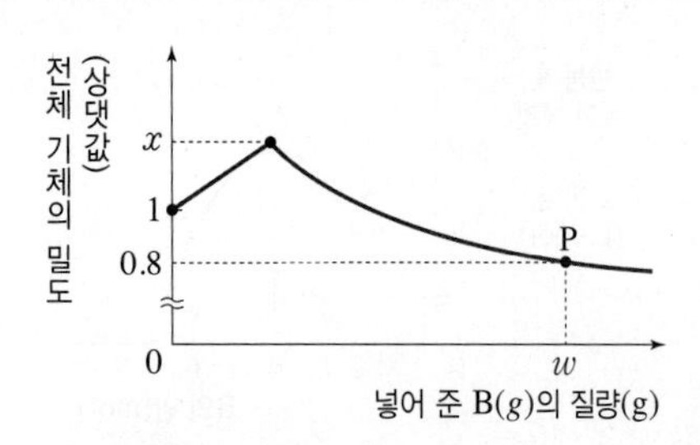

이에 대한 설명으로 옳지 않은 것은?(단, 기체의 온도와 압력은 일정하다.)

① 반응 전 A의 질량은 w g이다.
② a는 2이다.
③ A는 전체 기체의 밀도가 x일 때 모두 반응한다.
④ 전체 기체의 밀도가 x일 때 반응한 B의 질량은 $\frac{w}{4}$ g이다.
⑤ x는 $\frac{4}{5}$이다.

90

다음은 어떤 반응의 화학 반응식이다.

$$A(g) + bB(g) \longrightarrow cC(g) \ (b,\ c\text{는 반응 계수})$$

(가)에 A(g)와 B(g)를 넣어 반응을 완결시켰더니 (나)와 같았고, (나)에 B(g) x mol을 더 넣어 반응을 완결시켰더니 (다)와 같았다.

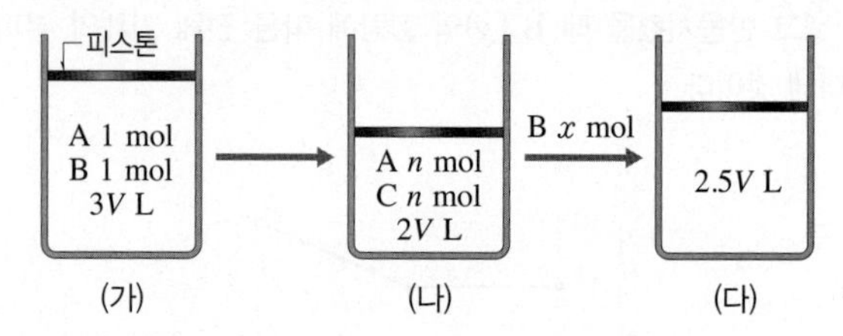

이에 대한 설명으로 옳은 것만을 〈보기〉에서 있는 대로 고른 것은?(단, 온도와 압력은 일정하며, 피스톤의 질량과 마찰은 무시한다.)

〈 보기 〉
ㄱ. (나)에서 n은 $\frac{2}{3}$이다.
ㄴ. $b+c=5$이다.
ㄷ. x는 $\frac{1}{2}$이다.

① ㄱ ② ㄷ ③ ㄱ, ㄴ ④ ㄱ, ㄷ ⑤ ㄴ, ㄷ

금속, $CaCO_3(s)$과 $HCl(aq)$의 반응

91

다음은 2가지 화학 반응에 대한 실험이다.

- $M(s) + 2HCl(aq) \longrightarrow MCl_2(aq) + H_2(g)$
- $C(s) + 2H_2(g) \longrightarrow CH_4(g)$

[실험 과정]
(가) M(s) w mg을 충분한 양의 HCl(aq)과 모두 반응시킨다.
(나) (가)에서 생성된 $H_2(g)$와 C(s) a mg을 혼합하여 어느 한 반응물이 모두 소모될 때까지 반응시킨다.
[실험 결과] C(s)는 12 mg 남았고, t °C, 1 atm에서 $CH_4(g)$ 48 mL가 생성되었다.

이에 대한 설명으로 옳은 것만을 〈보기〉에서 있는 대로 고른 것은?(단, t °C, 1 atm에서 기체 1 mol의 부피는 24 L이고, C의 원자량은 12이다.)

〈 보기 〉
ㄱ. (가)에서 생성된 $H_2(g)$의 양(mol)은 0.002 mol이다.
ㄴ. M의 원자량은 $\frac{w}{2}$이다.
ㄷ. $a=36$이다.

① ㄱ ② ㄷ ③ ㄱ, ㄴ ④ ㄱ, ㄷ ⑤ ㄴ, ㄷ

[92~93] 다음은 t ˚C, 1 atm에서 $CaCO_3(s)$과 $HCl(aq)$의 반응을 이용하여 화학 반응에서의 양적 관계를 알아보는 실험과 그 결과이다.

[화학 반응식]

$CaCO_3(s) + 2HCl(aq) \longrightarrow CaCl_2(aq) + H_2O(l) + CO_2(g)$

[실험 과정]

(가) $CaCO_3(s)$의 질량을 측정하였더니 w_1 g이었다.

(나) 충분한 양의 $HCl(aq)$이 들어 있는 삼각 플라스크의 질량을 측정하였더니 w_2 g이었다.

(다) $HCl(aq)$에 $CaCO_3(s)$을 넣었더니 $CO_2(g)$가 발생하였다.

(라) 반응이 완전히 끝난 후 삼각 플라스크의 질량을 측정하였더니 w_3 g이었다.

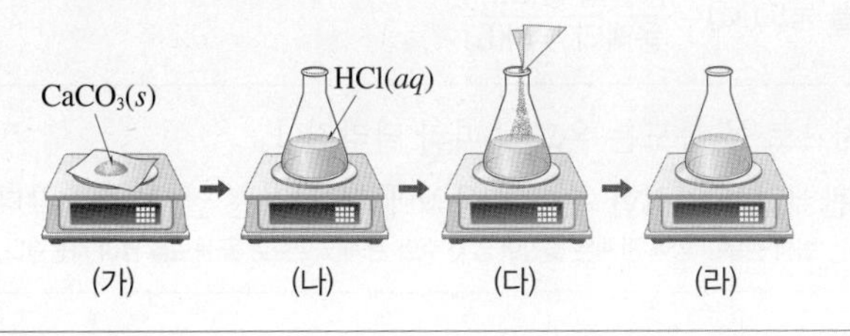

92 하 중 상

이에 대한 설명으로 옳은 것만을 〈보기〉에서 있는 대로 고른 것은? (단, $CaCO_3$의 화학식량은 100이고, 물의 증발과 물에 용해되는 CO_2의 양은 무시한다.)

〈 보기 〉

ㄱ. (다)에서 반응한 $CaCO_3$의 양(mol)은 $\frac{w_1}{100}$ mol이다.

ㄴ. $w_1 + w_2 > w_3$이다.

ㄷ. 이 실험 결과로부터 구한 CO_2의 분자량은 $\frac{100(w_1+w_2-w_3)}{w_1}$이다.

① ㄱ ② ㄷ ③ ㄱ, ㄴ
④ ㄴ, ㄷ ⑤ ㄱ, ㄴ, ㄷ

93 하 중 상

••서술형

발생한 $CO_2(g)$의 부피를 풀이 과정과 함께 서술하시오.(단, t ˚C, 1 atm에서 기체 1 mol의 부피는 24 L이다.)

94 하 중 상

다음은 $CaCO_3(s)$과 $HCl(aq)$의 반응에 대한 화학 반응식이다.

$CaCO_3(s) + 2HCl(aq) \longrightarrow CaCl_2(aq) + H_2O(l) + CO_2(g)$

그림은 20 ˚C, 1 atm에서 $HCl(aq)$ 100 mL가 담긴 삼각 플라스크에 $CaCO_3(s)$ 1.5 g을 넣고 반응시켰을 때, 시간에 따른 삼각 플라스크의 질량을 나타낸 것이다.

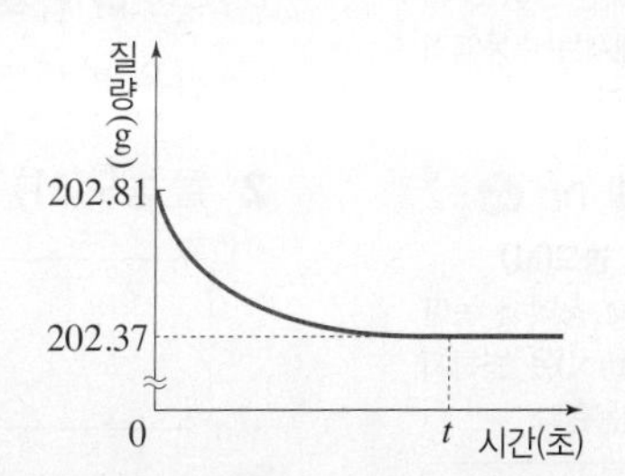

이에 대한 설명으로 옳은 것만을 〈보기〉에서 있는 대로 고른 것은? (단, 화학식량은 $CaCO_3$ 100, H_2O 18, CO_2 44이고, 20 ˚C, 1 atm에서 기체 1 mol의 부피는 24 L이며, 물의 증발과 물에 용해되는 CO_2의 양은 무시한다.)

〈 보기 〉

ㄱ. 반응 후 생성된 H_2O의 질량은 0.18 g이다.

ㄴ. 반응 후 생성된 CO_2의 부피는 0.24 L이다.

ㄷ. 시간 t에서 반응하지 않고 남은 $CaCO_3$의 양(mol)은 0.05 mol이다.

① ㄱ ② ㄷ ③ ㄱ, ㄴ
④ ㄱ, ㄷ ⑤ ㄴ, ㄷ

95 하 중 상

••서술형

$Mg(s)$과 $HCl(aq)$이 반응하면 $H_2(g)$가 발생한다. 20 ˚C, 1 atm에서 충분한 양의 $HCl(aq)$을 이용하여 $H_2(g)$ 18 L를 얻고 싶을 때, 필요한 $Mg(s)$의 최소 양(mol)과 질량(g)을 풀이 과정과 함께 서술하시오.(단, Mg의 원자량은 24이고, 20 ˚C, 1 atm에서 기체 1 mol의 부피는 24 L이다.)

용액의 농도

A 용액의 농도

1 퍼센트 농도(%) 용액 100 g에 녹아 있는 용질의 질량(g)을 백분율로 나타낸 것 → 단위는 %이다.

$$\text{퍼센트 농도(\%)} = \frac{\text{용질의 질량(g)}}{\text{용액의 질량(g)}} \times 100$$

① 온도나 압력에 영향을 받지 않고 일정한 값을 갖는다. → 일상생활에서 많이 사용한다.

② 같은 퍼센트 농도라도 용질의 종류에 따라 용액에 녹아 있는 입자 수가 다르다.

2 몰 농도(M) 용액 ❶ ☐ L 속에 녹아 있는 용질의 양(mol), 단위는 M 또는 mol/L이다.

$$\text{몰 농도(M)} = \frac{\text{용질의 양(mol)}}{\text{용액의 부피(L)}}$$

① 온도에 따라 용액의 부피가 달라지므로 몰 농도는 온도에 따라 달라진다.

② 몰 농도가 같으면 용질의 종류와 관계없이 일정한 부피의 용액에 녹아 있는 입자 수가 같다. → 화학 반응의 양적 관계는 물질의 입자 수와 관계 있으므로 몰 농도를 많이 사용한다.

(0.1 M 황산 구리(Ⅱ) 수용액 만들기)

❶ 황산 구리(Ⅱ) 오수화물($CuSO_4 \cdot 5H_2O$) 24.97 g을 비커에 담고, 적당량의 증류수를 부어 모두 녹인다. ➔ 황산 구리(Ⅱ) 오수화물의 양(mol): 0.1 mol → 황산 구리(Ⅱ) 오수화물의 화학식량: 249.7

❷ 황산 구리(Ⅱ) 수용액을 1 L ❷☐☐ ☐☐☐☐에 넣는다.

❸ 스포이트나 씻기병으로 눈금선에 맞춰 증류수를 넣은 후 마개를 막고 잘 섞이도록 흔들어 섞는다.
➔ 황산 구리(Ⅱ) 오수화물을 모두 녹인 후 증류수를 더 넣어 용액의 부피를 1 L로 맞추는 까닭: 황산 구리(Ⅱ) 오수화물 0.1 mol이 녹아 있는 용액의 전체 부피가 1 L가 되어야 하기 때문

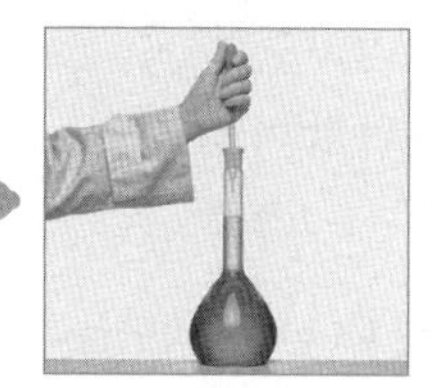

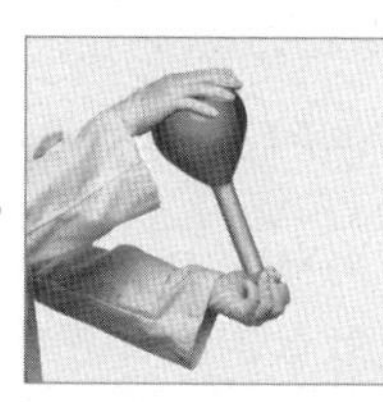

기출 Tip A-1, 2

농도의 변환에 필요한 조건
퍼센트 농도(%) → 몰 농도(M), 몰 농도(M) → 퍼센트 농도(%)로 변환하기 위해서는 수용액의 밀도 값이 필요하다.

기출 Tip A-2

희석한 용액의 몰 농도(M)
용액을 희석할 때 용액에 녹아 있는 용질의 양(mol)은 변하지 않으므로 이를 이용한다.

$$M_2 = \frac{M_1V_1}{V_2}$$

(M_1V_1: 진한 용액의 몰 농도와 부피, M_2V_2: 희석한 용액의 몰 농도와 부피)

혼합 용액의 몰 농도(M)
같은 용질이 용해된 서로 다른 농도의 두 용액을 혼합할 때 용질의 전체 양(mol)은 변하지 않으므로 이를 이용한다.

$$M_{혼합} = \frac{M_1V_1 + M_2V_2}{V_{혼합}}$$

(M_1V_1, M_2V_2: 혼합 전 두 용액의 몰 농도와 부피, $M_{혼합}V_{혼합}$: 혼합한 용액의 몰 농도와 부피)

답 ❶ 1 ❷ 부피 플라스크

빈출 자료 보기

정답과 해설 13쪽

96 그림은 포도당 수용액 (가)~(다)를 나타낸 것이다.
이에 대한 설명으로 옳은 것은 ○, 옳지 않은 것은 ×로 표시하시오.(단, 포도당의 분자량은 180이고, 수용액의 온도는 일정하다.)

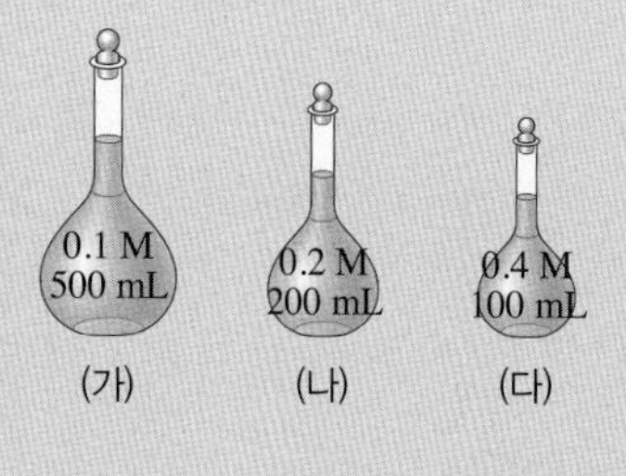

(1) (가)에 녹아 있는 포도당의 질량은 9 g이다. ( )

(2) (나)와 (다)를 혼합한 용액에 녹아 있는 포도당의 양(mol)은 0.04 mol이다. ( )

(3) (가)~(다)를 혼합한 후 증류수를 가해 전체 부피를 1000 mL로 만든 수용액의 몰 농도(M)는 0.13 M이다. ( )

(4) 각 수용액이 들어 있는 실험 기구는 부피 플라스크이다. ( )

97 다음은 NaOH(aq)에 대한 실험이다.

(가) 밀도가 1 g/mL인 10 % NaOH(aq) 60 g을 준비한다.
(나) 0.5 M NaOH(aq) 100 mL를 준비한다.
(다) (가)와 (나)의 수용액을 모두 혼합한 후, 증류수 x mL를 추가하여 0.2 M NaOH(aq)을 만든다.

이에 대한 설명으로 옳은 것은 ○, 옳지 않은 것은 ×로 표시하시오.(단, NaOH의 화학식량은 40이며, 혼합 용액의 부피는 혼합 전 각 용액의 부피의 합과 같고, 온도는 일정하다.)

(1) (가) 수용액에서 NaOH의 양(mol)은 0.05 mol이다. ( )

(2) (가) 수용액의 부피는 60 mL이다. ( )

(3) x는 84이다. ( )

정답과 해설 14쪽

A 용액의 농도

98 하 중 상 多 보기

용액의 농도에 대한 설명으로 옳지 않은 것은?

① 퍼센트 농도는 용액 100 g에 녹아 있는 용질의 질량을 백분율로 나타낸 것이다.
② 퍼센트 농도의 단위는 %이다.
③ 몰 농도는 용액 1 L에 녹아 있는 용질의 양(mol)이다.
④ 몰 농도의 단위는 M 또는 mol/L이다.
⑤ 10 % 포도당 수용액 100 g과 10 % 설탕 수용액 100 g에 녹아 있는 입자 수는 같다.
⑥ 같은 온도의 0.1 M 포도당 수용액 0.1 L와 0.1 M 설탕 수용액 0.1 L에 녹아 있는 입자 수는 같다.

99 하 중 상

삼각 플라스크에 NaCl(aq) 50 mL를 넣고 물을 모두 증발시킨 다음 질량을 측정하였더니 510.85 g이었다. NaCl(aq)의 몰 농도(M)는?(단, 삼각 플라스크의 질량은 505 g이고, NaCl의 화학식량은 58.5이다.)

① 0.1 M ② 0.2 M ③ 1 M
④ 2 M ⑤ 5 M

100 하 중 상

다음은 25 °C에서 3가지 수용액에 대한 자료이다.

> (가) 0.5 M 설탕 수용액 500 mL
> (나) 9 % 포도당 수용액 300 g
> (다) 1 M 포도당 수용액 100 mL

(가)~(다)에 포함된 입자 수를 옳게 비교한 것은?(단, 포도당의 분자량은 180이다.)

① (가)>(나)>(다) ② (가)>(다)>(나)
③ (나)>(가)>(다) ④ (다)>(가)>(나)
⑤ (다)>(나)>(가)

101 하 중 상

1 M 포도당 수용액 800 mL에 2 M 포도당 수용액 200 mL를 추가로 넣었다. 이때 혼합 용액의 몰 농도(M)는?(단, 혼합 용액의 부피는 혼합 전 각 용액의 부피의 합과 같고, 온도는 일정하다.)

① 1.0 M ② 1.2 M ③ 1.5 M
④ 2.0 M ⑤ 2.2 M

102 하 중 상

2.0 M 설탕 수용액 1 L에서 x mL를 취한 뒤 증류수를 넣어 0.4 M 설탕 수용액 2 L를 만들었다. x는?(단, 온도는 일정하다.)

① 100 ② 200 ③ 300
④ 400 ⑤ 500

103 하 중 상

다음은 $CaCO_3(s)$과 HCl(aq)의 반응에 대한 화학 반응식이다.

$$CaCO_3(s) + 2HCl(aq) \longrightarrow CaCl_2(aq) + H_2O(l) + CO_2(g)$$

x M HCl(aq) 100 mL가 담긴 삼각 플라스크에 $CaCO_3(s)$ 6 g을 넣고 반응을 완결시켰을 때 생성된 $CO_2(g)$의 질량이 0.44 g이었다. 남은 $CaCO_3(s)$의 질량을 a라고 할 때, $x \times a$는?(단, H, C, O, Ca의 원자량은 각각 1, 12, 16, 40이다.)

① 1 ② 2 ③ 5
④ 10 ⑤ 12

빈출 104 하 중 상

0.5 M A 수용액 1 L에 대한 설명으로 옳지 않은 것은?(단, A의 화학식량은 180이고, 수용액의 밀도는 1.08 g/mL이며, 온도는 일정하다.)

① 녹아 있는 A의 양(mol)은 0.5 mol이다.
② 수용액 0.5 L에는 A가 90 g 녹아 있다.
③ 퍼센트 농도(%)는 $\frac{25}{3}$ %이다.
④ 물을 추가하여 수용액의 부피를 4 L로 만든 용액의 몰 농도(M)는 0.125 M이다.
⑤ 물을 증발시켜 수용액의 부피를 $\frac{1}{4}$로 줄인 용액의 몰 농도(M)는 2 M이다.

105 하중상 ••서술형

그림은 25 °C에서 부피가 같은 A 수용액과 B 수용액의 몰 농도(M)를 나타낸 것이다. 분자량은 B가 A의 3배이다.

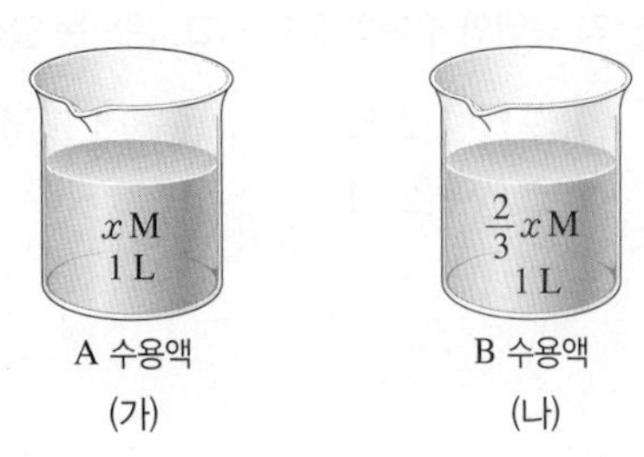

(1) 수용액에 녹아 있는 용질의 몰비 (가) : (나)를 풀이 과정과 함께 서술하시오.

(2) 수용액에 녹아 있는 용질의 질량비 (가) : (나)를 풀이 과정과 함께 서술하시오.

106 하중상

그림과 같이 설탕 25 g과 포도당 25 g을 각각 물 450 g에 녹여 수용액을 만들었다.

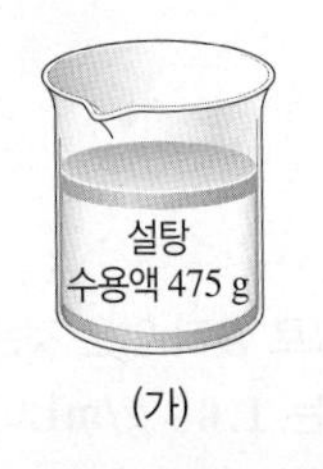

이에 대한 설명으로 옳은 것만을 〈보기〉에서 있는 대로 고른 것은? (단, 설탕과 포도당의 분자량은 각각 342, 180이며, 두 수용액의 밀도는 1 g/mL로 같고, 온도는 일정하다.)

〈 보기 〉

ㄱ. (가)와 (나) 수용액의 퍼센트 농도(%)는 같다.

ㄴ. (가)와 (나) 수용액의 몰 농도(M)는 같다.

ㄷ. 수용액에 들어 있는 용질의 입자 수는 (가)<(나)이다.

① ㄱ ② ㄴ ③ ㄱ, ㄷ ④ ㄴ, ㄷ ⑤ ㄱ, ㄴ, ㄷ

107 하중상

표는 NaOH(aq) (가)와 (나)에 대한 자료이다.

수용액	(가)	(나)
용액의 농도	1 %	0.2 M
용액의 양	500 g	250 mL

이에 대한 설명으로 옳은 것만을 〈보기〉에서 있는 대로 고른 것은? (단, H, O, Na의 원자량은 각각 1, 16, 23이고, 모든 수용액의 밀도는 1 g/mL이며, 온도는 일정하다.)

〈 보기 〉

ㄱ. 수용액에 들어 있는 NaOH(s)의 질량은 (가)가 (나)의 2.5배이다.

ㄴ. (가)와 (나) 수용액을 혼합한 용액의 퍼센트 농도(%)는 1 %보다 크다.

ㄷ. (가) 수용액 400 g을 취한 후 물을 넣어 500 mL로 만든 용액의 몰 농도(M)는 0.2 M이다.

① ㄱ ② ㄴ ③ ㄱ, ㄷ ④ ㄴ, ㄷ ⑤ ㄱ, ㄴ, ㄷ

108 하중상

그림은 수용액 (가)와 증류수를 혼합하여 수용액 (나)를 만드는 과정이다.

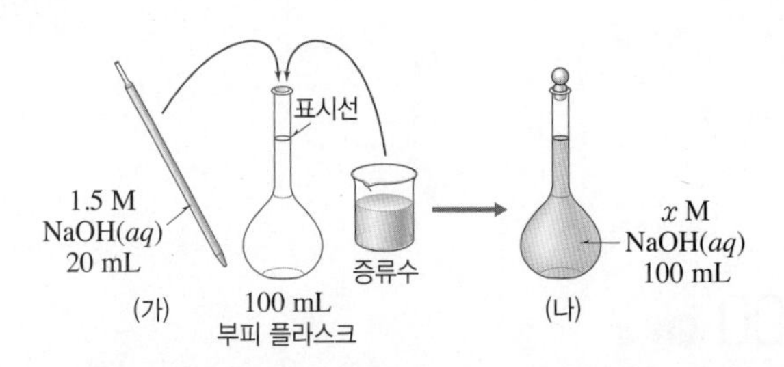

이에 대한 설명으로 옳은 것만을 〈보기〉에서 있는 대로 고른 것은? (단, NaOH의 화학식량은 40이고, 온도는 일정하다.)

〈 보기 〉

ㄱ. (가)에 들어 있는 NaOH(s)의 질량은 1.2 g이다.

ㄴ. (나)에서 x는 0.3이다.

ㄷ. x M NaOH(aq) 100 mL를 만들기 위해서는 (가)를 부피 플라스크에 넣은 후 증류수를 채워서 100 mL가 되게 한다.

① ㄱ ② ㄴ ③ ㄱ, ㄷ ④ ㄴ, ㄷ ⑤ ㄱ, ㄴ, ㄷ

[109~110] 다음은 원하는 몰 농도(M)의 $NaOH(aq)$ 100 mL를 만드는 실험 과정을 순서 없이 나열한 것이다.

(가) 50 mL 비커에 NaOH 4.0 g을 정확히 측정하여 넣는다.
(나) 100 mL (㉠)에 비커의 용액을 붓는다.
(다) NaOH이 들어 있는 비커에 적당량의 증류수를 넣고 완전히 녹인다.
(라) (㉠)의 표시선까지 증류수를 채운 후 마개를 막고 충분히 섞는다.
(마) 남은 용질이 없도록 증류수로 비커를 씻어 (㉠)에 넣는다.

109 하 중 상

$NaOH(aq)$을 만드는 과정을 옳게 나열한 것은?

① (가)-(나)-(다)-(마)-(라)
② (가)-(다)-(나)-(마)-(라)
③ (가)-(다)-(마)-(라)-(나)
④ (나)-(가)-(다)-(마)-(라)
⑤ (나)-(가)-(라)-(다)-(마)

110 하 중 상

이에 대한 설명으로 옳은 것만을 〈보기〉에서 있는 대로 고른 것은? (단, H, O, Na의 원자량은 각각 1, 16, 23이다.)

〈 보기 〉
ㄱ. ㉠은 부피 플라스크이다.
ㄴ. (라)에서 넣은 증류수의 부피는 100 mL이다.
ㄷ. $NaOH(aq)$의 몰 농도(M)는 1 M이다.

① ㄱ ② ㄷ ③ ㄱ, ㄴ
④ ㄱ, ㄷ ⑤ ㄴ, ㄷ

111 하 중 상

다음은 포도당 수용액에 관한 실험이다.

(가) 2 M 포도당 수용액 300 mL에 물을 넣어 1.5 M 포도당 수용액 x mL를 만든다.
(나) 2 M 포도당 수용액 200 mL에 포도당 y g과 물을 넣어 2.5 M 포도당 수용액 400 mL를 만든다.
(다) (가)에서 만든 수용액과 (나)에서 만든 수용액을 모두 혼합하여 z M 포도당 수용액을 만든다.

이에 대한 설명으로 옳은 것만을 〈보기〉에서 있는 대로 고른 것은? (단, 포도당의 분자량은 180이며, 혼합 용액의 부피는 혼합 전 각 용액의 부피의 합과 같고, 온도는 일정하다.)

〈 보기 〉
ㄱ. x는 400이다.
ㄴ. $\frac{y}{z}$는 52이다.
ㄷ. (다) 과정 후에 수용액 100 mL에 들어 있는 포도당의 양(mol)은 0.1 mol이다.

① ㄱ ② ㄷ ③ ㄱ, ㄴ
④ ㄱ, ㄷ ⑤ ㄴ, ㄷ

112 하 중 상

다음은 x M A 수용액을 만든 후 퍼센트 농도(%)를 구하는 과정이다.

(가) 증류수에 A 10 g을 녹여 10 mL 수용액을 만든 후 수용액 1 mL를 취하여 250 mL 부피 플라스크에 넣고 표시선까지 증류수를 채워 x M 수용액을 만든다.
(나) (가) 수용액의 밀도를 측정하고, 퍼센트 농도(%)를 구한다.

[자료]
• (가) 수용액의 밀도: 1.2 g/mL
• (가) 수용액의 퍼센트 농도(%): y %

$\frac{y}{x}$는?(단, A의 화학식량은 40이며, 온도는 일정하다.)

① $\frac{1}{3}$ ② $\frac{4}{3}$ ③ $\frac{10}{3}$
④ 5 ⑤ $\frac{20}{3}$

113

그림은 분자 1개당 H(수소) 원자 수가 4인 화합물 (가)와 (나)를 구성하는 원소의 질량 백분율을 나타낸 것이다.

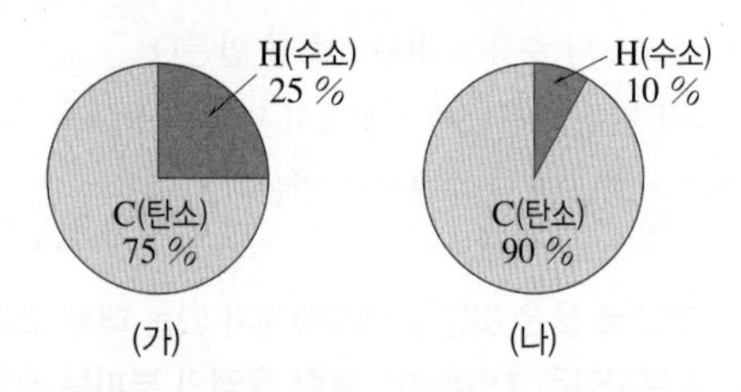

이에 대한 설명으로 옳은 것만을 〈보기〉에서 있는 대로 고른 것은? (단, H, C의 원자량은 각각 1, 12이다.)

〈 보기 〉
ㄱ. (가)는 C_3H_4이다.
ㄴ. 분자 1개당 C 원자 수는 (나)가 (가)의 3배이다.
ㄷ. 분자량은 (나)가 (가)보다 크다.

① ㄱ　② ㄴ　③ ㄷ　④ ㄱ, ㄴ　⑤ ㄴ, ㄷ

114

그림은 CH_3COOH(아세트산)과 $C_9H_8O_4$(아스피린)의 분자 모형이다.

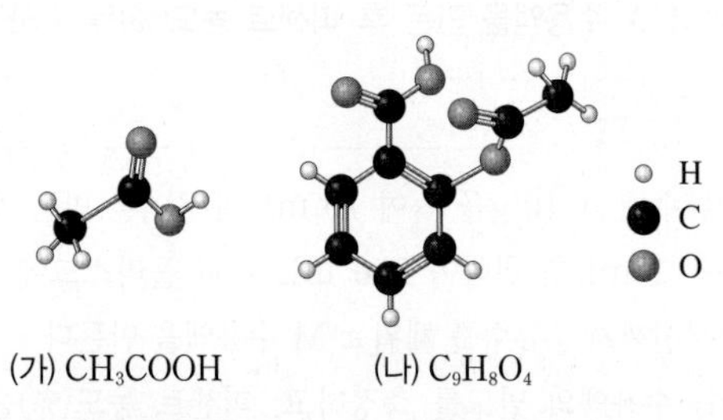

이에 대한 설명으로 옳은 것만을 〈보기〉에서 있는 대로 고른 것은? (단, H, C, O의 원자량은 각각 1, 12, 16이다.)

〈 보기 〉
ㄱ. 1 mol의 질량비는 (가) : (나)=1 : 2이다.
ㄴ. 1 mol에 들어 있는 $\frac{\text{H 원자 수}}{\text{O 원자 수}}$는 (가)와 (나)가 같다.
ㄷ. 1 g에 들어 있는 C 원자 수는 (나)가 (가)보다 크다.

① ㄱ　② ㄴ　③ ㄱ, ㄷ　④ ㄴ, ㄷ　⑤ ㄱ, ㄴ, ㄷ

115

그림은 t ℃, 1 atm에서 원소 X와 Y로 이루어진 기체 (가)와 (나)의 질량 관계를 나타낸 것이다. P에서 (가)의 부피는 $1.5V$ L이고, Q에서 (나)의 부피는 $\frac{2}{3}V$ L이다. (가)는 3원자 분자이고, (나)의 구성 원자 수는 5 이하이다.

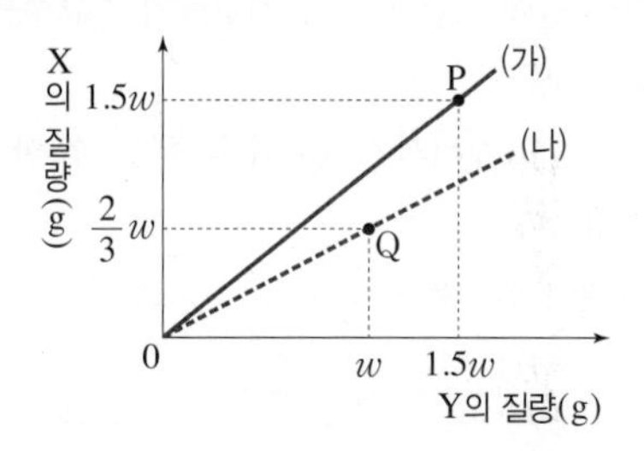

이에 대한 설명으로 옳은 것만을 〈보기〉에서 있는 대로 고른 것은? (단, X와 Y는 임의의 원소 기호이고, t ℃, 1 atm에서 기체 1 mol의 부피는 V L이다.)

〈 보기 〉
ㄱ. 원자량비는 X : Y=2 : 1이다.
ㄴ. P와 Q의 밀도비는 9 : 10이다.
ㄷ. P에서 X 원자의 양(mol)과 Y 원자의 양(mol)의 합은 4.5 mol이다.

① ㄱ　② ㄴ　③ ㄱ, ㄷ　④ ㄴ, ㄷ　⑤ ㄱ, ㄴ, ㄷ

116

그림은 실린더 (가)와 (나)에 기체 A, B가 들어 있는 모습을 나타낸 것이다. 꼭지를 열고 충분한 시간이 지났을 때 (나)의 부피는 $4V$ L가 되었다.

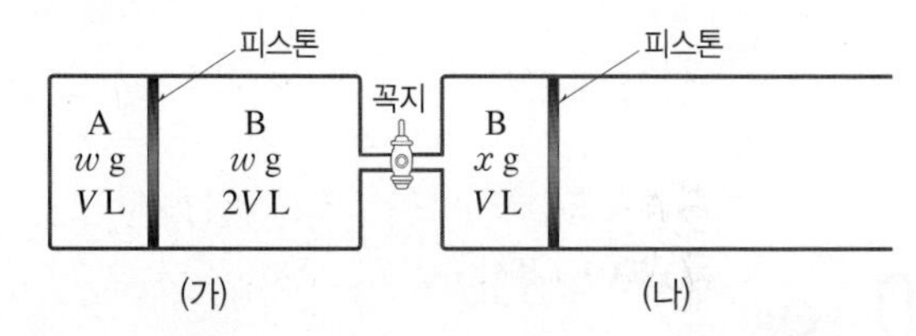

이에 대한 설명으로 옳은 것은?(단, 온도와 대기압은 일정하며, 피스톤의 마찰과 연결관의 부피는 무시한다.)

① 꼭지를 열기 전 (가)의 압력은 대기압과 같다.
② 꼭지를 열기 전 전체 기체의 양(mol)은 (가) : (나)=3 : 1이다.
③ A의 분자량은 B보다 작다.
④ x는 $\frac{w}{2}$이다.
⑤ 꼭지를 열고 충분한 시간이 지난 후의 부피비는 A : B=2 : 5이다.

117

다음은 A(g)와 B(g)가 반응하여 C(g)를 생성하는 반응의 화학 반응식이다.

$$aA(g) + bB(g) \longrightarrow cC(g)$$ (a~c는 반응 계수)

그림은 **1 g**의 A(g)가 들어 있는 실린더에 B(g)를 넣으면서 반응시킬 때, 넣어 준 B(g)의 질량에 따른 반응 후 전체 기체의 밀도를 나타낸 것이다.

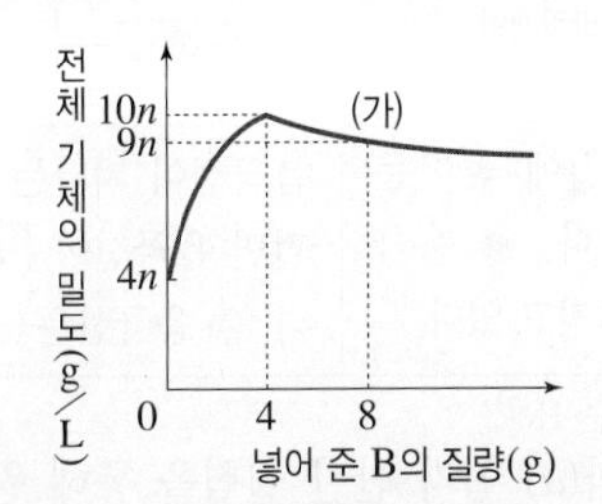

화학 반응식의 계수비 $a:b:c$는?(단, 온도와 압력은 일정하다.)

① 1 : 1 : 2　　② 1 : 2 : 1　　③ 1 : 2 : 2
④ 2 : 1 : 2　　⑤ 2 : 2 : 1

118

다음은 $C_mH_n(g)$ 연소 반응의 화학 반응식이다.

$$C_mH_n(g) + aO_2(g) \longrightarrow bCO_2(g) + bH_2O(g)$$ (a, b는 반응 계수)

그림은 $C_mH_n(g)$와 $O_2(g)$를 실린더에 넣고 반응을 완결시켰을 때, 반응 전과 후의 모습을 나타낸 것이다.

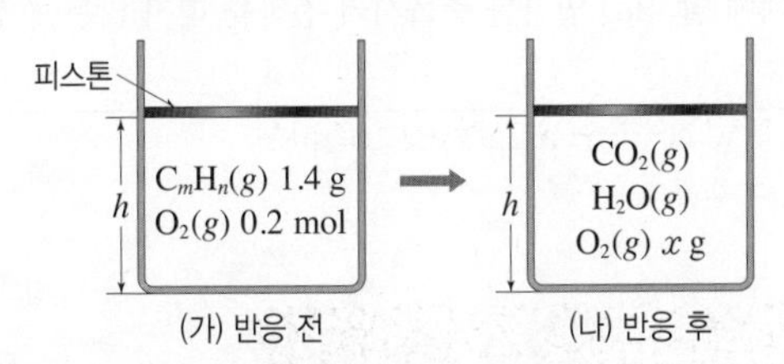

이에 대한 설명으로 옳은 것만을 〈보기〉에서 있는 대로 고른 것은?(단, H, C, O의 원자량은 각각 1, 12, 16이고, 반응 전과 후의 온도와 압력은 일정하며, 피스톤의 질량과 마찰은 무시한다.)

〈 보기 〉
ㄱ. (가)에서 $\frac{O_2(g)\text{의 양(mol)}}{\text{전체 물질의 양(mol)}} = \frac{4}{5}$이다.
ㄴ. x는 0.16 g이다.
ㄷ. 반응 전과 후 실린더 속 전체 기체의 밀도는 같다.

① ㄱ　　② ㄴ　　③ ㄱ, ㄷ
④ ㄴ, ㄷ　　⑤ ㄱ, ㄴ, ㄷ

119

••서술형

다음은 A(g)와 B(g)가 반응하여 C(g)를 생성하는 반응의 화학 반응식이다.

$$A(g) + B(g) \longrightarrow 2C(g)$$

표는 실린더에 A(g)와 B(g)를 넣고 반응시킬 때, 반응 전과 후에 대한 자료이다. A의 분자량은 2이다.

실험	반응 전		반응 후		
	A의 질량(g)	B의 질량(g)	A의 질량(g)	B의 질량(g)	전체 부피(L)
Ⅰ	0.8	7.6	x	0	6
Ⅱ	0.4	22.8	0	y	8

$\frac{x+y}{\text{C의 분자량}}$를 풀이 과정과 함께 서술하시오.(단, 온도와 압력은 일정하다.)

120

••서술형

그림은 25 ℃에서 물질 X를 녹인 수용액 (가)와 (나)를 혼합한 후 증류수를 가하여 수용액 (다) 500 mL를 만드는 과정을 나타낸 것이다. X의 화학식량은 100이다.

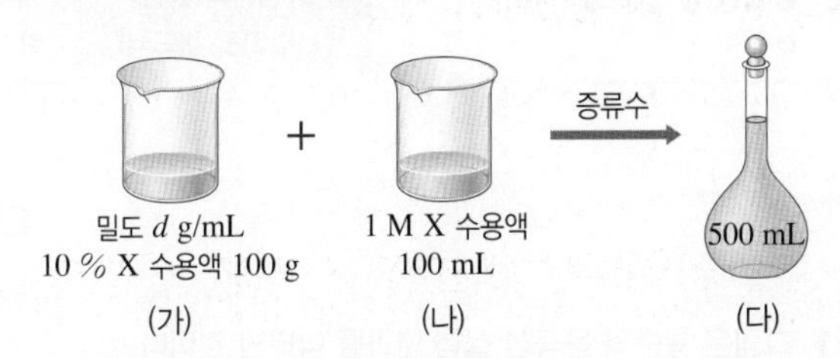

(1) 수용액 (가)의 몰 농도(M)를 풀이 과정과 함께 서술하시오.

(2) 수용액 (나)에 X 10 g을 더 녹였을 때 (나) 수용액의 몰 농도(M)를 풀이 과정과 함께 서술하시오.(단, 용액의 부피는 일정하다.)

(3) 수용액 (다)의 퍼센트 농도(%)를 풀이 과정과 함께 서술하시오.(단, 수용액 (다)의 밀도는 1 g/mL이다.)

원자를 구성하는 입자의 발견

Ⓐ 원자를 구성하는 입자의 발견

1 전자의 발견(톰슨, 1897년) 톰슨은 음극선 실험을 통해 음극선은 (−)전하를 띠고 질량을 가진 입자의 흐름임을 밝혀냈고, 이후 과학자들은 이를 전자라고 하였다.

- 음극선: 진공 방전관에 높은 전압을 걸어 줄 때 (−)극에서 (+)극 쪽으로 흐르며 빛을 내는 선
- 음극선이 지나는 길에 자석을 대면 음극선이 휜다. → 음극선은 전하를 띤다.

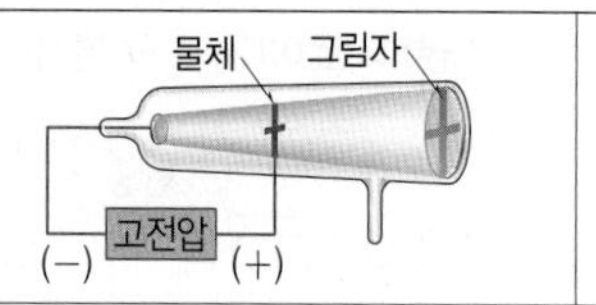 	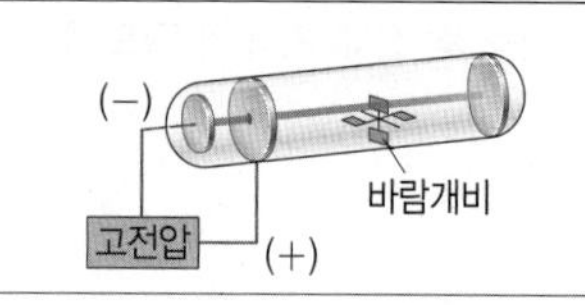 	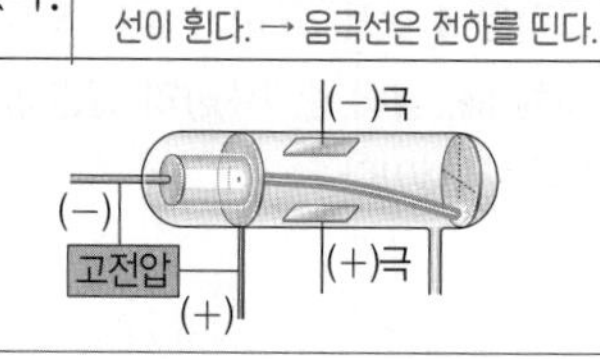
음극선이 지나는 길에 물체를 놓아두면 그림자가 생긴다. ➔ 음극선은 ❶□□한다.	음극선이 지나는 길에 놓아둔 바람개비가 회전한다. ➔ 음극선은 ❷□□을 가지고 있다.	음극선이 지나는 길에 전기장을 걸면 음극선이 (+)극 쪽으로 휜다. ➔ 음극선은 (−)전하를 띤다.

2 원자핵의 발견(1911, 러더퍼드) 러더퍼드는 알파(α) 입자 산란 실험을 통해 원자의 대부분은 빈 공간이며, 원자의 중심에 부피가 작고 질량이 매우 크며 (+)전하를 띠는 입자가 존재한다는 것을 밝혀냈고, 이를 원자핵이라고 하였다.

- 알파(α) 입자: He^{2+}
- 질량: 원자핵 > 전자

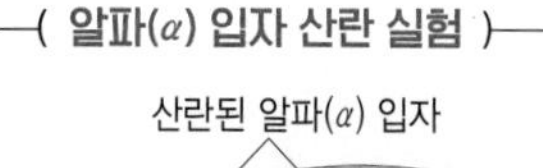

(알파(α) 입자 산란 실험)

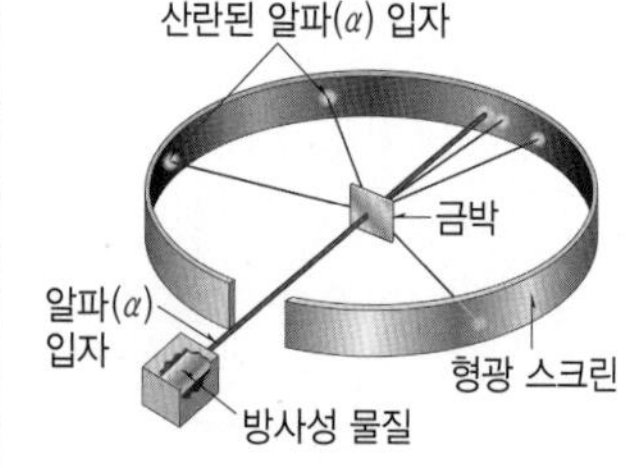

- 대부분의 알파(α) 입자들은 금박을 통과하여 직진한다. ➔ 원자의 대부분은 ❸□ □□이다.
- 소수의 알파(α) 입자들은 금박을 통과하면서 휘어진다. ➔ 원자의 중심에는 ❹□전하를 띤 입자가 존재한다.
- 극소수의 알파(α) 입자들은 금박으로부터 튕겨 나온다. ➔ 원자의 중심에는 부피가 작고 질량이 매우 큰 입자가 존재한다.

3 양성자와 중성자의 발견 → 양성자와 중성자는 원자핵을 구성하는 입자이다.

양성자의 발견 (1886년, 골트슈타인)	• 골트슈타인은 진공 방전관에 소량의 수소 기체를 넣고 방전시킬 때 (+)극에서 (−)극 쪽으로 이동하는 입자의 흐름을 발견하고, 이를 양극선이라고 하였다. • 이후 양극선이 수소 원자핵의 흐름임을 알게 되었고, 이를 양성자라고 하였다.
중성자의 발견 (1932년, 채드윅)	채드윅은 베릴륨 원자핵에 알파(α) 입자를 충돌시켜 전하를 띠지 않는 중성자를 발견하였다.

기출 Tip Ⓐ

톰슨의 원자 모형

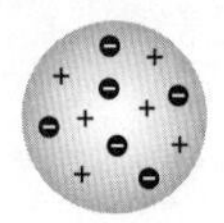

(+)전하를 띠는 공 모양의 물질 속에 (−)전하를 띠는 전자가 박혀 있는 원자 모형을 제안하였다.

러더퍼드의 원자 모형

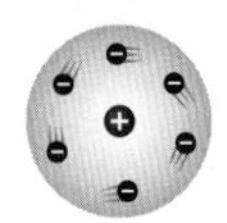

원자의 중심에 (+)전하를 띠는 원자핵이 위치하고, (−)전하를 띠는 전자가 원자핵 주위를 움직이고 있는 원자 모형을 제안하였다.

원자 모형의 변천

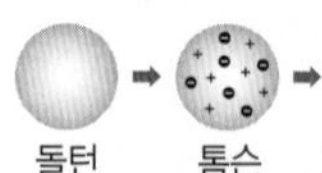

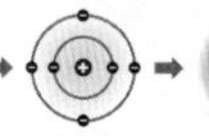

보어: 수소 원자의 불연속적인 선 스펙트럼을 설명하기 위해 제안된 모형

답 ❶ 직진 ❷ 질량 ❸ 빈 공간 ❹ (+)

빈출 자료 보기

정답과 해설 18쪽

121 그림은 톰슨의 음극선 실험 결과를 나타낸 것이다.

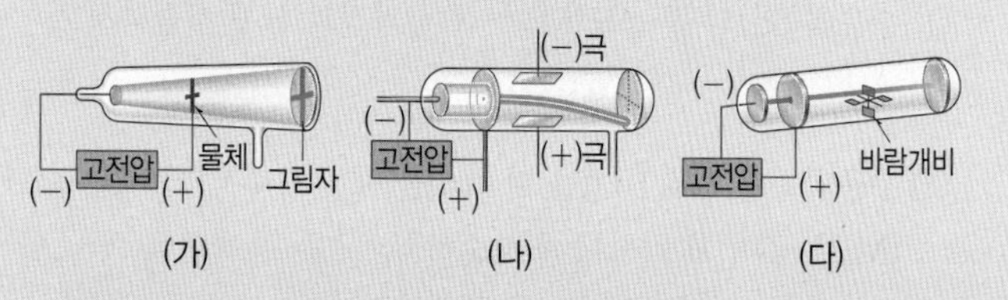

이에 대한 설명으로 옳은 것은 ○, 옳지 않은 것은 ×로 표시하시오.

(1) (가)에서 음극선은 질량을 가지고 있음을 알 수 있다. ( )

(2) (나)에서 음극선은 (+)전하를 띠고 있음을 알 수 있다. ( )

(3) (다)에서 음극선은 직진하는 성질이 있음을 알 수 있다. ( )

(4) 이 실험을 통해 전자의 존재를 밝혀냈다. ( )

122 그림은 알파(α) 입자 산란 실험을 나타낸 것이다. 이에 대한 설명으로 옳은 것은 ○, 옳지 않은 것은 ×로 표시하시오.

산란된 알파(α) 입자 / 금박 / 알파(α) 입자 / 형광 스크린 / 방사성 물질

(1) 이 실험에서 대부분의 알파(α) 입자들은 금박을 통과한다. ( )

(2) 이 실험에서 극소수의 알파(α) 입자들은 금박을 통과하면서 휘어지거나 튕겨 나온다. ( )

(3) 이 실험 결과로 양성자의 존재가 제안되었다. ( )

(4) 이 실험 결과로 발견된 입자는 (+)전하를 띤다. ( )

A 원자를 구성하는 입자의 발견

123 하중상

다음은 어떤 실험에 대한 설명이다.

> 진공관의 양쪽 끝에 전극을 설치하고 높은 전압을 걸어 주면 진공관의 두 전극 사이에서 빛의 흐름이 나타난다. 이때 자석을 진공관에 가까이 대면 이 빛이 휘어지는 것을 관찰할 수 있다.

이 실험과 관련된 입자는?

① 전자 ② 원자핵 ③ 양성자
④ 중성자 ⑤ 알파(α) 입자

124 하중상

그림은 러더퍼드의 알파(α) 입자 산란 실험을 나타낸 것이다.

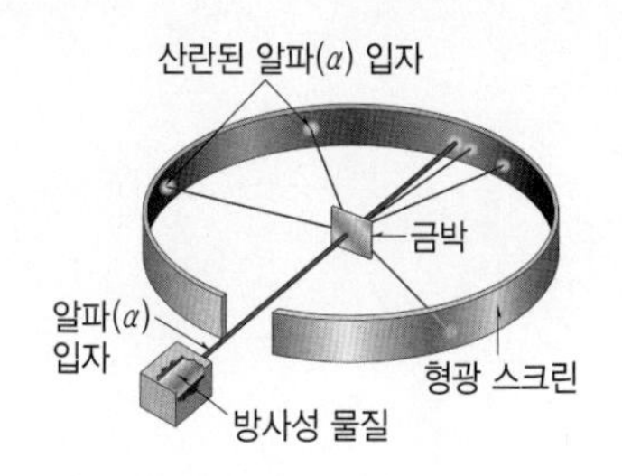

이 실험을 통해 러더퍼드가 발견한 입자는?

① 원자 ② 전자 ③ 원자핵
④ 양성자 ⑤ 중성자

125 하중상

원자를 구성하는 입자를 발견한 실험에 대한 설명으로 옳은 것만을 〈보기〉에서 있는 대로 고른 것은?

〈 보기 〉
ㄱ. 톰슨은 음극선이 전자의 흐름임을 밝혀내었다.
ㄴ. 톰슨은 (+)전하를 띠는 공 모양의 물질 속에 전자가 박혀 있는 원자 모형을 제안하였다.
ㄷ. 러더퍼드의 알파(α) 입자 산란 실험에서 알파(α) 입자는 (−)전하를 띤다.

① ㄱ ② ㄷ ③ ㄱ, ㄴ
④ ㄴ, ㄷ ⑤ ㄱ, ㄴ, ㄷ

빈출

126 하중상

그림은 원자를 구성하는 어떤 입자의 성질을 확인하기 위한 실험이다.

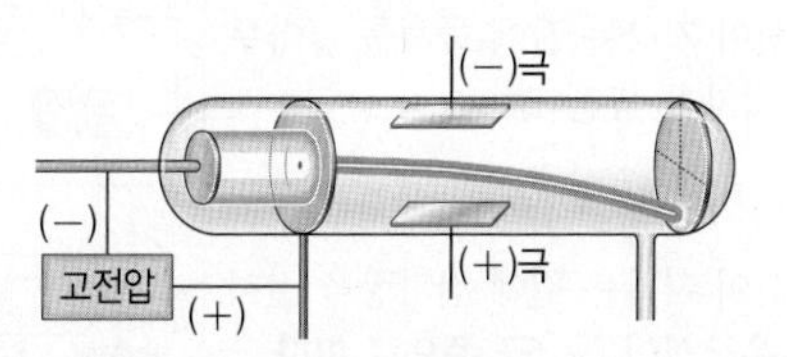

이 실험으로 알 수 있는 이 입자의 성질로 옳은 것만을 〈보기〉에서 있는 대로 고른 것은?

〈 보기 〉
ㄱ. (−)전하를 띤다.
ㄴ. 질량을 가지고 있다.
ㄷ. 직진하는 성질이 있다.

① ㄱ ② ㄴ ③ ㄱ, ㄷ
④ ㄴ, ㄷ ⑤ ㄱ, ㄴ, ㄷ

127 하중상

다음은 원자를 구성하는 입자의 성질을 알아보는 실험이다.

[실험 과정]
(가) 유리관 안에 매우 적은 양의 기체를 넣고 높은 전압을 걸어 준다.
(나) 음극선의 진로에 바람개비를 놓는다.

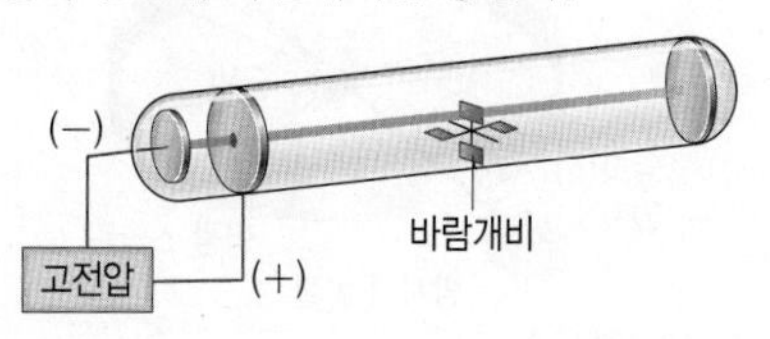

[실험 결과]
(가) (㉠)극에서 (㉡)극 쪽으로 음극선이 방출된다.
(나) 음극선의 진로에 설치한 바람개비가 돌아간다.

이 실험의 결과에 대한 설명으로 옳은 것만을 〈보기〉에서 있는 대로 고른 것은?

〈 보기 〉
ㄱ. ㉠은 (+), ㉡은 (−)이다.
ㄴ. 음극선은 전기적으로 중성이다.
ㄷ. 음극선은 질량을 가진 입자의 흐름이다.

① ㄱ ② ㄷ ③ ㄱ, ㄴ
④ ㄴ, ㄷ ⑤ ㄱ, ㄴ, ㄷ

128 하중상

••서술형

다음은 톰슨의 음극선 실험 결과를 나타낸 것이다.

(가) 음극선이 지나는 길에 물체를 놓아두면 그림자가 생긴다.	고전압 (−) (+) 물체 그림자
(나) 음극선이 지나는 길에 전기장을 걸어주면 음극선이 (+)극 쪽으로 휜다.	(−)극 (−) 고전압 (+) (+)극
(다) 음극선이 지나는 길에 바람개비를 놓아두면 바람개비가 회전한다.	(−) 고전압 (+) 바람개비

(가)~(다)의 실험 결과로 알 수 있는 음극선의 성질을 각각 서술하시오.

(가) ______________________

(나) ______________________

(다) ______________________

129 하중상

다음은 러더퍼드의 알파(α) 입자 산란 실험을 나타낸 것이다.

[실험 과정]

(가) 매우 얇은 금박에 빠른 속력으로 알파(α) 입자를 충돌시킨다.

(나) 형광 스크린을 통해 충돌 이후 산란되어 나오는 알파(α) 입자를 관찰한다.

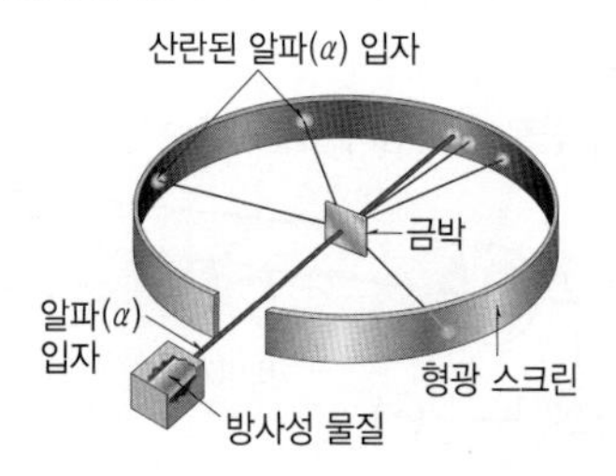

[실험 결과]

• 대부분의 알파(α) 입자들은 금박을 그대로 통과한다.
• 극히 일부의 알파(α) 입자들은 크게 휘거나 튕겨 나온다.

이에 대한 설명으로 옳은 것만을 <보기>에서 있는 대로 고른 것은?

< 보기 >

ㄱ. 원자의 내부는 대부분 빈 공간이다.
ㄴ. 금 원자의 중심에는 (+)전하를 띠는 입자가 있다.
ㄷ. 이 실험 결과를 통해 발견한 입자는 원자 질량의 대부분을 차지한다.

① ㄱ ② ㄴ ③ ㄱ, ㄷ
④ ㄴ, ㄷ ⑤ ㄱ, ㄴ, ㄷ

130 하중상

그림은 러더퍼드의 알파(α) 입자 산란 실험을 나타낸 것이다.

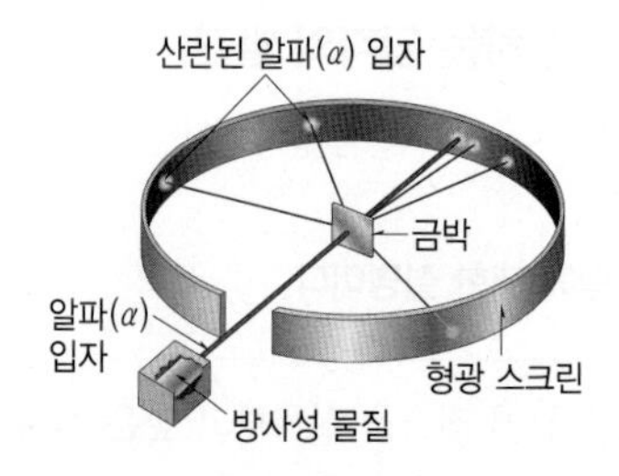

이 실험의 결과로 제시된 원자 모형은?

① 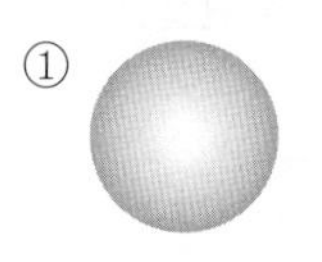
② 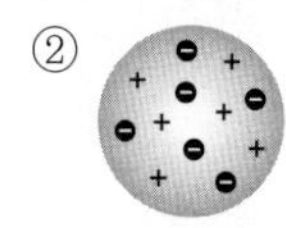
③ 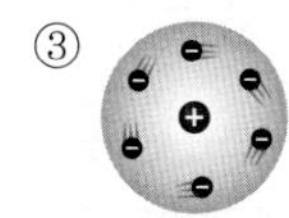
④ 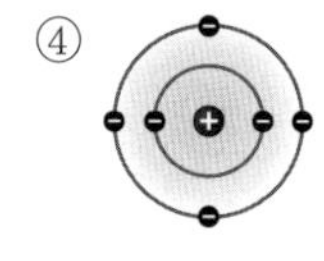
⑤ 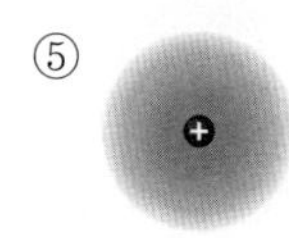

131 하중상

多 보기

그림은 원자를 구성하는 입자를 발견한 2가지 실험을 나타낸 것이다.

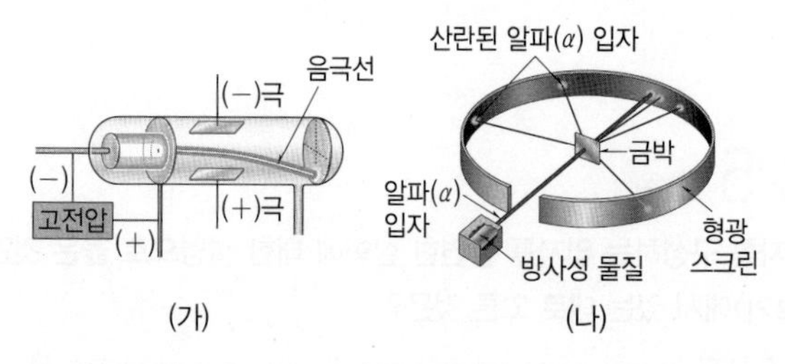

이에 대한 설명으로 옳지 않은 것만을 모두 고르면?(2개)

① (가)에서 음극선은 전자의 흐름이다.
② (가)에서 음극선은 전하를 띠고 있음을 알 수 있다.
③ (나)에서 발견된 입자는 원자핵이다.
④ (나)에서 발견된 입자는 원자 부피의 대부분을 차지한다.
⑤ (나)를 통해 (+)전하를 띤 입자와 (−)전하를 띤 입자가 고르게 분포하는 원자 모형이 제안되었다.
⑥ (가)와 (나)에서 발견된 입자의 질량은 (가)<(나)이다.

132 (하 중 상)

그림은 수소 기체를 넣은 진공 방전관에 높은 전압을 걸었을 때 방전관에서 흐르는 입자를 나타낸 것이다.

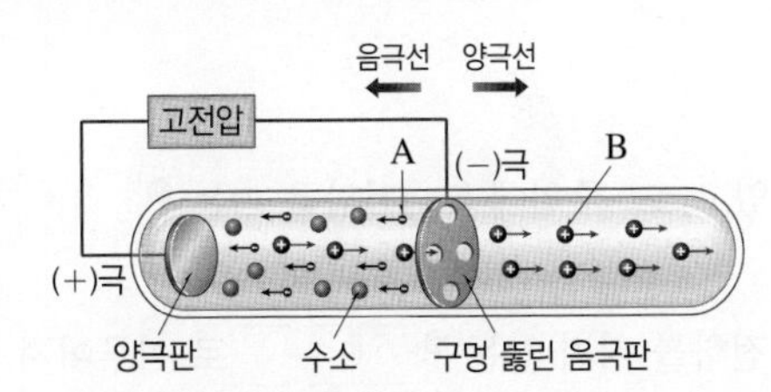

이에 대한 설명으로 옳은 것만을 〈보기〉에서 있는 대로 고른 것은?

〈 보기 〉
ㄱ. A는 톰슨이 발견하였다.
ㄴ. B는 양성자이다.
ㄷ. A와 B는 원자핵을 구성한다.

① ㄱ ② ㄷ ③ ㄱ, ㄴ
④ ㄴ, ㄷ ⑤ ㄱ, ㄴ, ㄷ

133 (하 중 상)

그림 (가)~(다)는 3가지 원자 모형을, (라)는 원자를 구성하는 입자를 발견한 실험을 나타낸 것이다.

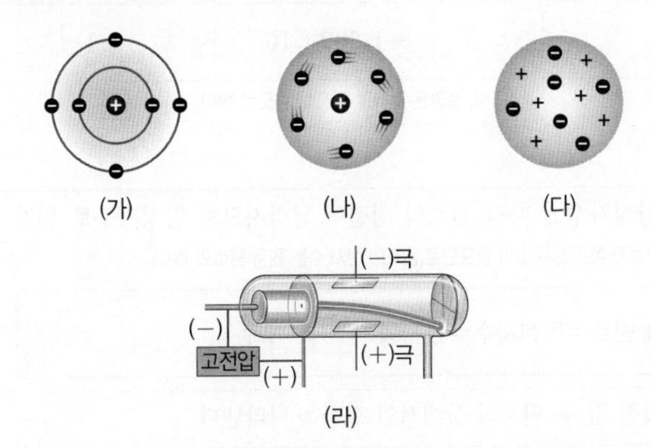

이에 대한 설명으로 옳은 것만을 〈보기〉에서 있는 대로 고른 것은?

〈 보기 〉
ㄱ. 원자 모형이 제안된 순서는 (다) → (나) → (가)이다.
ㄴ. (가)는 실험 (라)를 통해 제안된 원자 모형이다.
ㄷ. (나)와 (다)에서 전자의 에너지 준위는 불연속적이다.

① ㄱ ② ㄷ ③ ㄱ, ㄴ
④ ㄱ, ㄷ ⑤ ㄴ, ㄷ

빈출

134 (하 중 상)

다음은 3가지 원자 모형을 주어진 기준에 따라 분류한 것이다.

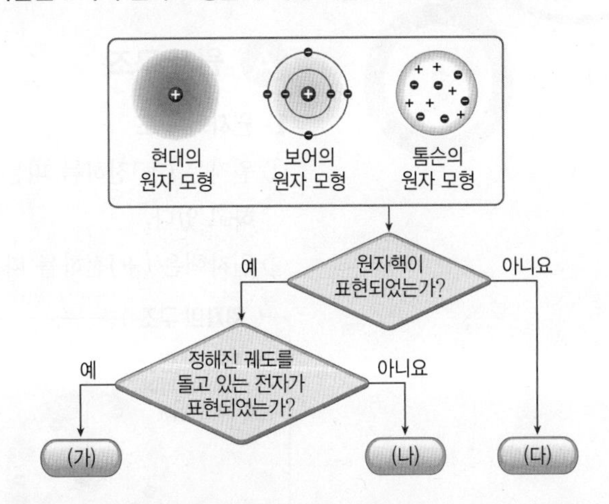

이에 대한 설명으로 옳은 것만을 〈보기〉에서 있는 대로 고른 것은?

〈 보기 〉
ㄱ. (가)는 알파(α) 입자 산란 실험을 설명하기 위해 제안된 모형이다.
ㄴ. (나)는 수소 원자의 선 스펙트럼을 설명할 수 있다.
ㄷ. (다)는 톰슨의 원자 모형이다.

① ㄱ ② ㄷ ③ ㄱ, ㄴ
④ ㄱ, ㄷ ⑤ ㄴ, ㄷ

원자 구조

Ⓐ 원자 구조

1 원자의 구조

① 원자는 (+)전하를 띠는 원자핵이 중심에 있고, 그 주위에 (−)전하를 띠는 ❶□□가 운동하고 있다.

② 원자핵은 (+)전하를 띠는 ❷□□□와 전하를 띠지 않는 ❸□□□로 이루어져 있다.

(원자의 구조)

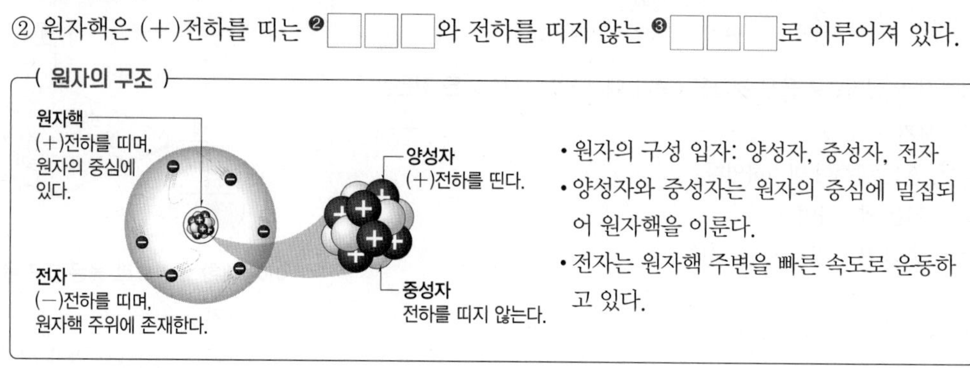

- 원자의 구성 입자: 양성자, 중성자, 전자
- 양성자와 중성자는 원자의 중심에 밀집되어 원자핵을 이룬다.
- 전자는 원자핵 주변을 빠른 속도로 운동하고 있다.

2 원자의 크기 원자의 지름은 10^{-10} m 정도이고, 원자핵의 지름은 10^{-15}~10^{-14} m 정도이다.
➜ 원자핵은 원자의 크기에 비해 매우 작다.

3 원자를 구성하는 입자의 성질

① 질량: 양성자와 중성자의 질량은 비슷하고, 전자의 질량은 이들에 비해 무시할 수 있을 정도로 매우 작다. ➜ 원자핵이 원자 질량의 대부분을 차지한다.

② 전하량: 양성자와 전자의 전하량의 크기는 같고 부호는 반대이다. ➜ 원자는 양성자수와 전자 수가 같으므로 전기적으로 ❹□□이다.

원자는 전기적으로 중성이다.

구성 입자		질량(g)	상대적인 질량	전하량(C)	상대적인 전하량
원자핵	양성자	1.673×10^{-24}	1	$+1.602 \times 10^{-19}$	+1
	중성자	1.675×10^{-24}	1	0	0
전자		9.109×10^{-28}	$\frac{1}{1837}$	-1.602×10^{-19}	−1

전자의 질량은 무시할 수 있을 정도로 작다.

기출 Tip Ⓐ-3

쿨롱(C)
전하량의 단위로, 1 C은 1암페어(A)의 전류가 흐르는 도선의 한 단면을 1초 동안 지나는 전하량이다.

4 원자 번호와 질량수

원자 번호	원자핵 속에 들어 있는 양성자수에 따라 원소의 성질이 달라지므로 양성자수로 원자 번호를 정한다. → 원자는 양성자수와 전자 수가 같으므로 원자의 전자 수는 원자 번호와 같다. 원자 번호=양성자수=원자의 ❺□□ 수
질량수	양성자수와 중성자수를 합한 값 ➜ 원자의 상대적인 질량을 나타낸다. 질량수=양성자수+중성자수

기출 Tip Ⓐ-4

원자량과 질량수
원자량은 질량수가 12인 C 원자의 질량을 12로 정한 원자의 상대적인 질량이고, 질량수는 양성자수와 중성자수의 합이다. 따라서 원자량과 질량수의 값은 차이가 있다. 양성자와 중성자가 결합할 때 에너지를 방출하면서 질량이 감소하는데, 그 값이 매우 작으므로 원자량과 질량수의 값은 거의 같다.

5 원자의 표시 원자 번호는 원소 기호의 왼쪽 아래에 쓰고, 질량수는 왼쪽 위에 쓴다.

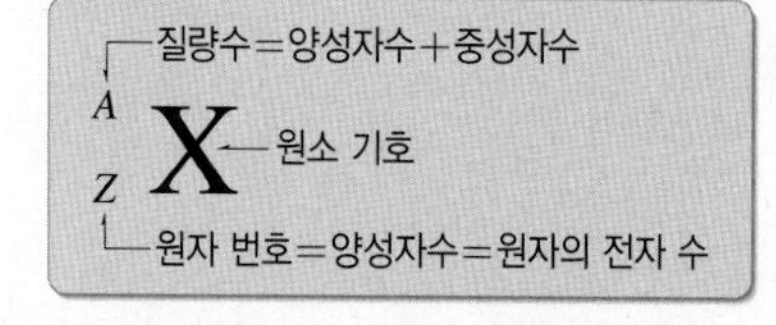

예 $^{27}_{13}Al$

- 원자 번호: 13 ➜ Al 원자를 구성하는 양성자수와 전자 수는 각각 13이다.
- 질량수: 27 ➜ Al 원자를 구성하는 중성자수는 27−13=14이다.

Ⓑ 동위 원소와 평균 원자량

1 동위 원소 양성자수(원자 번호)는 같지만 ❻ ☐☐☐ 수가 달라 질량수가 다른 원소

예 수소의 동위 원소

동위 원소	수소(^1_1H)	중수소(^2_1H)	삼중 수소(^3_1H)
모형	전자, 양성자	중성자	
양성자수	1	1	1
중성자수	0	1	2
전자 수	1	1	1
질량수	1	2	3

① 대부분의 원소들은 자연계에 동위 원소가 일정한 비율로 존재한다.

② 양성자수가 같으므로 화학적 성질이 같다.

③ 질량이 다르므로 물리적 성질이 다르다.

2 평균 원자량 각 동위 원소의 원자량과 존재 비율을 고려하여 구한 원자량

예 Cl의 평균 원자량 구하기

동위 원소	양성자수	중성자수	원자량	존재 비율(%)
$^{35}_{17}Cl$	17	18	35.00	75.76
$^{37}_{17}Cl$	17	20	37.00	24.24

$$\text{Cl의 평균 원자량} = \left[\left(^{35}_{17}\text{Cl의 원자량}\right)\times\left(^{35}_{17}\text{Cl의 존재 비율}\right)\right]+\left[\left(^{37}_{17}\text{Cl의 원자량}\right)\times\left(^{37}_{17}\text{Cl의 존재 비율}\right)\right]$$

$$=\left(35.0\times\frac{75.76}{100}\right)+\left(37.0\times\frac{24.24}{100}\right)\fallingdotseq 35.5$$

기출 Tip Ⓑ-1

구성 입자 수에 따른 원자와 이온의 구분

구분	A	B	C
양성자수	8	8	9
중성자수	8	9	10
전자 수	8	8	10

- A와 B는 원자, C는 이온이다.
- A와 B는 동위 원소이다.
- C는 −1의 음이온이다.

기출 Tip Ⓑ-2

평균 원자량

자연계에 존재하는 동위 원소의 존재 비율을 고려하여 구한 값으로, 주기율표에 나타낸 원자량은 평균 원자량이다.

답 ❶ 전자 ❷ 양성자 ❸ 중성자 ❹ 중성 ❺ 전자 ❻ 중성자

빈출 자료 보기

정답과 해설 19쪽

135 표는 임의의 원자 X~Z에 대한 자료이다.

원자	X	Y	Z
중성자수	6	7	9
질량수	㉠	13	17
전자 수	6	6	8

이에 대한 설명으로 옳은 것은 ○, 옳지 않은 것은 ×로 표시하시오.

(1) X와 Y는 동위 원소이다. ( )

(2) ㉠은 13이다. ( )

(3) Z의 양성자수는 8이다. ( )

(4) Z^{2-}의 전자 수는 6이다. ( )

136 표는 임의의 원소 X의 동위 원소 (가)와 (나)에 대한 자료이다. X의 평균 원자량은 35.5이고, $x+y=100$이다.

동위 원소	원자량	존재 비율(%)
(가)	35.0	x
(나)	37.0	y

이에 대한 설명으로 옳은 것은 ○, 옳지 않은 것은 ×로 표시하시오.

(1) 양성자수는 (가)가 (나)보다 크다. ( )

(2) 중성자수는 (가)가 (나)보다 작다. ( )

(3) 질량수는 (가)와 (나)가 동일하다. ( )

(4) $\frac{x}{y}=3$이다. ( )

A 원자 구조

137 하 중 상

원자를 구성하는 입자에 대한 설명으로 옳은 것만을 〈보기〉에서 있는 대로 고른 것은?

〈 보기 〉

ㄱ. 원자핵은 (+)전하를 띠며, 원자 질량의 대부분을 차지한다.
ㄴ. 원자핵은 양성자와 중성자로 이루어져 있다.
ㄷ. 전자는 (−)전하를 띠며, 질량이 없다.

① ㄱ ② ㄷ ③ ㄱ, ㄴ
④ ㄴ, ㄷ ⑤ ㄱ, ㄴ, ㄷ

138 하 중 상

표는 원자를 구성하는 입자 (가)~(다)의 질량과 전하량을 나타낸 것이다.

구성 입자	질량(g)	전하량(C)
(가)	9.109×10^{-28}	-1.602×10^{-19}
(나)	1.673×10^{-24}	$+1.602\times10^{-19}$
(다)	1.675×10^{-24}	0

이에 대한 설명으로 옳은 것만을 〈보기〉에서 있는 대로 고른 것은?

〈 보기 〉

ㄱ. (가)는 원자핵을 구성하는 입자이다.
ㄴ. 원자에서 입자 수는 (가)=(나)이다.
ㄷ. 모든 원자에서 (나)와 (다)의 수는 같다.

① ㄱ ② ㄴ ③ ㄱ, ㄷ
④ ㄴ, ㄷ ⑤ ㄱ, ㄴ, ㄷ

139 하 중 상

다음은 이온 A^-에 대한 자료이다.

• 양성자수+중성자수+전자 수=29
• 양성자의 전하량: $+14.4\times10^{-19}$ C

원자 A의 질량수는?(단, A는 임의의 원소 기호이고, 양성자 1개의 전하량은 $+1.6\times10^{-19}$ C이다.)

① 15 ② 16 ③ 17
④ 18 ⑤ 19

140 하 중 상

다음은 원자 A~D에 대한 설명이다.

• A와 B는 질량수가 같다.
• B와 C는 동위 원소이다.
• C와 D는 원자 번호가 같다.

표는 제시된 자료를 참고하여 작성한 것이다.

원자	A	B	C	D
양성자수	18	19	(나)	
중성자수	20	(가)	21	20
전자 수	18			(다)

$\frac{(나)+(다)}{(가)}$는?(단, A~D는 임의의 원소 기호이다.)

① 2 ② 3 ③ 4
④ 5 ⑤ 6

빈출

141 하 중 상

••서술형

다음은 알루미늄 원자의 표시 방법을 나타낸 것이다.

(1) 알루미늄 원자의 중성자수를 쓰고, 그 까닭을 서술하시오.

(2) 알루미늄 원자의 전자 수를 쓰고, 그 까닭을 서술하시오.

142 하 중 상

다음은 물질 X에 대한 자료이다.

• 양성자수와 중성자수는 같다.
• 전자 수는 양성자수보다 1만큼 작다.

물질 X로 가장 적절한 것은?(단, X는 임의의 원소 기호이다.)

① $^{1}_{1}H^{+}$ ② $^{16}_{8}O^{2-}$ ③ $^{18}_{9}F^{-}$
④ $^{22}_{11}Na^{+}$ ⑤ $^{24}_{12}Mg^{2+}$

143 하 중 상

다음은 원자 X의 이온에 대한 자료이다.

중성자수	전자 수	원자핵의 전하량
8	10	$+1.28\times10^{-18}$ C

이에 대한 설명으로 옳은 것만을 〈보기〉에서 있는 대로 고른 것은? (단, X는 임의의 원소 기호이고, 양성자 1개의 전하량은 $+1.6\times10^{-19}$ C이다.)

〈 보기 〉
ㄱ. X의 질량수는 16이다.
ㄴ. X 이온의 전하는 −2이다.
ㄷ. $^{18}_{8}O$는 X와 양성자수가 같고 질량수가 다르다.

① ㄱ ② ㄷ ③ ㄱ, ㄴ
④ ㄴ, ㄷ ⑤ ㄱ, ㄴ, ㄷ

144 하 중 상

표는 원자 A, B와 이온 C^-에 대한 자료이다. A~C는 2주기 원소이고, ㉠~㉢은 각각 양성자, 중성자, 전자 중 하나이다.

원자 또는 이온	A	B	C^-
㉠의 수	a	7	$b+1$
㉡의 수	5	$\frac{1}{2}(a+b)$	b
㉢의 수	$a+1$	8	$b+1$

이에 대한 설명으로 옳은 것만을 〈보기〉에서 있는 대로 고른 것은? (단, A~C는 임의의 원소 기호이다.)

〈 보기 〉
ㄱ. ㉠은 전자이다.
ㄴ. $a+b=14$이다.
ㄷ. 질량수는 A<B<C이다.

① ㄱ ② ㄷ ③ ㄱ, ㄴ
④ ㄴ, ㄷ ⑤ ㄱ, ㄴ, ㄷ

145 하 중 상

표는 입자 W~Z에 대한 자료이다.

입자	W	X	Y	Z
중성자수	12	12	18	20
질량수	24	23	35	37
전자 수	10	11	17	18

이에 대한 설명으로 옳은 것만을 〈보기〉에서 있는 대로 고른 것은? (단, W~Z는 임의의 원소 기호이다.)

〈 보기 〉
ㄱ. W와 X는 양성자수가 같다.
ㄴ. Y는 Z의 원자와 동위 원소이다.
ㄷ. W~Z 중 원자 번호가 가장 작은 원소는 X이다.

① ㄱ ② ㄷ ③ ㄱ, ㄴ
④ ㄴ, ㄷ ⑤ ㄱ, ㄴ, ㄷ

146 하 중 상

표는 이온 A^{2-}, B^+에 대한 자료이다.

이온	중성자수	전자 수
A^{2-}	8	10
B^+	12	10

이에 대한 설명으로 옳은 것만을 〈보기〉에서 있는 대로 고른 것은? (단, A와 B는 임의의 원소 기호이다.)

〈 보기 〉
ㄱ. 원자핵의 전하량은 A<B이다.
ㄴ. A의 질량수는 16이다.
ㄷ. B의 양성자수는 중성자수와 같다.

① ㄱ ② ㄷ ③ ㄱ, ㄴ
④ ㄱ, ㄷ ⑤ ㄴ, ㄷ

147 하 중 상

그림은 원자의 구성 입자인 양성자, 중성자, 전자를 A~C로 분류한 것이고, 표는 이온 X, Y에 대한 자료이다.

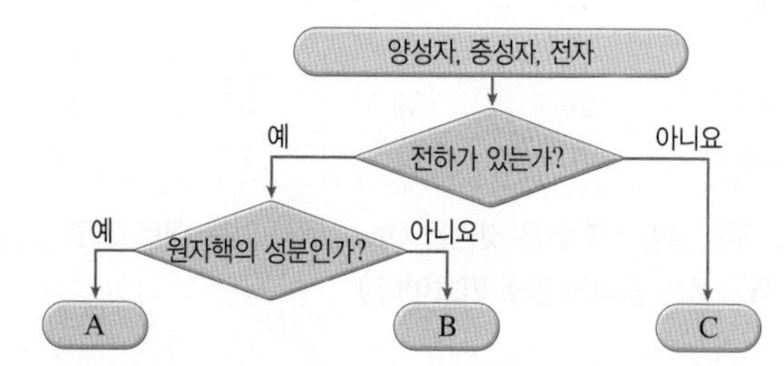

이온	A의 수	B의 수	C의 수
X 이온	17	18	18
Y 이온	19	18	19

이에 대한 설명으로 옳은 것만을 <보기>에서 있는 대로 고른 것은? (단, X와 Y는 임의의 원소 기호이다.)

〈 보기 〉
ㄱ. A는 양성자이다.
ㄴ. X의 원자 번호는 18이다.
ㄷ. Y 이온은 $^{38}_{19}K^+$이다.

① ㄱ ② ㄷ ③ ㄱ, ㄴ
④ ㄱ, ㄷ ⑤ ㄴ, ㄷ

148 하 중 상

표는 이온 $^{24}X^{2+}$, $^{35}Y^-$에 대한 자료이다.

이온	양성자수	중성자수	전자 수
$^{24}X^{2+}$	a	12	c
$^{35}Y^-$	b	18	18

$a+b+c$는?(단, X와 Y는 임의의 원소 기호이다.)

① 39 ② 40 ③ 41
④ 43 ⑤ 44

빈출

149 하 중 상

多 보기

표는 원자 X~Z에 대한 자료이다.

원자	X	Y	Z
중성자수	6	7	8
$\frac{질량수}{전자 수}$	2	2	$\frac{7}{3}$

이에 대한 설명으로 옳지 않은 것은?(단, X~Z는 임의의 원소 기호이다.)

① X는 양성자수와 중성자수가 같다.
② Y는 N(질소)이다.
③ Z의 전자 수는 6이다.
④ 전자 수는 X가 Y보다 크다.
⑤ X와 Z는 양성자수가 같다.
⑥ Y와 Z는 질량수가 같다.

150 하 중 상

표는 원자 X~Z에 대한 자료이다.

원자	X	Y	Z
중성자수−양성자수	−1	1	2
$\frac{질량수}{전자 수}$	$\frac{3}{2}$	3	$\frac{9}{4}$

이에 대한 설명으로 옳은 것만을 <보기>에서 있는 대로 고른 것은? (단, X~Z는 임의의 원소 기호이다.)

〈 보기 〉
ㄱ. 원자 번호는 X>Y이다.
ㄴ. Y의 질량수는 3이다.
ㄷ. Z의 중성자수는 10이다.

① ㄱ ② ㄷ ③ ㄱ, ㄴ
④ ㄴ, ㄷ ⑤ ㄱ, ㄴ, ㄷ

151 하중상

그림은 원자 **A～D**의 양성자수와 질량수를 나타낸 것이다.

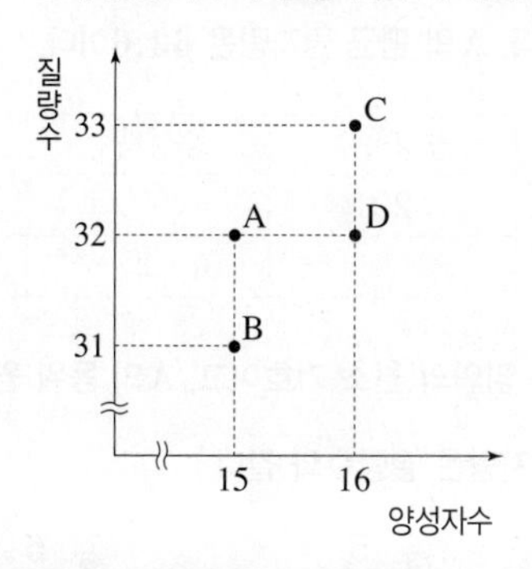

이에 대한 설명으로 옳은 것만을 〈보기〉에서 있는 대로 고른 것은? (단, **A～D**는 임의의 원소 기호이다.)

〈 보기 〉

ㄱ. A와 D는 동위 원소이다.

ㄴ. $\frac{중성자수}{양성자수}$는 B가 D보다 크다.

ㄷ. C^{2-}의 전자 수는 18이다.

① ㄱ　② ㄷ　③ ㄱ, ㄴ　④ ㄱ, ㄷ　⑤ ㄴ, ㄷ

152 하중상

그림은 원자 **X, Y**, 이온 Z^{2+}에 대한 자료이다.

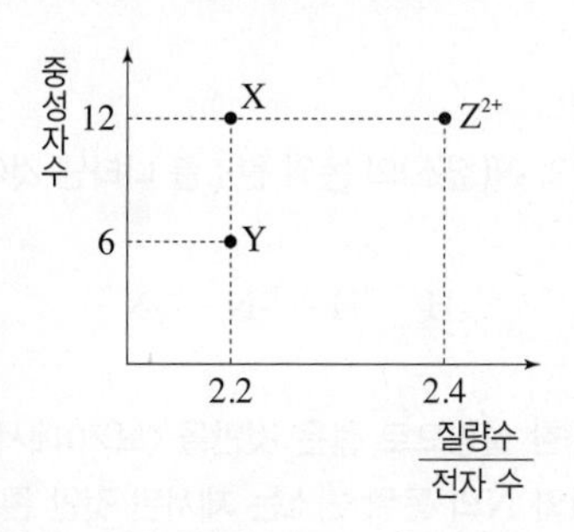

이에 대한 설명으로 옳은 것만을 〈보기〉에서 있는 대로 고른 것은? (단, **X～Z**는 임의의 원소 기호이다.)

〈 보기 〉

ㄱ. 질량수의 비는 X : Y=2 : 1이다.

ㄴ. Y의 원자 번호는 6이다.

ㄷ. X와 Z^{2+}은 전자 수가 같다.

① ㄱ　② ㄷ　③ ㄱ, ㄴ　④ ㄱ, ㄷ　⑤ ㄴ, ㄷ

B 동위 원소와 평균 원자량

153 하중상

C(탄소)의 동위 원소인 ^{12}C, ^{13}C의 공통점으로 옳지 않은 것은?

① 전자 수　② 양성자수　③ 중성자수　④ 원자 번호　⑤ 화학적 성질

154 하중상

그림은 2가지 원자를 모형으로 나타낸 것이다.

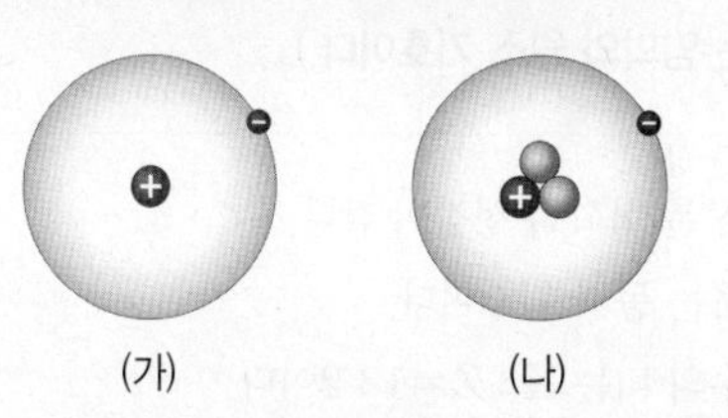

이에 대한 설명으로 옳은 것만을 〈보기〉에서 있는 대로 고른 것은?

〈 보기 〉

ㄱ. (가)와 (나)는 동위 원소이다.

ㄴ. (가)와 (나)의 원자 번호는 1이다.

ㄷ. 질량수는 (나)가 (가)의 2배이다.

① ㄱ　② ㄷ　③ ㄱ, ㄴ　④ ㄱ, ㄷ　⑤ ㄴ, ㄷ

빈출

155 하중상

••서술형

표는 자연계에 존재하는 B(붕소)의 원자량과 존재 비율을 나타낸 것이다.

동위 원소	원자량	존재 비율(%)
^{10}B	10.0	20
^{11}B	11.0	80

B의 평균 원자량을 풀이 과정과 함께 서술하시오.

156 하 중 상

H(수소)의 동위 원소에는 ^{1}H, ^{2}H, ^{3}H가 있고, Cl(염소)의 동위 원소에는 ^{35}Cl, ^{37}Cl가 있다. 분자량이 서로 다른 HCl의 종류는?

① 4 ② 5 ③ 6
④ 7 ⑤ 8

157 하 중 상

그림은 원자 X~Z를 구성하는 입자를 모형으로 나타낸 것이다.

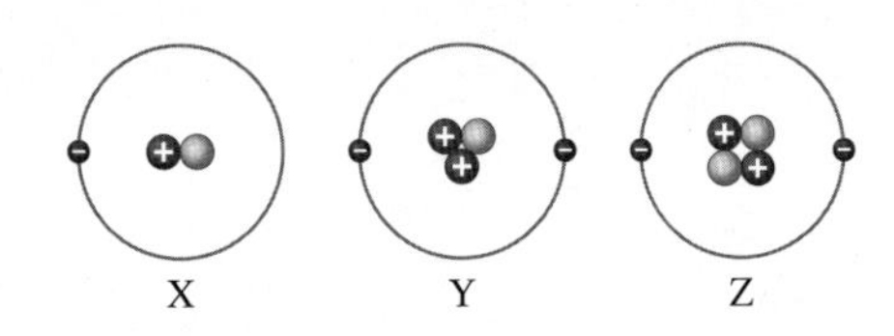

이에 대한 설명으로 옳은 것만을 〈보기〉에서 있는 대로 고른 것은? (단, X~Z는 임의의 원소 기호이다.)

〈 보기 〉
ㄱ. X와 Y는 화학적 성질이 같다.
ㄴ. Y와 Z는 동위 원소이다.
ㄷ. 질량수의 비는 X : Z=1 : 2이다.

① ㄱ ② ㄷ ③ ㄱ, ㄴ
④ ㄴ, ㄷ ⑤ ㄱ, ㄴ, ㄷ

158 하 중 상

표는 자연계에 존재하는 원소 X의 동위 원소에 대한 자료이고, 그림은 이에 대한 세 학생의 대화이다.

동위 원소	원자량	존재 비율(%)
^{35}X	35.0	75
^{37}X	37.0	25

제시한 내용이 옳은 학생만을 있는 대로 고른 것은?(단, X는 임의의 원소 기호이다.)

① A ② C ③ A, B
④ B, C ⑤ A, B, C

159 하 중 상

표는 자연계에 존재하는 원소 A의 동위 원소에 대한 자료의 일부를 나타낸 것이다. A의 평균 원자량은 63.6이다.

동위 원소	양성자수	중성자수	존재 비율(%)
^{63}A	29		
^{65}A		x	y

$\frac{x}{y}$는?(단, A는 임의의 원소 기호이고, A의 동위 원소는 ^{63}A, ^{65}A만 존재하며, 원자량은 질량수와 같다.)

① $\frac{4}{5}$ ② $\frac{5}{6}$ ③ $\frac{6}{5}$
④ $\frac{5}{4}$ ⑤ $\frac{3}{2}$

160 하 중 상

다음은 H(수소)와 N(질소)의 동위 원소를 나타낸 것이다.

$^{1}_{1}H$ $^{2}_{1}H$ $^{14}_{7}N$ $^{15}_{7}N$

NH_3 분자에 대한 설명으로 옳은 것만을 〈보기〉에서 있는 대로 고른 것은?(단, H와 N의 동위 원소는 제시된 것만 존재한다고 가정한다.)

〈 보기 〉
ㄱ. 분자 1개의 핵전하량은 모두 같다.
ㄴ. 분자 1개에 포함된 중성자수의 최솟값은 7이다.
ㄷ. 분자량이 다른 NH_3는 모두 6가지이다.
ㄹ. 분자량이 다른 NH_3는 물리적 성질이 다르다.

① ㄱ, ㄴ ② ㄴ, ㄷ ③ ㄷ, ㄹ
④ ㄱ, ㄴ, ㄹ ⑤ ㄴ, ㄷ, ㄹ

161 (하 중 상)

그림은 부피가 동일한 용기 (가)와 (나)에 기체가 각각 들어 있는 모습을 나타낸 것이다. 두 용기 속 기체의 온도와 압력은 같고, (가)와 (나) 용기 속 기체의 질량은 각각 **45 g, 46 g**이다.

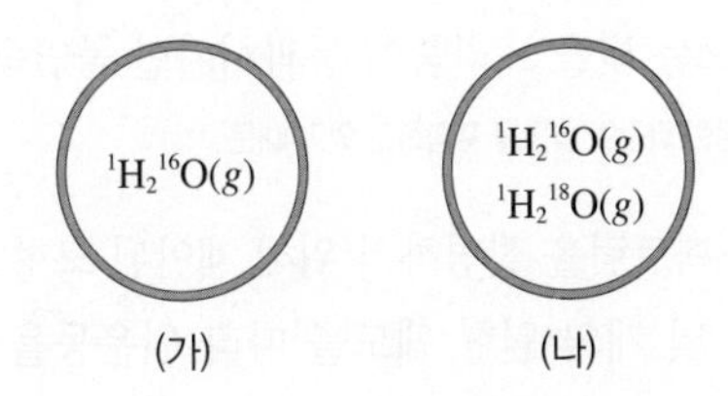

(나)에 들어 있는 기체에 대한 설명으로 옳은 것만을 〈보기〉에서 있는 대로 고른 것은?(단, **H, O**의 원자 번호는 각각 **1, 8**이고, ^{1}**H**, ^{16}**O**, ^{18}**O**의 원자량은 각각 **1, 16, 18**이다.)

〈 보기 〉

ㄱ. 전체 기체의 양(mol)은 2.5 mol이다.

ㄴ. $^{1}H_2{}^{16}O(g)$의 양(mol)은 0.5 mol이다.

ㄷ. 전체 양성자수 : 전체 중성자수=21 : 25이다.

① ㄱ ② ㄷ ③ ㄱ, ㄴ
④ ㄱ, ㄷ ⑤ ㄴ, ㄷ

162 (하 중 상)

그림은 자연계에 존재하는 B(붕소)의 동위 원소에 대한 자료이다.

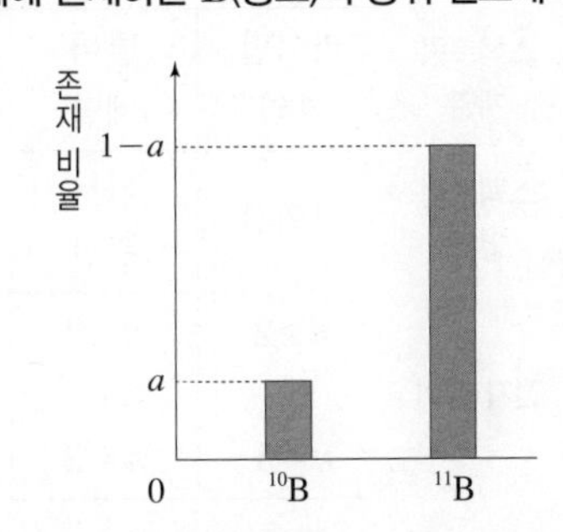

이에 대한 설명으로 옳은 것만을 〈보기〉에서 있는 대로 고른 것은?(단, 동위 원소는 ^{10}**B**, ^{11}**B**만 존재하며, ^{10}**B**, ^{11}**B**의 원자량은 각각 **10, 11**이다.)

〈 보기 〉

ㄱ. ^{10}B와 ^{11}B의 화학적 성질은 같다.

ㄴ. 원자 1개의 질량은 ^{11}B이 ^{10}B보다 크다.

ㄷ. B의 평균 원자량은 $11-a$이다.

① ㄱ ② ㄷ ③ ㄱ, ㄴ
④ ㄴ, ㄷ ⑤ ㄱ, ㄴ, ㄷ

163 (하 중 상) ••서술형

그림은 자연계에 존재하는 원소 **X**의 동위 원소에 대한 자료이다.

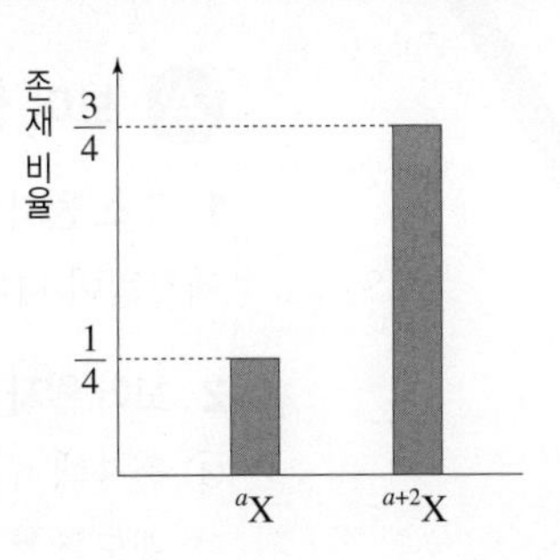

X_2 분자 중 자연계에 존재하는 $^{a}X^{a+2}X$의 존재 비율을 풀이 과정과 함께 서술하시오.(단, **X**는 임의의 원소 기호이다.)

빈출

164 (하 중 상)

그림은 자연계에 존재하는 X_2 분자의 분자량과 존재 비율을 나타낸 것이다. 자연계에 존재하는 X_2의 분자량은 모두 **3**가지이다.

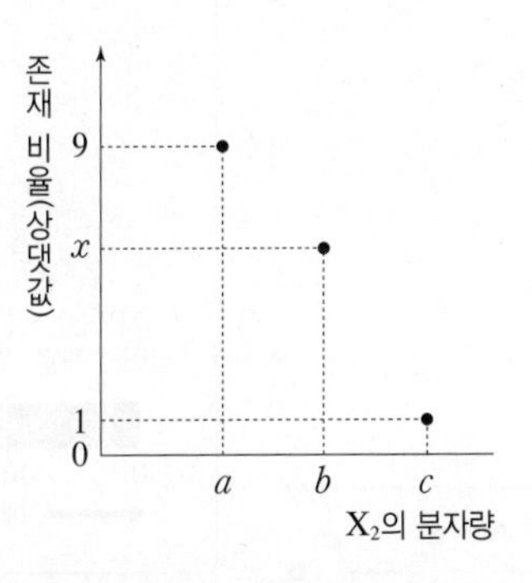

이에 대한 설명으로 옳은 것만을 〈보기〉에서 있는 대로 고른 것은?(단, **X**는 임의의 원소 기호이다.)

〈 보기 〉

ㄱ. X의 동위 원소 종류의 수는 2이다.

ㄴ. x는 6이다.

ㄷ. X의 평균 원자량은 $\frac{3a+c}{4}$이다.

① ㄱ ② ㄷ ③ ㄱ, ㄴ
④ ㄱ, ㄷ ⑤ ㄴ, ㄷ

보어 원자 모형

Ⓐ 보어 원자 모형

1 수소 원자의 선 스펙트럼 수소 방전관에서 나오는 빛을 프리즘에 통과시키면 불연속적인 선 스펙트럼이 나타난다. ⟶ 수소를 방전시킬 때 방출되는 빛은 특정한 파장의 빛만을 포함하고 있기 때문

2 보어 원자 모형 수소 원자의 불연속적인 선 스펙트럼을 설명하기 위해 제안된 모형

① 원자핵 주위의 전자는 특정한 에너지를 가진 몇 개의 원형 궤도를 따라 원운동을 하는데, 이 궤도를 ❶□□ □□이라고 한다.

- 원자핵에서 가까운 전자 껍질부터 K($n=1$), L($n=2$), M($n=3$), N($n=4$), … 으로 표시하며, n을 주 양자수라고 한다.
- 각 전자 껍질의 에너지 준위(E_n)는 주 양자수(n)에 의해 결정된다. ➧ $E_n=-\dfrac{1312}{n^2}$ kJ/mol($n=1, 2, 3, \cdots$)

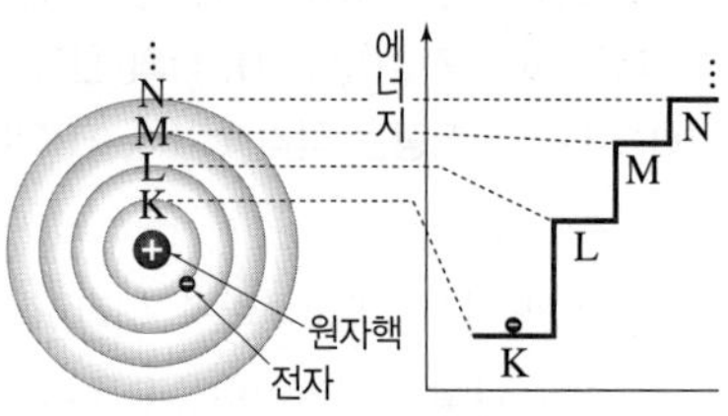

▲ 수소 원자의 전자 껍질과 에너지 준위

기출 Tip Ⓐ-2

에너지 준위
원자핵 주위에 존재하는 전자는 전자 껍질마다 특정한 에너지만을 갖는데, 이 에너지 상태를 에너지 준위라고 한다.

전자 껍질과 에너지 준위
- 원자핵에 가까울수록 전자 껍질의 에너지 준위가 낮다.
  ➧ 전자 껍질의 에너지 준위 크기: K<L<M<N…
- 주 양자수(n)가 커질수록 이웃한 두 전자 껍질 사이의 에너지 차이가 작아진다.

빛에너지와 진동수, 파장의 관계
빛에너지(E)는 진동수에 비례하고, 파장에 반비례한다. 따라서 스펙트럼에서 파장이 짧을수록 에너지와 진동수가 크다.

② 전자 전이와 에너지 출입: 전자가 에너지 준위가 다른 전자 껍질로 이동(전자 전이)하면 두 전자 껍질의 에너지 차이만큼 에너지를 흡수하거나 ❷□□한다.

- 바닥상태: 원자가 가장 낮은 에너지를 가지는 안정한 상태
- 들뜬상태: 바닥상태보다 더 높은 에너지를 가지는 전자 껍질에 전자가 존재하는 상태

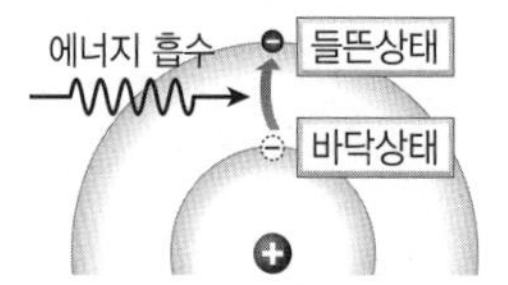

▲ 낮은 에너지 준위 → 높은 에너지 준위

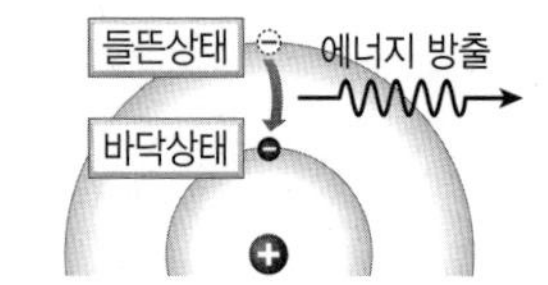

▲ 높은 에너지 준위 → 낮은 에너지 준위

(보어 원자 모형에 의한 수소 원자의 선 스펙트럼 계열)

수소 원자의 전자가 들뜬상태에서 낮은 에너지 준위의 전자 껍질로 전이할 때 방출하는 빛이 선 스펙트럼으로 나타난다.

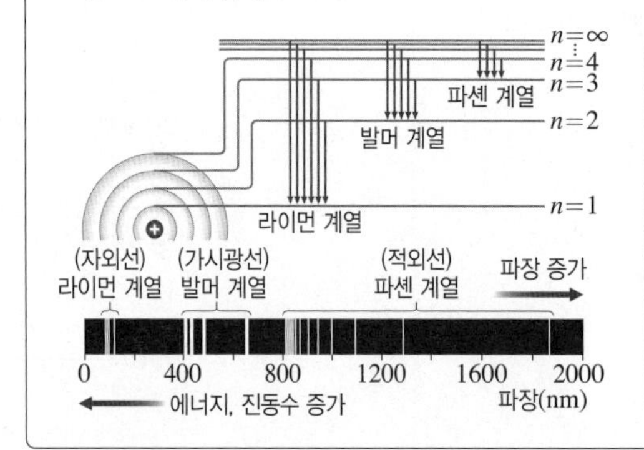

스펙트럼 계열	라이먼 계열	발머 계열	파셴 계열
스펙트럼 영역	자외선	가시 광선	적외선
전자 전이	$n\geq2$ ↓ $n=1$	$n\geq3$ ↓ $n=2$	$n\geq4$ ↓ $n=3$

답 ❶ 전자 껍질 ❷ 방출

빈출 자료 보기

정답과 해설 22쪽

165 그림은 보어의 수소 원자 모형에서 일어나는 몇 가지 전자 전이를 나타낸 것이다.

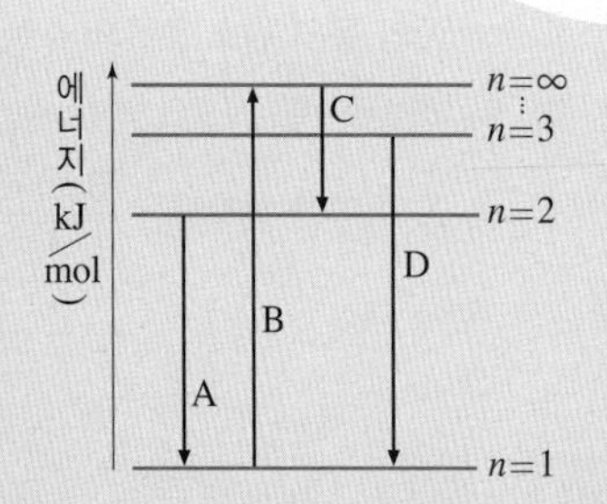

이에 대한 설명으로 옳은 것은 ○, 옳지 않은 것은 ×로 표시하시오.

(1) 빛을 흡수하는 전자 전이는 3가지이다. ( )
(2) 방출하는 빛의 파장이 가장 짧은 것은 A이다. ( )
(3) B의 에너지는 수소 원자의 이온화 에너지와 같다. ( )
(4) 가시광선을 방출하는 전자 전이는 C이다. ( )
(5) 가장 큰 에너지를 방출하는 전자 전이는 D이다. ( )

A 보어 원자 모형

166 하중상

보어 원자 모형에 대한 설명으로 옳은 것만을 <보기>에서 있는 대로 고른 것은?

〈 보기 〉
ㄱ. 수소 원자의 선 스펙트럼을 설명하기 위해 제안되었다.
ㄴ. 전자는 특정한 에너지를 가진 원형 궤도를 따라 운동한다.
ㄷ. 원자핵에서 멀수록 전자 껍질의 에너지 준위가 낮다.
ㄹ. 전자가 더 낮은 에너지 준위의 전자 껍질로 이동할 때에는 에너지를 방출한다.

① ㄱ, ㄴ ② ㄷ, ㄹ ③ ㄱ, ㄴ, ㄹ
④ ㄱ, ㄷ, ㄹ ⑤ ㄴ, ㄷ, ㄹ

167 하중상

표는 보어의 수소 원자 모형으로 구한 각 전자 껍질의 에너지 준위이다.

전자 껍질	K	L	M	N
에너지(kJ/mol)	−1312	−328	−146	−82

이에 대한 설명으로 옳은 것만을 <보기>에서 있는 대로 고른 것은?

〈 보기 〉
ㄱ. 주 양자수(n)가 클수록 에너지 준위가 높아진다.
ㄴ. 주 양자수(n)가 클수록 에너지 준위 사이의 간격이 좁아진다.
ㄷ. 전자가 N 전자 껍질 → L 전자 껍질로 전이할 때에는 246 kJ/mol의 에너지를 방출한다.

① ㄱ ② ㄷ ③ ㄱ, ㄴ
④ ㄴ, ㄷ ⑤ ㄱ, ㄴ, ㄷ

168 하중상

그림 (가)와 (나)는 에너지 상태가 다른 수소 원자의 모형을 나타낸 것이다.

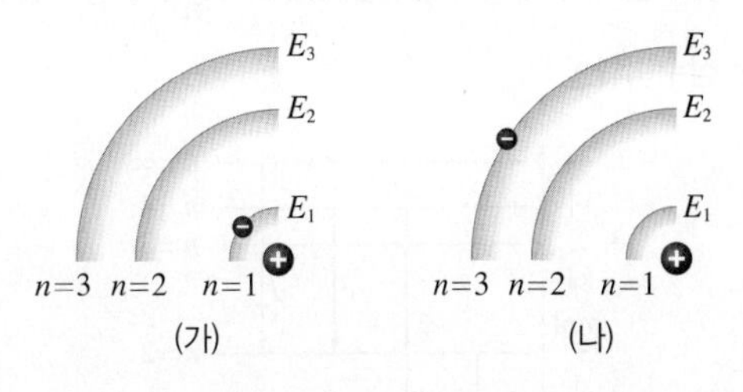

이에 대한 설명으로 옳은 것만을 <보기>에서 있는 대로 고른 것은?

〈 보기 〉
ㄱ. (가)는 (나)보다 안정한 상태이다.
ㄴ. (가)에서 (나)로 전자가 전이할 때 에너지를 흡수한다.
ㄷ. (나)에서 (가)로 전자가 전이할 때 자외선을 방출한다.

① ㄱ ② ㄷ ③ ㄱ, ㄴ
④ ㄴ, ㄷ ⑤ ㄱ, ㄴ, ㄷ

빈출 169 하중상

그림은 수소 원자에서 일어나는 전자 전이 A~D를 나타낸 것이다.

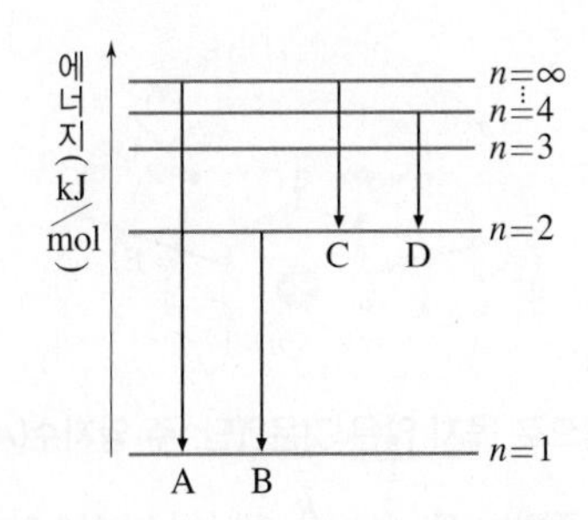

이에 대한 설명으로 옳은 것만을 <보기>에서 있는 대로 고른 것은?

〈 보기 〉
ㄱ. A와 B에서 방출하는 빛은 자외선이다.
ㄴ. A와 B의 에너지 차이는 C의 에너지와 같다.
ㄷ. 방출하는 빛의 파장은 C가 D보다 길다.

① ㄱ ② ㄷ ③ ㄱ, ㄴ
④ ㄱ, ㄷ ⑤ ㄴ, ㄷ

170 하중상

••서술형

그림은 수소 원자에서 일어나는 전자 전이 a~d를 나타낸 것이다.(단, 수소 원자의 에너지 준위는 $E_n=-\frac{k}{n^2}$이며, n은 주 양자수, k는 상수이다.)

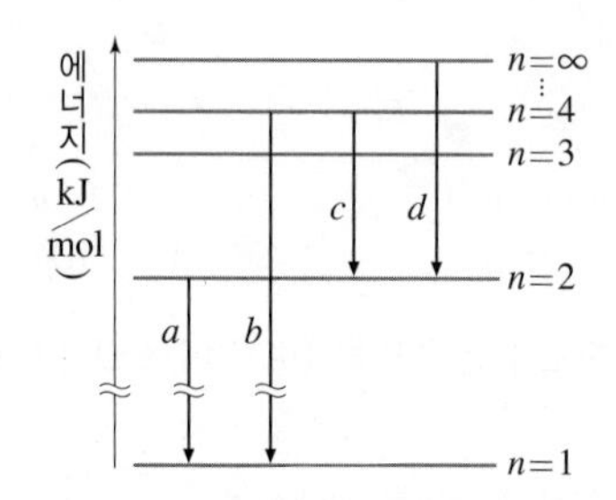

(1) a~d에서 각각 방출하는 에너지를 부등호를 이용하여 비교하시오.

(2) a와 d에서 방출하는 빛의 파장의 비($a:d$)를 풀이 과정과 함께 서술하시오.

빈출

171 하중상

多 보기

그림은 보어의 수소 원자 모형에서 전자 전이를 나타낸 것이다.

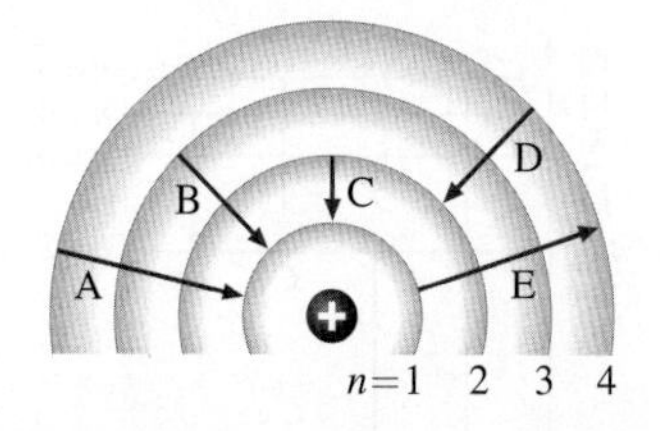

이에 대한 설명으로 옳지 않은 것은?(단, 주 양자수(n)에 따른 수소 원자의 에너지 준위는 $E_n=-\frac{k}{n^2}$이며, k는 상수이다.)

① 에너지를 방출하는 전자 전이는 4가지이다.
② 전자 전이 후 바닥상태가 되는 것은 3가지이다.
③ A~C에서 방출하는 빛은 라이먼 계열에 속한다.
④ D에서 가시광선 영역에 해당하는 빛이 방출된다.
⑤ A에서 방출하는 에너지의 크기는 E에서 흡수하는 에너지의 크기와 같다.
⑥ D에서 방출하는 에너지는 C에서 방출하는 에너지보다 크다.

172 하중상

다음은 수소 원자의 스펙트럼 계열 중 라이먼 계열의 파장을 순서대로 나열한 것이다.

95 nm, 97 nm, 103 nm, 122 nm

이에 대한 설명으로 옳은 것만을 〈보기〉에서 있는 대로 고른 것은?(단, 나열한 파장은 $n\leq5$에서 바닥상태가 될 때의 파장이고, n은 주 양자수이다.)

〈 보기 〉

ㄱ. 해당 파장의 빛은 적외선 영역에 해당한다.
ㄴ. 95 nm에 해당하는 빛은 L 전자 껍질 → K 전자 껍질로의 전자 전이에 해당한다.
ㄷ. 122 nm에 해당하는 빛은 라이먼 계열 중 에너지가 가장 작다.

① ㄱ ② ㄷ ③ ㄱ, ㄴ
④ ㄱ, ㄷ ⑤ ㄴ, ㄷ

173 하중상

그림은 수소 원자의 선 스펙트럼에서 가시광선 영역을 나타낸 것이다.

이에 대한 설명으로 옳지 않은 것은?(단, 수소 원자의 에너지 준위는 $E_n=-\frac{k}{n^2}$이며, n은 주 양자수, k는 상수이다.)

① 해당 스펙트럼은 발머 계열이다.
② a~c 중 에너지가 가장 큰 것은 a이다.
③ b는 전자가 $n=4$ → $n=2$로 전이할 때 방출하는 빛의 에너지이다.
④ 에너지 크기의 비는 $b:c=27:20$이다.
⑤ a는 $n=2$ → $n=1$의 전자 전이에서 방출하는 에너지보다 크다.

174 하 중 상

그림 (가)는 수소 원자에서 일어나는 전자 전이를, (나)는 수소 원자의 선 스펙트럼에서 자외선 영역과 가시광선 영역을 나타낸 것이다. λ_1~λ_3은 (가)의 전자 전이에서 방출한 빛의 파장이다.

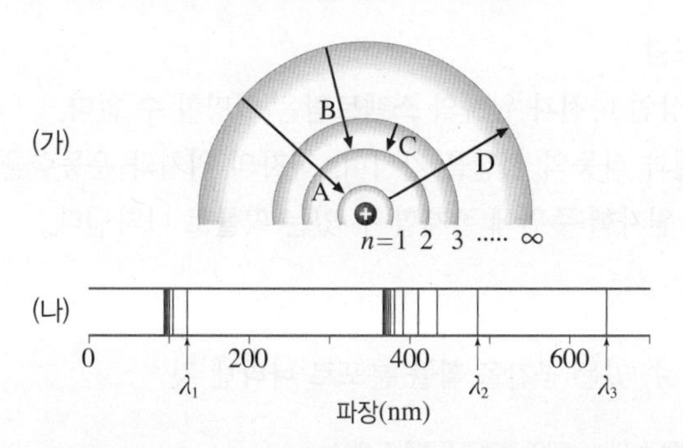

이에 대한 설명으로 옳은 것만을 모두 고르면?(단, 수소 원자의 에너지 준위는 $E_n=-\frac{k}{n^2}$이며, n은 주 양자수, k는 상수이다.)(2개)

① A~D 중 에너지를 흡수하는 전자 전이는 3가지이다.
② 진동수는 A가 B보다 작다.
③ A와 D에서 출입하는 에너지는 모두 자외선이다.
④ C에서 방출하는 빛의 파장은 λ_2이다.
⑤ 수소 원자의 에너지 준위는 불연속적이다.

175 하 중 상

표는 수소 원자의 전자 전이에서 방출하는 빛의 스펙트럼 선 Ⅰ~Ⅳ에 대한 자료이다.

선	전자 전이	에너지(kJ/mol)
Ⅰ	$n=4 \rightarrow n=2$	x
Ⅱ	$n=3 \rightarrow n=2$	y
Ⅲ	$n=2 \rightarrow n=1$	z
Ⅳ	$n=\infty \rightarrow n=1$	

이에 대한 설명으로 옳은 것만을 〈보기〉에서 있는 대로 고른 것은? (단, 주 양자수(n)에 따른 수소 원자의 에너지 준위는 $E_n=-\frac{k}{n^2}$이며, k는 상수이다.)

〈 보기 〉

ㄱ. $x+y<z$이다.
ㄴ. $n=2 \rightarrow n=4$로 전자가 전이할 때 흡수하는 에너지는 스펙트럼 선 Ⅰ의 에너지와 크기가 같다.
ㄷ. 방출하는 빛의 파장은 Ⅳ에서 가장 짧다.

① ㄱ ② ㄷ ③ ㄱ, ㄴ
④ ㄴ, ㄷ ⑤ ㄱ, ㄴ, ㄷ

176 하 중 상

그림은 수소 원자에서 전자 전이($n+1 \rightarrow n$)가 일어날 때 방출하는 에너지(ΔE)를 주 양자수(n)에 따라 나타낸 것이다.

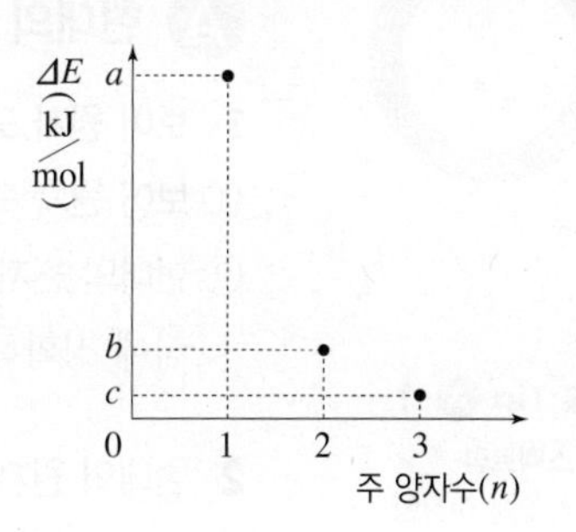

이에 대한 설명으로 옳은 것만을 〈보기〉에서 있는 대로 고른 것은?

〈 보기 〉

ㄱ. a는 라이먼 계열의 전자 전이이다.
ㄴ. $b+c$의 빛에너지는 가시광선 영역에 해당한다.
ㄷ. 진동수는 $a<b<c$이다.

① ㄱ ② ㄷ ③ ㄱ, ㄴ
④ ㄴ, ㄷ ⑤ ㄱ, ㄴ, ㄷ

177 하 중 상

그림은 수소 원자의 선 스펙트럼에서 가시광선 영역을, 표는 들뜬 상태에 있는 수소 원자의 전자가 $n=3$에서 전자 전이할 때 출입하는 빛의 에너지(E)를 전이 후 주 양자수($n_{후}$)에 따라 나타낸 것이다.

410 434 486 656 파장(nm)

$n_{후}$	1	2	∞
E	E_a	E_b	E_c

이에 대한 설명으로 옳은 것만을 〈보기〉에서 있는 대로 고른 것은? (단, 주 양자수(n)에 따른 수소 원자의 에너지 준위는 $E_n=-\frac{k}{n^2}$이며, k는 상수이고, E_a~E_c에 해당하는 파장은 각각 λ_a~λ_c이다.)

〈 보기 〉

ㄱ. $\lambda_a : \lambda_b = 5 : 32$이다.
ㄴ. 656 nm에 해당하는 빛의 에너지는 E_b이다.
ㄷ. 수소 원자의 이온화 에너지의 크기는 $|16E_c|$이다.

① ㄱ ② ㄷ ③ ㄱ, ㄴ
④ ㄱ, ㄷ ⑤ ㄴ, ㄷ

현대의 원자 모형

Ⓐ 현대의 원자 모형

1 보어 원자 모형의 한계와 현대의 원자 모형

① 보어 원자 모형의 한계: 전자가 2개 이상인 다전자 원자의 스펙트럼은 설명할 수 없다.

② 현대의 원자 모형: 전자는 입자의 성질과 파동의 성질을 가지며, 전자의 위치와 운동량을 동시에 정확하게 알 수 없다. ➜ 전자가 원자핵 주위에 존재할 수 있는 확률로 나타낸다.

기출 Tip Ⓐ-1

다전자 원자의 선 스펙트럼

네온과 같이 전자가 2개 이상인 다전자 원자의 선 스펙트럼은 수소보다 선의 수가 많고 복잡하다. 따라서 보어 원자 모형으로는 네온의 선 스펙트럼을 설명할 수 없다.

2 현대의 원자 모형과 오비탈

① 오비탈: 원자핵 주위에 전자가 존재할 수 있는 공간을 확률 분포로 나타낸 것

② 오비탈을 나타내는 방법

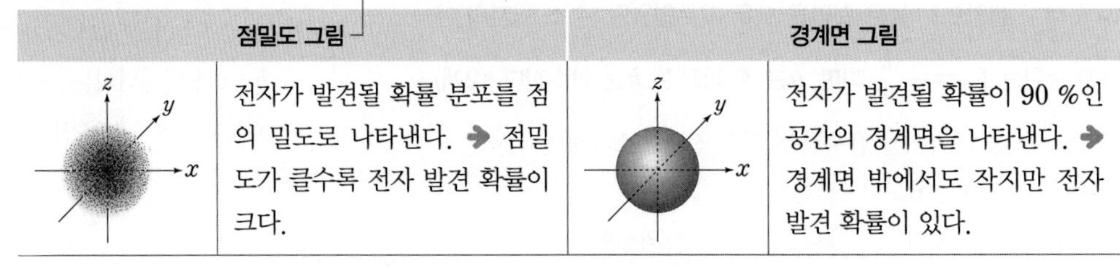

전자가 존재할 수 있는 공간의 경계가 뚜렷하지 않다.

점밀도 그림		경계면 그림	
(그림: z, y, x)	전자가 발견될 확률 분포를 점의 밀도로 나타낸다. ➜ 점밀도가 클수록 전자 발견 확률이 크다.	(그림: z, y, x)	전자가 발견될 확률이 90 %인 공간의 경계면을 나타낸다. ➜ 경계면 밖에서도 작지만 전자 발견 확률이 있다.

③ 오비탈의 결정: 현대의 원자 모형에서는 원자 내에 있는 전자의 상태를 주 양자수(n), 방위(부) 양자수(l), 자기 양자수(m_l), 스핀 자기 양자수(m_s)의 4가지 양자수로 나타낸다.

기출 Tip Ⓐ-3

전자 스핀

전자는 자전 운동과 유사한 운동을 하는데, 전하를 띤 전자가 일정한 축을 기준으로 스핀 운동을 하면 전자 주변에 자기장이 형성된다. 스핀 방향은 2가지이며, 자기장의 방향은 서로 반대이다.

오비탈의 에너지 준위

수소 원자인 경우는 주 양자수(n)가 같으면 방위(부) 양자수(l)에 관계없이 에너지 준위가 같다. 다전자 원자인 경우는 주 양자수(n)뿐만 아니라 방위(부) 양자수(l)에 따라서도 에너지 준위가 달라진다.

3 양자수 오비탈, 즉 전자의 확률 분포를 결정하는 값

양자수	특징
주 양자수 (n)	• 오비탈의 ❶ □□□ 준위를 결정하는 양자수 • 주 양자수(n)가 클수록 오비탈의 크기가 크고, 에너지 준위가 높다. • 자연수(n=1, 2, 3, …) 값만을 가지며, 보어 원자 모형에서 전자 껍질에 해당한다.

주 양자수(n)	1	2	3	4
전자 껍질	K	L	M	N

양자수	특징
방위(부) 양자수 (l)	• 오비탈의 ❷ □□을 결정하는 양자수 • 주 양자수가 n일 때 방위(부) 양자수는 0, 1, 2, … ($n-1$)까지 n개 존재한다. • 오비탈의 모양은 s, p, d, … 등의 기호로 나타낸다.

주 양자수(n)	1	2		3		
방위(부) 양자수(l)	0	0	1	0	1	2
오비탈	s	s	p	s	p	d

양자수	특징
자기 양자수 (m_l)	• 오비탈의 공간적인 ❸ □□을 결정하는 양자수 • 방위(부) 양자수가 l일 때 자기 양자수는 $-l$부터 $+l$까지 ($2l+1$)개 존재한다.

방위(부) 양자수(l)	0	1	2
자기 양자수(m_l)	0	−1, 0, +1	−2, −1, 0, +1, +2
오비탈 수	1	3	5

양자수	특징
스핀 자기 양자수 (m_s)	• 전자의 운동 방향에 따라 결정되는 양자수 • 전자의 스핀은 2가지 방향이 있으며, 한 방향을 $+\frac{1}{2}$, 반대 방향을 $-\frac{1}{2}$로 나타낸다. • 1개의 오비탈에는 서로 다른 스핀을 갖는 전자가 최대 2개까지만 들어갈 수 있다. ➜ 4가지 양자수가 모두 같은 전자가 존재할 수 없기 때문이다.

4 s 오비탈과 p 오비탈의 특징

s 오비탈

- 공 모양(구형)이며, 주 양자수(n)에 따라 크기만 달라지고 모양은 같다.

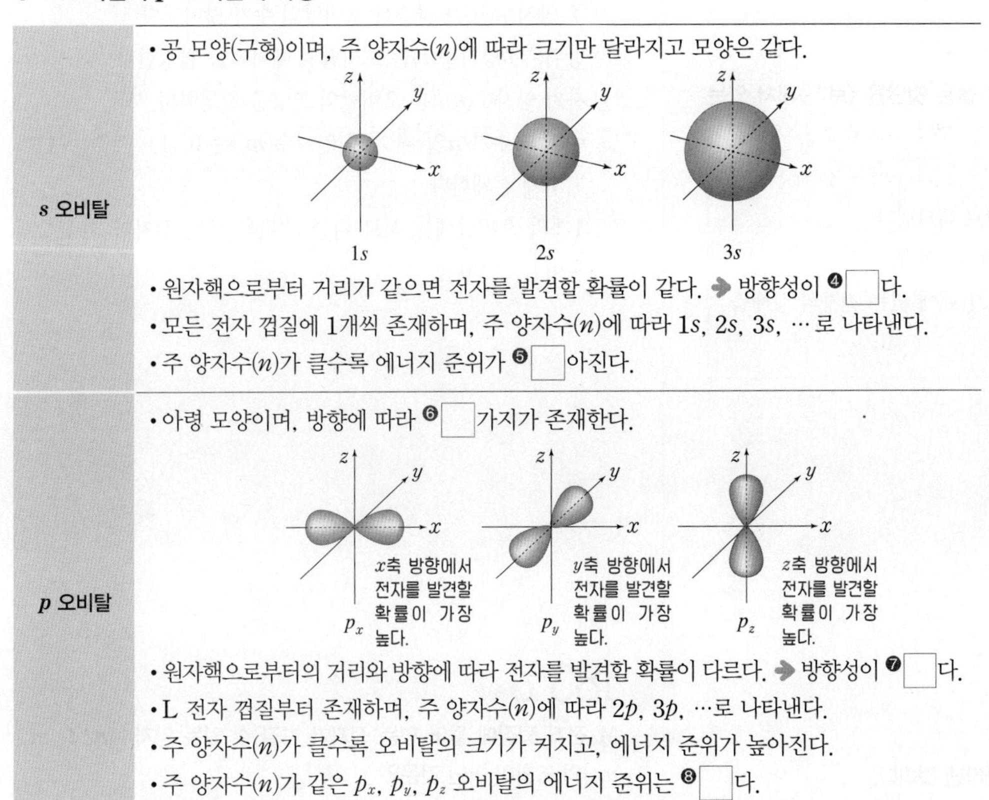

- 원자핵으로부터 거리가 같으면 전자를 발견할 확률이 같다. ➜ 방향성이 ❹☐다.
- 모든 전자 껍질에 1개씩 존재하며, 주 양자수(n)에 따라 $1s$, $2s$, $3s$, … 로 나타낸다.
- 주 양자수(n)가 클수록 에너지 준위가 ❺☐아진다.

p 오비탈

- 아령 모양이며, 방향에 따라 ❻☐가지가 존재한다.

p_x / p_y / p_z

- 원자핵으로부터의 거리와 방향에 따라 전자를 발견할 확률이 다르다. ➜ 방향성이 ❼☐다.
- L 전자 껍질부터 존재하며, 주 양자수(n)에 따라 $2p$, $3p$, …로 나타낸다.
- 주 양자수(n)가 클수록 오비탈의 크기가 커지고, 에너지 준위가 높아진다.
- 주 양자수(n)가 같은 p_x, p_y, p_z 오비탈의 에너지 준위는 ❽☐다.

5 주 양자수(n)에 따른 오비탈 수와 최대 수용 전자 수

주 양자수(n)	1	2		3		
방위(부) 양자수(l)	0	0	1	0	1	2
오비탈	$1s$	$2s$	$2p$	$3s$	$3p$	$3d$
자기 양자수(m_l)	0	0	$-1, 0, 1$	0	$-1, 0, 1$	$-2, -1, 0, +1, +2$
오비탈 수(n^2)	1	4		9		
최대 수용 전자 수($2n^2$)	2	8		18		

기출 Tip Ⓐ-4

오비탈의 표시

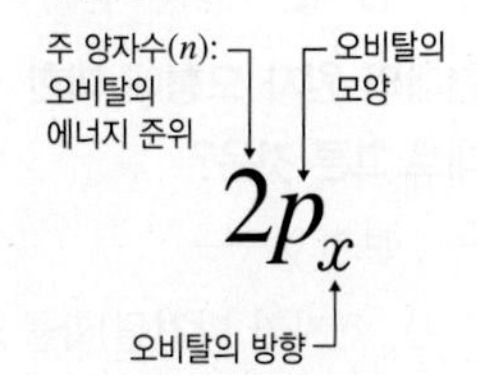

p 오비탈의 방향성

p_x 오비탈은 x축 방향으로는 전자가 발견될 확률이 크지만, y축, z축 방향과 원자핵에서는 전자가 발견될 확률이 0이다. p_y, p_z의 경우도 마찬가지로 각각 y축, z축 방향으로는 전자가 발견될 확률이 크지만, 다른 축 방향과 원자핵에서는 전자가 발견될 확률이 0이다.

답 ❶ 에너지 ❷ 모양 ❸ 방향 ❹ 없 ❺ 높 ❻ 3 ❼ 있 ❽ 같

빈출 자료 보기

정답과 해설 24쪽

178 그림은 오비탈 중 (가)~(다)를 모형으로 나타낸 것이다. 에너지 준위는 (가)가 가장 높고, (나)와 (다)의 크기는 같다.

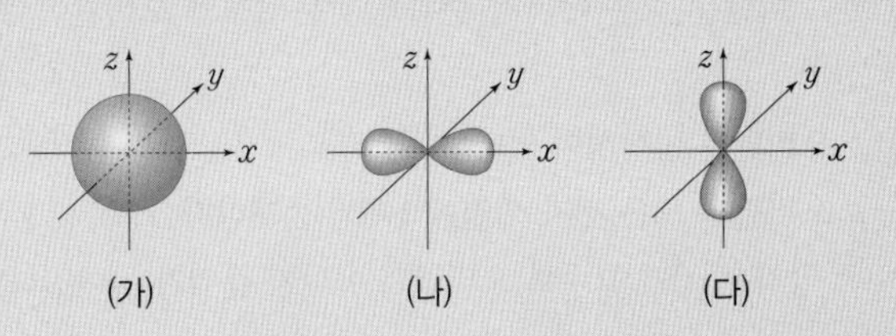

(가) (나) (다)

이에 대한 설명으로 옳은 것은 ○, 옳지 않은 것은 ×로 표시하시오.

(1) 주 양자수(n)는 (가)가 가장 크다. ( )

(2) (나)와 (다)는 주 양자수(n)가 같다. ( )

(3) (나)와 (다)는 원자핵으로부터 거리가 같으면 전자를 발견할 확률이 같다. ( )

(4) (가)~(다)에는 최대 2개의 전자가 채워질 수 있다. ( )

A 현대의 원자 모형

179 하 중 상

현대의 원자 모형에 대한 설명으로 옳은 것만을 〈보기〉에서 있는 대로 고른 것은?

〈 보기 〉
ㄱ. 전자가 발견될 확률을 오비탈로 나타낸다.
ㄴ. 전자가 1개인 원소에만 적용할 수 있다.
ㄷ. 4가지 양자수를 이용하여 원자 내에 있는 전자의 상태를 나타낸다.

① ㄱ ② ㄴ ③ ㄱ, ㄷ
④ ㄴ, ㄷ ⑤ ㄱ, ㄴ, ㄷ

180 하 중 상

그림은 오비탈을 2가지 방법으로 나타낸 것이다.

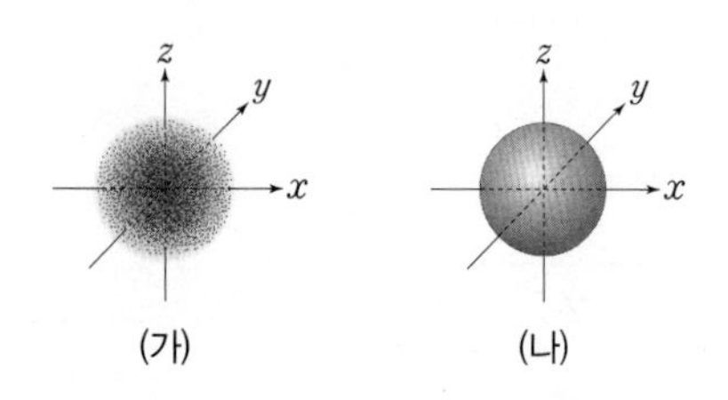

이에 대한 설명으로 옳은 것만을 〈보기〉에서 있는 대로 고른 것은?

〈 보기 〉
ㄱ. (가)에서 점 1개는 전자 1개를 나타낸다.
ㄴ. (나)의 경계면 밖에서는 전자가 발견되지 않는다.
ㄷ. (가)와 (나)는 전자가 발견될 확률 분포를 나타낸 것이다.

① ㄱ ② ㄷ ③ ㄱ, ㄴ
④ ㄱ, ㄷ ⑤ ㄴ, ㄷ

181 하 중 상

주 양자수(n)가 2인 전자 껍질에 존재하는 오비탈 수는?

① 1 ② 4 ③ 8
④ 9 ⑤ 18

182 하 중 상

多 보기

양자수에 대한 설명으로 옳은 것만을 모두 고르면?(2개)

① 주 양자수(n)는 오비탈의 크기와 방향을 결정한다.
② 주 양자수(n)가 클수록 오비탈의 수가 많아진다.
③ 방위(부) 양자수(l)는 오비탈의 에너지를 결정한다.
④ 자기 양자수(m_l)는 오비탈의 모양을 결정한다.
⑤ 주 양자수가 n일 때 자기 양자수(m_l)는 0, 1, ⋯, $(n-1)$까지 n개 존재한다.
⑥ 1개의 오비탈에는 서로 다른 스핀을 갖는 전자가 최대 2개 들어갈 수 있다.

183 하 중 상

M 전자 껍질에 들어 있는 전자가 가질 수 있는 양자수(n, l, m_l, m_s)의 조합이 아닌 것은?

① $(3,\ 0,\ 0,\ +\frac{1}{2})$ ② $(3,\ 0,\ -1,\ -\frac{1}{2})$
③ $(3,\ 1,\ -1,\ +\frac{1}{2})$ ④ $(3,\ 1,\ +1,\ -\frac{1}{2})$
⑤ $(3,\ 2,\ +2,\ +\frac{1}{2})$

184 하 중 상

多 보기

오비탈에 대한 설명으로 옳지 않은 것은?

① s 오비탈은 공 모양이다.
② s 오비탈은 방향성이 없다.
③ p 오비탈은 같은 에너지 준위를 갖는 3개의 오비탈이 존재한다.
④ p 오비탈은 방향성이 있다.
⑤ p 오비탈은 모든 전자 껍질에 1개씩 존재한다.
⑥ 주 양자수(n)가 클수록 오비탈의 에너지 준위가 높아진다.

185 하중상

그림은 바닥상태인 $_{4}Be$ 원자에서 전자가 들어 있는 2가지 오비탈을 모형으로 나타낸 것이다. 오비탈의 크기는 (나)가 (가)보다 크다.

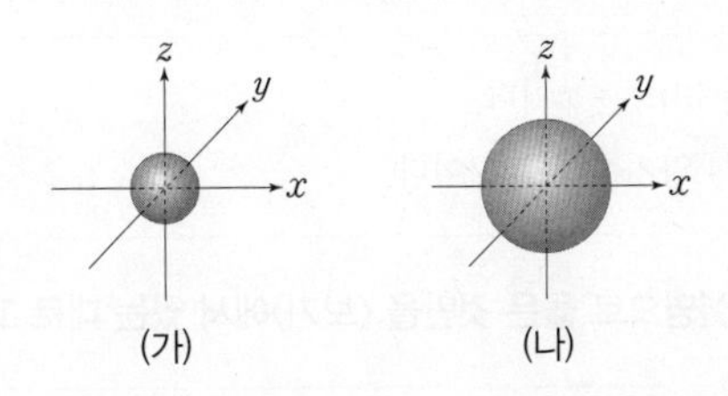

(가)와 (나)가 같은 값을 가지는 것만을 〈보기〉에서 있는 대로 고른 것은?

〈 보기 〉
ㄱ. 주 양자수(n)
ㄴ. 방위(부) 양자수(l)
ㄷ. 자기 양자수(m_l)

① ㄱ ② ㄷ ③ ㄱ, ㄴ
④ ㄱ, ㄷ ⑤ ㄴ, ㄷ

186 하중상

표는 바닥상태인 $_{2}He$ 원자에서 전자 A와 B의 양자수를 나타낸 것이다.

전자	주 양자수(n)	방위(부) 양자수(l)	자기 양자수(m_l)	스핀 자기 양자수(m_s)
A	㉠	0	㉢	$+\frac{1}{2}$
B	1	㉡	0	㉣

㉠~㉣의 값을 옳게 짝 지은 것은?

	㉠	㉡	㉢	㉣
①	1	0	0	$+\frac{1}{2}$
②	1	0	0	$-\frac{1}{2}$
③	1	1	0	$+\frac{1}{2}$
④	1	0	+1	$-\frac{1}{2}$
⑤	2	0	0	$+\frac{1}{2}$

187 하중상

표는 전자 껍질에 따른 오비탈 수와 최대 수용 전자 수를 나타낸 것이다.

전자 껍질	L		M		
주 양자수(n)	2		3		
오비탈 종류	s	p	s	p	d
오비탈 수	1	㉠	1	㉡	5
최대 수용 전자 수	㉢		㉣		

$\frac{㉠+㉡+㉢}{㉣}$은?

① $\frac{7}{9}$ ② $\frac{5}{6}$ ③ $\frac{6}{5}$
④ $\frac{7}{5}$ ⑤ $\frac{9}{7}$

빈출

188 하중상

그림은 $_{1}H$ 원자의 오비탈 (가)~(다)에 대한 자료이다.

구분	주 양자수(n) +방위(부) 양자수(l)	방위(부) 양자수(l) +자기 양자수(m_l)
(가)	1	0
(나)	2	0
(다)	3	1

이에 대한 설명으로 옳은 것만을 〈보기〉에서 있는 대로 고른 것은?

〈 보기 〉
ㄱ. (가)는 1s 오비탈이다.
ㄴ. 오비탈의 크기는 (가)>(나)이다.
ㄷ. (가)와 (나)는 방위(부) 양자수(l)가 같다.
ㄹ. (다)는 아령 모양이다.

① ㄱ, ㄴ ② ㄴ, ㄷ ③ ㄷ, ㄹ
④ ㄱ, ㄷ, ㄹ ⑤ ㄴ, ㄷ, ㄹ

[189~190] 표는 다전자 원자 X의 4가지 오비탈과 그 양자수를 나타낸 것이다. (가)~(라)는 모두 다른 오비탈이다.

구분	주 양자수(n)	방위(부) 양자수(l)	자기 양자수(m_l)
(가)	1	㉠	0
(나)	2	0	㉡
(다)	㉢	1	+1
(라)	㉢	2	㉣

189 하중상

(가)~(라)에 대한 설명으로 옳지 않은 것은?

① (가)와 (나)는 오비탈의 모양이 같다.
② (나)는 원자핵으로부터 거리가 같으면 방향에 관계없이 전자가 발견될 확률이 같다.
③ (다)는 원자핵으로부터의 거리와 방향에 따라 전자가 존재할 확률이 다르다.
④ 오비탈의 에너지 준위는 (라)가 가장 높다.
⑤ 각 오비탈에 최대로 들어가는 전자 수는 (나)가 (가)보다 크다.

190 하중상

㉠~㉣에 대한 설명으로 옳은 것만을 〈보기〉에서 있는 대로 고른 것은?

〈 보기 〉
ㄱ. ㉠=㉡이다.
ㄴ. ㉢은 3 이상의 자연수이다.
ㄷ. ㉣은 −1, 0, +1의 3가지 값을 가질 수 있다.

① ㄱ ② ㄷ ③ ㄱ, ㄴ
④ ㄱ, ㄷ ⑤ ㄴ, ㄷ

191 하중상 •서술형

바닥상태 $_{12}$Mg 원자의 가장 바깥 전자 껍질에 들어 있는 전자가 가질 수 있는 양자수의 조합(n, l, m_l, m_s)을 있는 대로 서술하시오.

192 하중상

다음은 바닥상태의 어떤 원자에 들어 있는 전자 X에 대한 자료이다.

• 주 양자수(n)는 x이다.
• 방위(부) 양자수(l)는 2이다.

이에 대한 설명으로 옳은 것만을 〈보기〉에서 있는 대로 고른 것은?

〈 보기 〉
ㄱ. x의 최솟값은 3이다.
ㄴ. X가 가질 수 있는 자기 양자수(m_l)의 값은 5가지이다.
ㄷ. $x=3$일 때 N 전자 껍질에 전자 X가 존재한다.

① ㄱ ② ㄷ ③ ㄱ, ㄴ
④ ㄱ, ㄷ ⑤ ㄴ, ㄷ

빈출 193 하중상 多 보기

다음은 다전자 원자의 3가지 오비탈 (가)~(다)에 대한 자료이다.

• 오비탈의 주 양자수(n)의 총합은 7이고, 주 양자수(n)는 (다)가 가장 크다.
• 오비탈의 방위(부) 양자수(l)는 (가)와 (다)가 같다.
• 오비탈의 주 양자수(n)와 방위(부) 양자수(l)의 합($n+l$)은 (나)와 (다)가 같다.

이에 대한 설명으로 옳지 않은 것은?

① (가)의 주 양자수(n)는 2이다.
② (가)와 (나)는 같은 전자 껍질에 들어 있다.
③ (나)에서 전자가 발견될 확률은 핵으로부터의 거리와 방향에 따라 변한다.
④ (다)의 방위(부) 양자수(l)는 1이다.
⑤ 방위(부) 양자수(l)는 (나)가 (다)보다 크다.
⑥ 오비탈의 에너지 준위는 (가)<(나)<(다)이다.

194 하 중 상

다음은 L 전자 껍질과 M 전자 껍질에 있는 서로 다른 3가지 오비탈 (가)~(다)에 대한 자료이다.

- (가)는 (나)와 같은 전자 껍질에 들어 있으며, 방향성이 없다.
- (나)는 방위(부) 양자수(l)가 (다)와 같다.
- (다)의 에너지 준위가 가장 높다.

이에 대한 설명으로 옳은 것만을 〈보기〉에서 있는 대로 고른 것은?

〈 보기 〉

ㄱ. (가)와 (다)는 공 모양이다.

ㄴ. (나)는 $2p$ 오비탈이다.

ㄷ. 오비탈의 크기는 (나) < (다)이다.

① ㄱ ② ㄷ ③ ㄱ, ㄴ ④ ㄴ, ㄷ ⑤ ㄱ, ㄴ, ㄷ

195 하 중 상

그림은 수소 원자에서 주 양자수(n)가 2인 전자 껍질에 존재하는 오비탈을 나타낸 것이다.

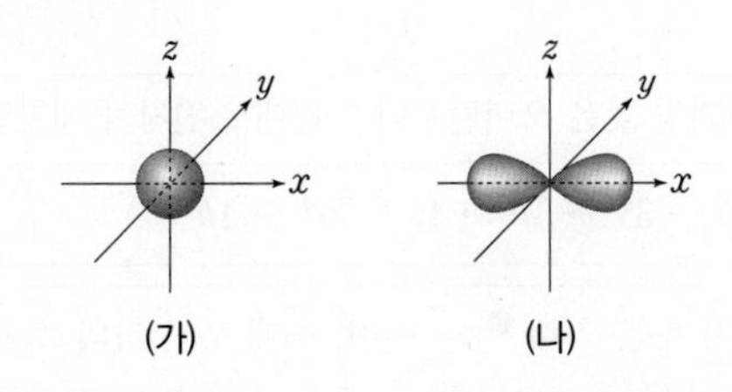

이에 대한 설명으로 옳은 것만을 〈보기〉에서 있는 대로 고른 것은?

〈 보기 〉

ㄱ. 에너지 준위는 (가) < (나)이다.

ㄴ. 최대 수용 전자 수는 (가) < (나)이다.

ㄷ. (가)에 전자가 들어 있는 수소 원자는 들뜬상태이다.

① ㄱ ② ㄷ ③ ㄱ, ㄴ ④ ㄱ, ㄷ ⑤ ㄴ, ㄷ

196 하 중 상

그림은 다전자 원자에서 주 양자수(n)가 1 또는 2인 전자 껍질에 존재하는 오비탈을 나타낸 것이다.

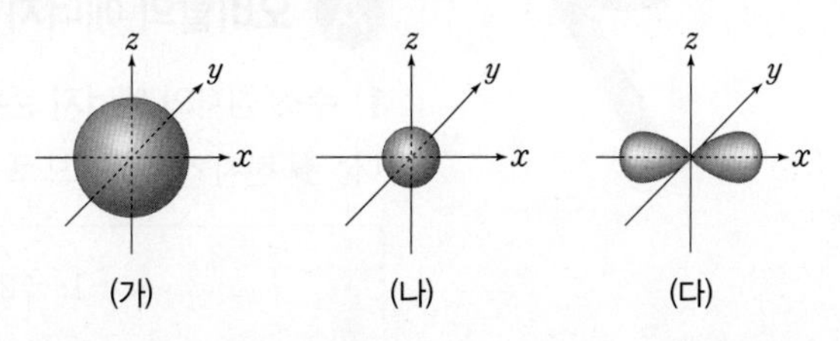

이에 대한 설명으로 옳은 것만을 〈보기〉에서 있는 대로 고른 것은?

〈 보기 〉

ㄱ. (가)와 (나)의 주 양자수(n)는 같다.

ㄴ. (가)와 (다)는 L 전자 껍질에 존재한다.

ㄷ. (다)에서 (가)로 전자가 이동할 때 에너지를 방출한다.

① ㄱ ② ㄷ ③ ㄱ, ㄴ ④ ㄱ, ㄷ ⑤ ㄴ, ㄷ

197 하 중 상

그림은 L 전자 껍질에 존재하는 오비탈을 모형으로 나타낸 것이다.

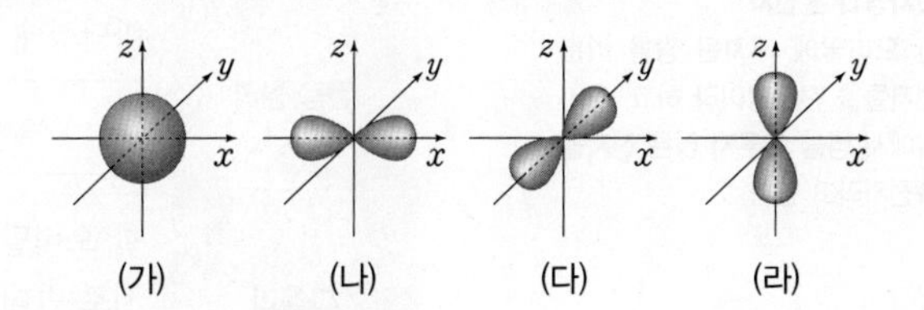

이에 대한 설명으로 옳은 것은?

① (가)는 방향성이 있다.

② 방위(부) 양자수(l)는 (가)가 (나)보다 크다.

③ 다전자 원자의 바닥상태 전자 배치에서 L 전자 껍질에 전자가 채워질 때 (가)부터 채워진다.

④ (나), (다), (라)의 에너지 준위는 모두 다르다.

⑤ (나), (다), (라)는 자기 양자수(m_l)가 모두 같다.

원자의 전자 배치

A 오비탈의 에너지 준위

1 수소 원자의 에너지 준위 주 양자수(n)가 같으면 오비탈의 모양에 관계없이 에너지 준위는 같다. ➡ 전자가 1개이므로 원자핵과 전자 사이의 인력에만 영향을 받기 때문

$1s < 2s$ ❶ ☐ $2p$ ❷ ☐ $3s = 3p = 3d < 4s = 4p = 4d = 4f < \cdots$

2 다전자 원자의 에너지 준위 주 양자수(n)뿐만 아니라 방위(부) 양자수(l)에 따라서도 에너지 준위가 달라진다. ➡ 원자핵과 전자 사이의 인력, 전자 사이의 반발력에 의해 영향을 받기 때문

$1s < 2s < 2p < 3s < 3p <$ ❸ ☐ $<$ ❹ ☐ $< 4p < \cdots$

기출 Tip A-2

양자수와 오비탈의 에너지 준위
다전자 원자에서 오비탈의 에너지 준위는 주 양자수(n)와 방위(부) 양자수(l)의 합인 ($n+l$)의 값이 클수록 높다. ($n+l$)의 값이 같을 때는 주 양자수(n)가 큰 오비탈의 에너지 준위가 높다.

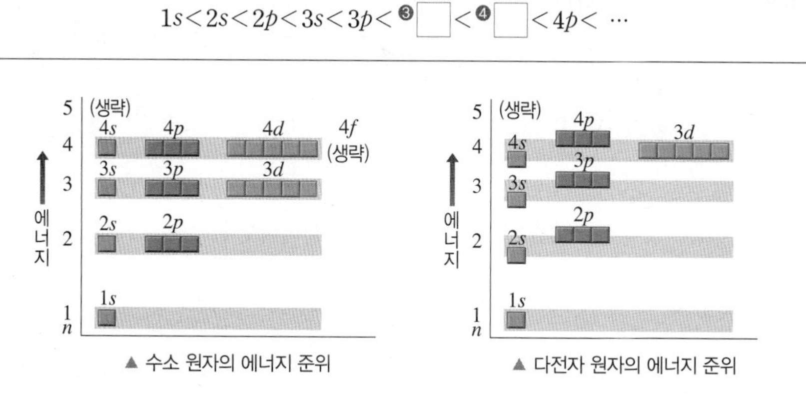

▲ 수소 원자의 에너지 준위 ▲ 다전자 원자의 에너지 준위

B 전자 배치 규칙

1 전자 배치 표시 오비탈 기호의 오른쪽 위에 전자 수를 표시하거나, 오비탈 상자 안에 전자를 화살표로 나타낸다.

오비탈 기호로 표현하는 방법	오비탈 상자로 표현하는 방법
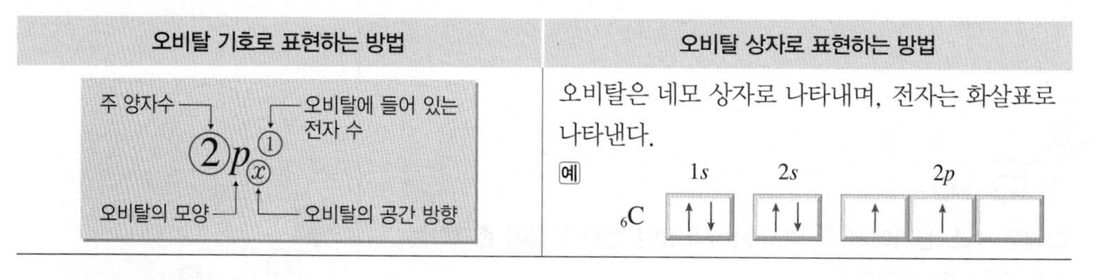	오비탈은 네모 상자로 나타내며, 전자는 화살표로 나타낸다.

기출 Tip B-2

1개의 오비탈에 들어갈 수 있는 최대 전자 수
같은 오비탈에 들어가는 전자는 3가지 양자수(n, l, m_l)가 같으며, 전자가 가질 수 있는 스핀 자기 양자수(m_s)는 2가지이다. 만약 같은 오비탈에 전자가 3개 이상 배치된다면 4가지 양자수가 모두 같은 전자가 반드시 존재하게 되는데, 이는 파울리 배타 원리에 위배된다. 따라서 1개의 오비탈에 들어갈 수 있는 전자는 최대 2개이다.

전자쌍과 홀전자
한 오비탈에 배치된 쌍을 이룬 전자들을 전자쌍이라 하고, 오비탈에서 쌍을 이루지 않은 전자를 홀전자라고 한다.

2 전자 배치 규칙

규칙	내용
쌓음 원리	바닥상태 원자는 에너지 준위가 가장 낮은 오비탈부터 차례대로 전자가 배치된다. $1s \rightarrow 2s \rightarrow 2p \rightarrow 3s \rightarrow 3p \rightarrow 4s \rightarrow 3d \rightarrow 4p \cdots$
파울리 배타 원리	한 오비탈에 들어갈 수 있는 전자 수는 최대 ❺ ☐ 이며, 이때 두 전자의 스핀 방향은 서로 반대여야 한다. 예 $_2He$: 1s [↑↓] (○) 1s [↑↑] (×) 1s [↓↓] (×) — 불가능한 전자 배치
훈트 규칙	에너지 준위가 같은 오비탈에 전자가 배치될 때 홀전자 수가 최대가 되는 배치를 한다. ➡ 1개의 오비탈에 전자가 쌍을 이루어 배치되면 전자 사이의 반발력 때문에 홀전자 상태로 있을 때보다 불안정하기 때문 예 $_6C$ 1s [↑↓] 2s [↑↓] 2p [↑][↑][ ] (안정) 홀전자 $_6C$ 1s [↑↓] 2s [↑↓] 2p [↑↓][ ][ ] (불안정)

3 바닥상태와 들뜬상태에서 원자의 전자 배치

바닥상태의 전자 배치	들뜬상태의 전자 배치
에너지가 가장 낮은 안정한 상태의 전자 배치 ➔ 파울리 배타 원리를 따르면서 쌓음 원리와 훈트 규칙을 만족하는 전자 배치	바닥상태의 원자보다 에너지가 높은 불안정한 상태의 전자 배치 ➔ 파울리 배타 원리를 따르지만, 쌓음 원리 또는 훈트 규칙에는 어긋나는 전자 배치
예 $_6$C의 바닥상태 전자 배치 1s [↑↓] 2s [↑↓] 2p [↑][↑][ ]	예 $_6$C의 들뜬상태 전자 배치 1s [↑↓] 2s [↑] 2p [↑][↑][↑] 쌓음 원리에 위배 1s [↑↓] 2s [↑↓] 2p [↑↓][ ][ ] 훈트 규칙에 위배

4 이온의 전자 배치

→ 원자가 이온이 될 때 전자를 잃거나 얻어 18족 원소와 같은 전자 배치를 가지려고 한다.

양이온의 전자 배치	음이온의 전자 배치
가장 바깥 전자 껍질의 전자, 즉 원자가 전자를 잃는다.	에너지 준위가 가장 낮은 비어 있는 오비탈에 전자가 채워진다.
예 $_{11}$Na 1s [↑↓] 2s [↑↓] 2p [↑↓][↑↓][↑↓] 3s [↑] ↓ 전자 1개를 잃는다. $_{11}Na^+$ [↑↓] [↑↓] [↑↓][↑↓][↑↓]	예 $_8$O 1s [↑↓] 2s [↑↓] 2p [↑↓][↑][↑] ↓ 전자 2개를 얻는다. $_8O^{2-}$ [↑↓] [↑↓] [↑↓][↑↓][↑↓]

5 몇 가지 원자의 전자 배치

원자	K	L		M		전자 배치	원자가 전자 수
	1s	2s	2p	3s	3p		
$_3$Li	↑↓	↑				$1s^2 2s^1$	1
$_7$N	↑↓	↑↓	↑ ↑ ↑			$1s^2 2s^2 2p^3$	❻ [ ]
$_{12}$Mg	↑↓	↑↓	↑↓ ↑↓ ↑↓	↑↓		$1s^2 2s^2 2p^6 3s^2$	2

기출 Tip B-3

p 오비탈과 전자 배치

p 오비탈에는 p_x, p_y, p_z의 3종류가 있는데, 이 3개의 오비탈은 에너지 준위가 같기 때문에 어떤 오비탈에 전자가 먼저 배치되어도 에너지는 같다.

기출 Tip B-4

원자가 전자

원자의 바닥상태 전자 배치에서 가장 바깥 전자 껍질에 들어 있는 전자로, 화학 결합에 관여하여 원소의 화학적 성질을 결정한다.

기출 Tip B-5

족에 따른 홀전자 수

1족~18족 원소의 홀전자 수는 각각 1, 0, 1, 2, 3, 2, 1, 0이다.

답 ❶ = ❷ < ❸ $4s$ ❹ $3d$ ❺ 2 ❻ 5

빈출 자료 보기

정답과 해설 26쪽

198 그림은 O(산소) 원자의 3가지 전자 배치를 나타낸 것이다.

	1s	2s	2p	3s
(가)	↑↓	↑↓	↑ ↑ ↑↓	
(나)	↑↓	↑↓	↑ ↑↓ ↑	
(다)	↑↓	↑↓	↑ ↑ ↑	↑

이에 대한 설명으로 옳은 것은 ○, 옳지 않은 것은 ×로 표시하시오.

(1) (가)는 쌓음 원리를 만족한다. ( )

(2) (나)는 훈트 규칙에 위배된다. ( )

(3) (다)는 들뜬상태의 전자 배치이다. ( )

(4) (가)~(다) 모두 파울리 배타 원리를 만족한다. ( )

199 다음은 이온 X^{2+}, Y^-의 전자 배치를 나타낸 것이다.

X^{2+}: $1s^2 2s^2 2p^6 3s^2 3p^6$　　Y^-: $1s^2 2s^2 2p^6 3s^2 3p^6$

X와 Y에 대한 설명으로 옳은 것은 ○, 옳지 않은 것은 ×로 표시하시오.(단, X와 Y는 임의의 원소 기호이다.)

(1) 같은 주기 원소이다. ( )

(2) 원자 번호는 X > Y이다. ( )

(3) 원자가 전자 수는 X > Y이다. ( )

(4) 바닥상태에서 전자가 들어 있는 오비탈 수는 X > Y이다. ( )

(5) 바닥상태에서 X와 Y의 홀전자 수의 합은 0이다. ( )

A 오비탈의 에너지 준위

200 하 중 상

수소 원자의 오비탈과 전자 전이에 대한 설명으로 옳은 것만을 〈보기〉에서 있는 대로 고른 것은?

〈 보기 〉

ㄱ. $1s$ 오비탈에서 $2s$ 오비탈로 전자가 전이할 때 에너지를 흡수한다.

ㄴ. $2s$ 오비탈과 $2p$ 오비탈의 에너지 준위는 같다.

ㄷ. $3d$ 오비탈은 $4s$ 오비탈보다 에너지 준위가 높다.

① ㄱ ② ㄷ ③ ㄱ, ㄴ
④ ㄱ, ㄷ ⑤ ㄴ, ㄷ

201 하 중 상

그림은 어떤 원자 X에서 오비탈의 에너지 준위를 나타낸 것이다.

에너지 (생략) $4p$ $4s$ $3d$ $3p$ $3s$ $2p$ $2s$ $1s$

이에 대한 설명으로 옳은 것만을 〈보기〉에서 있는 대로 고른 것은? (단, X는 임의의 원소 기호이다.)

〈 보기 〉

ㄱ. X는 수소 원자이다.

ㄴ. 주 양자수(n)가 크면 항상 에너지 준위가 높다.

ㄷ. 주 양자수(n)가 같아도 에너지 준위가 다른 오비탈이 존재한다.

① ㄱ ② ㄷ ③ ㄱ, ㄴ
④ ㄱ, ㄷ ⑤ ㄴ, ㄷ

B 전자 배치 규칙

202 하 중 상

그림은 이온 A^+의 전자 배치를 나타낸 것이다.

$1s$	$2s$	$2p$		
↑↓	↑↓	↑↓	↑↓	↑↓

원자 A의 바닥상태에서 (가) 원자가 전자 수와 (나) 홀전자 수를 옳게 짝 지은 것은?(단, A는 임의의 원소 기호이다.)

	(가)	(나)		(가)	(나)
①	0	0	②	0	1
③	1	0	④	1	1
⑤	1	2			

203 하 중 상

다음은 원자 X의 바닥상태 전자 배치를 나타낸 것이다.

$$1s^2 2s^2 2p^6 3s^2 3p^3$$

이에 대한 설명으로 옳은 것만을 〈보기〉에서 있는 대로 고른 것은? (단, X는 임의의 원소 기호이다.)

〈 보기 〉

ㄱ. 홀전자 수는 3이다.

ㄴ. 전자가 들어 있는 오비탈 수는 9이다.

ㄷ. L 전자 껍질에 들어 있는 전자 수는 8이다.

① ㄱ ② ㄴ ③ ㄱ, ㄷ
④ ㄴ, ㄷ ⑤ ㄱ, ㄴ, ㄷ

204 하 중 상 ••서술형

다음은 바닥상태 원자 X의 전자 배치이다.(단, X는 임의의 원소 기호이다.)

$$1s^2 2s^2 2p^4$$

(1) 원자가 전자 수를 쓰고, 그 까닭을 서술하시오.

(2) 원자 X가 비활성 기체의 전자 배치를 갖는 안정한 이온이 되었을 때의 바닥상태 전자 배치를 오비탈 기호를 이용하여 나타내시오.

205 하 중 상

그림은 원자 X의 전자 배치 일부를 나타낸 것이다. X의 바닥상태 전자 배치를 완성하기 위해서는 전자 3개를 더 채워야 한다.

$1s$	$2s$	$2p$		
↑↓	↑↓	↑↓	↑↓	↑↓

바닥상태의 원자 X에 대한 설명으로 옳은 것만을 〈보기〉에서 있는 대로 고른 것은?(단, X는 임의의 원소 기호이다.)

〈 보기 〉

ㄱ. 전자가 들어 있는 오비탈 수는 7이다.
ㄴ. 원자가 전자 수는 홀전자 수의 3배이다.
ㄷ. X의 안정한 이온은 Ne의 전자 배치와 같다.

① ㄱ ② ㄷ ③ ㄱ, ㄴ
④ ㄴ, ㄷ ⑤ ㄱ, ㄴ, ㄷ

206 하 중 상

••서술형

그림은 $_{5}$B의 3가지 전자 배치를 나타낸 것이다.

	$1s$	$2s$	$2p$		
(가)	↑↓	↑↑	↑		
(나)	↑↓	↑↓		↑	
(다)	↑↓	↑	↑	↑	

(가)~(다) 중 존재할 수 없는 전자 배치를 고르고, 그 까닭을 전자 배치 규칙과 관련하여 서술하시오.

207 하 중 상

••서술형

그림은 $_{6}$C의 3가지 전자 배치를 나타낸 것이다.

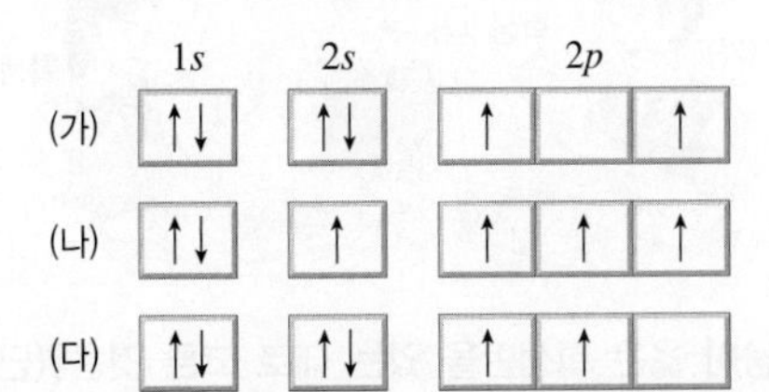

(가)~(다)의 전자 배치 중 들뜬상태인 것을 있는 대로 고르고, 그 까닭을 전자 배치 규칙과 관련하여 서술하시오.

208 하 중 상

그림은 원자 A, B의 전자 배치를 나타낸 것이다.

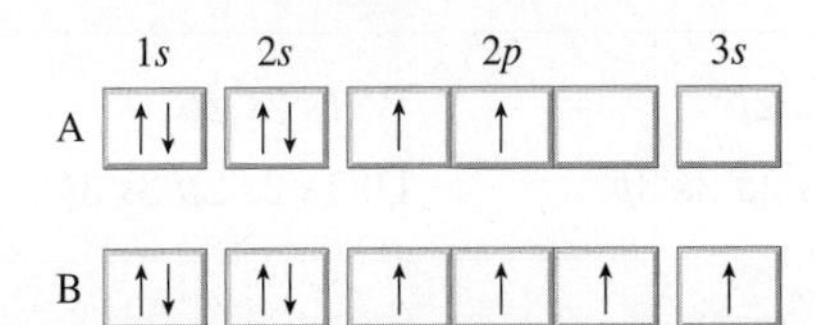

이에 대한 설명으로 옳은 것만을 〈보기〉에서 있는 대로 고른 것은?(단, A와 B는 임의의 원소 기호이다.)

〈 보기 〉

ㄱ. A와 B는 모두 들뜬상태이다.
ㄴ. A와 B는 바닥상태에서 홀전자 수가 같다.
ㄷ. 바닥상태에서 방위(부) 양자수(l)가 0인 오비탈에 들어 있는 전자 수는 A와 B가 같다.

① ㄱ ② ㄷ ③ ㄱ, ㄴ
④ ㄱ, ㄷ ⑤ ㄴ, ㄷ

209 하 중 상

多 보기

그림은 원자 (가)~(다)의 전자 배치를 나타낸 것이다.

	$1s$	$2s$	$2p$		
(가)	↑↓	↑	↑		
(나)	↑↓	↑↓	↑		↑
(다)	↑↓	↑↓	↑↓	↑	

(가)~(다)에 대한 설명으로 옳지 않은 것은?

① (가)는 들뜬상태의 전자 배치이다.
② (나)는 쌓음 원리에 위배된다.
③ (나)에서 p 오비탈에 있는 두 전자의 에너지는 같다.
④ (다)는 훈트 규칙에 위배된다.
⑤ (가)~(다)는 모두 파울리 배타 원리를 만족한다.
⑥ 바닥상태에서 (가)~(다)의 원자가 전자가 들어 있는 오비탈의 주 양자수(n)는 모두 같다.

210 하중상

다음은 바닥상태 원자 A~D의 전자 배치를 나타낸 것이다.

A: $1s^2 2s^2 2p^4$	B: $1s^2 2s^2 2p^3$
C: $1s^2 2s^2 2p^6 3s^2 3p^2$	D: $1s^2 2s^2 2p^6 3s^2 3p^4$

이에 대한 설명으로 옳은 것만을 〈보기〉에서 있는 대로 고른 것은?(단, A~D는 임의의 원소 기호이다.)

〈 보기 〉
ㄱ. A와 D는 같은 족 원소이다.
ㄴ. 홀전자 수가 가장 큰 원자는 B이다.
ㄷ. 전자가 들어 있는 오비탈 수는 C와 D가 같다.

① ㄱ ② ㄷ ③ ㄱ, ㄴ
④ ㄴ, ㄷ ⑤ ㄱ, ㄴ, ㄷ

211 하중상

다음은 원자 (가)~(다)의 전자 배치를 나타낸 것이다.

(가)	(나)	(다)
$1s^2 2s^1 2p^4$	$1s^2 2s^2 2p^5 3s^2$	$1s^2 2s^2 2p^6 3s^2 3p^3$

이에 대한 설명으로 옳은 것만을 〈보기〉에서 있는 대로 고른 것은?

〈 보기 〉
ㄱ. (가)와 (나)는 쌓음 원리에 위배된다.
ㄴ. (가)와 (다)는 화학적 성질이 비슷하다.
ㄷ. 바닥상태에서 (나)와 (다)는 전자가 들어 있는 전자 껍질 수가 같다.

① ㄱ ② ㄷ ③ ㄱ, ㄴ
④ ㄴ, ㄷ ⑤ ㄱ, ㄴ, ㄷ

212 하중상

그림은 전자 수가 같은 3가지 이온 A^{2-}, B^-, C^{2+}의 전자 배치를 나타낸 것이다.

$1s$	$2s$	$2p$		
↑↓	↑↓	↑↓	↑↓	↑↓

바닥상태의 원자 A~C에 대한 설명으로 옳은 것만을 〈보기〉에서 있는 대로 고른 것은?(단, A~C는 임의의 원소 기호이다.)

〈 보기 〉
ㄱ. A와 B는 전자가 들어 있는 오비탈 수가 같다.
ㄴ. A와 C는 홀전자 수가 같다.
ㄷ. 원자가 전자가 들어 있는 오비탈의 주 양자수(n)는 B<C이다.

① ㄱ ② ㄴ ③ ㄱ, ㄷ
④ ㄴ, ㄷ ⑤ ㄱ, ㄴ, ㄷ

213 하중상

그림은 원자 A, B와 이온 C^+의 전자 배치와 이에 대한 세 학생의 대화이다.

	$1s$	$2s$	$2p_x$	$2p_y$	$2p_z$
A	↑↓	↑↓	↑	↑↓	↑↓
B	↑↓	↑↓	↑↓	↑↓	↑↓
C^+	↑↓	↑↓	↑↓	↑↓	↑↓

제시한 내용이 옳은 학생만을 있는 대로 고른 것은?(단, A~C는 임의의 원소 기호이다.)

① (가) ② (다) ③ (가), (나)
④ (나), (다) ⑤ (가), (나), (다)

214 하중상

••서술형

표는 바닥상태인 원자 A～C에 대한 자료이다.(단, A～C는 임의의 원소 기호이다.)

원자	A	B	C
홀전자 수	1	2	3
전자쌍이 존재하는 오비탈 수	5	3	2

(1) 각 원자의 바닥상태 전자 배치를 화살표로 나타내시오.

	1s	2s	2p			3s
A						
B						
C						

(2) 각 원자의 전자 배치를 오비탈 기호를 이용하여 나타내시오.

A: ____________, B: ____________, C: ____________

215 하중상

표는 바닥상태 2주기 원자 (가)～(라)에 대한 자료이다.

원자	(가)	(나)	(다)	(라)
전자가 들어 있는 오비탈 수	3	4	5	5
홀전자 수	1	2	1	2

이에 대한 설명으로 옳은 것만을 〈보기〉에서 있는 대로 고른 것은?

〈 보기 〉

ㄱ. 원자 번호는 (라)가 가장 크다.

ㄴ. (가)와 (나)의 원자가 전자 수의 합은 (다)의 원자가 전자 수와 같다.

ㄷ. (라)에서 s 오비탈에 채워진 전자 수는 p 오비탈에 채워진 전자 수와 같다.

① ㄷ ② ㄱ, ㄴ ③ ㄱ, ㄷ
④ ㄴ, ㄷ ⑤ ㄱ, ㄴ, ㄷ

216 하중상

다음은 2, 3주기 바닥상태 원자 A～D에 대한 자료이다.

• 전자가 들어 있는 전자 껍질 수는 A<B이고, C<D이다.
• s 오비탈의 전자 수에 대한 p 오비탈의 전자 수의 비는 다음과 같다.

원자	A	B	C	D
$\frac{p \text{ 오비탈의 전자 수}}{s \text{ 오비탈의 전자 수}}$	1	1	1.5	1.5

이에 대한 설명으로 옳은 것만을 〈보기〉에서 있는 대로 고른 것은? (단, A～D는 임의의 원소 기호이다.)

〈 보기 〉

ㄱ. A가 안정한 이온이 될 때 전자는 $2p$ 오비탈에 채워진다.

ㄴ. B의 안정한 이온의 전자 배치는 C와 같다.

ㄷ. A～D 중 홀전자 수는 D가 가장 크다.

① ㄷ ② ㄱ, ㄴ ③ ㄱ, ㄷ
④ ㄴ, ㄷ ⑤ ㄱ, ㄴ, ㄷ

217 하중상

표는 바닥상태의 원자 (가)～(다)에 대한 자료이다.

원자	(가)	(나)	(다)
s 오비탈에 들어 있는 전자 수	a	b	3
p 오비탈에 들어 있는 전자 수	6	3	c
홀전자 수	1	3	d

이에 대한 설명으로 옳은 것만을 〈보기〉에서 있는 대로 고른 것은?

〈 보기 〉

ㄱ. $a+b+c+d=10$이다.

ㄴ. (가)와 (나)는 전자가 들어 있는 전자 껍질 수가 같다.

ㄷ. 원자가 전자 수는 (나)가 (다)보다 크다.

① ㄱ ② ㄴ ③ ㄱ, ㄷ
④ ㄴ, ㄷ ⑤ ㄱ, ㄴ, ㄷ

빈출

218 하중상

표는 바닥상태 2, 3주기 원자 A~C에 대한 자료이다.

원자	A	B	C
전자가 들어 있는 전자 껍질 수	2	x	3
원자가 전자 수	y	x	5
$\frac{s\text{ 오비탈에 들어 있는 전자 수}}{\text{홀전자 수}}$	3	6	z

$x+y+z$는?(단, A~C는 임의의 원소 기호이다.)

① 4 ② 5 ③ 6
④ 7 ⑤ 8

219 하중상

표는 원자 A~C에서 각 전자 껍질에 들어 있는 전자 수와 p 오비탈에 들어 있는 전자 수를 나타낸 것이다.

원자		A	B	C
전자 수	K 전자 껍질	2	2	2
	L 전자 껍질	3	6	8
	M 전자 껍질			2
p 오비탈에 들어 있는 전자 수		1	4	7

이에 대한 설명으로 옳은 것만을 〈보기〉에서 있는 대로 고른 것은? (단, A~C는 임의의 원소 기호이다.)

〈 보기 〉

ㄱ. A와 B는 같은 주기 원소이다.
ㄴ. C는 들뜬상태이다.
ㄷ. A~C는 쌓음 원리를 만족한다.

① ㄷ ② ㄱ, ㄴ ③ ㄱ, ㄷ
④ ㄴ, ㄷ ⑤ ㄱ, ㄴ, ㄷ

빈출

220 하중상

다음은 바닥상태의 2주기 원자 A, B에 대한 자료이다.

- 전자 수의 비는 A : B=1 : 2이다.
- 전자가 들어 있는 오비탈 수의 비는 A : B=1 : 2이다.

이에 대한 설명으로 옳은 것만을 〈보기〉에서 있는 대로 고른 것은? (단, A와 B는 임의의 원소 기호이다.)

〈 보기 〉

ㄱ. 홀전자 수는 A가 B의 2배이다.
ㄴ. 원자가 전자 수는 B가 A의 4배이다.
ㄷ. B에서 s 오비탈과 p 오비탈의 전자 수의 비는 s 오비탈 : p 오비탈=1 : 2이다.

① ㄱ ② ㄴ ③ ㄱ, ㄷ
④ ㄴ, ㄷ ⑤ ㄱ, ㄴ, ㄷ

221 하중상

다음은 바닥상태인 2, 3주기 원자 A~C에 대한 자료이다.

- A와 C는 $\frac{\text{전자가 들어 있는 } s\text{ 오비탈 수}}{\text{전자가 들어 있는 } p\text{ 오비탈 수}}=1$이다.
- A와 C의 홀전자 수의 합은 3이다.
- p 오비탈에 들어 있는 전자 수는 B가 C의 5배이다.

이에 대한 설명으로 옳은 것만을 〈보기〉에서 있는 대로 고른 것은? (단, A~C는 임의의 원소 기호이다.)

〈 보기 〉

ㄱ. 3주기 원소는 1가지이다.
ㄴ. A의 전자 배치는 $1s^2 2s^2 2p^6 3s^1$이다.
ㄷ. 홀전자 수는 B와 C가 같다.

① ㄱ ② ㄴ ③ ㄱ, ㄷ
④ ㄴ, ㄷ ⑤ ㄱ, ㄴ, ㄷ

222 하중상

다음은 바닥상태인 원자 A~C에 대한 전자 배치의 공통점이다.

- 방향에 관계없이 원자핵으로부터 같은 거리에서 전자를 발견할 확률이 항상 같은 오비탈(X)과 공간적인 방향이 3가지인 오비탈(Y)에만 전자가 존재한다.
- 오비탈에 존재하는 전자 수는 Y가 X의 $\frac{3}{2}$배이다.

이에 대한 설명으로 옳은 것만을 〈보기〉에서 있는 대로 고른 것은? (단, A~C는 원자 번호가 20번 이하인 임의의 원소 기호이고, 원자 번호는 A>B>C이다.)

〈 보기 〉

ㄱ. A에서 모든 전자의 스핀 자기 양자수(m_s)의 합은 0이다.

ㄴ. B에서 $\frac{\text{전자쌍이 들어 있는 오비탈 수}}{\text{홀전자 수}}$는 3이다.

ㄷ. C의 원자가 전자 수는 0이다.

① ㄱ ② ㄴ ③ ㄱ, ㄷ ④ ㄴ, ㄷ ⑤ ㄱ, ㄴ, ㄷ

223 하중상

그림은 바닥상태 원자 A의 원자가 전자가 들어 있는 모든 오비탈을 모형으로 나타낸 것이다.

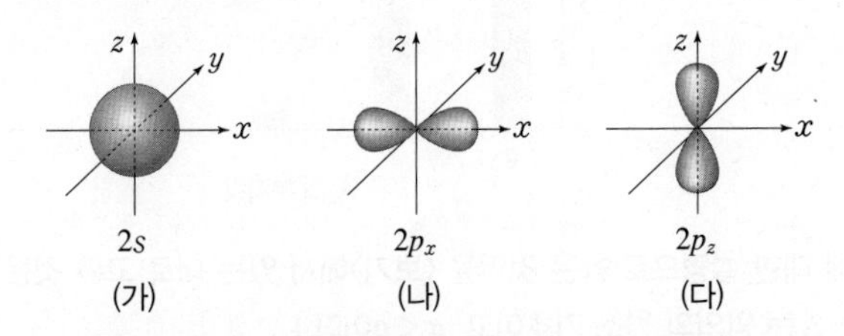

A에 대한 설명으로 옳은 것만을 〈보기〉에서 있는 대로 고른 것은? (단, A는 임의의 원소 기호이다.)

〈 보기 〉

ㄱ. 홀전자 수는 2이다.

ㄴ. 원자가 전자 수는 4이다.

ㄷ. s 오비탈에 들어 있는 전자 수는 p 오비탈에 들어 있는 전자 수의 2배이다.

① ㄷ ② ㄱ, ㄴ ③ ㄱ, ㄷ ④ ㄴ, ㄷ ⑤ ㄱ, ㄴ, ㄷ

224 하중상

그림은 바닥상태인 원자 A~D의 전자가 들어 있는 오비탈 수와 홀전자 수를 나타낸 것이다.

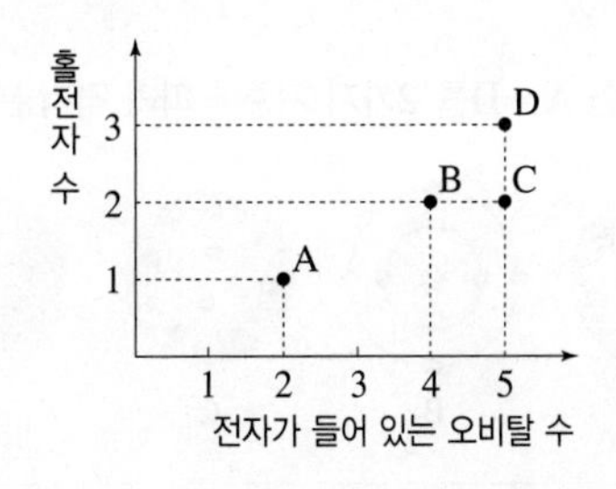

이에 대한 설명으로 옳은 것만을 〈보기〉에서 있는 대로 고른 것은? (단, A~D는 임의의 원소 기호이다.)

〈 보기 〉

ㄱ. A에서 홀전자가 들어 있는 오비탈의 자기 양자수(m_l)는 0이다.

ㄴ. B와 C는 홀전자가 들어 있는 오비탈의 주 양자수(n)+방위(부) 양자수(l) 값이 같다.

ㄷ. 원자 번호가 가장 큰 원소는 D이다.

① ㄱ ② ㄷ ③ ㄱ, ㄴ ④ ㄴ, ㄷ ⑤ ㄱ, ㄴ, ㄷ

225 하중상

그림은 원자 A, B의 전자 배치를 모형으로 나타낸 것이다.

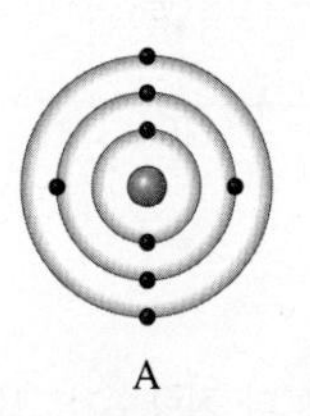
A

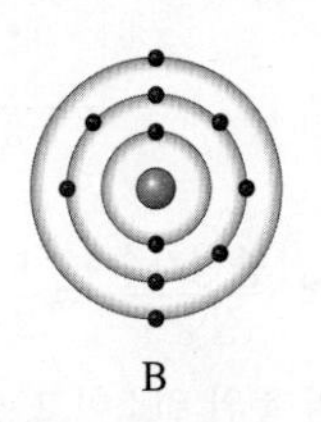
B

이에 대한 설명으로 옳은 것만을 〈보기〉에서 있는 대로 고른 것은? (단, A와 B는 임의의 원소 기호이다.)

〈 보기 〉

ㄱ. B는 들뜬상태이다.

ㄴ. A와 B는 모두 3주기 원소이다.

ㄷ. 바닥상태에서 원자가 전자 수는 A가 B보다 크다.

① ㄱ ② ㄴ ③ ㄱ, ㄷ ④ ㄴ, ㄷ ⑤ ㄱ, ㄴ, ㄷ

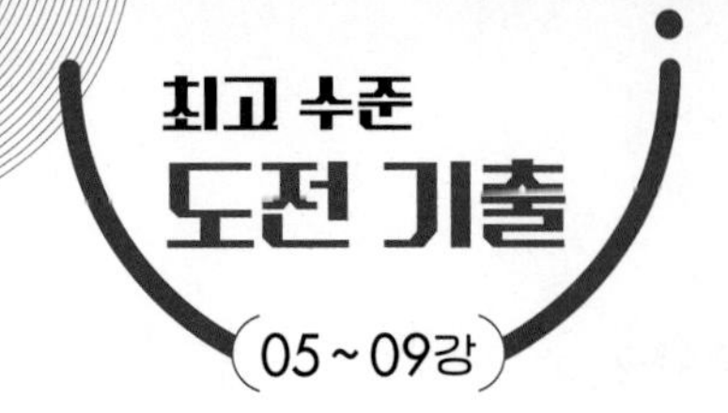

226

다음은 원자 모형 A~D를 2가지 기준에 따라 각각 분류한 것이다.

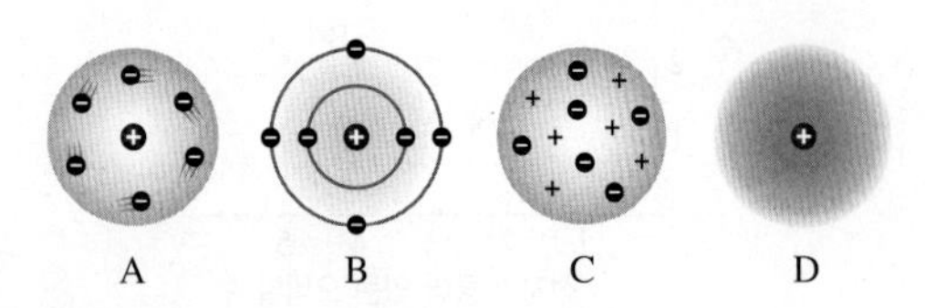

분류 기준	예	아니요
(가)	A, B, D	C
수소 원자의 선 스펙트럼을 설명할 수 있는가?	㉠	㉡

이에 대한 설명으로 옳은 것만을 〈보기〉에서 있는 대로 고른 것은?

〈 보기 〉

ㄱ. (가)에 '알파(α) 입자 산란 실험 결과를 설명할 수 있는가?'를 적용할 수 있다.

ㄴ. ㉠에 해당하는 모형은 3가지이다.

ㄷ. C는 ㉡에 해당한다.

① ㄱ ② ㄴ ③ ㄱ, ㄷ ④ ㄴ, ㄷ ⑤ ㄱ, ㄴ, ㄷ

227

다음은 원자 A~D에 대한 자료이다. ㉠~㉣은 각각 A~D 중 하나이고, (가)와 (나)는 각각 전자와 중성자 중 하나이다.

• A~D의 입자 수

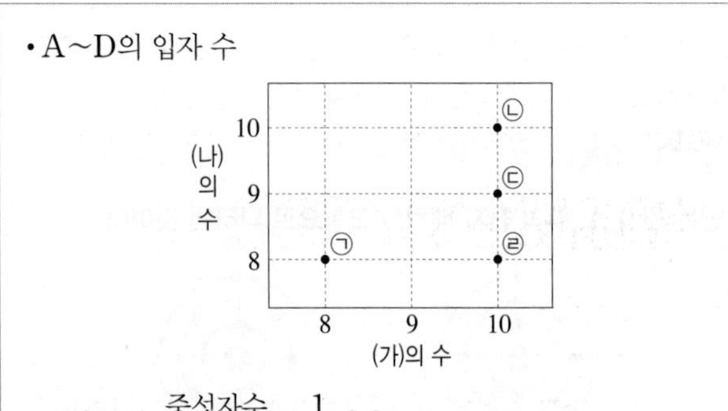

• A와 B의 $\frac{\text{중성자수}}{\text{질량수}} = \frac{1}{2}$이다.

• B는 C의 동위 원소이고, A는 C보다 질량수가 크다.

이에 대한 설명으로 옳은 것만을 〈보기〉에서 있는 대로 고른 것은? (단, A~D는 임의의 원소 기호이다.)

〈 보기 〉

ㄱ. (가)는 중성자이다.

ㄴ. 질량수의 비는 A : B : C=10 : 9 : 8이다.

ㄷ. D의 양성자수는 9이다.

① ㄱ ② ㄴ ③ ㄱ, ㄷ ④ ㄴ, ㄷ ⑤ ㄱ, ㄴ, ㄷ

228

그림은 칸막이로 분리된 용기 (가)와 (나)에 $^{1}H_2{}^{16}O(g)$와 $^{2}H_2{}^{16}O(g)$가 각각 들어 있는 모습을 나타낸 것이다. 두 용기 속 기체의 온도와 압력은 같다.

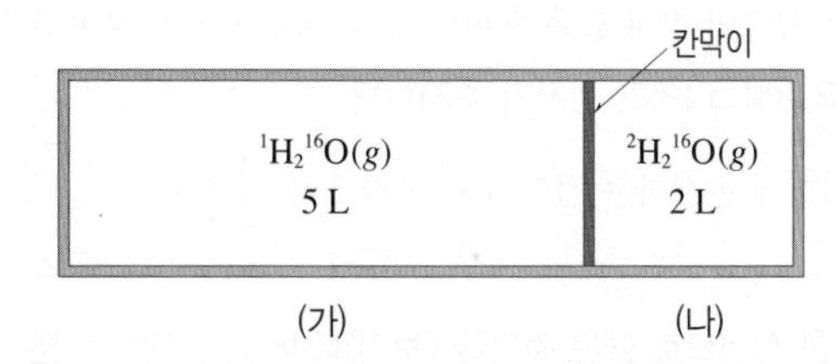

용기 (가)와 (나)에 들어 있는 기체의 $\frac{\text{전체 중성자수}}{\text{전체 양성자수}}$의 비 (가) : (나)는?

① 2 : 1 ② 2 : 3 ③ 3 : 2
④ 4 : 5 ⑤ 5 : 4

229

그림은 자연계에 존재하는 A_2 분자의 분자량과 존재 비율을 나타낸 것이다. 자연계에 존재하는 A_2의 분자량은 모두 3가지이다.

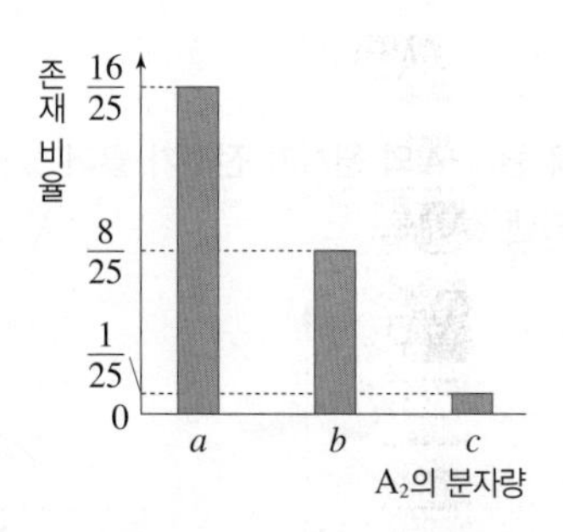

이에 대한 설명으로 옳은 것만을 〈보기〉에서 있는 대로 고른 것은? (단, A는 임의의 원소 기호이고, $a < c$이다.)

〈 보기 〉

ㄱ. 자연계에는 원자량이 $\frac{b}{2}$인 A가 존재한다.

ㄴ. 양성자수는 분자량이 c인 A_2 분자가 분자량이 a인 A_2 분자보다 크다.

ㄷ. A_2 분자 1 g에 들어 있는 분자 수는 분자량이 a인 A_2 분자가 분자량이 c인 A_2 분자보다 크다.

① ㄱ ② ㄷ ③ ㄱ, ㄴ
④ ㄱ, ㄷ ⑤ ㄴ, ㄷ

230

다음은 수소 원자에서 일어나는 전자 전이에 대한 자료이다.

- 표의 a~d는 4가지 전자 전이($n_{전이\ 전} \rightarrow n_{전이\ 후}$)에서 흡수 또는 방출하는 빛의 에너지이다. n은 주 양자수이고, $n \leq 4$이다.

$n_{전이\ 후}$ \ $n_{전이\ 전}$	x	$x-2$
y	a	b
$y+2$	c	d

- 빛을 흡수하는 전자 전이는 3가지이다.
- a~d에 해당하는 파장은 각각 λ_a~λ_d이다.

이에 대한 설명으로 옳은 것만을 <보기>에서 있는 대로 고른 것은?

<보기>

ㄱ. $x+y=5$이다.

ㄴ. $(x+1) \rightarrow y$의 전자 전이에서 방출하는 빛의 에너지는 $a-c$이다.

ㄷ. 파장의 길이는 $\lambda_c > \lambda_a > \lambda_b > \lambda_d$이다.

① ㄱ ② ㄷ ③ ㄱ, ㄴ
④ ㄴ, ㄷ ⑤ ㄱ, ㄴ, ㄷ

231

그림은 수소 원자에서 K 전자 껍질과 L 전자 껍질에 존재하는 오비탈을 모형으로 나타낸 것이다.

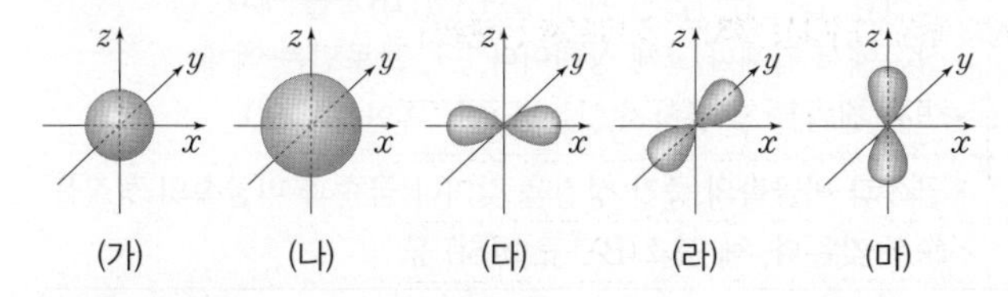

이에 대한 설명으로 옳지 않은 것은?

① (가)의 에너지 준위가 가장 낮다.
② (나)와 (다)의 주 양자수(n)는 같다.
③ 오비탈에 최대로 들어갈 수 있는 전자 수는 (다)가 (가)의 2배이다.
④ (다), (라), (마)가 3가지 방향으로 나뉘는 것은 자기 양자수(m_l)로 설명할 수 있다.
⑤ 전자가 (라)에서 (가)로 전이할 때 자외선 영역의 빛을 방출한다.

232

다음은 바닥상태의 원자 X에 대한 자료이다.

- 전자가 들어 있는 p 오비탈 수는 3이다.
- s 오비탈의 전자 수 < p 오비탈의 전자 수이다.
- $\dfrac{\text{전자가 들어 있는 } p \text{ 오비탈 수}}{\text{전자가 들어 있는 } s \text{ 오비탈 수}} < \dfrac{p \text{ 오비탈의 전자 수}}{s \text{ 오비탈의 전자 수}}$이다.

바닥상태의 원자 X의 전자 배치로 옳은 것은?(단, X는 임의의 원소 기호이다.)

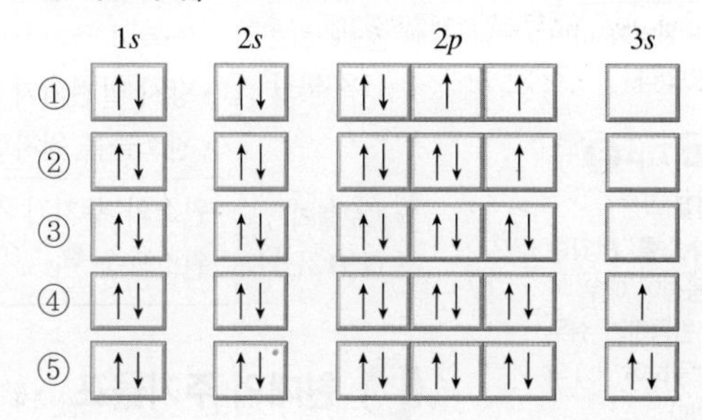

233

그림은 바닥상태 원자 (가)~(다)에서 1s, 2s, 2p 오비탈에 들어 있는 전자 수의 비율을 나타낸 것이다.

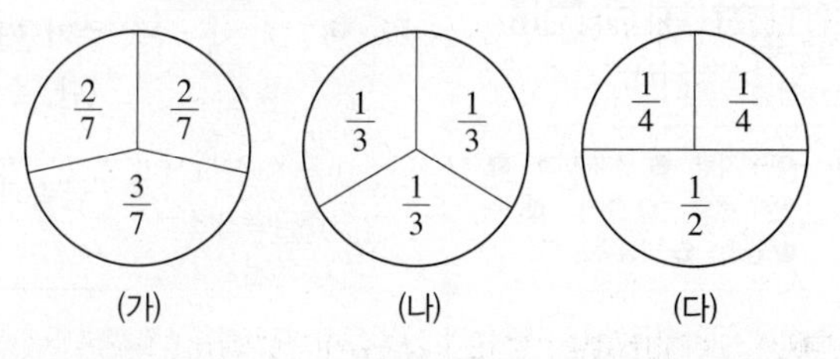

이에 대한 설명으로 옳은 것만을 <보기>에서 있는 대로 고른 것은?

<보기>

ㄱ. 원자 번호는 (가) > (나)이다.

ㄴ. 전자 수는 (가) < (다)이다.

ㄷ. $\dfrac{\text{전자쌍이 들어 있는 오비탈 수}}{\text{홀전자 수}}$는 (나)가 (다)의 3배이다.

① ㄷ ② ㄱ, ㄴ ③ ㄱ, ㄷ
④ ㄴ, ㄷ ⑤ ㄱ, ㄴ, ㄷ

주기율표

A 주기율표가 만들어지기까지의 과정

되베라이너 (1828년)	화학적 성질이 비슷한 원소를 3개씩 묶어 세 쌍 원소로 분류하였다. ➔ 세 쌍 원소설
뉴랜즈 (1864년)	원소들을 원자량 순으로 배열했을 때 8번째마다 화학적 성질이 비슷한 원소가 나타난다는 것을 발견하였다. ➔ 옥타브설
멘델레예프 (1869년)	• 당시까지 발견된 63종의 원소들을 ❶□□□ 순으로 배열하여 성질이 비슷한 원소들이 주기적으로 나타나는 것을 발견하였다. ➔ 최초의 주기율표 작성 • 당시 발견되지 않은 원소는 자리를 비워 두고, 그 성질을 예측하였다. • 원소들을 원자량 순으로 배열했을 때 몇몇 원소들이 주기성에서 벗어난다.
모즐리 (1913년)	원소의 주기적 성질이 원자량이 아닌 양성자수(=원자 번호)와 관련 있음을 알아내어 원소들을 ❷□□ □□ 순으로 배열하였다. ➔ 현대 주기율표의 틀 완성

X선 연구 결과를 통해 원자핵의 (+)전하를 결정하는 방법을 알아내어 원자 번호를 정하였다.

B 현대의 주기율표

현대의 주기율표는 184쪽에서 확인할 수 있다.

1 주기율표 원소들을 ❸□□ □□ 순으로 배열하되 비슷한 화학적 성질을 갖는 원소가 같은 세로줄에 오도록 배열한 표

구분	❹□□	❺□
구성	주기율표의 가로줄로, 1~7주기로 구성된다.	주기율표의 세로줄로, 1~18족으로 구성된다.
특징	같은 주기 원소들은 전자가 들어 있는 전자 껍질 수가 같다. ➔ 전자가 들어 있는 전자 껍질 수는 주기 번호와 같다.	같은 족 원소들은 원자가 전자 수가 같아 화학적 성질이 비슷하다. ➔ 원자가 전자 수는 족 번호의 끝자리 수와 같다.(단, 18족 원소의 원자가 전자 수는 0)

2 원소의 분류

구분	주기율표에서의 위치	특징
❻□□ 원소	주기율표의 왼쪽과 가운데	• 전자를 잃고 양이온이 되기 쉽다. (양이온이 되면 이온 반지름이 원자 반지름보다 작아진다.) • 상온에서 고체 상태이다.(단, 수은은 액체) • 열과 전기를 잘 통한다. (음이온이 되면 이온 반지름이 원자 반지름보다 커진다.)
❼□□□ 원소	주기율표의 오른쪽 (단, 수소는 왼쪽)	• 전자를 얻어 음이온이 되기 쉽다.(단, 18족은 예외) • 상온에서 기체나 고체 상태이다.(단, 브로민은 액체) • 열과 전기를 잘 통하지 않는다.(단, 흑연은 예외)
준금속 원소	금속과 비금속의 경계	• 금속과 비금속의 중간 성질을 갖거나 금속과 비금속의 성질을 모두 갖는다. 예 붕소(B), 규소(Si) 등

기출 Tip A

라부아지에(1789년)
당시에 더 이상 분해할 수 없는 33종의 물질을 네 그룹으로 분류하였다. 그러나 원소가 아닌 것들이 포함되어 있었다.

기출 Tip B-1

같은 족 원소의 성질
- 알칼리 금속: 수소를 제외한 1족 원소로, 반응성이 매우 커서 산소나 물과 반응하기 쉬우며, 비금속과 반응하여 +1의 양이온이 되기 쉽다.
- 알칼리 토금속: 2족 원소로, +2의 양이온이 되기 쉽다.
- 할로젠: 17족 원소로, 반응성이 매우 크고 금속과 반응하여 −1의 음이온이 되기 쉽다.
- 비활성 기체: 18족 원소로, 반응성이 거의 없고 상온에서 기체 상태로 존재한다.

기출 Tip B-2

금속성과 비금속성
주기율표에서 왼쪽 아래로 갈수록 금속성이 증가하고, 오른쪽 위로 갈수록 비금속성이 증가한다. 18족 비활성 기체는 화학 결합을 거의 하지 않으므로 비금속성이 크지 않다.

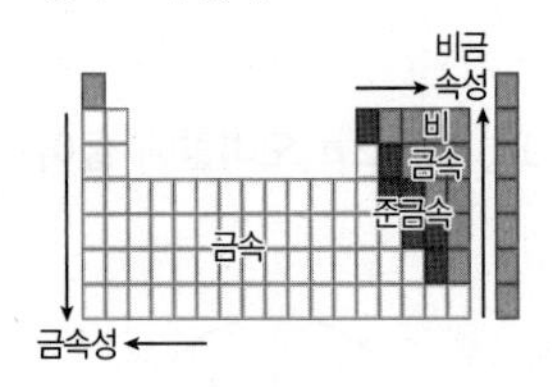

답 ❶ 원자량 ❷ 원자 번호 ❸ 원자 번호 ❹ 주기 ❺ 족 ❻ 금속 ❼ 비금속

빈출 자료 보기

정답과 해설 30쪽

234 그림은 주기율표의 일부를 나타낸 것이다.

주기＼족	1	2	13	14	15	16	17	18
1	A							B
2		C		D			E	
3							F	

이에 대한 설명으로 옳은 것은 ○, 옳지 않은 것은 ×로 표시하시오. (단, A~F는 임의의 원소 기호이다.)

(1) A는 비금속 원소이다. ( )
(2) B는 원자가 전자 수가 가장 크다. ( )
(3) C, D, E는 같은 족 원소이다. ( )
(4) E, F는 전자가 들어 있는 전자 껍질 수가 같다. ( )

난이도별 필수 기출

상 0문항
중 9문항
하 4문항

정답과 해설 30쪽

A 주기율표가 만들어지기까지의 과정

235 하

다음은 주기율표가 만들어지기까지의 과정에 대한 설명이다.

(가) 화학적 성질이 비슷한 원소를 3개씩 묶어 분류하였다.
(나) 원소들을 원자량 순으로 배열했을 때 8번째마다 성질이 비슷한 원소가 나타난다는 것을 발견하였다.
(다) 원소들을 원자량 순으로 배열하면 성질이 비슷한 원소가 주기적으로 나타난다는 것을 발견하고, 최초의 주기율표를 작성하였다.
(라) 원소들을 원자 번호 순으로 배열하여 현대 주기율표를 완성하는 데 기여하였다.

(가)~(라)와 관련된 과학자를 옳게 짝 지은 것은?

	(가)	(나)	(다)	(라)
①	되베라이너	멘델레예프	뉴랜즈	모즐리
②	되베라이너	모즐리	뉴랜즈	멘델레예프
③	되베라이너	뉴랜즈	멘델레예프	모즐리
④	뉴랜즈	멘델레예프	되베라이너	모즐리
⑤	뉴랜즈	되베라이너	모즐리	멘델레예프

빈출

236 중

다음은 주기율표와 관련된 과학자들이다.

(가) 모즐리　(나) 되베라이너　(다) 멘델레예프

이에 대한 설명으로 옳은 것만을 〈보기〉에서 있는 대로 고른 것은?

〈 보기 〉
ㄱ. (나) → (다) → (가) 순으로 주기율표에 대한 이론을 주장하였다.
ㄴ. (가)는 원자량을 기준으로 하여 원자를 배열하였다.
ㄷ. (다)는 발견되지 않은 원소의 성질을 예측하였다.

① ㄱ　② ㄴ　③ ㄱ, ㄷ
④ ㄴ, ㄷ　⑤ ㄱ, ㄴ, ㄷ

B 현대의 주기율표

237 하　多 보기

현대의 주기율표에 대한 설명으로 옳지 않은 것만을 모두 고르면? (2개)

① 원소들을 원자 번호 순으로 배열하였다.
② 가로줄을 주기라고 하며, 1~7주기가 있다.
③ 세로줄을 족이라고 하며, 1~18족이 있다.
④ 같은 족 원소들은 화학적 성질이 비슷하다.
⑤ 같은 주기 원소들은 원자가 전자 수가 같다.
⑥ 같은 족 원소들은 전자가 들어 있는 전자 껍질 수가 같다.

238 하

다음은 1족에 속하는 3가지 원소를 나타낸 것이다.

Li　Na　K

이 원소들의 공통점으로 옳은 것만을 〈보기〉에서 있는 대로 고른 것은?

〈 보기 〉
ㄱ. 원자가 전자 수가 1이다.
ㄴ. 전자를 잃고 양이온이 되기 쉽다.
ㄷ. 물과 반응하여 수소 기체를 발생시킨다.

① ㄱ　② ㄷ　③ ㄱ, ㄴ
④ ㄴ, ㄷ　⑤ ㄱ, ㄴ, ㄷ

239 하

다음은 원자 A에 대한 자료이다.

• 3주기 원소이다.
• 원자가 전자 수는 7이다.

이에 대한 설명으로 옳은 것만을 〈보기〉에서 있는 대로 고른 것은? (단, A는 임의의 원소 기호이다.)

〈 보기 〉
ㄱ. 17족 원소이다.
ㄴ. 바닥상태 전자 배치에서 홀전자 수는 1이다.
ㄷ. 안정한 이온이 될 때 전자를 1개 얻어 음이온이 되기 쉽다.

① ㄱ　② ㄷ　③ ㄱ, ㄴ
④ ㄴ, ㄷ　⑤ ㄱ, ㄴ, ㄷ

240 하중상

그림은 주기율표의 일부를 나타낸 것이다.

주기＼족	1	2	13	14	15	16	17	18
1	A							B
2	C					D	E	
3		F						

이에 대한 설명으로 옳은 것은?(단, A～F는 임의의 원소 기호이다.)

① A, C는 화학적 성질이 비슷하다.
② B는 전자를 얻어 음이온이 되기 쉽다.
③ C, D, E는 안정한 이온의 전자 배치가 같다.
④ D, E는 바닥상태 전자 배치에서 전자가 들어 있는 오비탈 수가 같다.
⑤ A～F 중 바닥상태 전자 배치에서 홀전자 수가 가장 큰 것은 F이다.

241 하중상

다음은 원소 A～E에 대한 자료이다.

• A～E는 주기율표의 빗금 친 부분 중 한 곳에 위치한다.

주기＼족	1	2	13	14	15	16	17	18
2	▨					▨	▨	
3	▨						▨	

• A의 바닥상태 전자 배치에서 전자가 들어 있는 오비탈 수는 6이다.
• A와 B는 같은 족 원소이고, B와 C는 같은 주기 원소이다.
• 바닥상태 원자의 홀전자 수는 D가 E보다 크다.

이에 대한 설명으로 옳은 것만을 〈보기〉에서 있는 대로 고른 것은?(단, A～E는 임의의 원소 기호이다.)

〈 보기 〉
ㄱ. A와 B는 할로젠이다.
ㄴ. D의 바닥상태 전자 배치에서 $\frac{s\text{ 오비탈의 전자 수}}{p\text{ 오비탈의 전자 수}}$는 1이다.
ㄷ. E는 C보다 원자가 전자 수가 크다.

① ㄱ　② ㄴ　③ ㄱ, ㄷ　④ ㄴ, ㄷ　⑤ ㄱ, ㄴ, ㄷ

242 하중상

그림은 주기율표의 일부를 나타낸 것이다.

주기＼족	1	2	13	14	15	16	17	18
1	(가)							
2								
3	(나)	(다)					(라)	(마)
4								

이에 대한 설명으로 옳지 않은 것은?

① (가)는 비금속 원소이다.
② (나)에 속한 원소는 전자가 s 오비탈에만 존재한다.
③ (다)에 속한 원소가 안정한 이온이 되면 원자보다 반지름이 작아진다.
④ (라)에 속한 원소는 화학 반응에서 전자를 얻어 음이온이 되기 쉽다.
⑤ (마)에 속한 원소는 상온에서 기체 상태로 존재한다.

243 하중상

그림은 주기율표의 일부를 나타낸 것이고, 다음은 원소 A～F의 분류 기준을 나타낸 것이다.

주기＼족	1	2	13	14	15	16	17	18
1	A							
2	B			C		D		
3					E			F

[분류 기준]
(가) 비금속 원소이다.
(나) 바닥상태 전자 배치에서 홀전자 수가 홀수이다.
(다) 바닥상태 전자 배치에서 전자가 들어 있는 p 오비탈 수가 홀수이다.

바닥상태 원자 A～F를 분류 기준에 따라 벤 다이어그램에 나타낼 때, 포함된 원자가 가장 많은 것은?(단, A～F는 임의의 원소 기호이다.)

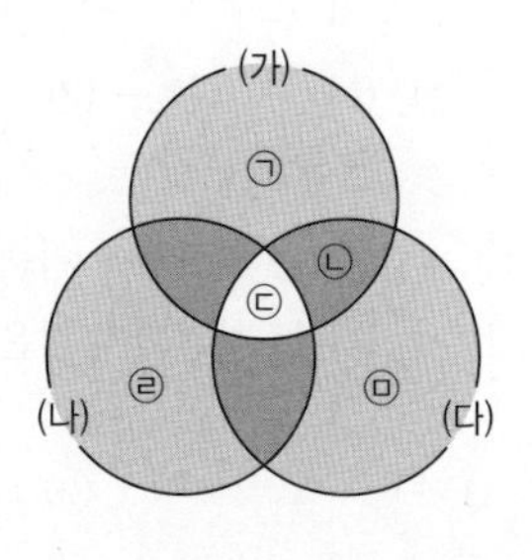

① ㉠　② ㉡　③ ㉢　④ ㉣　⑤ ㉤

244 하 중 상

표는 Li, F, Mg, Cl를 2가지 기준에 따라 분류한 것이다.

기준	예	아니요
금속 원소인가?	(가)	(나)
2주기 원소인가?	(다)	(라)

이에 대한 설명으로 옳은 것만을 〈보기〉에서 있는 대로 고른 것은?

〈 보기 〉

ㄱ. (가)와 (다)에 공통으로 해당하는 원소는 알칼리 금속이다.
ㄴ. (나)에 해당하는 원소들은 원자가 전자 수가 같다.
ㄷ. (라)에 해당하는 원소는 1가지이다.

① ㄱ ② ㄷ ③ ㄱ, ㄴ
④ ㄱ, ㄷ ⑤ ㄴ, ㄷ

245 하 중 상

표는 바닥상태의 원자 A~C에서 각 전자 껍질에 들어 있는 전자 수를 나타낸 것이다.

원자		A	B	C
전자 수	K 전자 껍질	2	2	2
	L 전자 껍질	7	8	8
	M 전자 껍질	0	2	7

이에 대한 설명으로 옳은 것만을 〈보기〉에서 있는 대로 고른 것은? (단, A~C는 임의의 원소 기호이다.)

〈 보기 〉

ㄱ. A와 C는 화학적 성질이 비슷하다.
ㄴ. 전자가 들어 있는 오비탈 수의 비는 B : C=2 : 3이다.
ㄷ. 홀전자 수가 가장 큰 것은 B이다.

① ㄱ ② ㄷ ③ ㄱ, ㄴ
④ ㄴ, ㄷ ⑤ ㄱ, ㄴ, ㄷ

246 하 중 상

다음은 몇 가지 원자 또는 이온의 바닥상태 전자 배치를 나타낸 것이다.

- A: $1s^1$
- B^-: $1s^2 2s^2 2p^6$
- C^{2+}: $1s^2 2s^2 2p^6$
- D: $1s^2 2s^2 2p^6 3s^1$

이에 대한 설명으로 옳은 것만을 〈보기〉에서 있는 대로 고른 것은? (단, A~D는 임의의 원소 기호이다.)

〈 보기 〉

ㄱ. A와 D는 금속 원소이다.
ㄴ. B와 C는 같은 주기 원소이다.
ㄷ. A~D 중 원자가 전자 수가 가장 큰 것은 B이다.

① ㄱ ② ㄷ ③ ㄱ, ㄴ
④ ㄱ, ㄷ ⑤ ㄴ, ㄷ

247 하 중 상

그림은 몇 가지 원자와 이온의 전자 배치를 모형으로 나타낸 것이다.

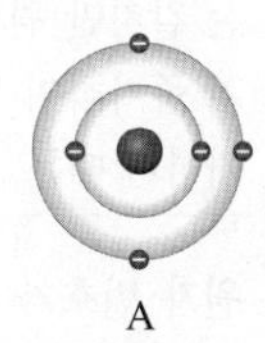
A
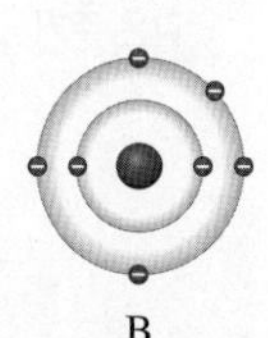
B
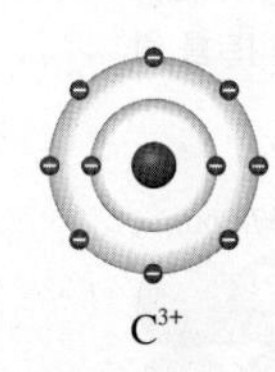
C^{3+}
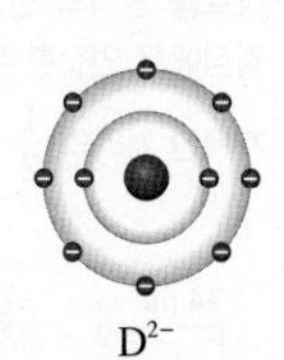
D^{2-}

이에 대한 설명으로 옳은 것만을 〈보기〉에서 있는 대로 고른 것은? (단, A~D는 임의의 원소 기호이다.)

〈 보기 〉

ㄱ. A와 C는 같은 족 원소이다.
ㄴ. A~D는 모두 2주기 원소이다.
ㄷ. A~D 중 원자 번호가 가장 큰 것은 D이다.

① ㄱ ② ㄷ ③ ㄱ, ㄴ
④ ㄱ, ㄷ ⑤ ㄴ, ㄷ

Ⅱ. 원자의 세계

01 유효 핵전하, 원자 반지름과 이온 반지름

A 유효 핵전하

1 유효 핵전하 원자에서 어떤 전자 껍질에 채워진 전자가 실제로 느끼는 핵전하

① 가려막기 효과: 다전자 원자에서 전자 사이의 반발력이 작용하여 전자와 원자핵 사이의 인력을 약하게 만드는 현상

② 수소 원자와 다전자 원자의 유효 핵전하

- 수소 원자: 전자가 1개이므로 핵전하를 가리는 전자가 없기 때문에 전자가 느끼는 유효 핵전하는 핵전하인 +1이다.
- 다전자 원자: 전자가 여러 개이므로 가려막기 효과 때문에 전자가 느끼는 유효 핵전하는 원자핵의 핵전하보다 ❶ ☐ 다.

전자가 여러 개이므로 전자들 사이의 반발력이 작용한다.

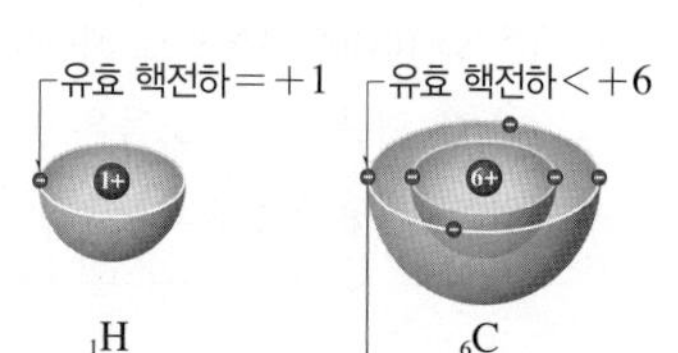

안쪽 전자 껍질의 전자 2개와 같은 전자 껍질의 전자 3개가 핵전하를 가린다.

기출 Tip A-1

가려막기 효과

반발력 / 가장 바깥 전자 껍질에 있는 전자 / 인력

안쪽 전자 껍질에 있는 전자에 의한 가려막기 효과는 같은 전자 껍질에 있는 전자에 의한 가려막기 효과보다 크다.

└ 주기가 바뀌면 유효 핵전하가 크게 감소함을 예상할 수 있다.

2 유효 핵전하의 주기성

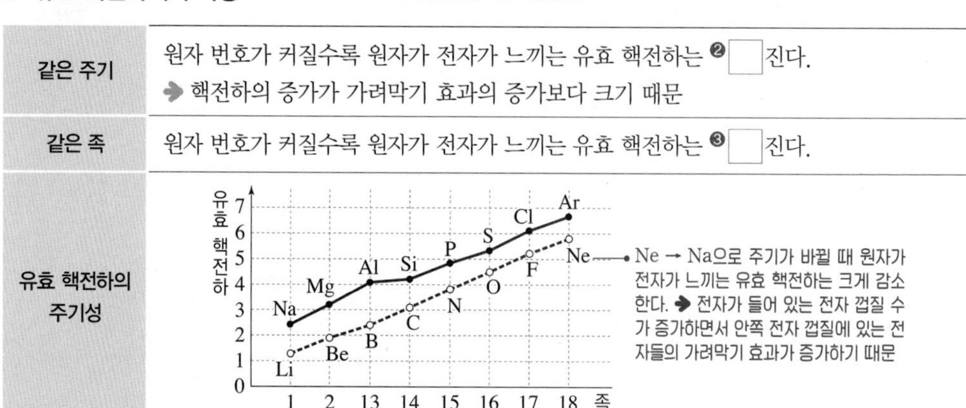

같은 주기	원자 번호가 커질수록 원자가 전자가 느끼는 유효 핵전하는 ❷ ☐ 진다. ➔ 핵전하의 증가가 가려막기 효과의 증가보다 크기 때문
같은 족	원자 번호가 커질수록 원자가 전자가 느끼는 유효 핵전하는 ❸ ☐ 진다.
유효 핵전하의 주기성	Ne → Na으로 주기가 바뀔 때 원자가 전자가 느끼는 유효 핵전하는 크게 감소한다. ➔ 전자가 들어 있는 전자 껍질 수가 증가하면서 안쪽 전자 껍질에 있는 전자들의 가려막기 효과가 증가하기 때문

B 원자 반지름과 이온 반지름

1 원자 반지름 같은 종류의 두 원자가 결합하고 있을 때 두 원자핵간 거리의 $\frac{1}{2}$

2 원자 반지름의 주기성

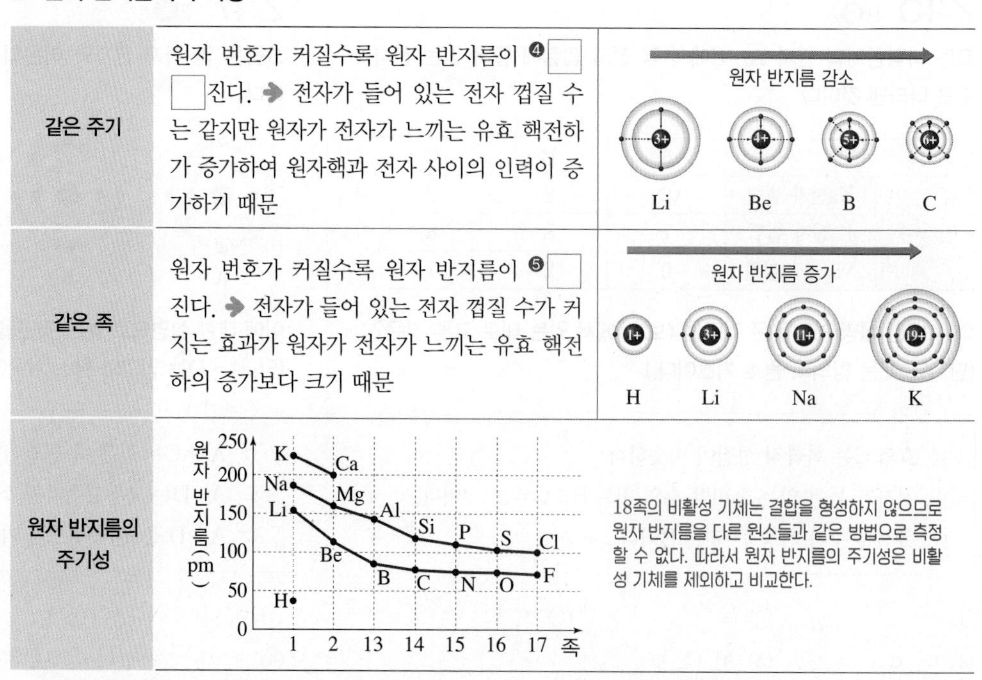

같은 주기	원자 번호가 커질수록 원자 반지름이 ❹ ☐ 진다. ➔ 전자가 들어 있는 전자 껍질 수는 같지만 원자가 전자가 느끼는 유효 핵전하가 증가하여 원자핵과 전자 사이의 인력이 증가하기 때문	원자 반지름 감소 3+ 4+ 5+ 6+ Li Be B C
같은 족	원자 번호가 커질수록 원자 반지름이 ❺ ☐ 진다. ➔ 전자가 들어 있는 전자 껍질 수가 커지는 효과가 원자가 전자가 느끼는 유효 핵전하의 증가보다 크기 때문	원자 반지름 증가 1+ 3+ 11+ 19+ H Li Na K
원자 반지름의 주기성	18족의 비활성 기체는 결합을 형성하지 않으므로 원자 반지름을 다른 원소들과 같은 방법으로 측정할 수 없다. 따라서 원자 반지름의 주기성은 비활성 기체를 제외하고 비교한다.	

기출 Tip B-1

수소 원자와 나트륨 원자의 반지름

- 수소 원자의 반지름: 수소 분자를 이루는 두 수소 원자핵간 거리의 $\frac{1}{2}$
- 나트륨 원자의 반지름: 나트륨 결정에서 인접한 두 나트륨 원자핵간 거리의 $\frac{1}{2}$

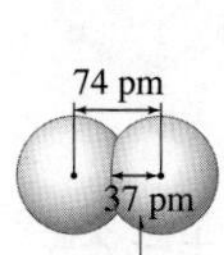

수소 분자

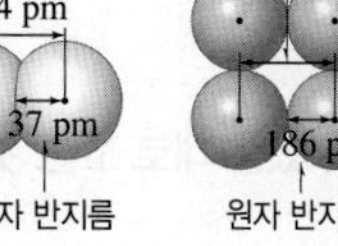

금속 나트륨

3 이온 반지름

양이온	음이온
금속 원자가 원자가 전자를 모두 잃고 양이온이 되면 전자가 들어 있는 전자 껍질 수가 감소하므로 이온 반지름이 원자 반지름보다 작아진다. ➔ 원자 반지름 ❻☐ 양이온 반지름	비금속 원자가 가장 바깥 전자 껍질에 전자를 얻어 음이온이 되면 전자 수가 증가하여 반발력이 증가하므로 이온 반지름이 원자 반지름보다 커진다. ➔ 원자 반지름 ❼☐ 음이온 반지름
11+ → 11+ (전자 껍질 수 감소) Na → Na^{+}	9+ → 9+ (전자 사이 반발력 증가) F → F^{-}

4 이온 반지름의 주기성

같은 주기	원자 번호가 커질수록 양이온의 반지름과 음이온의 반지름이 ❽☐☐진다. ➔ 원자가 전자의 유효 핵전하가 증가하기 때문	예 • 양이온: $_{11}Na^{+} > _{12}Mg^{2+} > _{13}Al^{3+}$ • 음이온: $_{8}O^{2-} > _{9}F^{-}$
같은 족	원자 번호가 커질수록 양이온의 반지름과 음이온의 반지름이 ❾☐진다. ➔ 전자가 들어 있는 전자 껍질 수가 증가하기 때문	예 • 양이온: $_{3}Li^{+} < _{11}Na^{+} < _{19}K^{+}$ • 음이온: $_{9}F^{-} < _{17}Cl^{-} < _{35}Br^{-}$

5 몇 가지 금속 원소와 비금속 원소의 원자 반지름과 이온 반지름

(단위: pm)

1족	2족	13족	16족	17족
Li 152 / Li^{+} 60	Be 112 / Be^{2+} 31	B 87 / B^{3+} 20	O 73 / O^{2-} 140	F 71 / F^{-} 136
Na 186 / Na^{+} 95	Mg 160 / Mg^{2+} 65	Al 143 / Al^{3+} 50	S 103 / S^{2-} 184	Cl 99 / Cl^{-} 181

기출 Tip B-3

같은 주기 원소의 양이온과 음이온의 반지름 크기

같은 주기 원소의 양이온의 반지름은 음이온의 반지름보다 작다. 이는 같은 주기에서 양이온은 음이온보다 전자 껍질이 1개 더 적기 때문이다.

기출 Tip B-4

전자 수가 같은 이온의 반지름

원자 번호가 클수록 이온 반지름이 작다. ➔ 원자 번호가 클수록 유효 핵전하가 증가하기 때문

예 $O^{2-} > F^{-} > Na^{+} > Mg^{2+}$

➔ 전자 배치는 모두 Ne과 같다.

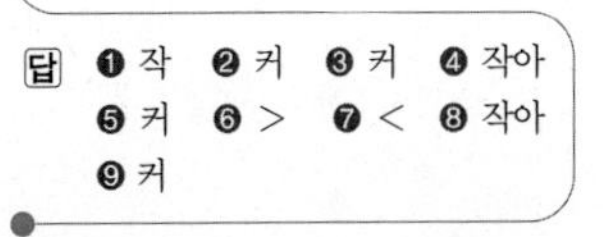

답 ❶ 작 ❷ 커 ❸ 커 ❹ 작아 ❺ 커 ❻ > ❼ < ❽ 작아 ❾ 커

빈출 자료 보기

정답과 해설 31쪽

248 그림은 2, 3주기 원소의 유효 핵전하를 나타낸 것이다.

이에 대한 설명으로 옳은 것은 ○, 옳지 않은 것은 ×로 표시하시오.

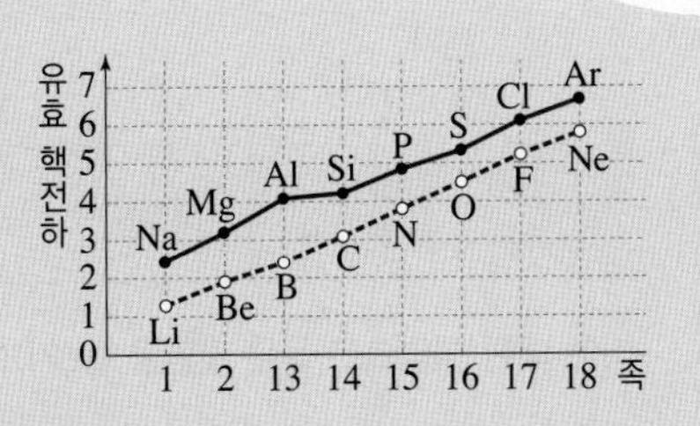

(1) 같은 주기에서 원자 번호가 커질수록 원자가 전자가 느끼는 유효 핵전하가 커진다. ( )

(2) 같은 주기에서 원자 번호가 커질수록 가려막기 효과의 증가가 핵전하의 증가보다 크다. ( )

(3) 같은 족에서 원자 번호가 커질수록 원자가 전자가 느끼는 유효 핵전하가 커진다. ( )

249 표는 2주기 임의의 원소 A～D의 원자 반지름과 이온 반지름에 대한 자료이다.

원소	A	B	C	D
원자 반지름(pm)	152	112	73	71
이온 반지름(pm)	60	31	140	136

이에 대한 설명으로 옳은 것은 ○, 옳지 않은 것은 ×로 표시하시오.

(1) 원자 번호는 A가 가장 크다. ( )

(2) B의 안정한 전자 배치를 갖는 이온은 양이온이다. ( )

(3) C의 안정한 이온의 전자 배치는 He과 같다. ( )

(4) D의 안정한 전자 배치를 갖는 이온은 음이온이다. ( )

(5) A～D에서 금속 원소와 비금속 원소의 수는 같다. ( )

A 유효 핵전하

250 하 중 상

2주기 원소 중 원자가 전자가 느끼는 유효 핵전하가 가장 큰 것은?

① Li　② Be　③ C
④ F　⑤ Ne

251 하 중 상

그림은 Na 원자의 전자 배치를 모형으로 나타낸 것이다.

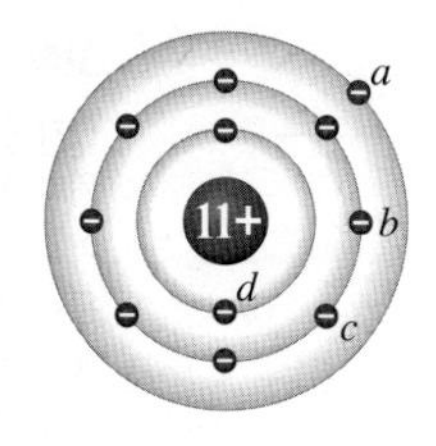

이에 대한 설명으로 옳은 것만을 〈보기〉에서 있는 대로 고른 것은?

〈 보기 〉
ㄱ. 전자가 느끼는 유효 핵전하는 $a < b$이다.
ㄴ. b에 대한 핵전하의 가려막기 효과는 d가 c보다 크다.
ㄷ. d가 느끼는 유효 핵전하는 $+11$이다.

① ㄱ　② ㄷ　③ ㄱ, ㄴ
④ ㄴ, ㄷ　⑤ ㄱ, ㄴ, ㄷ

252 하 중 상

••서술형

그림은 H, C 원자의 전자 배치를 모형으로 나타낸 것이다.

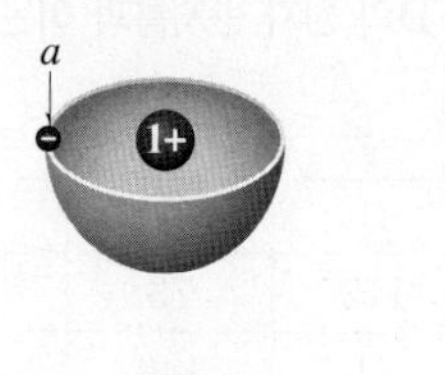

$_{1}H$

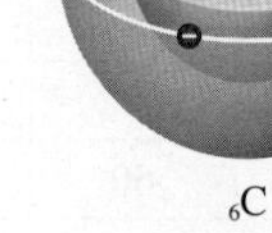

$_{6}C$

(1) H 원자의 핵전하와 a가 느끼는 유효 핵전하를 등호 또는 부등호를 이용하여 비교하고, 그 까닭을 서술하시오.

(2) C 원자의 핵전하와 b가 느끼는 유효 핵전하를 등호 또는 부등호를 이용하여 비교하고, 그 까닭을 서술하시오.

253 하 중 상

그림은 주기율표의 일부를 나타낸 것이다.

주기 \ 족	1	2	13	14	15	16	17	18
1	A							
2						B		
3	C						D	

이에 대한 설명으로 옳은 것만을 〈보기〉에서 있는 대로 고른 것은? (단, A~D는 임의의 원소 기호이다.)

〈 보기 〉
ㄱ. A는 비금속 원소이다.
ㄴ. 바닥상태에서 홀전자 수는 B가 C의 2배이다.
ㄷ. A~D 중 원자가 전자가 느끼는 유효 핵전하가 가장 큰 것은 D이다.

① ㄱ　② ㄴ　③ ㄱ, ㄷ
④ ㄴ, ㄷ　⑤ ㄱ, ㄴ, ㄷ

254 하 중 상

표는 바닥상태의 원자 (가)~(라)에 대한 자료이다. (가)~(라)는 각각 O, F, Mg, Al 중 하나이다.

원자	(가)	(나)	(다)	(라)
홀전자 수	a	0	b	1
원자가 전자가 느끼는 유효 핵전하	5.10	c	4.45	4.07

이에 대한 설명으로 옳은 것만을 〈보기〉에서 있는 대로 고른 것은?

〈 보기 〉
ㄱ. (가)는 F이다.
ㄴ. a와 b의 합은 2이다.
ㄷ. c는 4.07보다 작다.

① ㄱ　② ㄷ　③ ㄱ, ㄴ
④ ㄱ, ㄷ　⑤ ㄴ, ㄷ

255 하 중 상

표는 바닥상태의 원자 (가)~(다)에 대한 자료이다.

원자	(가)	(나)	(다)
s 오비탈에 들어 있는 전자 수	a	4	3
p 오비탈에 들어 있는 전자 수	6	3	b
홀전자 수	1	c	d

이에 대한 설명으로 옳은 것만을 〈보기〉에서 있는 대로 고른 것은?

〈 보기 〉
ㄱ. $a>b+c+d$이다.
ㄴ. 원자가 전자가 느끼는 유효 핵전하는 (가)>(다)이다.
ㄷ. (나)의 원자가 전자 수는 5이다.

① ㄱ ② ㄷ ③ ㄱ, ㄴ
④ ㄴ, ㄷ ⑤ ㄱ, ㄴ, ㄷ

258 하 중 상

그림은 2, 3주기 원소의 원자 반지름을 나타낸 것이다.

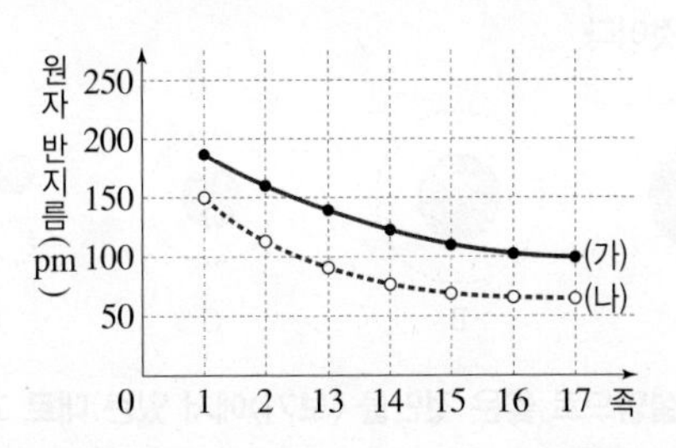

이에 대한 설명으로 옳은 것만을 〈보기〉에서 있는 대로 고른 것은?

〈 보기 〉
ㄱ. (가)는 2주기 원소이다.
ㄴ. 같은 주기에서 금속 원소의 원자가 비금속 원소의 원자보다 반지름이 크다.
ㄷ. 같은 족에서 원자 번호가 커질수록 원자 반지름이 증가한다.

① ㄱ ② ㄴ ③ ㄱ, ㄷ
④ ㄴ, ㄷ ⑤ ㄱ, ㄴ, ㄷ

B 원자 반지름과 이온 반지름

256 하 중 상

••서술형

그림은 원소 A~D의 원자 반지름을 나타낸 것이다. A~D는 각각 O, F, Na, Mg 중 하나이다.

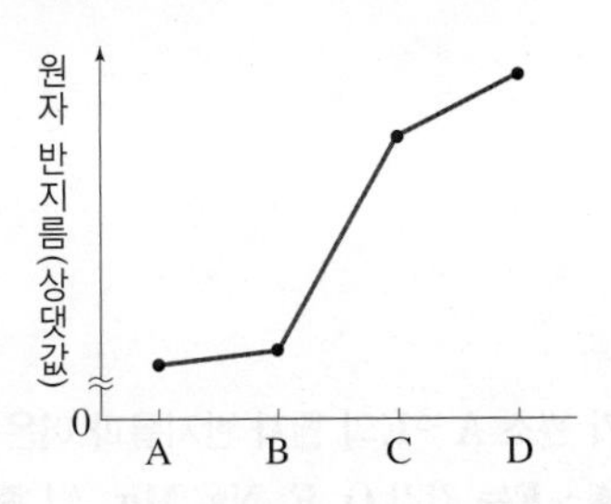

A~D에 해당하는 원소는 무엇인지 그 까닭과 함께 서술하시오.

빈출

257 하 중 상

••서술형

다음은 바닥상태 전자 배치가 $1s^22s^22p^6$인 2가지 이온을 나타낸 것이다.

A^{2-}, B^{+}

두 이온의 반지름을 부등호를 이용하여 비교하고, 그 까닭을 서술하시오.(단, A와 B는 임의의 원소 기호이다.)

259 하 중 상

그림은 주기율표의 일부를 나타낸 것이다.

주기 \ 족	1	2	13	14	15	16	17	18
2		A		B		C		
3				D				

A~D의 원자 반지름 비교와 그 까닭으로 옳은 것만을 〈보기〉에서 있는 대로 고른 것은?(단, A~D는 임의의 원소 기호이다.)

〈 보기 〉
ㄱ. A>B: 유효 핵전하 때문
ㄴ. B<C: 원자가 전자 수 때문
ㄷ. B<D: 전자 껍질 수 때문

① ㄷ ② ㄱ, ㄴ ③ ㄱ, ㄷ
④ ㄴ, ㄷ ⑤ ㄱ, ㄴ, ㄷ

260 하중상

그림은 2주기 원소 A~C의 원자와 이온이 될 때의 크기를 모형으로 나타낸 것이다.

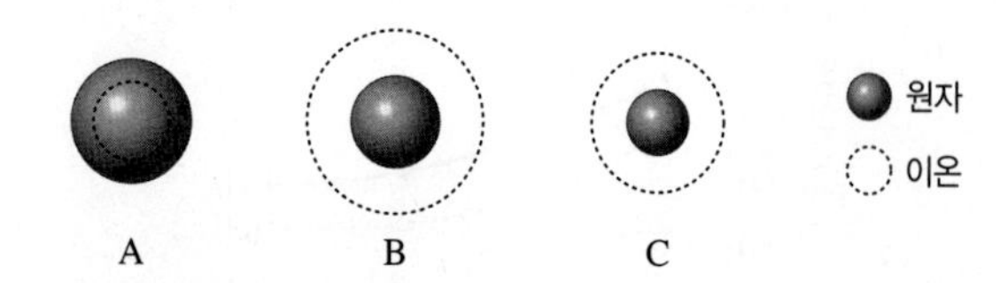

이에 대한 설명으로 옳은 것만을 〈보기〉에서 있는 대로 고른 것은? (단, A~C는 임의의 원소 기호이다.)

〈 보기 〉
ㄱ. A는 금속 원소이다.
ㄴ. B는 C보다 양성자수가 크다.
ㄷ. B와 C는 전자를 얻어 음이온이 되기 쉽다.

① ㄷ ② ㄱ, ㄴ ③ ㄱ, ㄷ
④ ㄴ, ㄷ ⑤ ㄱ, ㄴ, ㄷ

빈출
261 하중상

多 보기

그림은 원소 A~D가 Ne과 같은 전자 배치를 갖는 이온이 되었을 때의 이온 반지름을 나타낸 것이다. A~D는 각각 O, F, Na, Mg 중 하나이다.

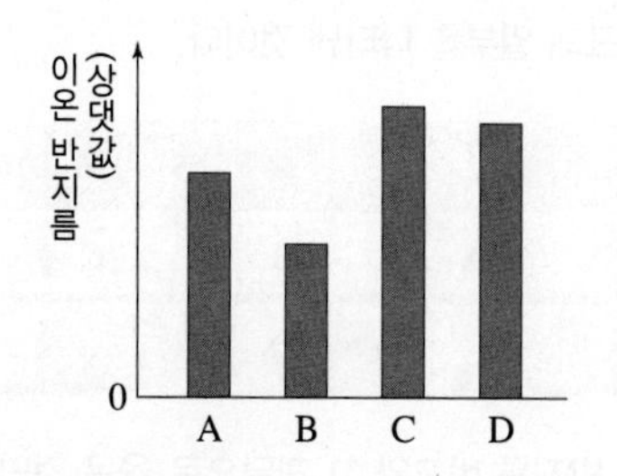

이에 대한 설명으로 옳은 것은?

① A와 B는 $\frac{\text{이온 반지름}}{\text{원자 반지름}}>1$이다.
② A와 C는 같은 주기 원소이다.
③ 원자 반지름은 B<C이다.
④ 바닥상태에서 홀전자 수는 B>D이다.
⑤ 원자가 전자가 느끼는 유효 핵전하는 C<D이다.
⑥ C와 D는 2 : 1로 결합하여 안정한 화합물을 형성한다.

262 하중상

그림은 2~4주기 원소 A~E가 안정한 이온이 되었을 때의 이온 반지름을 나타낸 것이다. 같은 선으로 연결된 이온은 전자 수가 같고, (가)~(다)는 1, 2, 17족 중 하나이다.

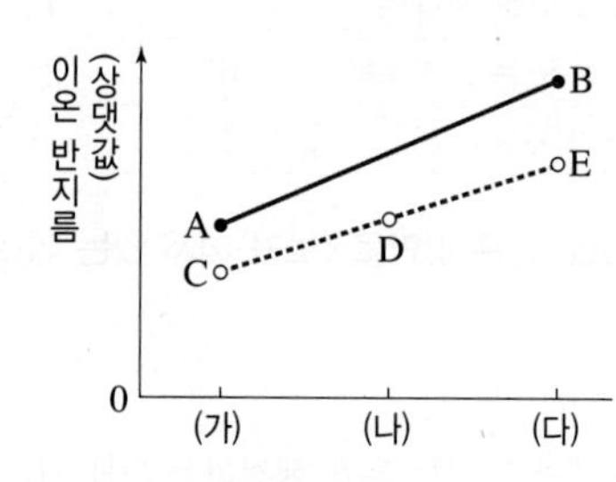

이에 대한 설명으로 옳은 것만을 〈보기〉에서 있는 대로 고른 것은? (단, A~E는 임의의 원소 기호이다.)

〈 보기 〉
ㄱ. 원자 번호는 A>D이다.
ㄴ. B와 C는 같은 주기 원소이다.
ㄷ. A~E 중 원자 반지름이 가장 작은 것은 E이다.

① ㄷ ② ㄱ, ㄴ ③ ㄱ, ㄷ
④ ㄴ, ㄷ ⑤ ㄱ, ㄴ, ㄷ

빈출

263 하중상

그림은 2, 3주기 원소 A~E의 원자 반지름과 이온 반지름을 나타낸 것이다. 단, A~E는 각각 O, F, Na, Mg, Al 중 하나이다.

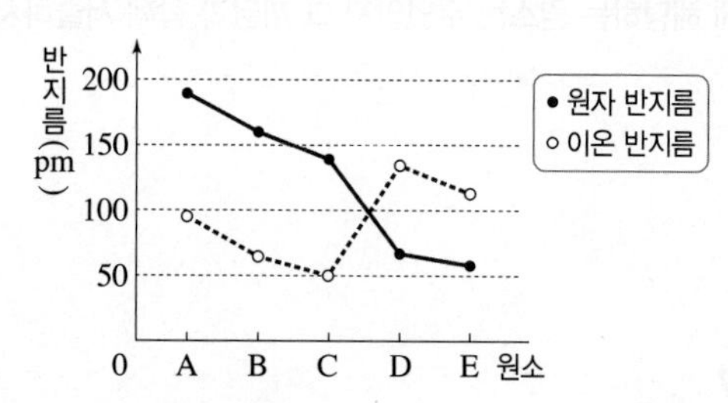

이에 대한 설명으로 옳은 것만을 〈보기〉에서 있는 대로 고른 것은?

〈 보기 〉
ㄱ. 원자 번호는 A가 가장 크다.
ㄴ. B와 C는 양이온이 되기 쉽다.
ㄷ. D와 E는 이온이 될 때 전자 사이의 반발력이 증가한다.

① ㄷ ② ㄱ, ㄴ ③ ㄱ, ㄷ
④ ㄴ, ㄷ ⑤ ㄱ, ㄴ, ㄷ

264 하 중 상

그림은 몇 가지 원소의 원자 반지름과 원자가 전자의 유효 핵전하 중 하나를 각각 나타낸 것이다.

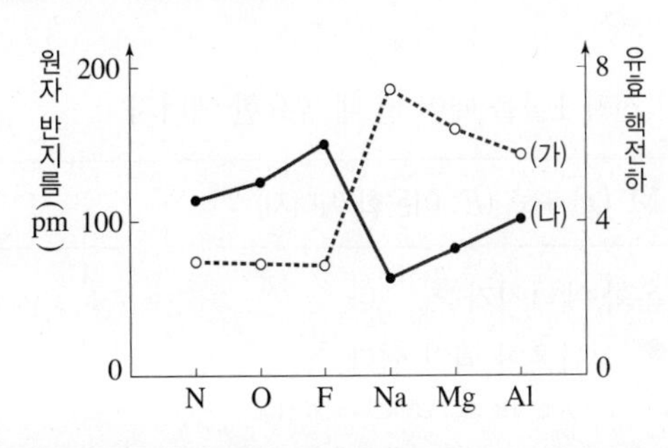

이에 대한 설명으로 옳은 것만을 〈보기〉에서 있는 대로 고른 것은?

〈 보기 〉

ㄱ. (가)는 원자 반지름이다.

ㄴ. F → Na에서 (가)와 (나)의 값이 크게 바뀌는 까닭은 전자가 들어 있는 전자 껍질 수가 증가하기 때문이다.

ㄷ. O와 Mg이 Ne과 같은 전자 배치를 갖는 이온이 되었을 때 이온 반지름은 O<Mg이다.

① ㄷ ② ㄱ, ㄴ ③ ㄱ, ㄷ
④ ㄴ, ㄷ ⑤ ㄱ, ㄴ, ㄷ

265 하 중 상

표는 바닥상태인 원자 A~D의 원자가 전자 수와 홀전자 수의 차를 나타낸 것이다. A~D는 각각 N, F, Na, S 중 하나이다.

원자	A	B	C	D
원자가 전자 수−홀전자 수	0	2	4	6

이에 대한 설명으로 옳은 것만을 〈보기〉에서 있는 대로 고른 것은?

〈 보기 〉

ㄱ. 안정한 이온이 되었을 때 이온 반지름은 A>D이다.

ㄴ. 원자가 전자가 느끼는 유효 핵전하는 B>D이다.

ㄷ. 바닥상태에서 전자가 들어 있는 오비탈 수는 C가 A의 1.5배이다.

① ㄷ ② ㄱ, ㄴ ③ ㄱ, ㄷ
④ ㄴ, ㄷ ⑤ ㄱ, ㄴ, ㄷ

266 하 중 상

다음은 바닥상태의 원자 A~C에 대한 자료이다.

- 전자가 들어 있는 전자 껍질 수는 B가 A보다 크다.
- p 오비탈에 들어 있는 전자 수는 B가 A의 2배이다.
- A^-과 C^{2+}의 전자 배치는 Ne과 같다.

이에 대한 설명으로 옳은 것만을 〈보기〉에서 있는 대로 고른 것은? (단, A~C는 임의의 원소 기호이다.)

〈 보기 〉

ㄱ. A는 17족 원소이다.

ㄴ. B가 이온이 될 때 전자 껍질 수는 변하지 않는다.

ㄷ. A는 C보다 $\frac{\text{이온 반지름}}{\text{원자 반지름}}$이 크다.

① ㄷ ② ㄱ, ㄴ ③ ㄱ, ㄷ
④ ㄴ, ㄷ ⑤ ㄱ, ㄴ, ㄷ

267 하 중 상

그림은 원소 A~D의 안정한 이온의 전자 수와 $\frac{\text{원자 반지름}}{\text{이온 반지름}}$을 나타낸 것이다.

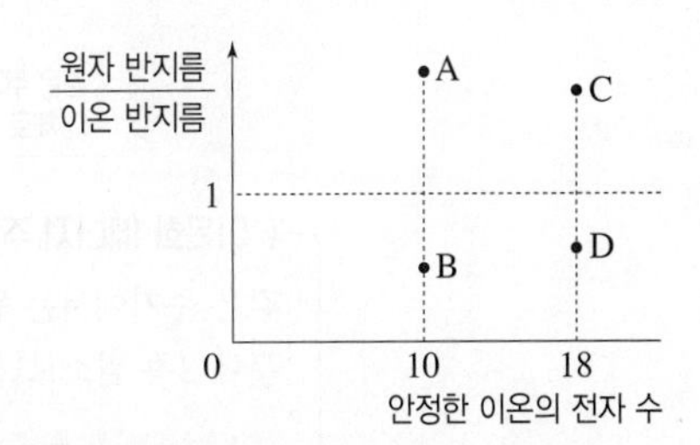

이에 대한 설명으로 옳은 것만을 〈보기〉에서 있는 대로 고른 것은? (단, A~D는 임의의 원소 기호이다.)

〈 보기 〉

ㄱ. A와 B는 3주기 원소이다.

ㄴ. 원자 반지름이 가장 큰 원소는 C이다.

ㄷ. D가 C보다 이온 반지름이 크다.

① ㄱ ② ㄷ ③ ㄱ, ㄴ
④ ㄱ, ㄷ ⑤ ㄴ, ㄷ

12 이온화 에너지

A 이온화 에너지

1 이온화 에너지 기체 상태의 원자 1몰에서 전자 1몰을 떼어 낼 때 필요한 에너지

$$M(g) + E \longrightarrow M^+(g) + e^-(E\text{: 이온화 에너지})$$

① 원자핵과 전자 사이의 인력이 클수록 이온화 에너지가 ❶☐다.

② 이온화 에너지가 작을수록 전자를 잃고 ❷☐이온이 되기 쉽다.

└ 같은 주기에서 금속 원소는 비금속 원소보다 이온화 에너지가 작아 전자를 잃고 양이온이 되기 쉽다.

기출 Tip A-1

이온화 에너지 크기의 의미

- 이온화 에너지가 크다. ➡ 전자를 떼어 내기 어렵다. ➡ 양이온이 되기 어렵다.
- 이온화 에너지가 작다. ➡ 전자를 떼어 내기 쉽다. ➡ 양이온이 되기 쉽다.

예 Na의 이온화 에너지

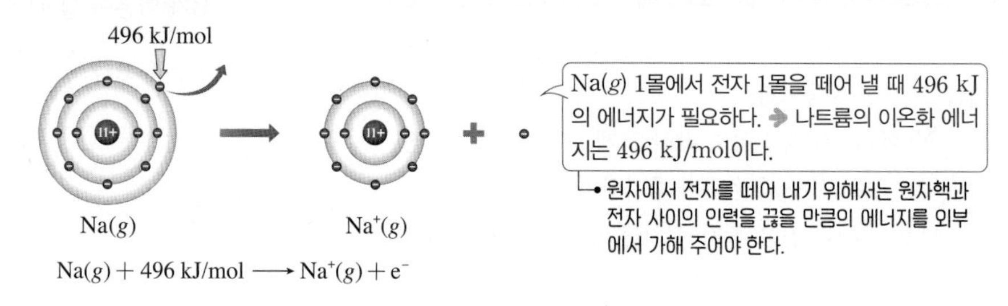

2 이온화 에너지의 주기성

구분	내용
같은 주기	원자 번호가 커질수록 이온화 에너지는 대체로 ❸☐진다. ➡ 원자가 전자가 느끼는 유효 핵전하가 증가하여 원자핵과 전자 사이의 인력이 증가하기 때문
같은 족	원자 번호가 커질수록 이온화 에너지는 ❹☐☐진다. ➡ 전자 껍질 수가 증가하여 원자핵과 전자 사이의 인력이 감소하기 때문
이온화 에너지의 주기성	(그래프: 세로축 이온화 에너지(kJ/mol) 0~2500, 가로축 원자 번호 2~20; H, He, Li, Be, B, C, N, O, F, Ne, Na, Mg, Al, Si, P, S, Cl, Ar, K, Ca) 같은 족 원소 ➡ 원자 번호가 커질수록 이온화 에너지는 작아진다. / 같은 주기 원소 중 18족 원소의 이온화 에너지가 가장 크다. / 같은 주기 원소 ➡ 원자 번호가 커질수록 이온화 에너지는 대체로 커진다.(예외: 2족과 13족, 15족과 16족) / 같은 주기 원소 중 1족 원소의 이온화 에너지가 가장 작다.

(이온화 에너지 주기성의 예외)

같은 주기에서는 원자 번호가 커질수록 이온화 에너지가 대체로 커진다. 그러나 전자 배치의 특성 때문에 2족 원소보다 13족 원소가, 15족 원소보다 16족 원소가 이온화 에너지가 작다.

2족>13족

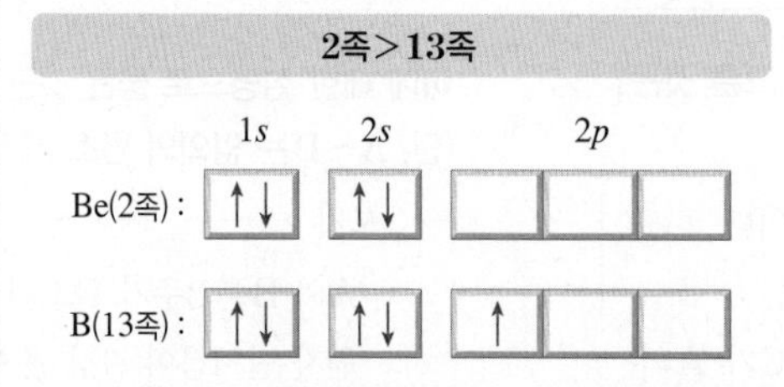

에너지가 낮은 $2s$ 오비탈에 있는 전자보다 에너지가 높은 $2p$ 오비탈에 있는 전자를 떼어 내기가 더 쉽다. 따라서 2족 원소(Be)보다 13족 원소(B)의 이온화 에너지가 더 작다.

15족>16족

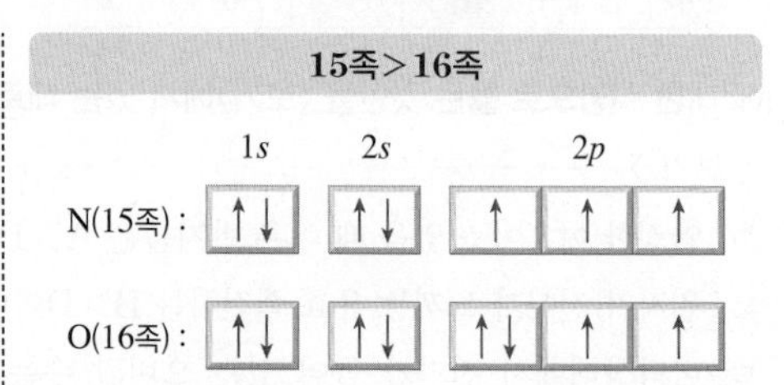

$2p$ 오비탈에 홀전자만 있는 경우보다 전자가 쌍을 이루고 있을 때가 전자 사이의 반발력 때문에 전자를 떼어 내기가 더 쉽다. 따라서 15족 원소(N)보다 16족 원소(O)의 이온화 에너지가 더 작다.

B 순차 이온화 에너지

1 순차 이온화 에너지 전자가 2개 이상인 다전자 원자에서 전자를 2개 이상 차례로 떼어 낼 때 각 단계마다 필요한 에너지

$$M(g) + E_1 \longrightarrow M^{+}(g) + e^{-} \quad (E_1\text{: 제1 이온화 에너지})$$
↳ 첫 번째 전자를 떼어 낼 때 필요한 에너지

$$M^{+}(g) + E_2 \longrightarrow M^{2+}(g) + e^{-} \quad (E_2\text{: 제2 이온화 에너지})$$
↳ 두 번째 전자를 떼어 낼 때 필요한 에너지

$$M^{2+}(g) + E_3 \longrightarrow M^{3+}(g) + e^{-} \quad (E_3\text{: 제3 이온화 에너지})$$
↳ 세 번째 전자를 떼어 낼 때 필요한 에너지

2 순차 이온화 에너지의 크기 이온화 차수가 커질수록 이온화 에너지가 ❺ □ 진다.
➜ 전자 수가 작아질수록 전자 사이의 반발력이 작아져 유효 핵전하가 증가하기 때문

• n차에서 순차 이온화 에너지가 급격히 증가하면 원자가 전자 수는 $(n-1)$이다.

3 순차 이온화 에너지와 원자가 전자 수 순차 이온화 에너지가 급격하게 증가하기 전까지의 전자 수가 ❻ □□□ □□ □이다. ➜ 원자가 전자를 모두 떼어 내고 안쪽 전자 껍질에 있는 전자를 떼어 낼 때 이온화 에너지가 급격히 증가하기 때문

예 Mg의 순차 이온화 에너지

Mg의 순차 이온화 에너지는 $E_1 < E_2 \ll E_3$이다.
➜ Mg의 원자가 전자 수는 ❼ □이다.

738 kJ/mol (E_1) 1451 kJ/mol (E_2) 7733 kJ/mol (E_3)

$Mg(g) + E_1 \longrightarrow Mg^{+}(g) + e^{-}$ $Mg^{+}(g) + E_2 \longrightarrow Mg^{2+}(g) + e^{-}$ $Mg^{2+}(g) + E_3 \longrightarrow Mg^{3+}(g) + e^{-}$

기출 Tip B-3

순차 이온화 에너지를 이용하여 원자가 전자 수 구하기

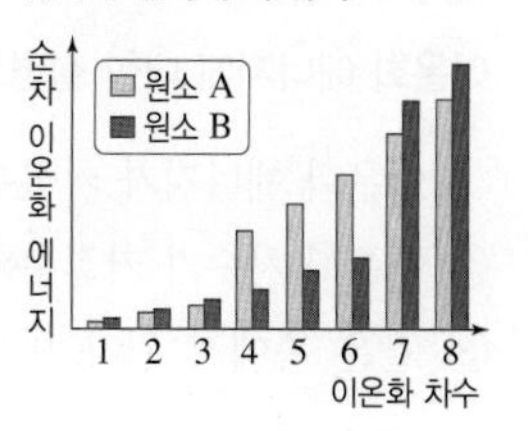

• A는 제4 이온화 에너지가 급격하게 증가한다.
➜ 원자가 전자 수는 3이다.
• B는 제7 이온화 에너지가 급격하게 증가한다.
➜ 원자가 전자 수는 6이다.

양이온이 되는 데 필요한 최소 에너지
전하가 $+n$인 이온이 되는 데 필요한 최소 에너지는 $E_1+E_2+E_3+\cdots E_n$이다.
예 $Mg(g)$가 $Mg^{2+}(g)$로 되는 데 필요한 최소 에너지는 E_1+E_2이다.

답 ❶ 크 ❷ 양 ❸ 커 ❹ 작아 ❺ 커 ❻ 원자가 전자 수 ❼ 2

빈출 자료 보기

정답과 해설 33쪽

268 그림은 원자 번호에 따른 이온화 에너지를 나타낸 것이다.

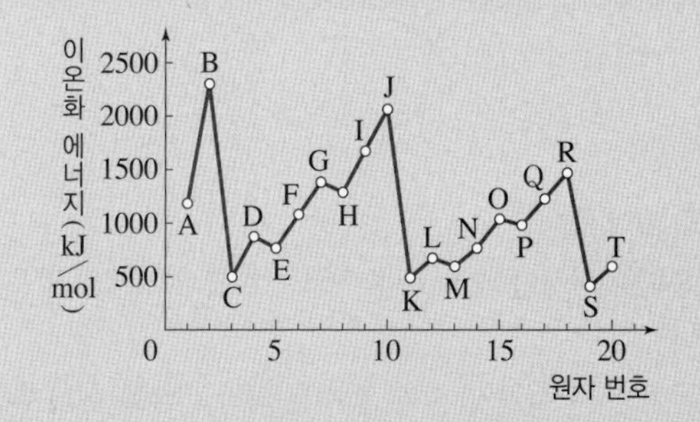

이에 대한 설명으로 옳은 것은 ○, 옳지 않은 것은 ×로 표시하시오. (단, A~T는 임의의 원소 번호이다.)

(1) 같은 주기에서 원자 번호가 커질수록 이온화 에너지가 대체로 커진다. ( )

(2) 같은 족에서 원자 번호가 커질수록 이온화 에너지가 커진다. ( )

(3) A~T 중 양이온이 되기 가장 쉬운 원소는 A이다. ( )

(4) 제2 이온화 에너지가 가장 큰 원소는 C이다. ( )

269 표는 3주기 원소 A~C의 순차 이온화 에너지에 대한 자료이다.

원소	순차 이온화 에너지(kJ/mol)			
	E_1	E_2	E_3	E_4
A	738	1451	7733	10540
B	496	4562	6912	9543
C	578	1817	2745	11578

이에 대한 설명으로 옳은 것은 ○, 옳지 않은 것은 ×로 표시하시오. (단, A~C는 임의의 원소 기호이다.)

(1) A는 1족, B는 2족, C는 13족 원소이다. ( )

(2) 원자 번호가 가장 작은 것은 A이다. ( )

(3) 바닥상태에서 홀전자 수가 가장 작은 것은 B이다. ( )

(4) 기체 상태의 B가 안정한 이온이 되는 데 필요한 최소 에너지는 4562 kJ/mol이다. ( )

(5) 원자 반지름이 가장 큰 것은 C이다. ( )

(6) 원자가 전자 수는 C가 B의 3배이다. ( )

A 이온화 에너지

270 하중상

이온화 에너지에 대한 설명으로 옳지 않은 것은?

① 이온화 에너지가 커질수록 양이온이 되기 쉽다.
② 이온화 차수가 커질수록 이온화 에너지가 커진다.
③ 같은 족에서 원자 번호가 커질수록 이온화 에너지는 작아진다.
④ 원자핵과 전자 사이의 인력이 커질수록 이온화 에너지가 커진다.
⑤ 같은 주기에서 금속 원소는 비금속 원소보다 이온화 에너지가 작다.

271 하중상

그림은 바닥상태의 원자 Mg, Al의 이온화 에너지와 유효 핵전하를 나타낸 것이다.

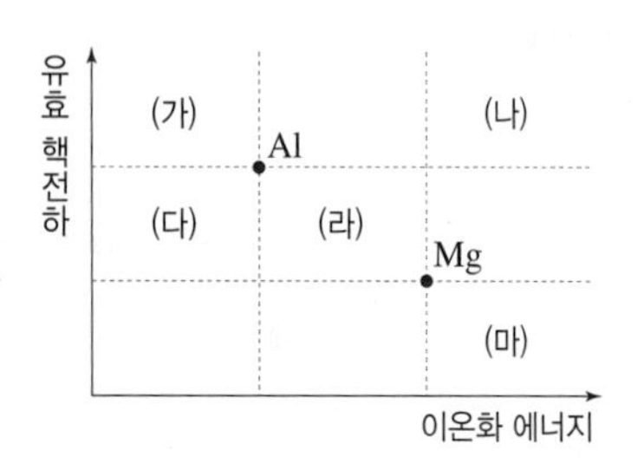

바닥상태의 원자 Si의 이온화 에너지와 유효 핵전하를 나타낼 때의 위치로 가장 적절한 것은?

① (가) ② (나) ③ (다)
④ (라) ⑤ (마)

272 하중상

다음은 바닥상태인 몇 가지 원자의 전자 배치를 나타낸 것이다. 이온화 에너지가 가장 큰 원소는?

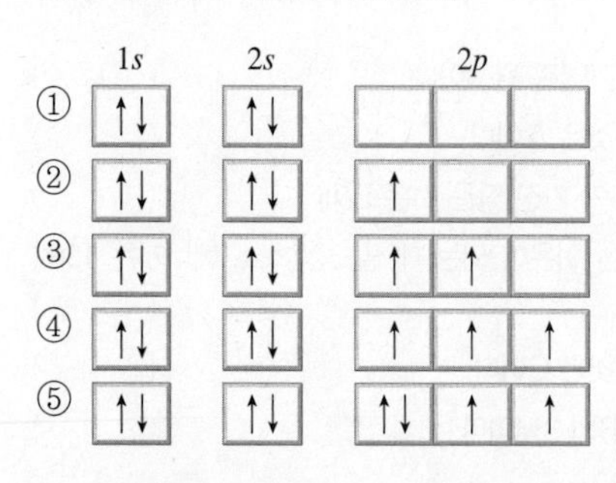

273 하중상

그림은 2, 3주기 원소 A~D의 원자 번호에 따른 원자가 전자 수를 나타낸 것이다.

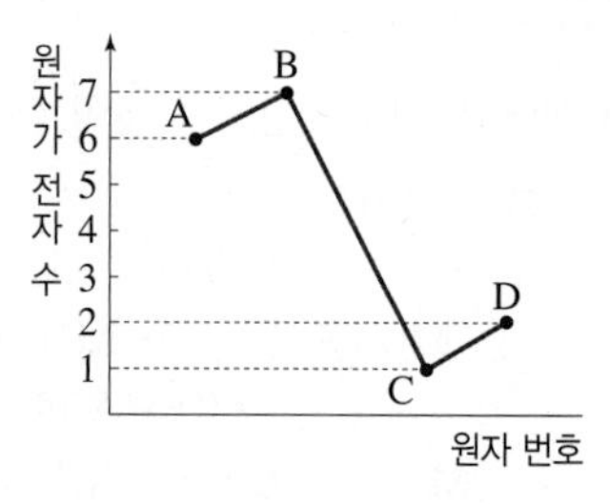

A~D의 성질 중 그림과 같은 경향을 나타내는 것만을 〈보기〉에서 있는 대로 고른 것은?(단, A~D는 임의의 원소 기호이다.)

〈보기〉
ㄱ. 원자 반지름
ㄴ. 이온 반지름
ㄷ. 이온화 에너지
ㄹ. 원자가 전자의 유효 핵전하

① ㄱ, ㄴ ② ㄴ, ㄷ ③ ㄷ, ㄹ
④ ㄱ, ㄴ, ㄹ ⑤ ㄴ, ㄷ, ㄹ

274 하중상

다음 원소들을 규칙에 따라 그림에 배치하려고 한다.

[원소] He, O, F, Na, Mg, Cl
[원소 배치 그림]

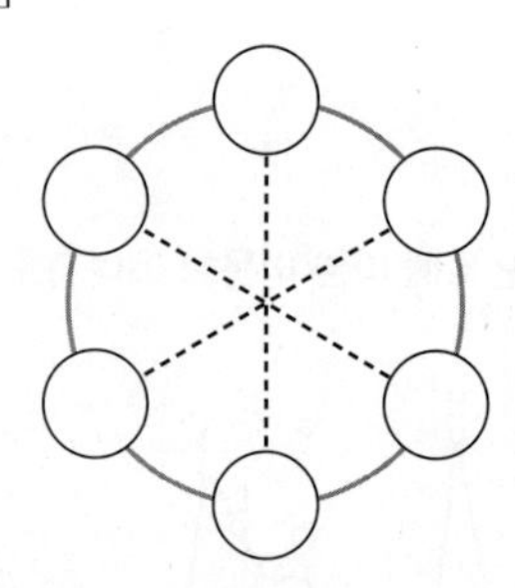

[원소 배치 규칙]
- 이온화 에너지가 가장 작은 원소는 비활성 기체의 맞은편에 있다.
- 원자가 전자 수가 같은 두 원소는 각각 이온화 에너지가 가장 작은 원소 옆에 있다.
- 비활성 기체를 제외하고 원자 반지름이 가장 작은 원소의 맞은편에는 금속 원소가 있다.

Cl의 맞은편에 있는 원소는?

① He ② O ③ F
④ Na ⑤ Mg

275 하 중 상

그림은 원자 W~Z의 이온화 에너지를 나타낸 것이다. W~Z는 각각 Li, Be, B, C 중 하나이다.

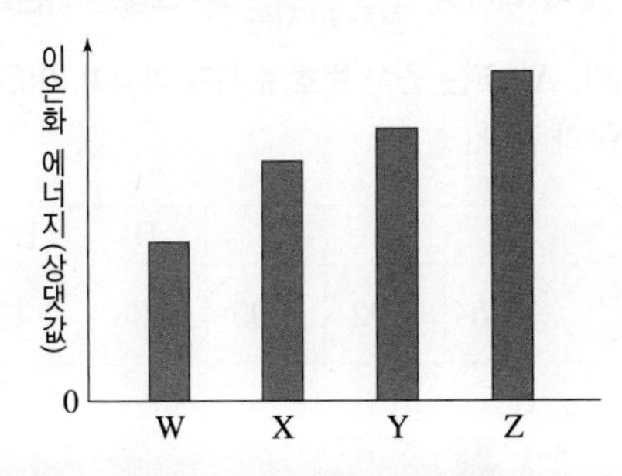

이에 대한 설명으로 옳은 것만을 〈보기〉에서 있는 대로 고른 것은?

〈 보기 〉

ㄱ. 원자 반지름이 가장 작은 것은 Z이다.

ㄴ. 원자가 전자가 느끼는 유효 핵전하는 X > Y이다.

ㄷ. 바닥상태에서 홀전자 수는 W > X이다.

① ㄱ ② ㄷ ③ ㄱ, ㄴ
④ ㄱ, ㄷ ⑤ ㄴ, ㄷ

276 하 중 상 서술형

그림은 2, 3주기 원소의 이온화 에너지를 나타낸 것이다.

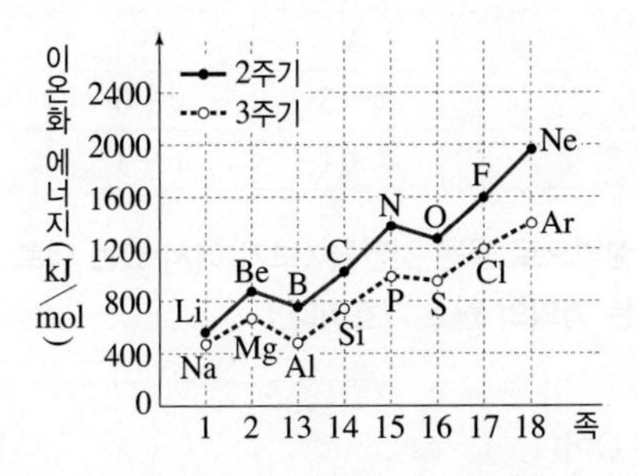

(1) 양이온이 되기 가장 쉬운 원소의 원소 기호를 쓰시오.

(2) 같은 족에서 원자 번호가 커질수록 이온화 에너지가 감소하는 까닭을 서술하시오.

빈출

277 하 중 상

그림은 원자 번호가 연속인 2주기 원소의 이온화 에너지를 나타낸 것이다.

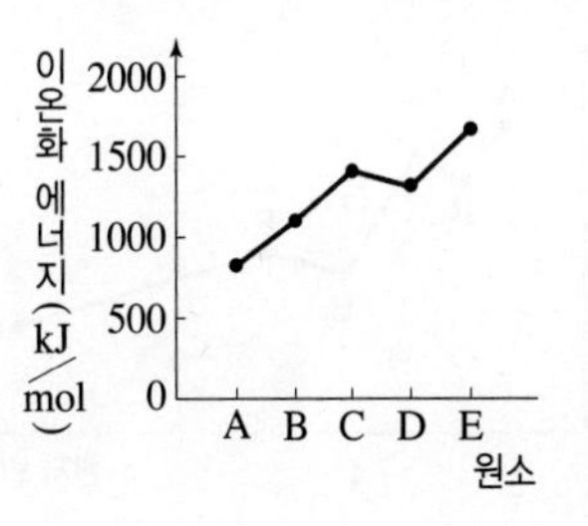

이에 대한 설명으로 옳은 것만을 〈보기〉에서 있는 대로 고른 것은? (단, A~E는 임의의 원소 기호이다.)

〈 보기 〉

ㄱ. A는 B보다 양이온이 되기 쉽다.

ㄴ. 바닥상태에서 B와 E는 홀전자 수가 같다.

ㄷ. D가 C보다 이온화 에너지가 작은 까닭은 오비탈에서 쌍을 이룬 전자 사이의 반발력 때문이다.

① ㄱ ② ㄴ ③ ㄱ, ㄷ
④ ㄴ, ㄷ ⑤ ㄱ, ㄴ, ㄷ

278 하 중 상

그림은 몇 가지 2, 3주기 원소의 이온화 에너지를 족에 따라 나타낸 것이다. 같은 점선으로 연결한 원소는 같은 주기에 속한다.

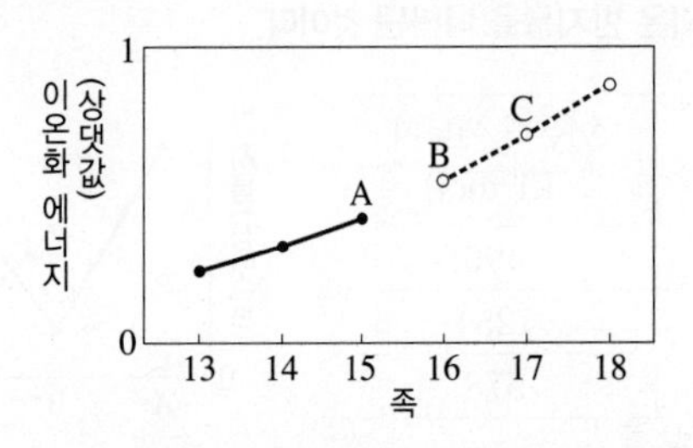

이에 대한 설명으로 옳은 것만을 〈보기〉에서 있는 대로 고른 것은? (단, A~C는 임의의 원소 기호이다.)

〈 보기 〉

ㄱ. A는 2주기 원소이다.

ㄴ. A의 이온화 에너지는 같은 주기의 16족 원소보다 크다.

ㄷ. 원자 반지름은 B가 C보다 크다.

① ㄷ ② ㄱ, ㄴ ③ ㄱ, ㄷ
④ ㄴ, ㄷ ⑤ ㄱ, ㄴ, ㄷ

279 하 중 상

그림은 $1 \sim 17$족에 속하는 2주기 원소의 원자 반지름과 이온화 에너지를 나타낸 것이다.

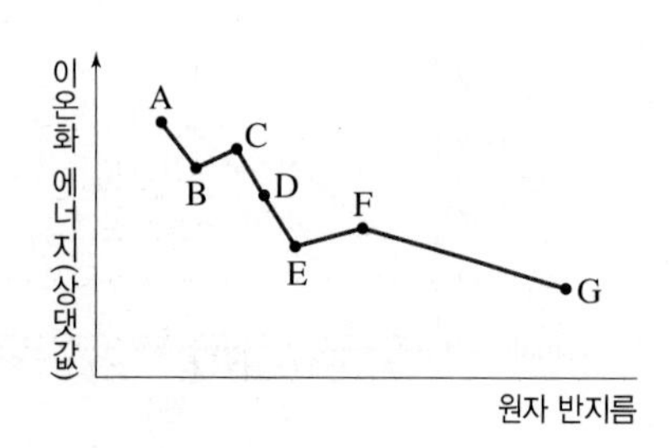

이에 대한 설명으로 옳은 것만을 〈보기〉에서 있는 대로 고른 것은? (단, A~G는 임의의 원소 기호이다.)

〈 보기 〉

ㄱ. A, B는 금속 원소이다.
ㄴ. 원자 번호가 가장 큰 원소는 G이다.
ㄷ. 바닥상태에서 홀전자 수는 C가 F보다 크다.

① ㄱ ② ㄷ ③ ㄱ, ㄴ
④ ㄱ, ㄷ ⑤ ㄴ, ㄷ

280 하 중 상

표는 3주기 원소 A~C의 이온화 에너지를, 그림은 A~C의 원자 반지름과 이온 반지름을 나타낸 것이다.

원소	이온화 에너지 (kJ/mol)
A	496
B	1251
C	578

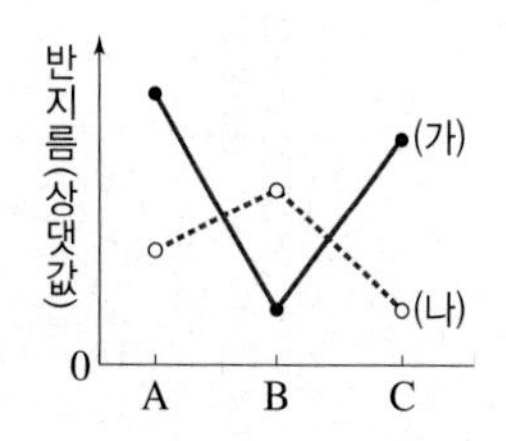

이에 대한 설명으로 옳은 것만을 〈보기〉에서 있는 대로 고른 것은? (단, A~C는 임의의 원소 기호이다.)

〈 보기 〉

ㄱ. A는 C보다 양이온이 되기 쉽다.
ㄴ. (가)는 원자 반지름이다.
ㄷ. B는 금속 원소이다.

① ㄱ ② ㄷ ③ ㄱ, ㄴ
④ ㄴ, ㄷ ⑤ ㄱ, ㄴ, ㄷ

빈출 281 하 중 상

표는 비활성 기체를 제외한 원자 번호가 연속인 2, 3주기 바닥상태의 원자 A~F에 대하여 $\frac{\text{이온 반지름}}{\text{원자 반지름}}$을, 그림은 이온화 에너지를 나타낸 것이다. A~F는 원자 번호 순서가 아니며, 이온의 전자 배치는 모두 Ne과 같다.

원자	A	B	C	D	E	F
$\frac{\text{이온 반지름}}{\text{원자 반지름}}$	1.85	1.92	1.95	0.38	0.45	0.56

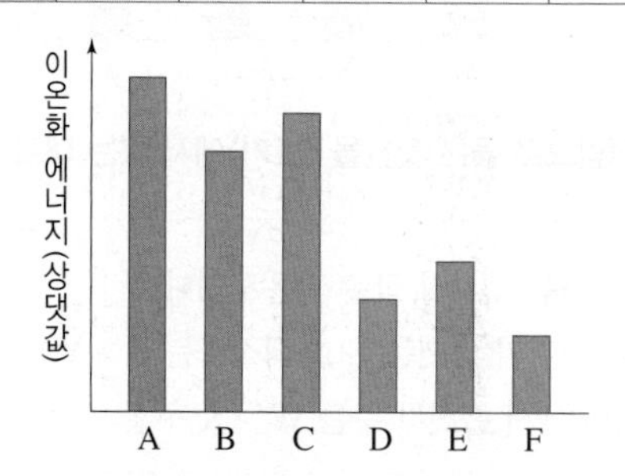

이에 대한 설명으로 옳은 것만을 〈보기〉에서 있는 대로 고른 것은? (단, A~F는 임의의 원소 기호이다.)

〈 보기 〉

ㄱ. 원자 반지름은 A<B이다.
ㄴ. 이온 반지름은 E<F이다.
ㄷ. 바닥상태에서 $\frac{p \text{ 오비탈에 들어 있는 전자 수}}{s \text{ 오비탈에 들어 있는 전자 수}}$는 C<D이다.

① ㄷ ② ㄱ, ㄴ ③ ㄱ, ㄷ
④ ㄴ, ㄷ ⑤ ㄱ, ㄴ, ㄷ

282 하 중 상

다음은 바닥상태의 원자 A~C에 대한 자료이다. A~C는 18족 원소가 아니며, 원자가 전자 수와 홀전자 수가 같은 것은 없다.

원자	A	B	C
전자 수	$x+3$	$x+6$	$x+10$
원자가 전자 수	$x+1$	$x-4$	x

이에 대한 설명으로 옳은 것만을 〈보기〉에서 있는 대로 고른 것은? (단, A~C는 임의의 원소 기호이다.)

〈 보기 〉

ㄱ. A는 O이다.
ㄴ. 이온화 에너지는 A가 B보다 크다.
ㄷ. B와 C가 결합하여 생성된 화합물의 화학식은 BC이다.

① ㄷ ② ㄱ, ㄴ ③ ㄱ, ㄷ
④ ㄴ, ㄷ ⑤ ㄱ, ㄴ, ㄷ

283 하중상

표는 바닥상태의 2주기 원자 X~Z에 대한 자료이다.

원자	X	Y	Z
홀전자 수+원자가 전자 수	a	a	a
전자쌍이 들어 있는 오비탈 수	4	2	b

이에 대한 설명으로 옳은 것만을 〈보기〉에서 있는 대로 고른 것은? (단, X~Z는 임의의 원소 기호이다.)

〈 보기 〉
ㄱ. $a+b=10$이다.
ㄴ. 이온화 에너지는 X>Y>Z이다.
ㄷ. X~Z가 안정한 이온이 되었을 때 전자 수는 모두 같다.

① ㄷ ② ㄱ, ㄴ ③ ㄱ, ㄷ
④ ㄴ, ㄷ ⑤ ㄱ, ㄴ, ㄷ

B 순차 이온화 에너지

284 하중상

다음은 원자 번호가 연속인 2주기 원자 A~C에 대한 자료이다.

• 원자 번호: A<B<C • 제1 이온화 에너지: A<C<B
• 제2 이온화 에너지: B<C<A

A~C를 옳게 짝 지은 것은?(단, A~C는 임의의 원소 기호이다.)

	A	B	C		A	B	C
①	Li	Be	B	②	Be	B	C
③	B	C	N	④	C	N	O
⑤	N	O	F				

285 하중상

표는 원자 번호가 연속인 2주기 원자 A~D에 대한 자료이다.

원자	A	B	C	D
바닥상태 원자의 홀전자 수	0	1	2	x
제1 이온화 에너지(상댓값)	y	1	2.1	1.5

이에 대한 설명으로 옳지 않은 것은?(단, A~D는 임의의 원소 기호이며, 원자 번호 순서가 아니다.)

① x는 1이다.
② $y>1.5$이다.
③ 원자 반지름은 A>B이다.
④ 원자가 전자가 느끼는 유효 핵전하는 B<C이다.
⑤ 제2 이온화 에너지는 A<D이다.

286 하중상

표는 원자 A~C의 이온화 에너지에 대한 자료이다. A~C는 각각 O, F, Na 중 하나이다.

원자	A	B	C
$\frac{\text{제2 이온화 에너지}}{\text{제1 이온화 에너지}}$(상댓값)	2.0	2.6	9.2

이에 대한 설명으로 옳은 것만을 〈보기〉에서 있는 대로 고른 것은?

〈 보기 〉
ㄱ. 원자가 전자가 느끼는 유효 핵전하는 A<B이다.
ㄴ. 원자 반지름은 B>C이다.
ㄷ. Ne의 전자 배치를 갖는 이온의 반지름이 가장 큰 것은 B이다.

① ㄱ ② ㄷ ③ ㄱ, ㄷ
④ ㄴ, ㄷ ⑤ ㄱ, ㄴ, ㄷ

287 하중상

다음은 원소 W~Z에 대한 자료이다.

• 제1 이온화 에너지는 W>Y이다.
• 바닥상태 원자 X에서 전자가 들어 있는 오비탈 수는 9이다.
• W~Z가 위치한 주기율표의 일부는 다음과 같다.

주기 \ 족	n	$n+1$
2	W	Y
3	X	Z

이에 대한 설명으로 옳은 것만을 〈보기〉에서 있는 대로 고른 것은? (단, W~Z는 임의의 원소 기호이다.)

〈 보기 〉
ㄱ. $n=2$이다.
ㄴ. 바닥상태의 전자 배치에서 홀전자 수는 W가 Y의 1.5배이다.
ㄷ. 제2 이온화 에너지는 Z가 X보다 크다.

① ㄱ ② ㄴ ③ ㄱ, ㄷ
④ ㄴ, ㄷ ⑤ ㄱ, ㄴ, ㄷ

288 하중상

그림은 원자 번호가 연속인 2, 3주기 원소 A~F의 제1 이온화 에너지를 나타낸 것이다.

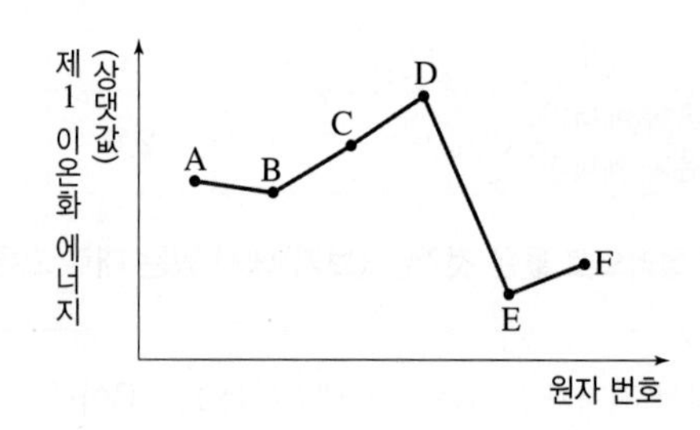

이에 대한 설명으로 옳지 않은 것은?(단, A~F는 임의의 원소 기호이다.)

① B와 F는 $\frac{p\text{ 오비탈에 들어 있는 전자 수}}{s\text{ 오비탈에 들어 있는 전자 수}}$가 같다.

② C가 A보다 이온화 에너지가 큰 까닭은 원자가 전자가 느끼는 유효 핵전하가 더 크기 때문이다.

③ 제2 이온화 에너지는 C가 B보다 크다.

④ D는 원자가 전자 수가 0이다.

⑤ E와 F는 같은 주기 원소이다.

289 하중상

그림은 원자 번호가 연속인 2, 3주기 원소 A~D의 제1 이온화 에너지(E_1)와 제2 이온화 에너지(E_2)를 나타낸 것이다.

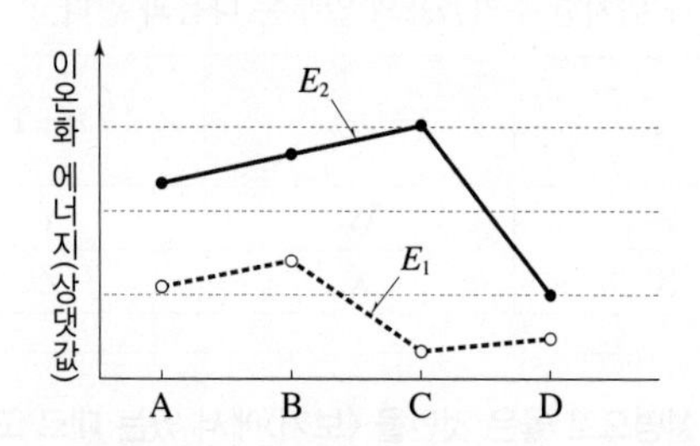

이에 대한 설명으로 옳은 것만을 〈보기〉에서 있는 대로 고른 것은? (단, A~D는 임의의 원소 기호이다.)

〈 보기 〉

ㄱ. 원자가 전자가 느끼는 유효 핵전하는 A가 B보다 크다.

ㄴ. 원자 반지름은 C가 D보다 크다.

ㄷ. B와 D로 이루어진 화합물의 화학식은 DB_2이다.

① ㄱ ② ㄴ ③ ㄱ, ㄷ
④ ㄴ, ㄷ ⑤ ㄱ, ㄴ, ㄷ

290 하중상

그림은 원소 a~g의 제2 이온화 에너지를 나타낸 것이다. a~g는 각각 원자 번호 8~14의 원소 중 하나이다.

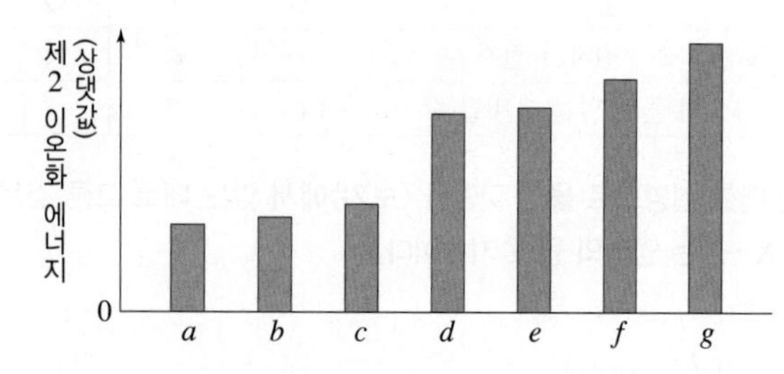

이에 대한 설명으로 옳지 않은 것은?

① a는 Mg, d는 F이다.

② 원자 번호가 가장 큰 것은 b이다.

③ c는 2주기 원소이고, e는 3주기 원소이다.

④ 원자 반지름이 가장 큰 것은 g이다.

⑤ 제1 이온화 에너지가 가장 큰 것은 f이다.

빈출

291 하중상

그림은 원소 X~Z의 $\frac{\text{제1 이온화 에너지}}{\text{제2 이온화 에너지}}$를 나타낸 것이다. X~Z는 각각 B, C, Na 중 하나이다.

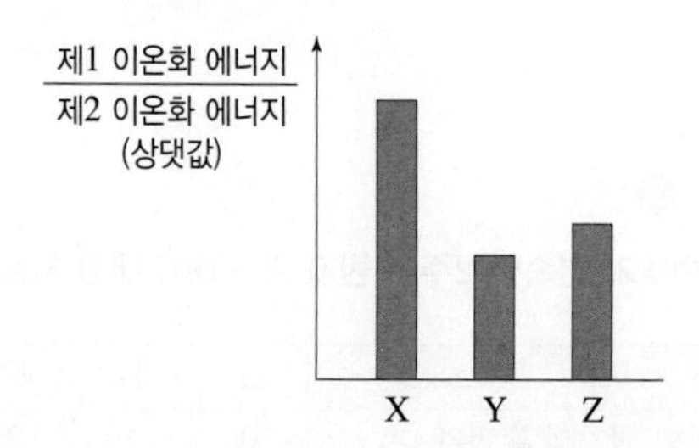

이에 대한 설명으로 옳은 것만을 〈보기〉에서 있는 대로 고른 것은?

〈 보기 〉

ㄱ. X는 Na이다.

ㄴ. X와 Y는 같은 주기 원소이다.

ㄷ. 바닥상태에서 전자가 들어 있는 전자 껍질 수는 Y가 Z보다 크다.

① ㄱ ② ㄷ ③ ㄱ, ㄴ
④ ㄴ, ㄷ ⑤ ㄱ, ㄴ, ㄷ

292 하 중 상

그림은 2, 3주기 원소 A~C의 순차 이온화 에너지를 나타낸 것이다.

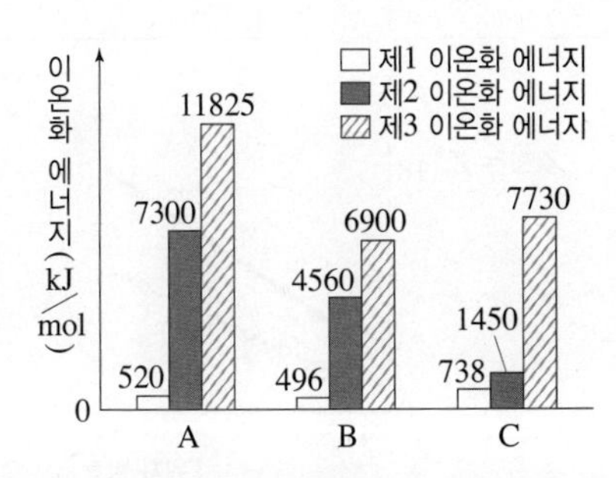

이에 대한 설명으로 옳지 않은 것은?(단, A~C는 임의의 원소 기호이다.)

① A는 1족 원소이다.
② 원자 반지름이 가장 큰 것은 B이다.
③ 원자가 전자가 들어 있는 오비탈의 주 양자수(n)는 B가 A보다 크다.
④ C는 바닥상태 전자 배치에서 홀전자 수가 0이다.
⑤ 안정한 이온이 되기 위해 필요한 최소 에너지는 B가 C보다 크다.

293 하 중 상

••서술형

표는 3주기 원소 X의 순차 이온화 에너지를 나타낸 것이다.

순차 이온화 에너지 (kJ/mol)	E_1	E_2	E_3	E_4
	578	1817	2745	11578

(1) 바닥상태인 원소 X의 전자 배치를 오비탈 기호로 나타내시오.

(2) 원소 X가 Ne과 같은 전자 배치를 갖는 이온이 될 때 필요한 최소 에너지(kJ/mol)를 풀이 과정과 함께 서술하시오.

(3) 이온화 차수가 커질수록 순차 이온화 에너지가 증가하는 까닭을 서술하시오.

294 하 중 상

多 보기

표는 2, 3주기 원소 A~D의 순차 이온화 에너지를 나타낸 것이다.

원소	순차 이온화 에너지(kJ/mol)			
	E_1	E_2	E_3	E_4
A	496	4562	6912	9543
B	738	1451	7733	10540
C	578	1817	2745	11578
D	806	1758	14800	20939

이에 대한 설명으로 옳지 않은 것만을 모두 고르면?(단, A~D는 임의의 원소 기호이다.)(2개)

① A의 원자 반지름은 안정한 이온의 반지름보다 크다.
② B는 2주기 원소이다.
③ C의 원자가 전자 수는 3이다.
④ A와 C는 바닥상태에서 홀전자 수가 같다.
⑤ B와 D는 같은 족 원소이다.
⑥ D가 안정한 이온이 되기 위해 필요한 최소 에너지는 1758 kJ/mol이다.

295 하 중 상

그림은 원소 A~E의 순차 이온화 에너지를 나타낸 것이다. A~E는 각각 F, Ne, Na, Mg, Al 중 하나이다.

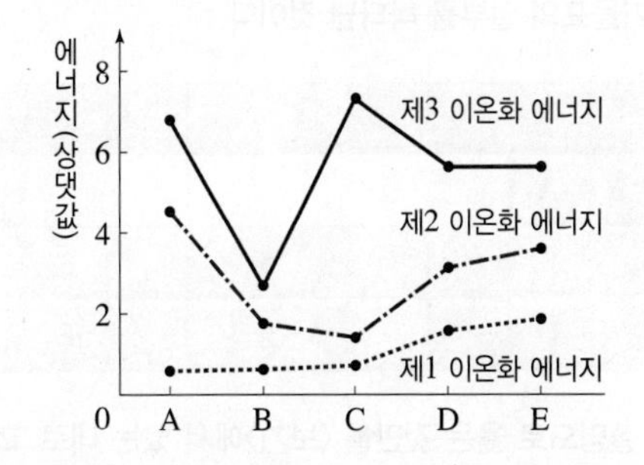

이에 대한 설명으로 옳은 것만을 <보기>에서 있는 대로 고른 것은?

<보기>
ㄱ. 원자 번호는 A가 D보다 크다.
ㄴ. B와 C는 같은 주기 원소이다.
ㄷ. 핵전하량이 가장 큰 것은 E이다.

① ㄱ ② ㄷ ③ ㄱ, ㄴ
④ ㄴ, ㄷ ⑤ ㄱ, ㄴ, ㄷ

296

••서술형

다음은 주기율표가 만들어지기까지의 과정에 대한 설명이다.

- 멘델레예프는 당시 알려진 63개의 원소의 성질과 원자량 사이에 주기적인 관계가 존재한다는 것을 발견하였고, 그 결과를 통해 족과 주기를 가진 주기율표를 발표하였다.
- 멘델레예프가 주기율표를 발표한 지 20년 후 비활성 기체인 Ar이 발견되면서 Ar과 K의 원자량 순서와 주기적 성질이 맞지 않아 수정이 필요해졌다.
- 모즐리는 멘델레예프의 주기율표가 가진 문제를 해결하였고, 현대 주기율표의 틀을 완성하였다.

모즐리가 멘델레예프의 주기율표가 지닌 문제점을 해결한 방법을 서술하시오.

297

그림은 주기율표의 일부를 나타낸 것이다.

주기 \ 족	1	2	13	14	15	16	17	18
1	A							
2	B						C	
3	D						E	

이에 대한 설명으로 옳은 것만을 〈보기〉에서 있는 대로 고른 것은? (단, A～E는 임의의 원소 기호이다.)

〈 보기 〉

ㄱ. A, B, D는 금속 원소이다.
ㄴ. B와 D는 산소와 반응하여 화합물을 생성할 때 산화된다.
ㄷ. C는 D보다 환원되기 쉽다.

① ㄱ ② ㄷ ③ ㄱ, ㄴ
④ ㄴ, ㄷ ⑤ ㄱ, ㄴ, ㄷ

298

••서술형

다음은 바닥상태 3주기 원소의 유효 핵전하와 관련된 2가지 자료이다.(단, A～E는 임의의 원소 기호이다.)

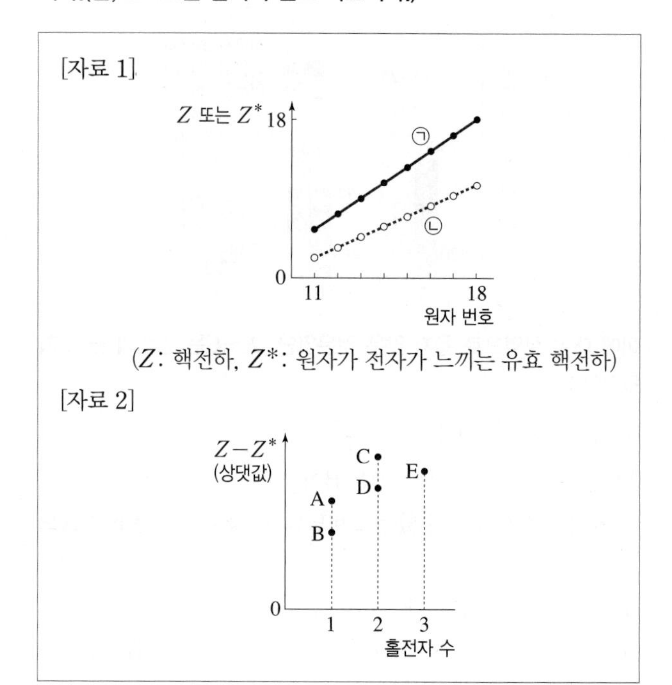

(1) [자료 1]에서 ㉠, ㉡은 Z와 Z^* 중 각각 무엇인지 쓰고, 그 까닭을 서술하시오.

(2) [자료 2]에서 A～E의 원소 기호를 각각 쓰시오.

299

••서술형

표는 2, 3주기 원소 A～D의 원자 반지름과 이온 반지름을 나타낸 것이다.

원소	A	B	C	D
원자 반지름(pm)	160	186	73	71
이온 반지름(pm)	65	95	140	136

A～D 중 원자 번호가 가장 큰 원소의 기호를 쓰고, 그 까닭을 서술하시오.(단, A～D는 임의의 원소 기호이고, 안정한 이온의 전자 배치는 Ne과 같다.)

300

그림은 원자 A~C에 대한 자료이고, Z^*는 원자가 전자가 느끼는 유효 핵전하이다. A~C의 이온은 모두 Ar과 같은 전자 배치를 가지며, 원자 번호는 각각 17, 19, 20 중 하나이다.

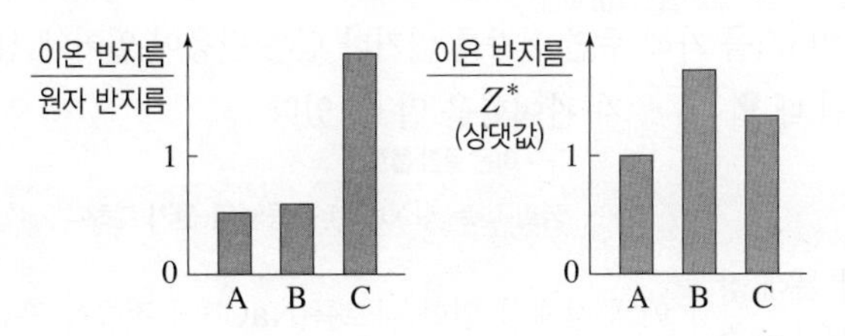

이에 대한 설명으로 옳은 것만을 〈보기〉에서 있는 대로 고른 것은? (단, A~C는 임의의 원소 기호이다.)

〈 보기 〉

ㄱ. 원자 반지름은 A가 가장 크다.

ㄴ. 원자가 전자가 느끼는 유효 핵전하는 A<B이다.

ㄷ. 안정한 이온이 되었을 때 이온 반지름은 A<B<C이다.

① ㄱ ② ㄷ ③ ㄱ, ㄴ
④ ㄴ, ㄷ ⑤ ㄱ, ㄴ, ㄷ

301

그림은 비활성 기체를 제외한 2, 3주기 원자 A~F에 대한 자료이다. (가)~(다)는 원자가 전자가 느끼는 유효 핵전하, 원자 반지름, 안정한 이온의 반지름 중 하나이다.

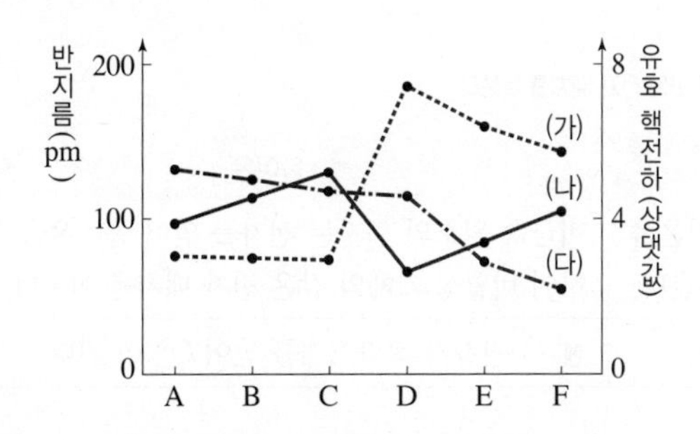

이에 대한 설명으로 옳은 것만을 〈보기〉에서 있는 대로 고른 것은? (단, A~F는 임의의 원소 기호이다.)

〈 보기 〉

ㄱ. (가)는 이온 반지름, (나)는 원자가 전자가 느끼는 유효 핵전하이다.

ㄴ. A~C는 금속 원소이다.

ㄷ. A → F로 갈수록 (다)가 감소하는 까닭은 핵전하가 증가하기 때문이다.

① ㄱ ② ㄷ ③ ㄱ, ㄴ
④ ㄴ, ㄷ ⑤ ㄱ, ㄴ, ㄷ

302

그림은 주기율표의 일부를 나타낸 것이고, 표는 바닥상태의 원자 A~G에 대한 자료이다. 주기율표에서 빗금 친 부분은 원소 A~G의 위치를 나타낸 것이다.

주기 \ 족	1	2	13	14	15	16	17	18
2								
3								

원소	A	B	C	D	E	F	G
홀전자 수		3	1	2		1	1
원자 반지름(pm)	73	75	87	103	112	x	186
이온화 에너지 (kJ/mol)	1314	y	801	1000	899	520	496

이에 대한 설명으로 옳은 것만을 〈보기〉에서 있는 대로 고른 것은? (단, A~G는 임의의 원소 기호이다.)

〈 보기 〉

ㄱ. $112<x<186$이다.

ㄴ. $y>1314$이다.

ㄷ. A는 금속 원소이고, E는 비금속 원소이다.

① ㄱ ② ㄷ ③ ㄱ, ㄴ
④ ㄴ, ㄷ ⑤ ㄱ, ㄴ, ㄷ

303

그림은 원자 A~E의 제1 이온화 에너지와 제2 이온화 에너지를 나타낸 것이다. A~E의 원자 번호는 각각 3, 4, 11, 12, 13 중 하나이다.

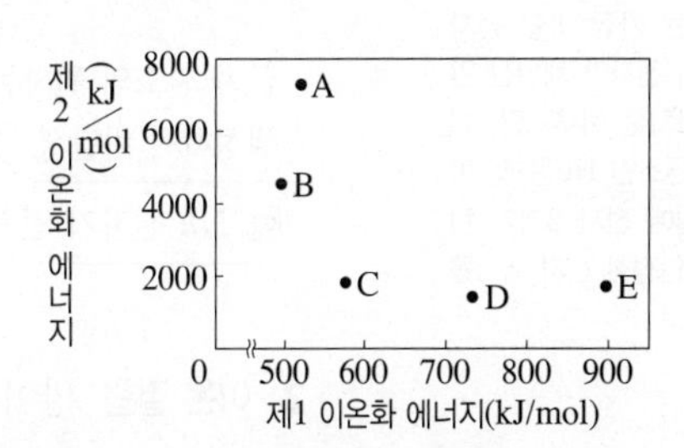

이에 대한 설명으로 옳은 것만을 〈보기〉에서 있는 대로 고른 것은? (단, A~E는 임의의 원소 기호이다.)

〈 보기 〉

ㄱ. A와 B는 같은 족 원소이다.

ㄴ. 제3 이온화 에너지는 C가 E보다 크다.

ㄷ. 원자가 전자가 느끼는 유효 핵전하는 B<C<D이다.

① ㄱ ② ㄷ ③ ㄱ, ㄴ
④ ㄴ, ㄷ ⑤ ㄱ, ㄴ, ㄷ

이온 결합

Ⓐ 화학 결합의 전기적 성질

└→ 화학 결합의 종류에는 이온 결합, 공유 결합, 금속 결합 등이 있다.

1 화합물의 전기 분해 화합물에 전기 에너지를 가해 주면 전자를 잃거나 얻는 반응이 일어나 성분 물질로 분해된다. ➔ 화학 결합이 형성될 때 ❶☐☐가 관여함을 알 수 있다.

물(H_2O)의 전기 분해 (공유 결합 물질)	염화 나트륨(NaCl) 용융액의 전기 분해 (이온 결합 물질)
황산 나트륨(Na_2SO_4)을 녹인 물을 전기 분해 장치에 채운 후 전류를 흘려 주면 (−)극에서는 수소(H_2) 기체가, (+)극에서는 산소(O_2) 기체가 2 : 1의 부피비로 발생한다.	액체 상태의 염화 나트륨(NaCl)에 전류를 흘려 주면 (−)극에서는 금속 나트륨(Na)이 생성되고, (+)극에서는 염소(Cl_2) 기체가 발생한다.
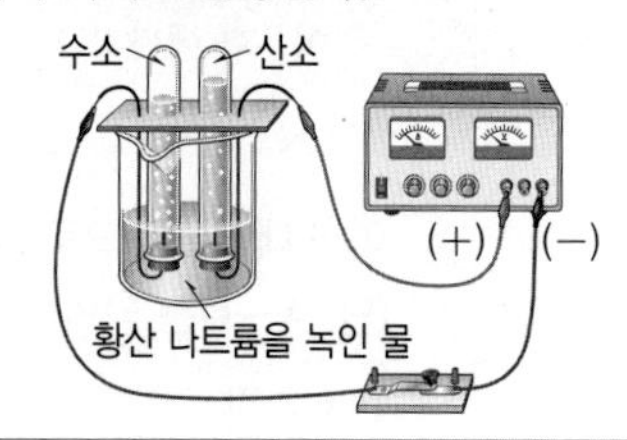	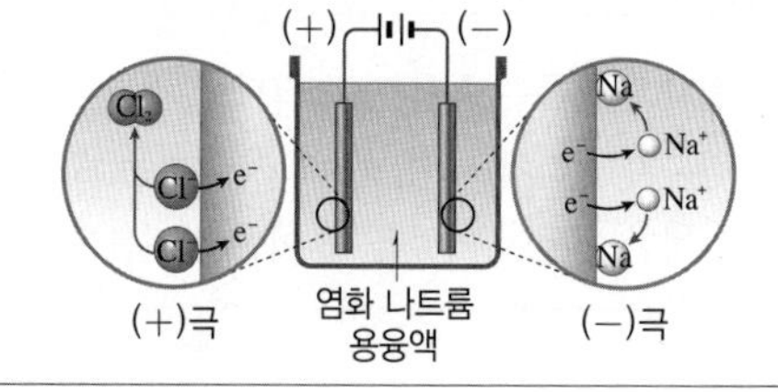
• (❷☐)극: $4H_2O + 4e^- \longrightarrow 2H_2 + 4OH^-$ ➔ H_2O이 전자를 얻어 H_2 기체 발생 • (❸☐)극: $2H_2O \longrightarrow O_2 + 4H^+ + 4e^-$ ➔ H_2O이 전자를 잃어 O_2 기체 발생 └→ 전체 반응: $2H_2O \longrightarrow 2H_2 + O_2$	• (−)극: $2Na^+ + 2e^- \longrightarrow 2Na$ ➔ Na^+이 전자를 얻어 Na 생성 • (+)극: $2Cl^- \longrightarrow Cl_2 + 2e^-$ ➔ Cl^-이 전자를 잃어 Cl_2 기체 발생 └→ 전체 반응: $2NaCl \longrightarrow 2Na + Cl_2$

기출 Tip Ⓐ-1

물의 전기 분해 실험에서 물에 황산 나트륨을 녹인 까닭
순수한 물은 전기가 통하지 않으므로 황산 나트륨과 같은 전해질을 녹여 전류가 흐르도록 하기 위해서이다.

O_2 기체와 H_2 기체의 확인
- O_2 기체: 불씨만 있는 향을 가져다 대면 불씨가 커진다. ─ 불에 잘 탈 수 있게 도와주는 성질(조연성)
- H_2 기체: 성냥불을 가까이 가져가면 '펑'하는 소리가 나면서 탄다. → 불에 잘 탈 수 있는 성질(가연성)

전기 분해

구분	(+)극	(−)극
반응	전자 잃음 ➔ 산화	전자 얻음 ➔ 환원
H_2O	O_2 발생	H_2 발생
NaCl 용융액	Cl_2 발생	Na 생성

Ⓑ 이온 결합

1 옥텟 규칙과 이온의 생성

① 옥텟 규칙: 원자들이 전자를 잃거나 얻어서 비활성 기체와 같이 가장 바깥 전자 껍질에 전자 8개를 채워 안정해지려는 경향

② 이온의 생성 → 원자가 이온이 되면 옥텟 규칙을 만족하는 전자 배치를 이룬다.

양이온	음이온
금속 원소의 원자는 원자가 전자를 잃어 양이온을 생성하여 비활성 기체와 같은 전자 배치를 이룬다.	비금속 원소의 원자는 전자를 얻어 음이온을 생성하여 비활성 기체와 같은 전자 배치를 이룬다.
예 Na 원자가 전자 1개를 잃어 Na^+이 된다.	예 O 원자가 전자 2개를 얻어 O^{2-}이 된다.

기출 Tip Ⓑ-1

비활성 기체의 전자 배치
비활성 기체는 가장 바깥 전자 껍질에 8개의 전자가 채워진 안정한 전자 배치를 이루지만, 예외로 1주기 원소인 He은 첫 번째 전자 껍질에 전자 2개가 채워진 상태로 안정한 전자 배치를 이룬다.

2 이온 결합 양이온과 음이온 사이의 ❹☐☐☐☐ ☐☐에 의한 결합

① 이온 결합의 형성: 금속 원소의 원자에서 비금속 원소의 원자로 전자가 이동하여 양이온과 음이온이 생성된 후, 이들 이온 사이의 정전기적 인력에 의해 결합을 형성한다.

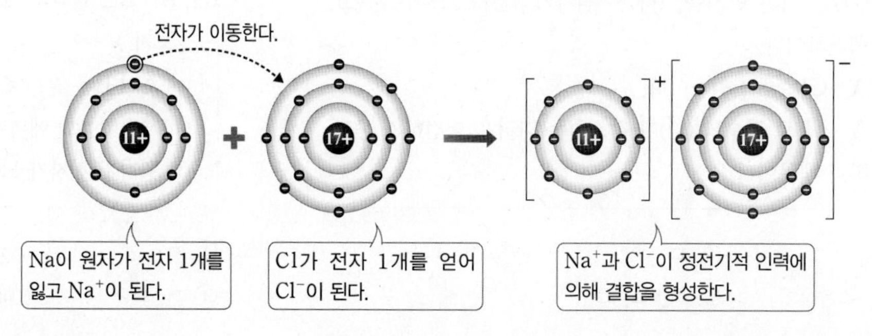

② 이온 결합의 형성과 에너지 변화

• 양이온과 음이온 사이의 거리가 가까울수록 정전기적 인력이 커져 에너지가 낮아지지만, 두 이온 사이의 거리가 너무 가까워지면 반발력이 커져 에너지가 급격하게 높아진다.

• 인력과 반발력이 균형을 이루어 에너지가 가장 ❺☐은 거리(r_0)에서 이온 결합을 형성한다.

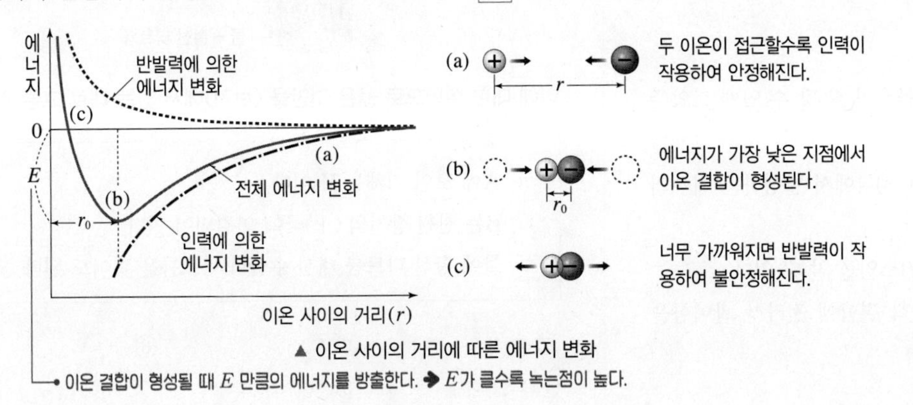

▲ 이온 사이의 거리에 따른 에너지 변화

→ 이온 결합이 형성될 때 E 만큼의 에너지를 방출한다. ➔ E가 클수록 녹는점이 높다.

3 이온 결합 물질 이온 결합으로 형성된 물질로, 전기적으로 중성이다.

① 이온 결합 물질의 화학식: 양이온과 음이온의 개수비를 가장 간단한 정수비로 나타낸다.

② 양이온의 총 전하량의 합과 음이온의 총 전하량의 합이 ❻☐이 되는 개수비로 결합한다.

예 $Na^+ + Cl^- \longrightarrow NaCl$, $Mg^{2+} + 2Cl^- \longrightarrow MgCl_2$

4 이온 결합 물질의 성질

결정의 쪼개짐과 부서러짐	이온 결정은 단단하지만 외부에서 힘을 가하면 쉽게 쪼개지거나 부스러진다. ➔ 힘을 받은 이온 층이 밀리면서 두 층의 경계면에서 같은 전하를 띤 이온들이 만나게 되어 반발력이 작용하기 때문
전기 전도성	• 고체 상태: 전기 전도성이 ❼☐다. ➔ 이온들이 강하게 결합하고 있어 이동할 수 없기 때문 • 액체 상태와 수용액 상태: 전기 전도성이 ❽☐다. ➔ 양이온과 음이온이 자유롭게 이동할 수 있기 때문 (그래프: 전기 전도도 – 온도(℃); 고체 상태, 액체 상태, 녹는점, 0, t)
녹는점과 끓는점	• 이온 결합 물질은 녹는점이 높아 상온에서 대부분 고체 상태로 존재한다. • 정전기적 인력이 클수록 이온 결합력이 커서 녹는점이 높다. ➔ 이온의 전하량이 같은 경우 이온 사이의 거리가 ❾☐☐수록 녹는점이 높다. ➔ 이온 사이의 거리가 비슷한 경우 이온의 전하량이 ❿☐수록 녹는점이 높다.

기출 Tip Ⓑ-3

이온 결합 물질의 구조
고체 상태의 이온 결합 물질은 수많은 양이온과 음이온이 3차원적으로 서로를 둘러싸며 결정을 이룬다.

이온 결합 물질의 화학식
이온 결합 물질은 전기적으로 중성이어야 하므로 양이온의 전하값을 음이온의 수로, 음이온의 전하값을 양이온의 수로 둔다.

이온 결합 물질의 이름
이온 결합 물질의 이름을 읽을 때는 음이온을 먼저 읽고, 양이온을 나중에 읽는다.

이온 결합 물질의 녹는점

화학식	이온 사이의 거리 (pm)	녹는점 (℃)
NaCl	283	802
NaF	235	996
CaO	240	2613

• 이온의 전하량이 같은 경우: 이온 사이의 거리가 짧을수록 녹는점이 높다.
➔ 녹는점: NaCl < NaF

• 이온 사이의 거리가 비슷한 경우: 이온의 전하량이 클수록 녹는점이 높다.
➔ 녹는점: NaF < CaO

답 ❶ 전자 ❷ − ❸ + ❹ 정전기적 인력 ❺ 낮 ❻ 0 ❼ 없 ❽ 있 ❾ 짧을 ❿ 클

빈출 자료 보기

정답과 해설 38쪽

304 그림은 화합물 (가)가 생성되는 과정을 모형으로 나타낸 것이다.

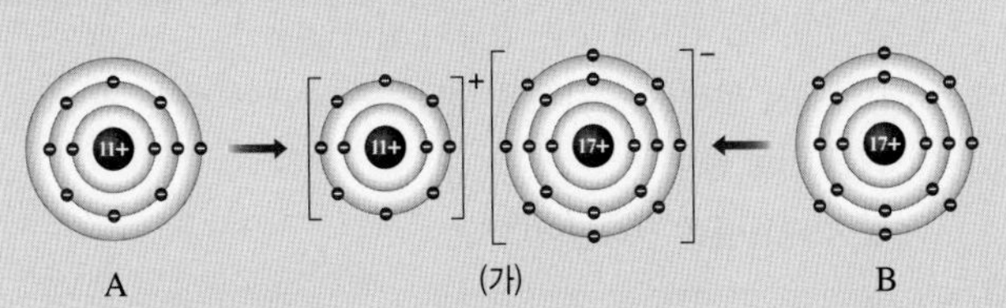

이에 대한 설명으로 옳은 것은 ○, 옳지 않은 것은 ×로 표시하시오. (단, A와 B는 임의의 원소 기호이다.)

(1) A는 금속 원소이다. ( )
(2) B는 비금속 원소이다. ( )
(3) (가)의 화학식은 AB이다. ( )
(4) (가)는 이온 결합 물질이다. ( )
(5) (가)에서 A와 B는 옥텟 규칙을 만족한다. ( )
(6) (가)는 고체 상태에서 전기 전도성이 있다. ( )
(7) (가)가 생성될 때 전자는 B에서 A로 이동한다. ( )
(8) (가) 용융액을 전기 분해하면 (+)극에서 기체가 발생한다. ( )

A 화학 결합의 전기적 성질

305 하중상

多 보기

물의 전기 분해에 대한 설명으로 옳은 것은?

① 순수한 물은 전류가 잘 흐른다.
② (+)극에서 H_2 기체가 발생한다.
③ (−)극에서 발생한 기체는 다른 물질이 잘 탈 수 있게 도와주는 성질이 있다.
④ 같은 온도와 압력에서 (+)극과 (−)극에서 발생하는 기체의 부피비는 2 : 1이다.
⑤ 물의 전기 분해 실험 결과 물은 원소임을 알 수 있다.
⑥ 물의 전기 분해 실험을 통해 화학 결합에 전자가 관여함을 알 수 있다.

[306~307] 다음은 물의 전기 분해 실험의 일부를 나타낸 것이다.

[실험 과정]
(가) 종이컵에 물 100 mL를 넣고 황산 나트륨을 소량 녹인다.
(나) (가)의 용액에 BTB 용액을 넣은 후 잘 저어 준다.
[실험 결과]

전극	㉠	
생성된 기체의 부피비	2	1
용액의 색 변화		㉡
생성된 물질	㉢, OH^-	㉣, H^+

306 하중상

이에 대한 설명으로 옳은 것만을 〈보기〉에서 있는 대로 고른 것은?

〈 보기 〉
ㄱ. ㉠은 (+)극이다.
ㄴ. ㉡은 노란색이다.
ㄷ. ㉢은 H_2, ㉣은 O_2이다.

① ㄱ ② ㄷ ③ ㄱ, ㄴ
④ ㄱ, ㄷ ⑤ ㄴ, ㄷ

307 하중상

••서술형

실험 과정 (가)에서 물에 소량의 황산 나트륨을 넣어 주는 까닭을 서술하시오.

308 하중상

그림은 물의 전기 분해 장치를 나타낸 것이다.

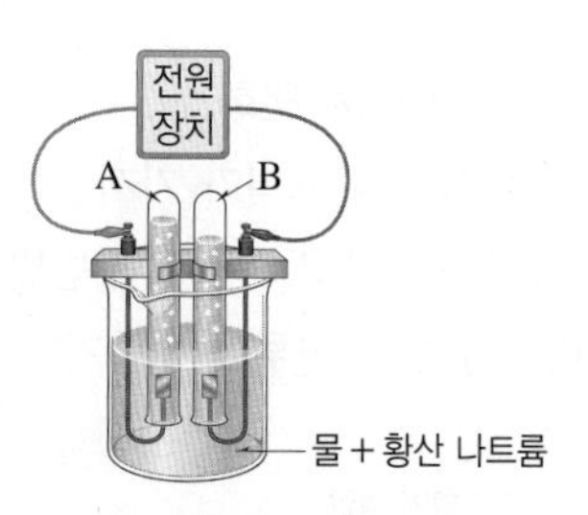

이에 대한 설명으로 옳은 것만을 〈보기〉에서 있는 대로 고른 것은?

〈 보기 〉
ㄱ. A에 모인 기체는 H_2이다.
ㄴ. B는 전원 장치의 (+)극에 연결되어 있다.
ㄷ. 물에 황산 나트륨 대신 수산화 나트륨을 넣어도 된다.

① ㄱ ② ㄷ ③ ㄱ, ㄴ
④ ㄴ, ㄷ ⑤ ㄱ, ㄴ, ㄷ

309 하중상

그림은 물의 전기 분해 실험 장치를 나타낸 것이다. 실험 결과 B극에서 발생하는 기체의 양(mol)이 A극에서 발생하는 기체의 양(mol)보다 2배 많았다.

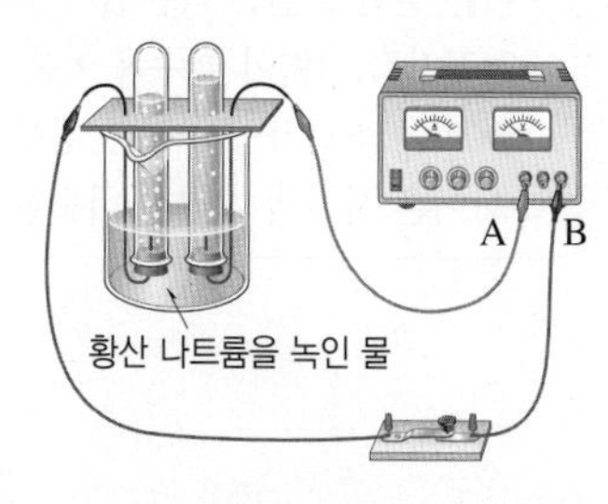

이에 대한 설명으로 옳은 것만을 〈보기〉에서 있는 대로 고른 것은?

〈 보기 〉
ㄱ. A극에서는 전자를 얻는 반응이 일어난다.
ㄴ. B극에서 발생하는 기체에 성냥불을 가까이 하면 '펑' 소리를 내며 탄다.
ㄷ. 황산 나트륨은 전해질이다.

① ㄱ ② ㄷ ③ ㄱ, ㄴ
④ ㄴ, ㄷ ⑤ ㄱ, ㄴ, ㄷ

310 (하)(중)(상) ••서술형

다음은 염화 나트륨 용융액의 전기 분해 장치를 나타낸 것이다.

(1) 이 반응의 전체 화학 반응식을 쓰시오.(단, 물질의 상태는 표시하지 않는다.)

(2) (+)극과 (−)극에서 생성되는 물질의 종류를 그 까닭과 함께 서술하시오.

311 (하)(중)(상)

표는 화합물 **AB**를 구성하는 이온의 전자 배치를 나타낸 것이고, 그림은 **AB** 용융액을 전기 분해하는 장치를 나타낸 것이다.

이온	전자 배치
A^+	$1s^22s^22p^6$
B^-	$1s^22s^22p^63s^23p^6$

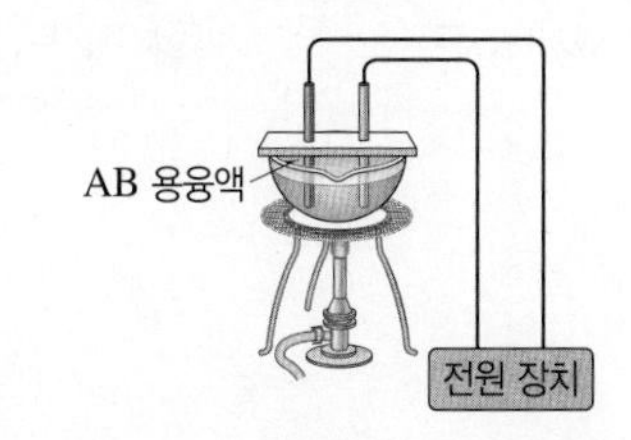

이에 대한 설명으로 옳지 않은 것은?(단, **A**와 **B**는 임의의 원소 기호이다.)

① A는 금속 원소이다.
② A와 B는 같은 주기 원소이다.
③ AB 용융액에 전원을 연결하면 전류가 흐른다.
④ AB 용융액을 전기 분해하면 (+)극에서 B_2 기체가 발생한다.
⑤ AB 용융액을 전기 분해할 때 생성되는 물질의 몰비는 (+)극 : (−)극=2 : 1이다.

빈출
312 (하)(중)(상)

그림은 염화 나트륨 용융액과 물의 전기 분해 장치이다.

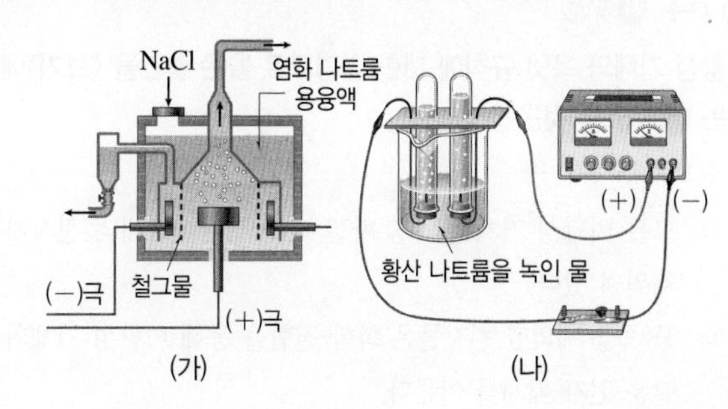

이에 대한 설명으로 옳은 것만을 〈보기〉에서 있는 대로 고른 것은?

〈 보기 〉
ㄱ. (가)의 (+)극에서 Cl_2 기체가 발생한다.
ㄴ. (나)의 (+)극에서 가연성 기체가 발생한다.
ㄷ. (가)와 (나) 실험을 통해 화학 결합에 전자가 관여함을 알 수 있다.

① ㄱ ② ㄷ ③ ㄱ, ㄷ
④ ㄴ, ㄷ ⑤ ㄱ, ㄴ, ㄷ

313 (하)(중)(상)

물 x mol과 염화 나트륨 용융액 x mol을 각각 전기 분해하였다. 이에 대한 설명으로 옳은 것만을 〈보기〉에서 있는 대로 고른 것은?

〈 보기 〉
ㄱ. (+)극에서는 산화 반응이 일어난다.
ㄴ. (+)극에서 발생하는 기체의 양(mol)은 염화 나트륨 용융액이 물보다 크다.
ㄷ. (−)극에서는 모두 기체가 발생한다.

① ㄱ ② ㄷ ③ ㄱ, ㄴ
④ ㄱ, ㄷ ⑤ ㄴ, ㄷ

B 이온 결합

314 하중상

비활성 기체와 옥텟 규칙에 대한 설명으로 옳은 것만을 〈보기〉에서 있는 대로 고른 것은?

〈 보기 〉
ㄱ. 모든 비활성 기체는 가장 바깥 전자 껍질에 8개의 전자가 채워져 있다.
ㄴ. 18족을 제외한 원자들은 화학 결합을 통해 비활성 기체와 같은 전자 배치를 이룬다.
ㄷ. 비금속 원자는 전자를 얻어 비활성 기체의 전자 배치를 갖는다.
ㄹ. 금속 원자는 원자가 전자를 잃고 비활성 기체와 같은 전자 배치를 갖는 양이온이 된다.

① ㄱ, ㄴ ② ㄴ, ㄷ ③ ㄷ, ㄹ
④ ㄱ, ㄴ, ㄷ ⑤ ㄴ, ㄷ, ㄹ

315 하중상

그림은 이온 결합이 형성될 때 이온 사이의 거리에 따른 에너지 변화를 나타낸 것이다.

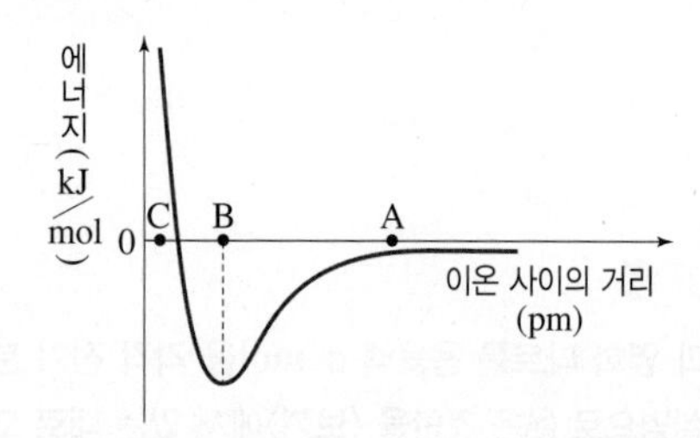

이에 대한 설명으로 옳은 것만을 〈보기〉에서 있는 대로 고른 것은?

〈 보기 〉
ㄱ. A 지점에서 B 지점으로 갈수록 불안정해진다.
ㄴ. B 지점에서 이온 결합이 형성된다.
ㄷ. 이온 사이의 반발력은 C 지점이 B 지점보다 크다.

① ㄱ ② ㄷ ③ ㄱ, ㄴ
④ ㄴ, ㄷ ⑤ ㄱ, ㄴ, ㄷ

316 하중상

다음은 어떤 이온 결합 물질의 화학식을 나타낸 것이다. 이 물질에 대한 설명으로 옳은 것만을 〈보기〉에서 있는 대로 고른 것은? (단, X와 Y는 임의의 원소 기호이다.)

〈 보기 〉
ㄱ. 전기적으로 중성이다.
ㄴ. X^{2+}과 Y^{-}이 2 : 1의 개수비로 결합한다.
ㄷ. 양이온과 음이온의 정전기적 인력에 의해서 결합이 형성된다.

① ㄱ ② ㄴ ③ ㄱ, ㄷ
④ ㄴ, ㄷ ⑤ ㄱ, ㄴ, ㄷ

317 하중상

다음은 어떤 반응의 화학 반응식이다.

$$2Na + F_2 \longrightarrow 2(\ ㉠\ )$$

㉠에 대한 설명으로 옳은 것만을 〈보기〉에서 있는 대로 고른 것은?

〈 보기 〉
ㄱ. 공유 결합 물질이다.
ㄴ. 수용액 상태에서 전기 전도성이 있다.
ㄷ. ㉠을 구성하는 양이온과 음이온은 모두 Ne의 전자 배치를 갖는다.

① ㄱ ② ㄷ ③ ㄱ, ㄴ
④ ㄴ, ㄷ ⑤ ㄱ, ㄴ, ㄷ

318 하중상

다음은 여러 가지 물질을 나타낸 것이다.

Cl_2, HCl, CO_2, H_2O, $CaCO_3$, OF_2

이온 결합 물질은 모두 몇 가지인가?

① 0 ② 1 ③ 2
④ 3 ⑤ 4

319 하중상

다음은 원자 A와 B의 전자 배치를 나타낸 것이다.

A: $1s^2 2s^2 2p^4$	B: $1s^2 2s^2 2p^6 3s^2 3p^1$

A와 B가 반응하여 생성되는 화합물의 화학식과 결합의 종류를 옳게 짝 지은 것은?(단, A와 B는 임의의 원소 기호이다.)

	화학식	결합의 종류
①	A_2B_3	이온 결합
②	A_2B_3	공유 결합
③	B_2A_3	이온 결합
④	B_2A_3	공유 결합
⑤	AB_3	이온 결합

320 하중상

이온 결합 물질의 화학식과 이름을 옳게 짝 지은 것은?

① KCl - 염소화 칼륨
② KNO_3 - 질산화 칼륨
③ Na_2O - 산소화 나트륨
④ $MgSO_4$ - 황화 마그네슘
⑤ NaF - 플루오린화 나트륨

빈출

321 하중상

녹는점이 가장 높을 것으로 예상되는 물질은?

① KCl ② NaCl ③ Na_2O
④ MgO ⑤ CaO

빈출

322 하중상

그림은 NaCl이 생성될 때의 전자 배치를 모형으로 나타낸 것이다.

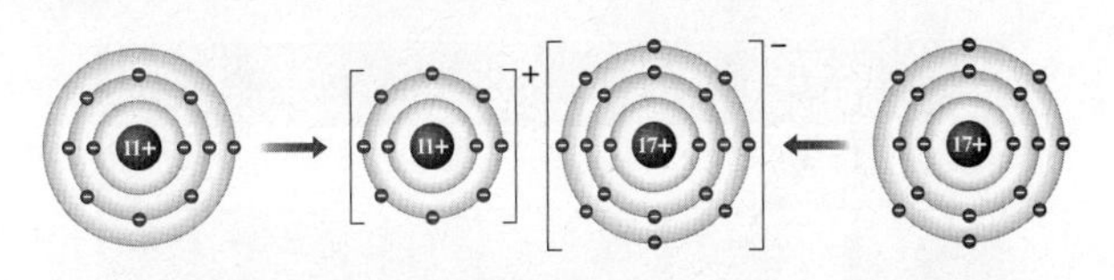

이에 대한 설명으로 옳은 것만을 〈보기〉에서 있는 대로 고른 것은?

〈 보기 〉
ㄱ. 결합을 형성할 때 Na 원자에서 Cl 원자로 전자가 이동한다.
ㄴ. 반지름은 Na > Na^+이다.
ㄷ. NaCl 결정은 Na^+ 1개와 Cl^- 1개로 이루어져 있다.

① ㄱ ② ㄷ ③ ㄱ, ㄴ
④ ㄴ, ㄷ ⑤ ㄱ, ㄴ, ㄷ

323 하중상

그림은 물질 AB와 CD의 결합 모형을 나타낸 것이다.

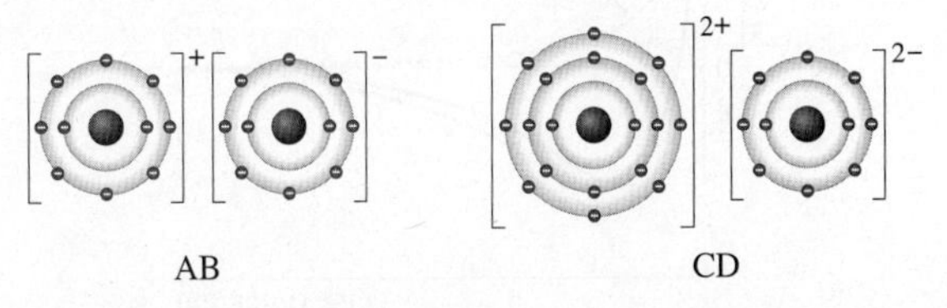

이에 대한 설명으로 옳은 것만을 〈보기〉에서 있는 대로 고른 것은? (단, A~D는 임의의 원소 기호이다.)

〈 보기 〉
ㄱ. A_2D는 이온 결합 물질이다.
ㄴ. 원자 번호는 B가 D보다 작다.
ㄷ. CB_2는 액체 상태에서 전기 전도성이 있다.

① ㄱ ② ㄷ ③ ㄱ, ㄴ
④ ㄱ, ㄷ ⑤ ㄴ, ㄷ

324 하중상

그림은 주기율표의 일부를 나타낸 것이다.

주기 \ 족	1	2	13	14	15	16	17	18
1	A							
2						B	C	
3	D	E						

이에 대한 설명으로 옳은 것만을 〈보기〉에서 있는 대로 고른 것은? (단, A～E는 임의의 원소 기호이다.)

〈 보기 〉

ㄱ. A와 C는 이온 결합을 형성한다.

ㄴ. 상온에서 DC는 단단하지만 충격에 의해 부스러지기 쉽다.

ㄷ. EB는 고체 상태와 액체 상태에서 모두 전기 전도성이 있다.

① ㄱ ② ㄴ ③ ㄱ, ㄷ ④ ㄴ, ㄷ ⑤ ㄱ, ㄴ, ㄷ

325 하중상

多 보기

그림은 Na^+과 Cl^- 사이의 거리에 따른 에너지 변화를 나타낸 것이다.

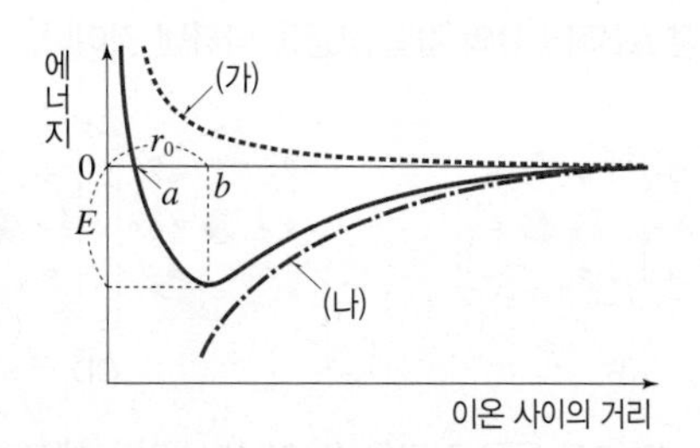

이에 대한 설명으로 옳지 않은 것만을 모두 고르면?(2개)

① (가)는 반발력에 의한 에너지 변화 곡선이다.

② a 지점에서 인력과 반발력이 균형을 이룬다.

③ b 지점에서 NaCl이 생성된다.

④ NaCl이 생성될 때 E의 에너지를 방출한다.

⑤ Na^+의 반지름은 $\frac{r_0}{2}$이다.

⑥ NaBr의 결합 길이는 r_0보다 크다.

326 하중상

그림은 이온 결합 물질 NaX와 NaY가 생성될 때 이온 사이의 거리에 따른 에너지 변화를 나타낸 것이다.

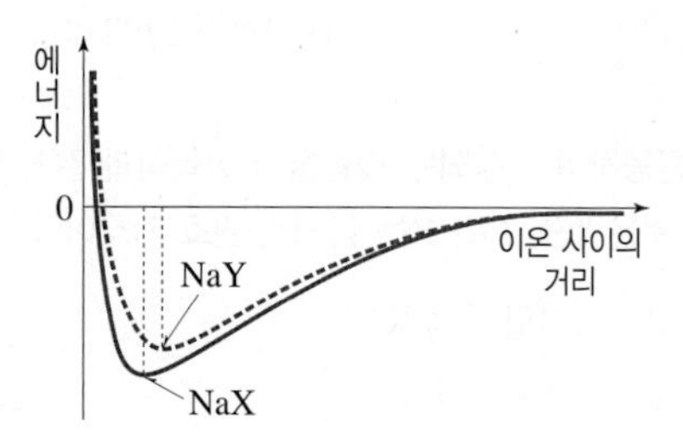

이에 대한 설명으로 옳은 것만을 〈보기〉에서 있는 대로 고른 것은? (단, X와 Y는 2, 3주기 임의의 할로젠이다.)

〈 보기 〉

ㄱ. 원자 번호는 X가 Y보다 크다.

ㄴ. 이온 반지름은 Y가 X보다 크다.

ㄷ. 녹는점은 NaX가 NaY보다 높다.

① ㄱ ② ㄷ ③ ㄱ, ㄴ ④ ㄴ, ㄷ ⑤ ㄱ, ㄴ, ㄷ

327 하중상

다음은 이온 결합 물질의 성질을 알아보기 위한 실험이다.

[실험 과정]

(가) NaCl(s)을 가열하면서 전류의 세기를 측정한 후, 측정값을 온도에 따라 나타낸다.

(나) MgO(s)으로 과정 (가)를 수행한다.

[실험 결과]

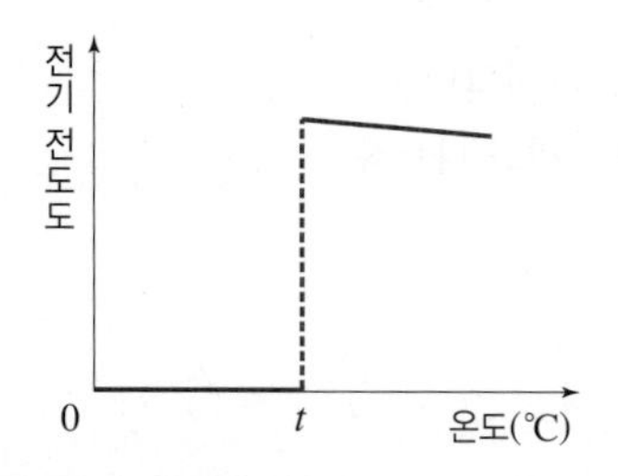

• (가)에서 t는 801 ℃이다.

이에 대한 설명으로 옳은 것만을 〈보기〉에서 있는 대로 고른 것은?

〈 보기 〉

ㄱ. t ℃는 녹는점이다.

ㄴ. t ℃보다 낮은 온도에서 NaCl에 힘을 가하면 쉽게 쪼개지거나 부스러진다.

ㄷ. 과정 (나)에서 t는 801 ℃보다 낮다.

① ㄱ ② ㄷ ③ ㄱ, ㄴ ④ ㄴ, ㄷ ⑤ ㄱ, ㄴ, ㄷ

328 (하중상)

표는 몇 가지 이온 결합 물질의 성질을 나타낸 것이다.

이온 결합 물질	KI	NaF	CaO	MgO
이온 사이의 거리(pm)	358	235	240	㉡
녹는점(℃)	㉠	996	2613	2825

이에 대한 설명으로 옳은 것만을 〈보기〉에서 있는 대로 고른 것은?

〈 보기 〉
ㄱ. ㉠은 996보다 높다.
ㄴ. ㉡은 240보다 작다.
ㄷ. NaF과 CaO의 녹는점을 비교하면 이온의 전하량이 녹는점에 미치는 영향을 알 수 있다.

① ㄱ ② ㄷ ③ ㄱ, ㄴ
④ ㄴ, ㄷ ⑤ ㄱ, ㄴ, ㄷ

[329~330] 다음은 이온 결합 물질과 관련하여 학생이 세운 가설과 이를 검증하기 위해 수행한 탐구 활동이다.

[가설]
• Na과 할로젠(X)으로 구성된 이온 결합 물질(NaX)은

(가)

[실험 과정]
4가지 고체 NaF, NaCl, NaBr, NaI의 이온 사이의 거리와 1 atm에서의 녹는점을 조사하고 비교한다.

[실험 결과]

이온 결합 물질	NaF	NaCl	NaBr	NaI
이온 사이의 거리(pm)	235	㉠	298	㉡
녹는점(℃)	996	802	747	661

[결론]
가설은 옳다.

329 (하중상)

이에 대한 설명으로 옳은 것만을 〈보기〉에서 있는 대로 고른 것은?

〈 보기 〉
ㄱ. ㉠<㉡이다.
ㄴ. 이온 사이의 정전기적 인력은 NaCl이 NaBr보다 크다.
ㄷ. 녹는점은 KF이 NaF보다 높다.

① ㄱ ② ㄷ ③ ㄱ, ㄴ
④ ㄴ, ㄷ ⑤ ㄱ, ㄴ, ㄷ

330 (하중상)

••서술형

(가)에 들어갈 알맞은 내용을 서술하시오.

331 (하중상)

표는 이온 A~D의 양성자수와 전자 수를 나타낸 것이다.

이온	A	B	C	D
양성자수	12	11	9	8
전자 수	10	10	10	10

이에 대한 설명으로 옳은 것만을 〈보기〉에서 있는 대로 고른 것은? (단, A~D는 임의의 원소 기호이다.)

〈 보기 〉
ㄱ. 녹는점은 AD가 BC보다 높다.
ㄴ. 이온 사이의 결합력은 BC가 AD보다 크다.
ㄷ. AD와 BC는 모두 고체 상태에서 전기 전도성이 있다.

① ㄱ ② ㄷ ③ ㄱ, ㄴ
④ ㄴ, ㄷ ⑤ ㄱ, ㄴ, ㄷ

332 (하중상)

다음은 Na(s)을 이용한 2가지 실험이다.

(가)	Cl_2(g)가 들어 있는 플라스크 안에 가열한 소량의 Na(s)을 넣었더니 빛을 내며 반응하고 X(s)가 생성되었다.
(나)	물이 들어 있는 삼각 플라스크에 소량의 Na(s)을 넣었더니 기체가 발생하면서 모두 반응하였다. 반응 후 삼각 플라스크 속 수용액을 모두 증발시켜 Y(s)를 얻었다.

이에 대한 설명으로 옳은 것만을 〈보기〉에서 있는 대로 고른 것은?

〈 보기 〉
ㄱ. X와 Y는 모두 이온 결합 물질이다.
ㄴ. X를 구성하는 입자들은 옥텟 규칙을 만족한다.
ㄷ. Y를 구성하는 원소 수는 2이다.

① ㄱ ② ㄷ ③ ㄱ, ㄴ
④ ㄴ, ㄷ ⑤ ㄱ, ㄴ, ㄷ

공유 결합과 금속 결합

A 공유 결합

1 공유 결합 비금속 원소의 원자들이 전자쌍을 ❶☐☐하여 형성되는 결합

① 공유 결합의 형성: 비금속 원소의 원자들이 각각 전자쌍을 내놓아 전자쌍을 만들고, 이 전자쌍을 공유하여 결합이 형성된다.

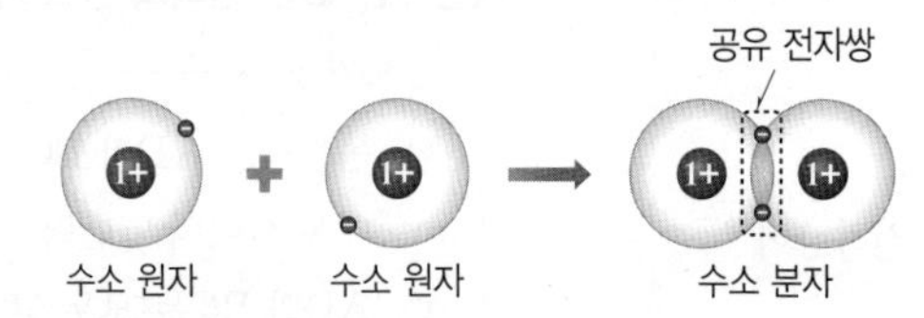

H 원자 2개가 각각 전자 1개씩을 내놓아 전자쌍 1개를 만들고, 이 전자쌍을 공유하여 결합한다.
➜ 각 H 원자는 He과 같은 전자 배치를 이룬다.

② 공유 결합의 종류

단일 결합	2중 결합 (다중 결합)	3중 결합 (다중 결합)
두 원자 사이에 전자쌍 ❷☐개를 공유하여 형성되는 결합	두 원자 사이에 전자쌍 ❸☐개를 공유하여 형성되는 결합	두 원자 사이에 전자쌍 ❹☐개를 공유하여 형성되는 결합

③ 공유 결합의 형성과 에너지 변화

- 두 원자 사이의 거리가 가까워질수록 인력이 작용하여 에너지가 낮아지지만, 두 원자 사이의 거리가 너무 가까워지면 반발력이 커져 에너지가 급격하게 높아진다.
- 인력과 반발력이 균형을 이루어 에너지가 가장 ❺☐은 지점에서 공유 결합이 형성된다.

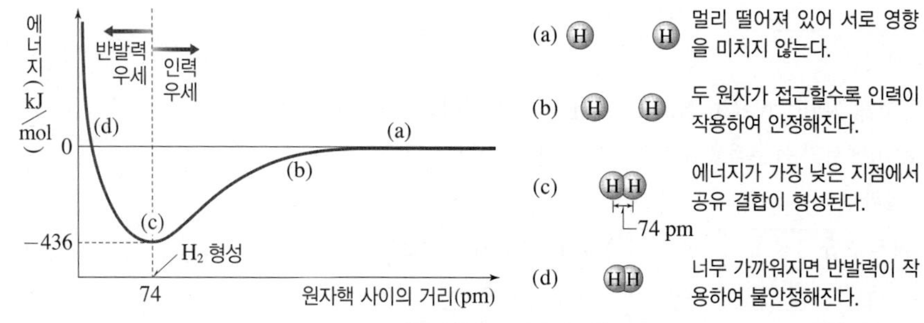

▲ 공유 결합의 형성과 에너지 변화

- 결합 길이: 두 원자가 공유 결합을 이룰 때 두 원자핵 사이의 거리 → 결합 길이의 반이 공유 결합 반지름이다.
- 결합 에너지: 기체 상태의 분자 1몰에서 원자 사이의 공유 결합을 끊어 기체 상태의 원자로 만드는 데 필요한 에너지 → 결합이 강할수록 결합 에너지가 크다.

2 공유 결합 물질 공유 결합으로 형성된 물질로, 고체 상태의 공유 결합 물질은 분자 결정이나 공유 결정(원자 결정)을 이룬다.

❻☐☐ 결정	❼☐☐ 결정(원자 결정)
분자들이 분자 사이에 작용하는 힘에 의해 규칙적으로 배열하여 결정을 이룬 것 → 구성 입자가 분자이다.	원자들이 연속적으로 공유 결합을 형성하여 그물처럼 연결된 결정을 이룬 것 → 구성 입자가 원자이다.
예 얼음(H_2O), 드라이아이스(CO_2), 아이오딘(I_2), 나프탈렌($C_{10}H_8$) 등 (드라이아이스, 아이오딘, 나프탈렌 → 승화성 물질)	예 다이아몬드(C), 흑연(C), 석영(SiO_2) 등

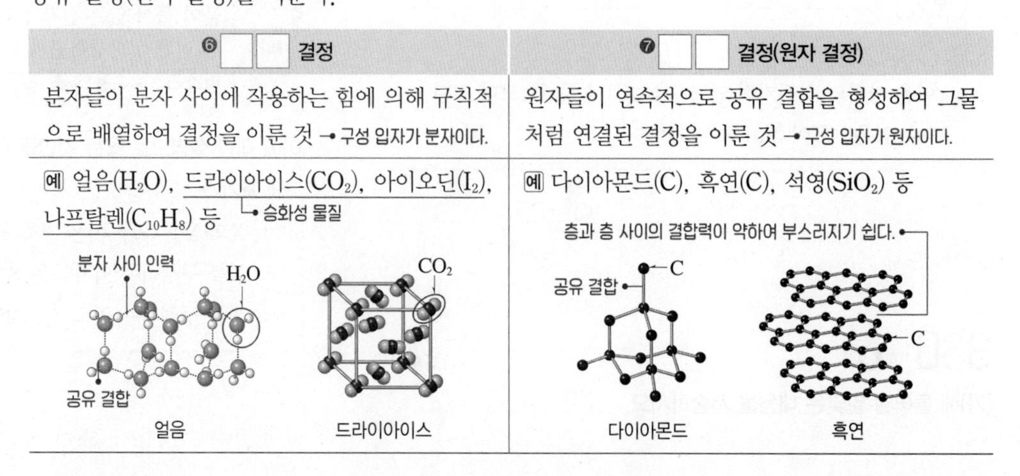

기출 Tip A-1

공유 전자쌍과 비공유 전자쌍
- 공유 전자쌍: 두 원자 사이에 공유되어 공유 결합을 형성하는 전자쌍
- 비공유 전자쌍: 결합에 참여하지 않고 한 원자에만 속해 있는 전자쌍

탄소(C)의 결합
C 원자는 원자가 전자 수가 4이므로 다른 원자와 전자 4개를 공유하여 옥텟 규칙을 만족한다.
- CH_4: C 원자는 4개의 H 원자와 각각 전자쌍 1개씩을 공유하여 결합한다.
- CO_2: C 원자가 O 원자와 각각 전자쌍 2개씩을 공유하여 결합한다.
- HCN: C 원자가 H 원자와는 전자쌍 1개를, N 원자와는 전자쌍 3개를 공유하여 결합한다.

수소 분자(H_2)의 결합 에너지
H_2가 형성되는 지점의 에너지는 −436 kJ이다. 이는 2 mol의 H 원자가 공유 결합하여 H_2 1 mol을 형성할 때 436 kJ의 에너지를 방출함을 의미한다. 반대로 1 mol의 H_2에서 H 원자 사이의 공유 결합을 끊으려면 436 kJ의 에너지가 필요하다. 따라서 H_2의 결합 에너지는 436 kJ/mol이다.

3 공유 결합 물질의 성질

물에 대한 용해성	대부분 물에 잘 녹지 않는다. → 예외적으로 HCl, NH_3는 물에 녹아 이온을 생성한다.
전기 전도성	고체 상태와 액체 상태에서 전기 전도성이 없다.(단, 흑연은 예외)
결정의 부스러짐	• 분자 결정: 분자 사이의 인력이 약해 쉽게 부스러진다. • 공유 결정: 원자들이 강하게 결합되어 있어 단단하다.
녹는점과 끓는점	• 분자 결정: 분자 사이의 인력이 약해 녹는점과 끓는점이 낮다. → 상온에서 대부분 액체나 기체 상태로 존재한다. • 공유 결정: 원자들이 강하게 결합되어 있어 녹는점이 매우 높다. → 상온에서 고체 상태로 존재한다.

B 금속 결합

1 금속 결합 금속 원자의 양이온과 자유 전자 사이의 ❽ (　　　　　)에 의한 결합

➜ 자유 전자: 금속 원자가 양이온이 되면서 내놓은 원자가 전자로, 한 원자에 속해 있지 않고 수많은 금속 양이온 사이를 자유롭게 이동하면서 금속 양이온들이 서로 결합할 수 있게 한다.

2 금속 결합 물질 금속 결합으로 형성된 물질로, 고체 상태의 금속 결합 물질을 금속 결정이라고 한다.

• 금속 원자는 전자를 내놓아 양이온이 된다.
• 금속 원자가 내놓은 전자는 양이온 사이의 공간에서 자유롭게 움직인다.

금속 양이온 / 자유 전자

▲ 금속 결정

3 금속 결합 물질의 성질 금속의 여러 가지 성질은 대부분 ❾ (　　　　)에 의해 나타난다.

광택	대부분 은백색의 광택을 나타낸다.(단, 금은 노란색, 구리는 붉은색)
전기 전도성	고체 상태와 액체 상태에서 전기 전도성이 ❿ (　)다. ➜ 금속 양 끝에 전압을 걸어 주면 자유 전자들이 (+)극 쪽으로 이동하기 때문
열전도성	열전도성이 크다. ➜ 금속을 가열하면 자유 전자들이 열에너지를 빠르게 전달하기 때문
연성과 전성	연성(뽑힘성)과 전성(펴짐성)이 크다. ➜ 금속에 힘을 가하면 금속 양이온의 위치가 변하여 결정이 변형되지만 자유 전자들이 이동하여 결합을 유지하기 때문 → 결정이 부스러지지 않는다.
녹는점과 끓는점	녹는점과 끓는점이 높아 실온에서 대부분 ⓫ (　　) 상태로 존재한다.(단, 수은은 액체) ➜ 금속 양이온과 자유 전자가 정전기적 인력에 의해 강하게 결합하고 있기 때문

기출 Tip A-3

흑연(C)의 전기 전도성
흑연(C)은 공유 결합 물질이지만 예외로 고체 상태에서 전기 전도성이 있다. 이는 흑연(C)에서 탄소 원자의 원자가 전자 4개 중 3개는 다른 탄소 원자와의 공유 결합에 참여하고, 나머지 전자 1개가 자유롭게 이동하기 때문이다.

기출 Tip B-3

금속의 전기 전도성

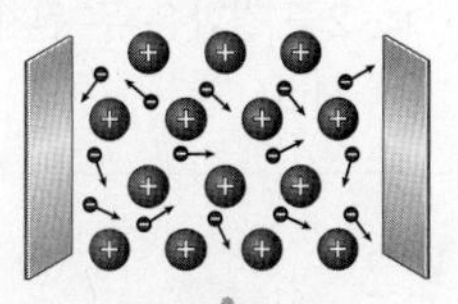

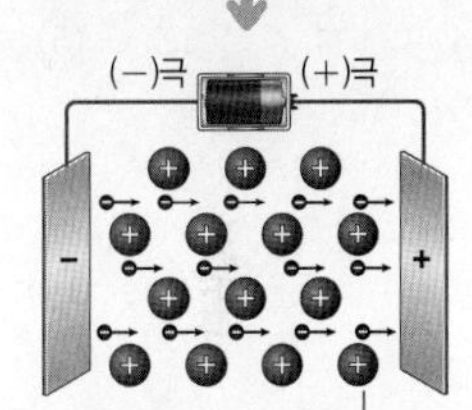

금속 양이온은 이동하지 않는다.

금속의 녹는점
금속의 녹는점은 금속 결합의 세기가 강할수록 높아진다. 따라서 금속 결합의 세기는 금속 양이온의 전하가 클수록, 금속 양이온의 반지름이 작을수록 강하다.
예 Na^+은 +1의 전하이고, Mg^{2+}은 +2의 전하이므로 녹는점은 Mg이 Na보다 높다.

답 ❶ 공유 ❷ 1 ❸ 2 ❹ 3 ❺ 낮 ❻ 분자 ❼ 공유 ❽ 정전기적 인력 ❾ 자유 전자 ❿ 있 ⓫ 고체

빈출 자료 보기

정답과 해설 41쪽

333 그림은 2가지 분자의 화학 결합 모형이다.

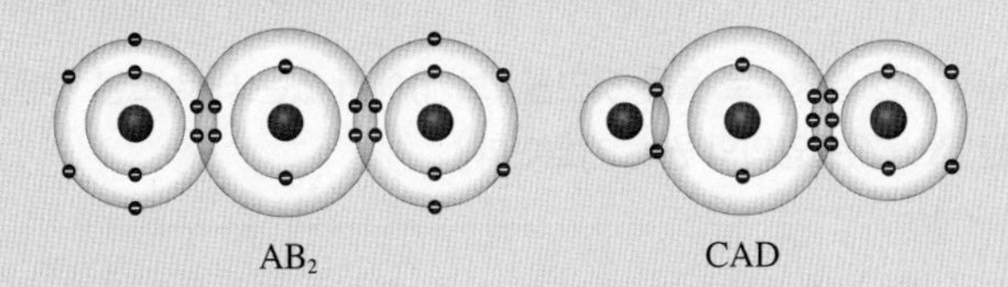

이에 대한 설명으로 옳은 것은 ○, 옳지 않은 것은 ×로 표시하시오. (단, A~D는 임의의 원소이다.)

(1) AB_2에는 2중 결합이 있다. (　　)
(2) 공유 전자쌍 수는 B_2가 D_2보다 크다. (　　)
(3) 비공유 전자쌍 수는 AB_2와 CAD가 같다. (　　)

334 그림은 고체 상태의 물질 X의 화학 결합 모형이다.

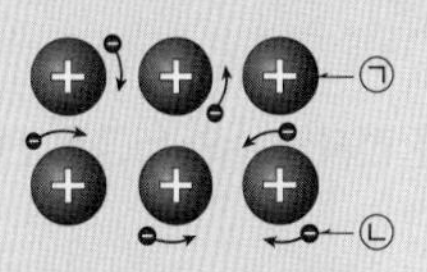

이에 대한 설명으로 옳은 것은 ○, 옳지 않은 것은 ×로 표시하시오. (단, X는 임의의 원소 기호이다.)

(1) ㉠은 금속 양이온, ㉡은 자유 전자이다. (　　)
(2) X에 전원을 연결하면 ㉠은 (−)극 쪽으로 이동한다. (　　)
(3) X에 전원을 연결하면 ㉡은 (+)극 쪽으로 이동한다. (　　)
(4) X는 외부에서 힘을 가하면 부스러지는 성질이 있다. (　　)

A 공유 결합

335 하중상

공유 결합에 대한 설명으로 옳은 것만을 〈보기〉에서 있는 대로 고른 것은?

〈 보기 〉

ㄱ. 비금속 원소 사이에 형성되는 결합이다.
ㄴ. 결합을 형성할 때 한 원자에서 다른 원자로 전자가 이동한다.
ㄷ. 2중 결합은 두 원자 사이에 전자쌍 2개를 공유하는 결합이다.

① ㄱ ② ㄴ ③ ㄱ, ㄷ
④ ㄴ, ㄷ ⑤ ㄱ, ㄴ, ㄷ

336 하중상

공유 결합 물질에 대한 설명으로 옳은 것은?

① 대부분 물에 잘 녹는다.
② 모두 독립적인 분자로 존재한다.
③ 액체 상태에서 전기 전도성이 있다.
④ 공유 결정의 녹는점은 공유 결정이 분자 결정보다 높다.
⑤ 분자 결정에서 분자 사이의 인력은 공유 결정에서 원자 사이의 결합력보다 강하다.

337 하중상

공유 결합 물질의 공유 전자쌍 수와 비공유 전자쌍 수를 옳게 짝 지은 것은?

	화합물	공유 전자쌍 수	비공유 전자쌍 수
①	H_2	1	2
②	N_2	3	0
③	O_2	2	4
④	H_2O	2	4
⑤	HCN	4	3

빈출

338 하중상

그림은 H_2O 분자의 화학 결합 모형을 나타낸 것이다.

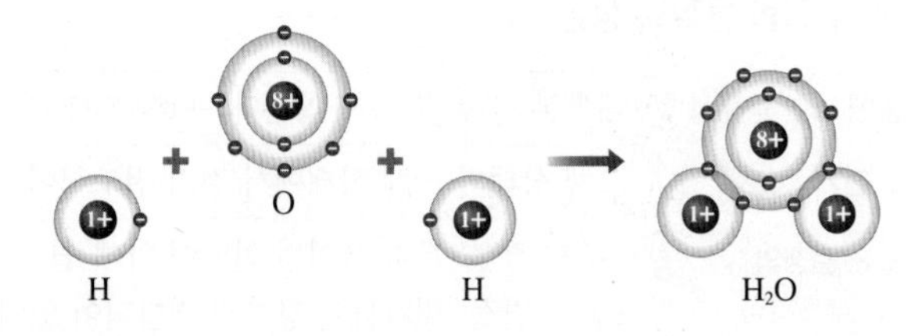

이에 대한 설명으로 옳지 않은 것은?

① H 원자와 O 원자는 공유 결합을 형성한다.
② H_2O 분자 1개는 H 원자 2개, O 원자 1개로 이루어진다.
③ H_2O 분자에서 O 원자는 Ne과 같은 전자 배치를 이룬다.
④ H_2O 분자에서 H 원자는 He과 같은 전자 배치를 이룬다.
⑤ H_2O 분자에서 H 원자와 O 원자는 2중 결합을 형성한다.

빈출

339 하중상

그림은 분자 XY_2와 ZX_2의 화학 결합 모형을 나타낸 것이다.

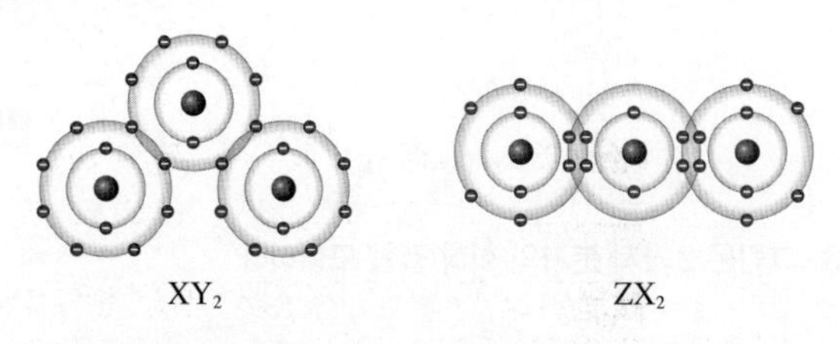

이에 대한 설명으로 옳은 것만을 〈보기〉에서 있는 대로 고른 것은? (단, X~Z는 임의의 원소 기호이다.)

〈 보기 〉

ㄱ. X~Z는 같은 주기 원소이다.
ㄴ. XY_2와 ZX_2는 모두 공유 결합 물질이다.
ㄷ. 공유 전자쌍 수는 ZX_2가 XY_2의 2배이다.

① ㄱ ② ㄴ ③ ㄱ, ㄷ
④ ㄴ, ㄷ ⑤ ㄱ, ㄴ, ㄷ

340 하중상

그림은 물질 ABC와 CD가 반응하여 AD와 X가 생성되는 반응을 화학 결합 모형으로 나타낸 것이다.

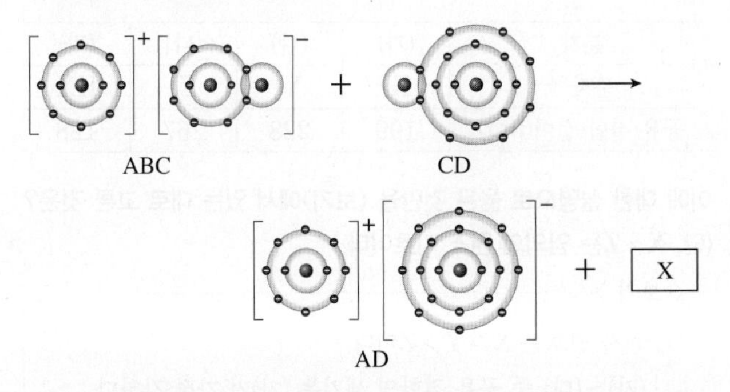

X에 대한 설명으로 옳은 것만을 〈보기〉에서 있는 대로 고른 것은? (단, A~D는 임의의 원소 기호이다.)

〈 보기 〉

ㄱ. 공유 결합 물질이다.
ㄴ. 중심 원자는 옥텟 규칙을 만족한다.
ㄷ. $\frac{\text{공유 전자쌍 수}}{\text{비공유 전자쌍 수}} = \frac{1}{2}$이다.

① ㄱ ② ㄷ ③ ㄱ, ㄴ
④ ㄴ, ㄷ ⑤ ㄱ, ㄴ, ㄷ

341 하중상

표는 분자 (가)와 (나)의 구성 원자 수를 나타낸 것이다. 분자에서 모든 원자는 옥텟 규칙을 만족한다.

분자	구성 원자 수		
	C	N	F
(가)	1	1	1
(나)	2	0	2

이에 대한 설명으로 옳은 것만을 〈보기〉에서 있는 대로 고른 것은?

〈 보기 〉

ㄱ. (가)의 중심 원자는 N이다.
ㄴ. (가)와 (나)에는 모두 3중 결합이 있다.
ㄷ. 공유 전자쌍 수는 (나)가 (가)보다 크다.

① ㄱ ② ㄷ ③ ㄱ, ㄴ
④ ㄴ, ㄷ ⑤ ㄱ, ㄴ, ㄷ

342 하중상

다음은 2주기 원자 A~D의 원자가 전자 수를 나타낸 것이다.

원자	A	B	C	D
원자가 전자 수	4	5	6	7

이에 대한 설명으로 옳은 것만을 〈보기〉에서 있는 대로 고른 것은? (단, A~D는 임의의 원소 기호이다.)

〈 보기 〉

ㄱ. AC_2에서 모든 원자는 옥텟 규칙을 만족한다.
ㄴ. 공유 전자쌍 수는 B_2가 D_2보다 크다.
ㄷ. A_2D_4의 공유 전자쌍 수는 비공유 전자쌍 수의 $\frac{1}{3}$배이다.

① ㄱ ② ㄷ ③ ㄱ, ㄴ
④ ㄴ, ㄷ ⑤ ㄱ, ㄴ, ㄷ

343 하중상

그림은 H_2가 생성될 때 원자핵 사이의 거리에 따른 에너지 변화를 나타낸 것이다.

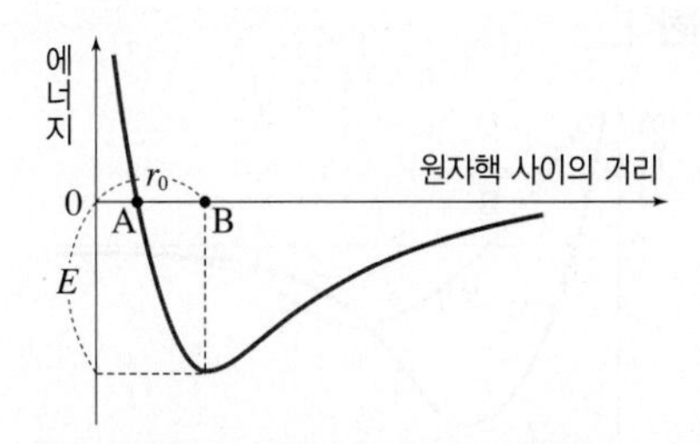

이에 대한 설명으로 옳은 것만을 〈보기〉에서 있는 대로 고른 것은?

〈 보기 〉

ㄱ. A 지점에서 공유 결합이 형성된다.
ㄴ. 원자핵 사이의 거리가 r_0일 때 에너지가 가장 높다.
ㄷ. 원자핵 사이의 거리가 r_0보다 짧을 때 반발력이 인력보다 크게 작용한다.

① ㄱ ② ㄷ ③ ㄱ, ㄴ
④ ㄴ, ㄷ ⑤ ㄱ, ㄴ, ㄷ

빈출
344 (하)(중)(상)

그림은 H_2가 생성될 때 원자핵 사이의 거리에 따른 에너지 변화를 나타낸 것이다.

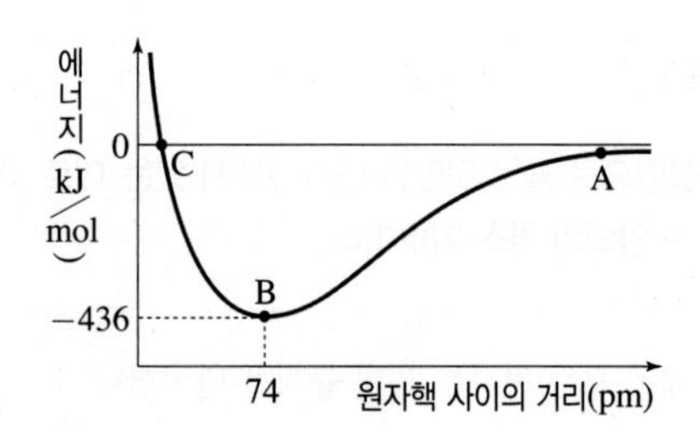

이에 대한 설명으로 옳은 것만을 〈보기〉에서 있는 대로 고른 것은?

〈 보기 〉
ㄱ. H_2의 결합 길이는 74 pm이다.
ㄴ. H_2의 결합 에너지는 436 kJ/mol이다.
ㄷ. A~C 중 반발력이 인력보다 우세한 것은 A 지점이다.

① ㄴ ② ㄱ, ㄴ ③ ㄱ, ㄷ
④ ㄴ, ㄷ ⑤ ㄱ, ㄴ, ㄷ

345 (하)(중)(상)

그림은 분자 A_2와 B_2가 생성될 때 원자핵 사이의 거리에 따른 에너지 변화를 나타낸 것이다. A_2와 B_2는 공유 결합 물질이며, 단일 결합만 존재한다.

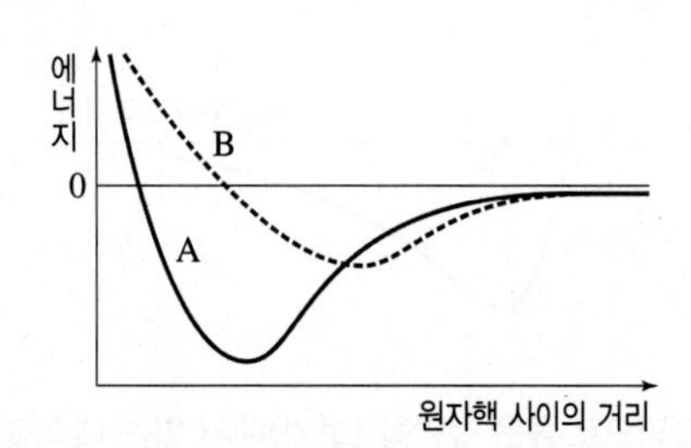

A_2가 B_2보다 큰 값을 갖는 것만을 〈보기〉에서 있는 대로 고른 것은?(단, A와 B는 임의의 원소 기호이다.)

〈 보기 〉
ㄱ. 결합 길이 ㄴ. 결합 에너지
ㄷ. 공유 결합 세기 ㄹ. 구성 원자의 반지름

① ㄱ, ㄴ ② ㄴ, ㄷ ③ ㄷ, ㄹ
④ ㄱ, ㄴ, ㄷ ⑤ ㄴ, ㄷ, ㄹ

빈출
346 (하)(중)(상)

표는 분자 (가)~(라)의 분자식과 공유 결합 길이를 나타낸 것이다. X~Z는 원자가 전자 수가 같다.

분자	(가)	(나)	(다)	(라)
분자식	X_2	Y_2	Z_2	HX
공유 결합 길이(pm)	199	228	267	128

이에 대한 설명으로 옳은 것만을 〈보기〉에서 있는 대로 고른 것은?(단, X~Z는 임의의 원소 기호이다.)

〈 보기 〉
ㄱ. 원자 번호는 X > Y > Z이다.
ㄴ. (가)~(다) 중 공유 결합의 세기는 (가)가 가장 강하다.
ㄷ. HZ의 결합 길이는 128 pm보다 길다.

① ㄱ ② ㄴ ③ ㄱ, ㄷ
④ ㄴ, ㄷ ⑤ ㄱ, ㄴ, ㄷ

347 (하)(중)(상)

그림은 C(탄소)로 이루어진 2가지 물질의 구조를 모형으로 나타낸 것이다.

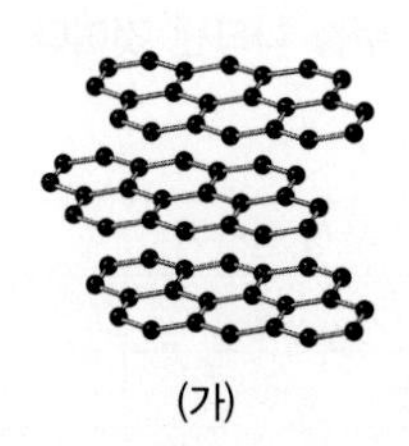
(가)

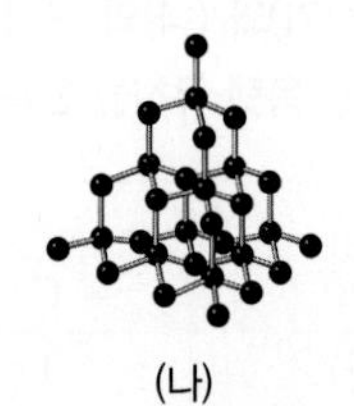
(나)

(가)와 (나)의 공통점으로 옳은 것만을 〈보기〉에서 있는 대로 고른 것은?

〈 보기 〉
ㄱ. 완전 연소 생성물은 CO_2이다.
ㄴ. 고체 상태에서 전기 전도성이 있다.
ㄷ. C 원자 1개와 결합하는 C 원자 수는 4이다.

① ㄱ ② ㄴ ③ ㄱ, ㄷ
④ ㄴ, ㄷ ⑤ ㄱ, ㄴ, ㄷ

348 하중상 多 보기

그림은 3가지 고체 물질의 구조를 모형으로 나타낸 것이다.

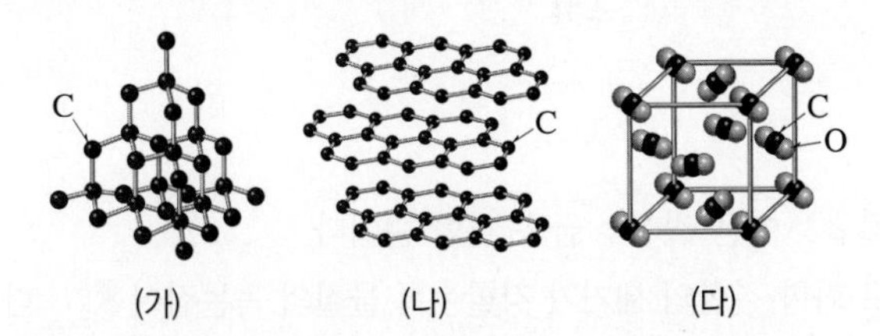

이에 대한 설명으로 옳지 않은 것만을 모두 고르면?(2개)

① (가)~(다)는 모두 공유 결합 물질이다.
② (가)~(다)는 모두 구성 입자가 분자이다.
③ (가)~(다) 중 고체 상태에서 전기 전도성이 있는 물질은 2가지이다.
④ 1 g에 포함된 원자 수는 (가)와 (나)가 같다.
⑤ 녹는점은 (가)가 (다)보다 높다.
⑥ (다)는 승화성 물질이다.

B 금속 결합

349 하중상

그림은 3주기 원소 A를 화학 결합 모형으로 나타낸 것이다.

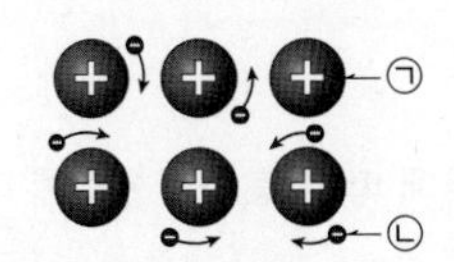

이에 대한 설명으로 옳은 것만을 ⟨보기⟩에서 있는 대로 고른 것은? (단, A는 임의의 원소이다.)

⟨ 보기 ⟩

ㄱ. ㉠은 자유 전자이다.
ㄴ. A에 전압을 걸어 주면 ㉡이 (−)극 쪽으로 이동하면서 전류가 흐른다.
ㄷ. A는 열전도성이 크다.

① ㄱ ② ㄷ ③ ㄱ, ㄴ
④ ㄴ, ㄷ ⑤ ㄱ, ㄴ, ㄷ

350 하중상

그림 (가)는 X(s)에 전압을 걸어 줄 때의 변화를, (나)는 X(s)에 힘을 가할 때의 변화를 모형으로 나타낸 것이다.

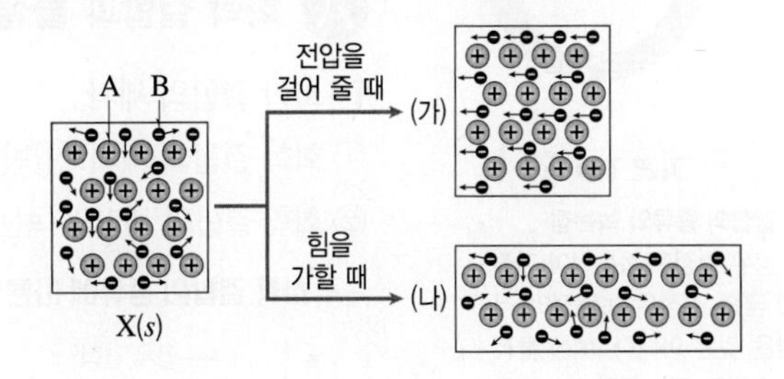

이에 대한 설명으로 옳지 않은 것은?(단, X는 임의의 원소이다.)

① X(s)는 광택을 띤다.
② A는 양이온이고, B는 음이온이다.
③ X(s)의 전기 전도성은 (가)로 설명할 수 있다.
④ 외부에서 X(s)에 힘을 가하면 B가 이동하여 (나)와 같이 펴진다.
⑤ 대부분의 금속의 특성은 자유 전자에 의해 나타난다.

351 하중상

그림은 3주기 원소인 금속 A와 B를 모형으로 나타낸 것이다.

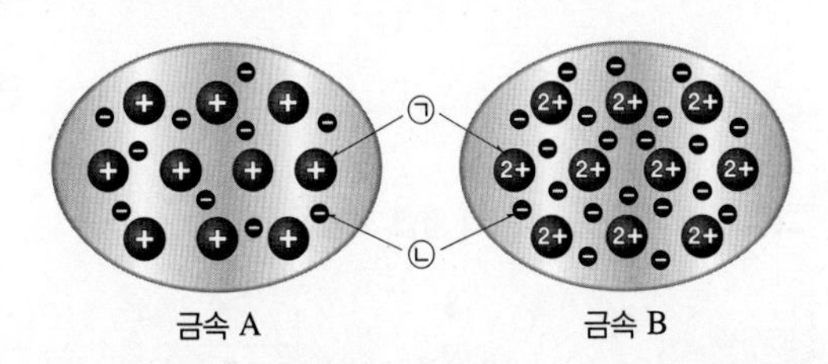

이에 대한 설명으로 옳은 것만을 ⟨보기⟩에서 있는 대로 고른 것은? (단, A와 B는 임의의 원소 기호이다.)

⟨ 보기 ⟩

ㄱ. ㉠과 ㉡ 사이에는 정전기적 인력이 작용한다.
ㄴ. 금속을 가열하면 ㉡에 의해 열이 전달된다.
ㄷ. 녹는점은 금속 A가 금속 B보다 높다.

① ㄱ ② ㄷ ③ ㄱ, ㄴ
④ ㄴ, ㄷ ⑤ ㄱ, ㄴ, ㄷ

화학 결합과 물질의 성질

A 화학 결합과 물질의 성질

1 화학 결합의 세기

① 화학 결합의 세기: 일반적으로 공유 결합 > 이온 결합 > 금속 결합 순이다.

② 화학 결합의 세기와 녹는점: 일반적으로 화학 결합의 세기가 강할수록 물질의 녹는점이 ❶☐다.

기출 Tip A-1

화학 결합의 종류와 녹는점

모든 공유 결정의 녹는점이 가장 높고, 금속 결정의 녹는점이 가장 낮은 것은 아니다. 예를 들면 금속 결정인 텅스텐의 녹는점은 3000 ℃가 넘어서 공유 결정인 규소나 이온 결정인 염화 나트륨보다 높다.

(화학 결합의 종류에 따른 물질의 녹는점)

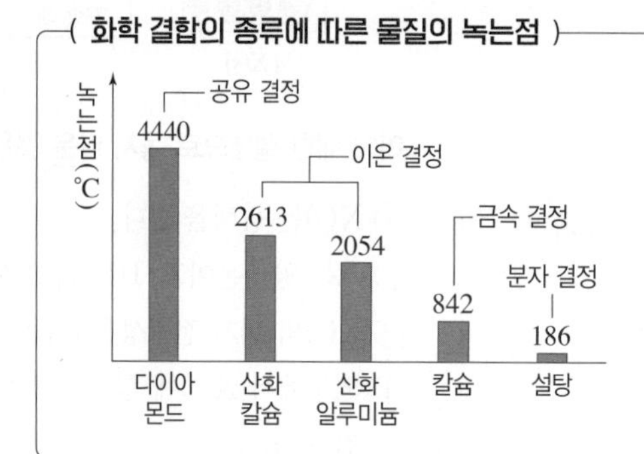

- 상온에서 고체 상태인 물질의 녹는점 비교: 공유 결정 > 이온 결정 > 금속 결정 > 분자 결정
- 화학 결합의 세기가 강할수록 물질의 녹는점이 높으므로 제시된 결정에서 화학 결합의 세기는 공유 결합 > 이온 결합 > 금속 결합 순이다.
  - 분자 결정은 분자 사이의 인력에 의해 녹는점이 결정되므로 화학 결합(원자 사이의 결합)의 세기를 비교할 때에는 비교 대상에서 제외시킨다.

2 화학 결합의 종류에 따른 물질의 성질 비교

화학 결합의 종류에 따라 물질의 전기 전도성, 녹는점, 물에 대한 용해성 등이 다르다.

기출 Tip A-2

물질의 성질에 따른 결정의 분류

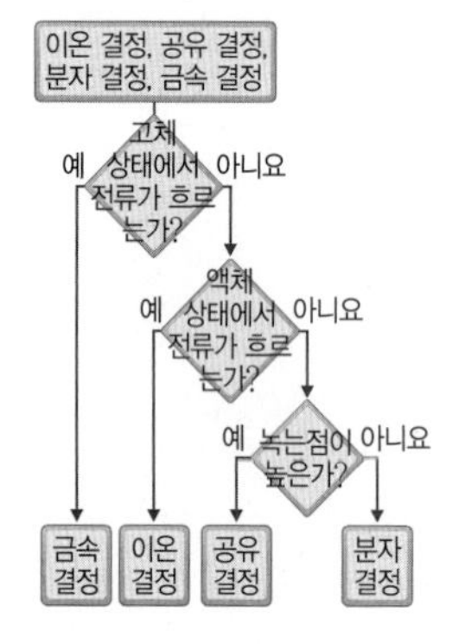

구분		이온 결합	공유 결합		금속 결합
		이온 결정	분자 결정	공유 결정	금속 결정
구성 입자		양이온, 음이온	분자	원자	금속 양이온, 자유 전자
전기 전도성	고체	❷☐☐	❹☐☐	없음	❻☐☐
	액체	❸☐☐	없음	❺☐☐	❼☐☐
녹는점		높음	낮음	매우 높음	높음
물에 대한 용해성		잘 녹음	물질의 종류에 따라 다름	녹지 않음	녹지 않음
예		염화 나트륨, 탄산 칼슘 등	드라이아이스, 아이오딘 등	다이아몬드, 석영 등	철, 구리 등

잘 녹음 → 수용액 상태에서 전류를 흐르게 한다.

답 ❶ 높 ❷ 없음 ❸ 있음 ❹ 없음 ❺ 없음 ❻ 있음 ❼ 있음

빈출 자료 보기

정답과 해설 44쪽

352 그림은 고체 (가)~(다)의 결합 모형을 나타낸 것이다.

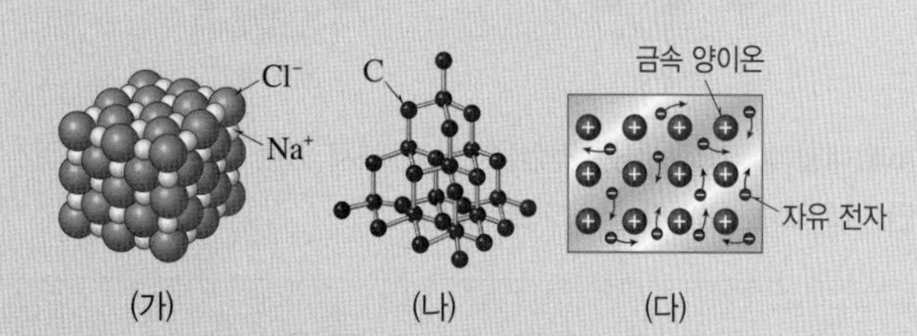

이에 대한 설명으로 옳은 것은 ○, 옳지 않은 것은 ×로 표시하시오.

(1) (가)는 이온 결합 물질이다. ( )

(2) (나)는 분자 결정이다. ( )

(3) (다)는 힘을 가할 때 넓게 펴지는 성질이 있다. ( )

(4) (가)와 (다)는 액체 상태에서 전기 전도성이 있다. ( )

353 표는 결합의 종류에 따른 몇 가지 물질에 대한 자료이다.

물질		KF	H_2	Na	Fe
녹는점(℃)		858	−259	98	1538
끓는점(℃)		1502	−253	889	2570
전기 전도성	고체	없음	없음	있음	있음
	액체	있음	㉠	있음	있음

이에 대한 설명으로 옳은 것은 ○, 옳지 않은 것은 ×로 표시하시오.

(1) KF은 상온에서 고체 상태이다. ( )

(2) ㉠은 없음이다. ( )

(3) 화학 결합의 세기는 Na > Fe이다. ( )

(4) 금속 결합 물질은 2가지이다. ( )

정답과 해설 44쪽

A 화학 결합과 물질의 성질

354 하 중 상

그림은 2가지 결정을 모형으로 나타낸 것이다.

(가)

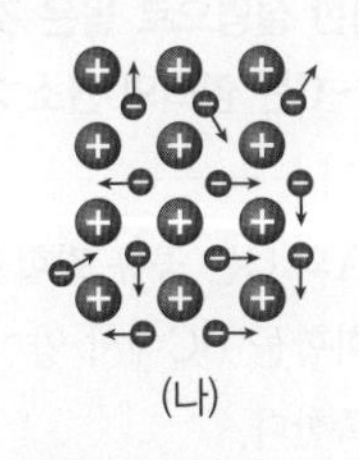
(나)

(가)와 (나)의 공통점으로 옳은 것만을 〈보기〉에서 있는 대로 고른 것은?

〈 보기 〉
ㄱ. 액체 상태에서 전기 전도성이 있다.
ㄴ. 외부에서 힘을 가하면 쉽게 부스러진다.
ㄷ. 양이온과 음이온 사이의 정전기적 인력에 의해 결합한 물질이다.

① ㄱ ② ㄴ ③ ㄱ, ㄷ
④ ㄴ, ㄷ ⑤ ㄱ, ㄴ, ㄷ

355 하 중 상

그림은 4가지 고체 결정의 입자 배열을 모형으로 나타낸 것이다.

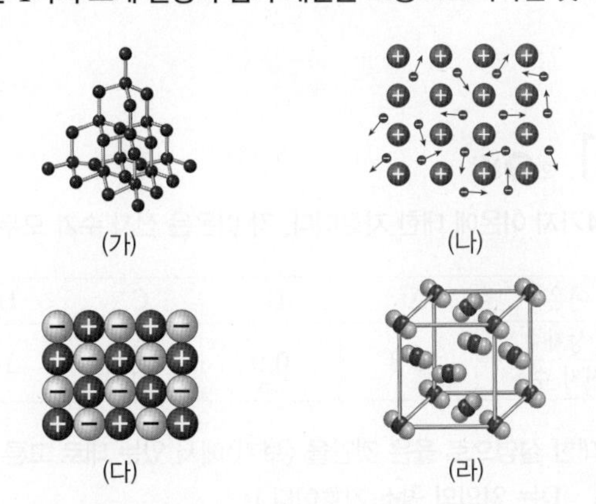

이에 대한 설명으로 옳은 것만을 〈보기〉에서 있는 대로 고른 것은?

〈 보기 〉
ㄱ. (가)는 녹는점이 매우 높다.
ㄴ. (가)와 (라)는 공유 결합 물질이다.
ㄷ. (나)와 (다)는 고체 상태에서 전기 전도성이 있다.

① ㄱ ② ㄷ ③ ㄱ, ㄴ
④ ㄴ, ㄷ ⑤ ㄱ, ㄴ, ㄷ

빈출

356 하 중 상

그림은 2가지 물질에 각각 힘을 가했을 때의 결과를 모형으로 나타낸 것이다.

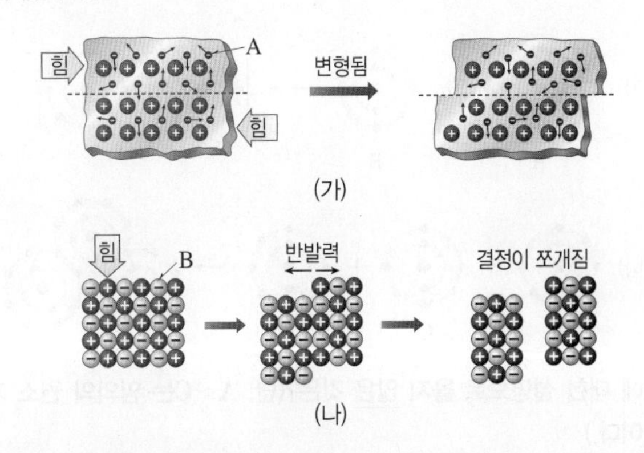

이에 대한 설명으로 옳은 것만을 〈보기〉에서 있는 대로 고른 것은?

〈 보기 〉
ㄱ. (가)는 광택이 있다.
ㄴ. NaCl은 (나)에 해당한다.
ㄷ. (가)와 (나)는 화학 결합의 종류가 같다.

① ㄱ ② ㄷ ③ ㄱ, ㄴ
④ ㄴ, ㄷ ⑤ ㄱ, ㄴ, ㄷ

357 하 중 상

그림은 2가지 고체 물질의 전기 전도도를 온도에 따라 상대적으로 나타낸 것이다.

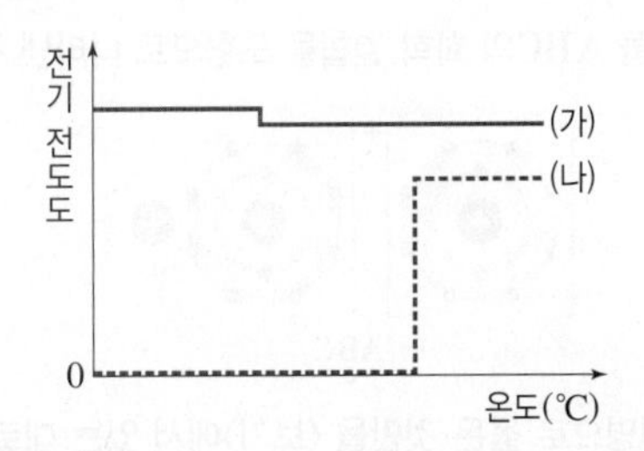

이에 대한 설명으로 옳은 것만을 〈보기〉에서 있는 대로 고른 것은?

〈 보기 〉
ㄱ. (가)와 (나)에는 모두 금속 양이온이 있다.
ㄴ. (가)는 열전도성이 있다.
ㄷ. 전성과 연성은 (나)가 (가)보다 크다.

① ㄱ ② ㄷ ③ ㄱ, ㄴ
④ ㄱ, ㄷ ⑤ ㄴ, ㄷ

358

多 보기

그림 (가)와 (나)는 원자 A～C가 화합물을 형성하는 과정을 모형으로 나타낸 것이다.

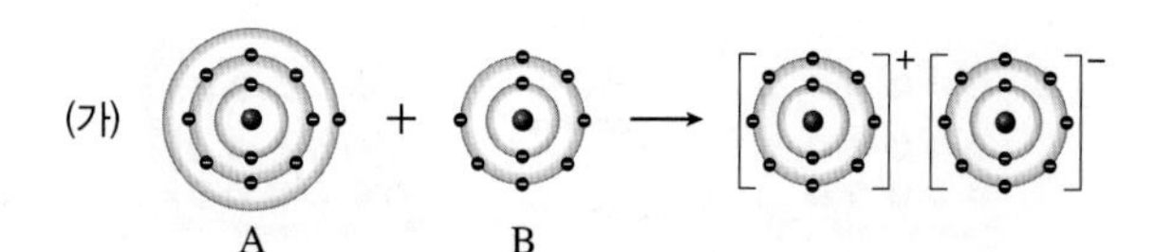

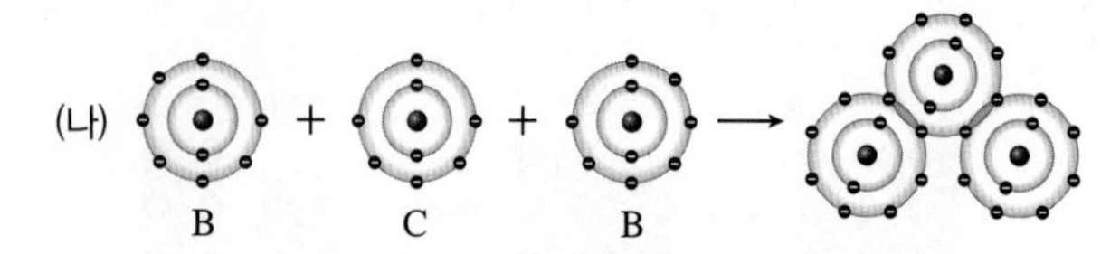

이에 대한 설명으로 옳지 <u>않은</u> 것은?(단, A～C는 임의의 원소 기호이다.)

① (가)의 생성물은 이온 결합 물질이다.
② (나)에서 C의 원자가 전자는 모두 공유 결합에 참여한다.
③ 녹는점은 (가)>(나)이다.
④ (가)와 (나)에서 생성된 화합물을 구성하는 모든 입자는 옥텟 규칙을 만족한다.
⑤ 바닥상태에서 원자의 홀전자 수는 A와 B가 같다.
⑥ A와 C가 결합한 화합물의 화학식은 A_2C이다.

359

그림은 화합물 ABC의 화학 결합을 모형으로 나타낸 것이다.

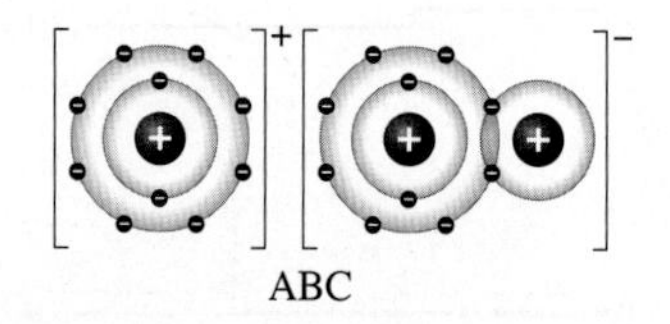

ABC

이에 대한 설명으로 옳은 것만을 〈보기〉에서 있는 대로 고른 것은? (단, A～C는 임의의 원소 기호이다.)

〈 보기 〉
ㄱ. A와 C는 같은 족 원소이다.
ㄴ. B와 C 사이에는 공유 결합이 형성된다.
ㄷ. ABC(l)은 전기 전도성이 있다.

① ㄱ ② ㄷ ③ ㄱ, ㄴ
④ ㄴ, ㄷ ⑤ ㄱ, ㄴ, ㄷ

360 하중상

그림은 원자 A～C의 전자 배치를 모형으로 나타낸 것이다.

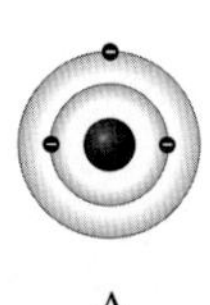
A

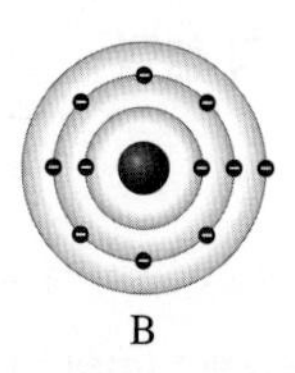
B

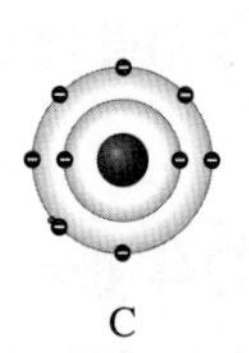
C

이에 대한 설명으로 옳은 것만을 〈보기〉에서 있는 대로 고른 것은? (단, A～C는 임의의 원소 기호이다.)

〈 보기 〉
ㄱ. A와 C는 공유 결합을 통해 안정한 화합물을 생성한다.
ㄴ. 화합물 BC에서 양이온과 음이온은 모두 옥텟 규칙을 만족한다.
ㄷ. C_2에는 2중 결합이 존재한다.

① ㄱ ② ㄴ ③ ㄱ, ㄷ
④ ㄴ, ㄷ ⑤ ㄱ, ㄴ, ㄷ

361 하중상

표는 4가지 이온에 대한 자료이다. 각 이온은 전자 수가 모두 같다.

이온	A^{2-}	B^{-}	C^{+}	D^{2+}
$\frac{양성자수}{전자\ 수}$	0.8	0.9	1.1	1.2

이에 대한 설명으로 옳은 것만을 〈보기〉에서 있는 대로 고른 것은? (단, A～D는 임의의 원소 기호이다.)

〈 보기 〉
ㄱ. A_2의 $\frac{비공유\ 전자쌍\ 수}{공유\ 전자쌍\ 수}=2$이다.
ㄴ. B^{-}과 D^{2+}은 바닥상태의 전자 배치가 같다.
ㄷ. 화합물 AB_2와 C_2A는 화학 결합의 종류가 같다.

① ㄴ ② ㄱ, ㄴ ③ ㄱ, ㄷ
④ ㄴ, ㄷ ⑤ ㄱ, ㄴ, ㄷ

362 하중상

다음은 바닥상태의 2주기 원자 X~Z에 대한 자료이다.

- X는 s 오비탈에 들어 있는 전자 수와 p 오비탈에 들어 있는 전자 수가 같다.
- Y는 홀전자 수와 원자가 전자 수가 같다.
- Z는 $\frac{s \text{ 오비탈에 들어 있는 전자 수}}{p \text{ 오비탈에 들어 있는 전자 수}}=0.8$이다.

이에 대한 설명으로 옳은 것만을 〈보기〉에서 있는 대로 고른 것은? (단, X~Z는 비활성 기체를 제외한 임의의 원소 기호이다.)

〈 보기 〉

ㄱ. X와 Y는 전자쌍을 공유하여 화합물을 생성한다.
ㄴ. X와 Y의 화합물은 Y와 Z의 화합물보다 녹는점이 높다.
ㄷ. X와 Z의 화합물은 액체 상태에서 전기 전도성이 있다.

① ㄱ ② ㄴ ③ ㄱ, ㄷ
④ ㄴ, ㄷ ⑤ ㄱ, ㄴ, ㄷ

363 하중상

그림은 4가지 물질을 분류하는 과정을 나타낸 것이다.

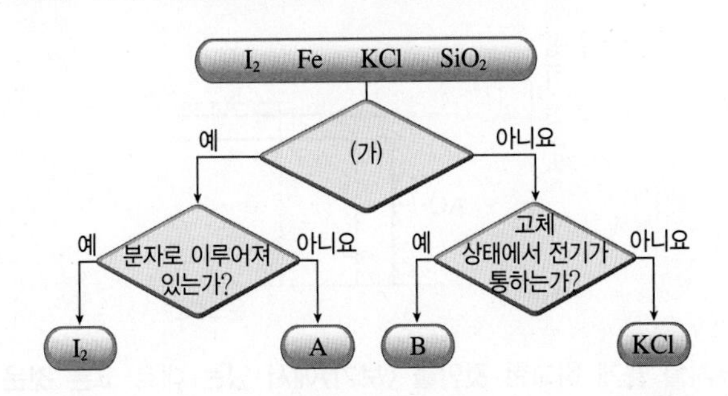

이에 대한 설명으로 옳은 것만을 〈보기〉에서 있는 대로 고른 것은?

〈 보기 〉

ㄱ. (가)에는 '공유 결합 물질인가?'가 적절하다.
ㄴ. A는 원자 간 공유 결합으로 이루어져 있다.
ㄷ. 외부에서 힘을 가하면 B는 KCl보다 쉽게 쪼개진다.

① ㄱ ② ㄷ ③ ㄱ, ㄴ
④ ㄴ, ㄷ ⑤ ㄱ, ㄴ, ㄷ

빈출

364 하중상

多 보기

표는 물질 A~D의 몇 가지 성질을 나타낸 것이다.

물질	녹는점(℃)	끓는점(℃)	전기 전도성	
			고체	액체
A	802	1413	없음	있음
B	−114	78.8	없음	없음
C	97.8	882	있음	있음
D	1670	2250	없음	없음

이에 대한 설명으로 옳지 않은 것만을 모두 고르면?(2개)

① A의 수용액은 전기 전도성이 있다.
② A는 금속 원소와 비금속 원소가 결합한 물질이다.
③ B는 공유 결정이다.
④ B는 상온에서 액체 상태로 존재한다.
⑤ B와 D는 화학 결합의 종류가 같다.
⑥ C에는 자유 전자가 존재한다.
⑦ C에 힘을 가하면 쉽게 부스러진다.
⑧ 화학 결합의 세기는 D가 가장 강하다.

365 하중상

표는 원소 A~D로 구성된 화합물 (가)~(라)에 대한 자료이다. A~D는 각각 O, F, Na, Mg 중 하나이다.

화합물	(가)	(나)	(다)	(라)
화합물의 구성 입자 수	2	3	3	3
원자 수비	$\frac{A}{B}=1$	$\frac{A}{C}=0.5$	$\frac{B}{C}=0.5$	$\frac{A}{D}=0.5$

이에 대한 설명으로 옳은 것만을 〈보기〉에서 있는 대로 고른 것은?

〈 보기 〉

ㄱ. B는 O이다.
ㄴ. 이온 결합 물질은 2가지이다.
ㄷ. C와 D는 1 : 1의 개수비로 결합하여 안정한 화합물을 생성한다.

① ㄷ ② ㄱ, ㄴ ③ ㄱ, ㄷ
④ ㄴ, ㄷ ⑤ ㄱ, ㄴ, ㄷ

366

그림은 물의 모형과 전기 분해 장치를 나타낸 것이다.

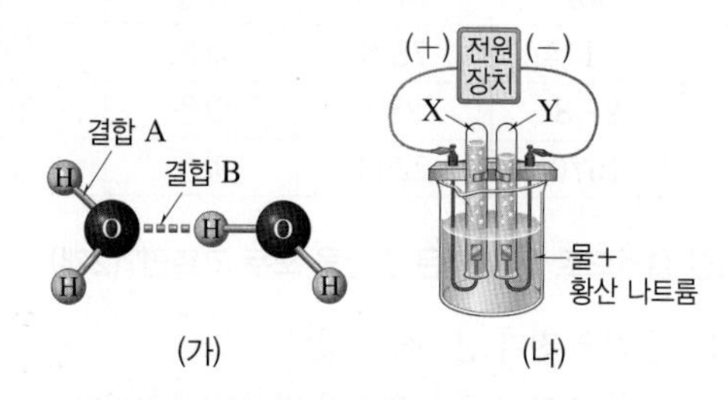

이에 대한 설명으로 옳지 않은 것은?

① 물을 전기 분해하면 (가)의 결합 A가 끊어진다.
② (나)의 (−)극에서는 환원 반응이 일어난다.
③ (나)의 X에서 모은 기체에는 다중 결합이 있다.
④ (나)에서 BTB 용액을 넣으면 (−)극 주위가 파란색으로 변한다.
⑤ 물을 전기 분해할 때 생성되는 기체의 분자 수는 (+)극이 (−)극의 2배이다.

367

그림은 $H_2O(l)$ x mol과 $KCl(l)$ y mol을 각각 모두 전기 분해했을 때 (+)극과 (−)극에서 생성되는 물질의 양(mol)을 나타낸 것이다. $x>y$이다.

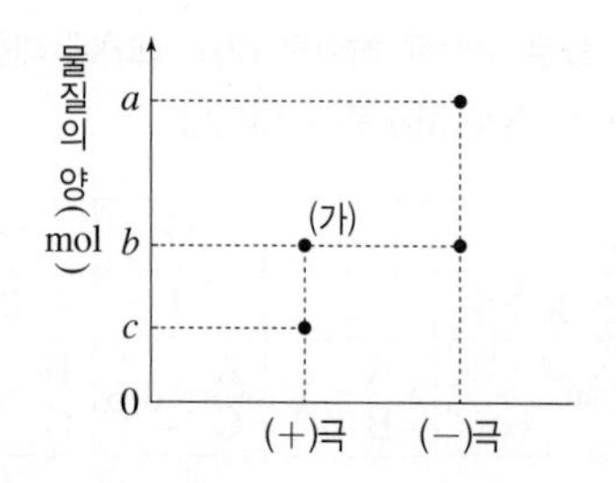

이에 대한 설명으로 옳은 것만을 〈보기〉에서 있는 대로 고른 것은?

〈 보기 〉
ㄱ. $a \times c = b^2$이다.
ㄴ. (가)는 $O_2(g)$이다.
ㄷ. $KCl(l)$ x mol을 모두 전기 분해하면 (−)극에서 b mol의 기체가 생성된다.

① ㄱ ② ㄷ ③ ㄱ, ㄴ
④ ㄴ, ㄷ ⑤ ㄱ, ㄴ, ㄷ

368

표는 Cl(염소) 화합물 (가)~(다)의 구성 원소를 나타낸 것이다. A~C는 3주기 금속 원소이고, 각 화합물의 용융액을 전기 분해할 때 금속 1 mol이 생성되는 동안 발생하는 기체의 양(mol)은 (가) : (나) : (다)$=\frac{1}{2}:\frac{3}{2}:1$이다.

화합물	(가)	(나)	(다)
구성 원소	A, Cl	B, Cl	C, Cl

이에 대한 설명으로 옳은 것만을 〈보기〉에서 있는 대로 고른 것은? (단, A~C는 임의의 원소 기호이다.)

〈 보기 〉
ㄱ. (가)를 구성하는 이온 수는 양이온과 음이온이 같다.
ㄴ. 이온 반지름은 B가 C보다 크다.
ㄷ. 이온화 에너지는 B가 C보다 크다.

① ㄱ ② ㄴ ③ ㄱ, ㄷ
④ ㄴ, ㄷ ⑤ ㄱ, ㄴ, ㄷ

369

그림은 알칼리 금속 A, B와 할로젠 C, D로 이루어진 고체 결정을 가열하면서 온도에 따른 전기 전도도를 측정한 결과이다.

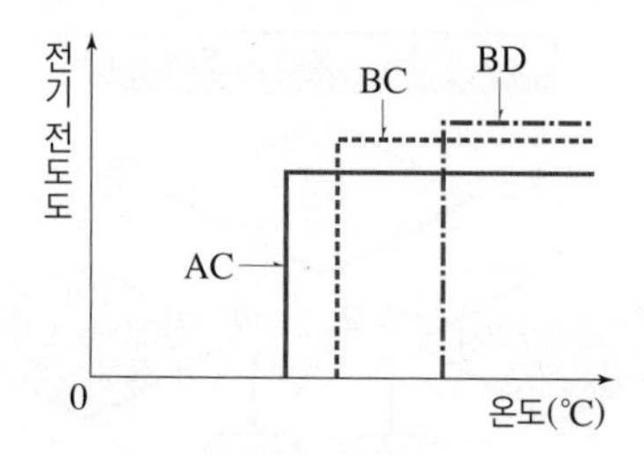

크기를 옳게 비교한 것만을 〈보기〉에서 있는 대로 고른 것은? (단, A~D는 임의의 원소 기호이다.)

〈 보기 〉
ㄱ. 원자 반지름: A>B
ㄴ. 이온 반지름: C<D
ㄷ. 이온 사이의 거리: AC<BD

① ㄱ ② ㄷ ③ ㄱ, ㄴ
④ ㄴ, ㄷ ⑤ ㄱ, ㄴ, ㄷ

370

그림은 H_2가 생성될 때 원자핵 사이의 거리에 따른 에너지 변화를 나타낸 것이다.

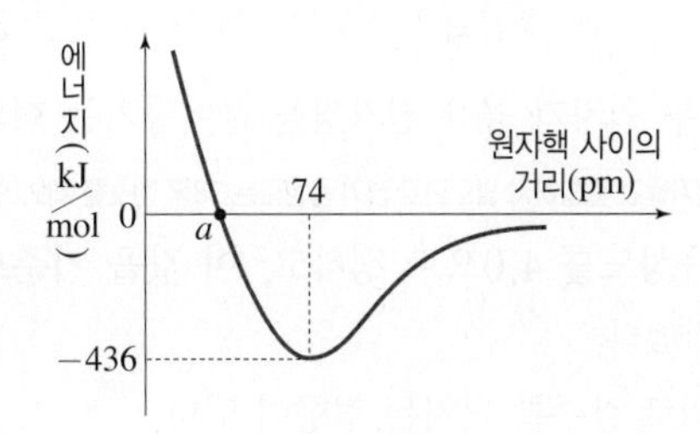

이에 대한 설명으로 옳은 것만을 〈보기〉에서 있는 대로 고른 것은?

〈 보기 〉

ㄱ. 원자핵 사이의 거리가 a pm일 때 인력과 반발력이 균형을 이룬다.

ㄴ. $H_2(g) \longrightarrow 2H(g)$의 반응이 일어날 때 436 kJ/mol의 에너지를 흡수한다.

ㄷ. H의 원자 반지름은 74 pm이다.

① ㄱ ② ㄴ ③ ㄱ, ㄷ
④ ㄴ, ㄷ ⑤ ㄱ, ㄴ, ㄷ

371

그림은 2~3주기 원자 W~Z의 바닥상태 전자 배치에서 전자가 들어 있는 오비탈 수와 $\frac{p\text{ 오비탈에 들어 있는 전자 수}}{s\text{ 오비탈에 들어 있는 전자 수}}$를 나타낸 것이다.

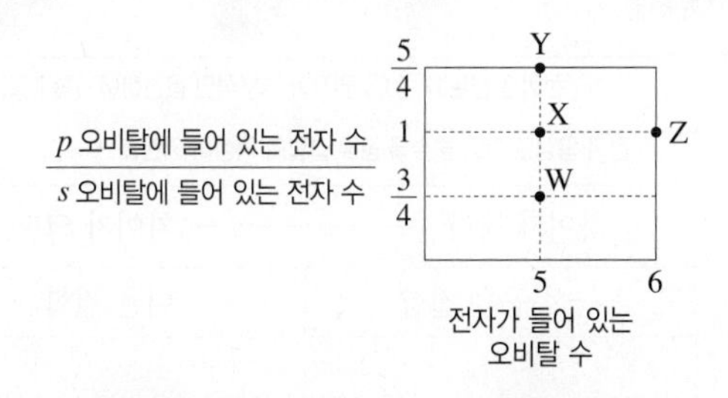

이에 대한 설명으로 옳은 것만을 〈보기〉에서 있는 대로 고른 것은? (단, W~Z는 임의의 원소 기호이다.)

〈 보기 〉

ㄱ. 화합물 W_2Y_2에는 2중 결합이 있다.

ㄴ. X와 Z가 결합한 화합물에는 2개의 공유 전자쌍이 있다.

ㄷ. Y_2의 비공유 전자쌍 수는 공유 전자쌍 수의 2배이다.

① ㄱ ② ㄷ ③ ㄱ, ㄴ
④ ㄴ, ㄷ ⑤ ㄱ, ㄴ, ㄷ

372

그림은 원자 A~E의 바닥상태 전자 배치에서 전자가 들어 있는 오비탈 수와 홀전자 수를, 표는 안정한 화합물 (가)~(다)의 화학식을 나타낸 것이다.

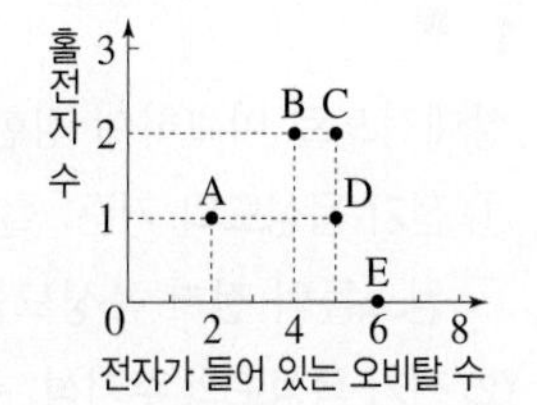

화합물	화학식
(가)	A_xC_y
(나)	B_yC_x
(다)	E_yD_x

이에 대한 설명으로 옳은 것만을 〈보기〉에서 있는 대로 고른 것은? (단, A~E는 임의의 원소 기호이고, (가)~(다)의 구성 원자 수는 3 이하이다.)

〈 보기 〉

ㄱ. (가)~(다) 중 공유 결합 물질은 1가지이다.

ㄴ. 다중 결합이 있는 화합물은 2가지이다.

ㄷ. $x < y$이다.

① ㄱ ② ㄷ ③ ㄱ, ㄴ
④ ㄴ, ㄷ ⑤ ㄱ, ㄴ, ㄷ

373

다음은 Mg 연소 반응의 화학 반응식이다.

$$\underset{㉠}{\underline{2Mg(s)}} + \underset{㉡}{\underline{O_2(g)}} \longrightarrow \underset{㉢}{\underline{2MgO(s)}}$$

㉠~㉢에 대한 설명으로 옳지 않은 것은?

① ㉠은 전기 전도성이 있다.
② ㉡에는 공유 전자쌍이 있다.
③ ㉢은 분자로 존재한다.
④ 외부에서 힘을 가하여 ㉠과 ㉢을 구별할 수 있다.
⑤ ㉠~㉢ 중 녹는점이 가장 낮은 것은 ㉡이다.

결합의 극성과 루이스 전자점식

A 전기 음성도

1 ❶□□ □□□ 공유 결합을 형성한 두 원자가 공유 전자쌍을 끌어당기는 힘의 크기를 상대적으로 비교하여 정한 값 → 18족 원소는 다른 원자들과 결합하지 않으므로 전기 음성도는 18족 원소를 제외하고 다룬다.

① 전기 음성도의 기준: 플루오린(F)의 전기 음성도를 4.0으로 정하고, 이 값을 기준으로 다른 원소들의 전기 음성도를 상대적으로 나타내었다.

② 전기 음성도의 주기성: 주기율표의 오른쪽 위로 갈수록 커지는 경향이 있다.

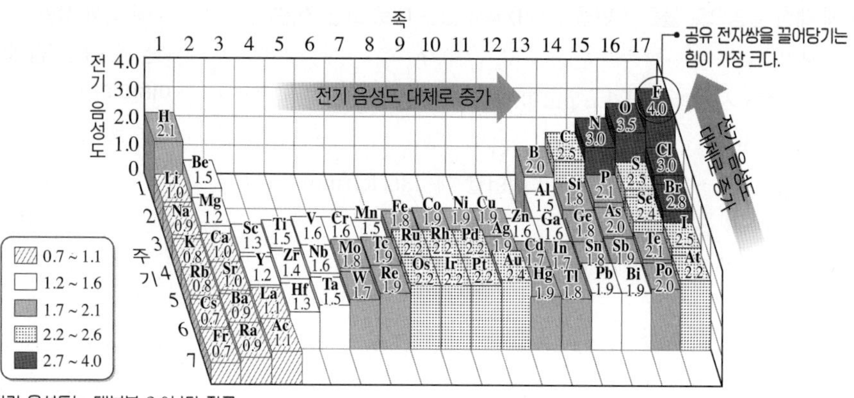

금속 원소의 전기 음성도는 대부분 2.0보다 작고, 비금속 원소의 전기 음성도는 대부분 2.0보다 크다.

▲ 전기 음성도의 주기성

기출 Tip A-1

전기 음성도의 주기성

- 같은 주기: 원자 번호 증가 → 유효 핵전하 증가 → 원자 반지름 감소 → 원자핵과 공유 전자쌍 사이의 인력 증가 → 전기 음성도 증가
- 같은 족: 원자 번호 증가 → 전자 껍질 수 증가 → 원자 반지름 증가 → 원자핵과 공유 전자쌍 사이의 인력 감소 → 전기 음성도 감소

대표적인 원소의 전기 음성도 크기 비교

H (2.1) < C (2.5) < N (3.0) < O (3.5) < F (4.0)

B 결합의 극성과 쌍극자 모멘트

1 결합의 극성

구분	❷□□□ 공유 결합 (전기 음성도가 같다.)	❸□□ 공유 결합 (전기 음성도가 다르다.)
정의	같은 종류의 원자가 공유 결합을 할 때 공유 전자쌍이 어느 한 원자 쪽으로 치우치지 않아 전하가 균일하게 분포하는 결합	다른 종류의 원자가 공유 결합을 할 때 공유 전자쌍이 전기 음성도가 큰 원자 쪽으로 치우쳐 부분적인 전하가 생기는 결합
모형	예 H_2 H + H → H H	예 HCl H + Cl → δ^+ H Cl δ^-

전기 음성도가 큰 Cl 원자가 부분적인 음전하(δ^-)를 띤다.

2 전기 음성도와 결합의 극성

전기 음성도 차가 클수록 공유 결합의 극성이 커진다.

전기 음성도	차이가 ❹□다.	차이가 작다. ——→	차이가 크다.
결합의 종류	무극성 공유 결합	극성 공유 결합	이온 결합
전자의 치우침 모형	X : X — 공유 전자쌍이 치우치지 않는다.	δ^+ X : Y δ^- — 공유 전자쌍이 치우친다.	M^+ Y^- — 전자가 완전히 이동한다.

3 쌍극자와 쌍극자 모멘트 (두 원자가 극성 공유 결합을 할 때 생성된다.)

① 쌍극자: 크기가 같고 부호가 반대인 두 부분 전하($+q$, $-q$)가 일정한 거리(r)만큼 떨어져 부분적인 전하를 나타내는 것

② ❺□□□ □□□(μ): 결합의 극성 정도를 나타내는 물리량으로, 결합하는 두 원자의 전하량(q)과 두 전하 사이의 거리(r)를 곱한 값으로 나타낸다. → 쌍극자 모멘트의 값이 클수록 대체로 결합의 극성이 크다.

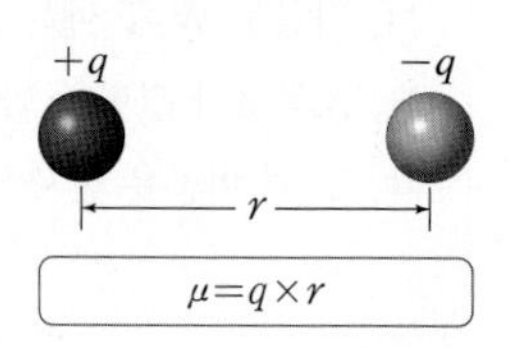

기출 Tip B-2

결합의 이온성과 공유성

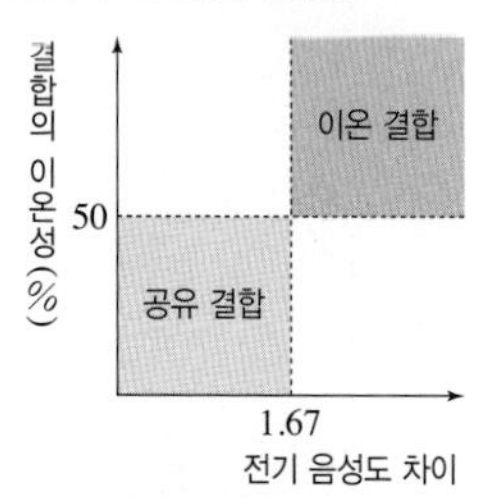

모든 결합은 이온성과 공유성을 갖는데, 두 원자의 전기 음성도 차가 클수록 결합의 이온성이 커진다. 일반적으로 결합의 이온성이 50 % 이상이면 이온 결합이다.

기출 Tip B-3

쌍극자 모멘트의 표시

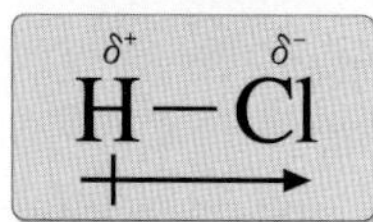

부분적인 양전하(δ^+)를 띠는 원자에서 부분적인 음전하(δ^-)를 띠는 원자 쪽으로 화살표가 향하도록 나타낸다.

예 물(H_2O) → 전기 음성도 H<O

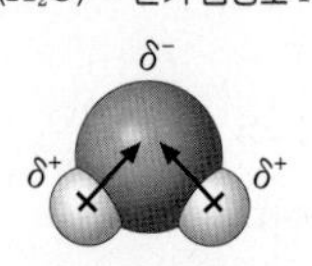

Ⓒ 루이스 전자점식

1 루이스 전자점식 원소 기호 주위에 원자가 전자를 ❻ ☐ 으로 표시하여 나타낸 식

① 원자의 루이스 전자점식

- 원자가 전자 수만큼 원소 기호 상하좌우에 1개씩 점으로 그린다.
- 원자가 전자가 5개 이상일 때 다섯 번째 전자부터 쌍을 이루도록 그린다. → 쌍을 이루지 않은 전자를 홀전자라고 한다.

→ 같은 족 원소의 홀전자 수는 같다.

주기＼족	1	2	13	14	15	16	17
1	H·						
2	Li·	·Be·	·B·	·C·	·N:	:O:	:F:
3	Na·	·Mg·	·Al·	·Si·	·P:	:S:	:Cl:

▲ 1~3주기 원소의 루이스 전자점식

② 공유 결합 물질(분자)의 루이스 전자점식

- 공유 결합에 참여하는 ❼ ☐☐ 전자쌍은 두 원자의 원소 기호 사이에 표시한다.
- 결합에 참여하지 않고 한 원자에만 속해 있는 ❽ ☐☐☐ 전자쌍은 각 원소 기호 주변에 표시한다.

플루오린 분자(F_2)	물 분자(H_2O)
:F· (플루오린 원자, 홀전자) + ·F: (플루오린 원자) → :F:F: (플루오린 분자; 공유 전자쌍, 비공유 전자쌍)	H· (수소 원자) + ·O· (산소 원자) + ·H (수소 원자) → H:O: / H (비공유 전자쌍, 공유 전자쌍)

③ 이온과 이온 결합 물질의 루이스 전자점식

이온의 루이스 전자점식	원자의 루이스 전자점식에서 이동한 전자 수만큼 빼거나 더하여 표시	예 이온 결합에 의한 염화 나트륨(NaCl)의 생성 Na· (나트륨 원자) —전자 1개를 잃는다.→ Na^+ (나트륨 이온) :Cl· (염소 원자) —전자 1개를 얻는다.→ $:Cl:^-$ (염화 이온) → $[Na]^+[:Cl:]^-$ (염화 나트륨)
이온 결합 물질의 루이스 전자점식	이온은 대괄호([ ])를 사용하고, 대괄호의 오른쪽 위에 각 이온의 전하를 표시	

2 루이스 구조 공유 결합을 간단하게 나타내기 위해 공유 전자쌍은 결합선(—)으로 나타내고, 비공유 전자쌍은 그대로 나타내거나 생략한 식 → 단일 결합은 결합선 1개, 2중 결합은 결합선 2개, 3중 결합은 결합선 3개로 나타낸다.

구분	플루오린화 수소(HF)	산소(O_2)	에타인(C_2H_2)
루이스 전자점식	H:F:	:O::O:	H:C⋮⋮C:H
루이스 구조	H—F	O=O	H—C≡C—H

기출 Tip Ⓒ-1

분자에서 루이스 전자점식 그리기

❶ 분자를 구성하는 모든 원자의 원자가 전자 수를 구한다.
❷ 중심 원자를 정하고 중심 원자와 주변 원자 사이에 공유 전자쌍 1개를 그린다. 이때 중심 원자는 공유 결합을 가장 많이 할 수 있는 원자로 정한다.
❸ 옥텟 규칙에 따라 주변 원자부터 전자를 배치한다.
❹ 중심 원자가 옥텟 규칙을 만족하도록 남은 전자를 배치한다.
❺ 중심 원자의 전자 수가 8 미만이면 주변 원자의 비공유 전자쌍을 공유 전자쌍으로 바꾸어 옥텟 규칙을 만족하도록 한다. → 분자에서 옥텟 규칙을 만족하는 2주기 원소는 C, N, O, F이다.

다원자 이온의 루이스 전자점식

1원자 이온인 경우 대괄호를 생략하여 나타낼 수 있지만, 수산화 이온(OH^-)이나 암모늄 이온(NH_4^+)과 같은 다원자 이온인 경우에는 대괄호를 사용하여 나타낸다.

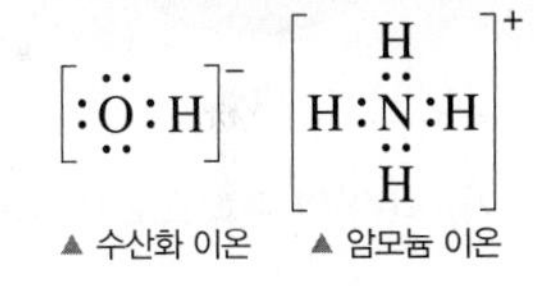

▲ 수산화 이온 ▲ 암모늄 이온

답 ❶ 전기 음성도 ❷ 무극성 ❸ 극성 ❹ 없 ❺ 쌍극자 모멘트 ❻ 점 ❼ 공유 ❽ 비공유

빈출 자료 보기

정답과 해설 46쪽

374 그림은 2주기 원자 X~Z의 루이스 전자점식을 나타낸 것이다.

·X·　·Y·　:Z·

이에 대한 설명으로 옳은 것은 ○, 옳지 않은 것은 ×로 표시하시오. (단, X~Z는 임의의 원소 기호이다.)

(1) Y_2에는 무극성 공유 결합이 있다. ( )
(2) Z_2에는 2중 결합이 있다. ( )
(3) 원자가 전자 수는 Z가 가장 크다. ( )
(4) 전기 음성도는 X>Z이다. ( )
(5) XZ_3에는 극성 공유 결합이 있다. ( )
(6) YZ_2에서 Z는 부분적인 양전하(δ^+)를 띤다. ( )

A 전기 음성도 / B 결합의 극성과 쌍극자 모멘트

375 하 중 상

전기 음성도에 대한 설명으로 옳은 것은?

① F(플루오린)의 전기 음성도가 가장 크다.
② 전기 음성도의 기준이 되는 원소는 O(산소)이다.
③ 같은 족에서 원자 번호가 커질수록 대체로 증가한다.
④ 같은 주기에서 원자 번호가 커질수록 대체로 감소한다.
⑤ 공유 전자쌍을 밀어내는 힘의 크기를 상대적으로 비교하여 정한 값이다.

376 하 중 상

그림은 3가지 결합 유형을 나타낸 것이다.

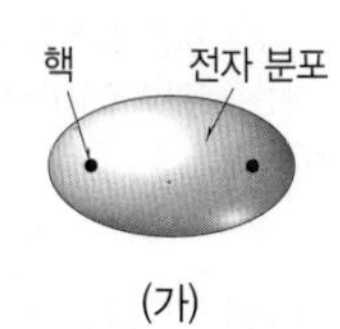

(가)

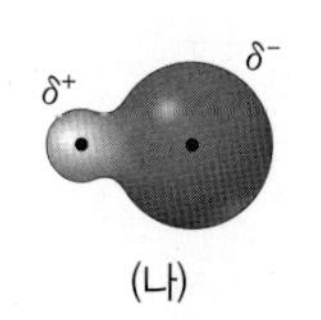

(나)

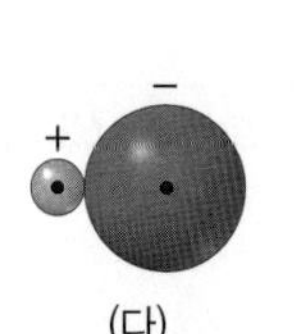

(다)

(가)~(다)의 결합으로 이루어진 물질의 예를 옳게 짝 지은 것은?

	(가)	(나)	(다)
①	I_2	NaCl	HI
②	O_2	KCl	NH_3
③	N_2	CO	NaF
④	HBr	H_2O	KBr
⑤	HCl	LiF	Cl_2

377 하 중 상

••서술형

HCl와 NaCl에서 구성 원소의 전기 음성도 차이 크기 비교를 결합의 종류와 관련지어 서술하시오.

빈출

378 하 중 상

그림은 원소 X~Z로 이루어진 화합물 XY, ZY의 입자 모형과 부분 전하를 나타낸 것이다. X~Z는 각각 H, Li, F 중 하나이다.

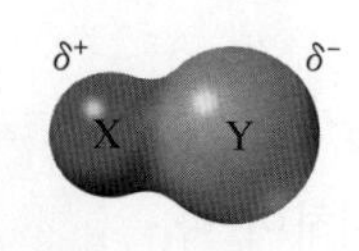

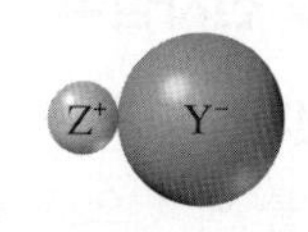

이에 대한 설명으로 옳은 것만을 〈보기〉에서 있는 대로 고른 것은?

〈 보기 〉
ㄱ. X는 금속 원소이다.
ㄴ. 전기 음성도는 Z<X<Y이다.
ㄷ. Y와 Z의 원자가 전자 수는 같다.

① ㄱ ② ㄴ ③ ㄱ, ㄷ
④ ㄴ, ㄷ ⑤ ㄱ, ㄴ, ㄷ

379 하 중 상

그림 (가)는 3가지 화학 결합의 유형을, 그림 (나)는 물질을 이루는 구성 원소의 전기 음성도 차이에 따른 결합의 이온성을 나타낸 것이다.

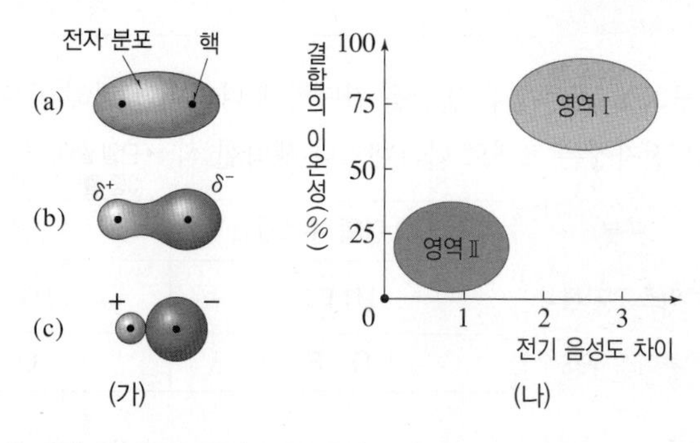

이에 대한 설명으로 옳은 것만을 〈보기〉에서 있는 대로 고른 것은?

〈 보기 〉
ㄱ. 영역 Ⅰ에 속하는 물질의 결합 유형은 (a)와 같다.
ㄴ. 영역 Ⅰ에 속하는 물질은 극성 공유 결합을 한다.
ㄷ. HCl는 영역 Ⅱ에 속하며 (b)와 같은 결합을 한다.

① ㄱ ② ㄷ ③ ㄱ, ㄴ
④ ㄴ, ㄷ ⑤ ㄱ, ㄴ, ㄷ

380 하중상

표는 2주기 원소 A~C로 이루어진 3가지 물질의 고체와 액체 상태에서 전기 전도성을, 그림은 전기 음성도 차이에 따른 결합의 이온성을 나타낸 것이다. (가)~(다)는 각각 B_2, AC, BC 중 하나이다.

물질	전기 전도성	
	고체	액체
B_2	×	×
AC	×	○
BC	×	×

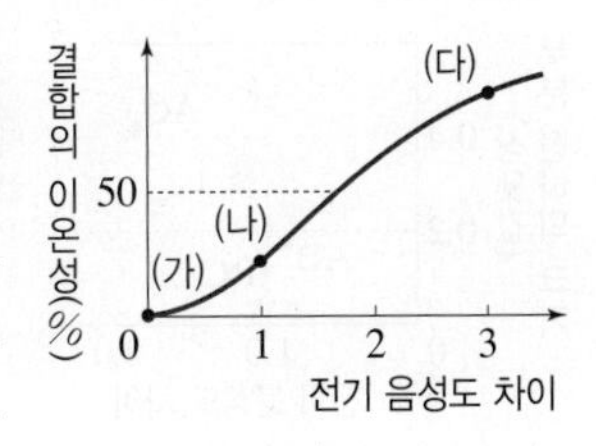

이에 대한 설명으로 옳은 것만을 〈보기〉에서 있는 대로 고른 것은? (단, A~C는 임의의 원소 기호이다.)

〈 보기 〉
ㄱ. (가)는 B_2 (나)는 BC이다.
ㄴ. 전기 음성도는 A<C이다.
ㄷ. 물질 AB는 액체 상태에서 전기 전도성이 없다.

① ㄱ ② ㄷ ③ ㄱ, ㄴ
④ ㄴ, ㄷ ⑤ ㄱ, ㄴ, ㄷ

381 하중상

••서술형

그림은 2주기 원자 X~Z로 구성된 화합물을 나타낸 것이다.

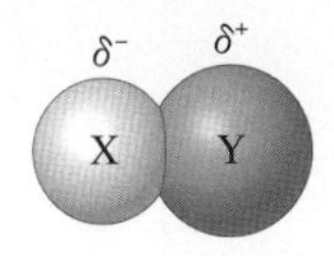

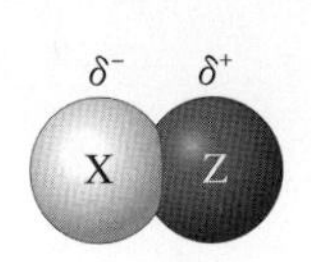

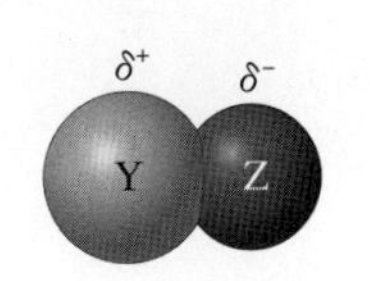

X~Z의 전기 음성도 크기를 부등호를 이용하여 비교하고, 그 까닭을 서술하시오.(단, X~Z는 임의의 원소 기호이다.)

382 하중상

그림은 전하량이 각각 $+q$, $-q$인 두 입자가 r의 거리만큼 떨어져 있는 모습을 나타낸 것이다.

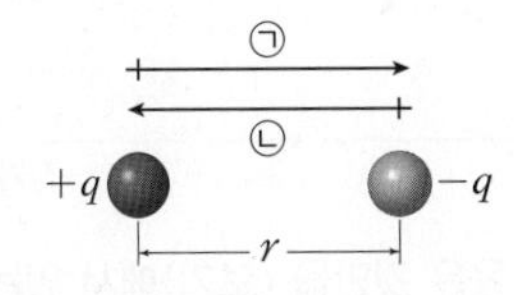

이에 대한 설명으로 옳은 것만을 〈보기〉에서 있는 대로 고른 것은?

〈 보기 〉
ㄱ. 쌍극자 모멘트 방향은 ㉡이다.
ㄴ. r이 클수록 결합의 극성이 커진다.
ㄷ. 쌍극자 모멘트는 HCl>Cl_2이다.

① ㄱ ② ㄴ ③ ㄱ, ㄷ
④ ㄴ, ㄷ ⑤ ㄱ, ㄴ, ㄷ

383 하중상

다음은 주기율표의 일부를 나타낸 것이다.

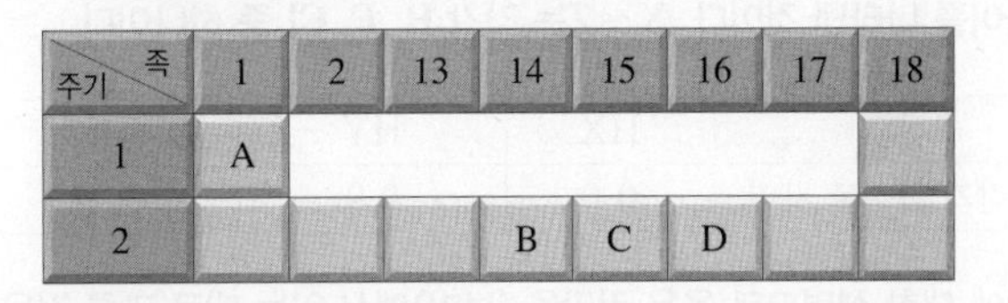

주기＼족	1	2	13	14	15	16	17	18
1	A							
2				B	C	D		

이에 대한 설명으로 옳은 것만을 〈보기〉에서 있는 대로 고른 것은? (단, A~D는 임의의 원소 기호이다.)

〈 보기 〉
ㄱ. A~D 중 A의 전기 음성도가 가장 작다.
ㄴ. CA_3에는 무극성 공유 결합이 있다.
ㄷ. BD_2에서 D는 부분적인 음전하(δ^-)를 띤다.

① ㄱ ② ㄴ ③ ㄱ, ㄷ
④ ㄴ, ㄷ ⑤ ㄱ, ㄴ, ㄷ

384 하중상

그림은 2, 3주기 원소 X~Z로 이루어진 분자 (가)와 (나)의 분자 구조와 분자에서 결합의 쌍극자 모멘트를 나타낸 것이다. 분자 (가)와 (나)의 중심 원자는 모두 옥텟 규칙을 만족한다.

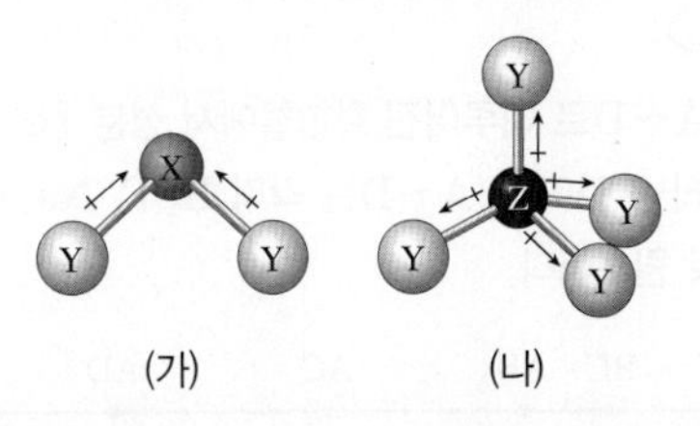

(가) (나)

이에 대한 설명으로 옳은 것만을 〈보기〉에서 있는 대로 고른 것은? (단, X~Z는 임의의 원소 기호이고, N와 Cl의 전기 음성도는 같다.)

〈 보기 〉
ㄱ. Y는 2주기 원소이다.
ㄴ. 원자가 전자 수는 Y<X<Z이다.
ㄷ. 전기 음성도는 X>Y>Z이다.

① ㄱ ② ㄷ ③ ㄱ, ㄴ
④ ㄴ, ㄷ ⑤ ㄱ, ㄴ, ㄷ

385 (하)(중)(상)

표는 H(수소)가 포함된 3가지 분자에서 원자 사이의 전기 음성도 차이를 나타낸 것이다. X～Z는 각각 H, F, Cl 중 하나이다.

분자	HX	HY	HZ
전기 음성도 차이	0.0	0.9	1.9

이에 대한 설명으로 옳은 것만을 〈보기〉에서 있는 대로 고른 것은?

〈 보기 〉

ㄱ. Z는 F이다.

ㄴ. HX에는 무극성 공유 결합이 있다.

ㄷ. HY에서 Y는 부분적인 음전하(δ^-)를 띤다.

① ㄱ ② ㄴ ③ ㄱ, ㄷ

④ ㄴ, ㄷ ⑤ ㄱ, ㄴ, ㄷ

386 (하)(중)(상)

그림은 원소 A～D로 이루어진 화합물에서 성분 원소의 전기 음성도 차이를 나타낸 것이다. A～D는 각각 H, F, Na, Cl 중 하나이며, D는 17족 원소이다.

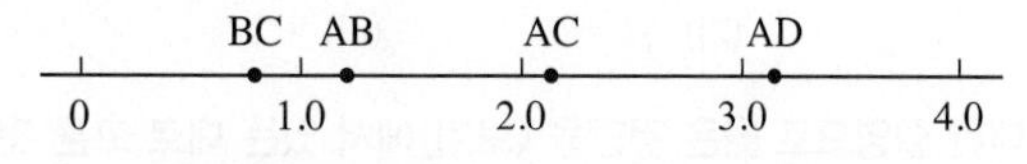

이에 대한 설명으로 옳은 것만을 〈보기〉에서 있는 대로 고른 것은?

〈 보기 〉

ㄱ. AB는 이온 결합 물질이다.

ㄴ. 전기 음성도는 A>C이다.

ㄷ. 원자 반지름은 A>C>D>B이다.

① ㄱ ② ㄴ ③ ㄱ, ㄷ

④ ㄴ, ㄷ ⑤ ㄱ, ㄴ, ㄷ

387 (하)(중)(상)

••서술형

다음은 화합물 AB, AC, BC에 대한 자료이다. A～C는 각각 H, F, Cl 중 하나이다.(단, 쌍극자 모멘트의 크기는 부분 전하의 크기와 두 전하 사이의 거리(결합 길이)의 곱과 같다.)

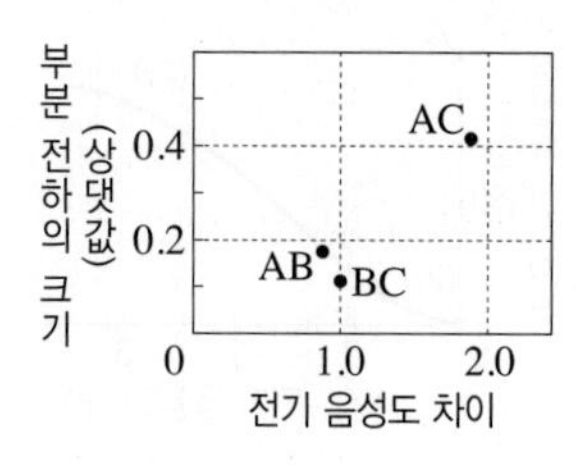

화합물	결합 길이(pm)
AB	128
AC	93
BC	163

(1) AB와 AC의 쌍극자 모멘트의 크기를 부등호를 이용하여 비교하고, 그 까닭을 서술하시오.

(2) A～C의 전기 음성도 크기를 부등호를 이용하여 비교하시오.

388 (하)(중)(상)

그림은 2주기 원자 A～E의 전기 음성도와 바닥상태 전자 배치에서의 홀전자 수를 나타낸 것이다.

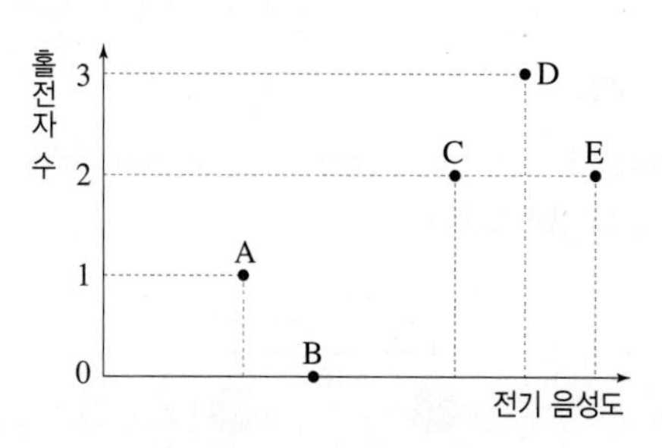

이에 대한 설명으로 옳은 것만을 〈보기〉에서 있는 대로 고른 것은? (단, A～E는 임의의 원소 기호이다.)

〈 보기 〉

ㄱ. A는 17족 원소이다.

ㄴ. B는 Be이다.

ㄷ. 공유 전자쌍 수는 CE_2가 D_2보다 크다.

① ㄱ ② ㄴ ③ ㄱ, ㄷ

④ ㄴ, ㄷ ⑤ ㄱ, ㄴ, ㄷ

389 하중상

그림은 1~3주기 원소로 이루어진 분자 (가)~(다)의 구조식과 분자에 존재하는 부분 전하의 일부를 나타낸 것이다.

$\overset{\delta^-}{\text{X}-\text{O}-\text{Y}}$	$\overset{\delta^+}{\text{X}-\text{O}-\text{Z}}$	$\overset{\delta^-}{\text{X}-\text{Z}}$
(가)	(나)	(다)

이에 대한 설명으로 옳은 것만을 〈보기〉에서 있는 대로 고른 것은? (단, X~Z는 임의의 원소 기호이다.)

〈 보기 〉

ㄱ. 전기 음성도는 X~Z 중 Y가 가장 크다.

ㄴ. (가)와 (나)에서 X는 모두 부분적인 양전하(δ^+)를 띤다.

ㄷ. X는 1족 원소이다.

① ㄱ ② ㄴ ③ ㄱ, ㄷ
④ ㄴ, ㄷ ⑤ ㄱ, ㄴ, ㄷ

390 하중상

다음은 2주기 원소 X~Z로 이루어진 분자 (가)~(다)의 구조식과 자료이다. 구조식에서 다중 결합은 표시하지 않았다.

H−X−X−H	H−Y−Y−H	H−Z−Z−H
(가)	(나)	(다)

• X~Z는 옥텟 규칙을 만족한다.
• 전기 음성도는 X<Y<Z이다.

이에 대한 설명으로 옳은 것만을 〈보기〉에서 있는 대로 고른 것은? (단, X~Z는 임의의 원소 기호이다.)

〈 보기 〉

ㄱ. 공유 전자쌍 수는 (가)>(나)이다.

ㄴ. 각 분자에서 X, Y, Z는 모두 부분적인 음전하(δ^-)를 띤다.

ㄷ. (가)~(다) 중 비공유 전자쌍 수는 (다)가 가장 크다.

① ㄱ ② ㄴ ③ ㄱ, ㄷ
④ ㄴ, ㄷ ⑤ ㄱ, ㄴ, ㄷ

391 하중상

그림은 분자 (가)~(다)를 구성하는 성분 원자 수의 비율을 나타낸 것이다. A~C는 각각 H, O, F 중 하나이고, (가)~(다)의 H를 제외한 구성 원소들은 모두 옥텟 규칙을 만족하며, (나)에서 C는 부분적인 양전하(δ^+)를 띤다.

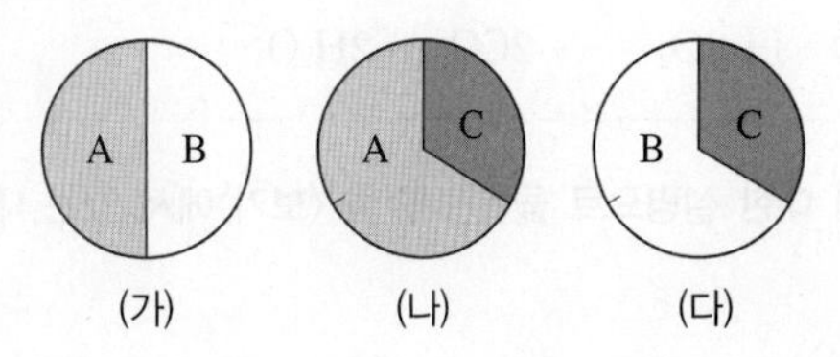

이에 대한 설명으로 옳은 것만을 〈보기〉에서 있는 대로 고른 것은?

〈 보기 〉

ㄱ. 무극성 공유 결합을 포함하는 분자는 1가지이다.

ㄴ. 전기 음성도는 A<C<B이다.

ㄷ. $\frac{\text{비공유 전자쌍 수}}{\text{공유 전자쌍 수}}$는 (다)<(가)<(나)이다.

① ㄱ ② ㄷ ③ ㄱ, ㄴ
④ ㄴ, ㄷ ⑤ ㄱ, ㄴ, ㄷ

392 하중상

그림은 2, 3주기 원소 A~D의 전기 음성도를 나타낸 것이다. A~D는 각각 O, F, Na, Mg 중 하나이고, 이온의 전자 배치는 Ne과 같다.

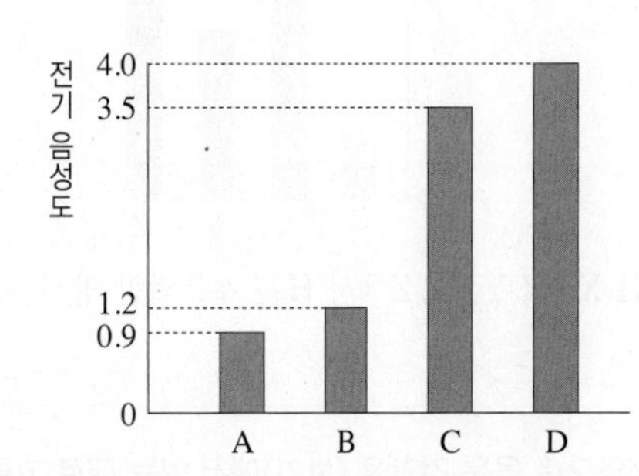

이에 대한 설명으로 옳은 것만을 〈보기〉에서 있는 대로 고른 것은?

〈 보기 〉

ㄱ. B와 D로 이루어진 화합물의 화학식은 BD_2이다.

ㄴ. C_2D_2에는 무극성 공유 결합이 있다.

ㄷ. A~D의 이온 반지름은 B<A<D<C이다.

① ㄱ ② ㄴ ③ ㄱ, ㄷ
④ ㄴ, ㄷ ⑤ ㄱ, ㄴ, ㄷ

393 하중상

다음은 3가지 화학 반응식이다.

- $H_2 + Cl_2 \longrightarrow 2($ ㉠ $)$
- $N_2 + 2H_2 \longrightarrow ($ ㉡ $)$
- $($ ㉢ $) + 3O_2 \longrightarrow 2CO_2 + 2H_2O$

㉠~㉢에 대한 설명으로 옳은 것만을 〈보기〉에서 있는 대로 고른 것은?

〈 보기 〉
ㄱ. 무극성 공유 결합이 있는 분자는 2가지이다.
ㄴ. 다중 결합이 있는 분자는 2가지이다.
ㄷ. 비공유 전자쌍 수가 가장 큰 분자는 ㉡이다.

① ㄱ ② ㄴ ③ ㄱ, ㄷ
④ ㄴ, ㄷ ⑤ ㄱ, ㄴ, ㄷ

빈출
394 하중상

다음은 원자 W~Z와 H(수소)로 이루어진 분자 H_aW, H_bX, H_cY, H_dZ에 대한 자료이다. W~Z는 각각 O, F, S, Cl 중 하나이고, 분자 내에서 옥텟 규칙을 만족한다. W, Y는 같은 주기 원소이다.

- H와 W~Z의 전기 음성도 차

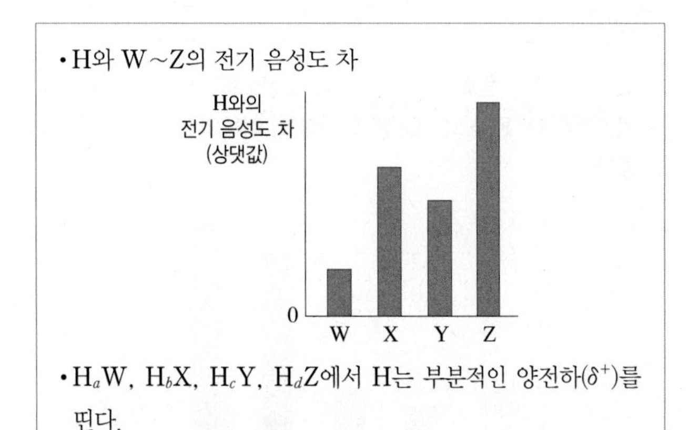

- H_aW, H_bX, H_cY, H_dZ에서 H는 부분적인 양전하(δ^+)를 띤다.

이에 대한 설명으로 옳은 것만을 〈보기〉에서 있는 대로 고른 것은?

〈 보기 〉
ㄱ. $b<c$이다.
ㄴ. W는 3주기 원소이다.
ㄷ. $\dfrac{\text{비공유 전자쌍 수}}{\text{공유 전자쌍 수}}$는 H_aW가 H_dZ의 3배이다.

① ㄱ ② ㄴ ③ ㄱ, ㄷ
④ ㄴ, ㄷ ⑤ ㄱ, ㄴ, ㄷ

395 하중상

多 보기

표는 2주기 원소 A~D로 이루어진 화합물에 대한 자료이다. (가)와 (나)의 구성 원자 수는 모두 4 이하이며, (가)와 (나)에서 모든 원자는 옥텟 규칙을 만족한다.

화합물	(가)	(나)
구성 원소	A, B	C, D
원자 수비	A : B=1 : 2	C : D=1 : 3

이에 대한 설명으로 옳지 않은 것만을 모두 고르면?(단, A~D는 임의의 원소 기호이다.)(2개)

① (가)에는 무극성 공유 결합이 있다.
② 원자 번호는 A<C<B<D이다.
③ 비공유 전자쌍 수의 비는 (가) : (나)=2 : 5이다.
④ (가)와 (나)에는 모두 다중 결합이 존재한다.
⑤ (가)와 (나)의 중심 원자는 모두 부분적인 양전하(δ^+)를 띤다.
⑥ 쌍극자 모멘트 합은 (가)<(나)이다.

396 하중상

그림은 원자 ㉠~㉦의 정보를 카드에 나타낸 것이다.

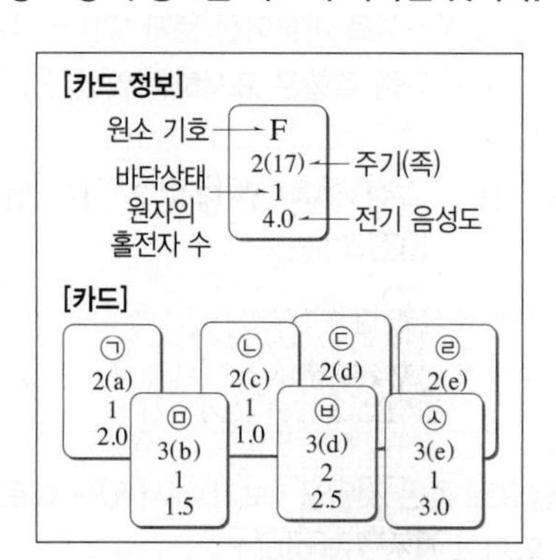

이에 대한 설명으로 옳은 것만을 〈보기〉에서 있는 대로 고른 것은?

〈 보기 〉
ㄱ. b+c=14이다.
ㄴ. 전기 음성도는 ㉢<㉣이다.
ㄷ. 결합의 이온성은 화합물 ㉡㉣이 화합물 ㉡㉦보다 크다.

① ㄱ ② ㄴ ③ ㄱ, ㄷ
④ ㄴ, ㄷ ⑤ ㄱ, ㄴ, ㄷ

C 루이스 전자점식

빈출

397 하 중 상

물질의 루이스 전자점식으로 옳은 것은?

① H·H　② :N⋮⋮N:　③ $[Na]^+[:\ddot{F}:]^-$
④ H:B:H (B 아래 H)　⑤ :F:O:F:

398 하 중 상

HCl의 루이스 구조를 나타낸 후 쌍극자 모멘트(μ)를 표시하시오. (단, 비공유 전자쌍은 표시하지 않는다.)

399 하 중 상

다음 분자들의 루이스 전자점식을 나타내시오.

분자	C_2F_4	HCN
루이스 전자점식		

400 하 중 상

그림은 1, 2주기 원소 A~C로 이루어진 이온 AB^-과 분자 BC의 루이스 전자점식을 나타낸 것이다.

$[:\ddot{\underset{..}{A}}:B]^-$　　B:C:

(가)　　(나)

이에 대한 설명으로 옳은 것만을 <보기>에서 있는 대로 고른 것은? (단, A~C는 임의의 원소 기호이다.)

〈 보기 〉
ㄱ. A는 17족 원소이다.
ㄴ. 1 mol에 들어 있는 전자의 양(mol)은 (가)와 (나)가 같다.
ㄷ. AC_2의 $\frac{\text{비공유 전자쌍 수}}{\text{공유 전자쌍 수}}=4$이다.

① ㄱ　② ㄴ　③ ㄱ, ㄷ
④ ㄴ, ㄷ　⑤ ㄱ, ㄴ, ㄷ

빈출

401 하 중 상　多 보기

그림은 1, 2주기 원소로 이루어진 분자 (가)와 (나)의 루이스 전자점식을 나타낸 것이다.

A:B:A　　:B::C::B:

(가)　　(나)

이에 대한 설명으로 옳지 않은 것만을 모두 고르면?(단, A~C는 임의의 원소 기호이다.)(2개)

① A는 1족 원소이다.
② B_2에는 다중 결합이 있다.
③ A~C의 원자가 전자 수의 합은 11이다.
④ 원자 반지름은 A<C<B이다.
⑤ C_2A_2에는 무극성 공유 결합이 있다.
⑥ 공유 전자쌍 수는 (가)와 (나)가 같다.

빈출

402 하 중 상

그림은 2주기 원자 A~D의 루이스 전자점식을 나타낸 것이다.

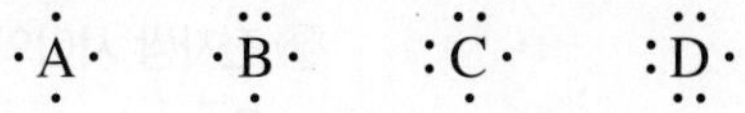

·A·　·B·　:C·　:D·

이에 대한 설명으로 옳은 것만을 <보기>에서 있는 대로 고른 것은? (단, A~D는 임의의 원소 기호이다)

〈 보기 〉
ㄱ. A~D 중 형성할 수 있는 공유 전자쌍 수는 A가 가장 크다.
ㄴ. 구성 원자가 옥텟 규칙을 만족하는 화합물 AC_x와 AD_y에서 $2x=y$이다.
ㄷ. B_2D_2와 CD_2의 비공유 전자쌍 수는 같다.

① ㄱ　② ㄴ　③ ㄱ, ㄷ
④ ㄴ, ㄷ　⑤ ㄱ, ㄴ, ㄷ

403 하 중 상　서술형

그림은 2, 3주기 원자 A~D의 루이스 전자점식을 나타낸 것이다.

·A　·B　·C:　:D:

원자 A~D에서 2개를 선택하여 만들 수 있는 이온 결합 화합물 중 녹는점이 가장 높은 물질의 화학식을 쓰고, 그 까닭을 서술하시오.(단, A~D는 임의의 원소 기호이고, A~D 이온은 모두 Ne의 전자 배치를 가진다.)

III

Ⅲ. 화학 결합과 분자의 세계

분자의 구조

Ⓐ 분자의 구조

1 ❶□□□ □□ □□ 분자에서 중심 원자 주위에 있는 전자쌍들은 모두 음전하를 띠므로 정전기적 반발력이 작용하여 가능하면 서로 멀리 떨어져 있으려고 한다는 이론

① **전자쌍 반발 이론에 따른 전자쌍의 배열:** 중심 원자 주위에 있는 전자쌍의 수에 따라 전자쌍의 배치가 달라지며, 이를 이용하면 분자의 구조를 예측할 수 있다.

전자쌍 수	2	3	4
풍선 모형	중심 원자, 전자쌍		
전자쌍의 배치 모형	180° 전자쌍이 중심 원자의 정반대 위치에 놓일 때 반발력이 가장 작다.	120° 전자쌍이 정삼각형의 꼭짓점에 놓일 때 반발력이 가장 작다.	109.5° 전자쌍이 정사면체의 꼭짓점에 놓일 때 반발력이 가장 작다.
분자 구조	직선형 → 평면 구조	평면 삼각형 → 평면 구조	정사면체 → 입체 구조

② **전자쌍 사이의 반발력 크기:** 비공유 전자쌍 사이의 반발력은 공유 전자쌍 사이의 반발력보다 ❷□다. ➔ 비공유 전자쌍은 공유 전자쌍에 비해 더 넓은 공간을 차지하기 때문

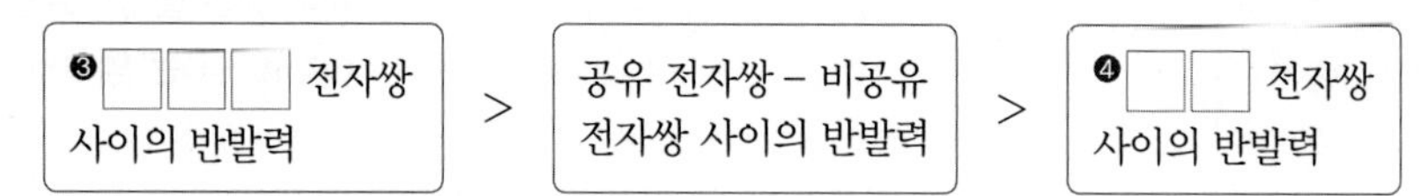

2 분자의 구조 → 분자의 구조를 예측할 때에는 다중 결합에 포함된 공유 전자쌍은 단일 결합과 같은 1개로 취급한다.

① **2원자 분자의 경우:** 2개의 원자가 결합하고 있으므로 분자의 구조는 항상 ❺□□□이다.

공유 전자쌍 수	1	1	2	3
예	수소(H_2)	염화 수소(HCl)	산소(O_2)	질소(N_2)
루이스 전자점식과 분자 모형	H:H 180°	H:Cl: 180°	:O::O: 180°	:N⋮⋮N: 180°
분자 구조	직선형	직선형	직선형	직선형

② **다원자 분자의 중심 원자에 공유 전자쌍만 있는 경우**

• 중심 원자에 2개의 원자가 결합한 경우: 분자의 구조는 항상 직선형이고, 결합각은 180°이다.

중심 원자의 전자쌍 수	공유 전자쌍 수 2	공유 전자쌍 수 4
예	플루오린화 베릴륨(BeF_2)	이산화 탄소(CO_2)
루이스 전자점식과 분자 모형	:F:Be:F: 180° 옥텟 규칙 예외	:O::C::O: 180°
분자 구조	직선형	직선형

기출 Tip Ⓐ-2

사이안화 수소(HCN)의 구조
중심 원자 C에 비공유 전자쌍 없이 H와 N 원자가 결합한 HCN의 구조는 직선형이다.

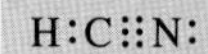

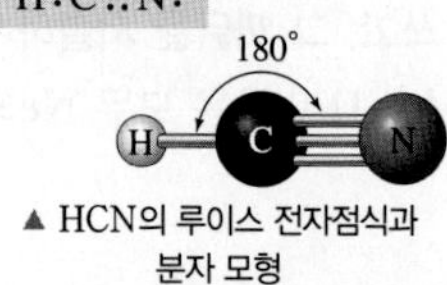

▲ HCN의 루이스 전자점식과 분자 모형

• 중심 원자에 3개의 원자가 결합한 경우: 분자의 구조는 평면 삼각형이고, 결합각은 약 120° 이다.

중심 원자의 전자쌍 수	공유 전자쌍 수 3	공유 전자쌍 수 4
예	삼염화 붕소(BCl_3)	폼알데하이드(HCHO)
루이스 전자점식과 분자 모형	:Cl: / :Cl:B:Cl: / Cl, B, Cl, Cl, 120°, 옥텟 규칙 예외	:O: / H:C:H / O, C, H, H, 122°, 116°, 2중 결합과 단일 결합 사이의 반발력이 단일 결합들 사이의 반발력보다 크다.
분자 구조	❻ ☐☐ ☐☐☐	평면 삼각형

• 중심 원자에 4개의 원자가 결합한 경우: 분자의 구조는 사면체이고, 결합각은 약 109.5°이다.

중심 원자의 전자쌍 수	공유 전자쌍 수 4	공유 전자쌍 수 4
예	메테인(CH_4)	클로로메테인(CH_3Cl)
루이스 전자점식과 분자 모형	H / H:C:H / H, 109.5°, C, H, H, H, H	:Cl: / H:C:H / H, Cl, C, H, H, H, 약 109.5°
분자 구조	❼ ☐☐☐☐	사면체

③ 다원자 분자의 중심 원자에 비공유 전자쌍이 있는 경우: 중심 원자 주위에 전체 전자쌍을 배치한 후, 비공유 전자쌍을 제외한 공유 전자쌍의 배열로 구조를 결정한다.

중심 원자의 전자쌍 수	공유 전자쌍 수 3, 비공유 전자쌍 수 1	공유 전자쌍 수 2, 비공유 전자쌍 수 2
예	암모니아(NH_3)	물(H_2O)
루이스 전자점식과 분자 모형	H:N:H / H, 비공유 전자쌍, N, H, H, H, 107°, 비공유 전자쌍의 반발력이 커서 공유 전자쌍을 더 세게 밀어내므로 결합각은 CH_4보다 작다.	:O:H / H, 비공유 전자쌍, O, H, H, 104.5°, 비공유 전자쌍 2개의 반발력이 크므로 결합각은 NH_3보다 작다.
분자 구조	❽ ☐☐☐☐ → 입체 구조	❾ ☐☐ ☐ → 평면 구조

기출 Tip Ⓐ-2

중심 원자가 같은 족 원소인 분자들의 구조와 결합각

중심 원자가 같은 족 원소인 경우 분자의 구조는 같다. 그러나 중심 원자의 전기 음성도가 다르므로 결합각은 다르다.

예 NH_3와 PH_3의 분자 구조는 삼각뿔형으로 같지만 결합각은 각각 107°, 93.5°이다.

H_3O^+과 NH_4^+의 구조

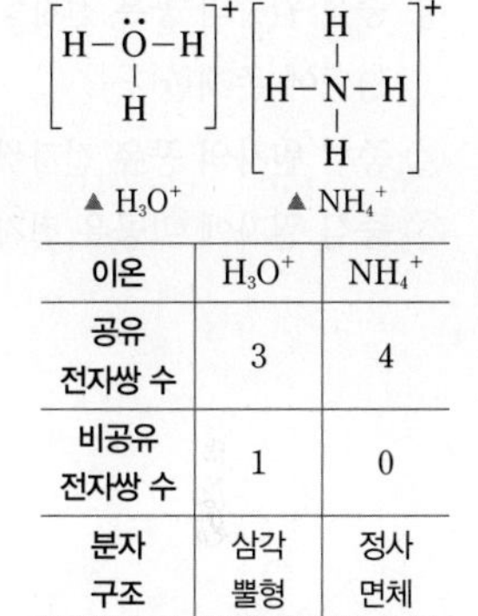

이온	H_3O^+	NH_4^+
공유 전자쌍 수	3	4
비공유 전자쌍 수	1	0
분자 구조	삼각뿔형	정사면체

중심 원자가 2개 이상인 분자의 구조

예 메탄올(CH_3OH)

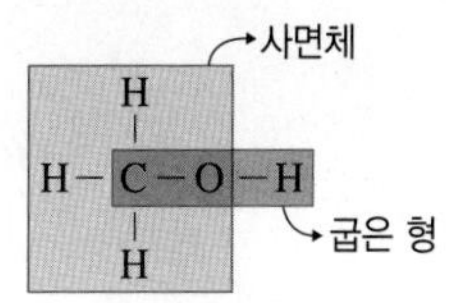

➔ CH_3OH에서 구성 원자는 같은 평면에 있지 않으므로 CH_3OH은 입체 구조이다.

답 ❶ 전자쌍 반발 이론 ❷ 크 ❸ 비공유 ❹ 공유 ❺ 직선형 ❻ 평면 삼각형 ❼ 정사면체 ❽ 삼각뿔형 ❾ 굽은 형

빈출 자료 보기

정답과 해설 50쪽

404 표는 2주기 원소의 Cl(염소) 화합물 (가)~(라)에 대한 자료이다.

구분	(가)	(나)	(다)
중심 원자의 공유 전자쌍 수	2	4	2
중심 원자의 비공유 전자쌍 수	0	0	2

이에 대한 설명으로 옳은 것은 ○, 옳지 않은 것은 ×로 표시하시오. (단, (가)~(다)에는 다중 결합이 존재하지 않는다.)

(1) (가)의 결합각은 180°이다. ( )

(2) (나)의 구조는 정사면체이다. ( )

(3) (다)와 OF_2의 구조는 같다. ( )

(4) 결합각은 (나)<(다)이다. ( )

(5) (다)의 모든 원자는 동일 평면에 존재한다. ( )

(6) (가)~(다)의 구성 원자는 모두 옥텟 규칙을 만족한다. ( )

(7) (가)~(다) 중 $\frac{\text{비공유 전자쌍 수}}{\text{공유 전자쌍 수}}$는 (나)가 가장 크다. ( )

A 분자의 구조

전자쌍 반발 이론

405 하 중 상

전자쌍 반발 이론에 대한 설명으로 옳은 것만을 모두 고르면?(2개)

① 전자쌍들은 반발력이 최대가 되는 방향으로 배치된다.
② 공유 전자쌍 사이의 반발력이 비공유 전자쌍 사이의 반발력보다 크다.
③ 중심 원자의 공유 전자쌍 수가 2일 때 모든 구성 원자는 동일 평면에 존재한다.
④ 중심 원자의 공유 전자쌍 수가 같으면 분자의 구조가 같다.
⑤ 중심 원자에 비공유 전자쌍 수가 클수록 결합각이 작아진다.

406 하 중 상

다음은 2가지 분자의 결합각에 대한 자료이다. ㉠은 부등호 $<$, $>$ 중 하나이다.

> (가) 결합각: CH_4 (㉠) NH_3
> (나) (가)와 같은 결과가 나온 까닭은 비공유 전자쌍과 (㉡) 사이의 반발력이 공유 전자쌍과 (㉢) 사이의 반발력보다 크기 때문이다.

이에 대한 설명으로 옳은 것만을 〈보기〉에서 있는 대로 고른 것은?

〈 보기 〉
ㄱ. ㉠은 $>$이다.
ㄴ. ㉡은 비공유 전자쌍, ㉢은 공유 전자쌍이다.
ㄷ. BeH_2과 BH_3의 결합각이 차이나는 까닭은 (나)와 같다.

① ㄱ ② ㄴ ③ ㄱ, ㄷ
④ ㄴ, ㄷ ⑤ ㄱ, ㄴ, ㄷ

빈출 **407** 하 중 상

그림은 중심 원자 X가 C, N, O인 3가지 H(수소) 화합물의 전자쌍 배치를 나타낸 것이다. □은 H의 배치가 가능한 위치이다.

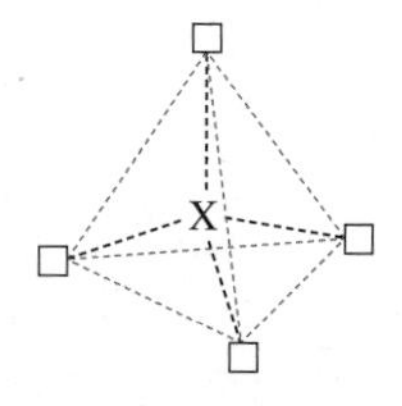

이에 대한 설명으로 옳은 것만을 〈보기〉에서 있는 대로 고른 것은? (단, □에 H 이외의 다른 원자는 배치될 수 없다.)

〈 보기 〉
ㄱ. X가 O일 때 결합각이 가장 작다.
ㄴ. 모든 공유 전자쌍이 동일 평면에 위치하는 분자는 2가지이다.
ㄷ. 극성 공유 결합 수가 가장 큰 화합물은 X가 C일 때이다.

① ㄱ ② ㄴ ③ ㄱ, ㄷ
④ ㄴ, ㄷ ⑤ ㄱ, ㄴ, ㄷ

분자의 구조

빈출 **408** 하 중 상 多 보기

다음은 2주기 원자 A~D의 루이스 전자점식을 나타낸 것이다.

·A· ·B· :C· :D·

이에 대한 설명으로 옳지 않은 것은?(단, A~D는 임의의 원소 기호이다.)

① 전기 음성도의 크기는 $A<B<C<D$이다.
② AC_2와 CD_2의 공유 전자쌍 수는 같다.
③ AC_2와 A_2D_2의 구조는 모두 직선형이다.
④ 결합각은 AD_4가 CD_2보다 크다.
⑤ BD_3의 구조는 삼각뿔형이다.
⑥ ACD_2의 $\frac{\text{비공유 전자쌍 수}}{\text{공유 전자쌍 수}}=2$이다.

409 하 중 상

표는 3원자 분자 (가)와 (나)를 구성하는 2주기 원자 X～Z의 루이스 전자점식을 나타낸 것이다. (가)와 (나)를 구성하는 모든 원자는 옥텟 규칙을 만족한다.

분자	구성 원자의 루이스 전자점식
(가)	·X· (위에 점 1개, 아래 점 1개) ·Y· (위 점 2개, 아래 점 2개)
(나)	·Y· (위 점 2개, 아래 점 2개) :Z· (위 점 2개, 아래 점 2개)

이에 대한 설명으로 옳은 것만을 〈보기〉에서 있는 대로 고른 것은? (단, X～Z는 임의의 원소 기호이다.)

〈 보기 〉
ㄱ. 분자 1 mol에 들어 있는 Y 원자 수는 (가)가 (나)의 2배이다.
ㄴ. 결합각은 (가)=(나)이다.
ㄷ. 비공유 전자쌍 수는 (나)가 (가)의 2배이다.

① ㄱ ② ㄴ ③ ㄱ, ㄷ
④ ㄴ, ㄷ ⑤ ㄱ, ㄴ, ㄷ

410 하 중 상

표는 바닥상태 원자 A～C에 대한 자료이다.

원자	s 오비탈에 들어 있는 전자 수	p 오비탈에 들어 있는 전자 수
A	4	3
B	4	4
C	6	11

이에 대한 설명으로 옳은 것만을 〈보기〉에서 있는 대로 고른 것은? (단, A～C는 임의의 원소 기호이다.)

〈 보기 〉
ㄱ. BC_2의 구조는 굽은 형이다.
ㄴ. $\frac{\text{비공유 전자쌍 수}}{\text{공유 전자쌍 수}}$는 B_2와 A_2C_2가 같다.
ㄷ. A_2C_2에서 결합각(∠AAC)은 180°이다.

① ㄱ ② ㄷ ③ ㄱ, ㄴ
④ ㄴ, ㄷ ⑤ ㄱ, ㄴ, ㄷ

411 하 중 상

표는 H(수소)와 N(질소)로 이루어진 화합물 (가)～(다)에 대한 자료이다.

화합물	(가)	(나)	(다)
분자당 구성 원자 수	4	4	6
일정량의 N와 결합한 H의 질량(상댓값)	1	3	2

화합물 (가)～(다)에 대한 설명으로 옳은 것만을 〈보기〉에서 있는 대로 고른 것은?

〈 보기 〉
ㄱ. 무극성 공유 결합이 존재하는 분자는 2가지이다.
ㄴ. 비공유 전자쌍 수는 (가)<(나)이다.
ㄷ. (가)와 (다)의 모든 원자는 동일 평면에 존재한다.

① ㄱ ② ㄷ ③ ㄱ, ㄴ
④ ㄴ, ㄷ ⑤ ㄱ, ㄴ, ㄷ

빈출

412 하 중 상

다음은 3가지 이온의 이온식을 나타낸 것이다.

H_3O^+ NH_4^+ NO_2^+

이온의 결합각 크기를 옳게 비교한 것은?

① $H_3O^+ < NH_4^+ < NO_2^+$
② $H_3O^+ < NO_2^+ < NH_4^+$
③ $NH_4^+ < NO_2^+ < H_3O^+$
④ $NO_2^+ < H_3O^+ < NH_4^+$
⑤ $NO_2^+ < NH_4^+ < H_3O^+$

빈출
413 하중상

多 보기

다음은 몇 가지 분자의 분자식을 나타낸 것이다.

H_2S	C_2H_4	CF_4	NOF	BeH_2

이에 대한 설명으로 옳지 않은 것만을 모두 고르면?(2개)

① 평면 구조인 분자는 3가지이다.

② 결합각이 180°인 분자는 2가지이다.

③ 구조가 굽은 형인 분자는 2가지이다.

④ 무극성 공유 결합이 존재하는 분자는 1가지이다.

⑤ 구성 원자가 모두 옥텟 규칙을 만족하는 분자는 2가지이다.

⑥ $\frac{\text{비공유 전자쌍 수}}{\text{공유 전자쌍 수}}$는 CF_4가 H_2S의 3배이다.

구조식, 결합 모형과 분자의 구조

[414~415] 그림은 NH_3와 BF_3의 반응을 나타낸 것이다.

BF_3 (가) (α: F–B–F) + $:NH_3$ (나) (β: H–N–H) ⟶ F_3B-NH_3 (다) (γ: F–B–F)

414 하중상

이에 대한 설명으로 옳은 것만을 〈보기〉에서 있는 대로 고른 것은?

〈 보기 〉

ㄱ. (가)~(다) 중 입체 구조는 2가지이다.

ㄴ. (다)에서 B와 N는 모두 부분적인 음전하(δ^-)를 띤다.

ㄷ. NH_3BF_3의 2주기 구성 원소들은 모두 옥텟 규칙을 만족한다.

① ㄱ ② ㄴ ③ ㄱ, ㄷ

④ ㄴ, ㄷ ⑤ ㄱ, ㄴ, ㄷ

415 하중상

서술형

α, β, γ의 결합각 크기를 비교하고, 그 까닭을 서술하시오.

빈출
416 하중상

그림은 CH_3CONH_2(아세트아마이드)의 구조식이다.

H–C(H)(H)–C(=Ö:)–N̈(H)–H (α: H–C–C, β: O=C–N, γ: C–N–H)

α, β, γ의 결합각 크기를 옳게 비교한 것은?

① $\alpha>\beta>\gamma$ ② $\alpha>\gamma>\beta$

③ $\beta>\alpha>\gamma$ ④ $\beta>\gamma>\alpha$

⑤ $\gamma>\beta>\alpha$

417 하중상

그림은 2, 3주기 원소 X~Z로 이루어진 분자 (가)와 (나)의 구조식을 나타낸 것이다. 결합각은 $\alpha<\beta$이고, 전자가 들어 있는 전자 껍질 수는 X=Y<Z이다.

(가) Z–X(–Z)–Z (α)   (나) Z–Y(–Z)–Z (β)

이에 대한 설명으로 옳은 것만을 〈보기〉에서 있는 대로 고른 것은? (단, X~Z는 임의의 원소 기호이다.)

〈 보기 〉

ㄱ. 비공유 전자쌍 수는 (가)가 (나)보다 크다.

ㄴ. (나)의 분자 구조는 평면 삼각형이다.

ㄷ. X~Z 중 원자가 전자 수는 X가 가장 작다.

① ㄱ ② ㄷ ③ ㄱ, ㄴ

④ ㄴ, ㄷ ⑤ ㄱ, ㄴ, ㄷ

418 하 중 상

그림은 H_2O이 H^+과 반응하여 H_3O^+이 생성되는 화학 반응식을 루이스 전자점식으로 나타낸 것이다.

$$H:\ddot{\underset{\cdot\cdot}{O}}: \;\; (H) + H^+ \longrightarrow \left[H:\ddot{\underset{\cdot\cdot}{O}}:H \;\; (H)\right]^+$$

H_3O^+이 H_2O보다 큰 값을 갖는 것만을 〈보기〉에서 있는 대로 고른 것은?

〈 보기 〉

ㄱ. 결합각

ㄴ. 극성 공유 결합 수

ㄷ. $\dfrac{\text{공유 전자쌍 수}}{\text{비공유 전자쌍 수}}$

① ㄱ ② ㄴ ③ ㄱ, ㄷ
④ ㄴ, ㄷ ⑤ ㄱ, ㄴ, ㄷ

419 하 중 상

그림은 H_2O과 CO_2가 반응하여 H_2CO_3이 생성되는 과정을 나타낸 것이다.

$$H-O-H\,(\alpha) + O=C=O \longrightarrow H-O-C(=O)(\beta)-O-H$$

이에 대한 설명으로 옳은 것만을 〈보기〉에서 있는 대로 고른 것은?

〈 보기 〉

ㄱ. 결합각은 $\alpha<\beta$이다.

ㄴ. 반응물 중 평면 구조인 분자는 1가지이다.

ㄷ. H_2CO_3에는 무극성 공유 결합이 있다.

① ㄱ ② ㄴ ③ ㄱ, ㄷ
④ ㄴ, ㄷ ⑤ ㄱ, ㄴ, ㄷ

420 하 중 상 (빈출)

그림은 1, 2주기 원소 A, B로 이루어진 이온 (가)와 분자 (나)의 루이스 전자점식을 나타낸 것이다.

$$\left[:\ddot{\underset{\cdot\cdot}{A}}:B\right]^- \qquad B:\ddot{\underset{\cdot\cdot}{A}}:B$$

(가) (나)

이에 대한 설명으로 옳은 것만을 〈보기〉에서 있는 대로 고른 것은? (단, A와 B는 임의의 원소 기호이다.)

〈 보기 〉

ㄱ. (나)의 구조는 직선형이다.

ㄴ. 원자 1 mol에 들어 있는 전자 수는 A가 B의 6배이다.

ㄷ. B_2A_2의 $\dfrac{\text{비공유 전자쌍 수}}{\text{공유 전자쌍 수}}$는 1보다 크다.

① ㄱ ② ㄷ ③ ㄱ, ㄴ
④ ㄴ, ㄷ ⑤ ㄱ, ㄴ, ㄷ

421 하 중 상

그림은 H와 2주기 원소 X, Y로 이루어진 이온 (가)~(다)의 루이스 전자점식을 나타낸 것이다.

$$\left[H:\ddot{\underset{\cdot\cdot}{X}}:H \;\; (H)\right]^+ \qquad \left[:\ddot{\underset{\cdot\cdot}{X}}:H\right]^{n-} \qquad \left[(H)\; H:\ddot{\underset{\cdot\cdot}{Y}}:H \;\; (H)\right]^+$$

(가) (나) (다)

이에 대한 설명으로 옳은 것만을 〈보기〉에서 있는 대로 고른 것은? (단, X와 Y는 임의의 원소 기호이다.)

〈 보기 〉

ㄱ. $n=1$이다.

ㄴ. 원자가 전자 수는 X<Y이다.

ㄷ. (가)와 (다)의 구조는 각각 삼각뿔형, 정사면체이다.

① ㄱ ② ㄴ ③ ㄱ, ㄷ
④ ㄴ, ㄷ ⑤ ㄱ, ㄴ, ㄷ

422 하 중 상

그림은 분자 (가)와 (나)를 화학 결합 모형으로 나타낸 것이다.

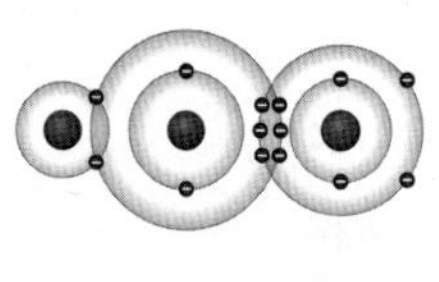
(가)

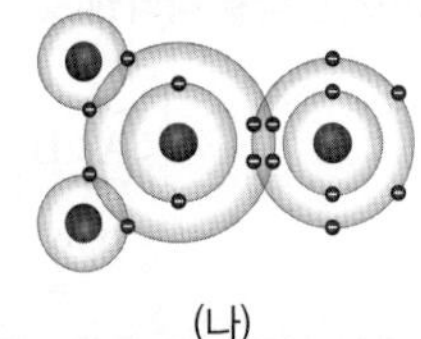
(나)

이에 대한 설명으로 옳은 것만을 〈보기〉에서 있는 대로 고른 것은?

〈 보기 〉

ㄱ. $\frac{\text{비공유 전자쌍 수}}{\text{공유 전자쌍 수}}$는 (가) > (나)이다.

ㄴ. (가)와 (나)는 모두 평면 구조이다.

ㄷ. 중심 원자와 주변 원자 사이의 결합각은 (가) > (나)이다.

① ㄱ ② ㄴ ③ ㄱ, ㄷ
④ ㄴ, ㄷ ⑤ ㄱ, ㄴ, ㄷ

빈출

423 하 중 상

그림은 H와 2주기 원소 X, Y로 이루어진 3가지 화합물의 구조식을 나타낸 것이다. (가)~(다)에서 X와 Y는 옥텟 규칙을 만족한다.

(가) H−X(=Y)−H　(나) H−X(H)=X(H)−H　(다) H−Y−Y−H

이에 대한 설명으로 옳은 것만을 〈보기〉에서 있는 대로 고른 것은? (단, X, Y는 임의의 원소 기호이다.)

〈 보기 〉

ㄱ. (가)~(다)는 모두 평면 구조이다.

ㄴ. 결합각은 (나)의 ∠HXX가 (다)의 ∠HYY보다 크다.

ㄷ. XH_2Y_2의 공유 전자쌍 수는 5이다.

① ㄱ ② ㄴ ③ ㄱ, ㄷ
④ ㄴ, ㄷ ⑤ ㄱ, ㄴ, ㄷ

424 하 중 상

그림은 2주기 원소 X~Z를 포함한 분자의 구조식을 나타낸 것이다. 구조식에서 다중 결합은 나타내지 않았으며, 결합각의 크기는 $\alpha < \beta$이고, X~Z는 모두 옥텟 규칙을 만족한다.

(가) H−X−X−H (결합각 α: ∠HXX)　(나) Z−Y−Z (결합각 β)　(다) H−Y−X (결합각 β)

이에 대한 설명으로 옳은 것만을 〈보기〉에서 있는 대로 고른 것은? (단, X~Z는 임의의 원소 기호이다.)

〈 보기 〉

ㄱ. Y는 O(산소)이다.

ㄴ. (가)~(다)는 모두 평면 구조이다.

ㄷ. (가)~(다) 중 $\frac{\text{비공유 전자쌍 수}}{\text{공유 전자쌍 수}}$는 (다)가 가장 작다.

① ㄱ ② ㄴ ③ ㄱ, ㄷ
④ ㄴ, ㄷ ⑤ ㄱ, ㄴ, ㄷ

전자쌍 수와 분자의 구조

425 하 중 상

표는 H와 2주기 원소 X~Z로 이루어진 분자 (가)~(다)에 대한 자료이다. (가)~(다)에서 X~Z는 모두 옥텟 규칙을 만족한다.

분자	(가)	(나)	(다)
분자식	XH_a	H_bY	H_cZ
$\frac{\text{비공유 전자쌍 수}}{\text{공유 전자쌍 수}}$	$\frac{1}{3}$	1	3

이에 대한 설명으로 옳은 것만을 〈보기〉에서 있는 대로 고른 것은? (단, X~Z는 임의의 원소 기호이다.)

〈 보기 〉

ㄱ. $a < b < c$이다.

ㄴ. 결합각은 (가) < (나)이다.

ㄷ. (가)~(다) 중 입체 구조인 분자는 1가지이다.

① ㄱ ② ㄷ ③ ㄱ, ㄴ
④ ㄴ, ㄷ ⑤ ㄱ, ㄴ, ㄷ

빈출

426 하 중 상

표는 2주기 원소 X~Z로 이루어진 분자 (가)~(다)의 자료이다. (가)~(다)에서 X~Z는 모두 옥텟 규칙을 만족한다.

분자	(가)	(나)	(다)
분자식	XYZ_2	XZ_4	YZ_2
비공유 전자쌍 수	8	12	8

이에 대한 설명으로 옳은 것만을 〈보기〉에서 있는 대로 고른 것은? (단, X~Z는 임의의 원소 기호이다.)

〈 보기 〉
ㄱ. 공유 전자쌍 수는 (가)와 (나)가 같다.
ㄴ. 결합각의 크기는 (나)<(다)이다.
ㄷ. (가)~(다) 중 입체 구조인 분자는 1가지이다.

① ㄱ ② ㄴ ③ ㄱ, ㄷ
④ ㄴ, ㄷ ⑤ ㄱ, ㄴ, ㄷ

427 하 중 상

다음은 분자 (가)와 (나)에 대한 자료이다.

분자	(가)	(나)
구성 원소	X, Y	Y, Z
원자 수비	1 : 1	1 : 1
공유 전자쌍 수	a	b
비공유 전자쌍 수	$4c$	$3c$

- X~Z는 각각 C, N, F 중 하나이다.
- (가)와 (나)를 구성하는 원자 수는 각각 5 이하이다.
- (가)와 (나)를 구성하는 모든 원자는 옥텟 규칙을 만족한다.

이에 대한 설명으로 옳은 것만을 〈보기〉에서 있는 대로 고른 것은?

〈 보기 〉
ㄱ. (가)와 (나)는 모두 평면 구조이다.
ㄴ. (가)와 (나)에서 Y는 모두 부분적인 음전하(δ^-)를 띤다.
ㄷ. $b-a=1$이다.

① ㄱ ② ㄴ ③ ㄱ, ㄷ
④ ㄴ, ㄷ ⑤ ㄱ, ㄴ, ㄷ

428 하 중 상

그림은 분자 (가)~(라)의 공유 전자쌍 수와 중심 원자에 결합한 원자 수를 나타낸 것이다. (가)~(라)는 각각 H_2O, CO_2, PH_3, CH_2Cl_2 중 하나이다.

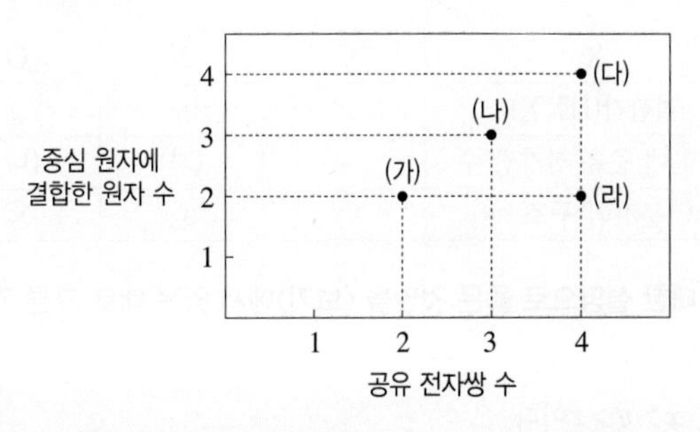

이에 대한 설명으로 옳은 것만을 〈보기〉에서 있는 대로 고른 것은?

〈 보기 〉
ㄱ. (가)와 (라)는 평면 구조이다.
ㄴ. (나)는 삼각뿔형 구조이다.
ㄷ. 비공유 전자쌍 수의 비는 (다) : (라)=3 : 1이다.

① ㄱ ② ㄷ ③ ㄱ, ㄴ
④ ㄴ, ㄷ ⑤ ㄱ, ㄴ, ㄷ

429 하 중 상

그림은 N(질소) 화합물 (가)~(다)의 분자 내 공유 전자쌍 수(a)와 비공유 전자쌍 수(b)의 차의 절댓값($|a-b|$)을 나타낸 것이다. (가)~(다)는 각각 HCN, NH_3, NF_3 중 하나이다.

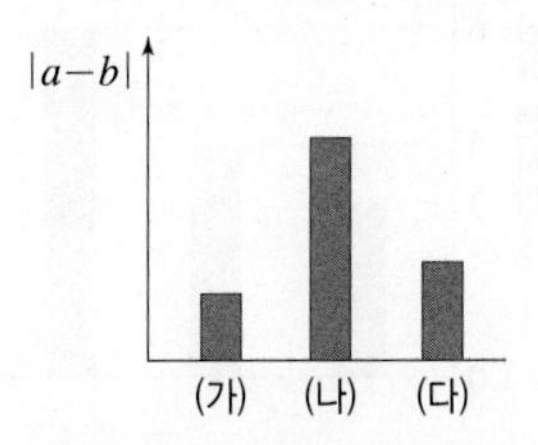

이에 대한 설명으로 옳은 것만을 〈보기〉에서 있는 대로 고른 것은?

〈 보기 〉
ㄱ. (가)와 (나)는 삼각뿔형 구조이다.
ㄴ. (가)~(다) 중 결합각은 (다)가 가장 크다.
ㄷ. (가)~(다) 중 $\frac{\text{비공유 전자쌍 수}}{\text{공유 전자쌍 수}}$는 (가)가 가장 작다.

① ㄱ ② ㄷ ③ ㄱ, ㄴ
④ ㄴ, ㄷ ⑤ ㄱ, ㄴ, ㄷ

III

430 하/중/상

표는 구성 원자 수비가 X : H=1 : 1인 X의 H(수소) 화합물에 대한 자료이다. X는 각각 C, N, O에 해당하고, 분자에서 모두 옥텟 규칙을 만족한다.

X	C	N	O
결합각(HXX)	x	y	z
분자 내 공유 전자쌍 수		(가)	(나)
분자의 구조	㉠	㉡	㉢

이에 대한 설명으로 옳은 것만을 〈보기〉에서 있는 대로 고른 것은?

〈 보기 〉

ㄱ. $x>y>z$이다.
ㄴ. (가)가 (나)의 2배이다.
ㄷ. ㉠~㉢은 모두 평면 구조이다.

① ㄱ ② ㄷ ③ ㄱ, ㄴ
④ ㄴ, ㄷ ⑤ ㄱ, ㄴ, ㄷ

431 하/중/상

표는 분자 (가)~(다)에 대한 자료를, 그림은 각 분자의 비공유 전자쌍 수를 순서없이 나타낸 것이다. X~Z는 1, 2주기 원소이고, (나)는 단일 결합으로 이루어져 있다.

분자	분자 당 구성 원자의 수		
	X	Y	Z
(가)	2	0	0
(나)	1	1	0
(다)	0	0	2

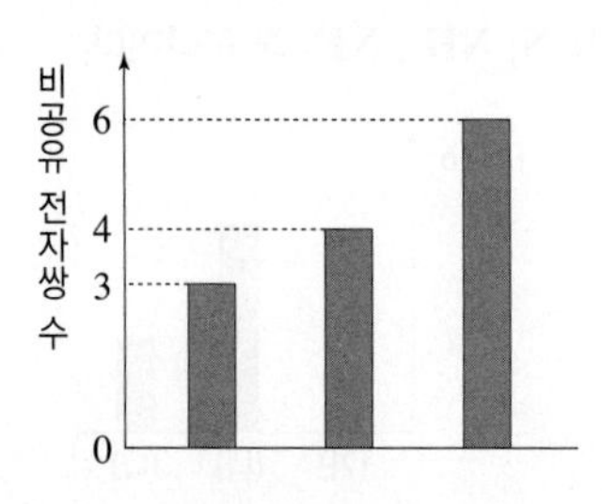

이에 대한 설명으로 옳은 것만을 〈보기〉에서 있는 대로 고른 것은? (단, X~Z는 임의의 원소 기호이다.)

〈 보기 〉

ㄱ. 원자가 전자 수는 Y>Z이다.
ㄴ. 공유 전자쌍 수는 (가)<(다)이다.
ㄷ. 분자 YZX의 구조는 직선형이다.

① ㄱ ② ㄴ ③ ㄱ, ㄷ
④ ㄴ, ㄷ ⑤ ㄱ, ㄴ, ㄷ

432 하/중/상

다음은 분자 모형 제작을 통해 C(탄소)와 H(수소)로 이루어진 화합물 X와 Y의 다양한 구조를 알아보기 위한 탐구 활동이다.

[준비물]
스타이로폼 공(검은 공, 흰 공), 이쑤시개
[제작 규칙]
Ⅰ. X와 Y의 분자 구조는 전자쌍 반발 이론을 따르고, C 원자는 옥텟 규칙을 만족한다.
Ⅱ. 검은 공은 C 원자, 흰 공은 H 원자, 이쑤시개 1개는 공유 전자쌍 1개로 정한다.
Ⅲ. 다중 결합은 최대 1개까지 포함할 수 있다.
[제작 과정]
각 준비물을 표에 제시된 개수만큼 사용하여 X와 Y의 모형을 제작한다.

화합물	모형 1개 제작에 필요한 준비물의 수(개)		
	이쑤시개	검은 공	흰 공
X	6	a	b
Y	c	2	6

이에 대한 설명으로 옳은 것만을 〈보기〉에서 있는 대로 고른 것은?

〈 보기 〉

ㄱ. $a+b=c$이다.
ㄴ. X는 평면 구조이다.
ㄷ. X와 Y의 ∠HCH의 크기는 X>Y이다.

① ㄱ ② ㄴ ③ ㄱ, ㄷ
④ ㄴ, ㄷ ⑤ ㄱ, ㄴ, ㄷ

결합각과 분자의 구조

433 (하 **중** 상)

그림은 기체 (가)~(다)의 결합각과 비공유 전자쌍 수를 나타낸 것이다. (가)~(다)는 각각 BeH_2, CH_4, NF_3 중 하나이다.

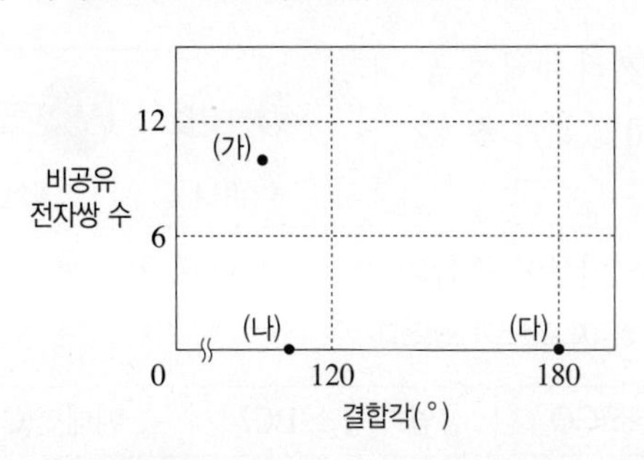

이에 대한 설명으로 옳은 것만을 〈보기〉에서 있는 대로 고른 것은?

〈 보기 〉

ㄱ. $\dfrac{\text{비공유 전자쌍 수}}{\text{공유 전자쌍 수}}$는 (가)와 O_2F_2가 같다.

ㄴ. (나)의 분자 구조는 정사면체이다.

ㄷ. (다)에는 무극성 공유 결합이 있다.

① ㄱ　② ㄷ　③ ㄱ, ㄴ　④ ㄴ, ㄷ　⑤ ㄱ, ㄴ, ㄷ

빈출

434 (하 **중** 상)

다음은 분자 (가)~(다)에 대한 자료이다.

- 각 분자는 H, C, O, F 중 2가지 원소로 이루어진 3원자 분자이다.
- 각 분자에서 2주기 원자는 옥텟 규칙을 만족한다.
- 분자의 $\dfrac{\text{비공유 전자쌍 수}}{\text{공유 전자쌍 수}}$와 결합각

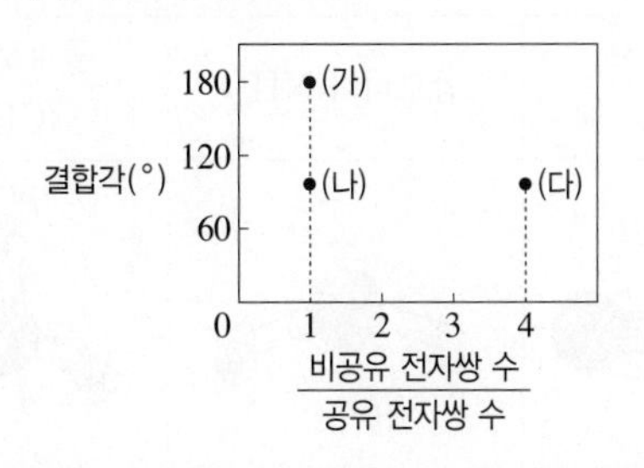

이에 대한 설명으로 옳은 것만을 〈보기〉에서 있는 대로 고른 것은?

〈 보기 〉

ㄱ. (나)에는 다중 결합이 존재한다.

ㄴ. 비공유 전자쌍 수는 (다)가 (가)의 4배이다.

ㄷ. (다)의 중심 원자는 부분적인 양전하(δ^+)를 띤다.

① ㄱ　② ㄷ　③ ㄱ, ㄴ　④ ㄴ, ㄷ　⑤ ㄱ, ㄴ, ㄷ

435 (하 **중** 상)

그림은 분자 (가)~(다)의 결합각을 나타낸 것이다. (가)~(다)는 각각 CF_4, BF_3, NF_3 중 하나이다.

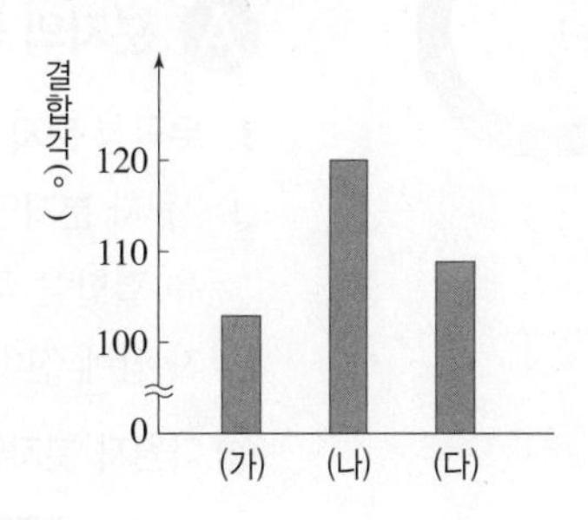

이에 대한 설명으로 옳은 것만을 〈보기〉에서 있는 대로 고른 것은?

〈 보기 〉

ㄱ. (가)와 (나)는 평면 구조이다.

ㄴ. 비공유 전자쌍 수는 (가)$<$(다)이다.

ㄷ. $\dfrac{\text{비공유 전자쌍 수}}{\text{공유 전자쌍 수}}$는 (나)와 (다)가 같다.

① ㄱ　② ㄷ　③ ㄱ, ㄴ　④ ㄴ, ㄷ　⑤ ㄱ, ㄴ, ㄷ

436 (하 중 **상**)

표는 서로 다른 2주기 원소 A~D로 이루어진 분자 (가)~(다)에 대한 자료이다. (가)~(다)를 구성하는 모든 원자는 옥텟 규칙을 만족한다.

분자	(가)	(나)	(다)
분자식	AB_l	CB_m	B_nCD
중심 원자의 비공유 전자쌍 수	2	x	x

이에 대한 설명으로 옳은 것만을 〈보기〉에서 있는 대로 고른 것은? (단, A~D는 임의의 원소 기호이다.)

〈 보기 〉

ㄱ. $m-l-n=0$이다.

ㄴ. 결합각은 (가)$<$(나)이다.

ㄷ. (가)와 (다)는 평면 구조이다.

① ㄱ　② ㄴ　③ ㄱ, ㄷ　④ ㄴ, ㄷ　⑤ ㄱ, ㄴ, ㄷ

18

분자의 극성과 성질

A 분자의 극성

1 무극성 분자

① 2원자 분자인 경우: ❶ ☐☐ 종류의 원자끼리 무극성 공유 결합을 하여 결합의 쌍극자 모멘트가 0인 분자 ➔ 분자 안에 전하가 고르게 분포한다. (→ 전기 음성도가 같다.)

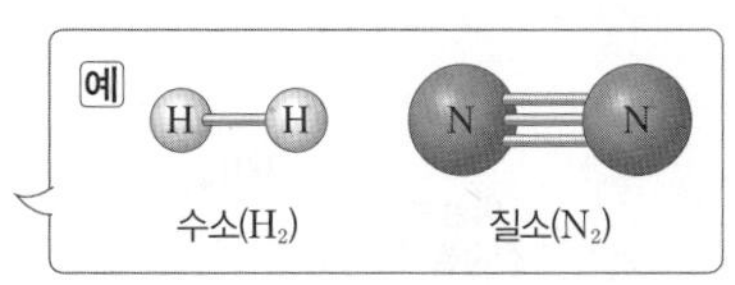

② 다원자 분자인 경우: 분자의 구조가 대칭을 이루어 결합의 쌍극자 모멘트 합이 ❷ ☐이 되는 분자 → 각 결합의 쌍극자 모멘트가 같고, 분자 구조에 의해 쌍극자 모멘트가 상쇄된다.

기출 Tip A

극성 공유 결합과 극성 분자의 관계

극성 공유 결합으로 이루어진 분자가 모두 극성 분자인 것은 아니다. 극성 공유 결합을 하더라도 대칭 구조를 이루면 결합의 쌍극자 모멘트 합이 0이 되어 무극성 분자가 된다.

예 CO_2, BeF_2 등

예	염화 베릴륨($BeCl_2$)	이산화 탄소(CO_2)	삼염화 붕소(BCl_3)	메테인(CH_4)
분자 모형	Cl Be Cl	O C O	Cl B Cl Cl	H C H H H
분자 구조	직선형	직선형	평면 삼각형	정사면체
	대칭 구조	대칭 구조	대칭 구조	대칭 구조
결합의 극성	Be−Cl ➔ 극성 공유 결합	C=O ➔ 극성 공유 결합	B−Cl ➔ 극성 공유 결합	C−H ➔ 극성 공유 결합
쌍극자 모멘트 합	0	0	0	0

2 극성 분자

① 2원자 분자인 경우: ❸ ☐☐ 종류의 원자끼리 극성 공유 결합을 하여 결합의 쌍극자 모멘트가 0이 아닌 분자 ➔ 분자 안에 전하가 고르게 분포하지 않아 부분적인 전하를 띤다. (→ 전기 음성도가 다르다.)

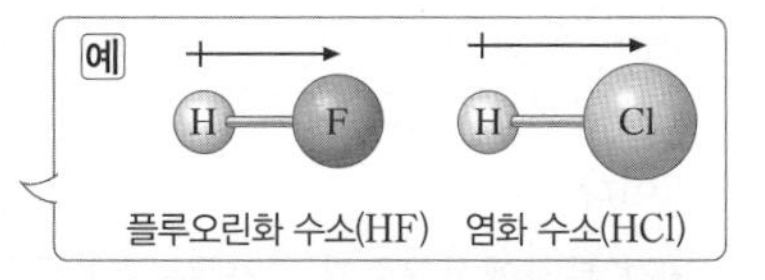

② 다원자 분자인 경우: 분자의 구조가 비대칭이어서 결합의 쌍극자 모멘트 합이 0이 아닌 분자 → 중심 원자에 비공유 전자쌍이 있거나 중심 원자와 결합하는 원자의 종류가 다르면 극성 분자이다.

예	물(H_2O)	사이안화 수소(HCN)	암모니아(NH_3)	클로로메테인(CH_3Cl)
분자 모형	O H H 결합의 쌍극자 모멘트가 상쇄되지 않는다.	H C N 두 결합의 쌍극자 모멘트는 서로 방향이 같아 상쇄되지 않는다.	N H H H 결합의 쌍극자 모멘트가 상쇄되지 않는다.	Cl C H H H C−H 결합과 C−Cl 결합의 쌍극자 모멘트가 상쇄되지 않는다.
분자 구조	굽은 형	❹ ☐☐☐	삼각뿔형	사면체
	비대칭 구조	비대칭 구조	비대칭 구조	비대칭 구조
결합의 극성	O−H ➔ 극성 공유 결합	C−H, C≡N ➔ 극성 공유 결합	N−H ➔ 극성 공유 결합	C−H, C−Cl ➔ 극성 공유 결합
쌍극자 모멘트 합	0이 아님	0이 아님	0이 아님	0이 아님

B 분자의 극성에 따른 성질

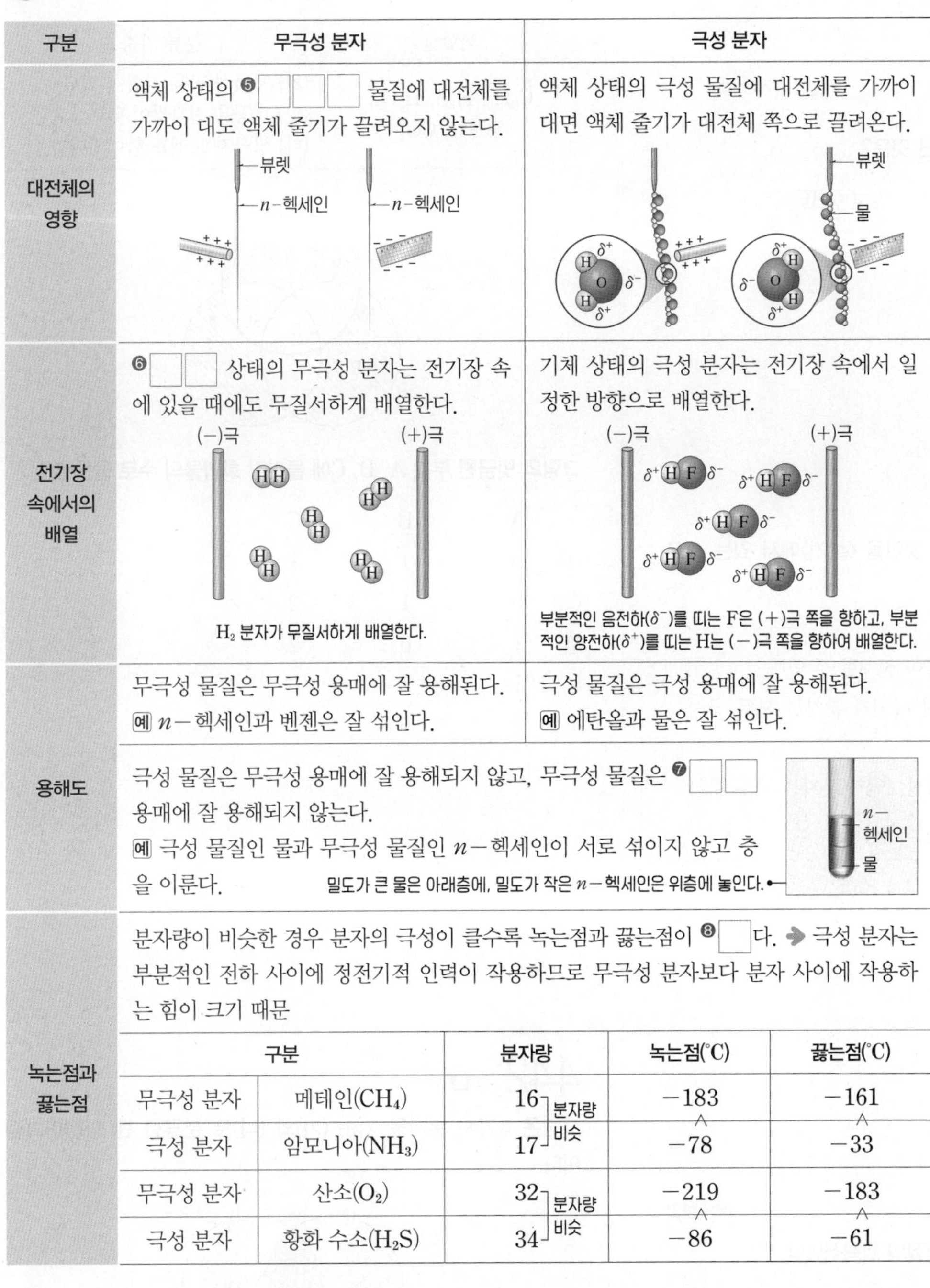

구분	무극성 분자	극성 분자
대전체의 영향	액체 상태의 ❺ ☐☐☐ 물질에 대전체를 가까이 대도 액체 줄기가 끌려오지 않는다.	액체 상태의 극성 물질에 대전체를 가까이 대면 액체 줄기가 대전체 쪽으로 끌려온다.
전기장 속에서의 배열	❻ ☐☐ 상태의 무극성 분자는 전기장 속에 있을 때에도 무질서하게 배열한다.	기체 상태의 극성 분자는 전기장 속에서 일정한 방향으로 배열한다.
용해도	무극성 물질은 무극성 용매에 잘 용해된다. 예 $n-$헥세인과 벤젠은 잘 섞인다.	극성 물질은 극성 용매에 잘 용해된다. 예 에탄올과 물은 잘 섞인다.
용해도	극성 물질은 무극성 용매에 잘 용해되지 않고, 무극성 물질은 ❼ ☐☐ 용매에 잘 용해되지 않는다. 예 극성 물질인 물과 무극성 물질인 $n-$헥세인이 서로 섞이지 않고 층을 이룬다. 밀도가 큰 물은 아래층에, 밀도가 작은 $n-$헥세인은 위층에 놓인다.	
녹는점과 끓는점	분자량이 비슷한 경우 분자의 극성이 클수록 녹는점과 끓는점이 ❽ ☐다. ➔ 극성 분자는 부분적인 전하 사이에 정전기적 인력이 작용하므로 무극성 분자보다 분자 사이에 작용하는 힘이 크기 때문	

구분		분자량	녹는점(℃)	끓는점(℃)
무극성 분자	메테인(CH_4)	16 (분자량 비슷)	−183	−161
극성 분자	암모니아(NH_3)	17	−78	−33
무극성 분자	산소(O_2)	32 (분자량 비슷)	−219	−183
극성 분자	황화 수소(H_2S)	34	−86	−61

기출 Tip B

대전체를 가까이 할 때 물의 배열
물줄기에 (+)전하를 띠는 대전체를 가져가면 부분적인 음전하(δ^-)를 띠는 O 원자 쪽이 대전체 쪽으로 배열하고, (−)전하를 띠는 대전체를 가져가면 부분적인 양전하(δ^+)를 띠는 H 원자 쪽이 대전체 쪽으로 배열한다.

분자 구조와 물리적, 화학적 성질
에탄올(C_2H_5OH)과 다이메틸 에테르(CH_3OCH_3)는 분자식이 C_2H_6O로 같지만 분자의 구조가 다르므로 물리적, 화학적 성질이 다르다.

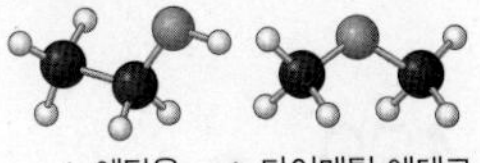

▲ 에탄올 ▲ 다이메틸 에테르

물질	에탄올	다이메틸 에테르
녹는점	−114 ℃	−142 ℃
끓는점	78 ℃	−25 ℃
물질의 극성	극성	극성
화학적 성질	Na과 반응하여 H_2 발생	Na과 반응하지 않음

답 ❶ 같은 ❷ 0 ❸ 다른 ❹ 직선형 ❺ 무극성 ❻ 기체 ❼ 극성 ❽ 높

빈출 자료 보기

정답과 해설 54쪽

437 그림은 분자 (가)~(다)의 구조식을 나타낸 것이다.

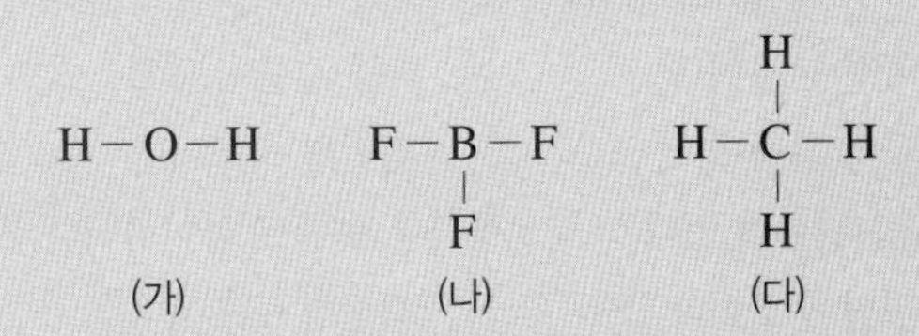

이에 대한 설명으로 옳은 것은 ○, 옳지 않은 것은 ×로 표시하시오.

(1) (가)의 액체 줄기에 (+)대전체를 가까이 가져가면 액체 줄기가 대전체 쪽으로 휘어진다. ( )

(2) (나) 기체를 전기장 속에 넣으면 일정한 방향으로 분자가 배열한다. ( )

(3) 끓는점은 (다)가 NH_3보다 높다. ( )

(4) (가)와 (다)는 잘 섞인다. ( )

(5) (가)~(다) 중 쌍극자 모멘트 합은 (가)가 가장 크다. ( )

A 분자의 극성

분자의 극성

438 하 중 상

다음 중 쌍극자 모멘트 합이 0이 아닌 것은?

① H_2 ② Cl_2 ③ BF_3
④ CH_4 ⑤ H_2O

439 하 중 상

분자의 극성에 대한 설명으로 옳은 것만을 〈보기〉에서 있는 대로 고른 것은?

〈 보기 〉
ㄱ. 극성 분자에 무극성 공유 결합이 존재할 수 있다.
ㄴ. 극성 공유 결합으로 이루어진 다원자 분자는 모두 극성 분자이다.
ㄷ. 무극성 공유 결합으로 이루어진 2원자 분자는 모두 무극성 분자이다.

① ㄱ ② ㄷ ③ ㄱ, ㄷ
④ ㄴ, ㄷ ⑤ ㄱ, ㄴ, ㄷ

440 하 중 상 多 보기

다음은 H(수소)를 포함한 몇 가지 물질의 화학식이다.

BH_3 HCN CH_2Cl_2 HCHO NH_3

이에 대한 설명으로 옳은 것만을 모두 고르면?(2개)

① 무극성 분자는 3가지이다.
② 입체 구조인 분자는 2가지이다.
③ 평면 삼각형 구조인 분자는 3가지이다.
④ 비공유 전자쌍이 존재하는 분자는 4가지이다.
⑤ 극성 공유 결합을 포함하는 분자는 4가지이다.
⑥ 무극성 공유 결합을 포함하는 분자는 1가지이다.

빈출

441 하 중 상

표는 몇 가지 화합물과 이를 분류하기 위한 기준 (가)~(다)를 나타낸 것이고, 그림은 기준에 따라 표에서 주어진 화합물을 분류한 벤 다이어그램이다.

화합물	분류 기준
C_2H_6, H_2S, H_2O_2, BeH_2, CO_2	(가) 무극성 공유 결합이 있다. (나) 비공유 전자쌍이 있다. (다) 쌍극자 모멘트 합이 0이다.

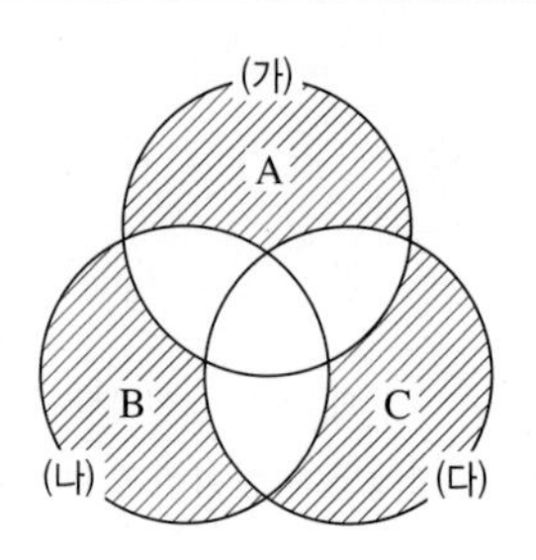

그림의 빗금친 부분 A, B, C에 들어갈 화합물의 수로 옳은 것은?

	A	B	C
①	0	1	1
②	0	1	2
③	1	0	2
④	1	1	0
⑤	2	0	1

442 하 중 상

그림은 3가지 분자를 기준 (가)와 (나)로 분류한 벤 다이어그램이다.

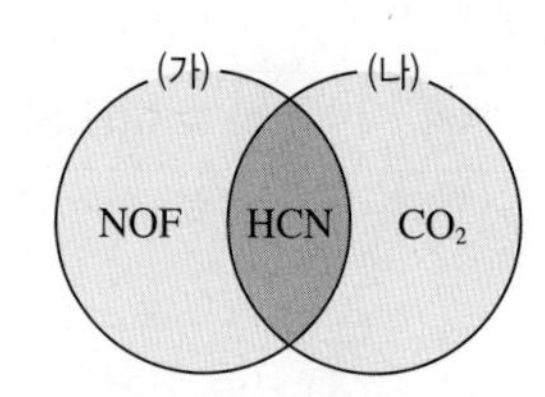

기준 (가)와 (나)를 옳게 짝 지은 것은?

	(가)	(나)
①	극성 분자이다.	다중 결합이 있다.
②	극성 분자이다.	직선형 구조이다.
③	다중 결합이 있다.	쌍극자 모멘트 합이 0이다.
④	평면 구조이다.	직선형 구조이다.
⑤	평면 구조이다.	다중 결합이 있다.

빈출

443 하 중 상

그림은 4가지 분자 $CHCl_3$, BCl_3, NF_3, H_2O을 몇 가지 기준에 따라 분류하는 과정을 나타낸 것이다.

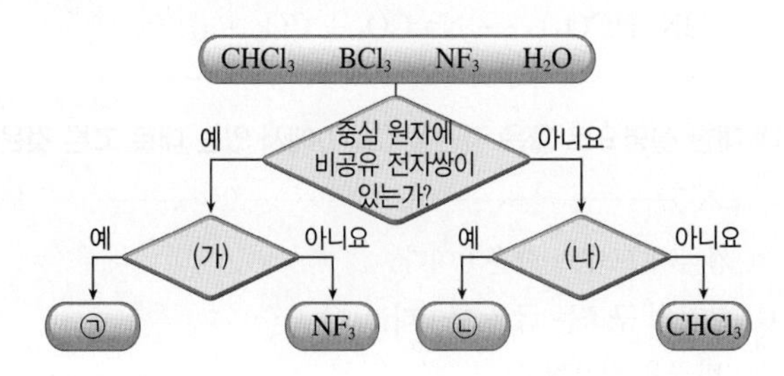

이에 대한 설명으로 옳은 것만을 〈보기〉에서 있는 대로 고른 것은?

〈 보기 〉
ㄱ. 결합각은 ㉠<㉡이다.
ㄴ. 분류 기준 (가)에 '평면 구조인가?'를 적용할 수 있다.
ㄷ. 분류 기준 (나)에 '극성 분자인가?'를 적용할 수 있다.

① ㄱ ② ㄷ ③ ㄱ, ㄴ
④ ㄴ, ㄷ ⑤ ㄱ, ㄴ, ㄷ

444 하 중 상

그림은 분자 (가)~(다)의 구성 원자 수와 분자의 쌍극자 모멘트를 나타낸 것이다. (가)~(다)는 각각 CH_2Cl_2, CH_2O, BF_3 중 하나이다.

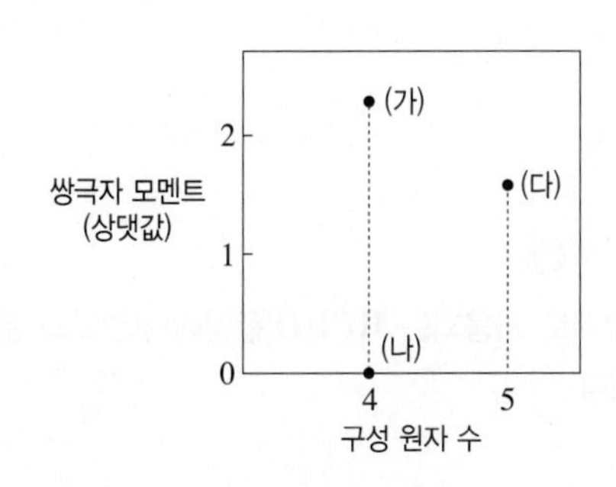

이에 대한 설명으로 옳은 것만을 〈보기〉에서 있는 대로 고른 것은?

〈 보기 〉
ㄱ. (가)에는 다중 결합이 있다.
ㄴ. (가)와 (나)의 구조는 모두 평면 삼각형이다.
ㄷ. 비공유 전자쌍 수의 비는 (나) : (다)=3 : 1이다.

① ㄱ ② ㄷ ③ ㄱ, ㄴ
④ ㄴ, ㄷ ⑤ ㄱ, ㄴ, ㄷ

445 하 중 상

그림은 2주기 원소 A~C로 이루어진 분자 (가)와 (나)의 부분적인 전하와 분자 구조를 나타낸 것이다. (가)와 (나)를 구성하는 모든 원자는 옥텟 규칙을 만족한다.

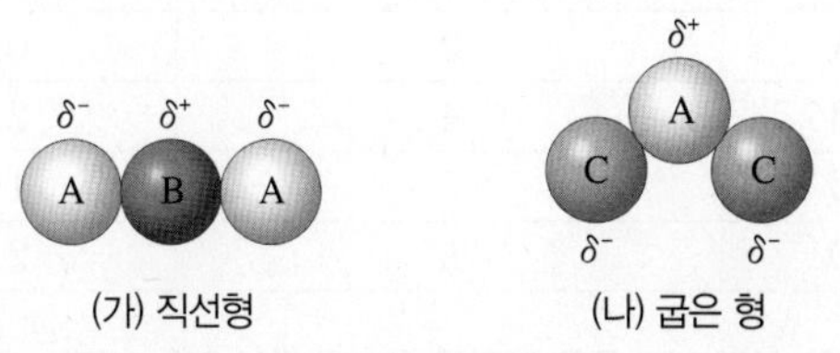

(가) 직선형 (나) 굽은 형

이에 대한 설명으로 옳은 것만을 〈보기〉에서 있는 대로 고른 것은? (단, A~C는 임의의 원소 기호이다.)

〈 보기 〉
ㄱ. 전기 음성도는 A<B<C이다.
ㄴ. A~C 중 원자 번호는 A가 가장 작다.
ㄷ. $\frac{\text{비공유 전자쌍 수}}{\text{공유 전자쌍 수}}$는 (나)가 (가)의 4배이다.

① ㄱ ② ㄷ ③ ㄱ, ㄴ
④ ㄴ, ㄷ ⑤ ㄱ, ㄴ, ㄷ

446 하 중 상

다음은 원소 A~D에 대한 자료이다. A~D는 각각 C, O, S, Cl 중 하나이다.

• 원자 A, B의 루이스 전자점식은 다음과 같다.

·Ȧ· :B̈·

• 바닥상태에서 전자가 들어 있는 s 오비탈의 수는 A와 C가 같다.

이에 대한 설명으로 옳은 것만을 〈보기〉에서 있는 대로 고른 것은?

〈 보기 〉
ㄱ. 원자 번호는 C<D이다.
ㄴ. 결합각은 AD_2가 CB_2보다 크다.
ㄷ. AD_2와 DB_2는 모두 무극성 분자이다.

① ㄱ ② ㄷ ③ ㄱ, ㄴ
④ ㄴ, ㄷ ⑤ ㄱ, ㄴ, ㄷ

447 하 중 상

표는 바닥상태 원자 A~D에서 전자가 들어 있는 오비탈 수와 홀전자 수에 대한 자료이다.

원자	전자가 들어 있는 오비탈 수	홀전자 수
A	2	0
B	4	2
C	5	1
D	5	2

이에 대한 설명으로 옳은 것만을 〈보기〉에서 있는 대로 고른 것은? (단, A~D는 임의의 원소 기호이다.)

〈 보기 〉

ㄱ. B_2C_2에는 무극성 공유 결합이 있다.
ㄴ. BC_2D의 구조는 삼각뿔형이다.
ㄷ. 쌍극자 모멘트 합은 AC_2와 DC_2가 같다.

① ㄱ ② ㄴ ③ ㄱ, ㄷ
④ ㄴ, ㄷ ⑤ ㄱ, ㄴ, ㄷ

448 하 중 상

다음은 2가지 화학 반응식이다.

• $H_2O + H^+ \longrightarrow H_3O^+$
• $BF_3 + F^- \longrightarrow BF_4^-$

이에 대한 설명으로 옳은 것만을 〈보기〉에서 있는 대로 고른 것은?

〈 보기 〉

ㄱ. H_2O이 H_3O^+이 될 때 구조는 굽은 형에서 삼각뿔형으로 변한다.
ㄴ. 쌍극자 모멘트 합은 $H_2O < BF_3$이다.
ㄷ. BF_4^-의 결합각은 109.5°이다.

① ㄱ ② ㄴ ③ ㄱ, ㄷ
④ ㄴ, ㄷ ⑤ ㄱ, ㄴ, ㄷ

빈출

449 하 중 상

다음은 $NaHCO_3$(탄산수소 나트륨) 분해 반응의 화학 반응식이다.

$$2NaHCO_3 \longrightarrow Na_2CO_3 + CO_2 + (\ ㉠\ )$$

㉠에 대한 설명으로 옳은 것만을 〈보기〉에서 있는 대로 고른 것은?

〈 보기 〉

ㄱ. 쌍극자 모멘트 합은 0이다.
ㄴ. 분자의 구조는 굽은 형이다.
ㄷ. $\frac{\text{비공유 전자쌍 수}}{\text{공유 전자쌍 수}}$는 CO_2와 같다.

① ㄱ ② ㄷ ③ ㄱ, ㄴ
④ ㄴ, ㄷ ⑤ ㄱ, ㄴ, ㄷ

450 하 중 상

••서술형

그림은 방부제로 사용되는 HCHO(폼알데하이드)의 분자 구조를 나타낸 것이다.

(1) 결합각 α와 β의 크기를 부등호를 이용하여 비교하시오.

(2) 구성 원자의 전기 음성도와 쌍극자 모멘트를 이용하여 HCHO의 극성 유무를 서술하시오.

전자쌍 수와 분자의 극성

451 하 중 상

다음은 분자 (가)~(다)에 대한 자료이다. (가)~(다)는 각각 CF_4, NF_3, OF_2 중 하나이다.

- 결합각은 (가)>(다)이다.
- $\frac{\text{비공유 전자쌍 수}}{\text{공유 전자쌍 수}}$는 (나)가 가장 크다.

이에 대한 설명으로 옳은 것만을 〈보기〉에서 있는 대로 고른 것은?

〈 보기 〉

ㄱ. (가)의 쌍극자 모멘트 합은 0이다.

ㄴ. (나)의 분자 구조는 굽은 형이다.

ㄷ. (다)는 평면 구조이다.

① ㄱ　② ㄷ　③ ㄱ, ㄴ　④ ㄴ, ㄷ　⑤ ㄱ, ㄴ, ㄷ

452 하 중 상

표는 2주기 원소의 H(수소) 화합물 A~C에서 중심 원자에 존재하는 전자쌍 수를 나타낸 것이다. A~C는 2주기 원자 1개와 H 원자로 이루어진다.

H 화합물	A	B	C
공유 전자쌍 수	2	4	2
비공유 전자쌍 수	0	0	2

이에 대한 설명으로 옳은 것만을 〈보기〉에서 있는 대로 고른 것은?

〈 보기 〉

ㄱ. A 분자의 구조는 직선형이다.

ㄴ. C는 무극성 분자이다.

ㄷ. 결합각의 크기는 A>B>C이다.

① ㄱ　② ㄷ　③ ㄱ, ㄷ　④ ㄴ, ㄷ　⑤ ㄱ, ㄴ, ㄷ

453 하 중 상

표는 2주기 원소 X~Z로 이루어진 분자 (가)~(라)에 대한 자료이다. 분자 내 모든 원자는 옥텟 규칙을 만족한다.

분자	(가)	(나)	(다)	(라)
구성 원소	X, Y	X, Z	Y, Z	X, Y, Z
분자당 원자 수	3	5	㉠	4
$\frac{\text{비공유 전자쌍 수}}{\text{공유 전자쌍 수}}$	1	3	4	㉡

이에 대한 설명으로 옳은 것만을 〈보기〉에서 있는 대로 고른 것은? (단, X~Z는 임의의 원소 기호이다.)

〈 보기 〉

ㄱ. ㉠－㉡=1이다.

ㄴ. 극성 분자는 2가지이다.

ㄷ. 모든 구성 원자가 동일 평면 상에 있는 분자는 3가지이다.

① ㄱ　② ㄷ　③ ㄱ, ㄴ　④ ㄴ, ㄷ　⑤ ㄱ, ㄴ, ㄷ

454 하 중 상

표는 구성 원자 수가 각각 5 이하인 분자 (가)~(다)에 대한 자료이다. X~Z는 각각 C, N, F 중 하나이고, (가)~(다)의 모든 원자는 옥텟 규칙을 만족한다.

분자	(가)	(나)	(다)
분자당 원자 수	X Y	Y X	X Z
$\frac{\text{비공유 전자쌍 수}}{\text{공유 전자쌍 수}}$	1.2	㉠	㉡

이에 대한 설명으로 옳은 것만을 〈보기〉에서 있는 대로 고른 것은?

〈 보기 〉

ㄱ. ㉠<㉡이다.

ㄴ. 쌍극자 모멘트 합은 (가)와 (나)가 같다.

ㄷ. (가)~(다) 중 무극성 공유 결합이 있는 분자는 2가지이다.

① ㄱ　② ㄴ　③ ㄱ, ㄷ　④ ㄴ, ㄷ　⑤ ㄱ, ㄴ, ㄷ

전기 음성도와 분자의 극성

455 하 중 상

다음은 2주기 원소 W~Z로 이루어진 분자 (가)~(다)의 분자식을 나타낸 것이다. 전기 음성도는 W<Y<X이고, 분자 내 모든 원자는 옥텟 규칙을 만족한다.

WX_2	YZ_3	ZWY
(가)	(나)	(다)

이에 대한 설명으로 옳은 것만을 〈보기〉에서 있는 대로 고른 것은? (단, W~Z는 임의의 원소 기호이다.)

〈 보기 〉

ㄱ. (가)~(다) 중 쌍극자 모멘트 합이 0인 분자는 1가지이다.

ㄴ. (나)와 H_3O^+의 구조는 같다.

ㄷ. (다)의 $\frac{\text{공유 전자쌍 수}}{\text{비공유 전자쌍 수}}=1$이다.

① ㄱ ② ㄴ ③ ㄱ, ㄷ ④ ㄴ, ㄷ ⑤ ㄱ, ㄴ, ㄷ

456 하 중 상

그림은 F(플루오린)을 포함한 분자 (가)~(다)의 쌍극자 모멘트 합과 구성 원소 간의 전기 음성도 차를 나타낸 것이다. (가)~(다)는 각각 XF_2, YF_3, ZF_4 중 하나이다.

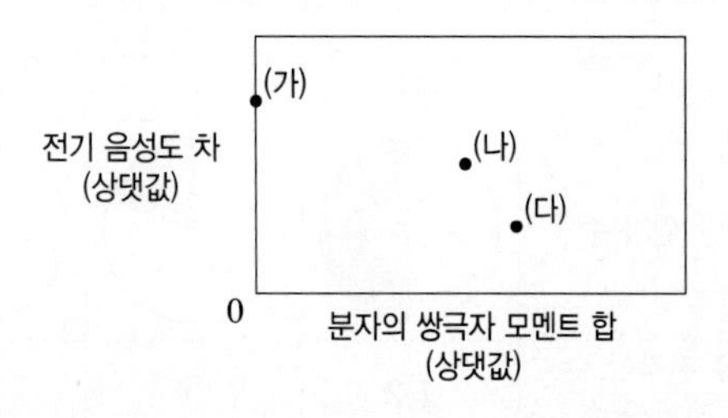

이에 대한 설명으로 옳은 것만을 〈보기〉에서 있는 대로 고른 것은? (단, X~Z는 임의의 2주기 원소 기호이다.)

〈 보기 〉

ㄱ. 비공유 전자쌍 수는 (나)가 가장 크다.

ㄴ. (나)의 분자 구조는 삼각뿔형이다.

ㄷ. X_2에는 2중 결합이 있다.

① ㄱ ② ㄷ ③ ㄱ, ㄴ ④ ㄴ, ㄷ ⑤ ㄱ, ㄴ, ㄷ

457 하 중 상

그림은 2, 3주기 원소의 H(수소) 화합물 (가)~(라)의 비공유 전자쌍 수와 H 화합물을 이루는 두 원소의 전기 음성도 차를 나타낸 것이다. (가)~(라)는 분자이고, 2, 3주기 원자 1개와 H 원자로 이루어지며, 모두 옥텟 규칙을 만족한다.

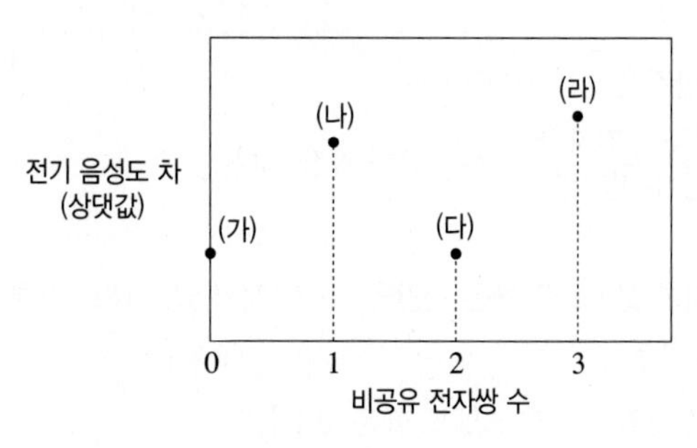

이에 대한 설명으로 옳은 것만을 〈보기〉에서 있는 대로 고른 것은? (단, 전기 음성도는 N<Cl이고, (가)는 2주기 원소를 포함한다.)

〈 보기 〉

ㄱ. (다)의 중심 원자는 O(산소)이다.

ㄴ. 쌍극자 모멘트 합은 (나)가 (가)보다 크다.

ㄷ. 모든 원자가 같은 평면에 있는 것은 3가지이다.

① ㄱ ② ㄴ ③ ㄱ, ㄷ ④ ㄴ, ㄷ ⑤ ㄱ, ㄴ, ㄷ

458 하 중 상

그림은 원자 번호가 연속인 2주기 원소 A~E의 바닥상태 원자의 홀전자 수와 전기 음성도를 나타낸 것이다.

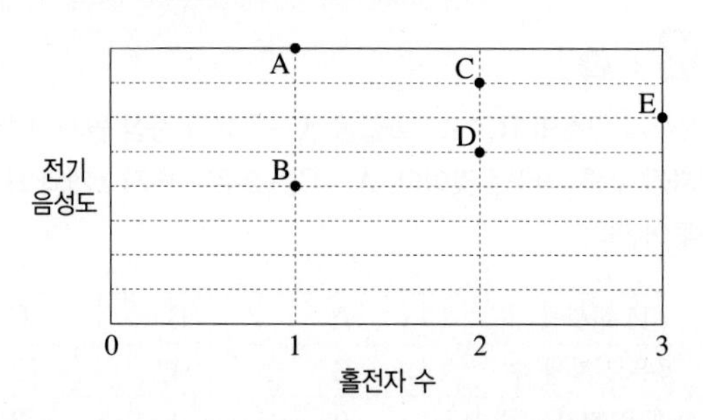

이에 대한 설명으로 옳은 것만을 〈보기〉에서 있는 대로 고른 것은? (단, A~E는 임의의 원소 기호이다.)

〈 보기 〉

ㄱ. 결합각은 BA_3가 EA_3보다 크다.

ㄴ. 쌍극자 모멘트 합은 DC_2와 DA_4가 같다.

ㄷ. 비공유 전자쌍 수는 ECA가 ADE의 2배이다.

① ㄱ ② ㄷ ③ ㄱ, ㄴ ④ ㄴ, ㄷ ⑤ ㄱ, ㄴ, ㄷ

B 분자의 극성에 따른 성질

459 하중상

어떤 물질을 전기장 속에 넣었더니 그림과 같이 일정한 방향으로 분자가 배열하였다.

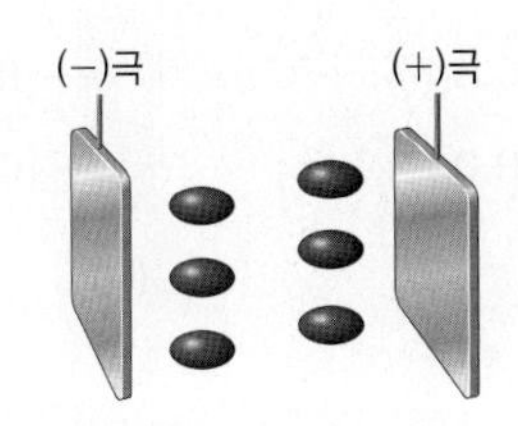

이와 같이 배열하는 물질의 분자식과 상태로 옳은 것은?

① $H_2O(g)$　② $H_2O(s)$　③ $CO_2(g)$
④ $CO_2(s)$　⑤ $I_2(g)$

462 하중상

多 보기

물을 뷰렛에 넣고 가늘게 흐르게 한 후, 그림과 같이 (−)대전체를 가까이 가져갔더니 물줄기가 휘어졌다. 이에 대한 설명으로 옳은 것만을 모두 고르면?(2개)

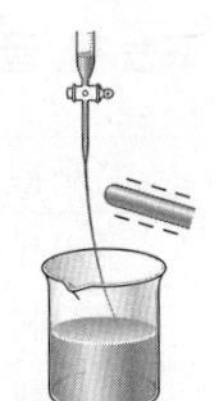

① 물 분자는 (+)전하를 띤다.
② 물의 쌍극자 모멘트 합은 0보다 크다.
③ 물 분자에서 H 원자가 (−)대전체를 향하여 배열한다.
④ 물 대신 C_6H_6(벤젠)으로 실험해도 같은 현상을 관찰할 수 있다.
⑤ 이 실험을 통해 물이 극성 공유 결합을 가지고 있는지 확인할 수 있다.
⑥ (−)대전체 대신 (+)대전체를 가까이 가져가면 물줄기가 반대 방향으로 휘어진다.

[460~461] 그림은 A(l)와 B(l)의 성질을 알아보기 위해 (−)전하로 대전된 플라스틱 자를 가까이 가져갔을 때의 모습을 나타낸 것이다.

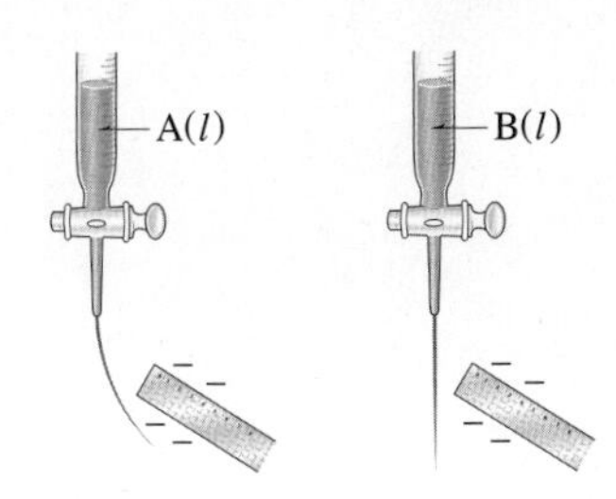

460 빈출 하중상

이에 대한 설명으로 옳은 것만을 〈보기〉에서 있는 대로 고른 것은?

〈 보기 〉
ㄱ. A(l)와 B(l)는 잘 섞인다.
ㄴ. A(l)와 B(l)의 분자량이 비슷하다면 끓는점은 A<B이다.
ㄷ. A(g)는 전기장 속에서 일정한 방향으로 배열한다.

① ㄱ　② ㄷ　③ ㄱ, ㄴ
④ ㄴ, ㄷ　⑤ ㄱ, ㄴ, ㄷ

461 빈출 하중상

••서술형

A(l)와 B(l) 중 물에 잘 용해되는 액체는 무엇인지 쓰고, 그 까닭을 서술하시오.

[463~464] 그림은 분자량이 비슷한 $XH_3(g)$와 $YH_4(g)$를 전기장 속에 각각 넣었을 때의 모습을 나타낸 것이다.(단, X와 Y는 임의의 2주기 원소 기호이다.)

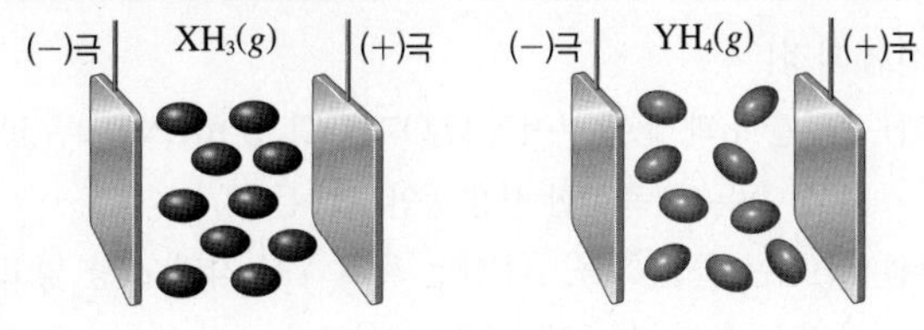

463 빈출 하중상

이에 대한 설명으로 옳은 것만을 〈보기〉에서 있는 대로 고른 것은?

〈 보기 〉
ㄱ. XH_3와 YH_4는 모두 입체 구조이다.
ㄴ. XH_3는 C_6H_{14}(헥세인)에 잘 용해된다.
ㄷ. YH_4의 액체 줄기에 (+)대전체를 가까이 가져가면 액체 줄기가 대전체 쪽으로 휘어진다.

① ㄱ　② ㄷ　③ ㄱ, ㄴ
④ ㄴ, ㄷ　⑤ ㄱ, ㄴ, ㄷ

464 하중상

••서술형

XH_3와 YH_4의 끓는점을 부등호를 이용하여 비교하고, 그 까닭을 서술하시오.

465 하중상

표는 물, 글리세롤, 헥세인, 벤젠의 용해성을 조사한 결과이다.

구분	물	글리세롤	헥세인
글리세롤	○		
헥세인	×	(나)	
벤젠	(가)	×	○

(○: 서로 잘 섞임, ×: 서로 잘 섞이지 않음)

이에 대한 설명으로 옳은 것만을 〈보기〉에서 있는 대로 고른 것은?

〈 보기 〉

ㄱ. (가)와 (나)는 모두 ×가 적절하다.

ㄴ. 글리세롤에 I_2을 넣으면 잘 용해된다.

ㄷ. 헥세인과 벤젠의 쌍극자 모멘트 합은 같다.

① ㄱ ② ㄴ ③ ㄱ, ㄷ

④ ㄴ, ㄷ ⑤ ㄱ, ㄴ, ㄷ

466 하중상

다음은 물질의 성질을 알아보기 위한 실험이다. X와 Y는 각각 $CuCl_2$와 I_2 중 하나이다.

[실험 과정]

(가) 시험관 Ⅰ과 Ⅱ에 무색의 H_2O과 CCl_4 5 mL씩 모두 넣고 잘 흔든 후 충분한 시간 동안 놓아둔다.

(나) (가)에는 물질 X를, (나)에는 물질 Y를 각각 소량 넣고 잘 흔든 후 충분한 시간 동안 놓아둔다.

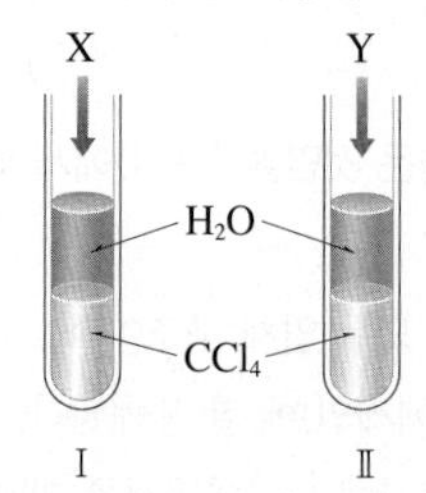

[실험 결과]

• (나) 과정 후 시험관 속 각 액체의 색깔

시험관		Ⅰ	Ⅱ
용액의 색깔	H_2O	푸른색	무색
	CCl_4	무색	보라색

이에 대한 설명으로 옳은 것만을 〈보기〉에서 있는 대로 고른 것은?

〈 보기 〉

ㄱ. 밀도는 $H_2O < CCl_4$이다.

ㄴ. 쌍극자 모멘트 합은 $H_2O > CCl_4$이다.

ㄷ. Y는 무극성 물질이다.

① ㄱ ② ㄷ ③ ㄱ, ㄴ

④ ㄴ, ㄷ ⑤ ㄱ, ㄴ, ㄷ

[467~468] 그림 (가)는 H_2O과 C_6H_{14}(헥세인)을, (나)는 H_2O과 CCl_4(사염화 탄소)를 시험관에 넣고 흔든 후 충분한 시간이 지났을 때 모습이다.

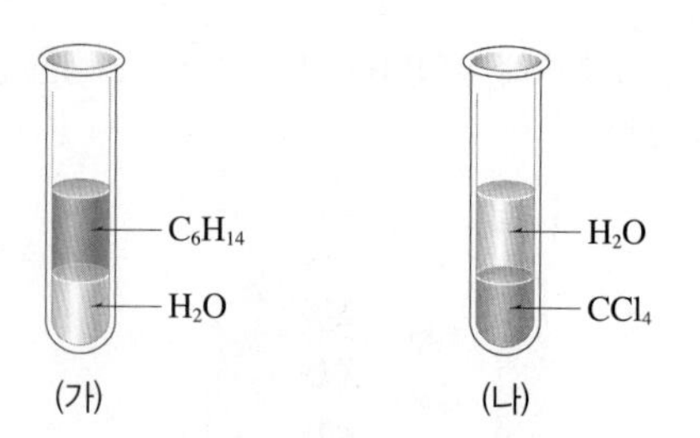

467 하중상

이에 대한 설명으로 옳은 것만을 〈보기〉에서 있는 대로 고른 것은?

〈 보기 〉

ㄱ. 밀도는 $C_6H_{14} < H_2O < CCl_4$이다.

ㄴ. C_6H_{14}과 CCl_4는 무극성 물질이다.

ㄷ. (나)의 시험관에 스포이트를 사용하여 C_6H_{14}을 시험관 벽을 타고 흘러내리게 넣으면 3개의 층으로 분리된다.

① ㄱ ② ㄷ ③ ㄱ, ㄴ

④ ㄴ, ㄷ ⑤ ㄱ, ㄴ, ㄷ

468 하중상

••서술형

(가)와 (나)를 혼합한 후 시험관의 입구를 막고 위아래로 흔든 후 충분한 시간이 지나면 몇 개의 층으로 분리되는지 쓰고, 그 까닭을 서술하시오.

469 하중상

••서술형

다음은 분자량이 비슷한 2가지 물질의 화학식이다.

CH_4 NH_3

끓는점이 낮을 것으로 예상되는 물질의 화학식을 쓰고, 그 까닭을 서술하시오.

470 하 중 상

그림은 3가지 화합물의 구조식을 나타낸 것이다.

```
     Cl              H               H
     |               |               |
Cl - C - Cl     Cl - C - Cl     Cl - C - Cl
     |               |               |
     Cl              Cl              H
    (가)            (나)            (다)
```

이에 대한 설명으로 옳은 것만을 <보기>에서 있는 대로 고른 것은?

<보기>

ㄱ. C_6H_{14}(헥세인)에 대한 용해도는 (가)>(나)이다.

ㄴ. (가)와 (다)는 모두 무극성 분자이다.

ㄷ. (가)~(다) 중 전기장 속에서 일정한 방향으로 배열하는 분자는 1가지이다.

① ㄱ ② ㄷ ③ ㄱ, ㄴ
④ ㄴ, ㄷ ⑤ ㄱ, ㄴ, ㄷ

471 하 중 상

다음은 2가지 화합물의 구조식과 녹는점, 끓는점을 나타낸 것이다.

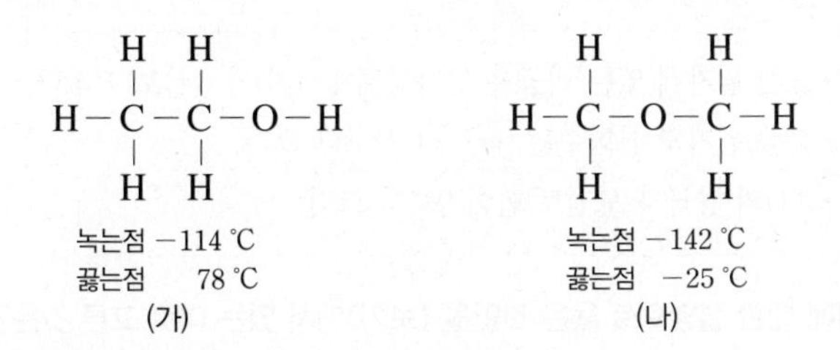

이에 대한 설명으로 옳은 것만을 모두 고르면?(2개)

① (가)는 물에 잘 용해되지 않는다.
② (가)와 (나)는 분자식이 같다.
③ (가)와 (나)의 녹는점과 끓는점 차이는 분자량의 크기로 설명할 수 있다.
④ (가)와 (나)는 모두 Na(나트륨)과 반응한다.
⑤ (가)와 (나)는 모두 쌍극자 모멘트 합이 0이 아니다.

472 하 중 상

그림은 화합물 AB_2와 CD를 각각 결합 모형으로 나타낸 것이고, 표는 화합물 (가)와 (나)에 대한 자료이다.

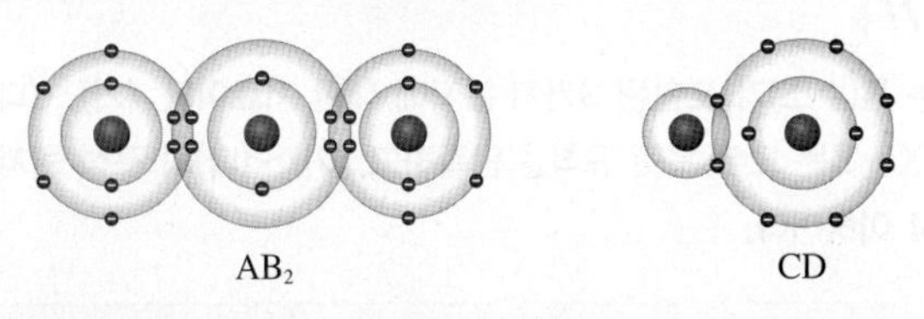

화합물	(가)	(나)
원자 수비	A : D = 1 : 1	B : C = 1 : 1

이에 대한 설명으로 옳은 것만을 <보기>에서 있는 대로 고른 것은? (단, A~D는 임의의 원소 기호이다.)

<보기>

ㄱ. (가)는 전기장 속에서 일정한 방향으로 배열한다.

ㄴ. (나)는 물에 대한 용해성이 크다.

ㄷ. (가)와 (나)는 모두 모든 구성 원자가 동일 평면 상에 있다.

① ㄱ ② ㄴ ③ ㄱ, ㄷ
④ ㄴ, ㄷ ⑤ ㄱ, ㄴ, ㄷ

473 하 중 상

표는 2주기 원소로 구성된 H(수소) 화합물 (가)~(다)에 대한 자료이다. (가)~(다)의 구성 원자 수는 모두 6 이하이며, X~Z는 모두 옥텟 규칙을 만족한다.

화합물	(가)	(나)	(다)
구성 원소	X, H	Y, H	Z, H
공유 전자쌍 수(상댓값)	2	1	
$\frac{\text{비공유 전자쌍 수}}{\text{공유 전자쌍 수}}$(상댓값)		2	1

이에 대한 설명으로 옳은 것만을 <보기>에서 있는 대로 고른 것은? (단, X~Z는 임의의 원소 기호이다.)

<보기>

ㄱ. (가)~(다) 중 입체 구조인 분자는 2가지이다.

ㄴ. (가)와 (나)는 잘 섞인다.

ㄷ. (다)에는 무극성 공유 결합이 있다.

① ㄴ ② ㄷ ③ ㄱ, ㄴ
④ ㄱ, ㄷ ⑤ ㄱ, ㄴ, ㄷ

474

표는 H(수소)가 포함된 3가지 분자에 대한 자료이다. (가)~(다)에서 X~Z는 모두 옥텟 규칙을 만족하고, (가)~(다)의 구성 원자 수는 4 이하이다.

분자	구성 원소	공유 전자쌍 수	비공유 전자쌍 수	구성 원자의 원자가 전자 수의 합
(가)	H, X	5	0	a
(나)	H, Y	4	c	$\frac{a+b}{2}$
(다)	H, Z	3	$2c$	b

이에 대한 설명으로 옳은 것만을 〈보기〉에서 있는 대로 고른 것은? (단, X~Z는 임의의 2주기 원소 기호이다.)

〈 보기 〉

ㄱ. $a+b+c=25$이다.

ㄴ. 전기 음성도는 X<Y<Z이다.

ㄷ. (가)~(다)는 모두 무극성 공유 결합이 있다.

① ㄱ ② ㄴ ③ ㄱ, ㄷ ④ ㄴ, ㄷ ⑤ ㄱ, ㄴ, ㄷ

475

그림은 2주기 원소 A~D의 전기 음성도와 원자 반지름 및 이온 반지름을 나타낸 것이다.

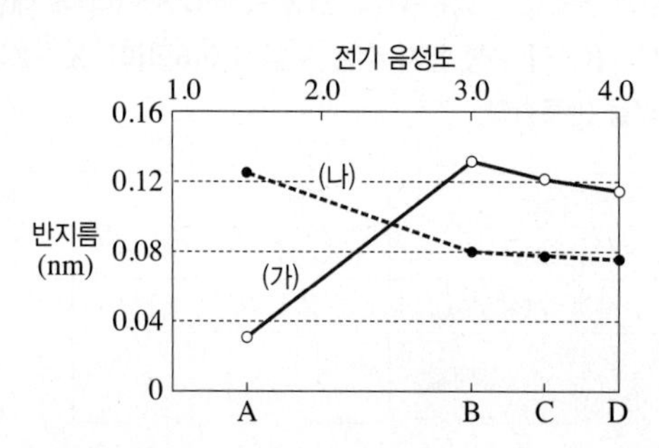

이에 대한 설명으로 옳은 것만을 〈보기〉에서 있는 대로 고른 것은? (단, A~D는 임의의 원소 기호이고, B~D는 원자 번호가 연속이다.)

〈 보기 〉

ㄱ. (가)는 이온 반지름이다.

ㄴ. 이온화 에너지는 A<B<C<D이다.

ㄷ. 화합물 BCD의 쌍극자 모멘트 합은 0이다.

① ㄱ ② ㄴ ③ ㄱ, ㄷ ④ ㄴ, ㄷ ⑤ ㄱ, ㄴ, ㄷ

476

표는 탄화수소 (가)~(다)에 대한 자료이다.

탄화수소	분자식	공유 전자쌍 수
(가)	C_2H_2	x
(나)	C_nH_6	7
(다)	C_mH_6	9

이에 대한 설명으로 옳은 것만을 〈보기〉에서 있는 대로 고른 것은?

〈 보기 〉

ㄱ. $x=n+m$이다.

ㄴ. (나)에는 다중 결합이 있다.

ㄷ. (가)~(다) 중 무극성 분자는 2가지이다.

① ㄱ ② ㄷ ③ ㄱ, ㄴ ④ ㄴ, ㄷ ⑤ ㄱ, ㄴ, ㄷ

477

다음은 2주기 원소 중 2가지 이상의 원소로 이루어진 3원자 분자 (가)~(다)에 대한 설명이다. (가)~(다)의 구성 원소들은 모두 옥텟 규칙을 만족한다.

- 중심 원자에 있는 비공유 전자쌍 수는 (가)가 (나)보다 작다.
- 중심 원자의 산화수는 (다)가 (가)보다 크다.
- (다)의 쌍극자 모멘트 합이 0보다 크다.

이에 대한 설명으로 옳은 것만을 〈보기〉에서 있는 대로 고른 것은?

〈 보기 〉

ㄱ. (가)~(다) 중 무극성 분자는 1가지이다.

ㄴ. (가)~(다) 중 결합각은 (나)가 가장 작다.

ㄷ. $\frac{\text{비공유 전자쌍 수}}{\text{공유 전자쌍 수}}$는 (가)가 (다)의 2배이다.

① ㄱ ② ㄷ ③ ㄱ, ㄴ ④ ㄴ, ㄷ ⑤ ㄱ, ㄴ, ㄷ

478

다음은 바닥상태 2주기 원소 X～Z에 대한 자료이다.

- X～Z 중 금속 원소가 있다.
- 원자 X～Z의 홀전자 수의 합은 4이다.
- 제1 이온화 에너지는 원자 Y가 Z보다 작다.
- 전자가 모두 채워진 오비탈 수는 원자 X와 Y가 같다.
- 전자가 들어 있는 p 오비탈 수는 원자 Y와 Z가 같다.

이에 대한 설명으로 옳은 것만을 〈보기〉에서 있는 대로 고른 것은? (단, X～Z는 임의의 원소 기호이다.)

〈 보기 〉

ㄱ. X～Z 중 원자가 전자 수는 Z가 가장 크다.

ㄴ. X의 H(수소) 화합물의 쌍극자 모멘트 합은 0이다.

ㄷ. Y와 Z가 1 : 1로 결합한 화합물에는 무극성 공유 결합이 있다.

① ㄱ　② ㄷ　③ ㄱ, ㄴ　④ ㄴ, ㄷ　⑤ ㄱ, ㄴ, ㄷ

479

그림은 분자 (가)의 반응을 모형으로 나타낸 것이다.

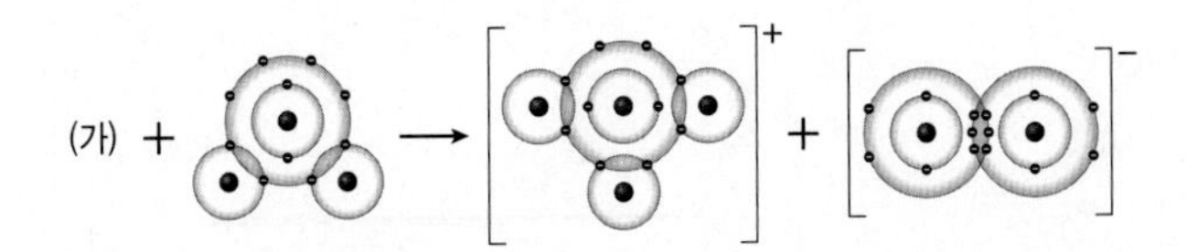

(가)에 대한 설명으로 옳은 것만을 〈보기〉에서 있는 대로 고른 것은?

〈 보기 〉

ㄱ. 분자 구조는 직선형이다.

ㄴ. 무극성 분자이다.

ㄷ. $\frac{\text{공유 전자쌍 수}}{\text{비공유 전자쌍 수}}$는 4이다.

① ㄱ　② ㄴ　③ ㄱ, ㄷ　④ ㄴ, ㄷ　⑤ ㄱ, ㄴ, ㄷ

480

다음은 2가지 반응의 화학 반응식이다.

- $NaNO_3 + NH_4Cl \longrightarrow N_2O + NaCl + 2($ ㉠ $)$
- $CO + Cl_2 \longrightarrow ($ ㉡ $)$

이에 대한 설명으로 옳은 것만을 〈보기〉에서 있는 대로 고른 것은?

〈 보기 〉

ㄱ. $\frac{\text{비공유 전자쌍 수}}{\text{공유 전자쌍 수}}$는 ㉠이 ㉡의 $\frac{1}{2}$배이다.

ㄴ. ㉡은 전기장 속에서 일정한 방향으로 배열한다.

ㄷ. 분자의 결합각은 ㉠<㉡이다.

① ㄱ　② ㄴ　③ ㄱ, ㄷ　④ ㄴ, ㄷ　⑤ ㄱ, ㄴ, ㄷ

481

다음은 2주기 원소로 이루어진 분자 (가)～(마)에 대한 자료이다.

- 분자의 구성
  - 3개 이상의 원자로 구성된다.
  - 중심 원자는 1개이고 나머지 원자는 모두 중심 원자와 결합한다.
  - 분자 내 모든 원자는 옥텟 규칙을 만족한다.
- 분자의 구성 원소 수와 결합각 및 $\frac{\text{비공유 전자쌍 수}}{\text{공유 전자쌍 수}}$

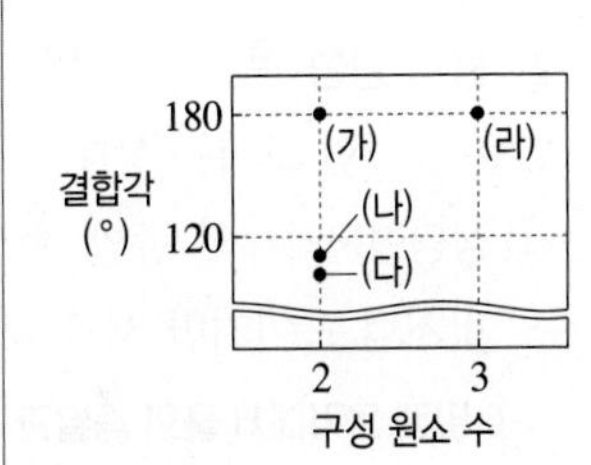

분자	$\frac{\text{비공유 전자쌍 수}}{\text{공유 전자쌍 수}}$
(가)	1
(나)	a
(다)	b
(라)	1
(마)	2

- $b<4$이다.
- (마)의 구성 원소 수는 3이다.
- (가)～(마)에서 중심 원자에 비공유 전자쌍이 있는 분자는 1개이다.

이에 대한 설명으로 옳은 것만을 〈보기〉에서 있는 대로 고른 것은?

〈 보기 〉

ㄱ. $a<b$이다.

ㄴ. 결합각은 (다)<(마)이다.

ㄷ. (가)～(마) 중 평면 구조인 분자는 3가지이다.

ㄹ. (가)～(마) 중 무극성 분자는 3가지이다.

① ㄱ, ㄴ　② ㄷ, ㄹ　③ ㄱ, ㄴ, ㄷ　④ ㄴ, ㄷ, ㄹ　⑤ ㄱ, ㄴ, ㄷ, ㄹ

동적 평형

Ⓐ 가역 반응

1 정반응과 역반응

① ❶□□□: 반응물이 생성물로 되는 반응으로, 화학 반응식에서 오른쪽으로 진행된다. ('⟶'로 나타낸다.)

② ❷□□□: 생성물이 반응물로 되는 반응으로, 화학 반응식에서 왼쪽으로 진행된다. ('⟵'로 나타낸다.)

2 가역 반응과 비가역 반응

(가역 반응 → 화학 반응식에서 '⇌'로 나타낸다.)

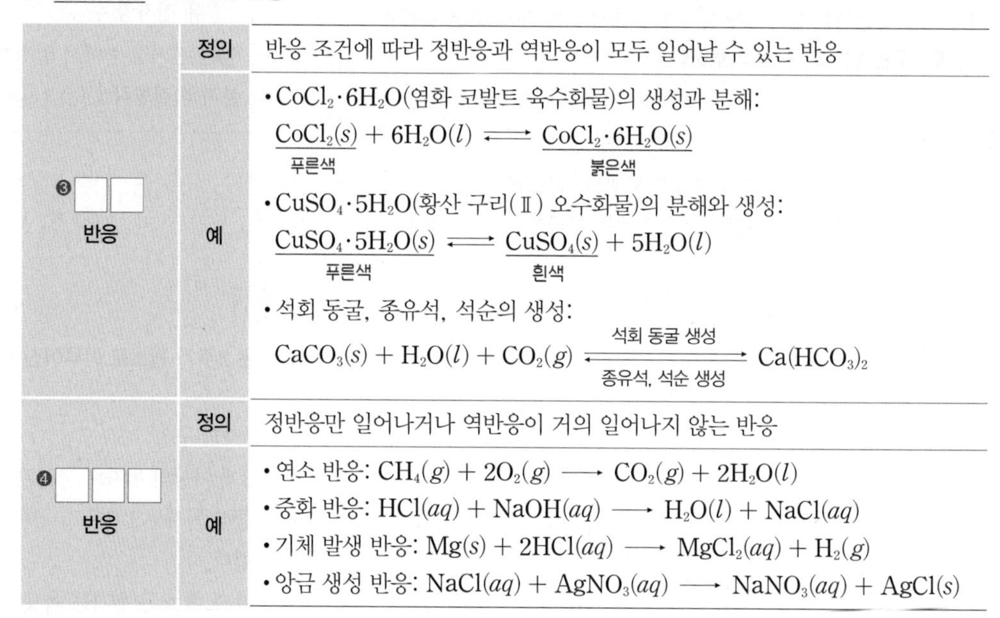

❸□□ 반응	정의	반응 조건에 따라 정반응과 역반응이 모두 일어날 수 있는 반응
	예	• $CoCl_2 \cdot 6H_2O$(염화 코발트 육수화물)의 생성과 분해: $\underset{\text{푸른색}}{CoCl_2(s)} + 6H_2O(l) \rightleftharpoons \underset{\text{붉은색}}{CoCl_2 \cdot 6H_2O(s)}$ • $CuSO_4 \cdot 5H_2O$(황산 구리(Ⅱ) 오수화물)의 분해와 생성: $\underset{\text{푸른색}}{CuSO_4 \cdot 5H_2O(s)} \rightleftharpoons \underset{\text{흰색}}{CuSO_4(s)} + 5H_2O(l)$ • 석회 동굴, 종유석, 석순의 생성: $CaCO_3(s) + H_2O(l) + CO_2(g) \underset{\text{종유석, 석순 생성}}{\overset{\text{석회 동굴 생성}}{\rightleftharpoons}} Ca(HCO_3)_2$
❹□□□ 반응	정의	정반응만 일어나거나 역반응이 거의 일어나지 않는 반응
	예	• 연소 반응: $CH_4(g) + 2O_2(g) \longrightarrow CO_2(g) + 2H_2O(l)$ • 중화 반응: $HCl(aq) + NaOH(aq) \longrightarrow H_2O(l) + NaCl(aq)$ • 기체 발생 반응: $Mg(s) + 2HCl(aq) \longrightarrow MgCl_2(aq) + H_2(g)$ • 앙금 생성 반응: $NaCl(aq) + AgNO_3(aq) \longrightarrow NaNO_3(aq) + AgCl(s)$

Ⓑ 동적 평형 → 반응물과 생성물이 함께 존재하며, 반응물과 생성물의 양이 일정하게 유지된다.

기출 Tip Ⓑ-1

동적 평형에서 반응물과 생성물의 양
동적 평형에서 정반응 속도와 역반응 속도가 같아 반응물과 생성물의 양이 일정하게 유지되지만, 반응물과 생성물의 양이 항상 같은 것은 아니다.

열린 용기에서 물의 증발
열린 용기에서는 액체의 증발 속도가 기체의 응축 속도보다 빠르므로 액체가 모두 증발한다. 따라서 열린 용기에서는 동적 평형에 도달하지 않는다.

1 동적 평형 ❺□□ 반응에서 정반응 속도와 역반응 속도가 같아 겉보기에는 변화가 일어나지 않는 것처럼 보이는 상태

① **상평형**: 액체의 증발 속도와 기체의 응축 속도가 같아서 겉보기에는 변화가 일어나지 않는 것처럼 보이지만 서로 다른 상이 공존하는 상태 → 고체와 액체, 고체와 기체 사이의 상평형도 있다.

(밀폐 용기에서 물의 증발과 응축)

일정한 온도에서 밀폐 용기에 물을 담아 놓으면 물의 양이 서서히 줄어들다가 어느 순간 일정해진다.
➔ 물의 증발 속도와 수증기의 응축 속도가 같은 ❻□□ □□에 도달하였다.

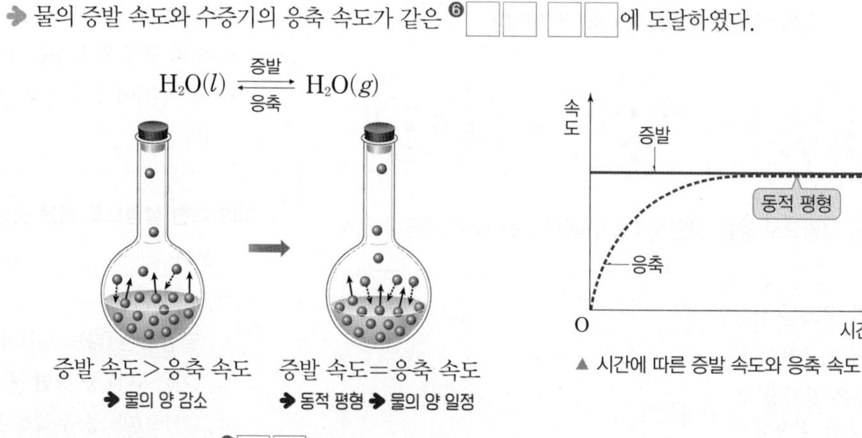

▲ 시간에 따른 증발 속도와 응축 속도

• 일정한 온도에서 물의 ❼□□ 속도는 일정하다.
• 시간이 지날수록 용기 속 수증기가 많아지므로 응축 속도가 점점 빨라진다.
• 충분한 시간이 지나면 증발 속도와 응축 속도가 같아진다. ➔ 동적 평형

② 용해 평형: 용해 반응이 일어날 때 용질의 용해 속도와 ❽ ☐☐ 속도가 같아 겉보기에는 변화가 일어나지 않는 것처럼 보이는 상태

(설탕의 용해와 석출)

일정한 온도에서 일정량의 물에 설탕을 계속 넣으면 설탕이 녹다가 어느 순간부터는 더 이상 녹지 않고 가라앉는다.
➜ 용해 속도와 석출 속도가 같은 동적 평형에 도달하였다.

$$\text{설탕(용질)} + \text{물(용매)} \underset{\text{석출}}{\overset{\text{용해}}{\rightleftharpoons}} \text{설탕물(용액)}$$

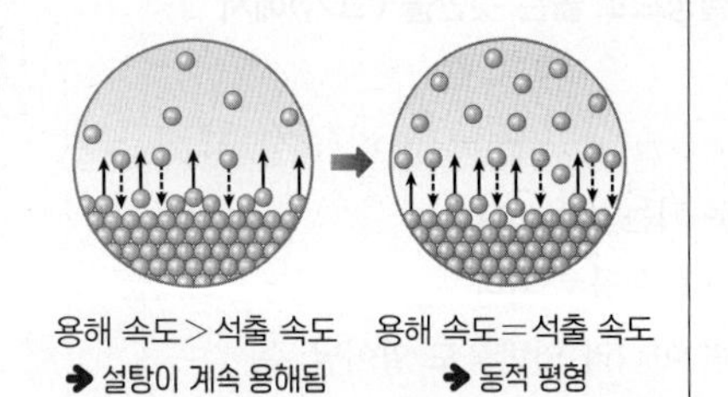

용해 속도>석출 속도 ➜ 설탕이 계속 용해됨 / 용해 속도=석출 속도 ➜ 동적 평형

(염화 나트륨(NaCl) 포화 수용액에서의 동적 평형)

^{23}Na이 포함된 NaCl 포화 수용액에 ^{24}Na이 포함된 NaCl을 넣고 충분한 시간이 지나면 가라앉아 있는 NaCl 고체뿐만 아니라 포화 수용액에서도 ^{24}Na이 발견된다.
➜ 변화가 일어나지 않는 것처럼 보이는 포화 수용액에서도 NaCl의 용해와 석출이 끊임없이 일어나고 있다.

$$NaCl(s) \underset{\text{석출}}{\overset{\text{용해}}{\rightleftharpoons}} Na^{+}(aq) + Cl^{-}(aq)$$

2 화학 평형 화학 반응에서 정반응과 역반응이 같은 속도로 일어나 반응물과 생성물의 ❾ ☐☐가 일정하게 유지되는 상태

(25 ℃에서 이산화 질소(NO_2)와 사산화 이질소(N_2O_4) 사이의 동적 평형)

밀폐된 시험관에 적갈색의 NO_2를 넣으면 적갈색이 점점 옅어지다가 연한 적갈색을 띠게 되고 더 이상 옅어지지 않는다. ➜ 무색의 N_2O_4를 생성하는 반응과 적갈색의 NO_2를 생성하는 반응이 같은 속도로 일어난다. ➜ 동적 평형

밀폐된 시험관에 무색의 N_2O_4를 넣으면 점점 적갈색으로 변하다가 연한 적갈색을 띠게 되고 더 이상 진해지지 않는다. ➜ 적갈색의 NO_2를 생성하는 반응과 무색의 N_2O_4를 생성하는 반응이 같은 속도로 일어난다. ➜ 동적 평형

$$2NO_2(g) \rightleftharpoons N_2O_4(g)$$

적갈색 　 연한 적갈색 (동적 평형) 　 무색

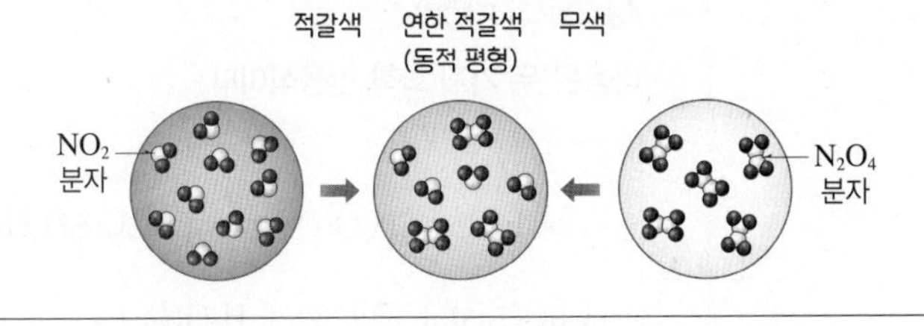

기출 Tip Ⓑ-1

포화 용액

포화 용액은 용매에 용질이 최대한 녹아 있어 더 이상의 용질이 녹지 않는 상태의 용액으로 동적 평형에 도달한 용액이다. 포화 용액에서는 실제로 끊임없이 용해와 석출이 일어나고 있다.

기출 Tip Ⓑ-2

화학 평형과 양적 관계

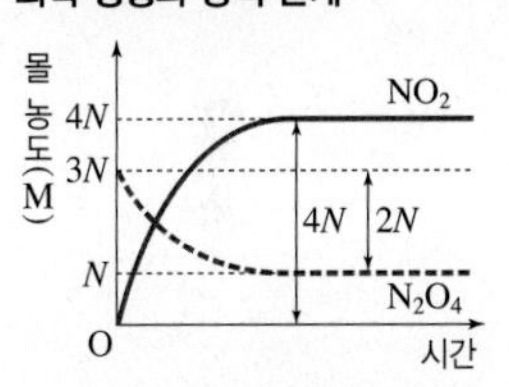

▲ 반응 시간에 따른 N_2O_4와 NO_2의 농도 그래프

동적 평형에 도달할 때까지 반응한 물질의 몰 농도(M)의 비(=부피비)는 $N_2O_4 : NO_2 = 2N : 4N = 1 : 2$이므로 N_2O_4와 NO_2 사이 반응의 화학 반응식은 $N_2O_4(g) \rightleftharpoons 2NO_2(g)$이다.

답 ❶ 정반응 ❷ 역반응 ❸ 가역 ❹ 비가역 ❺ 가역 ❻ 동적 평형 ❼ 증발 ❽ 석출 ❾ 농도

빈출 자료 보기

정답과 해설 60쪽

482 그림과 같이 일정한 온도의 시험관에 NO_2를 넣고 밀폐시킨 다음 놓아 두었더니 (다) 이후 적갈색이 더 이상 옅어지지 않았다.

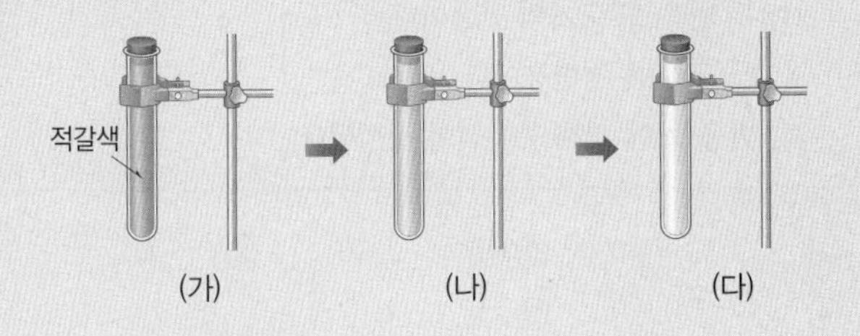

이에 대한 설명으로 옳은 것은 ○, 옳지 않은 것은 ×로 표시하시오.

(1) 이 반응의 화학 반응식은 $2NO_2(g) \rightleftharpoons N_2O_4(g)$이다. ( )
(2) (나)에서 $N_2O_4(g)$가 $NO_2(g)$로 되는 반응이 일어난다. ( )
(3) (다)에서 동적 평형 상태에 도달하였다. ( )
(4) (다)에서는 역반응만 일어난다. ( )
(5) (다) 이후 NO_2의 몰 농도(M)는 일정하게 유지된다. ( )
(6) 정반응 속도는 (나)<(다)이다. ( )
(7) 전체 기체 분자 수는 (가)<(다)이다. ( )

A 가역 반응

483 하 중 상

가역 반응과 비가역 반응에 대한 설명으로 옳은 것만을 〈보기〉에서 있는 대로 고른 것은?

〈 보기 〉

ㄱ. 정반응은 반응물이 생성물로 되는 반응이다.
ㄴ. 비가역 반응에서는 생성물이 반응물로 된다.
ㄷ. 가역 반응에서는 정반응뿐만 아니라 역반응도 일어날 수 있다.

① ㄱ ② ㄴ ③ ㄱ, ㄷ
④ ㄴ, ㄷ ⑤ ㄱ, ㄴ, ㄷ

484 하 중 상

역반응이 일어나기 어려운 것만을 모두 고르면?(2개)

① 석회암 지대에서 석회 동굴이 생성된다.
② 도시 가스를 연소시켜 발생한 열을 난방에 이용한다.
③ 이른 아침 공기 중의 수증기가 풀잎에 이슬로 맺힌다.
④ 묽은 염산에 마그네슘을 넣으면 수소 기체가 발생한다.
⑤ 푸른색의 염화 코발트 종이에 물방울을 떨어뜨리면 물이 떨어진 부분이 붉은색으로 변한다.

485 하 중 상

가역 반응으로 옳은 것은?

① $2NO_2(g) \longrightarrow N_2O_4(g)$
② $CH_4(g) + 2O_2(g) \longrightarrow CO_2(g) + 2H_2O(l)$
③ $Zn(s) + 2HCl(aq) \longrightarrow ZnCl_2(aq) + H_2(g)$
④ $HCl(aq) + NaOH(aq) \longrightarrow H_2O(l) + NaCl(aq)$
⑤ $AgNO_3(aq) + NaCl(aq) \longrightarrow AgCl(s) + NaNO_3(aq)$

486 하 중 상

다음은 $CuSO_4 \cdot 5H_2O$(황산 구리(Ⅱ) 오수화물)의 분해와 생성에 대한 화학 반응식과 실험이다.

[화학 반응식]

$$CuSO_4 \cdot 5H_2O \rightleftharpoons CuSO_4 + 5H_2O$$

[실험 과정]

(가) 푸른색 $CuSO_4 \cdot 5H_2O$을 증발 접시에 넣고 가열하면 흰색 결정이 생성된다.

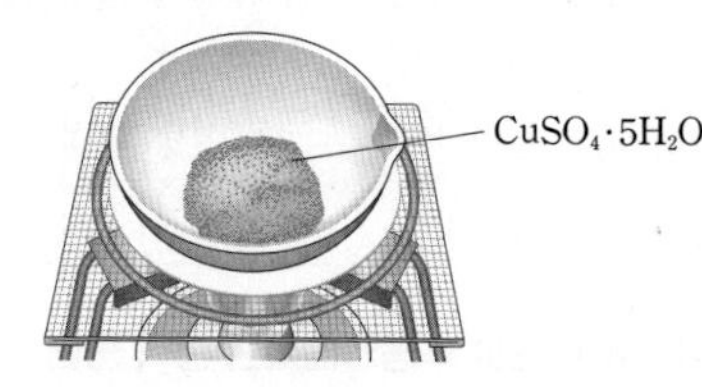

(나) (가)의 흰색 결정에 물질 X를 떨어뜨리면 다시 푸른색으로 변한다.

이에 대한 설명으로 옳은 것만을 〈보기〉에서 있는 대로 고른 것은?

〈 보기 〉

ㄱ. $CuSO_4 \cdot 5H_2O$의 분해와 생성 반응은 가역 반응이다.
ㄴ. (나)에서 물질 X는 H_2O이다.
ㄷ. 흰색 결정은 $CuSO_4$이다.

① ㄱ ② ㄴ ③ ㄱ, ㄷ
④ ㄴ, ㄷ ⑤ ㄱ, ㄴ, ㄷ

487 하 중 상

다음은 두 가지 화학 반응식이다.

• $CoCl_2(s) + 6H_2O(l) \underset{㉡}{\overset{㉠}{\rightleftharpoons}} CoCl_2 \cdot 6H_2O(s)$

• $CaCO_3(s) + CO_2(g) + H_2O(l) \underset{㉣}{\overset{㉢}{\rightleftharpoons}} Ca^{2+}(aq) + 2HCO_3^-(aq)$

이에 대한 설명으로 옳은 것만을 〈보기〉에서 있는 대로 고른 것은?

〈 보기 〉

ㄱ. 두 반응 모두 가역 반응이다.
ㄴ. ㉠과 ㉢은 정반응이다.
ㄷ. 반응 ㉣에 의해 종유석이 생성된다.

① ㄱ ② ㄷ ③ ㄱ, ㄴ
④ ㄴ, ㄷ ⑤ ㄱ, ㄴ, ㄷ

정답과 해설 60쪽

B 동적 평형

상평형

488 하중상

동적 평형에 대한 설명으로 옳은 것만을 〈보기〉에서 있는 대로 고른 것은?

〈 보기 〉
ㄱ. 정반응 속도와 역반응 속도가 같다.
ㄴ. 비가역 반응에서 충분한 시간이 지나면 도달한다.
ㄷ. 동적 평형에 이르면 정반응과 역반응은 더 이상 일어나지 않는다.

① ㄱ ② ㄴ ③ ㄱ, ㄷ
④ ㄴ, ㄷ ⑤ ㄱ, ㄴ, ㄷ

489 하중상

수조에 액체 A를 넣고 그림 (가)와 같이 유리 종으로 덮었더니 액체 A의 양이 줄어들었으며, 어느 정도 시간이 지난 후에는 (나)와 같이 액체의 양이 일정하게 유지되었다.

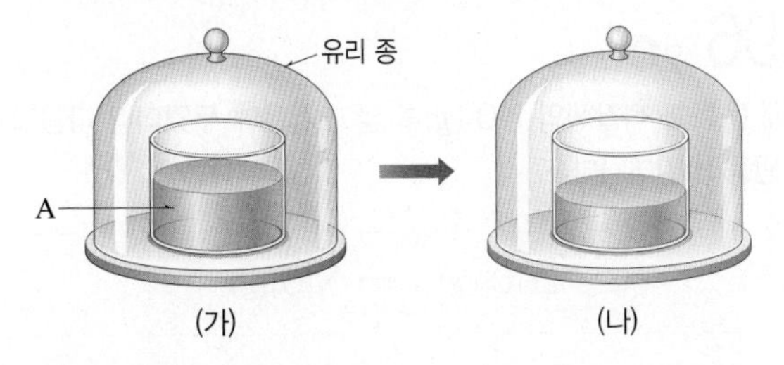

이에 대한 설명으로 옳은 것만을 〈보기〉에서 있는 대로 고른 것은? (단, 온도는 일정하다.)

〈 보기 〉
ㄱ. 액체 A의 증발 속도는 (가)>(나)이다.
ㄴ. 기체 A의 양은 (가)<(나)이다.
ㄷ. (나)에서 A의 증발 속도는 응축 속도보다 느리다.

① ㄱ ② ㄴ ③ ㄱ, ㄷ
④ ㄴ, ㄷ ⑤ ㄱ, ㄴ, ㄷ

빈출

490 하중상 多 보기

그림은 일정한 온도에서 용기에 일정량의 물을 넣고 밀폐시켰을 때 용기에서 일어나는 변화를 입자 모형으로 나타낸 것이다.

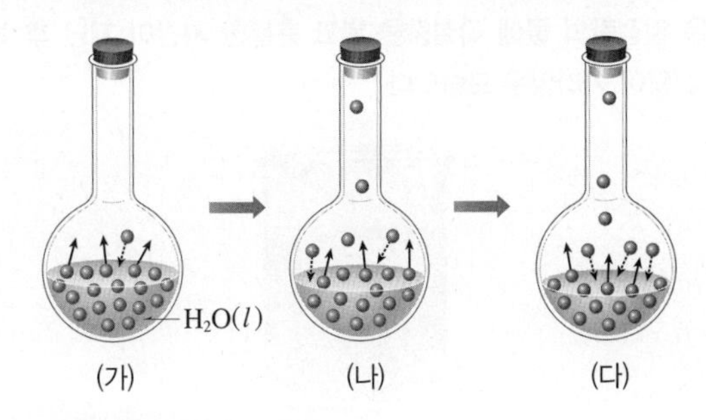

이에 대한 설명으로 옳은 것은?

① 증발 속도는 (가)에서 가장 빠르다.
② (나)에서 동적 평형에 도달하였다.
③ (다) 이후 수증기 분자 수는 증가한다.
④ (다)에서 물과 수증기의 농도는 같다.
⑤ 수면의 높이는 (가)>(나)>(다)이다.
⑥ 응축 속도는 (가)>(나)이다.

빈출

491 하중상

그림 (가)는 진공 용기 속에 $H_2O(l)$을 넣고 충분한 시간이 흐른 후 평형에 도달한 모습을, (나)는 시간에 따른 $H_2O(l)$의 증발 속도와 $H_2O(g)$의 응축 속도를 나타낸 것이다.

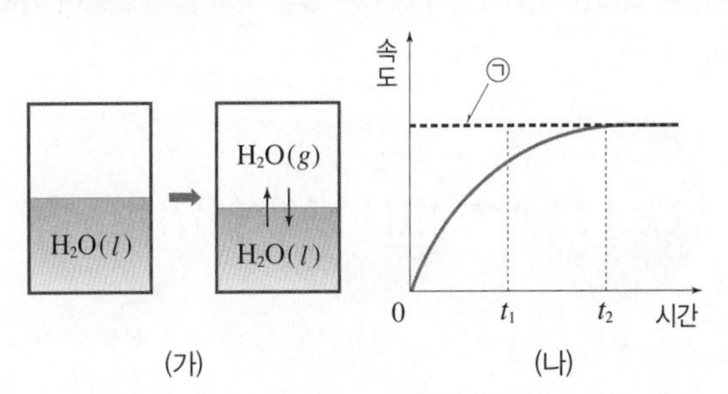

이에 대한 설명으로 옳은 것만을 〈보기〉에서 있는 대로 고른 것은?

〈 보기 〉
ㄱ. ㉠은 $H_2O(g)$의 응축 속도이다.
ㄴ. 용기 속 $H_2O(l)$의 양(mol)은 t_1일 때가 t_2일 때보다 많다.
ㄷ. t_2일 때 H_2O은 증발하지 않는다.

① ㄱ ② ㄴ ③ ㄱ, ㄷ
④ ㄴ, ㄷ ⑤ ㄱ, ㄴ, ㄷ

Ⅳ

용해 평형

492 하 중 상

그림은 일정량의 물에 각설탕을 넣고 충분한 시간이 지난 후 녹지 않은 설탕이 가라앉은 모습이다.

이 상태에 대한 설명으로 옳은 것만을 〈보기〉에서 있는 대로 고른 것은?

〈 보기 〉
ㄱ. 설탕물의 농도는 계속 일정하다.
ㄴ. 가라앉은 설탕의 양은 계속 일정하다.
ㄷ. 더 이상 석출되는 설탕 분자는 없다.

① ㄱ ② ㄷ ③ ㄱ, ㄴ
④ ㄴ, ㄷ ⑤ ㄱ, ㄴ, ㄷ

493 하 중 상

多 보기

그림은 일정량의 물에 일정량의 설탕을 넣었을 때 일어나는 변화를 모형으로 나타낸 것이다. (다)에서는 일부 녹지 않은 설탕이 가라앉았다.

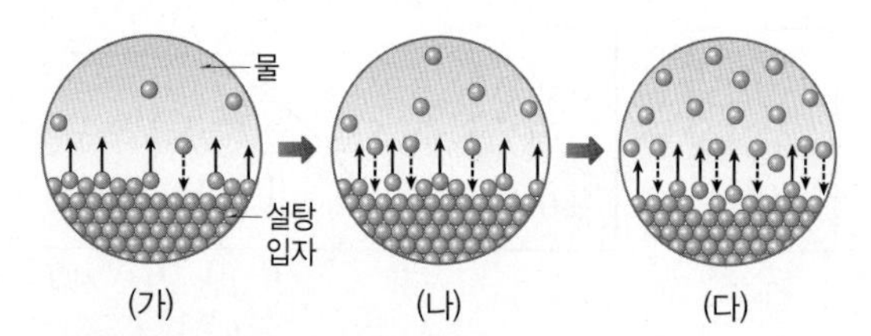

이에 대한 설명으로 옳은 것은?

① (가)에서는 용해만 일어난다.
② (가)와 (나)에서는 석출되는 설탕 분자가 용해되는 설탕 분자보다 많다.
③ (나)와 (다)에서 설탕물의 농도는 같다.
④ (다)에 설탕을 더 넣으면 설탕물의 몰 농도(M)는 증가한다.
⑤ 설탕 분자의 석출 속도는 (가)<(나)<(다)이다.
⑥ 설탕 분자의 용해 속도는 (가)>(나)>(다)이다.

[494~495] 그림 (가)는 물이 담긴 비커에 ^{23}**NaCl**(s)을 충분히 넣고 녹였을 때 ^{23}**NaCl**(s)의 일부가 녹지 않고 남아 있는 것을 나타낸 것이고, 그림 (나)는 (가)의 용액에 ^{24}**NaCl**(s)을 첨가한 후 충분한 시간이 흘렀을 때를 나타낸 것이다.

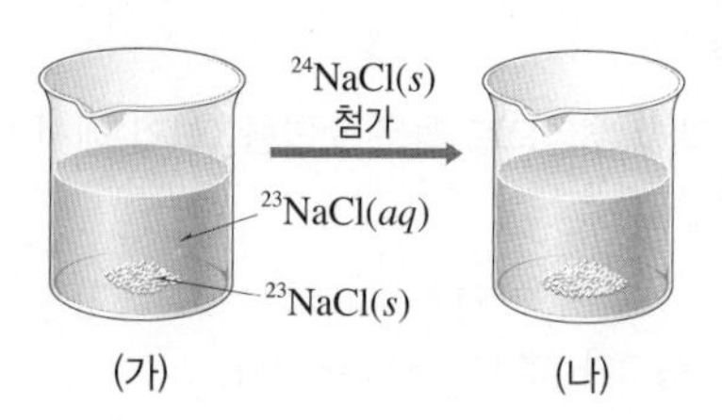

494 하 중 상

이에 대한 설명으로 옳은 것만을 〈보기〉에서 있는 대로 고른 것은?

〈 보기 〉
ㄱ. (가)에서 NaCl의 용해 속도와 석출 속도는 같다.
ㄴ. NaCl(aq)의 몰 농도(M)는 (나)에서가 (가)에서보다 크다.
ㄷ. NaCl(aq)의 밀도는 (나)에서가 (가)에서보다 크다.

① ㄱ ② ㄴ ③ ㄱ, ㄴ
④ ㄱ, ㄷ ⑤ ㄴ, ㄷ

495 하 중 상

서술형

^{24}**Na**이 발견되는 곳은 바닥에 가라앉아 있는 **NaCl**(s)과 수용액 중 어디인지 그 까닭과 함께 서술하시오.

화학 평형

빈출

496 하 중 상

밀폐 용기에 적갈색의 NO_2(g)를 넣고 실온에 두었더니 다음과 같은 반응이 일어났다.

$$2NO_2(g) \rightleftharpoons N_2O_4(g)$$

이에 대한 설명으로 옳은 것만을 〈보기〉에서 있는 대로 고른 것은?

〈 보기 〉
ㄱ. 가역 반응이다.
ㄴ. 충분한 시간이 흐른 후 밀폐 용기의 색은 무색을 띤다.
ㄷ. 충분한 시간이 흐르면 NO_2와 N_2O_4의 농도는 일정하게 유지된다.

① ㄱ ② ㄴ ③ ㄱ, ㄷ
④ ㄴ, ㄷ ⑤ ㄱ, ㄴ, ㄷ

빈출

497 하 중 상

그림은 밀폐 용기에서 $2NO_2(g) \rightleftarrows N_2O_4(g)$ 반응이 일어날 때를 모형으로 나타낸 것이다. (가)에서 (나)로 변할 때 용기의 적갈색이 옅어졌다.

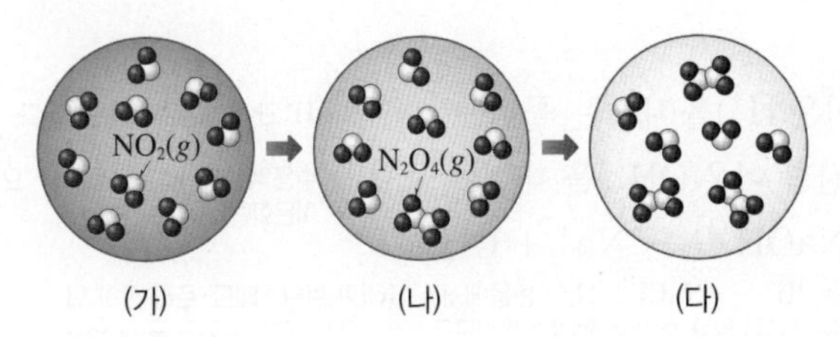

이에 대한 설명으로 옳은 것만을 〈보기〉에서 있는 대로 고른 것은?

〈 보기 〉

ㄱ. (가)에서 정반응 속도는 역반응 속도보다 크다.

ㄴ. (나)에서 (다)로 될 때 용기의 적갈색이 더 옅어진다.

ㄷ. (다)에서 NO_2와 N_2O_4의 농도가 같다.

① ㄱ ② ㄷ ③ ㄱ, ㄴ
④ ㄴ, ㄷ ⑤ ㄱ, ㄴ, ㄷ

498 하 중 상

그림은 일정한 온도에서 밀폐된 용기에 무색의 $N_2O_4(g)$를 넣었을 때 반응 시간에 따라 용기에 존재하는 물질의 농도 변화를 나타낸 것이다.

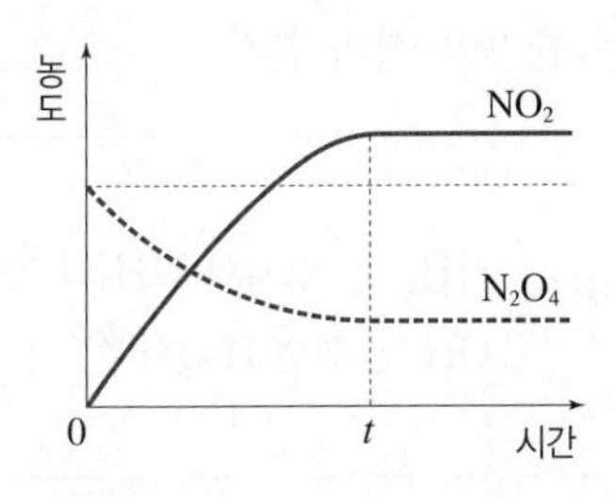

이에 대한 설명으로 옳은 것만을 〈보기〉에서 있는 대로 고른 것은?

〈 보기 〉

ㄱ. 동적 평형에 도달하면 $NO_2(g)$의 농도가 $N_2O_4(g)$의 농도보다 크다.

ㄴ. 용기 속 $N_2O_4(g)$의 농도가 더 이상 변하지 않으면 정반응은 일어나지 않는다.

ㄷ. t 이전까지는 $N_2O_4(g)$ 생성 속도가 $NO_2(g)$ 생성 속도보다 크다.

① ㄱ ② ㄴ ③ ㄱ, ㄷ
④ ㄴ, ㄷ ⑤ ㄱ, ㄴ, ㄷ

499 하 중 상

다음은 $HI(g)$의 생성 반응을 화학 반응식으로 나타낸 것이다.

$$I_2(g) + H_2(g) \rightleftarrows 2HI(g)$$

밀폐 용기에 I_2과 H_2를 넣고 반응시킬 때, 이에 대한 설명으로 옳은 것만을 〈보기〉에서 있는 대로 고른 것은?(단, $I_2(g)$은 보라색을 띤다.)

〈 보기 〉

ㄱ. 반응이 진행될수록 보라색이 계속 옅어지다 무색이 된다.

ㄴ. 어느 정도 반응이 진행되면 $HI(g)$가 분해되는 반응이 일어난다.

ㄷ. 동적 평형 상태에서 $I_2(g)$, $H_2(g)$, $HI(g)$의 농도비는 항상 1 : 1 : 2이다.

① ㄱ ② ㄴ ③ ㄱ, ㄷ
④ ㄴ, ㄷ ⑤ ㄱ, ㄴ, ㄷ

500 하 중 상

다음은 $X(g)$가 반응하여 $Y(g)$를 생성하는 반응의 화학 반응식이다.

$$X(g) \rightleftarrows 2Y(g)$$

그림은 일정한 온도에서 반응 용기에 $X(g)$와 $Y(g)$ 중 한 가지를 넣고 반응시킬 때 시간에 따른 X와 Y의 몰 농도(M)를 나타낸 것이다. (가)와 (나)는 각각 $X(g)$와 $Y(g)$ 중 하나이다.

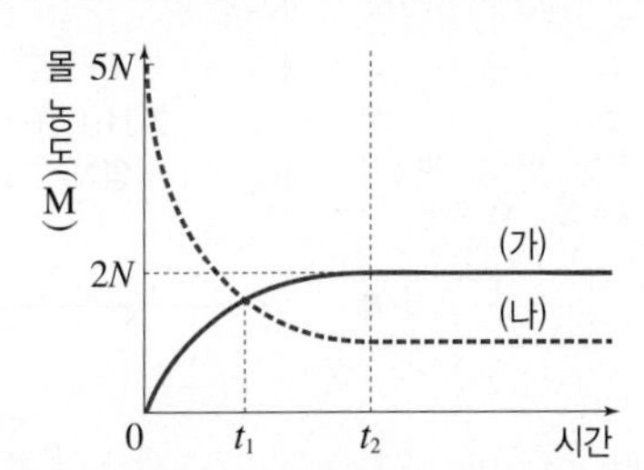

이에 대한 설명으로 옳은 것만을 〈보기〉에서 있는 대로 고른 것은?

〈 보기 〉

ㄱ. (가)는 $X(g)$이다.

ㄴ. t_1에서 정반응 속도와 역반응 속도가 같다.

ㄷ. t_2 이후 $\frac{[X]}{[Y]} = \frac{1}{2}$로 일정하다.

① ㄱ ② ㄴ ③ ㄱ, ㄷ
④ ㄴ, ㄷ ⑤ ㄱ, ㄴ, ㄷ

Ⅳ

산 염기의 정의

A 산 염기의 정의

1 아레니우스 산 염기

① 아레니우스 ❶ ☐: 물에 녹아 수소 이온(H^+)을 내놓는 물질 → 수용액에서 H^+과 음이온으로 이온화한다.

② 아레니우스 ❷ ☐☐: 물에 녹아 수산화 이온(OH^-)을 내놓는 물질 → 수용액에서 양이온과 OH^-으로 이온화한다.

예 • $HCl \longrightarrow H^+ + Cl^-$ • $NaOH \longrightarrow Na^+ + OH^-$

2 브뢴스테드·로리 산 염기

→ $HCl + NaOH \longrightarrow NaCl + H_2O$ 반응에서는 HCl가 브뢴스테드·로리 산이 되며, NaOH은 H^+을 받을 수 있는 형태가 아니므로 브뢴스테드·로리 염기가 될 수 없고 OH^-이 브뢴스테드·로리 염기이다.

① 브뢴스테드·로리 ❸ ☐: 다른 물질에게 수소 이온(H^+)(양성자)을 내놓는 물질

② 브뢴스테드·로리 ❹ ☐☐: 다른 물질로부터 수소 이온(H^+)(양성자)을 받는 물질

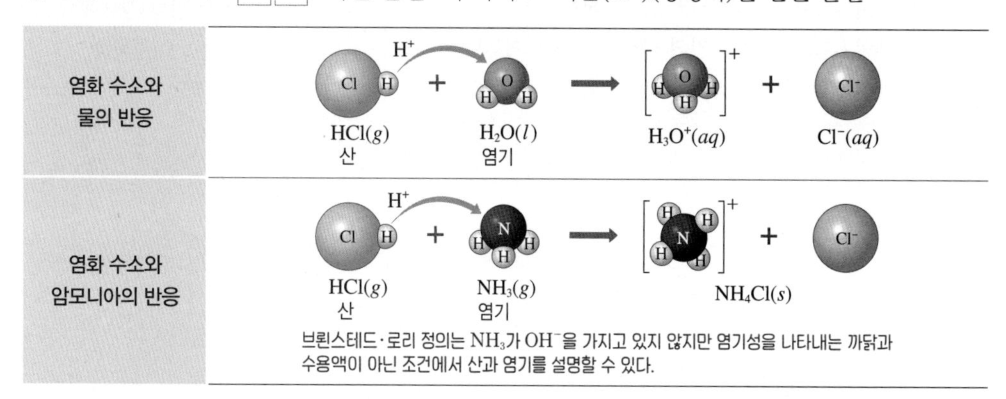

③ 양쪽성 물질: 조건에 따라 H^+을 내놓는 산으로 작용할 수도 있고, H^+을 받는 염기로 작용할 수도 있는 물질 예 H_2O, HS^-, HCO_3^-, HSO_4^-, $H_2PO_4^-$, HPO_4^{2-} 등

(양쪽성 물질로 작용하는 물(H_2O))

(가) $H_2CO_3(aq) + H_2O(l) \longrightarrow HCO_3^-(aq) + H_3O^+(aq)$
　　산　　　염기

(나) $NH_3(aq) + H_2O(l) \longrightarrow NH_4^+(aq) + OH^-(aq)$
　　염기　　　산

H_2O은 산과 염기로 모두 작용할 수 있는 ❺ ☐☐☐ 물질이다.

④ 짝산－짝염기: H^+의 이동으로 산과 염기가 되는 한 쌍의 산과 염기

(암모니아(NH_3)와 물(H_2O)의 반응)

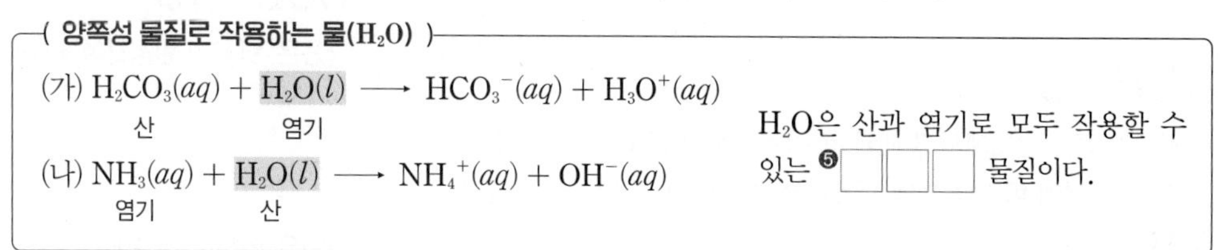

NH_4^+은 염기인 NH_3의 ❻ ☐☐이고, OH^-은 산인 H_2O의 ❼ ☐☐☐이다.

→ 산이 내놓는 H^+에 의해 나타난다.

기출 Tip A-1

산의 공통적인 성질(산성)
- 신맛이 난다.
- 금속과 반응하여 수소 기체를 발생시킨다.
- 탄산 칼슘과 반응하여 이산화 탄소 기체를 발생시킨다.
- 푸른색 리트머스 종이를 붉게 변화시킨다.
- 수용액에 전류를 흘려 주면 전기가 통한다.

→ 염기가 내놓는 OH^-에 의해 나타난다.

염기의 공통적인 성질(염기성)
- 쓴맛이 난다.
- 단백질을 녹이는 성질이 있어 만지면 미끌미끌하다.
- 붉은색 리트머스 종이를 푸르게 변화시킨다.
- 페놀프탈레인 용액을 붉게 변화시킨다.
- 수용액에 전류를 흘려 주면 전기가 통한다.

아레니우스 산 염기 정의의 한계
- 수용액에서만 적용할 수 있다.
- H^+이나 OH^-을 직접 내놓지 않는 물질에는 적용할 수 없다. 예 암모니아(NH_3)는 OH^-을 직접 내놓지 않지만 염기성을 나타낸다.
- 수용액에서 H^+은 실제로 하이드로늄 이온(H_3O^+)으로 존재한다.

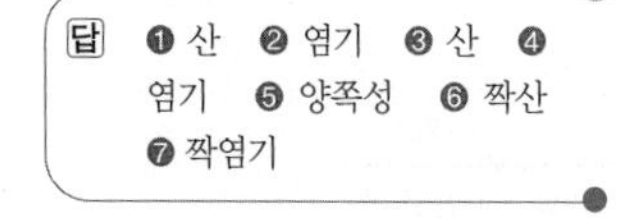
답 ❶ 산 ❷ 염기 ❸ 산 ❹ 염기 ❺ 양쪽성 ❻ 짝산 ❼ 짝염기

빈출 자료 보기

정답과 해설 61쪽

501 (가)~(다)는 산과 염기 반응의 화학 반응식이다.

(가) $HS^-(aq) + H_2O(l) \longrightarrow H_2S(aq) + OH^-(aq)$
(나) $(CH_3)_3N(aq) + HF(aq) \longrightarrow (CH_3)_3NH^+(aq) + F^-(aq)$
(다) $N_2H_2CH_2COOH(s) + NaOH(aq)$
$\longrightarrow N_2H_2CH_2COO^-(aq) + Na^+(aq) + H_2O(l)$

이에 대한 설명으로 옳은 것은 ○, 옳지 않은 것은 ×로 표시하시오.

(1) (가)에서 HS^-은 브뢴스테드·로리 산이다. ( )
(2) (가)에서 H_2O은 아레니우스 염기이다. ( )
(3) (가)에서 H_2O은 브뢴스테드·로리 산이다. ( )
(4) (나)에서 $(CH_3)_3N$은 브뢴스테드·로리 염기이다. ( )
(5) (나)에서 HF는 브뢴스테드·로리 산이다. ( )
(6) (다)에서 $N_2H_2CH_2COOH$은 브뢴스테드·로리 염기이다. ( )
(7) (다)에서 NaOH은 브뢴스테드·로리 산이다. ( )
(8) (다)에서 NaOH은 아레니우스 염기이다. ( )

A 산 염기의 정의

502 하 중 상

산과 염기에 대한 설명으로 옳은 것만을 〈보기〉에서 있는 대로 고른 것은?

〈 보기 〉
ㄱ. 브뢴스테드·로리 염기는 다른 물질로부터 H^+을 받는 물질이다.
ㄴ. 아레니우스 산은 브뢴스테드·로리 산으로 작용할 수 있다.
ㄷ. 아레니우스 산 염기 정의는 수용액 상태에서만 적용될 수 있다.
ㄹ. 아레니우스 산 염기에서 짝산 – 짝염기 관계를 정의할 수 있다.

① ㄱ, ㄴ ② ㄷ, ㄹ ③ ㄱ, ㄴ, ㄷ
④ ㄴ, ㄷ, ㄹ ⑤ ㄱ, ㄴ, ㄷ, ㄹ

503 하 중 상

다음은 아레니우스 산과 염기의 성질을 정리한 것이다.

- 쓴맛이 난다.
- 수용액에서 전류가 흐른다.
- 금속과 반응하여 기체를 발생시킨다.
- 페놀프탈레인 용액을 붉게 변화시킨다.
- 푸른색 리트머스 종이를 붉게 변화시킨다.
- 머리카락을 녹여 막힌 하수구를 뚫을 수 있다.

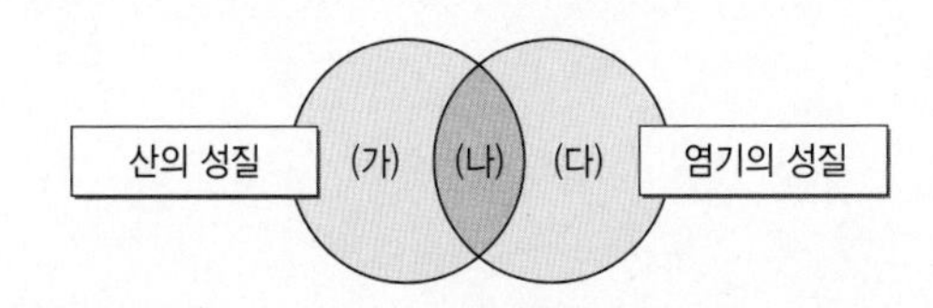

(가)~(다)에 해당하는 성질의 개수를 옳게 짝 지은 것은?

	(가)	(나)	(다)		(가)	(나)	(다)
①	1	1	4	②	2	1	3
③	2	2	2	④	3	1	2
⑤	3	2	1				

빈출

504 하 중 상

그림과 같이 $KNO_3(aq)$을 적신 거름종이와 푸른색 리트머스 종이를 유리판 위에 놓은 다음 그 위에 $HCl(aq)$을 적신 실을 올려놓고 전류를 흘려 주었다.

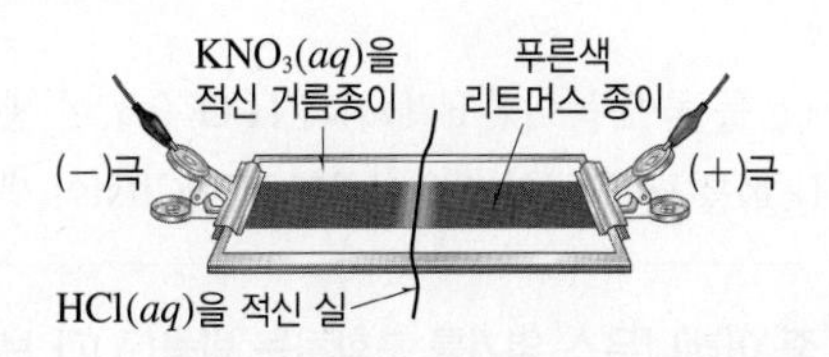

이에 대한 설명으로 옳은 것만을 〈보기〉에서 있는 대로 고른 것은?

〈 보기 〉
ㄱ. HCl은 브뢴스테드·로리 산이다.
ㄴ. 실에서부터 (+)극 쪽으로 리트머스 종이의 색이 변한다.
ㄷ. $HCl(aq)$ 대신 $HNO_3(aq)$을 사용해도 실험 결과는 같다.

① ㄱ ② ㄴ ③ ㄱ, ㄷ
④ ㄴ, ㄷ ⑤ ㄱ, ㄴ, ㄷ

505 하 중 상

그림 (가)와 (나)는 각각 산 $H_2A(aq)$과 염기 $B(OH)_2(aq)$에 들어 있는 이온을 모형으로 나타낸 것이다.

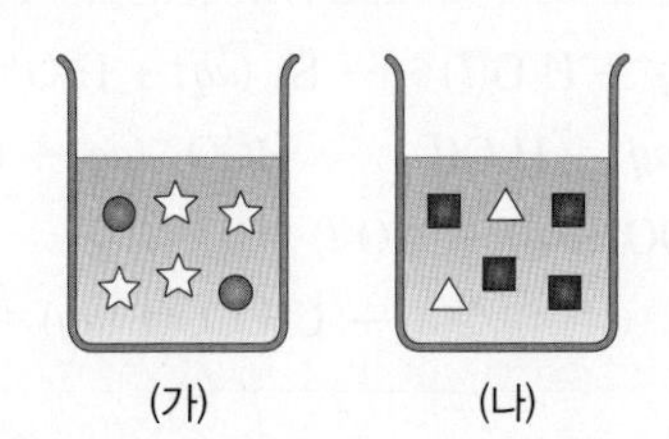

이에 대한 설명으로 옳은 것만을 〈보기〉에서 있는 대로 고른 것은?

〈 보기 〉
ㄱ. ☆과 △는 양이온이다.
ㄴ. (가)에 Mg(s)을 넣으면 ☆의 수가 줄어든다.
ㄷ. (나)가 염기성을 띠는 것은 ■ 때문이다.

① ㄱ ② ㄷ ③ ㄱ, ㄴ
④ ㄴ, ㄷ ⑤ ㄱ, ㄴ, ㄷ

506 하 중 상

다음은 산 염기와 관련된 반응 (가)~(다)에 대한 설명이다.

> (가) $NaOH(s)$을 물에 녹이면 $Na^+(aq)$과 $OH^-(aq)$이 생성된다.
> (나) $HF(g)$를 물에 녹이면 $F^-(aq)$과 $H_3O^+(aq)$이 생성된다.
> (다) $NH_3(g)$를 $HCl(g)$와 반응시키면 $NH_4Cl(s)$이 생성된다.

(가)~(다) 중 아레니우스 염기를 포함하는 반응(A)과 브뢴스테드·로리 염기를 포함하는 반응(B)을 옳게 짝 지은 것은?

	A	B
①	(가)	(나), (다)
②	(나)	(가), (다)
③	(다)	(가), (나)
④	(가), (나)	(다)
⑤	(가), (다)	(나)

507 하 중 상

다음은 산 염기 반응의 화학 반응식이다.

> (가) $HS^-(aq) + H_2O(l) \longrightarrow S^{2-}(aq) + H_3O^+(aq)$
> (나) $CO_3^{2-}(aq) + H_2O(l) \longrightarrow HCO_3^-(aq) + OH^-(aq)$
> (다) $CH_3COOH(aq) + H_2O(l)$
> $\longrightarrow CH_3COO^-(aq) + H_3O^+(aq)$

(가)~(다)에서 브뢴스테드·로리 염기로 작용한 물질을 옳게 짝 지은 것은?

	(가)	(나)	(다)
①	HS^-	H_2O	CH_3COOH
②	HS^-	CO_3^{2-}	H_2O
③	H_2O	H_2O	H_2O
④	H_2O	CO_3^{2-}	H_2O
⑤	H_2O	CO_3^{2-}	CH_3COOH

508 하 중 상

••서술형

다음은 산 염기 반응의 화학 반응식이다.

> (가) $H_2PO_4^- + H_2O \longrightarrow H_3O^+ + HPO_4^{2-}$
> (나) $H_2PO_4^- + H_2O \longrightarrow H_3PO_4 + OH^-$

(가)와 (나) 반응에서 양쪽성 물질로 작용하는 물질을 모두 쓰고, 그 까닭을 서술하시오.

[509~510] 그림은 25 °C에서 NH_3와 HCl의 이온화 반응을 모형으로 나타낸 것이다.

(가) $NH_3 + H_2O \rightleftarrows [NH_4]^+ + [OH]^-$

(나) $HCl + H_2O \rightleftarrows Cl^- + [H_3O]^+$

509 하 중 상

이에 대한 설명으로 옳은 것만을 〈보기〉에서 있는 대로 고른 것은?

〈 보기 〉
ㄱ. (가)에서 NH_3는 브뢴스테드·로리 염기이다.
ㄴ. (가)에서 OH^-은 H_2O의 짝염기이다.
ㄷ. (나)에서 HCl는 아레니우스 산이다.
ㄹ. (나)에서 H_2O은 브뢴스테드·로리 산이다.

① ㄱ, ㄴ ② ㄷ, ㄹ ③ ㄱ, ㄴ, ㄷ
④ ㄴ, ㄷ, ㄹ ⑤ ㄱ, ㄴ, ㄷ, ㄹ

510 하 중 상

이 반응에서 H_2O을 양쪽성 물질이라고 한다. 다음 중 이와 같은 역할을 할 수 있는 물질은?

① HS^- ② CO_3^{2-} ③ H_3O^+
④ NH_4^+ ⑤ CH_3COOH

511 하 중 상 多 보기

다음은 산 염기 반응의 화학 반응식이다.

(가) $NH_3(g) + H_2O(l) \rightleftharpoons NH_4^+(aq) + OH^-(aq)$
(나) $HCN(g) + H_2O(l) \rightleftharpoons H_3O^+(aq) + CN^-(aq)$
(다) $HCO_3^-(aq) + H_3O^+(aq) \rightleftharpoons H_2CO_3(aq) + H_2O(l)$
(라) $HCO_3^-(aq) + NH_3(aq) \rightleftharpoons CO_3^{2-}(aq) + NH_4^+(aq)$

이에 대한 설명으로 옳은 것만을 모두 고르면?(2개)

① (가)에서 NH_3는 아레니우스 산이다.
② (나)에서 HCN는 브뢴스테드·로리 염기이다.
③ (다)에서 HCO_3^-은 브뢴스테드·로리 산이다.
④ (라)에서 NH_3는 브뢴스테드·로리 염기이다.
⑤ (라)에서 HCO_3^-과 CO_3^{2-}은 짝산 – 짝염기이다.
⑥ (가)~(라)의 반응물 중 양쪽성 물질은 1가지이다.

512 하 중 상

그림은 산 염기 반응을 구조식으로 나타낸 화학 반응식이다.

$$\underset{(가)}{H_3C\text{–}NH_2}\ (\alpha: \angle H\text{–}C\text{–}N) + :\ddot{O}\text{–}H \rightleftharpoons \underset{(나)}{[H_3C\text{–}NH_3]^+}\ (\beta: \angle H\text{–}C\text{–}N) + [:\ddot{O}\text{–}H]^-$$

이에 대한 설명으로 옳은 것만을 〈보기〉에서 있는 대로 고른 것은?

〈 보기 〉
ㄱ. 결합각은 α가 β보다 크다.
ㄴ. (가)는 아레니우스 염기이다.
ㄷ. (나)는 (가)의 짝산이다.

① ㄱ ② ㄷ ③ ㄱ, ㄴ
④ ㄴ, ㄷ ⑤ ㄱ, ㄴ, ㄷ

513 하 중 상

다음은 물질 X, Y와 관련된 2가지 반응의 화학 반응식이다.

(가) $X(aq) + NaOH(aq) \longrightarrow NaNO_3(aq) + H_2O(l)$
(나) $(CH_3)_2NH(g) + Y(l) \longrightarrow (CH_3)_2NH_2^+(aq) + OH^-(aq)$

이에 대한 설명으로 옳은 것만을 〈보기〉에서 있는 대로 고른 것은?

〈 보기 〉
ㄱ. (가)에서 X는 아레니우스 산이다.
ㄴ. (나)에서 Y는 브뢴스테드·로리 산이다.
ㄷ. X와 Y가 반응할 때 Y는 브뢴스테드·로리 염기이다.

① ㄱ ② ㄴ ③ ㄱ, ㄷ
④ ㄴ, ㄷ ⑤ ㄱ, ㄴ, ㄷ

물의 자동 이온화와 pH

Ⓐ 물의 자동 이온화

25 ℃의 순수한 물은 물 분자 10억 개당 약 2개가 자동 이온화되어 있다.

1 물의 자동 이온화 순수한 물에서 매우 적은 양의 물 분자끼리 수소 이온(H^+)을 주고받아 하이드로늄 이온(H_3O^+)과 수산화 이온(OH^-)을 만들어 내는 반응

양쪽성 물질인 H_2O은 H^+을 내놓을 수도 있고 받을 수도 있으므로 H^+을 주고받아 이온화한다.

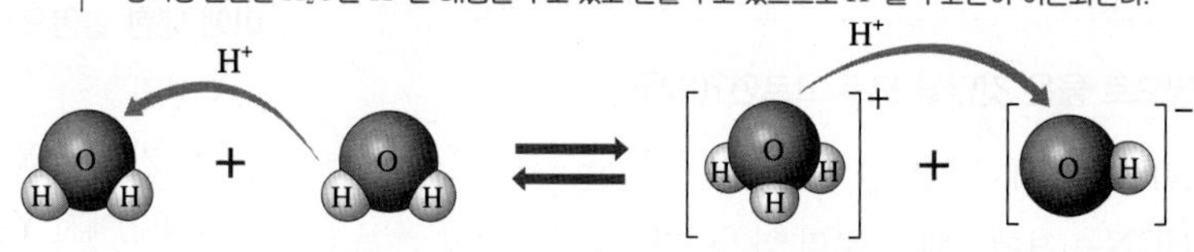

$$H_2O(l) + H_2O(l) \rightleftharpoons H_3O^+(aq) + OH^-(aq)$$

① **물의 자동 이온화 반응과 동적 평형:** 물의 자동 이온화 반응은 ❶ □□ □□이므로 동적 평형을 이루면 물이 이온화하는 정반응과 H_3O^+과 OH^-이 다시 물 분자를 생성하는 역반응이 같은 속도로 일어난다. ➜ H_2O, H_3O^+, OH^-의 몰 농도는 일정하다.

② **물의 이온화 상수(K_w):** 일정한 온도에서 물이 자동 이온화하여 ❷ □□ □□을 이루었을 때 H_3O^+의 몰 농도($[H_3O^+]$)와 OH^-의 몰 농도($[OH^-]$)를 곱한 값

$$K_w = [H_3O^+][OH^-] = [H^+][OH^-]$$

- K_w는 ❸ □□가 일정할 때 항상 같은 값을 나타내며, 25 ℃에서 물의 K_w는 1.0×10^{-14}이다.
- K_w는 온도가 높아질수록 커진다.

기출 Tip Ⓐ-1

온도에 따른 물의 이온화 상수 (K_w)

온도(℃)	K_w
0	1.14×10^{-15}
10	2.92×10^{-15}
25	1.01×10^{-14}
30	1.47×10^{-14}

온도가 높아질수록 자동 이온화되는 물 분자 수가 증가한다.
➜ 순수한 물에서 $[H_3O^+]$와 $[OH^-]$는 온도가 높아질수록 커진다.

2 수용액의 액성과 $[H_3O^+]$, $[OH^-]$의 관계

수용액에서 $[H_3O^+]$를 알면 $[OH^-]$를 알 수 있다.

① K_w는 온도가 일정하면 물뿐만 아니라 수용액에서도 일정하다.

② 순수한 물의 $[H_3O^+]$와 $[OH^-]$는 항상 같다. ➜ 25 ℃에서 순수한 물의 $[H_3O^+] = [OH^-] = 1.0 \times 10^{-7}$ M이고, 이러한 용액을 ❹ □□ 용액이라고 한다.

③ 중성 용액에 산과 염기를 넣을 때 수용액의 액성 변화

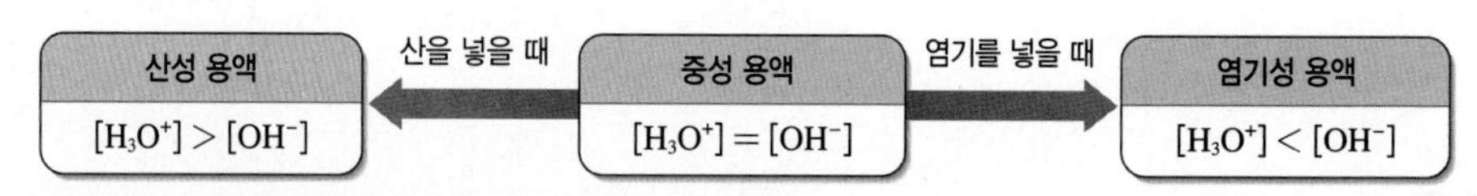

④ 산성, 중성, 염기성 용액에서 $[H_3O^+]$와 $[OH^-]$(25 ℃)

농도(M)	1.0×10^{-14} ~ 1.0×10^{-7} ~ 1.0×10^{0}	
산성 용액	$[H_3O^+]$ / $[OH^-]$	$[H_3O^+] > 1.0 \times 10^{-7}$ M $> [OH^-]$
중성 용액	$[H_3O^+]$ / $[OH^-]$	$[H_3O^+] = 1.0 \times 10^{-7}$ M $= [OH^-]$
염기성 용액	$[H_3O^+]$ / $[OH^-]$	$[H_3O^+] < 1.0 \times 10^{-7}$ M $< [OH^-]$

기출 Tip Ⓐ-2

중성 용액에 산을 넣었을 때
중성 용액에 산을 넣으면 용액 속 $[H_3O^+]$는 증가하지만 K_w는 일정하므로 $[OH^-]$는 감소한다.

중성 용액에 염기를 넣었을 때
중성 용액에 염기를 넣으면 용액 속 $[OH^-]$는 증가하지만 K_w는 일정하므로 $[H_3O^+]$는 감소한다.

Ⓑ pH(수소 이온 농도 지수)

1 pH(수소 이온 농도 지수) 수용액 속의 $[H_3O^+]$를 간단히 나타내기 위해 사용하는 값

$$pH = \log \frac{1}{[H_3O^+]} = -\log[H_3O^+]$$

① 수소 이온 농도와 pH

- 수용액의 $[H_3O^+]$가 클수록 ❺ ☐☐는 작아진다. → pH가 작을수록 산성이 강하다.
- 수용액의 pH가 1씩 작아질수록 수용액의 $[H_3O^+]$는 10배씩 커진다.
  예 pH가 2인 수용액은 pH가 3인 수용액보다 $[H_3O^+]$가 10배 크고, pH가 4인 수용액보다 $[H_3O^+]$가 100배 크다.
- 수용액의 $[OH^-]$도 마찬가지 방법으로 ❻ ☐☐☐ $=-\log[OH^-]$로 나타낼 수 있다.

② pH와 pOH의 관계: 25 °C에서 물의 이온화 상수$(K_w)=[H_3O^+][OH^-]=1.0\times10^{-14}$이므로 다음의 관계가 성립한다.

pH+pOH=❼ ☐☐(25 °C)

→ pH나 pOH는 0~14 사이의 값을 갖는다.

③ 수용액의 액성과 pH, pOH(25 °C)

산성	중성	염기성
$[H_3O^+]>1.0\times10^{-7}$ M$>[OH^-]$ → pH<7, pOH>7	$[H_3O^+]=1.0\times10^{-7}$ M$=[OH^-]$ → pH=❽☐, pOH=❾☐	$[H_3O^+]<1.0\times10^{-7}$ M$<[OH^-]$ → pH>7, pOH<7

산성이 강할수록 pH는 0에 가깝다. 염기성이 강할수록 pH는 14에 가깝다.

$[H_3O^+]$	1	10^{-1}	10^{-2}	10^{-3}	10^{-4}	10^{-5}	10^{-6}	10^{-7}	10^{-8}	10^{-9}	10^{-10}	10^{-11}	10^{-12}	10^{-13}	10^{-14}
pH	0	1	2	3	4	5	6	7	8	9	10	11	12	13	14
액성	산성							중성							염기성
pOH	14	13	12	11	10	9	8	7	6	5	4	3	2	1	0
$[OH^-]$	10^{-14}	10^{-13}	10^{-12}	10^{-11}	10^{-10}	10^{-9}	10^{-8}	10^{-7}	10^{-6}	10^{-5}	10^{-4}	10^{-3}	10^{-2}	10^{-1}	1

2 용액의 pH 확인

① 지시약: pH에 따라 색이 변하는 물질로 용액의 액성을 구별하는 데 쓰인다.

구분	리트머스 종이	페놀프탈레인 용액	메틸 오렌지 용액	BTB 용액
산성	푸른색 → 붉은색	무색	붉은색	노란색
중성	—	무색	노란색	초록색
염기성	붉은색 → 푸른색	❿ ☐☐☐	노란색	파란색

② pH 시험지: 만능 지시약을 종이에 적셔 만든 것 → 대략적인 pH를 알 수 있다.

③ pH 측정기: $[H_3O^+]$에 따른 전기 전도도 차이를 이용한 것 → 정확한 pH를 측정할 수 있다.

기출 Tip ❸-1

pH가 6인 25 °C 용액을 100배 묽힐 때 pH 변화

용액을 100배 묽혔으므로 pH는 2만큼 증가한 8이라고 생각하기 쉽다. pH가 6인 용액의 액성은 산성이고, pH가 8인 용액의 액성은 염기성이다. 산을 아무리 묽혀도 염기가 될 수 없다. 따라서 100배 묽힌 용액의 pH는 7에 가깝게 된다. 마찬가지로 염기를 묽혀도 pH가 7보다 작아지지는 않는다.

온도에 따른 중성 용액의 pH

온도(°C)	중성 용액의 pH
0	7.47
10	7.27
20	7.08
25	7.00
30	6.92

pH가 7인 용액이 0 °C, 10 °C, 20 °C에서는 산성, 25 °C에서는 중성, 30 °C에서는 염기성이다.

답 ❶ 가역 반응 ❷ 동적 평형 ❸ 온도 ❹ 중성 ❺ pH ❻ pOH ❼ 14 ❽ 7 ❾ 7 ❿ 붉은색

빈출 자료 보기

정답과 해설 63쪽

514 표는 25 °C에서 용액 (가)~(다)에 대한 자료이다.

용액	(가)	(나)	(다)
부피(mL)	100	900	900
pH	3	7	9

이에 대한 설명으로 옳은 것은 ○, 옳지 않은 것은 ×로 표시하시오. (단, 혼합 용액의 부피는 혼합 전 물 또는 용액의 부피의 합과 같고, 25 °C에서 물의 이온화 상수(K_w)는 1.0×10^{-14}이다.)

(1) 산성 수용액은 2가지이다. ( )

(2) (가)에서 $[H_3O^+][OH^-]=1.0\times10^{-14}$이다. ( )

(3) (나)의 pOH=7이다. ( )

(4) (다)의 $[OH^-]=1.0\times10^{-5}$ M이다. ( )

(5) $[H_3O^+]$는 (가)가 (나)의 4배이다. ( )

(6) H_3O^+의 양(mol)은 (나)가 (다)의 100배이다. ( )

(7) 물의 이온화 상수(K_w)는 (나)가 (다)보다 크다. ( )

(8) $[OH^-]$는 (가)가 (나)의 10000배이다. ( )

A 물의 자동 이온화 / B pH(수소 이온 농도 지수)

515 하 중 상

다음은 물의 자동 이온화 반응의 화학 반응식이다.

$$H_2O(l) + H_2O(l) \rightleftharpoons H_3O^+(aq) + OH^-(aq)$$

이 반응이 동적 평형에 도달했을 때에 대한 설명으로 옳은 것만을 〈보기〉에서 있는 대로 고른 것은?

〈 보기 〉

ㄱ. $[H_3O^+]=[OH^-]$이다.

ㄴ. $[H_3O^+]$와 $[OH^-]$의 곱은 온도와 관계없이 항상 일정한 값을 갖는다.

ㄷ. 순수한 물에서 이온화하는 물 분자 수는 매우 적기 때문에 $[H_3O^+]$와 $[OH^-]$는 매우 작다.

① ㄱ ② ㄴ ③ ㄱ, ㄷ
④ ㄴ, ㄷ ⑤ ㄱ, ㄴ, ㄷ

516 하 중 상

다음은 물의 자동 이온화 반응의 모형과 25 °C에서 물의 이온화 상수(K_w)를 나타낸 것이다.

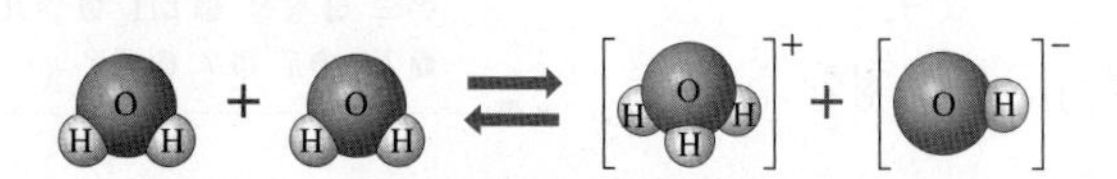

$$K_w = 1.0\times10^{-14}$$

이에 대한 설명으로 옳은 것만을 〈보기〉에서 있는 대로 고른 것은?

〈 보기 〉

ㄱ. H_2O은 브뢴스테드·로리 산과 염기로 모두 작용한다.

ㄴ. 25 °C 순수한 물에서 $[H_3O^+][OH^-]=1.0\times10^{-14}$이다.

ㄷ. 25 °C 순수한 물에서 $[H_3O^+]=1.0\times10^{-7}$ M이다.

① ㄱ ② ㄷ ③ ㄱ, ㄴ
④ ㄴ, ㄷ ⑤ ㄱ, ㄴ, ㄷ

빈출

517 하 중 상 多 보기

표는 온도에 따른 물의 이온화 상수(K_w)를 나타낸 것이다.

온도(°C)	t	10	25	50
K_w	1.0×10^{-15}	2.9×10^{-15}	1.0×10^{-14}	5.5×10^{-14}

이에 대한 설명으로 옳지 않은 것은?(단, $t<10$이다.)

① 순수한 물의 pH는 25 °C일 때가 10 °C일 때보다 작다.
② 순수한 물에서 전체 이온 수는 50 °C일 때가 10 °C일 때보다 크다.
③ t °C일 때 순수한 물의 pH+pOH=15이다.
④ t °C일 때 산성 용액의 $[OH^-]<1.0\times10^{-7.5}$ M이다.
⑤ 10 °C일 때 pH=7인 용액은 염기성이다.
⑥ 50 °C일 때 순수한 물의 pH는 7보다 작다.

빈출

518 하 중 상

표는 25 °C에서 수용액 (가)와 (나)에 들어 있는 H_3O^+과 OH^-의 몰 농도(M)에 대한 자료이다.

수용액	$[H_3O^+]$(M)	$[OH^-]$(M)
(가)	1.0×10^{-3}	㉠
(나)		1.0×10^{-9}

이에 대한 설명으로 옳은 것만을 〈보기〉에서 있는 대로 고른 것은? (단, 25 °C에서 물의 이온화 상수(K_w)는 1.0×10^{-14}이다.)

〈 보기 〉

ㄱ. ㉠은 1.0×10^{-11}이다.

ㄴ. (나)는 염기성이다.

ㄷ. pH는 (가)<(나)이다.

① ㄱ ② ㄴ ③ ㄱ, ㄷ
④ ㄴ, ㄷ ⑤ ㄱ, ㄴ, ㄷ

빈출

519 하 중 상

표는 25 °C에서 수용액 (가)~(라)의 pH를 나타낸 것이다.

수용액	(가)	(나)	(다)	(라)
pH	3	5	7	10

이에 대한 설명으로 옳은 것만을 〈보기〉에서 있는 대로 고른 것은? (단, 25 °C에서 물의 이온화 상수(K_w)는 1.0×10^{-14}이다.)

〈 보기 〉
ㄱ. $[OH^-]$는 (가)가 (나)의 100배이다.
ㄴ. (나)의 $[H_3O^+]=1.0 \times 10^{-5}$ M이다.
ㄷ. (나)에 증류수를 넣어 1000배 희석시킨 수용액의 pH는 8이다.
ㄹ. (다)와 (라)의 $[H_3O^+][OH^-]$ 값은 같다.

① ㄱ, ㄷ ② ㄴ, ㄹ ③ ㄷ, ㄹ
④ ㄱ, ㄴ, ㄷ ⑤ ㄱ, ㄴ, ㄷ, ㄹ

520 하 중 상

표는 25 °C에서 수용액 (가)~(다)에 대한 자료이다.

수용액	(가)	(나)	(다)
$[H_3O^+]$(M)			1.0×10^{-4}
$[OH^-]$(M)		1.0×10^{-8}	
pH	8		

이에 대한 설명으로 옳은 것만을 〈보기〉에서 있는 대로 고른 것은? (단, 25 °C에서 물의 이온화 상수(K_w)는 1.0×10^{-14}이다.)

〈 보기 〉
ㄱ. $[H_3O^+]$는 (가)가 (나)의 100배이다.
ㄴ. (가)~(다) 중 pOH는 (다)가 가장 크다.
ㄷ. 같은 부피의 (나)와 (다)를 혼합한 용액은 산성이다.

① ㄱ ② ㄴ ③ ㄱ, ㄷ
④ ㄴ, ㄷ ⑤ ㄱ, ㄴ, ㄷ

521 하 중 상

표는 25 °C에서 용액 (가)~(다)에 대한 자료이다.

용액	(가)	(나)	(다)
부피	600 mL	3.0 L	200 mL
pH	2	3	4

이에 대한 설명으로 옳은 것만을 〈보기〉에서 있는 대로 고른 것은? (단, 25 °C에서 물의 이온화 상수(K_w)는 1.0×10^{-14}이다.)

〈 보기 〉
ㄱ. $[H_3O^+]$는 (가)가 (다)의 2배이다.
ㄴ. H_3O^+의 양(mol)은 (가)가 (나)의 2배이다.
ㄷ. (가)~(다)는 모두 $[OH^-] > 1.0 \times 10^{-7}$ M이다.

① ㄱ ② ㄴ ③ ㄱ, ㄷ
④ ㄴ, ㄷ ⑤ ㄱ, ㄴ, ㄷ

522 하 중 상

그림은 25 °C의 0.2 M HCl(aq) 속 이온을 모형으로 나타낸 것이다.

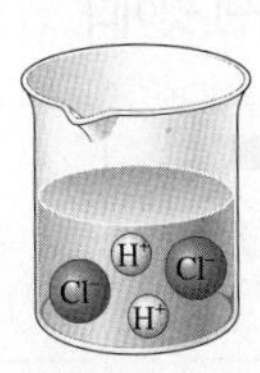

이에 대한 설명으로 옳은 것만을 〈보기〉에서 있는 대로 고른 것은? (단, 25 °C에서 물의 이온화 상수(K_w)는 1.0×10^{-14}이고, log2 = 0.3이다.)

〈 보기 〉
ㄱ. pH는 2이다.
ㄴ. $[OH^-]=5.0 \times 10^{-14}$ M이다.
ㄷ. 물을 더 넣으면 $[OH^-]$는 감소한다.

① ㄱ ② ㄴ ③ ㄱ, ㄷ
④ ㄴ, ㄷ ⑤ ㄱ, ㄴ, ㄷ

523 하 중 상

그림은 온도와 부피가 같은 산 $HX(aq)$과 산 $HY(aq)$에 존재하는 입자들을 모형으로 나타낸 것이다.

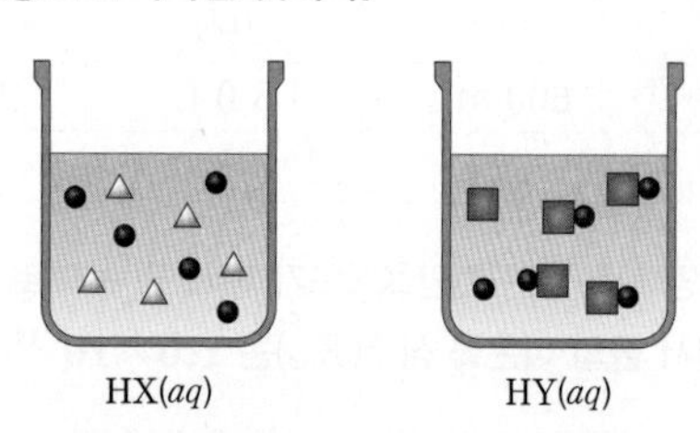

$HY(aq)$의 값이 $HX(aq)$의 값보다 큰 것만을 ⟨보기⟩에서 있는 대로 고른 것은?

⟨ 보기 ⟩

ㄱ. pH　　ㄴ. $[OH^-]$

ㄷ. 수용액의 몰 농도(M)　　ㄹ. 물의 이온화 상수(K_w)

① ㄱ　② ㄱ, ㄴ　③ ㄷ, ㄹ　④ ㄱ, ㄴ, ㄹ　⑤ ㄱ, ㄴ, ㄷ, ㄹ

524 하 중 상

그림은 25 °C에서 산 $HX(aq)$ 1 L와 산 $H_2Y(aq)$ 1 L에 존재하는 입자들을 모형으로 나타낸 것이다.

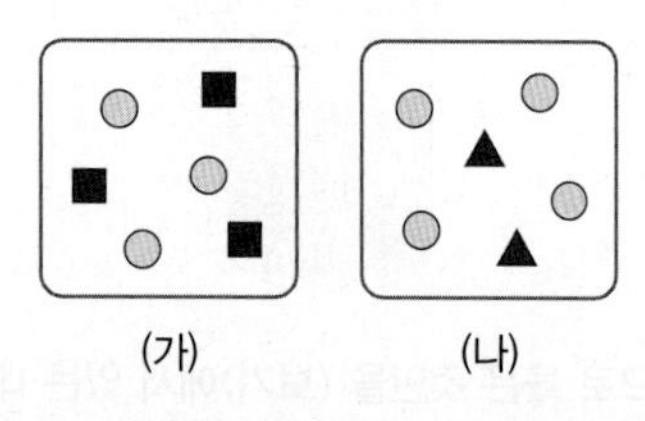

이에 대한 설명으로 옳은 것만을 ⟨보기⟩에서 있는 대로 고른 것은? (단, HX와 H_2Y는 수용액에서 모두 이온화된다.)

⟨ 보기 ⟩

ㄱ. pH는 (가)>(나)이다.

ㄴ. 몰 농도(M)의 비는 (가) : (나)=3 : 4이다.

ㄷ. (가) 40 mL와 (나) 30 mL의 pOH는 같다.

① ㄱ　② ㄴ　③ ㄱ, ㄷ　④ ㄴ, ㄷ　⑤ ㄱ, ㄴ, ㄷ

525 하 중 상

••서술형

25 °C의 어떤 수용액 1 L에 OH^- 2.5×10^{-5} mol이 녹아 있다. 이 수용액 속에 녹아 있는 H_3O^+의 몰 농도(M)를 풀이 과정과 함께 서술하시오.(단, 25 °C에서 물의 이온화 상수(K_w)는 1.0×10^{-14}이다.)

526 하 중 상

25 °C의 0.01 M $H_2SO_4(aq)$ 1 L에서 $[H_3O^+]$, $[OH^-]$를 옳게 짝 지은 것은?(단, 25 °C에서 물의 이온화 상수(K_w)는 1.0×10^{-14}이다.)

	$[H_3O^+]$(M)	$[OH^-]$(M)
①	1.0×10^{-2}	1.0×10^{-12}
②	1.0×10^{-2}	5.0×10^{-13}
③	2.0×10^{-2}	5.0×10^{-13}
④	2.0×10^{-2}	5.0×10^{-12}
⑤	2.0×10^{-2}	1.0×10^{-12}

빈출

527 하 중 상

다음은 25 °C에서 같은 부피의 용액 (가)~(다)에 대한 자료이다.

(가) $[OH^-]=1.0\times10^{-12}$ M인 $HBr(aq)$

(나) 0.05 M $Ba(OH)_2(aq)$

(다) pOH가 4인 $NaOH(aq)$

용액 (가)~(다)의 pH를 옳게 비교한 것은?(단, 25 °C에서 물의 이온화 상수(K_w)는 1.0×10^{-14}이며, 사용된 모든 산과 염기는 모두 이온화된다.)

① (가)<(나)<(다)　② (가)<(다)<(나)　③ (나)<(가)<(다)　④ (나)<(다)<(가)　⑤ (다)<(나)<(가)

528 하 중 상

그림은 25 °C에서 여러 가지 물질의 pH를 나타낸 것이다.

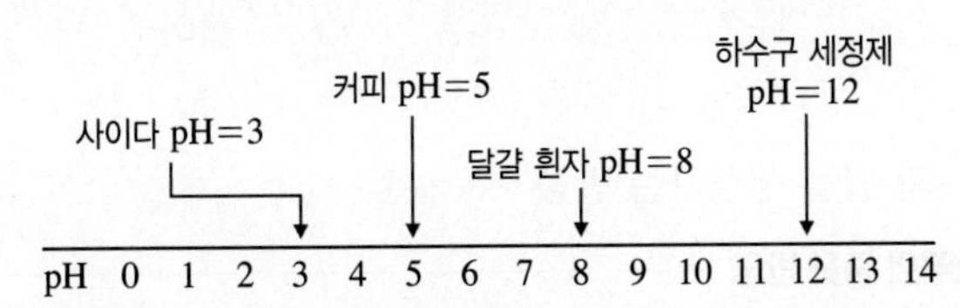

이에 대한 설명으로 옳은 것만을 <보기>에서 있는 대로 고른 것은? (단, 25 °C에서 물의 이온화 상수(K_w)는 1.0×10^{-14}이다.)

〈 보기 〉

ㄱ. pOH가 가장 큰 것은 사이다이다.

ㄴ. $[H_3O^+]<[OH^-]$인 물질은 달걀 흰자와 하수구 세정제이다.

ㄷ. $[OH^-]$는 커피가 사이다의 100배이다.

① ㄱ ② ㄴ ③ ㄱ, ㄷ
④ ㄴ, ㄷ ⑤ ㄱ, ㄴ, ㄷ

529 하 중 상

빈출

25 °C에서 NaOH 0.002 g을 물에 녹여 NaOH(aq) 500 mL를 만들었다. NaOH(aq)의 pH는?(단, 25 °C에서 물의 이온화 상수(K_w)는 1.0×10^{-14}이고, NaOH의 화학식량은 40이다.)

① 3 ② 4 ③ 10
④ 11 ⑤ 12

530 하 중 상

그림과 같이 0.1 M NaOH(aq) 100 mL에 증류수를 가하여 1 L의 용액으로 만들었다.

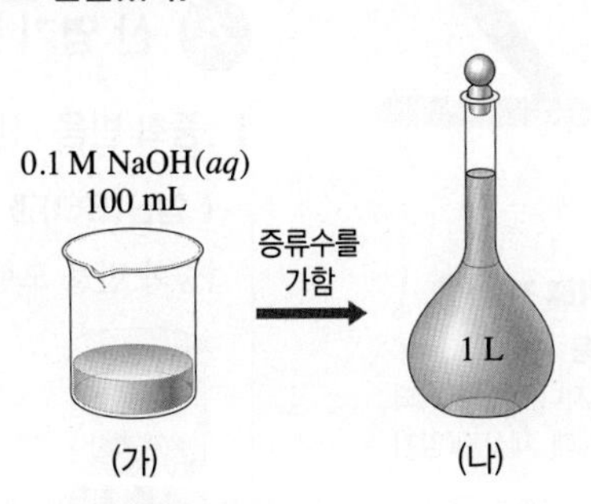

이에 대한 설명으로 옳은 것만을 <보기>에서 있는 대로 고른 것은? (단, 수용액의 온도는 일정하다.)

〈 보기 〉

ㄱ. (나)에서 NaOH(aq)의 몰 농도(M)는 0.01 M이다.

ㄴ. pOH는 (가)>(나)이다.

ㄷ. $[H_3O^+]$는 (가)가 (나)의 $\frac{1}{10}$배이다.

① ㄱ ② ㄴ ③ ㄱ, ㄷ
④ ㄴ, ㄷ ⑤ ㄱ, ㄴ, ㄷ

531 하 중 상

多 보기

다음은 25 °C에서 용액 (가)~(라)에 대한 자료이다.

(가) 순수한 물
(나) pH가 3인 HCl(aq)
(다) pH가 12인 NaOH(aq)
(라) 0.01 M의 H_2SO_4(aq)

이에 대한 설명으로 옳지 않은 것만을 모두 고르면?(단, 25 °C에서 물의 이온화 상수(K_w)는 1.0×10^{-14}이며, 사용된 모든 산과 염기는 모두 이온화된다.)(2개)

① (가)에는 OH^-이 존재한다.
② (나)의 $[OH^-]=1.0\times10^{-11}$ M이다.
③ (나)에 물을 넣으면 pOH는 감소한다.
④ (다) 수용액의 몰 농도(M)는 1.0×10^{-12} M이다.
⑤ $[H_3O^+]$는 (라)가 (나)의 10배이다.
⑥ (나) 50 mL와 (다) 5 mL를 혼합한 용액의 pH는 7이다.

중화 반응

A 산 염기 중화 반응

1 중화 반응 산과 염기가 반응하여 ❶☐과 염을 생성하는 반응

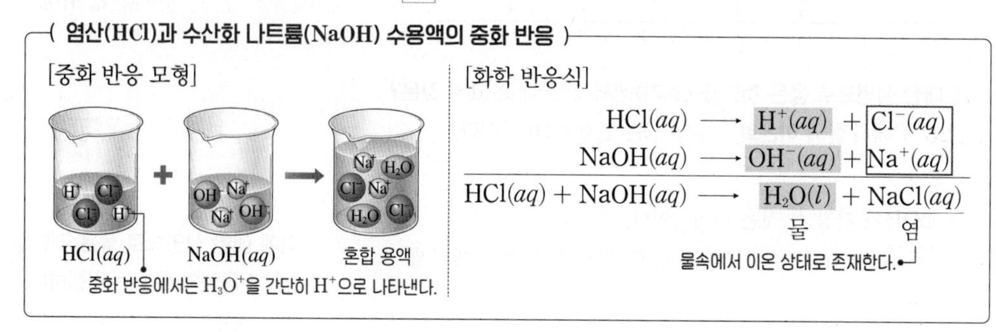

① ❷☐☐ 이온 반응식: 실제 반응에 참여한 이온만으로 나타낸 화학 반응식

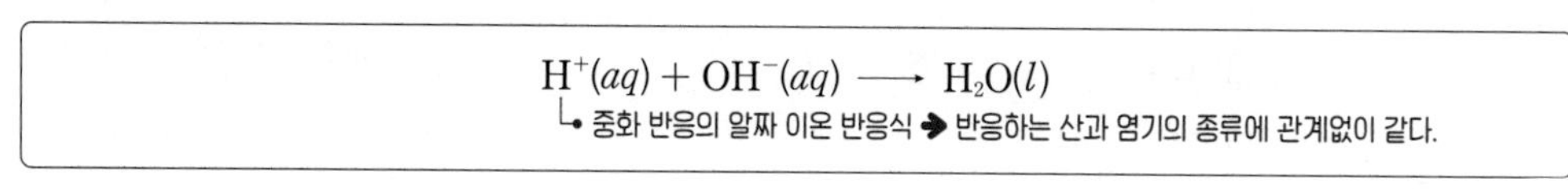

$$H^+(aq) + OH^-(aq) \longrightarrow H_2O(l)$$

└• 중화 반응의 알짜 이온 반응식 ➔ 반응하는 산과 염기의 종류에 관계없이 같다.

② ❸☐☐☐ 이온: 반응에 참여하지 않고, 반응 후에도 용액에 그대로 남아 있는 이온

예 $HCl(aq)$과 $NaOH(aq)$의 중화 반응에서 구경꾼 이온 ➔ Na^+, Cl^-

③ 염: 중화 반응에서 산의 ❹☐이온과 염기의 ❺☐이온이 만나 생성된 물질

예 $HCl(aq) + NaOH(aq) \longrightarrow H_2O(l) + NaCl(aq)$

$HNO_3(aq) + KOH(aq) \longrightarrow H_2O(l) + KNO_3(aq)$

→ 산과 염기의 종류에 따라 염의 종류가 달라진다.

2 중화 반응에서의 양적 관계 → 일반적으로 중화 반응의 양적 관계를 다룰 때 물의 자동 이온화는 고려하지 않는다.

① 양적 관계: 중화 반응이 일어날 때 H^+과 OH^-은 항상 ❻☐ : ❼☐의 몰비로 반응한다.

② 산과 염기가 완전히 중화되는 조건: 산과 염기가 완전히 중화되려면 산이 내놓은 H^+의 양(mol)과 염기가 내놓은 OH^-의 양(mol)이 같아야 한다.

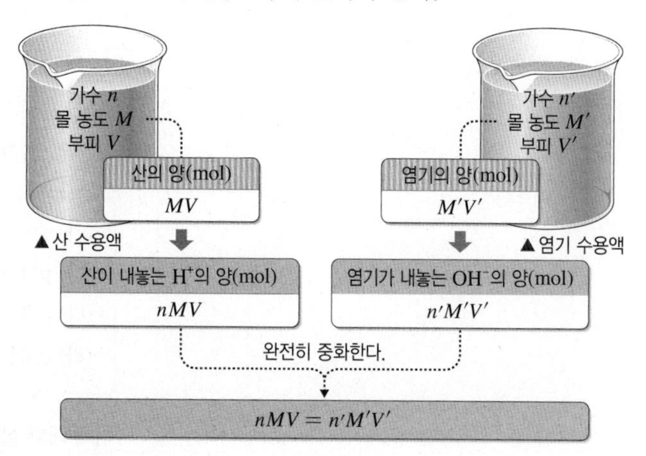

기출 Tip A-1

중화 반응의 이용

- 위액(산성)이 지나치게 분비되어 속이 쓰릴 때 제산제(염기성)를 먹는다.
- 산성화된 토양(산성)에 석회 가루(염기성)를 뿌린다.
- 김치의 신맛(산성)을 줄이기 위해 소다(염기성)를 넣는다.
- 벌레(산성: 벌레의 독)에 물렸을 때 염기성 물질을 바른다.

기출 Tip A-2

혼합 용액의 액성

혼합하는 산과 염기의 수용액에 들어 있는 H^+과 OH^-의 양(mol)에 따라 중화 반응 후 혼합 용액의 액성이 달라진다.

양(mol)	액성
$H^+ > OH^-$	산성
$H^+ = OH^-$	중성
$H^+ < OH^-$	염기성

가수

산이나 염기 1몰이 내놓을 수 있는 H^+이나 OH^-의 양(mol)

가수	산	염기
1가	HCl	$NaOH$
2가	H_2SO_4	$Ba(OH)_2$
3가	H_3PO_4	$Al(OH)_3$

B 산 염기 중화 적정

1 중화 적정 중화 반응을 이용하여 농도를 모르는 산이나 염기의 농도를 알아내는 과정

① 표준 용액: 농도를 정확히 알고 있는 산 수용액이나 염기 수용액으로, 표준 용액을 이용하여 중화 적정을 진행한다.

② 중화점: 아레니우스 정의의 산과 염기에서 혼합하는 산의 H^+의 양(mol)과 염기의 OH^-의 양(mol)이 같아 산과 염기가 완전히 중화되는 지점

기출 Tip B-1

중화점 확인

- 지시약의 색이 변하는 지점
- 생성된 물 분자 수가 최대가 되는 지점
- 혼합 용액의 온도가 최고가 되는 지점(중화 반응이 일어나면 중화열이 발생한다.)
- 혼합 용액에 구경꾼 이온만 존재하는 지점
- 혼합 용액의 전기 전도도가 최저가 되는 지점(전기 전도율은 $\frac{\text{전체 이온 수}}{\text{용액의 부피}}$에 비례한다.)

③ 중화 적정 방법

(중화 적정으로 식초 속 아세트산(CH_3COOH)의 농도 구하기)

[과정]

❶ 농도를 모르는 식초를 ⑧[ ](액체의 부피를 정확히 취하여 옮길 때 사용)을 이용하여 5 mL를 취한 다음 삼각 플라스크에 넣고, 페놀프탈레인 용액을 1~2방울 떨어뜨린다.

❷ ⑨[ ]에 0.1 M NaOH(*aq*)(표준 용액)을 넣고, NaOH(*aq*)을 조금 흘려 보낸 다음 뷰렛(가해지는 표준 용액의 부피를 측정할 때 사용)의 눈금을 읽어 NaOH(*aq*)의 처음 부피(V_1)를 측정한다.

❸ 식초가 들어 있는 삼각 플라스크에 NaOH(*aq*)을 천천히 떨어뜨린다.

❹ 용액 전체가 붉은색으로 변하는 순간(중화점) 뷰렛의 꼭지를 잠그고, NaOH(*aq*)의 나중 부피(V_2)를 측정한다.

NaOH(*aq*)
식초+페놀프탈레인 용액

[결과 및 정리]

1. 적정에 사용된 0.1 M NaOH(*aq*)의 부피(V_1-V_2): 40 mL
2. 식초 속 CH_3COOH의 몰 농도(x): $1\times x\times 5\text{ mL}=1\times 0.1\text{ M}\times 40\text{ mL}\ \therefore\ x=0.8\text{ M}$

2 중화 적정에서 이온 수 변화 예 HCl(*aq*)을 NaOH(*aq*)으로 적정할 경우

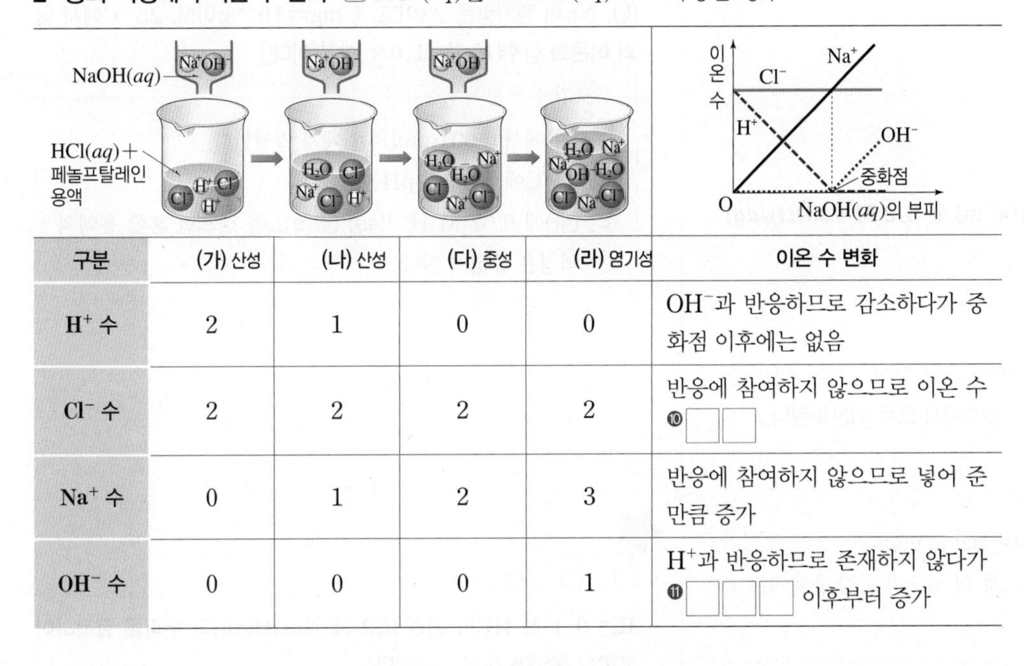

구분	(가) 산성	(나) 산성	(다) 중성	(라) 염기성	이온 수 변화
H^+ 수	2	1	0	0	OH^-과 반응하므로 감소하다가 중화점 이후에는 없음
Cl^- 수	2	2	2	2	반응에 참여하지 않으므로 이온 수 ⑩[ ]
Na^+ 수	0	1	2	3	반응에 참여하지 않으므로 넣어 준 만큼 증가
OH^- 수	0	0	0	1	H^+과 반응하므로 존재하지 않다가 ⑪[ ] 이후부터 증가

기출 Tip Ⓑ-1

뷰렛의 꼭지 아랫부분에도 표준 용액을 채우는 까닭

꼭지 아랫부분에 용액을 채우지 않고 실험하면, 꼭지 아래 빈 공간에 표준 용액이 먼저 채워져 사용한 표준 용액의 부피가 실제 부피보다 크게 측정되기 때문이다.

0.8 M 식초 5 mL 속에 들어 있는 CH_3COOH의 함량(%) 구하기(CH_3COOH의 분자량: 60, 식초의 밀도: 1 g/mL)

- 식초 속 CH_3COOH의 양(mol): $0.8\text{ mol/L}\times 0.005\text{ L}=0.004\text{ mol}$
- 식초 5 mL 속 CH_3COOH의 질량(g): $0.004\text{ mol}\times 60\text{ g/mol}=0.24\text{ g}$
- 식초 5 mL의 질량(g): $5\text{ mL}\times 1\text{ g/mL}=5\text{ g}$
- 식초 속 CH_3COOH의 함량(%): $\frac{0.24\text{ g}}{5\text{ g}}\times 100=4.8\ \%$

기출 Tip Ⓑ-2

일정량의 HCl(*aq*)에 NaOH(*aq*)을 가할 때 전체 이온 수 변화

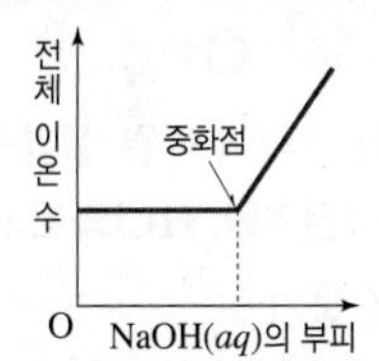

답 ❶ 물 ❷ 알짜 ❸ 구경꾼 ❹ 음 ❺ 양 ❻ 1 ❼ 1 ❽ 피펫 ❾ 뷰렛 ❿ 일정 ⓫ 중화점

빈출 자료 보기

정답과 해설 65쪽

532 그림은 NaOH(*aq*) 80 mL에 HCl(*aq*)을 조금씩 넣을 때, 혼합 용액 속에 들어 있는 이온 A~D의 이온 수 변화를 나타낸 것이다.

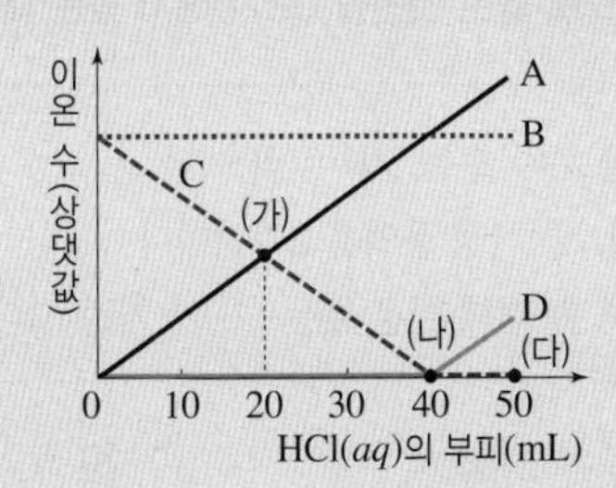

이에 대한 설명으로 옳은 것은 ○, 옳지 않은 것은 ×로 표시하시오.

(1) C와 D는 반응에 참여하는 이온이다. ( )
(2) (나)는 중화점이다. ( )
(3) 혼합 전 몰 농도(M)는 NaOH(*aq*)이 HCl(*aq*)의 2배이다. ( )
(4) B는 Na^+이다. ( )
(5) 전체 이온 수는 (가)=(나)이다. ( )
(6) 생성된 물 분자 수는 (가)<(나)=(다)이다. ( )
(7) (가)에서 생성된 물의 양(mol)과 B의 양(mol)은 같다. ( )
(8) (다)에서 전체 이온 수는 B의 수의 2배이다. ( )
(9) $\frac{Na^+\text{의 수}}{Cl^-\text{의 수}}$는 (나)가 (가)의 2배이다. ( )

산 염기 중화 반응

중화 반응

533 하 중 상

산 염기 중화 반응과 관련된 현상을 〈보기〉에서 있는 대로 고른 것은?

〈 보기 〉
ㄱ. 산성화된 토양에 석회 가루를 뿌린다.
ㄴ. 김치의 신맛을 줄이기 위해 소다를 넣는다.
ㄷ. 머리카락에 의해 하수구가 막혔을 때 하수구 세정제를 사용한다.

① ㄱ ② ㄷ ③ ㄱ, ㄴ
④ ㄴ, ㄷ ⑤ ㄱ, ㄴ, ㄷ

[534~535] 0.1 M $HCl(aq)$ 100 mL와 0.2 M $Ca(OH)_2(aq)$ 50 mL를 혼합한다.

빈출

534 하 중 상

혼합 용액에 대한 설명으로 옳은 것만을 〈보기〉에서 있는 대로 고른 것은?(단, HCl와 $Ca(OH)_2$은 수용액에서 모두 이온화된다.)

〈 보기 〉
ㄱ. H_2O 0.01 mol이 생성된다.
ㄴ. BTB 용액을 떨어뜨리면 파란색으로 변한다.
ㄷ. 0.1 M $NaOH(aq)$ 100 mL를 더 넣으면 혼합 용액에는 구경꾼 이온만 존재한다.

① ㄱ ② ㄷ ③ ㄱ, ㄴ
④ ㄴ, ㄷ ⑤ ㄱ, ㄴ, ㄷ

535 하 중 상

위 중화 반응의 알짜 이온 반응식을 쓰고, 구경꾼 이온을 모두 쓰시오.(단, 물질의 상태는 표시하지 않는다.)

536 하 중 상

25 °C에서 0.1 M $H_2SO_4(aq)$ 200 mL와 0.3 M $NaOH(aq)$ 300 mL를 혼합한 용액의 pH는?(단, 혼합 용액의 온도는 25 °C로 일정하고, 부피는 혼합 전 각 용액의 부피의 합과 같다. H_2SO_4과 NaOH은 수용액에서 모두 이온화되며, 25 °C에서 물의 이온화 상수(K_w)는 1.0×10^{-14}이다.)

① 1 ② 2 ③ 11 ④ 12 ⑤ 13

537 하 중 상

다음은 25 °C에서 $Na(s)$을 이용한 실험이다.

(가) $Na(s)$ 23 mg을 100 mL의 물과 모두 반응시킨다.
(나) (가)에 물을 더 가하여 1 L의 수용액을 만든다.

이에 대한 설명으로 옳은 것만을 〈보기〉에서 있는 대로 고른 것은?(단, Na의 원자량은 23이고, 1 mg$=10^{-3}$ g이며, 25 °C에서 물의 이온화 상수(K_w)는 1.0×10^{-14}이다.)

〈 보기 〉
ㄱ. (가)에서 0.001 mol의 기체가 발생한다.
ㄴ. 25 °C에서 (나)의 pH는 3이다.
ㄷ. (나)에 0.02 M $HCl(aq)$ 50 mL를 넣으면 혼합 용액의 액성은 중성이 된다.

① ㄴ ② ㄷ ③ ㄱ, ㄴ
④ ㄱ, ㄷ ⑤ ㄱ, ㄴ, ㄷ

빈출

538 하 중 상

표는 0.1 M $HCl(aq)$과 0.2 M $NaOH(aq)$의 부피를 달리하여 혼합한 용액에 대한 자료이다.

혼합 용액	(가)	(나)	(다)	(라)
$HCl(aq)$(mL)	10	25	30	40
$NaOH(aq)$(mL)	40	25	20	10

이에 대한 설명으로 옳은 것만을 〈보기〉에서 있는 대로 고른 것은?

〈 보기 〉
ㄱ. 생성된 물 분자 수는 (가)=(라)이다.
ㄴ. (가)~(라) 중 산성 용액은 2가지이다.
ㄷ. 혼합 용액 속 전체 이온 수는 (가)가 가장 크다.

① ㄱ ② ㄷ ③ ㄱ, ㄴ
④ ㄴ, ㄷ ⑤ ㄱ, ㄴ, ㄷ

539 하중상

그림에서 A, B, C는 같은 온도의 $H_2SO_4(aq)$과 $NaOH(aq)$ 수용액을 반응시킬 때 넣어 준 각 수용액의 부피를 나타낸 것이다. B점을 지나는 직선은 중화점을 연결한 것이다.

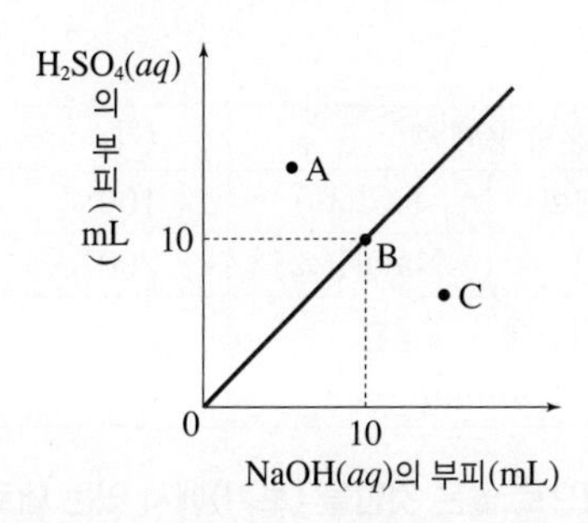

이에 대한 설명으로 옳은 것만을 〈보기〉에서 있는 대로 고른 것은? (단, 혼합 용액의 부피는 혼합 전 각 용액의 부피의 합과 같고, A~C 용액의 전체 부피는 모두 같다.)

〈 보기 〉
ㄱ. 몰 농도(M)의 비는 $H_2SO_4(aq)$: $NaOH(aq)$ = 1 : 2이다.
ㄴ. A~C 중 B 용액의 온도가 가장 높다.
ㄷ. pH는 A<B<C이다.

① ㄱ ② ㄴ ③ ㄷ
④ ㄴ, ㄷ ⑤ ㄱ, ㄴ, ㄷ

540 하중상

다음은 3가지 수용액을 이용한 중화 반응의 과정을 나타낸 것이다.

[과정]
(가) 0.2 M $HCl(aq)$ 10 mL와 0.1 M $H_2SO_4(aq)$ 30 mL를 혼합한다.
(나) (가)의 용액에 0.3 M $NaOH(aq)$ 20 mL를 첨가하여 완전히 반응시킨다.

과정 (나)가 끝난 혼합 용액을 완전히 중화시키려고 한다. 이때 첨가할 수 있는 수용액의 종류와 부피로 적절한 것은?

① 0.1 M $H_2SO_4(aq)$ 10 mL
② 0.2 M $HCl(aq)$ 10 mL
③ 0.1 M $Ca(OH)_2(aq)$ 10 mL
④ 0.1 M $KOH(aq)$ 10 mL
⑤ 0.1 M $NaOH(aq)$ 15 mL

이온 모형과 중화 반응에서의 양적 관계

541 하중상

그림은 수용액 (가)와 (나)가 반응하여 수용액 (다)가 되는 반응을 이온 모형으로 나타낸 것이다.

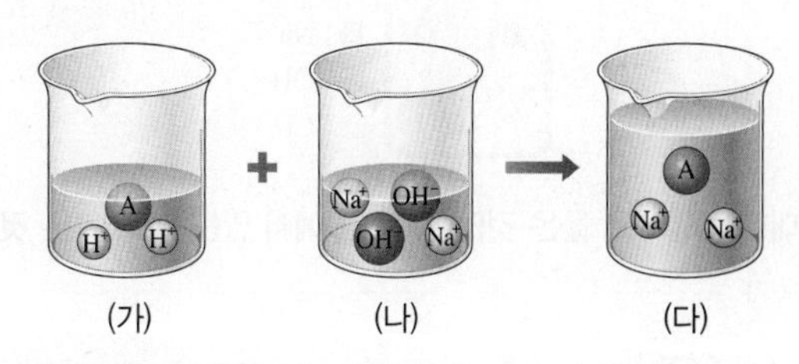

이에 대한 설명으로 옳은 것만을 〈보기〉에서 있는 대로 고른 것은? (단, 온도는 일정하고, 모형 1개는 0.1 mol을 의미한다.)

〈 보기 〉
ㄱ. A의 전하는 +2이다.
ㄴ. 생성된 물의 양(mol)은 0.2 mol이다.
ㄷ. 수용액의 pOH는 (가)<(다)이다.

① ㄱ ② ㄴ ③ ㄱ, ㄴ
④ ㄱ, ㄷ ⑤ ㄴ, ㄷ

542 하중상

그림은 25 ℃에서 수용액 (가)~(다)의 이온 모형을 나타낸 것이다. (가)~(다)는 각각 $HCl(aq)$, $HNO_3(aq)$, $NaOH(aq)$ 중 하나이고, 부피는 모두 같다.

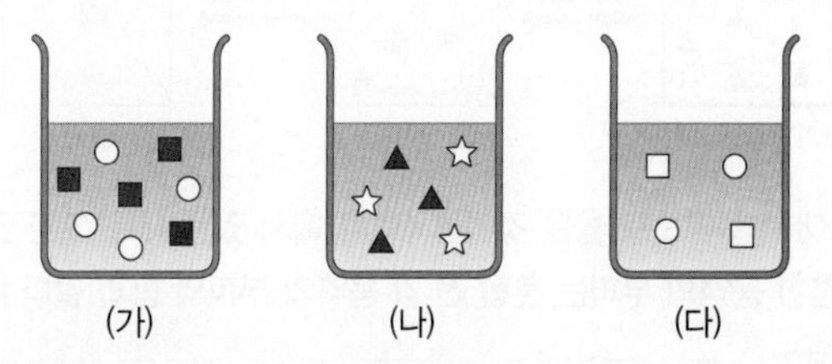

이에 대한 설명으로 옳은 것만을 〈보기〉에서 있는 대로 고른 것은?

〈 보기 〉
ㄱ. (나)에 $Mg(s)$을 넣으면 기체가 발생한다.
ㄴ. 수용액의 pH는 (가)<(다)<(나)이다.
ㄷ. 총 이온 수는 (가)와 (나)를 혼합한 용액이 (가)와 (다)를 혼합한 용액보다 크다.

① ㄱ ② ㄴ ③ ㄱ, ㄴ
④ ㄱ, ㄷ ⑤ ㄴ, ㄷ

543 하 중 상

그림은 $0.1\ M\ HCl(aq)$ 300 mL와 $0.2\ M\ NaOH(aq)$ x mL를 넣었을 때 용액 속에 들어 있는 이온을 모형으로 나타낸 것이다.

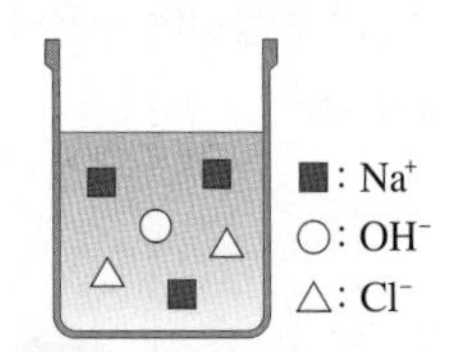

이에 대한 설명으로 옳은 것만을 〈보기〉에서 있는 대로 고른 것은?

〈 보기 〉

ㄱ. $x=225$이다.

ㄴ. 생성된 물의 양(mol)은 2×10^{-2} mol이다.

ㄷ. 혼합 용액에 $0.1\ M\ HCl(aq)$ 100 mL를 넣으면 완전히 중화된다.

① ㄱ ② ㄷ ③ ㄱ, ㄴ
④ ㄴ, ㄷ ⑤ ㄱ, ㄴ, ㄷ

544 하 중 상

그림은 $HCl(aq)$ 20 mL에 $NaOH(aq)$ 10 mL씩을 차례대로 넣을 때 혼합 용액 속 단위 부피당 이온을 모형으로 나타낸 것이다.

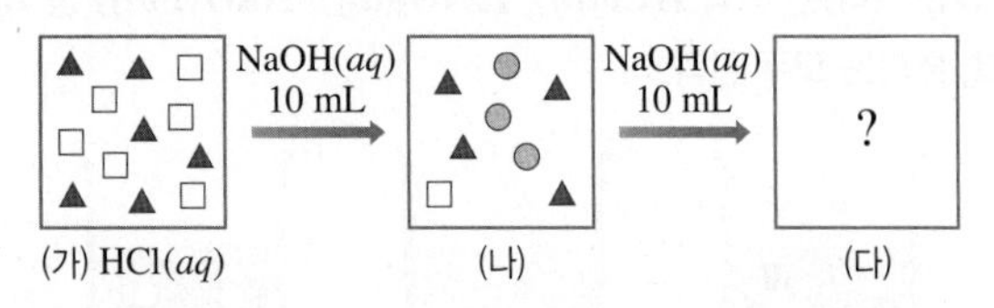

이에 대한 설명으로 옳은 것만을 〈보기〉에서 있는 대로 고른 것은? (단, 혼합 용액의 부피는 혼합 전 각 용액의 부피의 합과 같다.)

〈 보기 〉

ㄱ. 단위 부피당 이온 수비는 $HCl(aq)$: $NaOH(aq)=2:3$이다.

ㄴ. (다)에 페놀프탈레인 용액을 떨어뜨리면 붉은색으로 변한다.

ㄷ. (다)에서 $\frac{Na^+ \text{ 수}}{OH^- \text{ 수}}=3$이다.

① ㄱ ② ㄷ ③ ㄱ, ㄴ
④ ㄴ, ㄷ ⑤ ㄱ, ㄴ, ㄷ

생성된 물의 양, 이온 수와 중화 반응에서의 양적 관계

빈출 545 하 중 상

표는 $HCl(aq)$과 $NaOH(aq)$의 부피를 달리하여 혼합한 용액에 대한 자료이다.

혼합 용액		(가)	(나)
혼합 전 용액의 부피(mL)	$HCl(aq)$	100	200
	$NaOH(aq)$	200	200
중화 반응에서 생성된 물의 양(mol)		0.04	0.06

이에 대한 설명으로 옳은 것만을 〈보기〉에서 있는 대로 고른 것은?

〈 보기 〉

ㄱ. (가)는 염기성이다.

ㄴ. $HCl(aq)$ 150 mL와 $NaOH(aq)$ 200 mL를 혼합한 용액은 염기성이다.

ㄷ. 총 이온 수는 (가)가 (나)의 $\frac{4}{3}$배이다.

① ㄱ ② ㄷ ③ ㄱ, ㄴ
④ ㄴ, ㄷ ⑤ ㄱ, ㄴ, ㄷ

빈출 546 하 중 상

표는 $HCl(aq)$, $NaOH(aq)$, $KOH(aq)$의 부피를 달리하여 혼합한 용액 (가)~(다)에 대한 자료이다.

혼합 용액	혼합 전 용액의 부피(mL)			단위 부피당 생성된 물 분자 수
	$HCl(aq)$	$NaOH(aq)$	$KOH(aq)$	
(가)	10	5	0	$2N$
(나)	5	0	5	$6N$
(다)	15	10	5	$5N$

이에 대한 설명으로 옳은 것만을 〈보기〉에서 있는 대로 고른 것은? (단, 혼합 용액의 부피는 혼합 전 각 용액의 부피의 합과 같다.)

〈 보기 〉

ㄱ. (나)는 염기성이다.

ㄴ. 몰 농도(M)의 비는 $HCl(aq)$: $NaOH(aq)=2:1$이다.

ㄷ. (가)와 (나)를 혼합했을 때 추가로 생성된 물의 양(mol)은 (나)와 (다)를 혼합했을 때 추가로 생성된 물의 양(mol)의 $\frac{1}{2}$배이다.

① ㄱ ② ㄷ ③ ㄱ, ㄴ
④ ㄴ, ㄷ ⑤ ㄱ, ㄴ, ㄷ

547 하 중 상 多 보기

표는 HCl(aq)과 NaOH(aq)의 부피를 달리하여 혼합하였을 때 혼합 용액 속에 존재하는 양이온 수를 나타낸 것이다.

혼합 용액	(가)	(나)
HCl(aq)의 부피(mL)	20	80
NaOH(aq)의 부피(mL)	100	40
혼합 용액 속에 존재하는 양이온 수	$5N$	$12N$

이에 대한 설명으로 옳은 것은?

① (가)는 산성이다.
② 총 이온 수비는 (가) : (나)=5 : 6이다.
③ 생성된 물 분자 수비는 (가) : (나)=2 : 3이다.
④ 혼합 전 단위 부피당 이온 수비는 HCl(aq) : NaOH(aq)= 3 : 1이다.
⑤ (가)와 (나)를 혼합한 용액은 염기성이다.
⑥ (가)와 (나)를 혼합한 용액에 존재하는 Na^+과 Cl^-의 개수비는 1 : 3이다.

548 하 중 상

표는 HCl(aq), NaOH(aq), KOH(aq)의 부피를 달리하여 혼합한 용액 (가)~(다)에 대한 자료이다.

혼합 용액	혼합 전 용액의 부피(mL)			단위 부피당 이온 수
	HCl(aq)	NaOH(aq)	KOH(aq)	
(가)	10	0	20	$2N$
(나)	10	10	0	$5N$
(다)	10	10	20	$3N$

이에 대한 설명으로 옳은 것만을 〈보기〉에서 있는 대로 고른 것은? (단, 혼합 용액의 부피는 혼합 전 각 용액의 부피의 합과 같다.)

〈 보기 〉
ㄱ. 몰 농도(M)의 비는 HCl(aq) : KOH(aq)=3 : 1이다.
ㄴ. (가)와 (나)를 혼합한 용액은 염기성이다.
ㄷ. (다)에 HCl(aq) 10 mL를 혼합한 용액은 중성이다.

① ㄱ ② ㄷ ③ ㄱ, ㄴ
④ ㄱ, ㄷ ⑤ ㄴ, ㄷ

549 하 중 상

표는 HCl(aq), NaOH(aq), KOH(aq)의 부피를 달리하여 혼합한 용액 (가)와 (나)에 대한 자료이다.

혼합 용액	혼합 전 용액의 부피(mL)			전체 이온 수	생성된 물 분자 수
	HCl (aq)	NaOH (aq)	KOH (aq)		
(가)	10	10	30	$20N$	$9N$
(나)	20	20	40	$36N$	$16N$

이에 대한 설명으로 옳은 것만을 〈보기〉에서 있는 대로 고른 것은?

〈 보기 〉
ㄱ. (나)는 염기성이다.
ㄴ. 단위 부피당 이온 수는 HCl(aq)이 KOH(aq)의 4.5배이다.
ㄷ. HCl(aq) 10 mL, NaOH(aq) 15 mL, KOH(aq) 30 mL를 혼합한 용액에 들어 있는 양이온 수는 $12N$이다.

① ㄱ ② ㄴ ③ ㄱ, ㄷ
④ ㄴ, ㄷ ⑤ ㄱ, ㄴ, ㄷ

550 하 중 상

표는 HCl(aq), NaOH(aq), KOH(aq)의 부피를 달리하여 혼합한 용액 (가)~(다)에 대한 자료이다.

혼합 용액		(가)	(나)	(다)
혼합 전 용액의 부피(mL)	HCl(aq)	10	5	15
	NaOH(aq)	x	0	$2x$
	KOH(aq)	0	x	x
$\frac{\text{생성된 물 분자 수}}{Cl^- \text{ 수}}$		$\frac{1}{4}$	㉠	$\frac{5}{6}$

이에 대한 설명으로 옳은 것만을 〈보기〉에서 있는 대로 고른 것은?

〈 보기 〉
ㄱ. ㉠은 1이다.
ㄴ. 1 mL당 이온 수는 NaOH(aq)이 KOH(aq)의 3배이다.
ㄷ. (나)와 (다)를 혼합한 용액은 염기성이다.

① ㄱ ② ㄷ ③ ㄱ, ㄴ
④ ㄴ, ㄷ ⑤ ㄱ, ㄴ, ㄷ

Ⅳ

551 (하)(중)(상)

표는 $HCl(aq)$과 $NaOH(aq)$의 부피를 달리하여 혼합한 용액 (가)~(다)에 대한 자료이다. ㉠은 H^+, Cl^-, Na^+, OH^- 중 하나이다.

혼합 용액	혼합 전 용액의 부피(mL)		혼합 용액의 ㉠ 수	생성된 물 분자 수
	$HCl(aq)$	$NaOH(aq)$		
(가)	5	15	$3N$	$2N$
(나)	10	10	$2N$	$2N$
(다)	10	5	x	y

이에 대한 설명으로 옳은 것만을 〈보기〉에서 있는 대로 고른 것은?

〈 보기 〉
ㄱ. ㉠은 Na^+이다.
ㄴ. $x=N$이다.
ㄷ. $y=N$이다.

① ㄱ ② ㄷ ③ ㄱ, ㄴ
④ ㄴ, ㄷ ⑤ ㄱ, ㄴ, ㄷ

552 (하)(중)(상)

표는 x M $HA(aq)$과 1 M $B(OH)_2(aq)$의 부피를 달리하여 혼합한 용액 (가)와 (나)에 대한 자료이다. (가)와 (나)의 액성은 각각 산성, 염기성 중 하나이다.

혼합 용액	혼합 전 용액의 부피(mL)		혼합 용액 속 H^+ 또는 OH^-의 양(mol)
	$HA(aq)$	$B(OH)_2(aq)$	
(가)	60	50	n
(나)	80	100	$2n$

이에 대한 설명으로 옳은 것만을 〈보기〉에서 있는 대로 고른 것은? (단, HA와 $B(OH)_2$는 수용액에서 모두 이온화된다.)

〈 보기 〉
ㄱ. $x=2$이다.
ㄴ. $n=0.02$이다.
ㄷ. 생성된 물의 양(mol)은 (나)가 (가)의 2배이다.

① ㄱ ② ㄷ ③ ㄱ, ㄴ
④ ㄴ, ㄷ ⑤ ㄱ, ㄴ, ㄷ

빈출

553 (하)(중)(상)

표는 $HCl(aq)$, $NaOH(aq)$, $KOH(aq)$의 부피를 달리하여 혼합한 용액 (가)~(라)에 대한 자료이다.

혼합 용액	혼합 전 용액의 부피(mL)			단위 부피당 H^+ 또는 OH^-의 수
	$HCl(aq)$	$NaOH(aq)$	$KOH(aq)$	
(가)	10	10	0	$2N$
(나)	10	30	0	N
(다)	10	30	10	N
(라)	30	15	90	xN

이에 대한 설명으로 옳은 것만을 〈보기〉에서 있는 대로 고른 것은? (단, 혼합 용액의 부피는 혼합 전 각 용액의 부피의 합과 같다.)

〈 보기 〉
ㄱ. 총 이온 수비는 (가) : (나) : (다)=8 : 12 : 13이다.
ㄴ. $x=2$이다.
ㄷ. $HCl(aq)$ 10 mL, $NaOH(aq)$ 30 mL, $KOH(aq)$ 20 mL를 혼합한 용액에서 $\frac{Na^+ \text{ 수}+K^+ \text{ 수}+Cl^- \text{ 수}}{H^+ \text{ 수 또는 } OH^- \text{ 수}}=5$이다.

① ㄱ ② ㄷ ③ ㄱ, ㄴ
④ ㄴ, ㄷ ⑤ ㄱ, ㄴ, ㄷ

554 (하)(중)(상)

표는 $HCl(aq)$, $NaOH(aq)$, $KOH(aq)$의 부피를 달리하여 혼합한 용액 (가)~(라)에 대한 자료이다.

혼합 용액	혼합 전 용액의 부피(mL)			혼합 용액 속의 양이온 수
	$HCl(aq)$	$NaOH(aq)$	$KOH(aq)$	
(가)	10	30	0	$2N$
(나)	20	0	15	N
(다)	30	10	25	$1.5N$
(라)	15	10	25	x

이에 대한 설명으로 옳은 것만을 〈보기〉에서 있는 대로 고른 것은?

〈 보기 〉
ㄱ. (가)는 염기성이다.
ㄴ. $x=2N$이다.
ㄷ. 생성된 물 분자 수는 (다)<(라)이다.

① ㄱ ② ㄷ ③ ㄱ, ㄴ
④ ㄴ, ㄷ ⑤ ㄱ, ㄴ, ㄷ

555 하중상

표는 HCl(aq) 10 mL에 NaOH(aq)의 부피를 달리하여 혼합한 용액 (가)~(라)에 들어 있는 이온 중 1가지 이온의 수를 나타낸 것이다.

혼합 용액	(가)	(나)	(다)	(라)
NaOH(aq)의 부피(mL)	5	x	20	40
이온 수(상댓값)	Cl^-: 20	H^+: 10	Na^+: 20	OH^-: y

이에 대한 설명으로 옳은 것만을 〈보기〉에서 있는 대로 고른 것은?

〈 보기 〉

ㄱ. $x+y=30$이다.

ㄴ. (다)에는 구경꾼 이온만 존재한다.

ㄷ. (가), (나), (라)를 혼합한 용액을 완전히 중화시키기 위해 필요한 NaOH(aq)의 부피는 30 mL이다.

① ㄱ ② ㄷ ③ ㄱ, ㄴ ④ ㄴ, ㄷ ⑤ ㄱ, ㄴ, ㄷ

556 하중상

다음은 중화 반응 실험이다.

[실험 과정]

(가) HCl(aq) 20 mL를 비커에 넣는다.

(나) (가)의 용액에 NaOH(aq) 10 mL를 넣는다.

(다) (나)의 용액에 NaOH(aq) 20 mL를 넣는다.

(라) (다)의 용액에 HCl(aq) 20 mL를 넣는다.

[실험 결과]

과정	(가)	(나)	(다)	(라)
이온 종류	㉠	㉡	㉢	㉣
단위 부피당 이온 수	$3N$	$\frac{1}{2}N$	$\frac{27}{10}N$	$\frac{3}{14}N$

이에 대한 설명으로 옳은 것만을 〈보기〉에서 있는 대로 고른 것은? (단, ㉠~㉣은 각각 H^+, Cl^-, Na^+, OH^- 중 하나이며, 혼합 용액의 부피는 혼합 전 각 용액의 부피의 합과 같다.)

〈 보기 〉

ㄱ. ㉢은 구경꾼 이온이다.

ㄴ. 몰 농도(M)의 비는 HCl(aq) : NaOH(aq)=4 : 3이다.

ㄷ. (라) 용액에서 $\frac{Na^+ \text{ 수}+Cl^- \text{ 수}}{H^+ \text{ 또는 } OH^- \text{ 수}}=17$이다.

① ㄱ ② ㄴ ③ ㄱ, ㄷ ④ ㄴ, ㄷ ⑤ ㄱ, ㄴ, ㄷ

557 하중상

표는 HCl(aq) x mL에 HNO_3(aq)과 NaOH(aq)의 부피를 달리하여 혼합한 용액에 대한 자료이다.

혼합 용액		(가)	(나)	(다)
혼합 전 용액의 부피 (mL)	HCl(aq)	x	x	x
	HNO_3(aq)	20	15	10
	NaOH(aq)	10	15	5
혼합 용액에 존재하는 이온 수의 비율		$\frac{1}{6}$, $\frac{1}{6}$, $\frac{1}{3}$, $\frac{1}{3}$	$\frac{1}{12}$, $\frac{1}{6}$, ㉠, $\frac{1}{2}$	$\frac{1}{4}$, $\frac{1}{4}$, $\frac{1}{4}$, $\frac{1}{4}$

이에 대한 설명으로 옳은 것만을 〈보기〉에서 있는 대로 고른 것은?

〈 보기 〉

ㄱ. ㉠은 NO_3^- 수의 비율이다.

ㄴ. 단위 부피당 이온 수는 HNO_3(aq)이 NaOH(aq)의 2배이다.

ㄷ. pH는 (가)<(다)<(나)이다.

① ㄱ ② ㄴ ③ ㄱ, ㄷ ④ ㄴ, ㄷ ⑤ ㄱ, ㄴ, ㄷ

빈출 558 하중상

그림은 몰 농도(M)가 같은 HCl(aq)이 10 mL씩 들어 있는 비커 2개에 몰 농도(M)가 서로 다른 NaOH(aq)을 각각 넣을 때 NaOH(aq)의 부피에 따른 혼합 용액의 전체 이온 수를 나타낸 것이다.

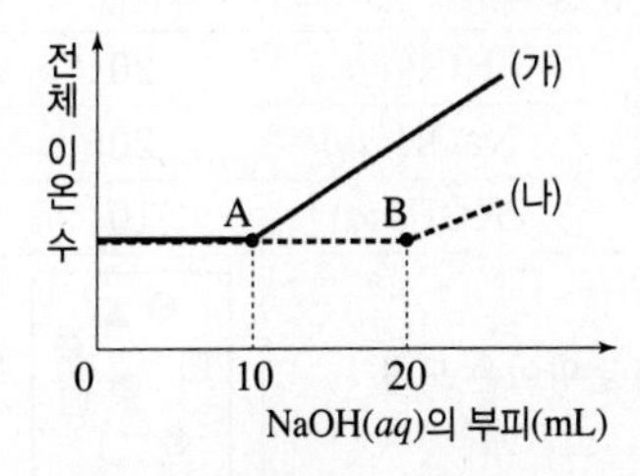

이에 대한 설명으로 옳은 것만을 〈보기〉에서 있는 대로 고른 것은? (단, 혼합 용액의 부피는 혼합 전 각 용액의 부피의 합과 같다.)

〈 보기 〉

ㄱ. NaOH(aq)의 몰 농도(M)는 (가)가 (나)의 2배이다.

ㄴ. 생성된 물의 양(mol)은 A와 B에서 같다.

ㄷ. Cl^-의 몰 농도(M)의 비는 A : B=4 : 3이다.

① ㄱ ② ㄷ ③ ㄱ, ㄴ ④ ㄴ, ㄷ ⑤ ㄱ, ㄴ, ㄷ

559 하 중 상

표는 HCl(aq)과 NaOH(aq)의 부피를 달리하여 혼합한 용액 (가)와 (나)에 대한 자료이다.

혼합 용액		(가)	(나)
혼합 전 용액의 부피(mL)	HCl(aq)	30	10
	NaOH(aq)	x	y
단위 부피당 이온 모형 (▲: Na^+, ●: Cl^-)		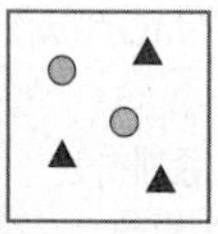	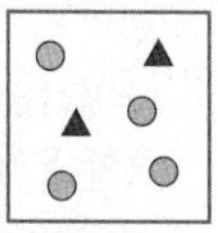

이에 대한 설명으로 옳은 것만을 〈보기〉에서 있는 대로 고른 것은? (단, 혼합 용액의 부피는 혼합 전 각 용액의 부피의 합과 같다.)

〈 보기 〉

ㄱ. $x=9y$이다.

ㄴ. HCl(aq) 10 mL와 NaOH(aq) 20 mL를 혼합한 용액은 중성이다.

ㄷ. 전체 이온 수는 (가)가 (나)의 6배이다.

① ㄱ ② ㄴ ③ ㄷ
④ ㄱ, ㄴ ⑤ ㄴ, ㄷ

560 하 중 상

표는 HCl(aq), NaOH(aq), KOH(aq)의 부피를 달리하여 혼합한 용액 (가)와 (나)에 대한 자료이다.

혼합 용액		(가)	(나)
혼합 전 용액의 부피(mL)	HCl(aq)	20	40
	NaOH(aq)	20	20
	KOH(aq)	10	x
단위 부피당 양이온 모형		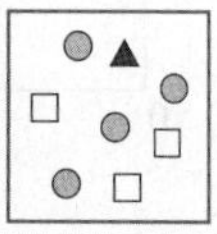	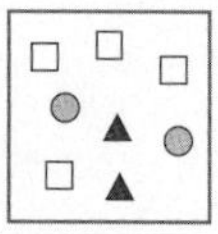

이에 대한 설명으로 옳지 않은 것은?(단, 혼합 용액의 부피는 혼합 전 각 용액의 부피의 합과 같다.)

① ●는 Na^+이다.

② $x=40$이다.

③ 생성된 물 분자 수비는 (가) : (나)=5 : 8이다.

④ 단위 부피당 이온 수비는 HCl(aq) : NaOH(aq) : KOH(aq)=4 : 2 : 1이다.

⑤ pH는 (가)<(나)이다.

561 하 중 상

표는 HCl(aq)과 NaOH(aq)을 혼합한 수용액 x mL에 HNO_3(aq)을 넣었을 때 넣어 준 HNO_3(aq)의 부피에 따른 혼합 용액에 들어 있는 X 이온에 대한 자료이다.

혼합 용액	(가)	(나)	(다)
HNO_3(aq)의 부피(mL)	10	20	y
$\frac{\text{X 이온 수}}{\text{전체 이온 수}}$	$\frac{1}{2}$	$\frac{1}{2}$	$\frac{1}{3}$
단위 부피당 X 이온 수	$\frac{4}{3}N$	N	$\frac{2}{3}N$

이에 대한 설명으로 옳은 것만을 〈보기〉에서 있는 대로 고른 것은? (단, 혼합 용액의 부피는 혼합 전 각 용액의 부피의 합과 같다.)

〈 보기 〉

ㄱ. X 이온은 Na^+이다.

ㄴ. (가)는 산성이다.

ㄷ. $\frac{y}{x}=\frac{1}{2}$이다.

① ㄱ ② ㄴ ③ ㄱ, ㄴ
④ ㄱ, ㄷ ⑤ ㄴ, ㄷ

562 하 중 상

다음은 중화 반응 실험이다. V_2는 V_1보다 크다.

[실험 과정]

(가) 비커에 NaOH(aq) V_1 mL를 넣는다.

(나) (가)의 용액에 H_2SO_4(aq) V_2 mL를 넣는다.

(다) (나)의 용액에 $Ca(OH)_2$(aq) V_1 mL를 넣는다.

[실험 결과]

• (가)~(다) 과정 후의 용액 속에 들어 있는 총 이온 수

과정	(가)	(나)	(다)
총 이온 수	N	$3N$	$4N$

• (가)~(다) 과정 후의 용액 속에 들어 있는 단위 부피당 이온 수는 모두 같다.

NaOH(aq), H_2SO_4(aq), $Ca(OH)_2$(aq)의 몰 농도(M)의 비는? (단, 혼합 용액의 부피는 혼합 전 각 용액의 부피의 합과 같고, $CaSO_4$은 물에 녹지 않는 앙금이다.)

① 1 : 1 : 2 ② 1 : 2 : 1 ③ 1 : 1 : 4
④ 3 : 1 : 3 ⑤ 4 : 1 : 2

563 하/중/상

다음은 중화 반응 실험이다.

[실험 과정]

(가) $HCl(aq)$과 $NaOH(aq)$을 준비한다.

(나) $NaOH(aq)$ V mL를 삼각 플라스크에 넣는다.

(다) (나)의 삼각 플라스크에 $HCl(aq)$ 30 mL를 조금씩 넣는다.

[실험 결과]

• (다) 과정에서 $HCl(aq)$의 부피에 따른 혼합 용액의 단위 부피당 총 이온 수

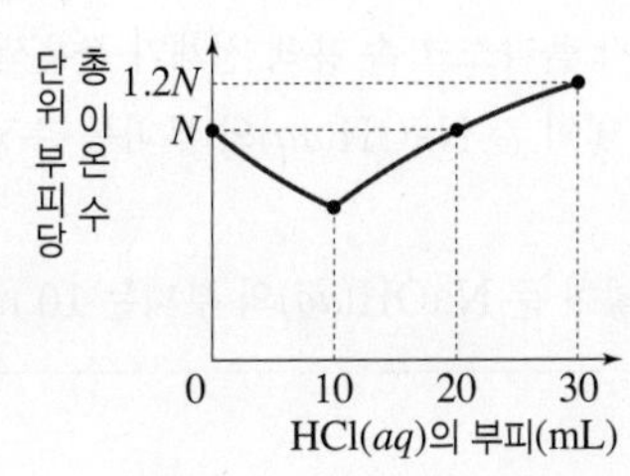

• (다) 과정에서 $HCl(aq)$의 부피가 각각 a mL, b mL일 때의 결과

$HCl(aq)$의 부피(mL)	혼합 용액의 단위 부피당 총 이온 수	혼합 용액의 액성
a	$\frac{5}{6}N$	염기성
b	$\frac{4}{3}N$	산성

이에 대한 설명으로 옳은 것만을 〈보기〉에서 있는 대로 고른 것은? (단, 혼합 용액의 부피는 혼합 전 각 용액의 부피의 합과 같다.)

〈 보기 〉

ㄱ. $V=10$이다.

ㄴ. 단위 부피당 이온 수는 $HCl(aq)$이 $NaOH(aq)$의 2배이다.

ㄷ. $a+b=50$이다.

① ㄱ ② ㄴ ③ ㄱ, ㄷ ④ ㄴ, ㄷ ⑤ ㄱ, ㄴ, ㄷ

혼합 용액의 온도와 중화 반응에서의 양적 관계

빈출

564 하/중/상

多 보기

표는 온도가 같은 $HCl(aq)$과 $NaOH(aq)$의 부피를 달리하여 혼합한 용액의 온도를 측정한 결과이다.

구분	(가)	(나)	(다)	(라)	(마)
$HCl(aq)$의 부피(mL)	10	20	30	40	50
$NaOH(aq)$의 부피(mL)	50	40	30	20	10
혼합 용액의 최고 온도(℃)	25.5	26.5	27.5	28.5	26.5

이에 대한 설명으로 옳지 않은 것만을 모두 고르면?(단, 혼합 용액의 부피는 혼합 전 각 용액의 부피의 합과 같다.)(2개)

① (라)에서 전기 전도도가 가장 작다.

② 몰 농도(M)의 비는 $HCl(aq)$: $NaOH(aq)$=1 : 2이다.

③ 생성된 물 분자 수는 (마)가 (가)보다 많다.

④ (나)와 (마)에 들어 있는 총 이온 수는 같다.

⑤ (다)에 페놀프탈레인 용액을 떨어뜨리면 붉은색으로 변한다.

⑥ (나)와 (라)를 혼합하면 용액의 온도는 더 올라간다.

빈출

565 하/중/상

그림은 $HCl(aq)$과 $NaOH(aq)$의 부피를 달리하여 혼합한 용액의 온도를 측정한 결과이다. 실험 Ⅰ과 Ⅱ에서 사용한 $NaOH(aq)$은 같다.

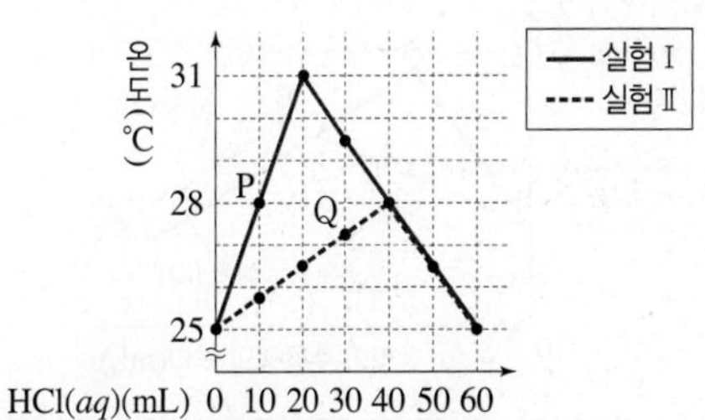

이에 대한 설명으로 옳은 것만을 〈보기〉에서 있는 대로 고른 것은?

〈 보기 〉

ㄱ. Q에서 혼합 용액은 염기성이다.

ㄴ. $HCl(aq)$의 몰 농도(M)는 실험 Ⅰ이 실험 Ⅱ의 2배이다.

ㄷ. P와 Q에서 혼합 용액 속 양이온 수비는 3 : 5이다.

① ㄱ ② ㄷ ③ ㄱ, ㄴ ④ ㄴ, ㄷ ⑤ ㄱ, ㄴ, ㄷ

566 하중상

그림은 동일한 $HCl(aq)$이 10 mL씩 들어 있는 2개의 비커에 염기 $AOH(aq)$과 $B(OH)_2(aq)$을 각각 넣어 줄 때 넣어 준 염기 수용액의 부피에 따른 혼합 용액의 온도를 나타낸 것이다.

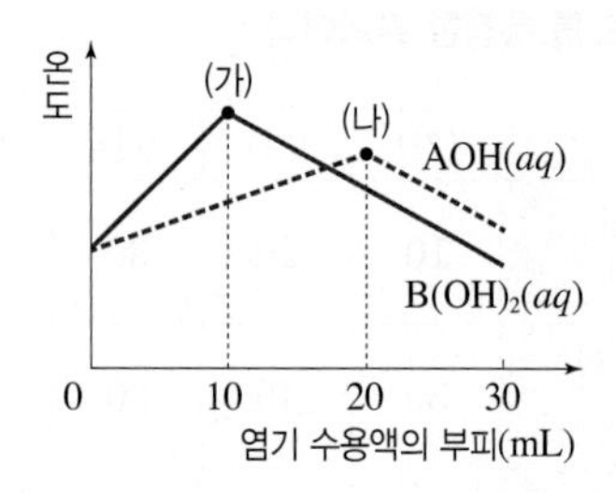

이에 대한 설명으로 옳은 것만을 〈보기〉에서 있는 대로 고른 것은? (단, AOH와 $B(OH)_2$는 수용액에서 모두 이온화되며, 혼합 용액의 부피는 혼합 전 각 용액의 부피의 합과 같다.)

〈 보기 〉
ㄱ. 몰 농도(M)의 비는 $AOH(aq) : B(OH)_2(aq) = 1 : 1$이다.
ㄴ. 생성된 물 분자 수는 (가)<(나)이다.
ㄷ. 단위 부피당 이온 수는 (가)=(나)이다.

① ㄱ ② ㄷ ③ ㄱ, ㄴ ④ ㄱ, ㄷ ⑤ ㄴ, ㄷ

567 하중상

다음은 일정한 온도에서 실시한 $H_2SO_4(aq)$과 관련된 실험이다.

[실험 과정]
(가) $H_2SO_4(aq)$ 10 mL에 $NaOH(aq)$을 조금씩 가하면서 혼합 용액의 온도를 측정한다.
(나) $H_2SO_4(aq)$ 10 mL에 $Ca(OH)_2(aq)$을 조금씩 가하면서 혼합 용액의 온도를 측정한다.
[실험 결과]

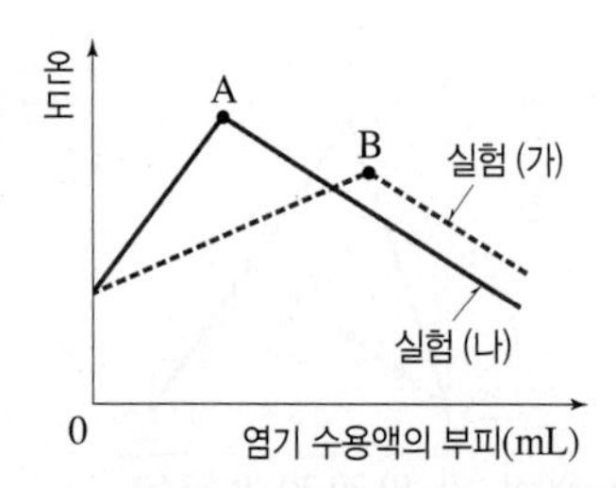

A와 B에서 같은 것만을 〈보기〉에서 있는 대로 고른 것은?(단, $H_2SO_4(aq)$, $NaOH(aq)$, $Ca(OH)_2(aq)$의 몰 농도(M)는 모두 같고, 혼합 용액의 부피는 혼합 전 각 용액의 부피의 합과 같으며, $CaSO_4$은 물에 녹지 않는 앙금이다.)

〈 보기 〉
ㄱ. 생성된 물 분자 수 ㄴ. 단위 부피당 이온 수
ㄷ. 전기 전도도

① ㄱ ② ㄷ ③ ㄱ, ㄴ ④ ㄴ, ㄷ ⑤ ㄱ, ㄴ, ㄷ

B 산 염기 중화 적정

[568~569] 다음은 $CH_3COOH(aq)$의 몰 농도(M)를 알아보기 위한 중화 적정 실험이다.

[실험 과정]
(가) (㉠)을/를 이용하여 x M $CH_3COOH(aq)$ 50 mL를 취한 후 삼각 플라스크에 넣고 페놀프탈레인 용액을 2~3방울 떨어뜨린다.
(나) 0.4 M $NaOH(aq)$을 (㉡)에 넣어 눈금을 읽은 후 꼭지를 열어 (가)의 삼각 플라스크에 조금씩 떨어뜨리면서 섞는다.
(다) (나)의 삼각 플라스크 속 용액 전체가 붉은색으로 변하는 순간까지 넣어 준 $NaOH(aq)$의 부피를 측정한다.
[실험 결과]
• 중화점까지 넣어 준 $NaOH(aq)$의 부피는 10 mL이다.

568 하중상 빈출

이에 대한 설명으로 옳은 것만을 〈보기〉에서 있는 대로 고른 것은? (단, 온도는 25 ℃로 일정하다.)

〈 보기 〉
ㄱ. ㉠은 뷰렛, ㉡은 피펫이다.
ㄴ. $x=0.08$이다.
ㄷ. (나)에서 pH는 점점 증가한다.

① ㄱ ② ㄷ ③ ㄱ, ㄴ
④ ㄴ, ㄷ ⑤ ㄱ, ㄴ, ㄷ

569 하중상 ••서술형

실험 과정 (나)에서 ㉡의 꼭지를 열어 $NaOH(aq)$이 ㉡의 꼭지 아랫부분에도 채워지도록 해야 했으나, 꼭지 아랫부분이 비어 있는 상태로 눈금을 읽고 실험을 진행하였다. 이때의 실험 결과로부터 계산한 $CH_3COOH(aq)$의 농도 값을 실제 농도와 비교하여 그 까닭과 함께 서술하시오.

570 하중상 빈출 ••서술형

다음은 x M $NaOH(aq)$ 20 mL를 0.1 M $H_2SO_4(aq)$으로 적정할 때, $H_2SO_4(aq)$을 넣은 뷰렛의 눈금에 대한 실험 자료이다.

• 적정 실험 전 뷰렛 눈금: 18.6 mL
• 중화점에서 뷰렛 눈금: 8.6 mL

$NaOH(aq)$의 몰 농도(M)를 풀이 과정과 함께 서술하시오.(단, 온도는 25 ℃로 일정하다.)

571 하 중 상

그림은 $HCl(aq)$ 20 mL에 0.2 M $NaOH(aq)$을 5 mL씩 차례대로 넣을 때 일어나는 변화를 모형으로 나타낸 것이다.

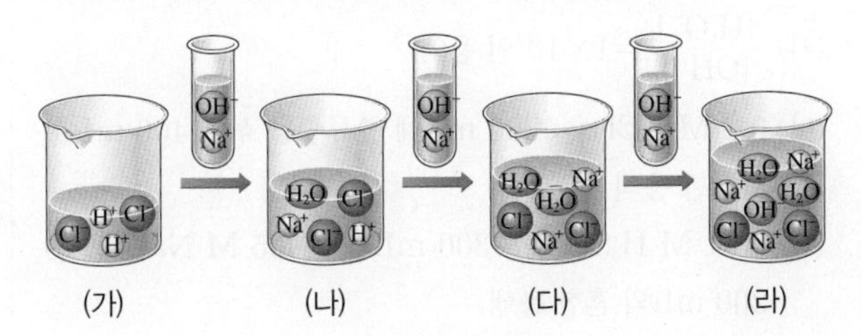

이에 대한 설명으로 옳은 것만을 〈보기〉에서 있는 대로 고른 것은? (단, 혼합 용액의 부피는 혼합 전 각 용액의 부피의 합과 같다.)

〈 보기 〉

ㄱ. $HCl(aq)$은 0.1 M이다.

ㄴ. (가)~(라) 중 단위 부피당 총 이온 수가 가장 작은 것은 (라)이다.

ㄷ. (라)에 0.1 M $H_2SO_4(aq)$ 5 mL를 넣은 용액의 액성은 중성이다.

① ㄱ ② ㄴ ③ ㄱ, ㄷ
④ ㄴ, ㄷ ⑤ ㄱ, ㄴ, ㄷ

572 하 중 상

多 보기

그림은 0.3 M $HCl(aq)$ 20 mL에 x M $NaOH(aq)$을 조금씩 넣어 줄 때 넣어 준 $NaOH(aq)$의 부피에 따른 이온 (가)와 (나)의 수를 나타낸 것이다.

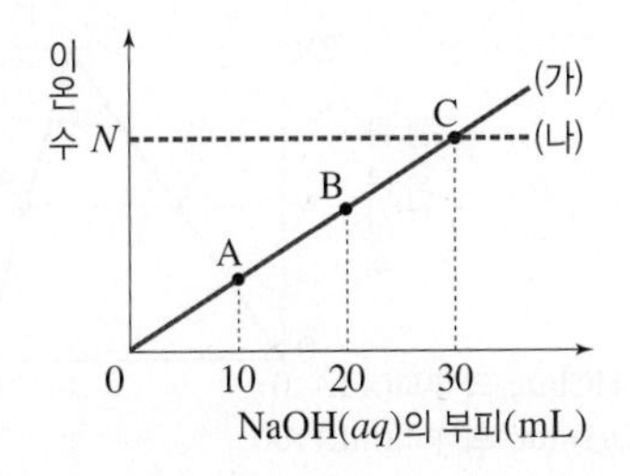

이에 대한 설명으로 옳지 않은 것은?(단, 혼합 용액의 부피는 혼합 전 각 용액의 부피의 합과 같다.)

① (가)와 (나)는 구경꾼 이온이다.

② x는 0.2이다.

③ A까지 생성된 물의 양(mol)은 0.002 mol이다.

④ B에서 $\frac{Na^+ \text{ 수}}{H^+ \text{ 수}}$는 2이다.

⑤ C에는 2종류의 이온만 존재한다.

⑥ A와 B에서 단위 부피당 총 이온 수비는 A : B=3 : 4이다.

573 하 중 상

그림은 0.1 M $NaOH(aq)$ 20 mL가 비커에 들어 있고, 여기에 산 수용액을 가하는 모습을 나타낸 것이다.

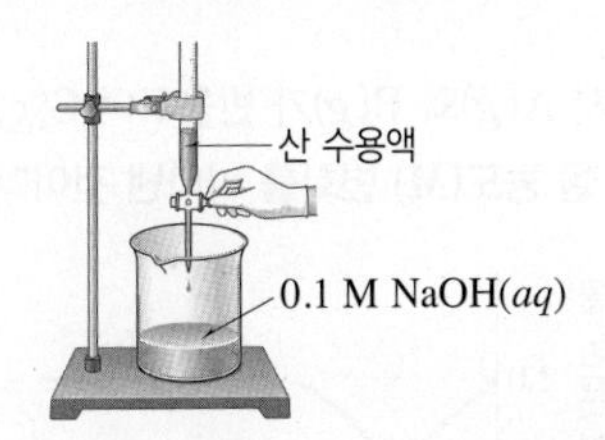

산 수용액이 다음과 같을 때, 중화점까지 사용된 산 수용액의 부피가 가장 큰 것은?(단, 온도는 25 ℃로 일정하다.)

① 0.04 M $HNO_3(aq)$

② 0.05 M $H_2SO_4(aq)$

③ 0.05 M $H_3PO_4(aq)$

④ 0.10 M $CH_3COOH(aq)$

⑤ 0.15 M $HCl(aq)$

574 하 중 상

다음은 식초에 들어 있는 CH_3COOH(아세트산)의 함량(%)을 구하는 실험 과정의 일부와 실험 결과를 나타낸 것이다.

[실험 과정]

(가) 식초를 $\frac{1}{10}$로 묽혀 50 mL를 측정한 후 삼각 플라스크에 넣고, 페놀프탈레인 용액 2~3방울을 넣는다.

(나) 0.1 M $NaOH(aq)$을 뷰렛에 넣고, (가)의 삼각 플라스크에 조금씩 떨어뜨려 삼각 플라스크 속 용액 전체가 붉은색으로 변하는 순간까지 넣어 준 $NaOH(aq)$의 부피를 측정한다.

[실험 결과]

• 중화점까지 넣어 준 $NaOH(aq)$의 부피는 100 mL이다.

이에 대한 설명으로 옳은 것만을 〈보기〉에서 있는 대로 고른 것은? (단, 식초의 밀도는 1.2 g/mL이고, CH_3COOH의 분자량은 60이며, 온도는 25 ℃로 일정하다.)

〈 보기 〉

ㄱ. 식초를 $\frac{1}{10}$로 묽힌 용액의 몰 농도(M)는 0.2 M이다.

ㄴ. 식초 5 mL에 들어 있는 CH_3COOH의 양(mol)은 0.01 mol이다.

ㄷ. 식초 속 CH_3COOH의 함량(%)은 1.2 %이다.

① ㄱ ② ㄷ ③ ㄱ, ㄴ
④ ㄴ, ㄷ ⑤ ㄱ, ㄴ, ㄷ

575

그림은 1 atm에서 $A(g)$와 $B(g)$가 반응하여 $C(g)$가 생성되는 반응의 시간에 따른 몰 농도(M) 변화를 나타낸 것이다.

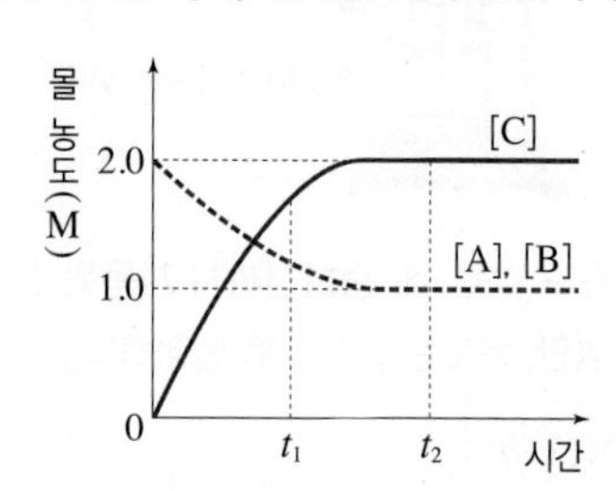

이에 대한 설명으로 옳은 것만을 〈보기〉에서 있는 대로 고른 것은?

〈 보기 〉

ㄱ. 이 반응의 화학 반응식은 $A(g) + B(g) \rightleftharpoons C(g)$이다.

ㄴ. t_1에서 정반응 속도는 역반응 속도보다 크다.

ㄷ. t_2에서 반응물과 생성물의 부피비는 1 : 1이다.

① ㄱ ② ㄴ ③ ㄱ, ㄷ ④ ㄴ, ㄷ ⑤ ㄱ, ㄴ, ㄷ

576

표는 25 ˚C에서 용액 (가)와 (나)에 대한 자료이다.

용액	(가)	(나)
부피	100 mL	1 L
pH	2	3

(가)와 (나)의 혼합 용액을 완전히 중화시키기 위해 필요한 0.1 M $NaOH(aq)$의 부피(mL)는?(단, 25 ˚C에서 물의 이온화 상수(K_w)는 1.0×10^{-14}이다.)

① 10 ② 20 ③ 100 ④ 110 ⑤ 200

577

다음은 25 ˚C에서 용액 (가)~(다)에 대한 자료이다.

(가) $\frac{[H_3O^+]}{[OH^-]}=1\times10^6$인 용액

(나) 0.2 M $HCl(aq)$ 200 mL에 증류수를 섞어 400 mL로 희석한 용액

(다) 0.01 M $H_2SO_4(aq)$ 300 mL와 0.005 M $NaOH(aq)$ 200 mL의 혼합 용액

용액의 pH를 옳게 비교한 것은?(단, 혼합 용액의 온도는 25 ˚C로 일정하며, 부피는 혼합 전 각 용액의 부피의 합과 같다. 25 ˚C에서 물의 이온화 상수(K_w)는 1.0×10^{-14}이고, H_2SO_4과 $NaOH$은 수용액에서 모두 이온화된다.)

① (가)<(나)<(다) ② (가)<(다)<(나) ③ (나)<(가)<(다) ④ (나)<(다)<(가) ⑤ (다)<(나)<(가)

578

그림은 $HCl(aq)$과 $Ca(OH)_2(aq)$을 부피를 달리하여 혼합하였을 때 생성된 물 분자 수를 나타낸 것이다. 혼합한 $HCl(aq)$과 $Ca(OH)_2(aq)$의 부피의 합은 항상 100 mL로 일정하고, $x>2y$이다.

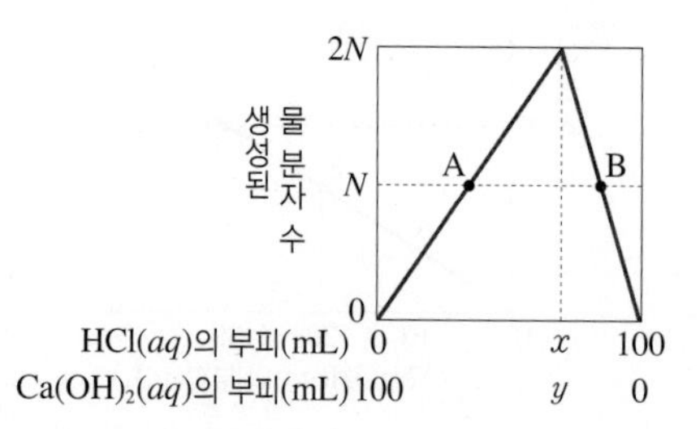

이에 대한 설명으로 옳은 것만을 〈보기〉에서 있는 대로 고른 것은?

〈 보기 〉

ㄱ. 몰 농도(M)의 비는 $HCl(aq)$: $Ca(OH)_2(aq)=2y : x$이다.

ㄴ. A에서 이온 수는 $OH^- < Cl^-$이다.

ㄷ. 전체 양이온 수는 A<B이다.

① ㄱ ② ㄷ ③ ㄱ, ㄴ ④ ㄴ, ㄷ ⑤ ㄱ, ㄴ, ㄷ

579

다음은 중화 반응 실험이다. V_2는 V_1보다 크다.

[실험 과정]
(가) $HCl(aq)$, $HNO_3(aq)$, $NaOH(aq)$을 준비한다.
(나) $NaOH(aq)$ V_1 mL에 $HCl(aq)$ 10 mL를 넣는다.
(다) (나)의 용액에 $HNO_3(aq)$ 10 mL를 넣는다.
(라) (다)의 용액에 $NaOH(aq)$ V_2 mL를 넣는다.
[실험 결과]

과정	(나)	(다)	(라)
이온 수비	1 : 1 : 2	1 : 1 : 2 : 2	1 : 1 : 2 : 4

이에 대한 설명으로 옳은 것만을 〈보기〉에서 있는 대로 고른 것은?

〈 보기 〉
ㄱ. (나)는 산성이다.
ㄴ. 몰 농도(M)는 $HCl(aq)$이 $HNO_3(aq)$의 2배이다.
ㄷ. $\frac{V_2}{V_1}=3$이다.

① ㄱ ② ㄷ ③ ㄱ, ㄴ
④ ㄴ, ㄷ ⑤ ㄱ, ㄴ, ㄷ

580

그림 (가)는 x M $NaOH(aq)$ 100 mL에 0.2 M $H_2SO_4(aq)$ 50 mL를 넣은 혼합 용액에 존재하는 이온 수의 비율을, 그림 (나)는 (가)에 1 M $H_2SO_4(aq)$ 50 mL를 더 넣은 혼합 용액에 존재하는 이온 수의 비율을 나타낸 것이다.

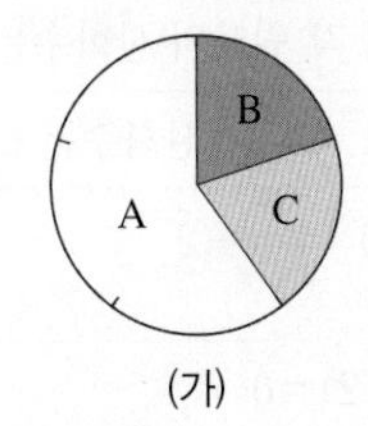

(가)

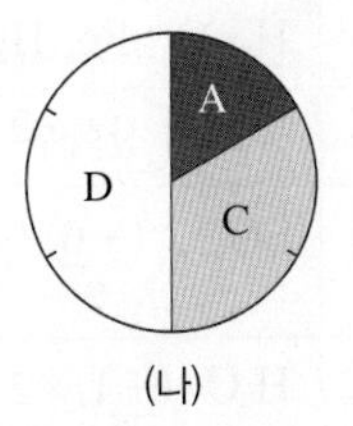

(나)

이에 대한 설명으로 옳은 것만을 〈보기〉에서 있는 대로 고른 것은? (단, A～D는 각각 Na^+, OH^-, H^+, SO_4^{2-} 중 하나이다.)

〈 보기 〉
ㄱ. A는 SO_4^{2-}이다.
ㄴ. $x=0.3$이다.
ㄷ. C의 양(mol)은 (가)가 (나)의 2배이다.

① ㄱ ② ㄴ ③ ㄱ, ㄷ
④ ㄴ, ㄷ ⑤ ㄱ, ㄴ, ㄷ

581

다음은 중화 반응 실험이다.

[실험 과정]
(가) $HCl(aq)$, $NaOH(aq)$, $KOH(aq)$을 각각 준비한다.
(나) $HCl(aq)$ 10 mL에 $NaOH(aq)$ $3V$ mL를 조금씩 첨가한다.
(다) (나)의 용액에 $KOH(aq)$ $4V$ mL를 조금씩 첨가한다.
[실험 결과]
• (나)에서 $NaOH(aq)$ 부피에 따른 혼합 용액의 단위 부피당 X 이온 수

$NaOH(aq)$의 부피(mL)	0	V	$2V$	$3V$
단위 부피당 X 이온 수	$\frac{3}{2}n$	$\frac{4}{5}n$	x	$\frac{6}{25}n$

• (다)에서 $KOH(aq)$의 부피에 따른 혼합 용액의 Y 이온 수

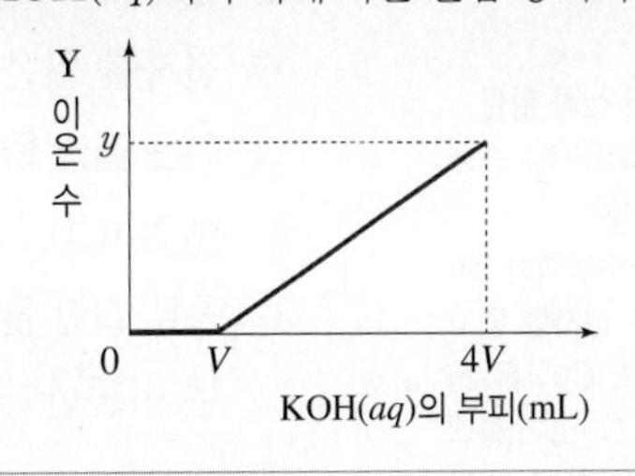

이에 대한 설명으로 옳지 않은 것은?(단, 혼합 용액의 부피는 혼합 전 각 용액의 부피의 합과 같다.)

① X 이온은 H^+이다.
② $V=5$이다.
③ $x=\frac{9}{20}n$이다.
④ $y=18n$이다.
⑤ 몰 농도(M)의 비는 $HCl(aq)$: $KOH(aq)$=5 : 6이다.

03 산화 환원 반응

A 산소 및 전자의 이동과 산화 환원

산소의 이동보다 더 넓은 범위의 정의이다.

구분	산소의 이동	전자의 이동
산화	물질이 산소를 ❶ ☐ 는 반응	물질이 전자를 ❷ ☐ 는 반응
환원	물질이 산소를 ❸ ☐ 는 반응	물질이 전자를 ❹ ☐ 는 반응
예	산소를 얻음: 산화 / $2CuO(s)+C(s) \longrightarrow 2Cu(s)+CO_2(g)$ / 산소를 잃음: 환원	전자를 잃음: 산화 / $2Na(s)+Cl_2(g) \longrightarrow 2NaCl(2Na^++2Cl^-)(s)$ / 전자를 얻음: 환원
동시성	산소나 전자를 얻는 물질이 있으면 반드시 산소나 전자를 잃는 물질이 있다. ➔ 산화와 환원은 항상 동시에 일어난다. ← 산화되는 물질이 잃은 전자 수=환원되는 물질이 얻은 전자 수	

B 산화수 변화와 산화 환원

1 산화수 어떤 물질에서 각 원자가 어느 정도 산화되었는지를 나타내는 가상적인 전하

➔ 전자를 잃은 상태는 '+'로, 전자를 얻은 상태는 '−'로 나타낸다.

① 이온 결합 물질에서 산화수: 물질을 구성하고 있는 각 이온의 전하와 같다.

예 NaCl: Na의 산화수 +1, Cl의 산화수 −1

② 공유 결합 물질에서 산화수: 구성 원자 중 전기 음성도가 ❺ ☐ 원자 쪽으로 공유 전자쌍이 모두 이동한다고 가정할 때, 각 원자가 가지는 전하이다.

염화 수소(HCl)	물(H_2O)
H:Cl: 공유 전자쌍이 모두 Cl 원자 쪽으로 이동한다고 가정한다.	H:O: H 공유 전자쌍이 모두 O 원자 쪽으로 이동한다고 가정한다.
• 전기 음성도: Cl>H • Cl: 전자 1개 얻음 ➔ 산화수 −1 • H: 전자 1개 잃음 ➔ 산화수 +1	• 전기 음성도: O>H • O: 전자 2개 얻음 ➔ 산화수 −2 • H: 전자 1개 잃음 ➔ 산화수 +1

2 산화수를 정하는 규칙 일반적으로 원자나 이온의 산화수는 다음 규칙에 따라 정해진다.

규칙	예
❶ 원소를 구성하는 원자의 산화수는 0이다.	H_2, O_2, Fe, Hg에서 각 원자의 산화수는 0이다.
❷ 1원자 이온의 산화수는 그 이온의 전하와 같다.	Na^+의 산화수는 +1, Cl^-의 산화수는 −1이다.
❸ 다원자 이온은 각 원자의 산화수의 합이 그 이온의 전하와 같다.	SO_4^{2-}: $\underset{S}{(+6)}+\underset{O}{(-2)}\times4=-2$
❹ 화합물에서 각 원자의 산화수의 합은 ❻ ☐ 이다.	H_2O: $\underset{H}{(+1)}\times2+\underset{O}{(-2)}=0$
❺ 화합물에서 1족 금속 원자의 산화수는 +1, 2족 금속 원자의 산화수는 +2이다.	• NaCl에서 Na의 산화수는 +1이다. • MgO에서 Mg의 산화수는 +2이다.
❻ 화합물에서 F의 산화수는 −1이다. (전기 음성도가 가장 크기 때문)	• LiF에서 F의 산화수는 −1이다.
❼ 화합물에서 H의 산화수는 +1이다.(단, 금속 수소 화합물에서는 −1이다.)	• H_2O에서 H의 산화수는 +1이다. • LiH에서 H의 산화수는 −1이다.
❽ 화합물에서 O의 산화수는 −2이다.(단, 과산화물에서는 −1, 플루오린 화합물에서는 +2이다.)	• H_2O, CO_2에서 O의 산화수는 −2이다. • H_2O_2에서 O의 산화수는 −1이다. • OF_2에서 O의 산화수는 +2이다.

기출 Tip A

산화 환원 반응의 이용

• 메테인의 연소

$CH_4+2O_2 \longrightarrow CO_2+2H_2O$ (산화, 환원)

• 철이 녹스는 반응

$4Fe+3O_2 \longrightarrow 2Fe_2O_3$ (산화, 환원)

• 철의 제련

$Fe_2O_3+3CO \longrightarrow 2Fe+3CO_2$ (산화, 환원)

전자의 이동에 의한 산화 환원

예 황산 구리(Ⅱ)($CuSO_4$) 수용액과 아연(Zn)의 반응

푸른색의 $CuSO_4$ 수용액에 Zn 판을 넣으면 Zn은 전자를 잃고 Zn^{2+}으로 산화되고, Cu^{2+}은 전자를 얻어 Zn판에 Cu로 석출되므로 수용액의 푸른색이 점점 옅어진다.

$Zn+Cu^{2+} \longrightarrow Zn^{2+}+Cu$ (산화, 환원)

Zn^{2+} 1개가 생성될 때 Cu^{2+} 1개가 Cu로 석출되므로 수용액 속 전체 이온 수는 일정하다.

금속의 반응성

금속은 반응성이 클수록 전자를 잃고 양이온이 되기 쉽다. 즉, 산화되기 쉽다.

• $A+B^+ \longrightarrow A^++B$ (산화)

➔ 반응성: A>B

• $A+C^{2+} \longrightarrow$ 반응 안 함

➔ 반응성: A<C

기출 Tip B-2

여러 가지 산화수를 갖는 원자

같은 원자라도 공유 결합하는 원자의 전기 음성도에 따라 전자를 잃을 수도 있고 얻을 수도 있으므로 여러 가지 산화수를 가질 수 있다.

N	−3 NH_3	0 N_2	+1 N_2O	+2 NO
O	−2 H_2O	−1 H_2O_2	0 O_2	+2 OF_2

3 산화수 변화와 산화 환원 반응

→ 산소나 전자가 관여하지 않는 반응에서도 산화 환원을 정의할 수 있으므로 가장 넓은 범위의 정의이다.

구분	산화	환원
정의	산화수가 ❼ ☐☐ 하는 반응	산화수가 ❽ ☐☐ 하는 반응
예	산화제 Fe_2O_3 └ 자신은 환원되면서 다른 물질을 산화시키는 물질 $\overset{+3}{Fe_2O_3}(s) + 3\overset{+2}{CO}(g) \longrightarrow 2\overset{0}{Fe}(s) + 3\overset{+4}{CO_2}(g)$ (산화수 증가: 산화 / 산화수 감소: 환원)	환원제 CO └ 자신은 산화되면서 다른 물질을 환원시키는 물질
동시성	산화수가 증가한 물질이 있으면 반드시 산화수가 감소한 물질이 있다.	

Ⓒ 산화 환원 반응식

1 산화 환원 반응식 완성하기 증가한 산화수와 감소한 산화수가 항상 같음을 이용한다.

1단계 각 원자의 산화수를 구한다.	$\overset{+3\,-2}{C_2O_4^{2-}} + \overset{+7\,-2}{MnO_4^-} + \overset{+1}{H^+} \longrightarrow \overset{+4-2}{CO_2} + \overset{+2}{Mn^{2+}} + \overset{+1\,-2}{H_2O}$
2단계 반응 전후의 산화수 변화를 확인한다.	$\underline{\overset{+3}{C}}_2O_4^{2-} + \underline{\overset{+7}{Mn}}O_4^- + H^+ \longrightarrow \underline{\overset{+4}{C}}O_2 + \underline{\overset{+2}{Mn}}^{2+} + H_2O$ (C: 1 증가, Mn: 5 감소)
3단계 산화되는 원자 수와 환원되는 원자 수를 맞추고, 증가한 산화수와 감소한 산화수를 각각 계산한다.	$\overset{+3}{C_2}O_4^{2-} + \overset{+7}{Mn}O_4^- + H^+ \longrightarrow 2\overset{+4}{C}O_2 + \overset{+2}{Mn^{2+}} + H_2O$ (증가한 산화수: 1×2=2, 감소한 산화수: 5, 원자 수 변화 없음)
4단계 증가한 산화수와 감소한 산화수가 같도록 계수를 맞춘다.	$5\overset{+3}{C_2}O_4^{2-} + 2\overset{+7}{Mn}O_4^- + H^+ \longrightarrow 10\overset{+4}{C}O_2 + 2\overset{+2}{Mn^{2+}} + H_2O$ (2×5=10, 5×2=10)
5단계 산화수 변화가 없는 원자들의 수가 같도록 계수를 맞춘다.	[완성된 산화 환원 반응식(물질의 상태 포함)] $5C_2O_4^{2-}(aq) + 2MnO_4^-(aq) + 16H^+(aq) \longrightarrow 10CO_2(g) + 2Mn^{2+}(aq) + 8H_2O(l)$

2 산화 환원 반응의 양적 관계 산화나 환원에 필요한 환원제나 산화제의 양을 알 수 있다.

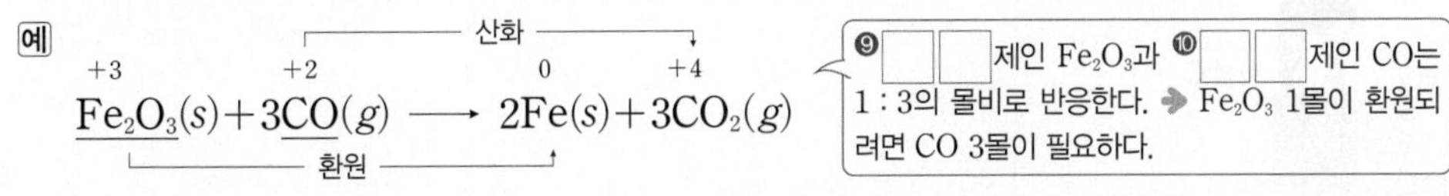

기출 Tip Ⓑ-3

산화수와 산화 환원 반응

반응 전후 산화수가 변하지 않는 반응은 산화 환원 반응이 아니다.

예 중화 반응, 앙금 생성 반응 등

- $\overset{-1}{H\underline{Cl}} + \overset{+1}{\underline{Na}OH} \longrightarrow \overset{+1}{\underline{Na}}\overset{-1}{\underline{Cl}} + H_2O$
- $\overset{+1}{\underline{Ag}NO_3} + Na\overset{-1}{\underline{Cl}} \longrightarrow \overset{+1}{\underline{Ag}}\overset{-1}{\underline{Cl}} + NaNO_3$

산화제와 환원제의 상대적 세기

산화 환원 반응에서 전자를 잃거나 얻으려는 경향은 서로 상대적이다. 따라서 어떤 반응에서 산화제로 작용하는 물질이라도 산화시키는 능력이 더 큰 다른 물질과 반응할 때에는 환원제로 작용할 수 있다.

예 SO_2은 H_2S와 만나면 산화제로, Cl_2와 만나면 환원제로 작용한다.

$\underset{\text{산화제}}{\overset{+4}{\underline{S}}O_2} + \underset{\text{환원제}}{2H_2\overset{-2}{\underline{S}}} \longrightarrow 2H_2O + 3\overset{0}{S}$ (S: 산화 −2→0, 환원 +4→0)

$\underset{\text{환원제}}{\overset{+4}{\underline{S}}O_2} + 2H_2O + \underset{\text{산화제}}{\overset{0}{\underline{Cl_2}}} \longrightarrow H_2\overset{+6}{S}O_4 + 2H\overset{-1}{Cl}$ (Cl: 환원, S: 산화)

답 ❶ 얻 ❷ 잃 ❸ 잃 ❹ 얻 ❺ 큰 ❻ 0 ❼ 증가 ❽ 감소 ❾ 산화 ❿ 환원

빈출 자료 보기

정답과 해설 74쪽

582 다음은 3가지 화학 반응식이다.

(가) $2H_2O_2(aq) \longrightarrow 2H_2O(l) + O_2(g)$
(나) $2SO_2(g) + O_2(g) \longrightarrow 2SO_3(g)$
(다) $SO_2(g) + 2H_2S(g) \longrightarrow 3S(s) + 2H_2O(l)$

이에 대한 설명으로 옳은 것은 ○, 옳지 않은 것은 ×로 표시하시오.

(1) (가)에서는 환원 반응만 일어난다. ( )
(2) (가)에서 H_2O_2는 산화제와 환원제로 모두 작용한다. ( )
(3) (나)에서 SO_2은 산화제로, O_2는 환원제로 작용한다. ( )
(4) (다)에서 SO_2은 산화제로 작용한다. ( )
(5) 환원시키는 능력은 $H_2S < SO_2 < O_2$이다. ( )

A 산소 및 전자의 이동과 산화 환원

빈출

583 하중상

多 보기

산화 환원 반응에 대한 설명으로 옳지 않은 것만을 모두 고르면? (2개)

① 환원 반응은 산소를 잃는 반응이다.
② 연소 반응은 산화 환원 반응이다.
③ 산화와 환원 반응은 항상 동시에 일어난다.
④ 자신이 환원되는 물질은 환원제로 작용한다.
⑤ 산소가 관여하지 않는 반응은 산화 환원 반응이 아니다.
⑥ 원자와 원자 간에 공유 결합이 형성될 때 전기 음성도가 작은 원자는 산화된다.

584 하중상

다음은 여러 가지 반응에 대한 세 학생의 대화이다.

이에 대한 설명으로 옳은 것만을 〈보기〉에서 있는 대로 고른 것은?

〈 보기 〉
ㄱ. 학생 A가 말한 반응에서 코크스는 산화된다.
ㄴ. 학생 B가 말한 반응에서 머리핀은 전자를 잃는다.
ㄷ. 학생 C가 말한 반응은 산화 환원 반응이다.

① ㄱ ② ㄷ ③ ㄱ, ㄴ
④ ㄴ, ㄷ ⑤ ㄱ, ㄴ, ㄷ

B 산화수 변화와 산화 환원

585 하중상

산화수에 대한 설명으로 옳지 않은 것은?

① 산화수가 증가하는 물질은 산화된다.
② H(수소)의 산화수는 항상 +1이다.
③ 홑원소 물질을 구성하는 원자의 산화수는 0이다.
④ 화합물을 구성하는 각 원자의 산화수의 총합은 0이다.
⑤ 다원자 이온을 구성하는 각 원자의 산화수의 총합은 그 이온의 전하와 같다.

빈출

586 하중상

多 보기

원자의 산화수로 옳지 않은 것만을 모두 고르면?(2개)

	물질	산화수
①	$\underline{C}H_4$	C: −4
②	$\underline{C}H_3OH$	C: −3
③	$H_2\underline{S}O_4$	S: +6
④	$Na_2\underline{S}_2O_3$	S: +6
⑤	$K_2\underline{Cr}_2O_7$	Cr: +6
⑥	$K\underline{Mn}O_4$	Mn: +7

587 하중상

다음은 몇 가지 물질의 화학식이다.

(가) $H\underline{Cl}$ (나) $H\underline{Cl}O$ (다) $Na\underline{H}$ (라) $\underline{H_2}$

각 물질에서 밑줄 친 원자의 산화수가 서로 같은 것끼리 옳게 짝 지은 것은?

① (가), (나) ② (가), (다) ③ (가), (라)
④ (나), (다) ⑤ (다), (라)

588 하중상

N의 산화수가 가장 큰 것은?

① NO ② N_2O ③ NO_2
④ N_2O_4 ⑤ HNO_3

589 하중상 ••서술형

O의 산화수가 −2가 아닌 경우를 화합물 두 가지를 예로 들어 서술하시오.

590 하중상

다음 물질에 포함된 O 원자의 산화수 크기를 옳게 비교한 것은?

SO_4^{2-} OF_2 H_2O_2

① $SO_4^{2-} < H_2O_2 < OF_2$
② $SO_4^{2-} < OF_2 < H_2O_2$
③ $OF_2 < H_2O_2 < SO_4^{2-}$
④ $OF_2 < SO_4^{2-} < H_2O_2$
⑤ $H_2O_2 < SO_4^{2-} < OF_2$

591 하중상

학생 A는 화합물 내 원자들의 양의 산화수(x)와 음의 산화수(y)를 구한 후, 다음과 같이 X와 Y를 정의하였다.

X＝x의 최댓값 Y＝$\lvert y \rvert$의 최댓값

X＜Y인 것은?

① BF_3 ② BeH_2 ③ Fe_2O_3
④ CO_2 ⑤ CH_3CHO

592 하중상

그림은 CH_3COOH의 구조식을 나타낸 것이다.

```
      H
      |      O
      |     //
H  —  C  —  C
     (A)   (B) \
      |         O — H
      H
```

(A)와 (B)의 산화수를 옳게 짝 지은 것은?

	(A)	(B)		(A)	(B)
①	+4	−4	②	−4	+4
③	+3	−3	④	−3	+3
⑤	−3	+4			

593 하중상

그림은 원소 X～Z로 이루어진 분자 (가)와 (나)의 구조식을 나타낸 것이다. (가)에서 X의 산화수는 −1이다.

```
        Y   Y                    Z
        |   |                    ||
Y — Z — X — X — Z — Y        Y — X — Y
        |   |
        Y   Y
         (가)                   (나)
```

(나)에서 X의 산화수는?(단, X～Z는 임의의 1, 2주기 원소 기호이다.)

① −2 ② −1 ③ 0
④ +1 ⑤ +2

594 (하)(중)(상)

그림은 어떤 분자의 구조식이고, 표는 어떤 분자를 구성하는 원자의 산화수 자료이다.

```
     Z    Z    Y
     |    |    ‖
Z - Xa - Xb - Xc - Yd - Z
     |    |
     Z    Z
```

원자	X^a	X^b	X^c	Y^d
산화수	-3	㉠	㉡	-2

이에 대한 설명으로 옳은 것만을 〈보기〉에서 있는 대로 고른 것은? (단, X~Z는 임의의 원소 기호이다.)

〈 보기 〉
ㄱ. 전기 음성도는 Z<X<Y이다.
ㄴ. ㉠+㉡=1이다.
ㄷ. 분자 내 Z의 산화수는 모두 같다.

① ㄱ ② ㄷ ③ ㄱ, ㄴ
④ ㄴ, ㄷ ⑤ ㄱ, ㄴ, ㄷ

595 (하)(중)(상)

다음은 분자 (가)~(다)의 루이스 구조식과 자료이다.

```
   H             H               H
   |             |               |
 H-X=Y         H-X-H           H-X-Y-Z
                 |               |
                 H               H
  (가)           (나)             (다)
```

• X의 산화수는 (가)에서가 (나)에서보다 크다.
• Y의 산화수는 (가)에서가 (다)에서보다 작다.

이에 대한 설명으로 옳은 것만을 〈보기〉에서 있는 대로 고른 것은? (단, X~Z는 임의의 2, 3주기 원소 기호이다.)

〈 보기 〉
ㄱ. X~Z 중 전기 음성도의 크기는 Y가 가장 크다.
ㄴ. (다)에서 X의 산화수는 −2이다.
ㄷ. X의 산화수는 XZ_4에서와 (나)에서 같다.

① ㄱ ② ㄴ ③ ㄱ, ㄷ
④ ㄴ, ㄷ ⑤ ㄱ, ㄴ, ㄷ

596 (하)(중)(상)

표는 분자 (가)~(다)의 분자식과 중심 원자의 산화수를 나타낸 것이다. 이때 각 분자의 중심 원자는 옥텟 규칙을 만족한다.

분자	(가)	(나)	(다)
구조식	A−B−A	A−C≡D	E−C−E (C에 A 두 개가 위아래로 결합)
중심 원자의 산화수	−2	+2	0

이에 대한 설명으로 옳은 것만을 〈보기〉에서 있는 대로 고른 것은? (단, A~E는 임의의 1, 2주기 비금속 원소 기호이다.)

〈 보기 〉
ㄱ. A는 2주기 원소이다.
ㄴ. A~E 중 전기 음성도의 크기는 E가 가장 크다.
ㄷ. C_2E_2에서 C의 산화수는 +2이다.

① ㄱ ② ㄴ ③ ㄱ, ㄷ
④ ㄴ, ㄷ ⑤ ㄱ, ㄴ, ㄷ

597 (하)(중)(상)

그림은 분자 X를 구성하는 원소 A~C의 산화수를 모두 나타낸 것이다.

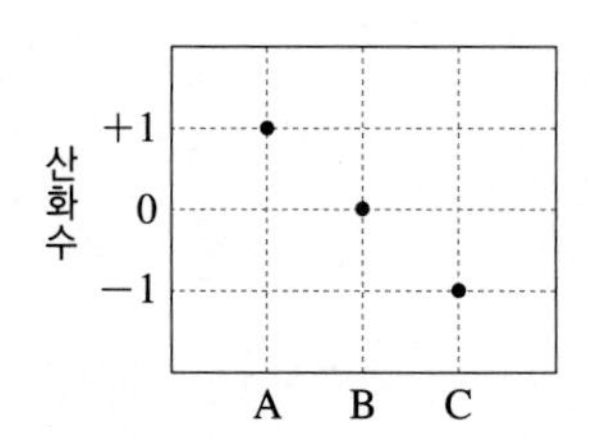

다음 중 X로 가장 적절한 것은?(단, A~C는 임의의 원소 기호이다.)

```
①   C            ②   C
    ‖                |
  A-B-A            A-B-A
                     |
                     C

③   C            ④   A
    ‖                |
  A-B-C            A-B-C-A
                     |
                     A

⑤   A   A
    |   |
  A-B-C-B-A
    |   |
    A   A
```

598 (하 중 상)

다음은 어떤 산화 환원 반응의 화학 반응식이다.

$$H-\overset{\displaystyle H}{\underset{\displaystyle H}{\overset{|}{\underset{|}{C}}}}-O-H + O_2 \longrightarrow H-\overset{\displaystyle O}{\overset{\|}{C}}-O-H + H_2O$$

이 반응에서 C의 산화수 변화는?

① 4 증가　　② 2 증가　　③ 변화 없음
④ 2 감소　　⑤ 4 감소

599 (하 중 상)

다음은 에텐(C_2H_4)과 관련된 반응을 나타낸 것이다.

$$\underset{㉠}{\boxed{C}}H_2=CH_2 \xrightarrow[(가)]{H_2O} H-\underset{㉡}{\boxed{C}}H_2-\underset{㉢}{\boxed{C}}H_2-OH \xrightarrow[(나)]{O_2} H-CH_2-\underset{㉣}{\overset{O}{\overset{\|}{\boxed{C}}}}-OH + H_2O$$

이에 대한 설명으로 옳은 것만을 〈보기〉에서 있는 대로 고른 것은?

〈 보기 〉
ㄱ. (가)에서 H_2O은 산화된다.
ㄴ. (나)에서 O_2는 산화제이다.
ㄷ. ㉠~㉣의 산화수 합은 -3이다.

① ㄱ　　② ㄷ　　③ ㄱ, ㄴ
④ ㄴ, ㄷ　　⑤ ㄱ, ㄴ, ㄷ

600 (하 중 상)

표는 2주기 원소 X~Z를 포함한 화합물에서 중심 원자의 산화수를 나타낸 것이다. 세 화합물의 중심 원자는 옥텟 규칙을 만족한다.

화합물	XH_3	YH_4	ZF_2
중심 원자의 산화수	a	b	c

이에 대한 설명으로 옳은 것만을 〈보기〉에서 있는 대로 고른 것은? (단, X~Z는 임의의 원소 기호이다.)

〈 보기 〉
ㄱ. $a>b$이다.
ㄴ. 원자 번호는 X<Y<Z이다.
ㄷ. 화합물 XZ에서 Z의 산화수는 c와 같다.

① ㄱ　　② ㄷ　　③ ㄱ, ㄴ
④ ㄱ, ㄷ　　⑤ ㄴ, ㄷ

601 (하 중 상)

표는 N(질소)를 포함한 분자나 이온에서 N의 산화수를 나타낸 것이다.

분자나 이온	NX_2	NX_3^-	NY_4^+
N의 산화수	a	$+5$	-3

이에 대한 설명으로 옳은 것만을 〈보기〉에서 있는 대로 고른 것은? (단, X와 Y는 임의의 원소 기호이고, N를 포함한 분자나 이온에서 산화수는 일정하다.)

〈 보기 〉
ㄱ. $a=+4$이다.
ㄴ. 전기 음성도는 Y<N<X이다.
ㄷ. Y의 산화수는 Y_2X와 NY_4^+에서 같다.

① ㄱ　　② ㄷ　　③ ㄱ, ㄴ
④ ㄴ, ㄷ　　⑤ ㄱ, ㄴ, ㄷ

602 (하 중 상)　多 보기

산화 환원 반응이 아닌 것만을 모두 고르면?(2개)

① $2Al(s) + 3Br_2(l) \longrightarrow 2AlBr_3(s)$
② $HCl(aq) + NH_3(aq) \longrightarrow NH_4Cl(aq)$
③ $CH_4(g) + 2O_2(g) \longrightarrow CO_2(g) + 2H_2O(g)$
④ $2CuO(s) + C(s) \longrightarrow CO_2(g) + 2Cu(s)$
⑤ $6CO_2(g) + 6H_2O(g) \longrightarrow C_6H_{12}O_6(s) + 6O_2(g)$
⑥ $AgNO_3(aq) + NaCl(aq) \longrightarrow AgCl(s) + NaNO_3(aq)$

[603~604] 다음은 3가지 화학 반응식이다.

(가) $Zn + H_2SO_4 \longrightarrow ZnSO_4 + H_2$
(나) $2AgNO_3 + Fe \longrightarrow 2Ag + Fe(NO_3)_2$
(다) $MnO_2 + 4HCl \longrightarrow MnCl_2 + 2H_2O + Cl_2$

603 하 중 상

이에 대한 설명으로 옳은 것만을 〈보기〉에서 있는 대로 고른 것은?

〈 보기 〉
ㄱ. (가)에서 Zn은 산화된다.
ㄴ. (나)에서 전자는 Ag^+에서 Fe로 이동한다.
ㄷ. (다)에서 Mn의 산화수는 감소한다.

① ㄱ ② ㄴ ③ ㄱ, ㄷ
④ ㄴ, ㄷ ⑤ ㄱ, ㄴ, ㄷ

빈출

604 하 중 상

(가)~(다)에서 산화제로 작용하는 물질만을 옳게 짝 지은 것은?

	(가)	(나)	(다)
①	Zn	$AgNO_3$	MnO_2
②	Zn	$AgNO_3$	HCl
③	H_2SO_4	Fe	MnO_2
④	H_2SO_4	Fe	HCl
⑤	H_2SO_4	$AgNO_3$	MnO_2

605 하 중 상

다음은 산성비가 만들어지는 과정의 일부이다.

(가) ㉠ 황이 섞인 석탄이 연소할 때 ㉡ 이산화 황이 발생한다.
(나) 이산화 황은 공기 중의 산소와 반응하여 삼산화 황이 된다.
(다) ㉢ 삼산화 황은 공기 중의 물과 반응하여 ㉣ 황산이 된다.

이에 대한 설명으로 옳은 것만을 〈보기〉에서 있는 대로 고른 것은?

〈 보기 〉
ㄱ. (가)에서 ㉠이 ㉡으로 될 때 산화수는 4 증가한다.
ㄴ. (나)에서 산소는 환원제이다.
ㄷ. (다)에서 ㉢은 산화된다.

① ㄱ ② ㄷ ③ ㄱ, ㄴ
④ ㄴ, ㄷ ⑤ ㄱ, ㄴ, ㄷ

[606~607] 다음은 3가지 화학 반응식이다.

(가) $SO_2 + H_2O \longrightarrow H_2SO_3$
(나) $SO_2 + 2H_2S \longrightarrow 3S + 2H_2O$
(다) $SO_2 + 2H_2O + Cl_2 \longrightarrow H_2SO_4 + 2HCl$

606 하 중 상

이에 대한 설명으로 옳은 것만을 〈보기〉에서 있는 대로 고른 것은?

〈 보기 〉
ㄱ. (가)에서 SO_2은 산화된다.
ㄴ. (나)에서 H_2O 1 mol이 생성될 때 반응한 반응물의 전체 양(mol)은 1.5 mol이다.
ㄷ. (다)에서 H_2O은 산화제이다.

① ㄱ ② ㄴ ③ ㄱ, ㄷ
④ ㄴ, ㄷ ⑤ ㄱ, ㄴ, ㄷ

607 하 중 상

서술형

위 반응에서 SO_2, Cl_2, H_2S의 3가지 물질을 강한 산화제 순서로 부등호를 이용하여 나타내고, 그 까닭을 서술하시오.

608 하 중 상

그림은 원소 A~E로 이루어진 분자 (가)와 (나)의 루이스 전자점식을 나타낸 것이다.

$$:\ddot{\underset{..}{A}}:\ddot{B}::\ddot{C}: \qquad :B\vdots\vdots D:E$$

(가) (나)

이에 대한 설명으로 옳은 것만을 〈보기〉에서 있는 대로 고른 것은? (단, A~E는 임의의 1, 2주기 원소 기호이다.)

〈 보기 〉

ㄱ. B의 산화수는 (가)에서 +3, (나)에서 −3이다.

ㄴ. (가)에서 A의 산화수가 가장 작다.

ㄷ. (가)에서 C의 산화수와 (나)에서 D의 산화수 합은 0이다.

① ㄱ ② ㄴ ③ ㄱ, ㄷ ④ ㄴ, ㄷ ⑤ ㄱ, ㄴ, ㄷ

609 하 중 상

표는 2주기 원소 A~C로 이루어진 분자 (가)~(다)의 구조식을 나타낸 것이다. (가)~(다)의 모든 원소는 옥텟 규칙을 만족한다.

분자	(가)	(나)	(다)
구조식	A=B−C	C C (각각 B에 결합) C−B−B−C	C−A−C

이에 대한 설명으로 옳은 것만을 〈보기〉에서 있는 대로 고른 것은? (단, A~C는 임의의 원소 기호이다.)

〈 보기 〉

ㄱ. A~C 중 원자 번호는 C가 가장 크다.

ㄴ. (가)와 (다)에서 A의 산화수 합은 0이다.

ㄷ. B의 산화수는 B_2A_4에서와 (나)에서 같다.

① ㄱ ② ㄷ ③ ㄱ, ㄴ ④ ㄴ, ㄷ ⑤ ㄱ, ㄴ, ㄷ

C 산화 환원 반응식

산화 환원 반응식

610 하 중 상

••서술형

다음은 어떤 산화 환원 반응의 화학 반응식이다.

$$a\mathrm{Sn^{2+}} + b\mathrm{MnO_4^-} + c\mathrm{H^+} \longrightarrow d\mathrm{Sn^{4+}} + e\mathrm{Mn^{2+}} + f\mathrm{H_2O}$$

(a~f는 반응 계수)

(1) 반응 계수 a~f를 쓰시오.

(2) 위 반응에서 산화제와 환원제를 쓰고, 그 까닭을 서술하시오.

611 하 중 상

다음은 $Cu(s)$와 $HNO_3(aq)$의 산화 환원 반응식을 나타낸 것이다.

$$a\mathrm{Cu}(s) + b\mathrm{H^+}(aq) + c\mathrm{NO_3^-}(aq) \longrightarrow a\mathrm{Cu^{2+}}(aq) + c\mathrm{NO_2}(aq) + d\mathrm{H_2O}(l)$$

(a~d는 반응 계수)

이에 대한 설명으로 옳은 것만을 〈보기〉에서 있는 대로 고른 것은?

〈 보기 〉

ㄱ. $a+b=c+d$이다.

ㄴ. NO_3^-은 환원제이다.

ㄷ. NO_2 1 mol이 생성될 때 반응한 Cu의 양(mol)은 0.5 mol이다.

① ㄱ ② ㄴ ③ ㄷ ④ ㄱ, ㄷ ⑤ ㄴ, ㄷ

612

다음은 2가지 화학 반응식이다.

(가) $2KMnO_4(aq) + 5H_2O_2(aq) + 6HCl(aq)$
$\longrightarrow 2KCl(aq) + 2MnCl_2(aq) + 8H_2O(l) + 5O_2(aq)$
(나) $aKMnO_4(aq) + bHCl(aq)$
$\longrightarrow cKCl(aq) + dMnCl_2(aq) + eH_2O(l) + fCl_2(aq)$
(a~f는 반응 계수)

이에 대한 설명으로 옳은 것만을 〈보기〉에서 있는 대로 고른 것은?

〈 보기 〉

ㄱ. $\dfrac{b}{a \times e} = 1$이다.
ㄴ. (가)와 (나)에서 같은 물질이 산화제로 작용한다.
ㄷ. 0.2 M $KMnO_4$ 100 mL가 모두 반응하는 데 필요한 HCl의 최소 양(mol)은 (가)와 (나)에서 각각 0.06 mol과 0.16 mol이다.

① ㄱ ② ㄴ ③ ㄱ, ㄷ
④ ㄴ, ㄷ ⑤ ㄱ, ㄴ, ㄷ

613 하/중/상

다음은 Fe(철)의 제련과 관련된 화학 반응식이다.

(가) $2C + O_2 \longrightarrow 2CO$
(나) $aFe_2O_3 + bCO \longrightarrow cFe + dCO_2$
(다) $CaO + SiO_2 \longrightarrow CaSiO_3$

이에 대한 설명으로 옳은 것만을 〈보기〉에서 있는 대로 고른 것은? (단, C와 Fe의 원자량은 각각 12, 56이다.)

〈 보기 〉

ㄱ. $a+b+c+d=9$이다.
ㄴ. 충분한 양의 Fe_2O_3로부터 Fe 56 g을 얻는 데 필요한 C(코크스)의 질량은 12 g이다.
ㄷ. (가)~(다)는 모두 산화 환원 반응이다.

① ㄱ ② ㄷ ③ ㄱ, ㄴ
④ ㄴ, ㄷ ⑤ ㄱ, ㄴ, ㄷ

금속과 할로젠의 반응성

빈출 614 하/중/상

그림은 $CuSO_4(aq)$에 Zn판을 넣었을 때의 변화를 나타낸 것이다.

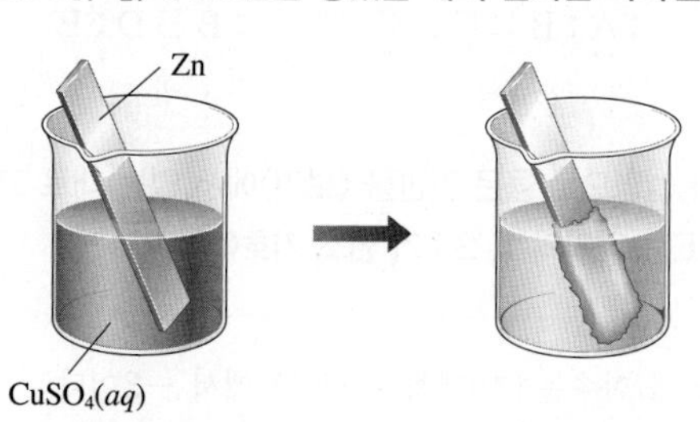

이에 대한 설명으로 옳은 것만을 〈보기〉에서 있는 대로 고른 것은?

〈 보기 〉

ㄱ. Zn은 산화제이다.
ㄴ. 반응이 일어나는 동안 수용액의 푸른색이 옅어진다.
ㄷ. 용액 속의 전체 이온 수는 감소한다.

① ㄱ ② ㄴ ③ ㄷ
④ ㄱ, ㄷ ⑤ ㄴ, ㄷ

615 하/중/상 多 보기

그림은 $AgNO_3(aq)$에 Cu선을 넣었을 때의 변화를 나타낸 것이다.

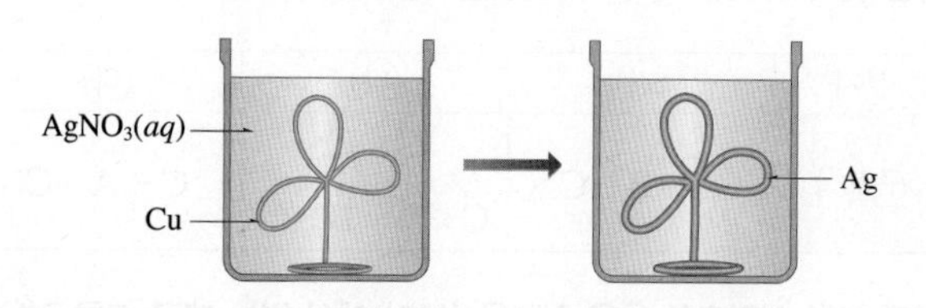

이에 대한 설명으로 옳은 것만을 모두 고르면?(단, 원자량은 Cu<Ag이다.)(2개)

① 반응성은 Cu<Ag이다.
② 수용액의 질량은 반응 전보다 증가한다.
③ 수용액 속 양이온 수는 감소한다.
④ 수용액의 색깔이 푸르게 변한다.
⑤ 전자는 Cu에서 NO_3^-으로 이동한다.
⑥ $AgNO_3$은 환원제로 작용한다.

616 하중상

그림과 같이 $HCl(aq)$에 금속 A판과 B판을 각각 넣었더니, A판의 표면에서만 기체가 발생하였다.

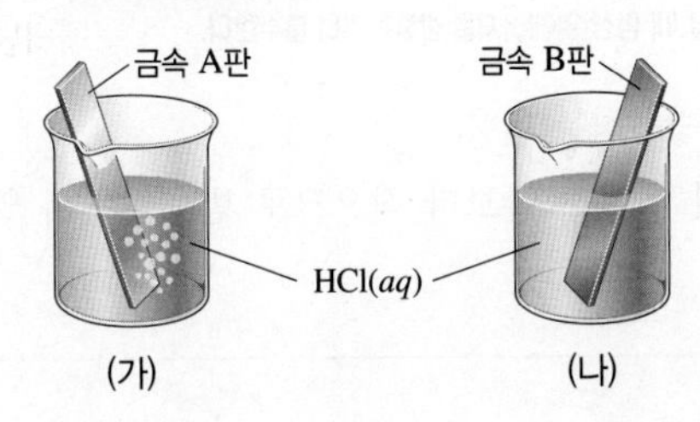

이에 대한 설명으로 옳은 것만을 〈보기〉에서 있는 대로 고른 것은? (단, A와 B는 임의의 원소 기호이다.)

〈 보기 〉
ㄱ. B 이온은 A 이온보다 환원되기 쉽다.
ㄴ. (가)에서 A의 산화수는 증가한다.
ㄷ. (가)에서 반응이 일어나는 동안 pH는 증가한다.

① ㄱ ② ㄴ ③ ㄱ, ㄷ
④ ㄴ, ㄷ ⑤ ㄱ, ㄴ, ㄷ

617 하중상

다음은 할로젠의 반응성을 알아보기 위한 실험이다.

[실험 과정]
(가) 페트리 접시에 소량의 $KX(aq)$, $KY(aq)$을 넣는다.
(나) 페트리 접시에 $Cl_2(g)$를 주입하고 뚜껑을 덮는다.

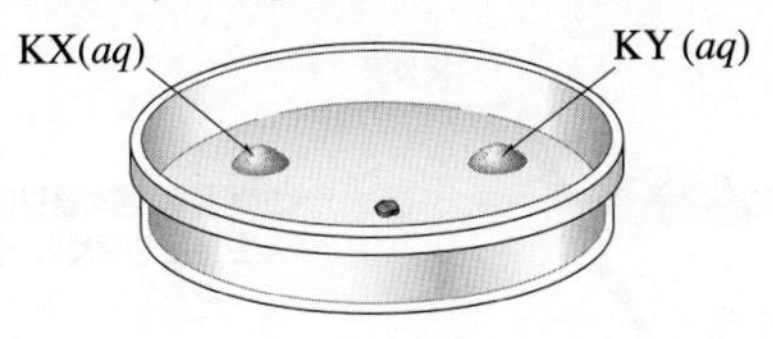

[실험 결과]
$KX(aq)$에서만 반응이 일어났다.

이에 대한 설명으로 옳은 것만을 〈보기〉에서 있는 대로 고른 것은? (단, X와 Y는 임의의 할로젠 원소 기호이다.)

〈 보기 〉
ㄱ. $KX(aq)$과 $Cl_2(g)$의 반응에서 Cl_2는 산화제이다.
ㄴ. 반응성은 $X_2 < Cl_2 < Y_2$이다.
ㄷ. $KY(aq)$에 $X_2(g)$를 넣으면 Y의 산화수는 증가한다.

① ㄱ ② ㄷ ③ ㄱ, ㄴ
④ ㄴ, ㄷ ⑤ ㄱ, ㄴ, ㄷ

618 하중상

다음은 Ag(은) 숟가락의 녹을 제거하기 위한 실험이다.

[실험 과정]
(가) 비커에 소금물을 넣고, 알루미늄 포일을 깐다.
(나) 검게 녹슨 은 숟가락을 알루미늄 포일 위에 올려놓고 가열한다.
[실험 결과]
은 숟가락의 검은 녹이 사라지고 원래의 색으로 돌아왔다.

$$a\mathrm{Ag_2S} + b\mathrm{Al} \longrightarrow c\mathrm{Ag} + d\mathrm{Al_2S_3}$$

이에 대한 설명으로 옳은 것만을 〈보기〉에서 있는 대로 고른 것은? (단, a~d는 반응 계수이다.)

〈 보기 〉
ㄱ. $a \times b = c \times d$이다.
ㄴ. Al은 산화제이다.
ㄷ. Ag_2S 0.6 mol이 반응할 때 생성된 Al_2S_3의 양(mol)은 0.2 mol이다.

① ㄱ ② ㄴ ③ ㄷ
④ ㄱ, ㄷ ⑤ ㄴ, ㄷ

619 하중상

그림은 금속 X 이온이 들어 있는 수용액에 금속 Y와 Z를 순서대로 넣었을 때 수용액에 존재하는 금속 양이온만을 모형으로 나타낸 것이다.

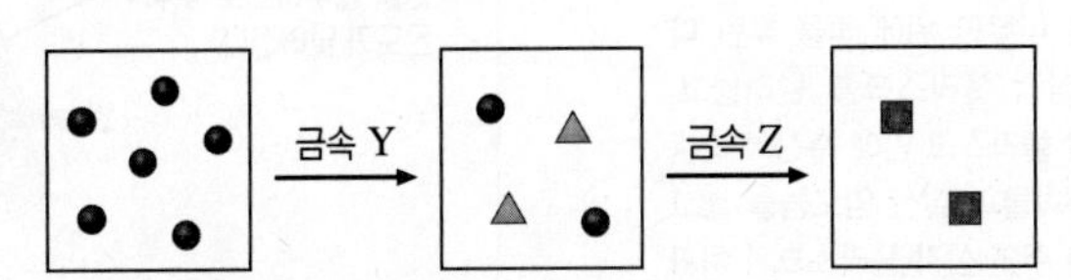

이에 대한 설명으로 옳은 것만을 〈보기〉에서 있는 대로 고른 것은? (단, 음이온은 반응에 참여하지 않는다.)

〈 보기 〉
ㄱ. 금속 Z를 넣었을 때 ●는 환원제로 작용한다.
ㄴ. ●, ▲, ■ 중 산화수가 가장 큰 것은 ▲이다.
ㄷ. 9 mol의 X 이온을 환원시키기 위해 필요한 금속 Z의 양(mol)은 3 mol이다.

① ㄱ ② ㄷ ③ ㄱ, ㄴ
④ ㄴ, ㄷ ⑤ ㄱ, ㄴ, ㄷ

열의 출입

Ⓐ 발열 반응과 흡열 반응 → 화학 반응이 일어날 때 항상 열에너지를 방출하거나 흡수한다.

1 ❶ □□ **반응** 화학 반응이 일어날 때 열을 방출하는 반응

① ❷ □□□의 에너지 합이 ❸ □□□의 에너지 합보다 작으므로 반응하면서 열을 방출한다. ➜ 주위의 온도가 높아진다.

(발열 반응에서 열의 출입과 에너지 변화)

열을 방출하므로 주위 온도가 높아진다.
열
열
에너지
반응물
열 방출
→ 생성물이 반응물보다 에너지가 낮으므로 생성물이 더 안정하다.
생성물
반응의 진행

② 발열 반응의 예: 금속과 산의 반응, 산과 염기의 중화 반응, 연소, 금속의 산화, 산의 용해, 수산화 나트륨의 용해, 상태 변화(기체 → 액체 → 고체) 등

예 • 아연과 염산의 반응: $Zn(s)+2HCl(aq) \longrightarrow ZnCl_2(aq)+H_2(g)+$ 열

• 염산과 수산화 나트륨 수용액의 반응: $HCl(aq)+NaOH(aq) \longrightarrow H_2O(l)+NaCl(aq)+$ 열

• 메테인의 연소: $CH_4(g)+2O_2(g) \longrightarrow CO_2(g)+2H_2O(l)+$ 열

• 철이 녹스는 반응: $4Fe(s)+3O_2(g) \longrightarrow 2Fe_2O_3(s)+$ 열

③ 발열 반응의 이용

• 철가루가 산화될 때 열을 방출하여 따뜻해지므로 손난로에 이용한다.
• 연료가 연소될 때 방출하는 열을 이용하여 난방을 한다.
• 제설제(주성분: $CaCl_2$)가 물에 용해될 때 열을 방출하므로 눈을 녹인다.

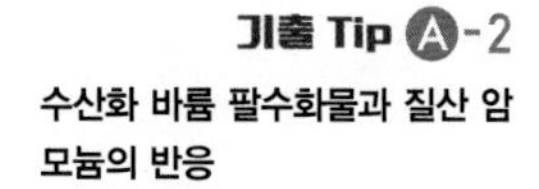

기출 Tip Ⓐ-2

수산화 바륨 팔수화물과 질산 암모늄의 반응

$Ba(OH)_2 \cdot 8H_2O(s) + NH_4NO_3(s)$

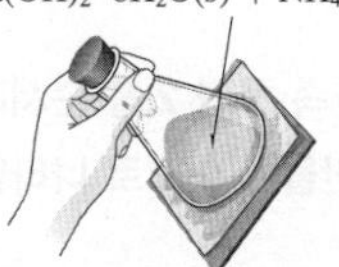

얇은 나무판 위에 물을 뿌린 다음 삼각 플라스크를 올려놓고, 삼각 플라스크 안에 수산화 바륨 팔수화물과 질산 암모늄을 넣고 섞어 주면 삼각 플라스크가 차가워지면서 나무판 위에 뿌린 물이 언다. → 발열 반응

$Ba(OH)_2 \cdot 8H_2O(s) + 2NH_4NO_3(s) +$ 열 $\longrightarrow Ba(NO_3)_2(aq)+10H_2O(l)+2NH_3(g)$ → 흡열 반응

2 ❹ □□ **반응** 화학 반응이 일어날 때 열을 흡수하는 반응

① 생성물의 에너지 합이 반응물의 에너지 합보다 크므로 반응하면서 열을 흡수한다. ➜ 주위의 온도가 ❺ □아진다.

(흡열 반응에서 열의 출입과 에너지 변화)

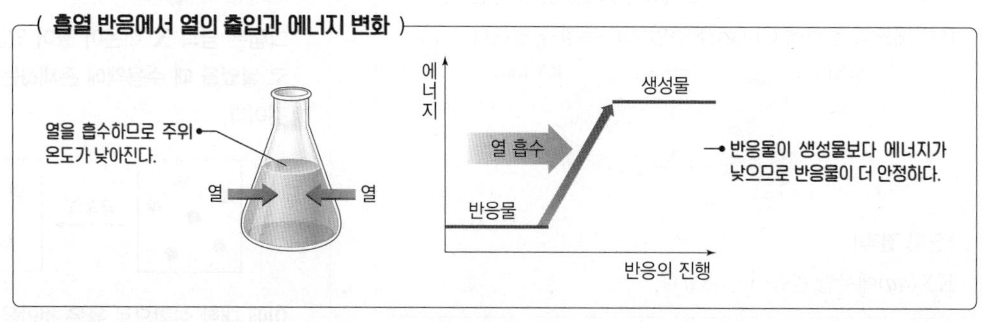

② 흡열 반응의 예: 열분해, 수산화 바륨 팔수화물과 질산 암모늄(또는 염화 암모늄)의 반응, 질산 암모늄의 용해, 광합성, 물의 전기 분해, 상태 변화(고체 → 액체 → 기체) 등

예 • 탄산수소 나트륨의 열분해: $2NaHCO_3(s)+$ 열 $\longrightarrow Na_2CO_3(s)+H_2O(l)+CO_2(g)$

• 질산 암모늄의 용해: $NH_4NO_3(s)+$ 열 $\xrightarrow{H_2O(l)} NH_4^+(aq)+NO_3^-(aq)$

• 광합성: $6CO_2(g)+6H_2O(g) \xrightarrow{\text{빛에너지}} C_6H_{12}O_6(s)+6O_2(g)$

③ 흡열 반응의 이용

• 질산 암모늄이 물에 용해될 때 열을 흡수하여 시원해지므로 냉찜질 팩에 이용한다.
• 더운 여름날 마당에 물을 뿌리면 물이 증발하면서 열을 흡수하여 시원해진다.

B 화학 반응에서 출입하는 열의 측정

1 비열과 열량

① ❻☐☐(c): 어떤 물질 1 g의 온도를 1 ℃ 높이는 데 필요한 열량으로, 단위는 J/(g·℃)이다.

② 열량(Q): 어떤 물질이 방출하거나 흡수하는 열량은 그 물질의 비열에 질량과 온도 변화를 곱하여 구한다. 단위는 J 또는 kJ이다.

열량(Q)=비열(c)×질량(m)×온도 변화(Δt)=열용량(C)×온도 변화(Δt)

(열용량: 어떤 물질의 온도를 1 ℃ 높이는 데 필요한 열량으로, 단위는 J/℃이다.)

2 열량계 화학 반응에서 방출하거나 흡수하는 열량을 측정하는 장치

구분	❼☐☐ 열량계	❽☐ 열량계
구조	온도계, 젓개, 물, 스타이로폼 컵 → 단열재 구조가 간단하여 쉽게 사용할 수 있다.	점화선, 젓개, 온도계, 단열 용기, 강철 용기, 시료 접시, 물, 강철통
특징	• 단열이 잘되지 않아 열 손실이 있으므로 정밀한 실험에는 사용하지 않는다. • 주로 용해 과정이나 중화 반응에서 출입하는 열량을 측정하는 데 사용한다.	• 단열이 잘되어 열 손실이 거의 없으므로 출입하는 열량을 비교적 정확하게 측정할 수 있다. • 주로 ❾☐☐ 반응에서 출입하는 열량을 측정하는 데 사용한다.

3 화학 반응에서 출입하는 열의 측정

(열량계 안에서 화학 반응이 일어날 때 출입하는 열이 물이나 용액의 온도를 변화시키므로 이를 이용하여 열량을 구한다.)

① 간이 열량계를 이용한 열량의 측정: 화학 반응에서 출입하는 열은 모두 간이 열량계 속 용액의 온도 변화에 이용된다고 가정한다.

방출하거나 흡수한 열량(Q)=용액이 얻거나 잃은 열량(Q)=$c\times m\times\Delta t$
(c: 용액의 비열, m: 용액의 질량, Δt: 용액의 온도 변화)

② 통열량계를 이용한 열량의 측정: 화학 반응에서 출입하는 열은 모두 통열량계 속 물과 통열량계의 온도 변화에 이용된다고 가정한다.

방출하거나 흡수한 열량(Q)=물이 얻거나 잃은 열량(Q_1)+통열량계가 얻거나 잃은 열량(Q_2)
=($c_{물}\times m_{물}\times\Delta t$)+($C_{통열량계}\times\Delta t$)
($c_{물}$: 물의 비열, $m_{물}$: 물의 질량, Δt: 물의 온도 변화, $C_{통열량계}$: 통열량계의 열용량)

기출 Tip B-3

간이 열량계를 이용한 열량 측정
간이 열량계로 실험하여 구한 열량은 이론값과 차이가 난다.
➔ 발생하는 열의 일부가 실험 기구의 온도를 변화시키는 데 쓰이거나, 열량계 밖으로 빠져나가기 때문이다.

간이 열량계로 $CaCl_2$ 1 mol이 물에 용해될 때 방출하는 열량(J/mol) 구하기

[과정]
1. 간이 열량계에 증류수 200 g을 넣고 온도(t_1)를 측정한다.
2. $CaCl_2$ 10 g을 과정 1의 증류수에 넣어 완전히 녹인 후 용액의 최고 온도(t_2)를 측정한다.

[결과 및 정리]

t_1	t_2
25 ℃	33 ℃

• 방출한 열량: 4.2 J/(g·℃)×210 g×8 ℃=7056 J (4.2 J/(g·℃): 용액의 비열)
• $CaCl_2$ 1 g이 용해될 때 방출하는 열량: 705.6 J/g
• $CaCl_2$(화학식량: 111) 1 mol이 물에 용해될 때 방출하는 열량: 705.6 J/g×111 g/mol =78321.6 J/mol

답 ❶ 발열 ❷ 생성물 ❸ 반응물 ❹ 흡열 ❺ 낮 ❻ 비열 ❼ 간이 ❽ 통 ❾ 연소

빈출 자료 보기

정답과 해설 78쪽

620 다음은 $CaCl_2(s)$이 물에 용해되는 반응에 대한 실험이다.

[실험 과정]
(가) 간이 열량계에 25 ℃ 물 180 g을 넣는다.
(나) (가)의 열량계에 25 ℃의 $CaCl_2$ 20 g을 넣어 녹인 후 수용액의 최고 온도를 측정한다.
[실험 결과]
• 수용액의 최고 온도: 40 ℃

이에 대한 설명으로 옳은 것은 ○, 옳지 않은 것은 ×로 표시하시오. (단, 용액의 비열은 4.2 J/(g·℃)이다.)

(1) $CaCl_2(s)$이 물에 용해되는 반응은 발열 반응이다. ( )
(2) 반응물의 에너지 합이 생성물의 에너지 합보다 작다. ( )
(3) 열량계가 단열되지 않았다면 주위의 온도는 내려갈 것이다. ( )
(4) $CaCl_2$ 20 g이 물에 용해될 때 방출한 열량은 12.6 kJ이다. ( )
(5) $CaCl_2$ 1 g이 물에 용해될 때 방출한 열량은 6.3 kJ/g이다. ( )
(6) $CaCl_2$ 1 mol이 물에 용해될 때 방출한 열량을 구하려면 물의 분자량을 알아야 한다. ( )

A 발열 반응과 흡열 반응

621 하 중 상

발열 반응과 흡열 반응에 대한 설명으로 옳은 것만을 〈보기〉에서 있는 대로 고른 것은?

〈 보기 〉
ㄱ. 발열 반응은 화학 반응이 일어날 때 열을 방출하는 반응이다.
ㄴ. 흡열 반응이 일어나면 주위의 온도가 낮아진다.
ㄷ. 흡열 반응을 이용해 냉찜질 주머니를 만들 수 있다.

① ㄱ ② ㄷ ③ ㄱ, ㄴ
④ ㄴ, ㄷ ⑤ ㄱ, ㄴ, ㄷ

622 하 중 상

다음은 실생활에서 일어나는 3가지 현상이다.

㉠ 뷰테인을 연소시켜 물을 끓였다. ㉡ 철가루와 산소가 반응하여 손난로가 뜨거워진다. ㉢ 물이 증발하면서 주위가 시원해진다.

이에 대한 설명으로 옳은 것만을 〈보기〉에서 있는 대로 고른 것은?

〈 보기 〉
ㄱ. ㉠~㉢ 중 발열 반응은 2가지이다.
ㄴ. ㉠ 반응이 일어나면 주위의 온도가 높아진다.
ㄷ. ㉢ 반응은 생성물의 에너지 합이 반응물의 에너지 합보다 작다.

① ㄱ ② ㄷ ③ ㄱ, ㄴ
④ ㄴ, ㄷ ⑤ ㄱ, ㄴ, ㄷ

623 하 중 상

화학 반응이 일어날 때 주위의 온도가 올라가는 것만을 〈보기〉에서 있는 대로 고른 것은?

〈 보기 〉
ㄱ. 물이 얼음으로 응고된다.
ㄴ. 철을 공기 중에 보관하면 붉은 녹이 생긴다.
ㄷ. 물을 전기 분해하면 수소 기체와 산소 기체가 발생한다.

① ㄱ ② ㄷ ③ ㄱ, ㄴ
④ ㄴ, ㄷ ⑤ ㄱ, ㄴ, ㄷ

624 하 중 상

그림은 2가지 반응에서 반응물과 생성물의 에너지 변화를 나타낸 것이다.

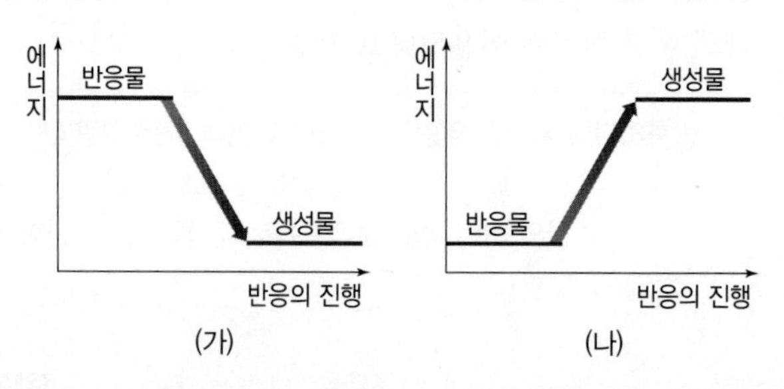

이에 대한 설명으로 옳은 것만을 〈보기〉에서 있는 대로 고른 것은?

〈 보기 〉
ㄱ. (나)는 열을 흡수하는 반응이다.
ㄴ. 중화 반응은 (가)와 같은 모양의 에너지 변화 그래프가 나타난다.
ㄷ. 금속과 산의 반응은 (나)와 같은 모양의 에너지 변화 그래프가 나타난다.

① ㄱ ② ㄷ ③ ㄱ, ㄴ
④ ㄴ, ㄷ ⑤ ㄱ, ㄴ, ㄷ

625 하 중 상

그림과 같이 **$HCl(aq)$이 들어 있는 시험관에 $Zn(s)$을 넣었다.**

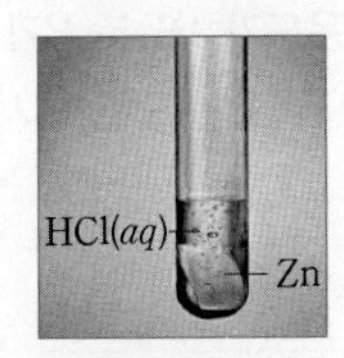

이에 대한 설명으로 옳은 것만을 〈보기〉에서 있는 대로 고른 것은?

〈 보기 〉
ㄱ. 반응이 일어날 때 열을 방출한다.
ㄴ. 반응이 일어나는 동안 pH는 감소한다.
ㄷ. 수증기가 액체인 물로 되는 반응과 열의 출입 방향이 같다.

① ㄱ　② ㄴ　③ ㄱ, ㄷ
④ ㄴ, ㄷ　⑤ ㄱ, ㄴ, ㄷ

626 하 중 상

다음은 냉각 팩에 관한 실험이다.

(가) 물이 든 밀봉된 비닐봉지와 $NH_4NO_3(s)$을 지퍼 백에 넣는다.

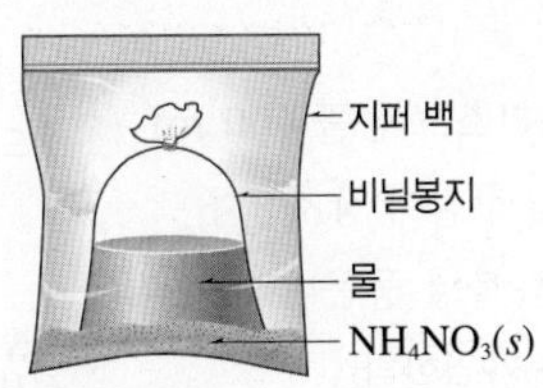

(나) 지퍼 백을 닫고 손으로 눌러 비닐봉지를 터뜨리면 $NH_4NO_3(s)$이 녹으면서 비닐봉지가 차가워진다.

지퍼 백 안에서 일어나는 반응에 대한 설명으로 옳은 것만을 〈보기〉에서 있는 대로 고른 것은?

〈 보기 〉
ㄱ. 이 반응은 흡열 반응이다.
ㄴ. 탄산수소 나트륨의 열분해 반응과 열의 출입 방향이 같다.
ㄷ. 이 반응에서는 반응물이 생성물보다 안정하다.

① ㄱ　② ㄷ　③ ㄱ, ㄴ
④ ㄴ, ㄷ　⑤ ㄱ, ㄴ, ㄷ

627 하 중 상

다음은 3가지 화학 반응식을 나타낸 것이다.

(가) $CH_4(g) + 2O_2(g) \longrightarrow CO_2(g) + 2H_2O(l)$
(나) $HCl(aq) + NaOH(aq) \longrightarrow NaCl(aq) + H_2O(l)$
(다) $NH_4NO_3(s) \xrightarrow{H_2O(l)} NH_4^+(aq) + NO_3^-(aq)$

이에 대한 설명으로 옳은 것만을 〈보기〉에서 있는 대로 고른 것은?

〈 보기 〉
ㄱ. (가) 반응이 일어날 때 열을 흡수한다.
ㄴ. (나)에서 반응물의 에너지 합은 생성물의 에너지 합보다 크다.
ㄷ. (다) 반응이 일어나면 주위의 온도가 높아진다.

① ㄱ　② ㄴ　③ ㄱ, ㄷ　④ ㄴ, ㄷ　⑤ ㄱ, ㄴ, ㄷ

628 하 중 상

多 보기

다음은 화학 반응과 열의 출입에 관한 실험이다.

[실험 과정]
(가) 얇은 나무판 위에 물을 뿌리고, $Ba(OH)_2 \cdot 8H_2O(s)$이 담긴 삼각 플라스크를 올려놓는다.
(나) (가)의 삼각 플라스크에 $NH_4NO_3(s)$을 넣고 잘 저어 녹인 다음, 몇 분 뒤 삼각 플라스크를 들어 올린다.
[실험 결과]
• 삼각 플라스크를 들어 올리면 나무판이 함께 들어 올려졌다.

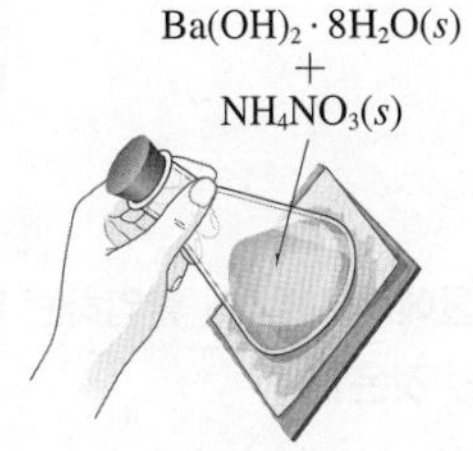

$$Ba(OH)_2 \cdot 8H_2O(s) + aNH_4NO_3(s) \longrightarrow bBa(NO_3)_2(aq) + cH_2O(l) + dNH_3(g)$$
(a~d는 반응 계수)

이에 대한 설명으로 옳지 않은 것만을 모두 고르면?(2개)

① 삼각 플라스크 안에서 열을 흡수하는 반응이 일어난다.
② 삼각 플라스크 안에서 반응이 일어나면 주위의 온도가 내려간다.
③ 나무판에서 일어나는 물의 상태 변화는 발열 반응이다.
④ Ba의 산화수는 감소한다.
⑤ $NH_4NO_3(s)$ 3 mol이 모두 반응하면 NH_3 3 mol이 생성된다.
⑥ $Ba(OH)_2 \cdot 8H_2O(s)$과 $NH_4NO_3(s)$ 대신 $CaCl_2(s)$과 $H_2O(l)$로 같은 실험 결과를 얻을 수 있다.

B 화학 반응에서 출입하는 열의 측정

629 하 중 상

그림은 2가지 열량계이다.

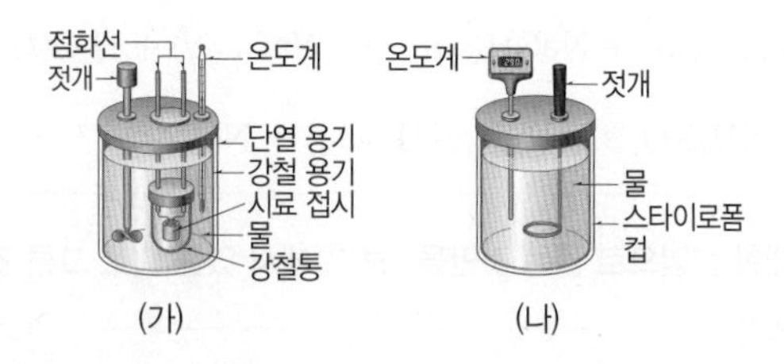

이에 대한 설명으로 옳은 것만을 〈보기〉에서 있는 대로 고른 것은?

〈 보기 〉

ㄱ. (가)는 통열량계이다.

ㄴ. (가)는 (나)보다 열 손실이 적다.

ㄷ. 연소 반응에서 출입하는 열량을 측정하기 위해서는 (가)보다 (나)가 적합하다.

① ㄱ ② ㄷ ③ ㄱ, ㄴ
④ ㄴ, ㄷ ⑤ ㄱ, ㄴ, ㄷ

[630~631] 그림은 $CaCl_2(s)$이 물에 용해될 때 출입하는 열량을 측정하는 실험 장치이다.

630 하 중 상

多 보기

$CaCl_2(s)$ 1 mol이 물에 용해될 때 출입하는 열량을 측정하기 위해 필요한 자료가 아닌 것은?

① 용액의 비열 ② 물의 질량
③ 물의 분자량 ④ 용액의 온도 변화
⑤ $CaCl_2$의 화학식량 ⑥ 용해된 $CaCl_2(s)$의 질량

631 하 중 상

••서술형

위 실험과 같이 열량을 측정할 때 실제 측정한 값이 이론값보다 작게 측정되었다. 그 까닭을 서술하시오.

빈출 632 하 중 상

간이 열량계에 20 ℃의 물 96 g을 넣고 $NH_4NO_3(s)$ 4 g을 넣어 모두 녹였더니 수용액의 온도가 16.5 ℃가 되었다.
이에 대한 설명으로 옳은 것만을 〈보기〉에서 있는 대로 고른 것은? (단, 수용액의 비열은 4.2 J/(g·℃)이고, NH_4NO_3의 화학식량은 80이다.)

〈 보기 〉

ㄱ. 열량계가 단열되지 않았다면 주위의 온도는 내려갔을 것이다.

ㄴ. 출입한 열이 모두 용액에 흡수되었다고 가정할 때 출입하는 열량은 1.47 kJ이다.

ㄷ. $NH_4NO_3(s)$ 1 mol이 물에 용해될 때 출입하는 열량은 29.4 kJ/mol이다.

① ㄱ ② ㄷ ③ ㄱ, ㄴ
④ ㄴ, ㄷ ⑤ ㄱ, ㄴ, ㄷ

빈출 633 하 중 상

••서술형

다음은 과자가 연소할 때 방출하는 열량(kJ/g)을 구하는 실험이다.

[실험 과정]

(가) 둥근바닥 플라스크에 물 100 mL를 넣고 그림과 같이 장치한다.

(나) 과자에 불을 붙여 둥근바닥 플라스크의 물을 가열한다.

(다) 과자의 일부를 연소시킨 뒤 물의 온도를 측정한다.

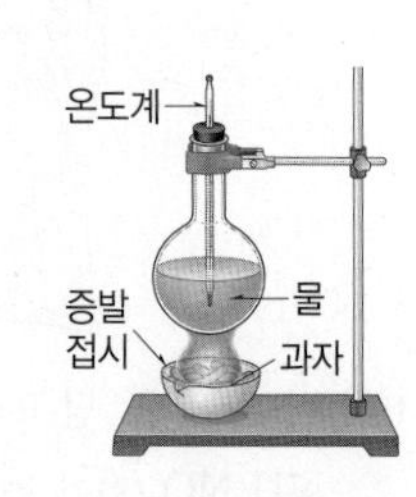

[실험 결과]

구분	연소 전	연소 후
물의 온도(℃)	25	30
과자의 질량(g)	10	3

과자 1 g이 연소할 때 출입하는 열량(kJ/g)을 풀이 과정과 함께 서술하시오.(단, 물의 밀도와 비열은 각각 1 g/mL, 4.2 J/(g·℃)이며, 과자가 연소할 때 방출한 열을 물이 모두 흡수한다고 가정한다.)

634 하중상

다음은 C_2H_5OH이 연소할 때 방출하는 열량(J/mol)을 구하는 실험이다.

[실험 과정]
(가) 열량계에 물 100 g을 넣은 후 물의 온도를 측정한다.
(나) C_2H_5OH이 들어 있는 알코올램프의 질량을 측정한다.
(다) 알코올램프의 C_2H_5OH이 완전 연소한 후 물의 온도와 알코올램프의 질량을 측정한다.

[자료 및 실험 결과]

C_2H_5OH 분자량	알코올램프의 질량(g)		물의 온도(℃)	
	실험 전	실험 후	실험 전	실험 후
46	37	14	18	24

C_2H_5OH 1 mol이 연소할 때 발생하는 열량(J/mol)은?(단, 물의 비열은 4 J/(g·℃)이며, 발생한 열을 물이 모두 흡수한다고 가정한다.)

① 2400 ② 2952 ③ 3600
④ 4800 ⑤ 5904

635 하중상

표는 통열량계를 사용하여 CH_3COOH이 연소할 때 방출하는 열량을 측정한 실험 결과이다.

연소한 CH_3COOH의 질량(g)	3
연소 전 물의 온도(℃)	25
연소 후 물의 온도(℃)	35
물의 비열(kJ/(kg·℃))	4
물의 질량(g)	800
물을 제외한 통열량계의 열용량(kJ/℃)	1

이에 대한 설명으로 옳은 것만을 〈보기〉에서 있는 대로 고른 것은? (단, CH_3COOH의 분자량은 60이며, CH_3COOH 연소 시 발생하는 열량은 물과 통열량계가 모두 흡수한다고 가정한다.)

〈 보기 〉
ㄱ. CH_3COOH의 연소 반응은 발열 반응이다.
ㄴ. CH_3COOH의 연소 반응에 의해 물이 흡수한 열량은 32 kJ이다.
ㄷ. CH_3COOH 1 mol이 연소할 때 발생하는 열량은 840 kJ/mol이다.

① ㄱ ② ㄷ ③ ㄱ, ㄴ
④ ㄴ, ㄷ ⑤ ㄱ, ㄴ, ㄷ

636 하중상

표는 그림과 같은 열량계에 시료의 종류와 질량을 각각 달리하여 넣고 완전 연소시켰을 때, 물의 온도 변화를 나타낸 것이다. X가 연소할 때 방출하는 열은 20 kJ/g이다.

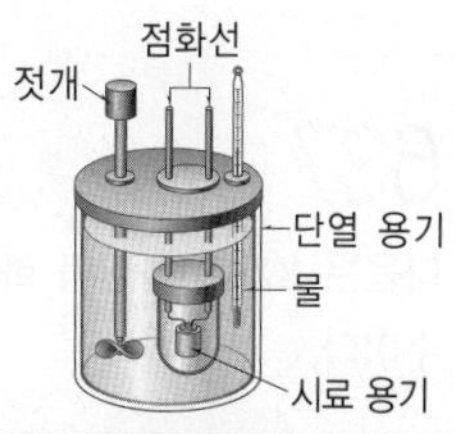

실험	시료의 종류와 질량	온도 변화
Ⅰ	X 1 g	4 ℃
Ⅱ	Y 1 g	10 ℃
Ⅲ	X 1 g+Y 1 g	x ℃

이에 대한 설명으로 옳은 것만을 〈보기〉에서 있는 대로 고른 것은? (단, X와 Y는 서로 반응하지 않는 탄화수소이고, 열량계의 열용량 변화는 무시한다.)

〈 보기 〉
ㄱ. 열량계의 열용량은 5 kJ/℃이다.
ㄴ. Y가 연소할 때 방출하는 열은 50 kJ/g이다.
ㄷ. x는 15이다.

① ㄱ ② ㄷ ③ ㄱ, ㄴ
④ ㄴ, ㄷ ⑤ ㄱ, ㄴ, ㄷ

637

다음은 3가지 물질의 화학식이며, ㉠~㉥은 밑줄 친 원자의 산화수이다.

NH_4NO_3	KO_2	CH_2CHCH_3
㉠ ㉡	㉢	㉣ ㉤ ㉥

이에 대한 설명으로 옳은 것만을 〈보기〉에서 있는 대로 고른 것은?

〈 보기 〉

ㄱ. ㉠~㉥ 중 양의 값을 갖는 것은 2가지이다.
ㄴ. ㉠~㉥을 모두 곱한 값은 −45이다.
ㄷ. ㉠~㉥ 중 가장 큰 값과 가장 작은 값의 차는 6이다.

① ㄱ ② ㄴ ③ ㄱ, ㄷ
④ ㄴ, ㄷ ⑤ ㄱ, ㄴ, ㄷ

638

다음은 $Cu(s)$와 $HNO_3(aq)$의 산화 환원 반응식을, 그림은 반응한 NO_3^-의 양(mol)에 따른 생성물 Cu^{2+}의 양(mol)을 나타낸 것이다.

$$aCu(s) + bH^+(aq) + 2NO_3^-(aq) \longrightarrow cCu^{2+}(aq) + dX(aq) + eH_2O(l)$$

(a~e는 반응 계수)

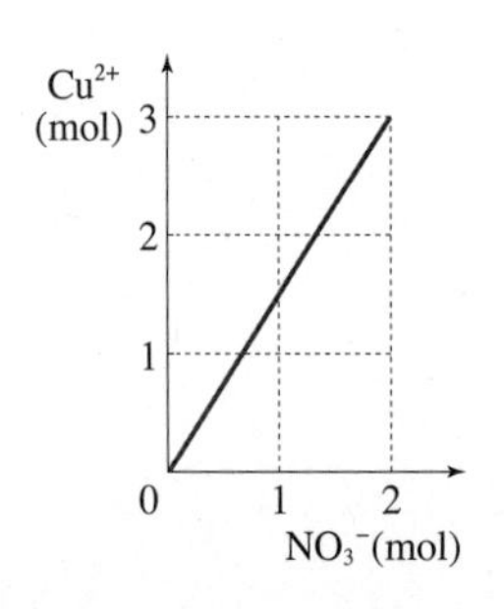

이에 대한 설명으로 옳은 것만을 〈보기〉에서 있는 대로 고른 것은? (단, X는 질소 산화물이다.)

〈 보기 〉

ㄱ. X는 NO_2이다.
ㄴ. $a+b+c-d-e=2$이다.
ㄷ. 환원제 0.6 mol이 모두 반응하여 소모될 때 생성된 X의 양(mol)은 0.4 mol이다.

① ㄱ ② ㄷ ③ ㄱ, ㄴ
④ ㄴ, ㄷ ⑤ ㄱ, ㄴ, ㄷ

639

그림 (가)와 (나)는 수용액 100 mL에 들어 있는 이온의 종류와 농도를, (다)는 (가)와 (나)를 혼합하여 반응시켰을 때 수용액에 존재하는 이온의 종류를 나타낸 것이다.

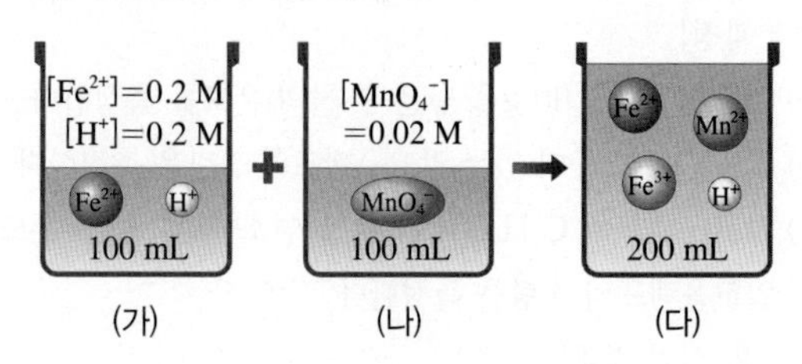

위 반응의 산화 환원 반응식은 다음과 같다.

$$aFe^{2+}(aq) + bMnO_4^-(aq) + cH^+(aq) \longrightarrow dFe^{3+}(aq) + eMn^{2+}(aq) + fH_2O(l)$$

(a~f는 반응 계수)

이에 대한 설명으로 옳은 것만을 〈보기〉에서 있는 대로 고른 것은? (단, (다)에서 생성된 물의 부피는 무시하였다.)

〈 보기 〉

ㄱ. $a+b+c+d+e+f=24$이다.
ㄴ. (다)에서 H^+의 양(mol)은 Mn^{2+}의 양(mol)의 4배이다.
ㄷ. (다)에서 Fe^{3+}의 몰 농도(M)는 0.5 M이다.

① ㄱ ② ㄴ ③ ㄷ
④ ㄱ, ㄷ ⑤ ㄴ, ㄷ

640

$Al(s)$ 13.5 g을 2 M $HCl(aq)$ 300 mL에 넣었더니 $Al(s)$ 표면에 기포가 발생하였다.
이에 대한 설명으로 옳은 것만을 〈보기〉에서 있는 대로 고른 것은? (단, Al의 원자량은 27이다.)

〈 보기 〉

ㄱ. 반응 후 발생한 기체의 양(mol)은 0.3 mol이다.
ㄴ. $Al(s)$은 산화제로 작용한다.
ㄷ. 반응 후 $Al(s)$ 8.1 g이 남는다.

① ㄱ ② ㄴ ③ ㄷ
④ ㄱ, ㄷ ⑤ ㄴ, ㄷ

641

다음은 그림과 같이 A^{+}과 B^{3+}이 들어 있는 수용액에 금속 C판을 넣었을 때 시간에 따른 수용액 속 전체 이온 수와 수용액의 밀도를 나타낸 것이다.

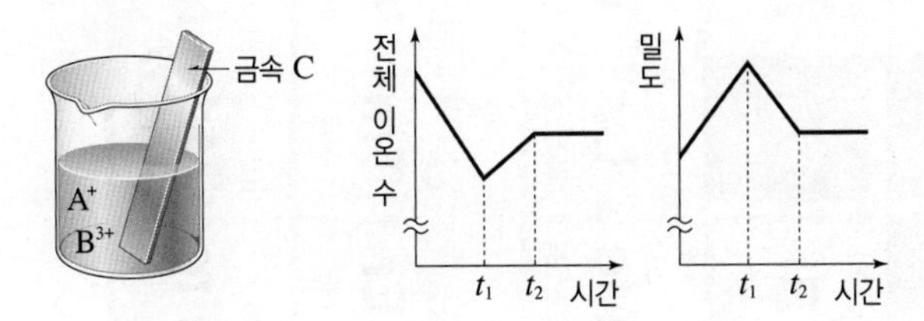

이에 대한 설명으로 옳은 것만을 〈보기〉에서 있는 대로 고른 것은? (단, A~C는 임의의 금속 원소 기호이고, 금속 이온의 산화수는 각각 +3 이하이다.)

〈 보기 〉

ㄱ. 원자량은 A<C<B이다.
ㄴ. 반응성은 A<C<B이다.
ㄷ. 이온의 산화수는 A<C<B이다.

① ㄱ　② ㄴ　③ ㄱ, ㄷ
④ ㄴ, ㄷ　⑤ ㄱ, ㄴ, ㄷ

642

다음은 나프탈렌을 연소시킬 때 방출하는 열량을 측정한 실험이다.

(가) 물이 채워진 통열량계에 9.0 kJ의 열량을 공급하였더니 온도가 5.0 ℃ 높아졌다.
(나) (가)의 통열량계에 나프탈렌 12.8 g을 넣고 완전 연소시켰더니 온도가 30 ℃ 높아졌다.

나프탈렌 1 mol이 연소할 때 발생하는 열량(kJ/mol)은?(단, 나프탈렌의 분자량은 128이며, 통열량계의 열용량은 물을 포함하였을 때의 열용량이다.)

① 54　② 90　③ 230
④ 450　⑤ 540

643

그림은 20 ℃ 물 100 g이 들어 있는 간이 열량계를 나타낸 것이고, 표는 열량계 속 물에 용질 A(s), B(s)를 각각 모두 녹였을 때 수용액 (가)와 (나)에 대한 자료이다. 화학식량은 A가 B보다 크다.

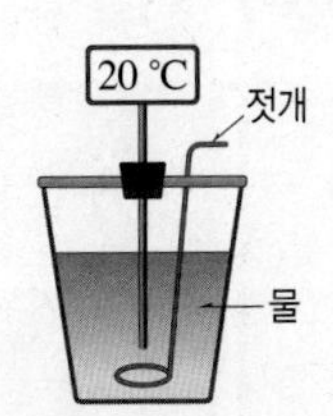

수용액	용질의 양(mol)		최종 온도(℃)
	A(s)	B(s)	
(가)	2	0	16
(나)	0	2	24

이에 대한 설명으로 옳은 것만을 〈보기〉에서 있는 대로 고른 것은? (단, 열량계와 주위 사이의 열 출입은 없고, 수용액의 비열은 (가)와 (나)가 같다.)

〈 보기 〉

ㄱ. A(s)가 용해되는 반응은 흡열 반응이다.
ㄴ. B(s)가 용해되는 반응은 반응물의 에너지 합이 생성물의 에너지 합보다 크다.
ㄷ. 20 ℃의 물에 1 g의 A(s)와 B(s)를 각각 녹였을 때 물의 온도 변화는 A(s)를 녹였을 때가 더 크다.

① ㄱ　② ㄷ　③ ㄱ, ㄴ
④ ㄴ, ㄷ　⑤ ㄱ, ㄴ, ㄷ

주기율표

주기＼족	1족	2족	3족	4족	5족	6족	7족	8족	9족	10족	11족	12족	13족	14족	15족	16족	17족	18족
1주기	1 H 수소																	2 He 헬륨
2주기	3 Li 리튬	4 Be 베릴륨											5 B 붕소	6 C 탄소	7 N 질소	8 O 산소	9 F 플루오린	10 Ne 네온
3주기	11 Na 나트륨	12 Mg 마그네슘											13 Al 알루미늄	14 Si 규소	15 P 인	16 S 황	17 Cl 염소	18 Ar 아르곤
4주기	19 K 칼륨	20 Ca 칼슘	21 Sc 스칸듐	22 Ti 타이타늄	23 V 바나듐	24 Cr 크로뮴	25 Mn 망가니즈	26 Fe 철	27 Co 코발트	28 Ni 니켈	29 Cu 구리	30 Zn 아연	31 Ga 갈륨	32 Ge 저마늄	33 As 비소	34 Se 셀레늄	35 Br 브로민	36 Kr 크립톤
5주기	37 Rb 루비듐	38 Sr 스트론튬	39 Y 이트륨	40 Zr 지르코늄	41 Nb 나이오븀	42 Mo 몰리브데넘	43 Tc 테크네튬	44 Ru 루테늄	45 Rh 로듐	46 Pd 팔라듐	47 Ag 은	48 Cd 카드뮴	49 In 인듐	50 Sn 주석	51 Sb 안티모니	52 Te 텔루륨	53 I 아이오딘	54 Xe 제논
6주기	55 Cs 세슘	56 Ba 바륨	57~71 *란타넘족	72 Hf 하프늄	73 Ta 탄탈럼	74 W 텅스텐	75 Re 레늄	76 Os 오스뮴	77 Ir 이리듐	78 Pt 백금	79 Au 금	80 Hg 수은	81 Tl 탈륨	82 Pb 납	83 Bi 비스무트	84 Po 폴로늄	85 At 아스타틴	86 Rn 라돈
7주기	87 Fr 프랑슘	88 Ra 라듐	89~103 **악티늄족	104 Rf 러더포듐	105 Db 더브늄	106 Sg 시보귬	107 Bh 보륨	108 Hs 하슘	109 Mt 마이트너륨	110 Ds 다름슈타튬	111 Rg 뢴트게늄	112 Cn 코페르니슘	113 Nh 니호늄	114 Fl 플레로븀	115 Mc 모스코븀	116 Lv 리버모륨	117 Ts 테네신	118 Og 오가네손

*란타넘족	57 La 란타넘	58 Ce 세륨	59 Pr 프라세오디뮴	60 Nd 네오디뮴	61 Pm 프로메튬	62 Sm 사마륨	63 Eu 유로퓸	64 Gd 가돌리늄	65 Tb 터븀	66 Dy 디스프로슘	67 Ho 홀뮴	68 Er 어븀	69 Tm 툴륨	70 Yb 이터븀	71 Lu 루테튬
**악티늄족	89 Ac 악티늄	90 Th 토륨	91 Pa 프로트악티늄	92 U 우라늄	93 Np 넵투늄	94 Pu 플루토늄	95 Am 아메리슘	96 Cm 퀴륨	97 Bk 버클륨	98 Cf 캘리포늄	99 Es 아인슈타이늄	100 Fm 페르뮴	101 Md 멘델레븀	102 No 노벨륨	103 Lr 로렌슘

알칼리 금속(1족, H 제외)

할로젠(17족)

비활성 기체(18족)

11 Na 나트륨: 원자 번호 / 원소 기호 / 원소 이름

- 금속
- 준금속
- 비금속
- 금속, 비금속 원소의 제외 원소

14 공유 결합과 금속 결합

빈출 자료 보기 95쪽

333 (1) ○ (2) × (3) ×
334 (1) ○ (2) × (3) ○ (4) ×

난이도별 필수 기출 96~99쪽

335 ③ 336 ④ 337 ③ 338 ⑤ 339 ⑤ 340 ③ 341 ④ 342 ③ 343 ② 344 ② 345 ② 346 ④ 347 ① 348 ②, ③ 349 ② 350 ② 351 ③

15 화학 결합과 물질의 성질

빈출 자료 보기 100쪽

352 (1) ○ (2) × (3) ○ (4) ○
353 (1) ○ (2) ○ (3) × (4) ○

난이도별 필수 기출 101~103쪽

354 ① 355 ③ 356 ③ 357 ③ 358 ② 359 ⑤ 360 ② 361 ② 362 ② 363 ③ 364 ③, ⑦ 365 ①

최고수준 도전 기출 (13~15강) 104~105쪽

366 ⑤ 367 ③ 368 ① 369 ① 370 ② 371 ① 372 ① 373 ③

16 결합의 극성과 루이스 전자점식

빈출 자료 보기 107쪽

374 (1) ○ (2) × (3) ○ (4) × (5) ○ (6) ×

난이도별 필수 기출 108~113쪽

375 ① 376 ③ 377 구성 원소의 전기 음성도 차이는 이온 결합 물질인 NaCl이 공유 결합 물질인 HCl보다 크다. 378 ② 379 ② 380 ③ 381 2원자 분자에서 전기 음성도가 큰 원자가 부분적인 음전하(δ^-)를 띠므로 전기 음성도는 X>Z>Y이다. 382 ④ 383 ③ 384 ② 385 ⑤ 386 ③ 387 (1) AB<AC, 부분 전하의 크기와 결합 길이의 곱은 쌍극자 모멘트의 크기에 비례하기 때문이다. (2) A<B<C 388 ④ 389 ⑤ 390 ⑤ 391 ② 392 ⑤ 393 ① 394 ② 395 ①, ④ 396 ⑤ 397 ②

398 $\overset{\longleftarrow\!\!\!\!+}{\text{H}-\text{Cl}}$

399

분자	C_2F_4	HCN
루이스 전자점식	:F::F: / :F:C::C:F:	H:C:::N:

400 ④ 401 ④, ⑥ 402 ⑤ 403 MgO, A~D는 각각 Na, Mg, O, F이므로 만들 수 있는 이온 결합 화합물은 NaF, Na_2O, MgO, MgF_2이다. 이온 결합 물질에서 이온의 전하량이 가장 큰 것은 MgO이므로 녹는점은 MgO이 가장 높다.

17 분자의 구조

빈출 자료 보기 115쪽

404 (1) ○ (2) ○ (3) ○ (4) × (5) ○ (6) × (7) ×

난이도별 필수 기출 116~123쪽

405 ③, ⑤ 406 ① 407 ③ 408 ② 409 ③ 410 ③ 411 ① 412 ① 413 ①, ② 414 ③ 415 $\alpha>\gamma>\beta$, BF_3는 평면 삼각형 구조이므로 결합각 α는 120°, NH_3는 삼각뿔형 구조이므로 결합각 β는 107°, NH_3BF_3에서 중심 원자 B에 있는 공유 전자쌍은 사면체 구조를 이루므로 결합각 γ는 약 109.5°이다. 416 ③ 417 ③ 418 ⑤ 419 ① 420 ② 421 ③ 422 ④ 423 ④ 424 ④ 425 ② 426 ③ 427 ⑤ 428 ③ 429 ③ 430 ① 431 ② 432 ④ 433 ③ 434 ② 435 ④ 436 ④

18 분자의 극성과 성질

빈출 자료 보기 125쪽

437 (1) ○ (2) × (3) × (4) × (5) ○

난이도별 필수 기출 126~133쪽

438 ⑤ 439 ③ 440 ②, ④ 441 ① 442 ② 443 ③ 444 ③ 445 ② 446 ③ 447 ① 448 ③ 449 ④ 450 (1) $\alpha>\beta$ (2) 전기 음성도는 H<C<O이므로 O는 부분적인 음전하(δ^-)를 띠고, H는 부분적인 양전하(δ^+)를 띤다. 쌍극자 모멘트 합이 0보다 크므로 HCHO는 극성 분자이다. 451 ③ 452 ③ 453 ⑤ 454 ④ 455 ⑤ 456 ④ 457 ② 458 ③ 459 ①

460 ② 461 A(l), 물은 극성 분자로, 극성 분자는 극성 분자와 잘 섞이기 때문이다. 462 ②, ③ 463 ① 464 $XH_3>YH_4$, 분자량이 비슷한 경우 극성 분자가 무극성 분자보다 끓는점이 높기 때문이다. 465 ③ 466 ⑤ 467 ⑤ 468 2개의 층, 무극성 분자인 C_6H_{14}과 CCl_4는 서로 잘 섞이지만, 극성 분자인 H_2O은 잘 섞이지 않으므로 H_2O의 액체층과 C_6H_{14}과 CCl_4의 혼합 액체층으로 분리된다. 469 CH_4, 분자량이 비슷한 경우 분자의 극성이 클수록 끓는점이 높으므로 무극성 분자인 CH_4은 극성 분자인 NH_3보다 끓는점이 낮다. 470 ① 471 ②, ⑤ 472 ② 473 ②

최고수준 도전 기출 (16~18강) 134~135쪽

474 ④ 475 ① 476 ① 477 ④ 478 ⑤ 479 ③ 480 ⑤ 481 ③

19 동적 평형

빈출 자료 보기 137쪽

482 (1) ○ (2) ○ (3) ○ (4) × (5) ○ (6) × (7) ×

난이도별 필수 기출 138~141쪽

483 ③ 484 ②, ④ 485 ① 486 ⑤ 487 ⑤ 488 ① 489 ② 490 ⑤ 491 ② 492 ③ 493 ⑤ 494 ④ 495 포화 수용액에서 NaCl의 용해와 석출은 같은 속도로 끊임없이 일어나고 있으므로 ^{24}Na은 가라앉아 있는 NaCl(s)과 수용액 속에 모두 존재한다. 496 ③ 497 ③ 498 ① 499 ② 500 ①

20 산 염기의 정의

빈출 자료 보기 142쪽

501 (1) × (2) × (3) ○ (4) ○ (5) ○ (6) × (7) × (8) ○

난이도별 필수 기출 143~145쪽

502 ③ 503 ② 504 ③ 505 ⑤ 506 ① 507 ④ 508 $H_2PO_4^-$, H_2O, $H_2PO_4^-$은 (가)에서 브뢴스테드·로리 산으로 작용하고 (나)에서 브뢴스테드·로리 염기로 작용하기 때문이다. H_2O은 (가)에서 브뢴스테드·로리 염기로 작용하고 (나)에서 브뢴스테드·로리 산으로 작용하기 때문이다. 509 ③ 510 ① 511 ④, ⑤ 512 ② 513 ⑤

21 물의 자동 이온화와 pH

빈출 자료 보기 147쪽

514 (1) × (2) ○ (3) ○ (4) ○ (5) × (6) ○ (7) × (8) ×

난이도별 필수 기출 148~151쪽

515 ③ 516 ⑤ 517 ⑤ 518 ③ 519 ② 520 ④ 521 ② 522 ② 523 ② 524 ① 525 수용액 1 L에 녹아 있는 OH^-의 양(mol)이 2.5×10^{-5} mol이므로 $[OH^-]=2.5\times10^{-5}$ M이다. 25 ℃에서 $K_w=[H_3O^+][OH^-]=1.0\times10^{-14}$이므로 $[H_3O^+]=\frac{1.0\times10^{-14}}{2.5\times10^{-5}}=4\times10^{-10}$(M)이다. 526 ③ 527 ② 528 ⑤ 529 ③ 530 ③ 531 ④, ⑤

22 중화 반응

빈출 자료 보기 153쪽

532 (1) ○ (2) ○ (3) × (4) ○ (5) ○ (6) ○ (7) × (8) × (9) ×

난이도별 필수 기출 154~163쪽

533 ③ 534 ③ 535 알짜 이온 반응식: $H^+ + OH^- \longrightarrow H_2O$, 구경꾼 이온: Ca^{2+}, Cl^- 536 ⑤ 537 ② 538 ② 539 ⑤ 540 ③ 541 ② 542 ② 543 ① 544 ⑤ 545 ① 546 ③ 547 ④ 548 ② 549 ④ 550 ① 551 ⑤ 552 ③ 553 ① 554 ① 555 ③ 556 ③ 557 ① 558 ③ 559 ④ 560 ⑤ 561 ① 562 ③ 563 ② 564 ④, ⑥ 565 ① 566 ① 567 ① 568 ④ 569 뷰렛의 꼭지 아랫부분에 용액을 채우지 않고 실험을 진행할 때 꼭지를 열면 꼭지 아래 빈 공간에 NaOH(aq)이 채워지게 되어 실험에서 측정된 부피는 적정에 사용된 NaOH(aq)의 실제 부피보다 커지게 된다. 따라서 실제 CH_3COOH(aq)의 농도보다 크게 측정된다. 570 x M NaOH(aq) 20 mL를 적정하는 데 사용된 0.1 M H_2SO_4(aq)의 부피는 18.6 mL−8.6 mL=10.0 mL이다. 이로부터 중화 반응의 양적 관계는 $1\times x\times20=2\times0.1\times10$이고, 이 식을 풀면 $x=0.1$이다. 따라서 NaOH(aq)의 몰 농도(M)는 0.1 M이다. 571 ③ 572 ⑥ 573 ① 574 ③

최고수준 도전 기출 (19~22강) 164~165쪽

575 ④ 576 ② 577 ④ 578 ① 579 ⑤ 580 ② 581 ⑤

23 산화 환원 반응

빈출 자료 보기 167쪽

582 (1) × (2) ○ (3) × (4) ○ (5) ×

난이도별 필수 기출 168~175쪽

583 ④, ⑤ 584 ③ 585 ② 586 ②, ④ 587 ② 588 ⑤ 589 H_2O_2에서 O의 산화수는 −1이다. O_2에서 O의 산화수는 0이다. O_2F_2에서 O의 산화수는 +1이다. OF_2에서 O의 산화수는 +2이다. 중 2가지 590 ① 591 ⑤ 592 ④ 593 ③ 594 ⑤ 595 ② 596 ② 597 ② 598 ① 599 ④ 600 ① 601 ⑤ 602 ②, ⑥ 603 ③ 604 ⑤ 605 ① 606 ② 607 환원되기 쉬운 경향을 가진 물질일수록 자신이 환원되면서 다른 물질을 산화시키는 산화제로 작용한다. (나)에서는 SO_2이 환원되고 H_2S가 산화되므로 SO_2이 H_2S보다 강한 산화제이다. (다)에서는 SO_2이 산화되고 Cl_2가 환원되므로 Cl_2가 SO_2보다 강한 산화제이다. 따라서 산화제의 세기는 $H_2S<SO_2<Cl_2$이다. 608 ③ 609 ③ 610 (1) $a=5$, $b=2$, $c=16$, $d=5$, $e=2$, $f=8$ (2) 산화제: MnO_4^-, 환원제: Sn^{2+}, Mn의 산화수는 +7에서 +2로 감소하므로 MnO_4^-은 자신이 환원되면서 다른 물질을 산화시킨다. 한편 Sn의 산화수는 +2에서 +4로 증가하므로 Sn^{2+}은 자신이 산화되면서 다른 물질을 환원시킨다. 611 ③ 612 ⑤ 613 ① 614 ② 615 ③, ④ 616 ⑤ 617 ③ 618 ④ 619 ②

24 열의 출입

빈출 자료 보기 177쪽

620 (1) ○ (2) × (3) × (4) ○ (5) × (6) ×

난이도별 필수 기출 178~181쪽

621 ⑤ 622 ③ 623 ③ 624 ③ 625 ③ 626 ⑤ 627 ② 628 ④, ⑥ 629 ③ 630 ③ 631 $CaCl_2$(s)이 물에 용해될 때 방출한 열의 일부가 실험 기구의 온도를 변화시키는 데 쓰였거나 열량계 밖으로 빠져나가는 등 열 손실이 발생했기 때문이다. 632 ⑤ 633 연소한 과자의 질량은 7 g이고, 물 100 mL의 질량은 100 g이다. 과자 7 g이 연소할 때 방출한 열량은 4.2 J/(g·℃)×100 g×5 ℃=2100 J이므로 과자 1 g이 연소할 때 출입하는 열량은 0.3 kJ/g이다. 634 ④ 635 ⑤ 636 ③

최고수준 도전 기출 (23~24강) 182~183쪽

637 ② 638 ② 639 ① 640 ④ 641 ③ 642 ⑤ 643 ③

완자가 PICK한 문제들을 풀고 여기까지 오느라 수고 많았어! 열심히 공부한 만큼 실력이 늘 거야~

빠른 정답 Check

01 화학과 우리 생활

빈출 자료 보기 5쪽

1 (1) ○ (2) × (3) ○ (4) ○
2 (1) ○ (2) × (3) ○ (4) ×

난이도별 필수 기출 6~9쪽

3 ③ 4 ① 5 ④ 6 ④ 7 ② 8 ④ 9 암모니아를 대량으로 합성하는 제조 공정이 개발되어 질소 비료가 대량 생산되었고, 이로 인해 농업 생산량이 증가하였다. 10 ⑥ 11 ③ 12 ④ 13 ④ 14 ④ 15 ㄴ, ㄷ, ㄹ 16 ⑤ 17 ⑤ 18 탄소 원자는 다른 원자들과 최대 4개의 결합을 하면서 다양한 구조를 만들 수 있기 때문이다. 19 ④ 20 ④ 21 ③ 22 (1) (가) 폼알데하이드, (나) 에탄올 (2) 탄소 화합물이다. 물에 잘 녹는다. 완전 연소 생성물의 종류는 이산화 탄소와 물이다. 등 23 ②, ⑦ 24 ②

02 화학식량과 몰

빈출 자료 보기 11쪽

25 (1) ○ (2) × (3) ×
26 (1) × (2) ○ (3) ×

난이도별 필수 기출 12~17쪽

27 ② 28 ④ 29 ⑤ 30 ⑤ 31 ⑤ 32 ⑤ 33 원자, 분자, 이온 등은 매우 작고 가벼워 물질의 양이 적어도 그 속에는 많은 수의 입자가 포함되어 있으므로 묶음 단위를 사용하면 편리하기 때문이다. 34 ③ 35 C 원자 1개의 질량을 x라고 하면 $12\ g : 6.02\times10^{23}$개$=x\ g : 1$개이므로 $x=\dfrac{12}{6.02\times10^{23}}$ g이다. 36 ③ 37 ② 38 ② 39 ⑤ 40 ④ 41 ③ 42 ① 43 ㉠ 16, ㉡ 11, ㉢ 2.24 44 ③ 45 A와 B의 원자량은 각각 14, 16이고 (다)의 분자식은 A_3B_2이므로 (다)에서 A와 B의 질량비는 21 : 16이다. 46 (1) 물에 녹인 $MgCl_2$의 양(mol)은 $\dfrac{1}{2}\times\dfrac{11.7\ g}{58.5\ g/mol}=0.1$ mol이므로 $x=0.1\ mol\times95\ g/mol=9.5$ g이다. (2) 수용액에서 모형 1개는 0.1 mol에 해당하므로 ■의 양(mol)은 0.4 mol이다. 47 ④ 48 ③ 49 ⑤ 50 ③ 51 ③ 52 ③ 53 ② 54 ④ 55 ③ 56 (1) (가)와 (나)의 밀도비는 $\dfrac{w}{2V} : \dfrac{w}{V}=1 : 2$이다. (2) (가)와 (나)는 분자식이 각각 Y_2, XY_2이고 분자량비가 1 : 2이므로 X와 Y의 원자량비는 2 : 1이다. 57 ④ 58 ④

03 화학 반응식

빈출 자료 보기 19쪽

59 (1) ○ (2) × (3) × (4) ×

난이도별 필수 기출 20~27쪽

60 ⑤ 61 Fe 원자 수는 $2a=c$, O 원자 수는 $3a+b=2d$, C 원자 수는 $b=d$이다. 이 식에서 $a=1$이라고 하면 $b=3$, $c=2$, $d=3$이다. 62 (1) $6X(s)+Y_2(g) \longrightarrow 2X_3Y(s)$ (2) X와 Y의 원자량은 각각 2, 80므로 생성된 X_3Y 14 g은 1 mol이다. 따라서 반응한 X의 양(mol)은 3 mol이므로 X의 질량은 6 g이다. 63 ② 64 H_2와 O_2의 반응 계수비가 2 : 1이고, 기체의 부피와 양(mol)은 비례하므로 반응한 H_2와 O_2의 부피는 각각 500 mL, 250 mL이다. 따라서 반응 전 H_2와 O_2의 몰비는 $(500+300) : 250=16 : 5$이다. 65 ② 66 ④ 67 4.5 mol 68 ① 69 ③ 70 ② 71 ④ 72 ③ 73 ⑤ 74 ③ 75 ① 76 ③ 77 ③ 78 ③ 79 ② 80 ③ 81 ③ 82 ②, ④ 83 ⑤ 84 ③ 85 ③ 86 ⑤ 87 ⑤ 88 ⑤ 89 ⑤ 90 ③ 91 ② 92 ⑤ 93 $CaCO_3$과 CO_2의 반응 몰비는 1 : 1이므로 발생한 CO_2의 양(mol)은 $\dfrac{w_1}{100}$ mol이다. 따라서 t ℃, 1 atm에서 발생한 CO_2의 부피는 $\left(\dfrac{w_1}{100}\times24\right)$ L이다. 94 ③ 95 H_2 18 L의 양(mol)은 $\dfrac{3}{4}$ mol이므로 필요한 Mg의 최소 양(mol)은 $\dfrac{3}{4}$ mol이며, Mg $\dfrac{3}{4}$ mol의 질량은 $24\ g/mol\times\dfrac{3}{4}\ mol=18$ g이다.

04 용액의 농도

빈출 자료 보기 28쪽

96 (1) ○ (2) × (3) ○ (4) ○
97 (1) × (2) ○ (3) ×

난이도별 필수 기출 29~31쪽

98 ⑤ 99 ④ 100 ① 101 ② 102 ④ 103 ① 104 ② 105 (1) 수용액에 녹아 있는 용질의 몰비는 (가) : (나)$=x\ M\times1\ L : \dfrac{2}{3}x\ M\times1\ L=3 : 2$이다. (2) 수용액에 녹아 있는 용질의 질량비는 수용액에 녹아 있는 용질의 몰비에 용질의 분자량비를 곱하여 구할 수 있다. 따라서 용질의 질량비는 (가) : (나)$=3\times1 : 2\times3=1 : 2$이다. 106 ③ 107 ③ 108 ⑤ 109 ② 110 ④ 111 ① 112 ③

최고수준 도전 기출 (01~04강) 32~33쪽

113 ⑤ 114 ④ 115 ③ 116 ⑤ 117 ③ 118 ③ 119 실험 Ⅰ에서 반응 후 A 0.2 mol이 남으므로 $x=0.4$이고, 실험 Ⅱ에서 반응 후 분자량이 38인 B 0.4 mol이 남으므로 $y=15.2$이다. C의 분자량은 $\dfrac{2+38}{2}=20$이므로 $\dfrac{x+y}{\text{C의 분자량}}=\dfrac{0.4+15.2}{20}=0.78$이다. 120 (1) 몰 농도(M)는 $\dfrac{\frac{1}{10}\ mol}{\left(\frac{100}{d}\times\frac{1}{1000}\right)L}=d$ M이다. (2) X 10 g을 더 녹이면 용질의 양이 2배가 되므로 몰 농도(M)는 1 M의 2배인 2 M이 된다. (3) 수용액 (다)에 녹아 있는 X의 질량은 20 g이고, 수용액 (다)의 질량은 500 g이므로 수용액 (다)의 퍼센트 농도(%)는 $\dfrac{20\ g}{500\ g}\times100=4$ %이다.

05 원자를 구성하는 입자의 발견

빈출 자료 보기 34쪽

121 (1) × (2) × (3) × (4) ○
122 (1) ○ (2) ○ (3) × (4) ○

난이도별 필수 기출 35~37쪽

123 ① 124 ③ 125 ③ 126 ① 127 ② 128 (가) 음극선은 직진하는 성질이 있다. (나) 음극선은 (−)전하를 띤 입자의 흐름이다. (다) 음극선은 질량을 가진 입자의 흐름이다. 129 ⑤ 130 ③ 131 ④, ⑤ 132 ③ 133 ① 134 ⑤

06 원자 구조

빈출 자료 보기 39쪽

135 (1) ○ (2) × (3) ○ (4) ×
136 (1) × (2) ○ (3) × (4) ○

난이도별 필수 기출 40~45쪽

137 ③ 138 ② 139 ⑤ 140 ① 141 (1) 14, 질량수는 양성자수와 중성자수의 합이므로 중성자수는 $27-13=14$이다. (2) 13, 원자에서 전자 수는 양성자수와 같기 때문이다. 142 ④ 143 ⑤ 144 ⑤ 145 ④ 146 ③ 147 ④ 148 ① 149 ④ 150 ⑤ 151 ⑤ 152 ④ 153 ③ 154 ③ 155 B의 평균 원자량은 $10\times\dfrac{20}{100}+11\times\dfrac{80}{100}=10.8$이다. 156 ② 157 ④ 158 ② 159 ③ 160 ④ 161 ① 162 ⑤ 163 X_2 분자 중 ${}^{a}X^{a+2}X$는 ${}^{a}X$와 ${}^{a+2}X$ 또는 ${}^{a+2}X$와 ${}^{a}X$가 결합한 경우이므로 그 존재 비율은 $\dfrac{3}{4}\times\dfrac{1}{4}\times2=\dfrac{3}{8}$이다. 164 ③

07 보어 원자 모형

빈출 자료 보기 46쪽

165 (1) × (2) × (3) ○ (4) ○ (5) ○

난이도별 필수 기출 47~49쪽

166 ③ 167 ⑤ 168 ⑤ 169 ③ 170 (1) $b>a>d>c$ (2) a와 d에서 방출하는 빛에너지의 비는 $a : d=\dfrac{3k}{4} : \dfrac{k}{4}=3 : 1$이며, 빛의 파장은 에너지에 반비례하므로 방출하는 빛의 파장의 비는 $a : d=1 : 3$이다. 171 ⑥ 172 ② 173 ⑤ 174 ③, ⑤ 175 ⑤ 176 ③ 177 ③

08 현대의 원자 모형

빈출 자료 보기 51쪽

178 (1) ○ (2) ○ (3) × (4) ○

난이도별 필수 기출 52~55쪽

179 ③ 180 ② 181 ② 182 ②, ⑥ 183 ② 184 ⑤ 185 ⑤ 186 ② 187 ① 188 ④ 189 ⑤ 190 ③ 191 $(3, 0, 0, +\frac{1}{2})$ 또는 $(3, 0, 0, -\frac{1}{2})$이다. 192 ③ 193 ④ 194 ④ 195 ② 196 ⑤ 197 ③

09 원자의 전자 배치

빈출 자료 보기 57쪽

198 (1) ○ (2) × (3) ○ (4) ○
199 (1) × (2) ○ (3) × (4) ○ (5) ×

난이도별 필수 기출 58~63쪽

200 ③ 201 ② 202 ④ 203 ⑤ 204 (1) 6, 원자가 전자 수는 가장 바깥 전자 껍질에 채워진 전자이므로 주 양자수(n)가 2인 전자 껍질에 채워진 전자가 원자가 전자이다. (2) $1s^22s^22p^6$ 205 ⑤ 206 (가), $2s$ 오비탈에서 전자의 스핀 방향이 같으므로 이 전자 배치는 파울리 배타 원리에 위배되기 때문이다. 207 (나), 에너지 준위가 낮은 $2s$ 오비탈에 전자를 모두 채우기 전에 $2p$ 오비탈에 전자가 채워졌으므로 쌓음 원리에 위배되는 들뜬상태이다. 208 ⑤ 209 ② 210 ③ 211 ⑤ 212 ③ 213 ④ 214 (1)

	1s	2s	2p			3s
A	↑↓	↑↓	↑↓	↑↓	↑↓	↑
B	↑↓	↑↓	↑↓	↑	↑	
C	↑↓	↑↓	↑	↑	↑	

(2) A: $1s^22s^22p^63s^1$, B: $1s^22s^22p^4$, C: $1s^22s^22p^3$ 215 ④ 216 ⑤ 217 ③ 218 ③ 219 ② 220 ② 221 ④ 222 ③ 223 ⑤ 224 ③ 225 ③

최고수준 도전 기출 (05~09강) 64~65쪽

226 ③ 227 ③ 228 ④ 229 ② 230 ⑤ 231 ③ 232 ④ 233 ②

10 주기율표

빈출 자료 보기 66쪽

234 (1) ○ (2) × (3) × (4) ×

난이도별 필수 기출 67~69쪽

235 ③ 236 ③ 237 ⑤, ⑥ 238 ⑤ 239 ⑤ 240 ④ 241 ② 242 ② 243 ① 244 ③ 245 ③ 246 ② 247 ①

11 유효 핵전하, 원자 반지름과 이온 반지름

빈출 자료 보기 71쪽

248 (1) ○ (2) × (3) ○
249 (1) × (2) ○ (3) × (4) ○ (5) ○

난이도별 필수 기출 72~75쪽

250 ⑤ 251 ③ 252 (1) H 원자의 핵전하$=a$가 느끼는 유효 핵전하, 수소 원자는 전자가 1개이므로 전자 사이의 반발력이 존재하지 않기 때문이다. (2) C 원자의 핵전하$>b$가 느끼는 유효 핵전하, 다전자 원자인 탄소 원자에는 전자 사이의 반발력이 존재하므로 전자의 가려막기 효과에 의해 원자가 전자가 느끼는 유효 핵전하는 원자핵의 핵전하보다 작기 때문이다. 253 ⑤ 254 ④ 255 ⑤ 256 원자 반지름은 같은 주기에서는 원자 번호가 클수록 작아지고, 같은 족에서는 원자 번호가 클수록 커진다. 이로부터 원자 반지름이 가장 큰 D는 Na, C는 Mg이고, 원자 반지름이 가장 작은 A는 F, B는 O이다. 257 $A^{2-}>B^+$, A^{2-}과 B^+은 전자 배치가 같으므로 전자 수가 같다. 따라서 원자 번호가 A<B이며, 원자 번호가 클수록 유효 핵전하가 커져 이온 반지름이 감소하기 때문이다. 258 ④ 259 ③ 260 ③ 261 ⑤ 262 ⑤ 263 ④ 264 ② 265 ① 266 ⑤ 267 ⑤

12 이온화 에너지

빈출 자료 보기 77쪽

268 (1) ○ (2) × (3) × (4) ○
269 (1) × (2) × (3) × (4) × (5) × (6) ○

난이도별 필수 기출 78~83쪽

270 ① 271 ② 272 ④ 273 ③ 274 ② 275 ③ 276 (1) Na (2) 같은 족에서 원자 번호가 커질수록 전자 껍질 수가 증가하므로 원자핵과 전자 사이의 인력이 작아지기 때문이다. 277 ③ 278 ④ 279 ② 280 ③ 281 ⑤ 282 ④ 283 ④ 284 ① 285 ③ 286 ② 287 ④ 288 ③ 289 ② 290 ③ 291 ② 292 ⑤ 293 (1) $1s^22s^22p^63s^23p^1$ (2) X는 Ne과 같은 전자 배치를 갖는 이온이 될 때 전자 3개를 잃어야 하므로 필요한 최소 에너지는 $E_1+E_2+E_3=(578+1817+2745)$ kJ/mol$=5140$ kJ/mol이다. (3) 이온화 차수가 커질수록 전자 수가 작아지고, 전자 사이의 반발력이 작아져 전자가 느끼는 유효 핵전하가 증가하기 때문이다. 294 ②, ⑥ 295 ③

최고수준 도전 기출 (10~12강) 84~85쪽

296 모즐리는 양성자수를 기준으로 원자 번호를 정하고, 원자 번호 순서로 주기율표를 완성하였다. 297 ④ 298 (1) ㉠ Z(핵전하), ㉡ Z^*(원자가 전자가 느끼는 유효 핵전하), 원자가 전자가 느끼는 유효 핵전하는 전자 사이의 반발력에 의한 가려막기 효과로 인해 핵전하보다 작기 때문이다. (2) A: Al, B: Na, C: S, D: Si, E: P 299 A, A와 B는 3주기 금속 원소, C와 D는 2주기 비금속 원소이고, 원자 반지름은 A<B이므로 원자 번호는 A가 가장 크다. 300 ② 301 ② 302 ③ 303 ①

13 이온 결합

빈출 자료 보기 87쪽

304 (1) ○ (2) ○ (3) ○ (4) ○ (5) ○ (6) × (7) × (8) ○

난이도별 필수 기출 88~93쪽

305 ⑥ 306 ⑤ 307 순수한 물은 전기가 통하지 않으므로 전해질인 황산 나트륨을 넣어 전류가 흐르도록 하기 위해서이다. 308 ② 309 ④ 310 (1) $2NaCl \longrightarrow 2Na+Cl_2$ (2) (+)극에서는 Cl^-이 전자를 잃는 반응이 일어나 Cl_2 기체가 발생하고, (−)극에서는 Na^+이 전자를 얻는 반응이 일어나 Na이 생성된다. 311 ⑤ 312 ③ 313 ① 314 ⑤ 315 ④ 316 ③ 317 ④ 318 ② 319 ③ 320 ⑤ 321 ④ 322 ③ 323 ④ 324 ② 325 ②, ⑤ 326 ④ 327 ③ 328 ④ 329 ③ 330 이온 사이의 거리가 가까울수록 녹는점이 높다. 331 ① 332 ③

15개정 교육과정

기출PICK

정답과 해설

화학 I
643제

책 속의 가접 별책 (특허 제 0557442호)
'정답과해설'은 본책에서 쉽게 분리할 수 있도록 제작되었으므로
유통 과정에서 분리될 수 있으나 파본이 아닌 정상제품입니다.

visang

우리는 남다른 상상과 혁신으로
교육 문화의 새로운 전형을 만들어
모든 이의 행복한 경험과 성장에 기여한다

정답과 해설

화학과 우리 생활

빈출 자료 보기 5쪽

1 (1) ○ (2) × (3) ○ (4) ○

2 (1) ○ (2) × (3) ○ (4) ×

1 (1) 암모니아는 질소 비료의 원료가 되므로 암모니아의 합성은 질소 비료의 생산을 증가시켰다.
(3) 암모니아를 물에 녹이면 $NH_3 + H_2O \longrightarrow NH_4^+ + OH^-$의 반응이 일어난다. 암모니아를 물에 녹인 수용액에는 OH^-이 있으므로 수용액의 액성은 염기성이다.
(4) 암모니아를 구성하는 원소는 질소와 수소이다.
바로알기 | (2) Fe_3O_4은 암모니아 합성 반응을 촉진시켜 주는 촉매이다.

2 (1) (가)~(다)는 각각 메테인(CH_4), 아세트산(CH_3COOH), 에탄올(C_2H_5OH)이다. 메테인은 천연가스의 주성분이다.
(3) 에탄올은 살균, 소독 작용을 하므로 소독용 의약품의 원료로 이용된다.
바로알기 | (2) 아세트산은 물에 녹아 H^+을 내놓으므로 아세트산 수용액은 산성이다.
(4) $\frac{\text{H 원자 수}}{\text{C 원자 수}}$는 (가) $\frac{4}{1}=4$, (나) $\frac{4}{2}=2$, (다) $\frac{6}{2}=3$이므로 (가)가 가장 크다.

난이도별 필수 기출 6~9쪽

3 ③	4 ①	5 ④	6 ④	7 ②	8 ④
9 해설 참조		10 ⑥	11 ③	12 ④	13 ④
14 ④	15 ㄴ, ㄷ, ㄹ		16 ⑤	17 ⑤	
18 해설 참조		19 ④	20 ④	21 ③	
22 해설 참조		23 ②, ⑦	24 ②		

3 ㄱ. 1906년 하버는 공기 중의 질소를 수소와 반응시켜 암모니아를 합성하였고, 이에 따라 암모니아를 원료로 하는 질소 비료의 대량 생산이 가능해졌다.
ㄷ. 암모니아를 원료로 이용하여 만든 질소 비료는 농산물의 생산량을 크게 증가시켜 인류의 식량 문제 해결에 기여하였다.
바로알기 | ㄴ. 암모니아의 화학식은 NH_3이고, 구성 원소는 N(질소)와 H(수소)이다.

4 ② 하버는 공기 중의 질소와 수소를 반응시켜 대량으로 암모니아를 합성하는 방법을 개발하였다.
③ 질소는 생명체의 단백질과 핵산 등을 구성하므로 식물 생장에 필수적인 원소이다.
④ 질소와 수소는 공기 중에서 쉽게 반응하지 않으므로 고온 상태에서 촉매를 이용하여 반응시킨다.
⑤ 암모니아는 질소 비료의 원료로 이용되어 식량 생산량을 크게 증가시켰다.
바로알기 | ① 암모니아 생성 반응의 화학 반응식은 다음과 같다.

$$N_2 + 3H_2 \longrightarrow 2NH_3$$

따라서 $a=1$, $b=3$, $c=2$이므로 $a+b>c$이다.

5 ㄱ. 합성 섬유는 화석 연료를 원료로 하여 만들어진다. 화석 연료의 주요 원소는 탄소와 수소이다.
ㄴ. 합성 섬유는 공장에서 대량으로 생산하는 것이 가능하기 때문에 값이 싸고 대량으로 공급된다.
바로알기 | ㄷ. 합성 섬유는 천연 섬유에 비해 질기지만 수분을 잘 흡수하지 못해 흡습성이 좋지 않다.

6 ㄱ. ㉠은 천연 섬유이고, ㉡은 합성 섬유이다.
ㄴ. 천연 섬유의 예로는 면, 마, 모, 견 등이 있고, 합섬 섬유의 대표적인 예로는 나일론, 폴리에스터 등이 있다.
바로알기 | ㄷ. 천연 섬유는 합성 섬유보다 흡습성이 좋으므로 속옷, 운동복 등을 만드는 데 사용한다.

7 (가)는 시멘트이고, (나)는 유리이다. 시멘트는 건축물의 외벽, 구조물 등을 만들 때 사용하고, 유리는 건축물 내부와 외부를 차단하면서 빛을 통과시키기 위해 사용한다.

8 플레밍은 푸른곰팡이에서 항생제로 사용할 수 있는 페니실린을 발견하였다. 페니실린은 최초의 항생제로, 인류의 수명 증가에 기여하였다.

9 모범 답안 암모니아를 대량으로 합성하는 제조 공정이 개발되어 질소 비료가 대량 생산되었고, 이로 인해 농업 생산량이 증가하였다.

10 ① 질소 비료의 사용으로 식량 생산량이 증가하였으므로 질소 비료는 인류의 식량 문제 해결에 기여하였다.
② 합성 의약품의 개발로 질병을 쉽게 치료할 수 있어 인간의 평균 수명이 증가하였다.
③ 스타이로폼은 단열 효과가 있어 추운 겨울철에도 건축물 내부의 온도를 따뜻하게 유지할 수 있게 하였다.
④ 합성염료의 개발로 의류의 색깔을 마음대로 조절할 수 있게 되었다.
⑤ 철근 콘크리트와 같은 건축 자재를 이용하여 높고 튼튼한 건물을 지을 수 있게 되었다.
바로알기 | ⑥ 질기고 값이 싼 합성 섬유의 개발은 인류의 의류 문제 해결에 기여하였다.

11 ㄱ. ㉠은 암모니아, ㉡은 나일론, ㉢은 철이다.
ㄷ. 콘크리트 속에 철을 넣어 만든 철근 콘크리트는 건축물을 높고 튼튼하게 지을 수 있게 하였다.
바로알기 | ㄴ. 전 세계에서 가장 널리 사용되는 합성 섬유는 폴리에스터이고, ㉡(나일론)은 최초의 합성 섬유이다.

12 ㄱ. 콘크리트는 시멘트에 물, 모래, 자갈 등을 섞어 반죽하여 만든 건축 자재로 강도가 크다.
ㄴ. 최초의 합성 섬유는 나일론이며, 나일론은 천연 섬유인 면보다 흡습성이 작다.
바로알기 | ㄷ. 최초의 합성 의약품은 진통제, 해열제로 이용되는 아스피린이다.

13 ㄴ. C(탄소) 원자와 H(수소) 원자가 포함된 물질을 연소시키면 이산화 탄소와 물이 생성된다. 따라서 (나)와 (다)의 연소 생성물은 이산화 탄소와 물로 같다.

ㄷ. 나일론과 폴리에스터는 합성 섬유로, 인류의 의류 문제 해결에 기여하였다.

바로알기 | ㄱ. (가)~(다)에는 모두 C(탄소) 원자가 포함되어 있으므로 (가)~(다)는 모두 탄소 화합물이다.

14 ㄱ. 탄소 원자는 원자가 전자 수가 4이므로 최대 4개의 다른 원자와 공유 결합할 수 있다.

ㄷ. 단백질, 지방, 탄수화물에는 모두 탄소 원자가 포함되어 있으므로 이들은 모두 탄소 화합물이다.

바로알기 | ㄴ. 탄소 수가 같은 물질이라도 탄소와 결합한 다른 원자의 종류와 수가 다를 수 있으므로 같은 탄소 수를 가지는 물질의 결합 구조가 항상 같지는 않다.

15 ㄴ, ㄷ, ㄹ. 탄소 원자가 포함되어 있는 물질은 탄소 화합물이므로 에탄올(C_2H_5OH), 메테인(CH_4), 아세트산(CH_3COOH)은 탄소 화합물이다.

바로알기 | ㄱ, ㅁ, ㅂ. 물(H_2O), 암모니아(NH_3), 염화 나트륨($NaCl$)은 탄소 원자가 포함되어 있지 않으므로 탄소 화합물이 아니다.

16 ㄱ. 석유 가스, 휘발유, 등유, 경유, 중유 등에는 탄소 원자가 포함되어 있다. 따라서 원유는 탄소 화합물의 혼합물이다.

ㄴ. 원유에 포함된 성분 물질들은 끓는점이 다르므로 원유는 성분 물질의 끓는점 차를 이용한 분별 증류로 분리한다.

ㄷ. 석유 가스, 휘발유, 등유, 경유, 중유 등은 화학적 처리를 거쳐 화학 제품의 원료로 이용된다.

17 ㄱ. 탄소 원자는 원자가 전자 수가 4이므로 4개의 다른 원자와 공유 결합할 수 있다.

ㄴ. 탄소 원자는 다른 탄소 원자와 직선 형태인 사슬 모양으로 공유 결합하거나 고리 형태인 고리 모양으로 공유 결합할 수 있다.

ㄷ. 탄소 원자 사이에는 공유 결합이 1개인 단일 결합, 2개인 2중 결합, 3개인 3중 결합이 가능하다.

18 모범 답안 **탄소 원자는 다른 원자들과 최대 4개의 결합을 하면서 다양한 구조를 만들 수 있기 때문이다.**

19

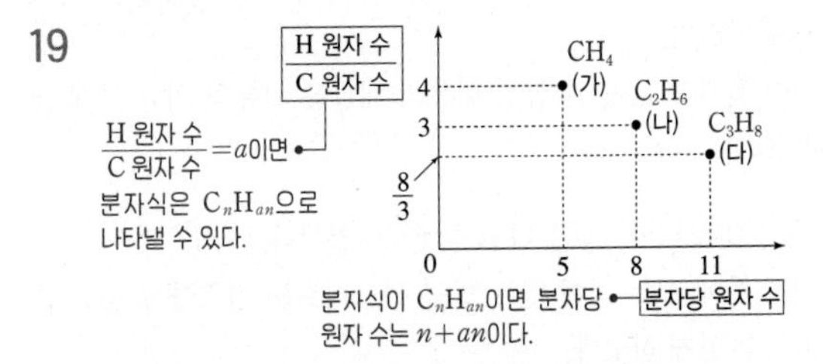

ㄱ. $\frac{\text{H 원자 수}}{\text{C 원자 수}}$로부터 (가)는 C_nH_{4n}으로 나타낼 수 있고, (가)의 분자당 원자 수는 5이므로 (가)는 CH_4이다. (나)와 (다)도 같은 방법으로 분자식을 구하면 (나)는 C_2H_6이고, (다)는 C_3H_8이다. (가)는 액화 천연가스(LNG)의 주성분이다.

ㄷ. C 원자와 H 원자가 포함된 물질이 완전 연소하면 이산화 탄소와 물이 생성된다.

바로알기 | ㄴ. (나)의 분자식은 C_2H_6이다.

20 (가)는 메테인(CH_4)이고, (나)는 에테인(C_2H_6)이다.

ㄱ. (가)와 (나)는 탄화수소이고, 분자량이 (가)<(나)이므로 끓는점은 (가)<(나)이다.

ㄷ. 탄소 화합물에 포함된 C 원자는 완전 연소 후 이산화 탄소가 된다. 분자 1개에 들어 있는 C 원자 수는 (가) 1, (나) 2이므로 분자 1개가 완전 연소했을 때 생성되는 이산화 탄소의 수는 (가) 1, (나) 2이다. 따라서 완전 연소했을 때 분자 1개당 생성되는 이산화 탄소의 질량은 (가)<(나)이다.

바로알기 | ㄴ. 분자 1개당 $\frac{\text{H 원자 수}}{\text{C 원자 수}}$는 (가) 4, (나) 3이다.

21 ③ 아세톤(CH_3COCH_3)은 다른 물질과 잘 섞이므로 용매로 사용된다.

바로알기 | ① 새집 증후군을 유발하는 물질은 폼알데하이드($HCHO$)이다.

② 가정용 연료로 이용되는 물질은 메테인(CH_4)이다.

④ 식초의 성분으로, 알코올을 발효시켜 얻는 물질은 아세트산(CH_3COOH)이다.

⑤ 술의 성분으로, 곡물이나 과일을 발효시켜 얻는 물질은 에탄올(C_2H_5OH)이다.

22 모범 답안 **(1) (가) 폼알데하이드, (나) 에탄올**
(2) 탄소 화합물이다. 물에 잘 녹는다. 완전 연소 생성물의 종류는 이산화 탄소와 물이다. 등

23 (가)는 메테인(CH_4), (나)는 에탄올(C_2H_5OH), (다)는 아세트산(CH_3COOH)이다.

① (가)는 연소할 때 많은 에너지를 방출하므로 연료로 사용된다.

③ (나)는 소독, 살균할 수 있으므로 손 소독제의 성분으로 이용된다.

④ (다)는 아스피린과 같은 의약품, 플라스틱과 같은 합성수지의 원료로 이용된다.

⑤ 분자 1개당 총 원자 수는 (가) 5, (나) 9, (다) 8이다.

⑥ C와 H 사이의 결합 수는 (가) 4, (다) 3이므로 (가)>(다)이다.

바로알기 | ② (나)는 물에 녹지만 H^+이나 OH^-을 내놓지 않으므로 (나)의 수용액은 중성이다.

⑦ (나)와 (다)는 물에 잘 녹지만 (가)는 물에 잘 녹지 않는다.

24 메테인(CH_4)은 구성 원소가 C, H 2가지이고, 에탄올(C_2H_5OH)과 아세트산(CH_3COOH)은 구성 원소가 C, H, O 3가지이다. 메테인은 물에 거의 녹지 않고, 에탄올 수용액은 중성이며, 아세트산 수용액은 산성이다. 따라서 (가)는 ㄴ, (나)는 ㄱ이다.

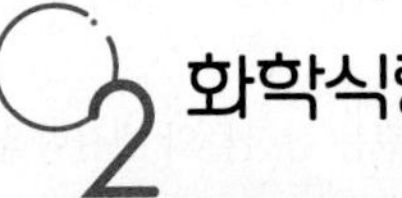

02 화학식량과 몰

빈출 자료 보기 11쪽

25 (1) ○ (2) × (3) ×

26 (1) × (2) ○ (3) ×

25 (1) 같은 온도와 압력에서 기체의 밀도비는 분자량비와 같다. (가)~(다)의 질량이 같고, 밀도$=\frac{\text{질량}}{\text{부피}}$이므로 (가)~(다)의 밀도는 부피에 반비례한다. (가)~(다)의 분자량비는 (가) : (나) : (다)$=\frac{1}{22} : \frac{1}{11} : \frac{1}{8}=4 : 8 : 11$이다.

바로알기 | (2) 1 g에 들어 있는 원자 수는 $\frac{\text{분자당 원자 수}}{\text{분자량}}$에 해당하므로 (가) $\frac{5}{4}$, (나) $\frac{2}{8}=\frac{1}{4}$이다. 따라서 1 g에 들어 있는 원자 수는 (가)가 (나)의 5배이다.

(3) XY_4의 분자량을 $4M$이라고 하면 Z_2와 XZ_2의 분자량은 각각 $8M$, $11M$이다. X의 원자량은 XZ_2의 분자량 $-$ Z_2의 분자량 $=11M-8M=3M$이고, Z의 원자량은 $\frac{Z_2\text{의 분자량}}{2}=\frac{8M}{2}=4M$이다. 따라서 원자량은 Z가 X보다 크다.

26 (2) 같은 온도와 압력에서 기체의 부피는 기체의 양(mol)에 비례한다. 기체의 부피는 A_2B_4가 3 L, A_4B_8이 2 L이므로 기체의 몰비는 $A_2B_4 : A_4B_8=3:2$이다. A_2B_4를 구성하는 원자 수는 6이고, A_4B_8을 구성하는 원자 수는 12이므로 총 원자 수비는 $A_2B_4 : A_4B_8=3\times6:2\times12=3:4$이다. 따라서 $x=4$이다.

바로알기 | (1) 기체의 몰비는 $A_2B_4 : A_4B_8=3:2$이다.

(3) 같은 온도와 압력에서 모든 기체는 같은 부피 안에 같은 분자 수를 가지므로 단위 부피당 질량은 분자량에 비례한다. A_4B_8은 A_2B_4보다 A, B 원자 수가 각각 2배이므로 분자량은 A_4B_8이 A_2B_4의 2배이다. 따라서 $y=1$이다.

난이도별 필수 기출

12~17쪽

27 ②	28 ④	29 ⑤	30 ⑤	31 ⑤	32 ⑤
33 해설 참조		34 ③	35 해설 참조		36 ③
37 ②	38 ②	39 ⑤	40 ④	41 ③	42 ①
43 ㉠ 16, ㉡ 11, ㉢ 2.24		44 ③	45 해설 참조		
46 해설 참조		47 ④	48 ③	49 ⑤	50 ③
51 ③	52 ③	53 ②	54 ④	55 ③	
56 해설 참조		57 ④	58 ④		

27 ① ^{12}C 원자의 원자량을 12로 정하고, 이를 기준으로 하여 나타낸 각 원자의 상대적인 질량을 원자량이라고 한다.

③ 원자 1개의 질량은 매우 작아 다루기 어려우므로 간단하게 표현할 수 있는 원자량을 이용한다.

④, ⑤ 분자량은 분자를 구성하는 모든 원자들의 원자량을 합한 값이다.

⑥ NaCl을 구성하는 원소는 Na과 Cl이므로 NaCl의 화학식량은 Na의 원자량과 Cl의 원자량의 합이다.

바로알기 | ② 원자량은 상대적인 질량이므로 단위가 없다.

28 첫 번째 저울에서 '4×C의 원자량=3×X의 원자량' 식이 성립하고, 두 번째 저울에서 '7×X의 원자량=4×Y의 원자량' 식이 성립한다. 따라서 C의 원자량이 12이면 X의 원자량은 16이고, Y의 원자량은 28이므로 화합물 YX_2의 화학식량은 $28+2\times16=60$이다.

29 ① O_2의 화학식량은 $2\times16=32$이다.

② CO_2의 화학식량은 $12+2\times16=44$이다.

③ NH_3의 화학식량은 $14+3\times1=17$이다.

④ C_3H_8의 화학식량은 $3\times12+8\times1=44$이다.

⑤ NaCl의 화학식량은 $23+35.5=58.5$이다.

따라서 화학식량이 가장 큰 물질은 NaCl이다.

30 A+B=25, A+3B=55에서 A의 원자량은 10, B의 원자량은 15이고, C+2B=46에서 C의 원자량은 16이다. 따라서 원자량의 크기는 C>B>A이다.

31 ㄴ. 원자 1개의 질량비와 원자량비는 같으므로 $A:B=\frac{5}{3}\times10^{-24} : x\times10^{-23}=0.5a:6a$, $x=2$이다. A와 C에서 원자 1개의 질량비는 $A:C=\frac{5}{3}\times10^{-24}:\frac{8}{3}\times10^{-23}=0.5a:y$, $y=8a$이다.

ㄷ. A~C의 원자량은 각각 $0.5a$, $6a$, $8a$이므로 BA_4의 분자량은 $8a$, A_2C의 분자량은 $9a$이다. 1 g에 들어 있는 분자 수는 $\frac{1}{\text{분자량}}$에 비례하므로 BA_4가 $\frac{1}{8a}$, A_2C가 $\frac{1}{9a}$이다. 따라서 1 g에 들어 있는 분자 수는 $BA_4>A_2C$이다.

바로알기 | ㄱ. $x=2$이다.

32

• 분자식이 X_2Y이거나 XY_2이다.

분자	분자당 원자 수	분자량
(가)	3	46
(나)	2	30

• 분자식은 XY이다.

ㄱ. (가)의 분자식은 X_2Y이거나 XY_2이고, (나)의 분자식은 XY이다. (가)의 분자식이 X_2Y이면 X_2Y의 분자량은 46, XY의 분자량은 30이므로 X의 원자량은 16, Y의 원자량은 14이다. 이는 원자량은 Y가 X보다 크다는 조건에 부합하지 않으므로 모순이다. 따라서 (가)의 분자식은 XY_2이고, X의 원자량은 14, Y의 원자량은 16이다.

ㄴ. (가)의 분자식은 XY_2이므로 $\frac{\text{X 원자 수}}{\text{Y 원자 수}}=\frac{1}{2}$이다.

ㄷ. 1 g에 포함된 X 원자 수는 $\frac{\text{분자당 X 원자 수}}{\text{분자량}}$에 비례한다. 따라서 1 g에 포함된 X 원자 수는 (가) $\frac{1}{46}$, (나) $\frac{1}{30}$이므로 1 g에 포함된 X 원자 수는 (가)<(나)이다.

33 원자, 분자, 이온 1개의 질량이 매우 작으므로 적은 양에 포함되어 있는 원자, 분자, 이온의 수가 매우 크다. 매우 큰 수를 묶음 단위로 다루면 편리하므로 원자, 분자, 이온의 개수를 나타낼 때 몰(mol)이라는 단위를 사용한다.

모범 답안 원자, 분자, 이온 등은 매우 작고 가벼워 물질의 양이 적어도 그 속에는 많은 수의 입자가 포함되어 있으므로 묶음 단위를 사용하면 편리하기 때문이다.

34 ①, ② 원자 1 mol의 질량은 원자량 뒤에 g을 붙인 값과 같고, ^{16}O의 원자량은 16이므로 O 원자 1 mol의 질량은 16 g이다.

④ 입자 6.02×10^{23}개를 1 mol이라고 한다.

⑤ O_2 1 mol에는 O 원자 2 mol이 들어 있다. 6.02×10^{23}을 아보가드로수(N_A)라고 하므로 O_2 1 mol에는 O 원자 수가 2×아보가드로수만큼 존재한다.

바로알기 | ③ ^{16}O 원자 1개의 질량은 $\frac{16}{6.02\times10^{23}}$ g이다.

35 **모범 답안** C 원자 1개의 질량을 x라고 하면 12 g : 6.02×10^{23}개 $=x$ g : 1개이므로 $x=\frac{12}{6.02\times10^{23}}$ g이다.

36

• 분자의 양(mol)$=\frac{질량}{분자량}$

•CH_4의 양(mol)$=\frac{8\ g}{(\ ㉠\ )}=0.5$ mol

•CH_4의 부피$=0.5$ mol×(㉡)

•CH_4의 수소 원자 수$=0.5$ mol×(㉢)×6.02×10^{23}

• =분자의 양(mol)×분자당 수소 원자 수

• 기체의 부피=기체의 양(mol)×기체 1 mol의 부피

ㄱ. ㉠은 CH_4의 분자량이다. 분자 1 mol의 질량은 분자량 뒤에 g을 붙인 값과 같으므로 ㉠은 CH_4 1 mol의 질량과 같다.

ㄴ. 모든 기체는 일정한 온도와 압력에서 같은 부피 안에 같은 분자 수를 가지므로 ㉡은 t ℃, 1 atm에서 기체 1 mol의 부피이다.

바로알기 | ㄷ. CH_4 1 mol에는 H 원자 4 mol이 들어 있으므로 CH_4 0.5 mol에 들어 있는 H 원자 수는 0.5 mol×4×6.02×10^{23}이다. 따라서 ㉢은 4이다.

37 ② CH_4 16 g은 $\frac{16\ g}{16\ g/mol}=1$ mol이고, 분자당 H 원자 수는 4이므로 CH_4 16 g에 들어 있는 H 원자 수는 4 mol×N_A이다.

바로알기 | ① H_2O 27 g은 $\frac{27\ g}{18\ g/mol}=\frac{3}{2}$ mol이므로 H_2O 27 g에 들어 있는 분자 수는 $\frac{3}{2}$ mol×N_A이다.

③ CO_2 11.2 L는 $\frac{11.2\ L}{22.4\ L/mol}=\frac{1}{2}$ mol이고, CO_2에서 분자당 O 원자 수는 2이므로 CO_2 11.2 L에 들어 있는 O 원자 수는 1 mol×N_A이다.

④ O_3 1 g은 $\frac{1}{48}$ mol이고, O_3에서 분자당 전체 원자 수는 3이므로 O_3 1 g에 들어 있는 전체 원자 수는 $\frac{1}{16}$ mol×N_A이다.

⑤ C_2H_6 5.6 L는 $\frac{5.6\ L}{22.4\ L/mol}=\frac{1}{4}$ mol이고 C_2H_6에서 분자당 전체 원자 수는 8이므로 C_2H_6 5.6 L에 들어 있는 전체 원자 수는 2 mol×N_A이다.

38 ㄴ. O_2 0.5 mol의 질량은 32 g/mol×0.5 mol=16 g이고, CH_4 1 mol의 질량은 16 g/mol×1 mol=16 g이므로 질량은 서로 같다.

바로알기 | ㄱ. 밀도$=\frac{질량}{부피}$이고, 1 mol의 부피는 모든 기체가 같으며, 1 mol의 질량은 분자량 뒤에 g을 붙인 값과 같으므로 밀도는 분자량에 비례한다. O_2의 분자량은 32, CH_4의 분자량은 16이다.

ㄷ. O_2는 분자당 원자 수가 2이므로 O_2 0.5 mol의 원자 수는 1 mol×N_A이고, CH_4은 분자당 원자 수가 5이므로 CH_4 1 mol의 원자 수는 5 mol×N_A이다.

ㄹ. O_2의 분자 수는 0.5 mol×N_A, CH_4의 분자 수는 1 mol×N_A이다.

39 NH_3 85 g의 양(mol)은 $\frac{85\ g}{17\ g/mol}=5$ mol이다. 같은 조건에서 같은 용기에 N_2 5 mol을 담을 수 있으며, N_2 5 mol의 질량은 28 g/mol×5 mol=140 g이다.

40 0 ℃, 1 atm에서 기체 1 mol의 질량=2.5 g/L×22.4 L=56 g이다. 각 기체의 분자량은 H_2S 34, CO_2 44, NO_2 46, C_4H_8 56, SO_2 64이므로 가능한 기체의 분자식은 C_4H_8이다.

41 (가)에서 CH_4은 $\frac{33.6\ L}{22.4\ L/mol}=1.5$ mol, (나)에서 NH_3는 $\frac{17\ g}{17\ g/mol}=1$ mol, (다)에서 CO_2는 $\frac{3.01\times10^{23}}{6.02\times10^{23}}=0.5$ mol이다.

ㄱ. CH_4과 NH_3의 분자량은 각각 16, 17이므로 CH_4 1.5 mol의 질량은 24 g이고, NH_3 1 mol의 질량은 17 g이다. 따라서 기체의 질량은 (가)>(나)이다.

ㄷ. 일정한 온도와 압력에서 기체의 밀도는 분자량에 비례한다. CH_4과 CO_2의 분자량은 각각 16, 44이므로 기체의 밀도는 (가)<(다)이다.

바로알기 | ㄴ. 기체 1 mol의 부피는 22.4 L이므로 NH_3 1 mol의 부피는 22.4 L이고, CO_2 0.5 mol의 부피는 11.2 L이다.

42 N_2의 분자량은 28이므로 N_2 $\frac{1}{2}$ mol의 질량은 14 g이고, $a=14$이다. $C_6H_{12}O_6$의 분자량은 180이므로 $C_6H_{12}O_6$ 60 g은 $\frac{1}{3}$ mol이고, $b=\frac{1}{3}$이다. O_2의 분자량은 32이므로 O_2 16 g은 $\frac{1}{2}$ mol이다. 25 ℃, 1 atm에서 기체 1 mol의 부피는 24 L이므로 O_2 16 g의 부피는 12 L이고, $c=12$이다. 따라서 $a+b\times c=14+\frac{1}{3}\times12=18$이다.

43

$\frac{8}{0.5}=16$ / $44\times0.25=11$(g) / $\frac{6.4}{64}=0.1$(mol)

분자	(가)	(나)	(다)
분자량	㉠	44	64
질량(g)	8	㉡	6.4
부피(L)	11.2	5.6	㉢

$\frac{11.2}{22.4}=0.5$(mol) / $\frac{5.6}{22.4}=0.25$(mol) / $0.1\times22.4=2.24$(L)

(가)의 양(mol)은 0.5 mol, (나)의 양(mol)은 0.25 mol, (다)의 양(mol)은 0.1 mol이다. (가)에서 분자량$=\frac{질량}{기체의\ 양(mol)}=\frac{8\ g}{0.5\ mol}=16$이고, ㉠=16이다. (나)에서 질량=분자량×기체의 양(mol)=44 g/mol×0.25 mol=11 g이고, ㉡=11이다. (다)에서 기체의 부피=기체의 양(mol)×기체 1 mol의 부피=0.1 mol×22.4 L/mol=2.24 L이고, ㉢=2.24이다.

44 ㄱ. 아보가드로수는 탄소 원자 1 mol에 들어 있는 입자 수로, 원자량의 기준이 달라지면 아보가드로수도 달라진다.

ㄴ. 원자량의 기준인 ^{12}C의 원자량을 13으로 변경하면 다른 원자의 원자량도 현재 사용하는 값과 달라지므로 NH_3의 분자량도 달라진다.

바로알기 | ㄷ. 원자의 실제 질량은 변하지 않는 값이므로 ^{12}C의 원자량을 13으로 바꾸어도 H 원자 1개의 질량은 변하지 않는다.

45 A와 B의 원자량을 각각 a, b라고 하면 (가)에서 $2a+b=44$, (나)에서 $a+2b=46$이고, 이 식을 풀면 $a=14$, $b=16$이다. (다)는 분자량이 74이므로 14×3+16×2=74에 의해 A 원자 3개와 B 원자 2개로 이루어진다. 따라서 (다)의 분자식은 A_3B_2이고, A와 B의 질량비는 14×3 : 16×2=21 : 16이다.

모범 답안 A와 B의 원자량은 각각 14, 16이고 (다)의 분자식은 A_3B_2이므로 (다)에서 A와 B의 질량비는 21 : 16이다.

46 (1) NaCl이 물에 녹으면 Na^+과 Cl^-이 생성되고, $MgCl_2$이 물에 녹으면 Mg^{2+}과 $2Cl^-$이 생성된다. ■의 수가 가장 크므로 ■는 Cl^-이다. ▲가 Mg^{2+}이면 ■의 수는 5개여야 하지만, 그렇지 않으므로 ▲는 Na^+, ●는 Mg^{2+}이다.

물에 녹인 NaCl의 양(mol)은 0.2 mol이고, 수용액에서 Na^+ 수가 Mg^{2+} 수의 2배이므로 물에 녹인 $MgCl_2$의 양(mol)은 0.1 mol이다. 따라서 x=0.1 mol×95 g/mol=9.5 g이다.

(2) 수용액에 녹아 있는 Na^+과 Mg^{2+}의 양(mol)은 각각 0.2 mol, 0.1 mol이므로 수용액에서 모형 1개의 양(mol)은 0.1 mol이다.

모범 답안 (1) 물에 녹인 $MgCl_2$의 양(mol)은 $\frac{1}{2}\times\frac{11.7\text{ g}}{58.5\text{ g/mol}}$=0.1 mol 이므로 x=0.1 mol×95 g/mol=9.5 g이다.
(2) 수용액에서 모형 1개는 0.1 mol에 해당하므로 ■의 양(mol)은 0.4 mol이다.

47

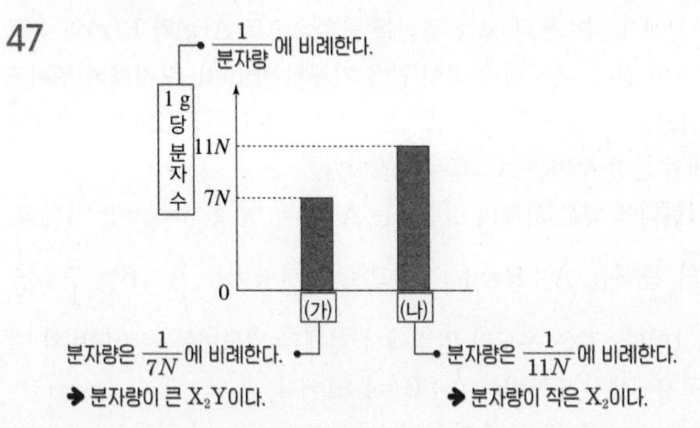

ㄴ. 1 g당 분자 수는 $\frac{1}{\text{분자량}}$에 비례하므로 분자량은 $\frac{1}{\text{1 g당 분자 수}}$에 비례한다. (가)와 (나)의 분자량비는 (가) : (나)=$\frac{1}{7N}$: $\frac{1}{11N}$=11 : 7이다. 같은 온도와 압력에서 기체의 밀도비는 분자량비와 같으므로 (가)와 (나)의 밀도비는 (가) : (나)=11 : 7이다.

ㄷ. 분자량은 (가)>(나)이므로 (가)는 X_2Y이고, (나)는 X_2이다. (가)와 (나)의 분자량을 각각 $11M$, $7M$이라고 하면 1 g당 원자 수는 (가) $\frac{3}{11M}$, (나) $\frac{2}{7M}$이므로 (가)<(나)이다.

바로알기 | ㄱ. (가)와 (나)의 분자량을 각각 $11M$, $7M$이라고 하면, (나)에서 X의 원자량은 $\frac{7M}{2}$=3.5M이고, (가)와 (나)의 분자량 차로부터 Y의 원자량은 $11M-7M=4M$이므로 원자량은 X<Y이다.

48

ㄱ. 밀도는 $\frac{\text{질량}}{\text{부피}}$이므로 (가)의 밀도는 $\frac{w}{5V}$이고, (나)의 밀도는 $\frac{2w}{8V}=\frac{w}{4V}$이다. 같은 온도와 압력에서 기체의 밀도는 분자량에 비례하므로 분자량은 (가)<(나)이다. 원자량은 A>B이므로 분자량은 A_2B>AB_2이다. 따라서 (가)는 AB_2이고, (나)는 A_2B이다.

ㄴ. 같은 온도와 압력에서 기체의 양(mol)은 기체의 부피에 비례한다. 기체의 부피는 (가)<(나)이므로 기체의 양(mol)은 (가)<(나)이다.

바로알기 | ㄷ. (가)와 (나)의 분자량비는 $\frac{w}{5V}$: $\frac{w}{4V}$=4 : 5이다. (가)의 분자량을 $4M$이라고 하면 (나)의 분자량은 $5M$이므로 1 g에 들어 있는 A 원자 수는 (가) $\frac{1}{4M}$, (나) $\frac{2}{5M}$이다. 따라서 1 g에 들어 있는 A 원자 수비는 (가) : (나)=$\frac{1}{4M}$: $\frac{2}{5M}$=5 : 8이다.

49

ㄱ. (가)의 양(mol)은 0.5 mol이므로 (가)의 분자량은 16이다. 따라서 분자량은 (가)가 (나)의 $\frac{1}{2}$배이다.

ㄴ. (다)의 양(mol)은 $\frac{56\text{ g}}{28\text{ g/mol}}$=2 mol이고, 분자의 양(mol)은 (다)가 (가)의 4배이므로 분자 수비는 (가) : (다)=1 : 4이다.

ㄷ. (나)는 1.5 mol이고, (다)는 2 mol이다. 같은 온도와 압력에서 기체의 부피는 기체의 양(mol)에 비례하므로 기체의 양(mol)이 작은 (나)가 (다)보다 부피가 작다.

50

ㄷ. (나)는 기체의 양(mol)이 $\frac{1}{2}N_A$이므로 $\frac{1}{2}$ mol이다. (나)에 포함된 H 원자의 질량은 $\frac{1}{2}$ mol×4 g/mol=2 g이고, (가)~(다)에 포함된 H 원자의 전체 질량이 같으므로 (가)의 양(mol)은 1 mol이고, (다)의 양(mol)은 $\frac{2}{3}$ mol이다. (가)~(다)의 총 원자 수비는 (가) : (나) : (다)=$1\times2 : \frac{1}{2}\times5 : \frac{2}{3}\times4$=12 : 15 : 16이다.

바로알기 | ㄱ. (다)에서 $\frac{2}{3}$ mol인 기체의 부피가 V L이므로 기체 1 mol의 부피는 $\frac{3}{2}V$ L이다. (가)는 1 mol이므로 $x=\frac{3}{2}V$이다.

ㄴ. (다)에서 NH_3의 양(mol)은 $\frac{2}{3}$ mol이다.

51

분자량=$\frac{\text{질량}}{\text{기체의 양(mol)}}=\frac{15}{0.25}$=60

A의 원자량×A 원자의 양(mol) =12×0.25=3

0.25 mol

기체	분자식	질량(g)	A의 질량(g)	전체 분자 수
(가)	AB_2	15	㉠	0.25N_A
(나)	A_3C	60	36	㉡

A의 질량=A의 원자량×A 원자의 양(mol)
36=A의 원자량×3 mol
A의 원자량=12

기체의 양(mol)=$\frac{\text{질량}}{\text{분자량}}=\frac{60}{60}$=1(mol)

ㄱ. (가)에서 전체 분자 수가 0.25N_A이므로 0.25 mol이고, 질량이 15 g이므로 AB_2의 분자량=$\frac{15\text{ g}}{0.25\text{ mol}}$=60이다. (가)와 (나)의 분자량이 60으로 같고, (나)의 질량은 60 g이므로 (나)의 양(mol)은 1 mol이다. A_3C 1 mol에 포함된 A 원자의 양(mol)은 3 mol이므로 A 3 mol의 질량은 36 g이고, A의 원자량은 12이다. (가)에서 AB_2 0.25 mol에 포함된 A 원자의 양(mol)은 0.25 mol이므로 A의 질량은 0.25 mol×12 g/mol=3 g이다. 따라서 ㉠은 3이다.

ㄴ. (나)의 양(mol)은 1 mol이므로 ㉡은 N_A이다.

바로알기 | ㄷ. (가)에서 AB_2 0.25 mol에 포함된 B 원자의 양(mol)은 0.5 mol이고, B 원자의 질량은 15 g−3 g=12 g이므로 B의 원자량은 24이다. (나)에서 A_3C 1 mol에 포함된 C 원자의 양(mol)은 1 mol이고, C 원자의 질량은 60 g−36 g=24 g이므로 C의 원자량은 24이다. 따라서 원자량비는 A : B : C=12 : 24 : 24=1 : 2 : 2이다.

52

ㄱ. Y와 X_2Z의 분자량은 각각 4, a이고, 분자당 원자 수는 각각 1, 3이다. 단위 질량당 원자 수는 $\left(\frac{1}{\text{분자량}}\times\text{분자당 원자 수}\right)$에 비례하고, Y와 X_2Z는 단위 질량당 원자 수(상댓값)가 각각 3, 2이므로 $\frac{1}{4}\times1 : \frac{1}{a}\times3$=3 : 2가 성립하고, 이를 풀면 a=18이다. 온도와 압력이 일정할 때 밀도는 분자량에 비례하고, X_2와 X_2Z의 분자량은 각각 2, 18이므로 밀도비는 X_2 : X_2Z=1 : 9이다.

ㄴ. 단위 질량당 부피는 밀도의 역수와 같으므로 18 : b : c=$\frac{1}{2}$: $\frac{1}{4}$: $\frac{1}{18}$이며, 이를 풀면 b=9, c=2이다. 따라서 b와 c를 곱한 값은 a의 값과 같다.

바로알기 | ㄷ. X_2와 Y의 분자당 원자 수는 각각 2, 1이고, 분자량은 각각 2, 4이며, 단위 질량당 원자 수(상댓값)가 각각 d, 3이다. 따라서 $\frac{1}{2}\times2 : \frac{1}{4}\times1=d : 3$이 성립하고, 이를 풀면 $d=12$이므로 d는 c의 6배이다.

53 ㄴ. (가)는 A와 B로 이루어진 2원자 분자이므로 분자식이 AB이고, (가)를 구성하는 A와 B의 질량비는 7 : 8이므로 A와 B의 원자량비는 7 : 8이다. (나)를 구성하는 A와 B의 질량비는 7 : 16이므로 (나)를 구성하는 A와 B의 원자 수비는 $A : B=\frac{7}{7} : \frac{16}{8}=1 : 2$이다.

바로알기 | ㄱ. A와 B의 원자량비는 7 : 8이므로 원자량은 A<B이다.
ㄷ. (가)는 7 g의 A와 8 g의 B가 결합한 화합물이므로 1 g의 A와 결합하는 B의 질량은 $\frac{8}{7}$ g이다. (나)는 7 g의 A와 16 g의 B가 결합한 화합물이므로 1 g의 A와 결합하는 B의 질량은 $\frac{16}{7}$ g이다. 따라서 1 g의 A와 결합하는 B의 질량은 (가)<(나)이다.

54 ① (가)와 (나)에 들어 있는 O_2와 CO_2의 분자 수는 5로 같다.
② 같은 온도와 압력에서 모든 기체는 같은 부피 속에 같은 수의 분자를 가진다. 따라서 (가)와 (나)는 1 mol의 부피가 모두 같다.
③ 분자량은 O_2가 32, CO_2가 44이므로 1 mol의 질량은 (가) 32 g, (나) 44 g이다. 따라서 1 mol의 질량은 (가)<(나)이다.
⑤ 분자당 원자 수는 O_2가 2, CO_2가 3이다. (가)와 (나)에서 기체의 분자 수는 5로 같으므로 전체 원자 수는 (가) $2\times5=10$, (나) $3\times5=15$이다. 따라서 전체 원자 수는 (가)<(나)이다.

바로알기 | ④ 같은 온도와 압력에서 기체의 밀도는 분자량에 비례한다. 따라서 밀도는 (가)<(나)이다.

55 ㄱ, ㄴ. (가)~(다)에서 기체의 온도, 압력, 부피가 같으므로 용기 속에 들어 있는 기체의 양(mol)은 모두 같다. 따라서 기체의 질량비는 분자량비에 비례한다. 기체의 분자량비는 $X_2 : Y_2 : ZX_2=6.4\text{ g} : 0.4\text{ g} : 8.8\text{ g}=16 : 1 : 22$이다. X_2의 분자량을 $32M$이라고 하면 X의 원자량은 $16M$, Y_2의 분자량은 $2M$, Y의 원자량은 M, ZX_2의 분자량은 $44M$, Z의 원자량은 $44M-2\times16M=12M$이다. 따라서 원자량은 X가 Z의 $\frac{4}{3}$배이다.

바로알기 | ㄷ. ZY_4의 분자량은 $12M+4\times M=16M$이다. 분자량이 $32M$인 X_2의 질량이 6.4 g이므로 분자량이 $16M$인 ZY_4의 질량은 3.2 g이다.

56 (1) 밀도$=\frac{\text{질량}}{\text{부피}}$이므로 (가)의 밀도는 $\frac{w}{2V}$이고, (나)의 밀도는 $\frac{w}{V}$이다. 따라서 밀도비는 (가) : (나)$=\frac{w}{2V} : \frac{w}{V}=1 : 2$이다.
(2) 같은 온도와 압력에서 기체의 밀도비는 분자량비와 같으므로 (가)와 (나)의 분자량비는 1 : 2이다. 분자량은 XY_2가 Y_2보다 크므로 (가)와 (나)의 분자식은 각각 Y_2, XY_2이다. (가)의 분자량을 M이라고 하면 Y의 원자량은 $\frac{1}{2}M$이고, X의 원자량은 $2M-2\times\frac{1}{2}M=M$이다. 따라서 X와 Y의 원자량비는 $M : \frac{1}{2}M=2 : 1$이다.

모범 답안 (1) (가)와 (나)의 밀도비는 $\frac{w}{2V} : \frac{w}{V}=1 : 2$이다.
(2) (가)와 (나)는 분자식이 각각 Y_2, XY_2이고 분자량비가 1 : 2이므로 X와 Y의 원자량비는 2 : 1이다.

57

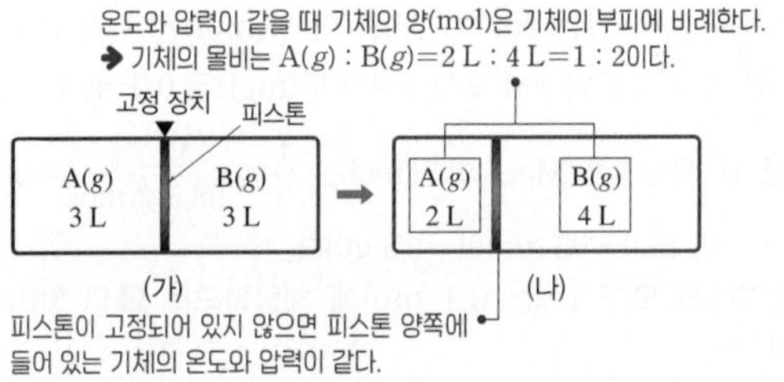

온도와 압력이 같을 때 기체의 양(mol)은 기체의 부피에 비례한다.
➡ 기체의 몰비는 $A(g) : B(g)=2\text{ L} : 4\text{ L}=1 : 2$이다.
고정 장치 / 피스톤
(가) A(g) 3 L | B(g) 3 L → (나) A(g) 2 L | B(g) 4 L
피스톤이 고정되어 있지 않으면 피스톤 양쪽에 들어 있는 기체의 온도와 압력이 같다.

ㄴ. (나)에서 피스톤의 고정 장치를 풀었으므로 $A(g)$와 $B(g)$의 온도와 압력이 같다. 온도와 압력이 같은 기체의 양(mol)은 기체의 부피에 비례하므로 기체의 몰비는 $A : B=2\text{ L} : 4\text{ L}=1 : 2$이다. 따라서 (나)에서 분자 수비는 $A : B=1 : 2$이다.
ㄷ. 실린더에 넣은 기체의 질량비는 $A : B=2w\text{ g} : w\text{ g}=2 : 1$이고, 기체의 몰비는 $A : B=1 : 2$이므로 분자량비는 $A : B=\frac{2}{1} : \frac{1}{2}=4 : 1$이다. 같은 온도와 압력에서 기체의 밀도비는 분자량비와 같으므로 (나)에서 밀도비는 $A : B=4 : 1$이다.

바로알기 | ㄱ. 분자량은 A가 B의 4배이다.

58

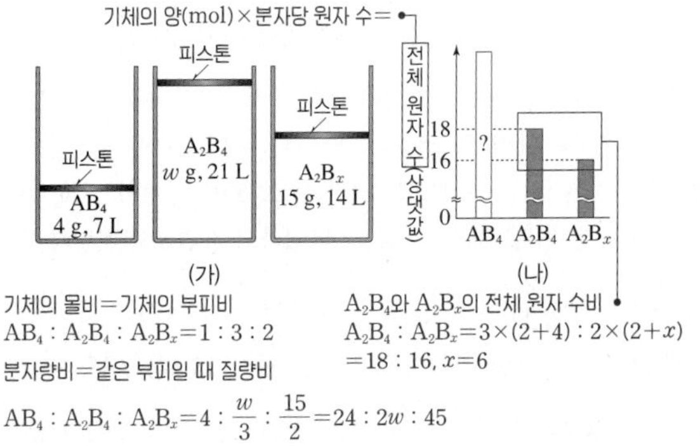

기체의 양(mol)×분자당 원자 수=
(가) 피스톤 AB_4 4 g, 7 L / 피스톤 A_2B_4 w g, 21 L / 피스톤 A_2B_x 15 g, 14 L
(나) 전체 원자 수(상댓값) 18, 16, ? — AB_4, A_2B_4, A_2B_x
기체의 몰비=기체의 부피비
$AB_4 : A_2B_4 : A_2B_x=1 : 3 : 2$
분자량비=같은 부피일 때 질량비
$AB_4 : A_2B_4 : A_2B_x=4 : \frac{w}{3} : \frac{15}{2}=24 : 2w : 45$
A_2B_4와 A_2B_x의 전체 원자 수비
$A_2B_4 : A_2B_x=3\times(2+4) : 2\times(2+x)$
$=18 : 16$, $x=6$

ㄱ. (가)에서 AB_4의 양(mol)은 $\frac{7\text{ L}}{28\text{ L/mol}}=\frac{1}{4}$ mol, A_2B_4의 양(mol)은 $\frac{21\text{ L}}{28\text{ L/mol}}=\frac{3}{4}$ mol, A_2B_x의 양(mol)은 $\frac{14\text{ L}}{28\text{ L/mol}}=\frac{1}{2}$ mol이다. (나)에서 A_2B_4와 A_2B_x의 전체 원자 수비는 $\frac{3}{4}\times(2+4) : \frac{1}{2}\times(2+x)=18 : 16$이므로 $x=6$이다. (가)에서 AB_4 7 L의 질량이 4 g이고, A_2B_6 14 L의 질량이 15 g이므로 부피가 14 L일 때 AB_4와 A_2B_6의 질량은 각각 8 g, 15 g이다. A와 B의 원자량을 각각 a, b라고 하면 분자량비는 $AB_4 : A_2B_6=(a+4b) : (2a+6b)=8 : 15$이므로 $a=12b$이다. 따라서 원자량비는 $A : B=a : b=12 : 1$이다.
ㄷ. 기체의 분자량비는 기체의 밀도비와 같으므로 $AB_4 : A_2B_4=(12+4\times1) : (2\times12+4\times1)=\frac{4}{7} : \frac{w}{21}$, $w=21$이다.
ㄹ. $x=6$이므로 A_2B_x의 분자식은 A_2B_6이고, A_2B_6 분자 1개당 원자 수는 8이다.

바로알기 | ㄴ. (나)에서 AB_4의 전체 원자 수의 상댓값을 y라고 하면, AB_4와 A_2B_4의 전체 원자 수비는 $\frac{1}{4}\times(1+4) : \frac{3}{4}\times(2+4)=y : 18$이므로 $y=5$이다. 따라서 (나)에서 AB_4의 전체 원자 수의 상댓값은 5이다.

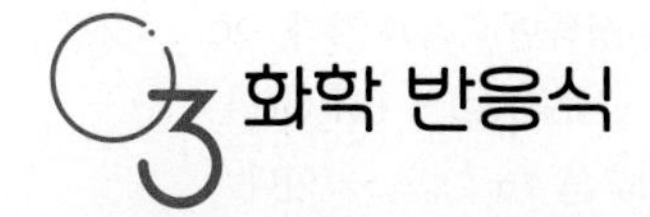

03 화학 반응식

빈출 자료 보기 19쪽

59 (1) ○ (2) × (3) × (4) ×

59 (1) $X_2(g)$와 $Y_2(g)$가 반응하여 $X_2Y(g)$를 생성하는 반응에서 화학 반응식은 $2X_2(g) + Y_2(g) \longrightarrow 2X_2Y(g)$이다.

바로알기 | (2) 화학 반응식에서 $X_2(g)$와 $Y_2(g)$의 몰비는 2 : 1이고, 실험 Ⅱ에서 $X_2(g)$와 $Y_2(g)$가 모두 반응했으므로 반응한 양(mol)은 $X_2(g)$가 $Y_2(g)$의 2배이다. 따라서 $a=2\times4b=8b$이다.

(3) 실험 Ⅰ에서 화학 반응의 양적 관계를 구하면 다음과 같다.

	$2X_2(g)$	+	$Y_2(g)$	$\longrightarrow$	$2X_2Y(g)$
반응 전(L)	$4b$		$3b$		
반응(L)	$-4b$		$-2b$		$+4b$
반응 후(L)	0		b		$4b$

반응 후 남은 반응물의 부피는 b L이다.

(4) 실험 Ⅰ에서 $X_2(g)$ $0.5a$ L와 $Y_2(g)$ $2b$ L가 반응하고 실험 Ⅱ에서 $X_2(g)$ a L와 $Y_2(g)$ $4b$ L가 반응한다. 반응한 반응물의 부피는 실험 Ⅱ에서가 실험 Ⅰ에서의 2배이므로 생성된 $X_2Y(g)$의 부피도 실험 Ⅱ에서가 실험 Ⅰ에서의 2배이다. 온도와 압력이 일정할 때 기체의 부피비는 몰비와 같으므로 생성물의 몰비는 실험 Ⅰ : 실험 Ⅱ=1 : 2이다.

난이도별 필수 기출 20~27쪽

60 ⑤	61 해설 참조		62 해설 참조		63 ②
64 해설 참조		65 ②	66 ④	67 4.5 mol	
68 ①	69 ③	70 ②	71 ④	72 ③	73 ⑤
74 ③	75 ①	76 ③	77 ③	78 ③	79 ②
80 ③	81 ③	82 ②, ④	83 ⑤	84 ③	85 ③
86 ⑤	87 ⑤	88 ⑤	89 ⑤	90 ③	91 ②
92 ⑤	93 해설 참조		94 ③	95 해설 참조	

60 ①, ②, ④ 화학 반응식에서 반응 계수비는 반응 분자 수비와 같다. 분자 수는 물질의 양(mol)에 비례하고, 일정한 온도와 압력에서 물질의 양(mol)과 기체의 부피는 비례하므로 반응 계수비는 물질의 몰비, 기체의 부피비와 같다. 반응물과 생성물은 모두 기체이므로 반응 계수비, 몰비, 분자 수비, 부피비는 $H_2 : O_2 : H_2O=2 : 1 : 2$이다.
③ 분자당 원자 수는 H_2가 2, O_2가 2, H_2O가 3이므로 원자 수비는 $H_2 : O_2 : H_2O=2\times2 : 1\times2 : 2\times3=2 : 1 : 3$이다.

바로알기 | ⑤ H, O의 원자량이 같지 않으므로 H_2, O_2, H_2O의 질량비는 2 : 1 : 2가 되지 않는다.

61 $aFe_2O_3(s) + bCO(g) \longrightarrow cFe(s) + dCO_2(g)$ 반응에서 $a=1$이라고 하면 반응 전과 후 Fe 원자 수는 2이어야 하므로 $c=2$이다. C 원자 수는 반응 전과 후에 같아야 하므로 $b=d$이다. Fe_2O_3에서 O 원자 수는 3, bCO에서 O 원자 수는 b이고, dCO_2에서 O 원자 수는 $2d$이므로 $3+b=2d$이다. $b=d$, $3+b=2d$ 식을 풀면 $b=d=3$이므로 화학 반응식을 완성하면 다음과 같다.

$$Fe_2O_3(s) + 3CO(g) \longrightarrow 2Fe(s) + 3CO_2(g)$$

모범 답안 Fe 원자 수는 $2a=c$, O 원자 수는 $3a+b=2d$, C 원자 수는 $b=d$이다. 이 식에서 $a=1$이라고 하면 $b=3$, $c=2$, $d=3$이다.

62 (1) 반응물은 $X(s)$와 $Y_2(g)$이고, 생성물은 $X_3Y(s)$이다. 화학 반응식이 $aX(s) + bY_2(g) \longrightarrow cX_3Y(s)$($a$~$c$는 반응 계수)이고, $b=1$이라고 하면 반응 전과 후에 Y 원자 수는 같아야 하므로 $c=2$이다. 반응 후 X 원자 수는 $2\times3=6$이므로 반응 전 X 원자 수는 6이고, $a=6$이다. 따라서 화학 반응식을 완성하면 $6X(s) + Y_2(g) \longrightarrow 2X_3Y(s)$이다.

(2) 원자의 원자량은 '원자 1개의 질량×아보가드로수'로 구할 수 있다. X의 원자량은 $\frac{1}{3}\times10^{-23}\times6\times10^{23}=2$이고, Y의 원자량은 $\frac{4}{3}\times10^{-23}\times6\times10^{23}=8$이다. X_3Y의 화학식량은 $3\times2+8=14$이므로 X_3Y 14 g은 $\frac{14\text{ g}}{14\text{ g/mol}}=1$ mol이다. 화학 반응식 $6X(s) + Y_2(g) \longrightarrow 2X_3Y(s)$에서 $X(s)$와 $X_3Y(s)$의 반응 계수비가 3 : 1이므로 $X_3Y(s)$ 1 mol이 생성될 때 반응한 $X(s)$의 양(mol)은 3 mol이고, X의 원자량은 2이므로 $X(s)$ 3 mol의 질량은 6 g이다.

모범 답안 (1) $6X(s) + Y_2(g) \longrightarrow 2X_3Y(s)$
(2) X와 Y의 원자량은 각각 2, 8이므로 생성된 X_3Y 14 g은 1 mol이다. 따라서 반응한 X의 양(mol)은 3 mol이므로 X의 질량은 6 g이다.

63 반응 전과 후 원자의 종류와 수가 같아야 하므로 화학 반응식을 완성하면 $C_6H_{12}O_6(s) + 6O_2(g) \longrightarrow 6CO_2(g) + 6H_2O(g)$이고, $a=b=c=6$이다. $C_6H_{12}O_6$의 분자량은 180이므로 $C_6H_{12}O_6(s)$ 90 g은 $\frac{90\text{ g}}{180\text{ g/mol}}=\frac{1}{2}$ mol이고, 화학 반응식에서 $C_6H_{12}O_6$과 H_2O의 반응 계수비가 1 : 6이므로 생성된 $H_2O(g)$의 양(mol)은 $\frac{1}{2}$ mol×6 =3 mol이다. 따라서 $\left(\frac{a}{b+c}\right)\times x=\frac{6}{6+6}\times3=\frac{3}{2}$이다.

64 **모범 답안** H_2와 O_2의 반응 계수비가 2 : 1이고, 기체의 부피와 양(mol)은 비례하므로 반응한 H_2와 O_2의 부피는 각각 500 mL, 250 mL이다. 따라서 반응 전 H_2와 O_2의 몰비는 (500+300) : 250=16 : 5이다.

65 $N_2(g)$ 6.72 L의 양(mol)은 $\frac{6.72\text{ L}}{22.4\text{ L/mol}}=0.3$ mol이고, 화학 반응식에서 NaN_3과 N_2의 반응 계수비가 2 : 3이므로 반응한 $NaN_3(s)$의 양(mol)은 0.2 mol이다. NaN_3의 화학식량은 $23+3\times14=65$이므로 반응한 $NaN_3(s)$의 질량은 65 g/mol×0.2 mol=13.0 g이다.

66 $CH_4(g)$의 완전 연소 반응의 화학 반응식은 다음과 같다.

$$CH_4(g) + 2O_2(g) \longrightarrow CO_2(g) + 2H_2O(g)$$

CH_4의 분자량은 16이므로 반응한 $CH_4(g)$ 6.4 g의 양(mol)은 $\frac{6.4\text{ g}}{16\text{ g/mol}}=0.4$ mol이다. 화학 반응식에서 CH_4과 CO_2의 반응 계수비가 1 : 1이므로 생성된 $CO_2(g)$의 양(mol)은 0.4 mol이고, 부피는 0.4 mol×22.4 L/mol=8.96 L이다.

67 A 9 mol이 들어 있는 용기에 B 2 mol을 넣었을 때의 양적 관계는 다음과 같다.

	$aA(g)$	+	$B(g)$	$\longrightarrow$	$2C(g)$
반응 전(mol)	9		2		
반응(mol)	$-2a$		-2		$+4$
반응 후(mol)	$(9-2a)$		0		4

$\frac{n_{생성물}}{n_{반응물}}=4$이므로, $\frac{4}{9-2a}=4$, $a=4$이다. 따라서 (나)의 용기에는 A 1 mol, C 4 mol이 들어 있고, 이 용기에 B 2 mol을 더 넣으면 A 1 mol과 B 0.25 mol이 반응하여 C 0.5 mol을 생성한다. 따라서 C의 총 양(mol)은 4.5 mol이다.

68 ㄱ. 이 반응의 화학 반응식을 완성하면 다음과 같다.

$$C_2H_4(g)+3O_2(g) \longrightarrow 2CO_2(g)+2H_2O(g)$$

따라서 $a=1$, $b=3$, $c=2$, $d=2$이므로 $a+b=c+d$이다.

바로알기 | ㄴ. 화학 반응식에서 C_2H_4과 O_2의 반응 계수비는 1 : 3이므로 C_2H_4 2 mol은 O_2 6 mol과 반응한다.

ㄷ. C_2H_4의 분자량은 28이므로 C_2H_4 5.6 g은 $\frac{5.6\ g}{28\ g/mol}=0.2$ mol이다. 화학 반응식에서 C_2H_4과 H_2O의 반응 계수비는 1 : 2이므로 생성된 H_2O의 양(mol)은 0.4 mol이고, H_2O의 분자량은 18이므로 생성된 H_2O의 질량은 0.4 mol×18 g/mol=7.2 g이다.

69 ㄱ. C_2H_5OH 연소 반응의 화학 반응식을 완성하면 다음과 같다.

$$C_2H_5OH(l)+3O_2(g) \longrightarrow 2CO_2(g)+3H_2O(g)$$

따라서 $a=3$, $b=2$, $c=3$이므로 $a+b+c=8$이다.

ㄷ. O_2 33.6 L는 $\frac{33.6\ L}{22.4\ L/mol}=\frac{3}{2}$ mol이며, 화학 반응식에서 O_2와 CO_2의 반응 계수비가 3 : 2이므로 생성된 CO_2의 양(mol)은 $\frac{2}{3}\times\frac{3}{2}$ mol=1 mol이다. 따라서 생성된 CO_2의 부피는 22.4 L이다.

바로알기 | ㄴ. C_2H_5OH의 분자량은 46이므로 C_2H_5OH 23 g은 $\frac{23\ g}{46\ g/mol}=\frac{1}{2}$ mol이다. 화학 반응식에서 C_2H_5OH과 H_2O의 반응 계수비가 1 : 3이므로 생성된 H_2O의 양(mol)은 $3\times\frac{1}{2}$ mol=$\frac{3}{2}$ mol이다.

70 ① Al_2O_3 제련 반응의 화학 반응식을 완성하면 다음과 같다.

$$2Al_2O_3(g)+3C(s) \longrightarrow 4Al(s)+3CO_2(g)$$

따라서 $a=2$, $b=3$, $c=4$, $d=3$이므로 $\frac{a+b}{c+d}=\frac{5}{7}$이다.

③ Al_2O_3의 화학식량은 102이므로 Al_2O_3 51 g은 $\frac{51\ g}{102\ g/mol}=\frac{1}{2}$ mol이다. 화학 반응식에서 Al_2O_3과 CO_2의 반응 계수비가 2 : 3이므로 생성된 CO_2의 양(mol)은 $\frac{3}{2}\times\frac{1}{2}$ mol=$\frac{3}{4}$ mol이다. 따라서 0 ℃, 1 atm에서 기체 1 mol의 부피가 22.4 L이므로 생성된 CO_2의 부피는 $\frac{3}{4}$ mol×22.4 L/mol=16.8 L이다.

④ 화학 반응이 일어나도 원자가 생성되거나 소멸되지 않으므로 반응 전후 원자의 종류와 수는 변하지 않는다.

⑤ 반응 전후 원자의 종류와 수는 일정하므로 반응물의 총 질량과 생성물의 총 질량이 같아 질량 보존 법칙이 성립한다.

바로알기 | ② 화학 반응식에서 Al_2O_3과 Al의 반응 계수비가 1 : 2이므로 Al_2O_3 3 mol을 모두 제련하면 Al 6 mol을 얻을 수 있다. Al의 원자량이 27이므로 생성된 Al의 질량은 6 mol×27 g/mol=162 g이다.

71 ① 이 반응의 화학 반응식을 완성하면 다음과 같다.

$$4NH_3(g)+5O_2(g) \longrightarrow 4NO(g)+6H_2O(g)$$

따라서 $a=4$, $b=5$, $c=4$, $d=6$이므로 $a+b<c+d$이다.

②, ③ 실험 Ⅰ에서 반응물의 양(mol)은 NH_3가 $\frac{34\ g}{17\ g/mol}=2$ mol이고, O_2가 $\frac{100\ g}{32\ g/mol}=\frac{25}{8}$ mol이다. 화학 반응식에서 NH_3와 O_2의 반응 계수비가 4 : 5이므로 NH_3 2 mol과 O_2 $\frac{5}{2}$ mol이 반응하고, O_2 $\frac{25}{8}$ mol$-\frac{5}{2}$ mol$=\frac{5}{8}$ mol이 남는다. 화학 반응식에서 NH_3 2 mol이 반응하면 NO 2 mol과 H_2O 3 mol이 생성되며, NO의 분자량은 30이므로 $x=2$ mol×30 g/mol=60 g이고, $y=3$이다.

⑤ 실험 Ⅰ에서 NH_3가 모두 반응하고 O_2의 일부가 남는다.

⑥ 실험 Ⅱ에서 NH_3 2 mol과 O_2 $\frac{5}{2}$ mol이 반응하고 NH_3 2 mol이 남는다. 남은 NH_3의 질량은 2 mol×17 g/mol=34 g이다.

바로알기 | ④ 실험 Ⅱ에서 O_2 $\frac{5}{2}$ mol이 반응하므로 생성된 NO의 양(mol)은 2 mol이다. t ℃, 1 atm에서 기체 1 mol의 부피는 24 L이므로 NO 2 mol의 부피는 48 L이다. 따라서 $z=48$이다.

72 ㄱ. 실험 Ⅰ에서 A 4 g과 B 2 g이 반응하여 B 1 g이 남았으므로 질량 보존 법칙에 의해 반응 후 생성된 C의 질량은 5 g이다. A 4 g과 B 1 g이 반응하여 C 5 g이 생성되므로 반응 질량비는 A : B : C=4 : 1 : 5이다. 실험 Ⅱ에서 A 10 g과 B 2 g을 반응시키면 반응 질량비로부터 A 8 g과 B 2 g이 반응하여 C 10 g이 생성된다. 이때 반응 후 남은 A의 질량은 10 g−8 g=2 g이다. 따라서 $x=2$이다.

ㄴ. 화학 반응식에서 반응 계수비는 반응 몰비와 같고, 몰(mol)=$\frac{질량}{분자량}$이므로 반응 계수비는 반응 질량비를 분자량비로 나눈 값과 같다. 따라서 분자량비는 반응 질량비를 반응 계수비로 나눈 값과 같다. A~C의 반응 질량비는 4 : 1 : 5이고 반응 계수비는 1 : 2 : 2이므로 분자량비는 $\frac{4}{1}:\frac{1}{2}:\frac{5}{2}=8:1:5$이다. A~C의 분자량을 각각 $8M$, M, $5M$이라고 하면, 실험 Ⅰ에서 반응 후 실린더에 B 1 g, C 5 g이 있으므로 전체 기체의 양(mol)은 $\frac{1}{M}+\frac{5}{5M}=\frac{2}{M}$이다. 실험 Ⅱ에서 반응 후 실린더에 A 2 g, C 10 g이 있으므로 전체 기체의 양은 $\frac{2}{8M}+\frac{10}{5M}=\frac{9}{4M}$이다. 기체의 양(mol)과 기체의 부피는 비례하므로 $V_1:V_2=\frac{2}{M}:\frac{9}{4M}=8:9$이다.

바로알기 | ㄷ. 분자량비는 A : B : C=8 : 1 : 5이다.

다른 해설 ㄴ. 실험 Ⅰ에서 A 4 g과 B 1 g이 반응하여 C 5 g이 생성된다. 화학 반응식에서 A~C의 반응 계수비는 몰비와 같으므로 A 4 g을 N mol이라고 하면 , B 1 g은 $2N$ mol, C 5 g은 $2N$ mol이다. 실험 Ⅰ에서 반응 후 실린더에 B 1 g, C 5 g이 있으므로 실린더에 들어 있는 기체의 양(mol)은 B $2N$ mol, C $2N$ mol이다. 실험 Ⅱ에서 반응 후 실린더에 A 2 g, C 10 g이 있으므로 실린더에 들어 있는 기체의 양(mol)은 A $\frac{1}{2}N$ mol, C $4N$ mol이다. 기체의 양(mol)과 기체의 부피는 비례하므로 $V_1:V_2=(2N+2N):\left(\frac{1}{2}N+4N\right)=8:9$이다.

73 기체 1 L의 양(mol)을 N mol이라고 하면 실험 Ⅰ에서 반응 전 A의 양(mol)은 xN mol, B의 양(mol)은 $4N$ mol이다. 실험 Ⅰ에서 B가 모두 반응하였으므로 화학 반응에서 양적 관계는 다음과 같다.

	$2A(g)$	+ $B(g)$	$\longrightarrow$ $C(g)$	+ $2D(g)$
반응 전(mol)	xN	$4N$		
반응(mol)	$-8N$	$-4N$	$+4N$	$+8N$
반응 후(mol)	$(x-8)N$	0	$4N$	$8N$

반응 후 $\dfrac{\text{전체 기체의 양(mol)}}{\text{C의 양(mol)}}=\dfrac{(x-8)N+4N+8N}{4N}=4$, $x=12$ 이다.

실험 Ⅱ에서 반응 전 A의 양(mol)은 $6N$ mol, B의 양(mol)은 $9N$ mol이고, A가 모두 반응하였으므로 화학 반응에서 양적 관계는 다음과 같다.

	$2A(g)$	+ $B(g)$	$\longrightarrow$ $C(g)$	+ $2D(g)$
반응 전(mol)	$6N$	$9N$		
반응(mol)	$-6N$	$-3N$	$+3N$	$+6N$
반응 후(mol)	0	$6N$	$3N$	$6N$

반응 후 $\dfrac{\text{전체 기체의 양(mol)}}{\text{C의 양(mol)}}=\dfrac{6N+3N+6N}{3N}=5$, $y=5$이다.

따라서 $x+y=12+5=17$이다.

74 ㄱ. 실험 Ⅰ에서 반응 전 A와 B의 양(mol)을 각각 N mol이라고 하면 화학 반응에서 양적 관계는 다음과 같다.

	$aA(g)$	+ $bB(g)$	$\longrightarrow$ $aC(g)$
반응 전(mol)	N	N	
반응(mol)	$-N$	$-\frac{b}{a}N$	$+N$
반응 후(mol)	0	$(1-\frac{b}{a})N$	N

반응 후 기체의 몰비는 B : C$=(1-\frac{b}{a})N : N=1 : 2$이므로 $a=2b$ 이다. 화학 반응식은 $2A(g)+B(g) \longrightarrow 2C(g)$이므로 $\frac{b}{a}=\frac{1}{2}$ 이다.

ㄴ. 실험 Ⅱ에서 반응 후 A와 C의 질량을 각각 w g, $23w$ g이라고 하면 질량 보존 법칙에 의해 반응 전 A와 B의 질량의 합은 $24w$ g이다. 반응 전 A와 B의 질량비는 2 : 1이므로 반응 전 A의 질량은 $16w$ g, B의 질량은 $8w$ g이다. 실험 Ⅱ에서 A $15w$ g$(=16w-w)$과 B $8w$ g이 반응하여 C $23w$ g이 생성되므로 A~C의 반응 질량비는 15 : 8 : 23이다.

실험 Ⅲ에서 반응 전 A의 질량을 $15w$ g이라고 하면 B의 질량도 $15w$ g이며, A~C의 반응 질량비는 15 : 8 : 23이므로 A $15w$ g과 B $8w$ g이 반응하여 B $7w$ g$(=15w-8w)$이 남고 C $23w$ g이 생성된다. 따라서 $x=7$이다.

바로알기 | ㄷ. A와 B의 반응 계수비는 2 : 1이고 반응 질량비는 15 : 8이므로 분자량비는 $\frac{15}{2} : \frac{8}{1}=15 : 16$이다.

따라서 $\dfrac{\text{A의 분자량}}{\text{B의 분자량}}=\dfrac{15}{16}$이다.

75 실험 Ⅰ과 Ⅱ에서 생성된 C의 질량이 같으므로 반응한 A의 양(mol)과 B의 양(mol)은 각각 실험 Ⅰ과 Ⅱ에서 같고, 실험 Ⅰ과 Ⅱ에서 반응 전 A의 부피가 12 L로 같으므로 실험 Ⅰ에서 A 12 L, 실험 Ⅱ에서 A 12 L가 모두 반응한다.

실험 Ⅱ는 실험 Ⅰ보다 B w g을 더 넣은 실험이고, 실험 Ⅱ에 더 넣은 B w g은 반응하지 않으므로 '실험 Ⅱ에서 반응 후 전체 부피－실험 Ⅰ에서 반응 후 전체 부피'는 B w g의 부피이다. 따라서 B w g의 부피는 36 L－24 L＝12 L이다. 20 ℃, 1 atm에서 기체 1 mol의 부피는 24 L이므로 B w g은 0.5 mol이고, B의 분자량은 $2w$이다. 실험 Ⅰ에서 표의 자료를 기체의 양(mol)으로 정리하면 다음과 같다.

실험	반응 전		반응 후 전체 물질의 양(mol)
	A의 양(mol)	B의 양(mol)	
Ⅰ	0.5	0.5	1

화학 반응식에서 b가 2 이상이면 실험 Ⅰ에서 A가 모두 반응하지 않고 B가 모두 반응하므로 모순이다. 따라서 $b=1$이고, A과 B가 모두 반응하므로 반응 후 전체 물질의 양(mol)은 C의 양(mol)이다. A 0.5 mol과 B 0.5 mol이 반응하여 C 1 mol이 생성되므로 반응 계수 $b=1$, $c=2$이다. 따라서 $\dfrac{\text{B의 분자량}}{b+c}=\dfrac{2w}{1+2}=\dfrac{2w}{3}$이다.

개념 보충

화학 반응에서의 부피 관계

같은 온도와 압력에서 모든 기체는 같은 부피 안에 같은 분자 수를 가진다. ➡ 온도와 압력이 같을 때 기체의 양(mol)과 기체의 부피는 비례하므로 기체의 몰비와 부피비는 같다.

76 ㄱ. 화학 반응식에서 반응 계수비는 몰비와 같으므로 A 1 mol과 B 2 mol이 반응하면 C 1 mol이 생성된다. 질량 보존 법칙에 의해 반응물의 질량의 합이 생성물의 질량의 합과 같으므로 A 1 mol의 질량＋2×B 1 mol의 질량＝C 1 mol의 질량과 같다. 물질 1 mol의 질량은 분자량과 같은 값을 가지므로 'A의 분자량＋(2×B의 분자량)＝C의 분자량'이라는 식을 얻을 수 있다.

ㄴ. 반응 전 A는 고체이므로 기체의 밀도에 영향을 주는 것은 B뿐이다.

바로알기 | ㄷ. 화학 반응에서 양적 관계는 다음과 같다.

	$A(s)$	+ $2B(g)$	$\longrightarrow$ $C(g)$
반응 전(mol)	3	8	
반응(mol)	-3	-6	$+3$
반응 후(mol)	0	2	3

$\dfrac{\text{B의 분자량}}{\text{C의 분자량}}=\dfrac{1}{16}$이므로 B의 분자량을 M이라고 하면 C의 분자량은 $16M$이다. 반응 전 기체는 $B(g)$만 있고, 반응 후 기체는 $B(g)$와 $C(g)$가 있다. 반응 전 기체의 질량은 $8\times M$이고, 반응 후 기체의 질량은 $2\times M+3\times 16M=50M$이다. 기체의 부피는 기체의 양(mol)에 비례하므로 반응 전과 후 기체의 밀도비는 $\dfrac{8M}{8} : \dfrac{50M}{2+3}=1 : x$, $x=10$이다.

77 ㄱ. 생성된 C의 양(mol)이 $2a$ mol이므로 화학 반응식의 반응 계수비로부터 반응한 A와 B의 양(mol)은 각각 $\frac{2}{3}a$ mol, $\frac{4}{3}a$ mol 이며, 화학 반응에서 양적 관계는 다음과 같다.

	$A(g)$	+ $2B(g)$	$\longrightarrow$ $3C(g)$
반응 전(mol)	$\frac{5}{3}a$	$\frac{4}{3}a$	
반응(mol)	$-\frac{2}{3}a$	$-\frac{4}{3}a$	$+2a$
반응 후(mol)	a	0	$2a$

따라서 반응 전 분자 수비는 A : B$=\frac{5}{3}a : \frac{4}{3}a=5:4$이다.

ㄴ. 반응한 A의 양(mol)은 남은 A의 양(mol)의 $\frac{2}{3}$배이므로 반응한 A의 질량은 $\frac{2}{3}\times 6w$ g$=4w$ g이다. 생성된 C의 질량은 $6w$ g이므로 반응한 B의 질량은 $6w$ g$-4w$ g$=2w$ g이다. B와 C의 반응 질량비는 $2w:6w=1:3$이고 반응 계수비는 2 : 3이므로 분자량비는 $\frac{1}{2}$: $\frac{3}{3}=1:2$이다.

바로알기 | ㄷ. 반응 전 A의 양(mol)은 $\frac{5}{3}a$ mol이고 반응 후 A의 양(mol)은 a mol이다. 따라서 A의 분자 수비는 반응 전 : 반응 후$=\frac{5}{3}a:a=5:3$이다.

78 기체 1 L의 양(mol)을 N mol이라고 하면 실험 Ⅰ에서 A_2 $2N$ mol과 B_2 $10N$ mol을 반응시키면 A_2 $2N$ mol과 B_2 $6N$ mol이 반응하여 X $4N$mol이 생성된다. A_2, B_2, X의 반응 몰비는 $2N:6N:4N=1:3:2$이므로 반응 계수비 $a:b:c=1:3:2$이다. 실험 Ⅱ에서 반응한 A_2의 질량은 20 g$-$6 g$=$14 g이고, B_2의 질량은 3 g이며, 생성된 X의 질량은 17 g이다. A_2, B_2, X의 반응 질량비는 14 : 3 : 17이다. 반응 질량비와 반응 계수비를 이용하여 분자량비를 구하면, A_2, B_2, X의 분자량비는 $\frac{14}{1}:\frac{3}{3}:\frac{17}{2}=28:2:17$이다. A_2와 B_2의 분자량비는 28 : 2이므로 A와 B의 원자량비는 14 : 1이다.

79 ㄷ. 이 반응의 화학 반응식을 완성하면 다음과 같다.

$$2CO(g)+O_2(g) \longrightarrow 2CO_2(g)$$

CO 2 mol과 O_2 4 mol을 넣어 반응시켰을 때 화학 반응에서 양적 관계는 다음과 같다.

	$2CO(g)$	+	$O_2(g)$	$\longrightarrow$	$2CO_2(g)$
반응 전(mol)	2		4		
반응(mol)	-2		-1		$+2$
반응 후(mol)	0		3		2

따라서 반응 후 실린더에 들어 있는 기체의 양(mol)은 3 mol+2 mol$=$5 mol이다.

바로알기 | ㄱ. 화학 반응식은 $2CO(g)+O_2(g) \longrightarrow 2CO_2(g)$이다.

ㄴ. 반응이 일어나면 CO 2 mol과 O_2 1 mol이 반응하여 없어지고, CO_2 2 mol이 생성된다. 감소하는 반응물의 양(mol)이 증가하는 생성물의 양(mol)보다 크므로 반응이 일어나면 기체의 양(mol)은 감소한다. 기체의 양(mol)과 기체의 부피는 비례하므로 반응이 일어나면 기체의 부피는 감소한다.

다른 해설 ㄴ. 반응물의 반응 계수 합은 2+1=3이고, 생성물의 반응 계수는 2이다. 반응물의 반응 계수 합이 생성물의 반응 계수보다 크므로 반응이 일어나면 전체 물질의 양(mol)은 감소한다.

80 ㄱ. 이 반응의 화학 반응식을 완성하면 다음과 같다.

$$C_3H_4(g)+4O_2(g) \longrightarrow 3CO_2(g)+2H_2O(g)$$

$a=4$, $m=3$, $n=4$이므로 $a\times\frac{m}{n}=4\times\frac{3}{4}=3$이다.

ㄴ. C_3H_4과 O_2의 분자량은 각각 40, 32이므로 C_3H_4과 O_2의 반응 질량비는 $40:4\times32=5:16$이다.

제시된 자료에서 C_3H_4 x g이 모두 반응했으므로 반응한 O_2의 질량은 $\frac{16}{5}x$ g이다. 반응 후 O_2 $0.8x$ g이 남았으므로 반응 전 O_2의 질량은 $\frac{16}{5}x$ g$+\frac{4}{5}x$ g$=4x$ g이다. 반응 전 C_3H_4과 O_2의 양(mol)은 각각 $\frac{x}{40}$ mol, $\frac{4x}{32}$ mol이므로 $\frac{O_2(g)\text{의 양(mol)}}{\text{전체 기체의 양(mol)}}=\frac{\frac{4x}{32}}{\frac{x}{40}+\frac{4x}{32}}=\frac{5}{6}$이다.

바로알기 | ㄷ. C_3H_4과 CO_2의 반응 질량비는 $40:3\times44=10:33$이다. C_3H_4 x g이 모두 반응했으므로 생성된 CO_2의 질량은 $\frac{33}{10}x$ g이다.

81

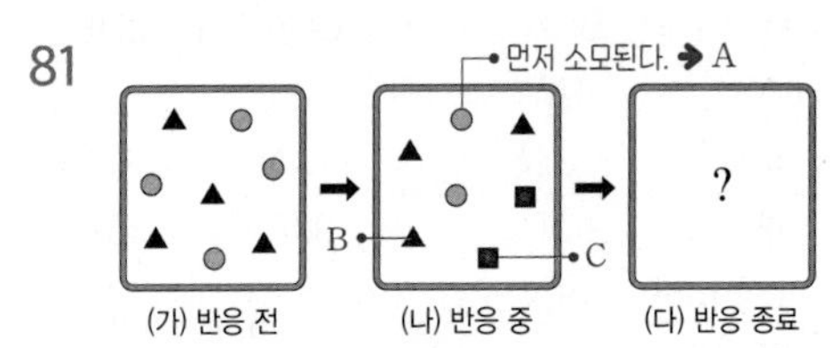

ㄱ. (가) → (나)에서 ● 2개와 ▲ 1개가 반응하여 ■ 2개가 생성된다. (나) → (다)에서 ●가 모두 소모되므로 ●는 A, ▲는 B, ■는 C이므로 화학 반응식은 다음과 같다.

$$2A(g)+B(g) \longrightarrow 2C(g)$$

따라서 A와 B는 2 : 1의 몰비로 반응한다.

ㄴ. (나) → (다)에서 A 2개와 B 1개가 반응하여 B 2개가 남고, C 2개가 더 생성되어 C 4개가 존재한다. 따라서 (다)에서 기체의 분자 수비는 B : C$=2:4=1:2$이다.

바로알기 | ㄷ. 질량 보존 법칙에 의해 (가)~(다)에서 기체의 질량은 모두 같다.

82 ② A_2 2개와 B_2 6개가 반응하여 AB_3 4개가 생성되므로 화학 반응식은 $A_2+3B_2 \longrightarrow 2AB_3$이다. 반응물의 반응 계수 합이 생성물의 반응 계수보다 크므로 반응이 끝나면 전체 분자 수는 감소한다.

④ 반응이 일어나도 원자의 종류와 수는 일정하다.

바로알기 | ① 화학 반응식은 $A_2+3B_2 \longrightarrow 2AB_3$이다.

③ 생성물은 AB_3 1가지이다.

⑤ 반응 후 B_2가 남아 있지 않으므로 A_2를 더 넣어 주어도 반응이 일어나지 않아 생성물의 양(mol)이 증가하지 않는다.

83 ㄴ. 기체 1 L의 양(mol)을 N mol이라고 하면 반응 전 실린더 속 A의 양(mol)은 $6N$ mol이며, B w g을 넣었을 때 그래프의 기울기가 변하므로 A와 B가 모두 반응하여 실린더에 C만 존재한다. 이때 전체 기체의 부피가 12 L이므로 C의 양(mol)은 $12N$ mol이다. B $\frac{3}{2}w$ g을 넣었을 때 A $6N$ mol과 B w g이 반응하고, 실린더에는 C $12N$ mol과 B $\frac{w}{2}$ g이 존재한다. 이때 전체 기체의 부피가 21 L이므로 B $\frac{w}{2}$ g의 부피는 9 L이다. 따라서 B w g은 $18N$ mol이다. A $6N$ mol과 B $18N$ mol이 반응하여 C $12N$ mol이 생성되므로 화학 반응식은 다음과 같다.

$$A(g)+3B(g) \longrightarrow 2C(g)$$

A 7 g과 B w g이 반응하여 C 8.5 g이 생성되었으므로 $w=1.5$이고 A~C의 반응 질량비는 $7:1.5:8.5=14:3:17$이다.

A~C의 반응 계수비는 1 : 3 : 2이므로 화학식량의 비는 $\frac{14}{1}$: $\frac{3}{3}$: $\frac{17}{2}$=28 : 2 : 17이다.

ㄷ. A $6N$ mol과 B $9N$ mol$\left(=\frac{w}{2}\text{ g}\right)$을 반응시키면 반응 후 실린더에는 A $3N$ mol과 C $6N$ mol이 존재한다. 이때 전체 기체의 부피는 9 L이므로 $x=9$이다. A $6N$ mol과 B $36N$ mol($=2w$ g)을 반응시키면 반응 후 B $18N$ mol과 C $12N$ mol이 존재한다. 이때 전체 기체의 부피는 30 L이므로 $y=30$이다. 따라서 $\frac{x}{y}=\frac{3}{10}$이다.

바로알기 | ㄱ. 화학 반응식은 $A(g) + 3B(g) \longrightarrow 2C(g)$이므로 $b=3$, $c=2$이다. 따라서 $b+c=5$이다.

84 ㄱ. 기체 1 L의 양(mol)을 N mol이라고 하면 실린더에 들어 있는 X의 양(mol)은 $12N$ mol이며, B_2 w g을 넣었을 때 X와 B_2가 모두 반응하고 실린더에 AB_3 12 L만 존재한다. 이때 생성된 AB_3의 양(mol)은 $12N$ mol이다. B_2 $2w$ g을 넣었을 때의 부피는 B_2 w g을 넣었을 때보다 전체 기체의 부피가 6 L 증가하므로 B_2 w g의 양(mol)은 $6N$ mol이다. B_2 w g을 넣었을 때 X $12N$ mol과 B_2 $6N$ mol이 반응하여 AB_3 $12N$ mol이 생성되므로 화학 반응식은 다음과 같다.

$$2X(g) + B_2(g) \longrightarrow 2AB_3(g)$$

반응 전후 원자의 종류와 수가 같아야 하므로 X는 AB_2이다.

ㄴ. $a=c=2$이다.

바로알기 | ㄷ. AB_2 $4w$ g의 양(mol)은 $12N$ mol이고, B_2 w g의 양(mol)은 $6N$ mol이므로 AB_2와 B_2의 분자량비는 $\frac{4w}{12N}$: $\frac{w}{6N}$ =2 : 1이다. A와 B의 원자량을 각각 m, n이라고 하면 AB_2와 B_2의 분자량비는 $(m+2n) : 2n=2 : 1$, $m=2n$이다. 따라서 A와 B의 원자량비는 2 : 1이다.

85 ㄱ. 제시된 물질의 화학 반응에서 반응물은 AB, B_2이고, 생성물은 A_2B이거나 AB_2이다. 생성물이 A_2B이면 화학 반응식은 $a\text{AB}+b\text{B}_2 \longrightarrow c\text{A}_2\text{B}$로 나타낼 수 있다. 반응 전과 후 A 원자 수와 B 원자 수가 같아야 하므로 $a=2c$, $a+2b=c$이고, 이 식을 정리하면 $b=-\frac{c}{2}$가 되어 모순이다. 따라서 생성물은 AB_2이고, 화학 반응식은 $a\text{AB} + b\text{B}_2 \longrightarrow c\text{AB}_2$로 나타낼 수 있다. 반응 전과 후 A 원자 수와 B 원자 수가 같아야 하므로 $a=c$, $a+2b=2c$이고 이 식을 정리하면 $b=\frac{c}{2}$이고, 화학 반응식은 $2AB + B_2 \longrightarrow 2AB_2$이다. 화학 반응식에서 반응 계수비는 AB : B_2=2 : 1이므로 반응 몰비는 AB : B_2=2 : 1이다.

ㄴ. 반응 후 생성물은 AB_2이므로 ㉡은 AB_2이다.

바로알기 | ㄷ. 반응 전 실린더에 들어 있는 AB의 양(mol)을 $4N$ mol이라고 하면 B_2의 양(mol)도 $4N$ mol이며 화학 반응에서 양적 관계는 다음과 같다.

	2AB	+	B_2	⟶	$2AB_2$
반응 전(mol)	$4N$		$4N$		
반응(mol)	$-4N$		$-2N$		$+4N$
반응 후(mol)	0		$2N$		$4N$

반응 전 실린더에 들어 있는 전체 기체의 양(mol)이 $8N$ mol일 때 $4V$ L이고, 반응 후 남은 B_2(㉠)의 양(mol)은 $2N$ mol이므로 부피는 V L이다.

86 ㄱ. (가)를 완전 연소시켰을 때 생성된 CO_2와 H_2O의 양(mol)은 각각 $\frac{55a}{44}=\frac{5a}{4}$, $\frac{27a}{18}=\frac{3a}{2}$이다. 생성물의 총 양(mol)은 $\frac{5a}{4}+\frac{3a}{2}=\frac{11a}{4}=11n$이므로 $a=4n$이다. (나)를 완전 연소시켰을 때 생성된 CO_2와 H_2O의 양(mol)은 각각 $\frac{11b}{44}=\frac{b}{4}$, $\frac{2b}{18}=\frac{b}{9}$이다. 생성물의 총 양(mol)은 $\frac{b}{4}+\frac{b}{9}=\frac{13b}{36}=13n$, $b=36n$이다. 따라서 $\frac{b}{a}=\frac{36n}{4n}=9$이다.

ㄴ. (가)를 완전 연소시켰을 때 생성된 CO_2에서 C의 양(mol)은 $\frac{5a}{4}$이고, H_2O에서 H의 양(mol)은 $2\times\frac{3a}{2}=3a$이다. (가)를 구성하는 C와 H의 몰비는 C : H=$\frac{5a}{4}$: $3a$=5 : 12이다. 따라서 (가)의 화학식은 C_5H_{12}이다.

ㄷ. (가)를 완전 연소시켰을 때 생성된 CO_2에서 O의 양(mol)은 $2\times\frac{5a}{4}=\frac{5a}{2}$이고, H_2O에서 O의 양(mol)은 $\frac{3a}{2}$이다. 반응한 O_2에서 O의 양(mol)은 $2\times\frac{256\times10^{-3}}{32}=16\times10^{-3}$이다. 반응 전과 후 O의 양(mol)은 같으므로 $16\times10^{-3}=\frac{5a}{2}+\frac{3a}{2}$, $a=4\times10^{-3}$이다. $\frac{b}{a}=9$이므로 $b=36\times10^{-3}$이고, (나)를 완전 연소시켰을 때 생성된 CO_2에서 O의 양(mol)은 $2\times\frac{b}{4}=\frac{b}{2}=18\times10^{-3}$이고, 생성된 H_2O에서 O의 양(mol)은 $\frac{b}{9}=4\times10^{-3}$이다. 반응 전과 후 O의 양(mol)은 같으므로 [(나)에 포함된 O의 양(mol)+반응한 O_2에 포함된 O의 양(mol)]=[CO_2에서 O의 양(mol)+H_2O에서 O의 양(mol)]이다. 따라서 (나)에 포함된 O의 양(mol)=CO_2에서 O의 양(mol)+H_2O에서 O의 양(mol)−반응한 O_2에 포함된 O의 양(mol)=$\left(18+4-2\times\frac{288}{32}\right)\times10^{-3}=4\times10^{-3}$이다. O의 원자량은 16이므로 (나)에 포함된 O의 질량은 $4\times10^{-3}\times16=64\times10^{-3}$ g=64 mg이다.

87 ㄴ. 실린더에 들어 있는 A의 양(mol)이 모두 반응하면 '반응 후 A의 부피×C의 양(L · mol)'=0이지만, 제시된 자료에서 0이 되는 값이 없으므로 B가 모두 반응한다. 기체 V L의 양(mol)을 n mol이라 하면 B 2 mol을 넣었을 때와 B 6 mol을 넣었을 때 화학 반응에서 양적 관계는 각각 다음과 같다.

	$A(g)$	+	$2B(s)$	⟶	$cC(s)$
반응 전(mol)	n		2		
반응(mol)	−1		−2		$+c$
반응 후(mol)	$(n-1)$		0		c

	$A(g)$	+	$2B(s)$	⟶	$cC(s)$
반응 전(mol)	n		6		
반응(mol)	−3		−6		$+3c$
반응 후(mol)	$(n-3)$		0		$3c$

반응 후 A의 부피는 A의 양(mol)에 비례하고, B 2 mol을 넣었을 때와 B 6 mol을 넣었을 때 '반응 후 A의 부피×C의 양(L · mol)'이 같으므로 $(n-1)\times c=(n-3)\times3c$, $n=4$이다.

따라서 V L에 해당하는 A의 양(mol)은 4 mol이다.

ㄷ. B 2 mol을 넣었을 때 반응 후 A는 3 mol이 남으며, 기체 4 mol의 부피가 V L이므로 A 3 mol의 부피는 $\frac{3}{4}V$ L이다. '반응 후 A의 부피×C의 양(L · mol)'$=\frac{3}{4}V\times c=\frac{3}{2}V$, $c=2$이다.

B 4 mol을 넣었을 때 화학 반응에서 양적 관계는 다음과 같다.

	$A(g)$	+	$2B(s)$	⟶	$2C(s)$
반응 전(mol)	4		4		
반응(mol)	-2		-4		$+4$
반응 후(mol)	2		0		4

반응 후 A의 부피×C의 양(mol)$=\frac{1}{2}V\times4=2V$이므로 $x=2$이다.

따라서 $c=x=2$이다.

바로알기 | ㄱ. ㉠~㉢에서 B가 모두 반응하므로 반응한 B의 양(mol)이 가장 큰 것은 ㉢이다.

88 A x L의 양(mol)은 $\frac{x}{40}$ mol이며, B $4w$ g의 양(mol)을 n mol이라고 하면 B $4w$ g을 넣었을 때 B가 모두 반응하므로 화학 반응에서 양적 관계는 다음과 같다.

	$5A(g)$	+	$B(g)$	⟶	$2C(g)$
반응 전(mol)	$\frac{x}{40}$		n		
반응(mol)	$-5n$		$-n$		$+2n$
반응 후(mol)	$\left(\frac{x}{40}-5n\right)$		0		$2n$

반응 후 전체 기체의 양(mol)은 $\frac{x}{40}-5n+2n=\frac{26}{40}$이므로

$3n=\frac{x}{40}-\frac{13}{20}$이다. … ①식

B $8w$ g의 양(mol)은 $2n$ mol이고, B $8w$ g을 넣었을 때 A가 모두 반응하므로 화학 반응에서 양적 관계는 다음과 같다.

	$5A(g)$	+	$B(g)$	⟶	$2C(g)$
반응 전(mol)	$\frac{x}{40}$		$2n$		
반응(mol)	$-\frac{x}{40}$		$-\frac{x}{200}$		$+\frac{x}{100}$
반응 후(mol)	0		$\left(2n-\frac{x}{200}\right)$		$\frac{x}{100}$

반응 후 전체 기체의 양(mol)은 $2n-\frac{x}{200}+\frac{x}{100}=\frac{26}{40}$이므로

$2n=\frac{13}{20}-\frac{x}{200}$이다. … ②식

①식과 ②식을 풀면 $x=50$, $n=\frac{1}{5}$이다.

89 ① B를 넣기 전 A V L의 밀도는 1이므로 A의 질량은 V g이다. B w g을 넣은 P에서 전체 기체의 질량은 $(V+w)$ g이고, 부피는 $2.5V$ L이므로 밀도는 $\frac{V+w}{2.5V}=0.8$, $V=w$이다. 따라서 반응 전 A V L의 질량은 w g이다.

② 분자량은 A가 B의 2배이므로 B w g의 부피는 $2V$ L이다. 기체 V L의 양(mol)을 n mol이라고 하면 B w g을 넣었을 때 화학 반응에서 양적 관계는 다음과 같다.

	$aA(g)$	+	$B(g)$	⟶	$aC(g)$
반응 전(mol)	n		$2n$		
반응(mol)	$-n$		$-\frac{n}{a}$		$+n$
반응 후(mol)	0		$2n-\frac{n}{a}$		n

반응 후 전체 기체의 양(mol)은 $\left(2n-\frac{n}{a}\right)+n=2.5n$, $a=2$이다.

③ 화학 반응식에서 A와 C의 반응 계수가 같으므로 A가 반응할 때에는 전체 기체의 부피가 일정하고, 넣어 주는 B의 질량 때문에 전체 기체의 질량은 증가하여 전체 기체의 밀도$\left(=\frac{질량}{부피}\right)$는 증가한다. A가 모두 반응한 후에는 넣어 주는 B의 양(mol)만큼 전체 기체의 부피가 증가하므로 전체 기체의 밀도는 감소한다. 따라서 A는 전체 기체의 밀도가 x일 때 모두 반응한다.

④ 화학 반응식은 $2A(g)+B(g) \longrightarrow 2C(g)$이므로 A n mol과 모두 반응하는 B의 양(mol)은 $\frac{n}{2}$ mol이다. B w g의 양(mol)은 $2n$ mol이므로 B $\frac{n}{2}$ mol의 질량은 $\frac{w}{4}$ g이다. 따라서 전체 기체의 밀도가 x일 때 반응한 B의 질량은 $\frac{w}{4}$ g이다.

바로알기 | ⑤ 전체 기체의 밀도가 x일 때 반응한 A의 질량은 w g, B의 질량은 $\frac{w}{4}$ g이므로 전체 기체의 질량은 $\frac{5w}{4}$ g이다. 화학 반응식에서 A와 C의 반응 계수가 같으므로 A가 반응할 때에는 전체 기체의 부피는 V L로 일정하다. 이때 전체 기체의 밀도는 $x=\frac{\frac{5w}{4}}{V}$이고, $V=w$이므로 $x=\frac{5}{4}$이다.

90 ㄱ. (가)에서 전체 기체 2 mol의 부피가 $3V$ L이므로 (나)에서 전체 기체 $2V$ L의 양(mol)은 $\frac{4}{3}$ mol이다. (나)에서 실린더에 A n mol, C n mol이 있으므로 $n=\frac{2}{3}$이다.

ㄴ. (가) → (나)에서 화학 반응의 양적 관계는 다음과 같다.

	$A(g)$	+	$bB(g)$	⟶	$cC(g)$
반응 전(mol)	1		1		
반응(mol)	$-\frac{1}{3}$		-1		$+\frac{2}{3}$
반응 후(mol)	$\frac{2}{3}$		0		$\frac{2}{3}$

A $\frac{1}{3}$ mol과 B 1 mol이 반응하여 C $\frac{2}{3}$ mol이 생성되므로 A~C의 반응 계수비는 1 : 3 : 2이다. $b=3$, $c=2$이므로 $b+c=5$이다.

바로알기 | ㄷ. 기체 $2.5V$ L의 양(mol)은 $\frac{5}{3}$ mol이며, (나) → (다)에서 A 또는 B가 모두 반응하므로 A가 모두 반응할 경우 화학 반응에서 양적 관계는 다음과 같다.

	$A(g)$	+	$3B(g)$	⟶	$2C(g)$
반응 전(mol)	$\frac{2}{3}$		x		$\frac{2}{3}$
반응(mol)	$-\frac{2}{3}$		-2		$+\frac{4}{3}$
반응 후(mol)	0		$(x-2)$		2

이 경우 전체 기체의 양(mol)은 $\frac{5}{3}$ mol 이상이 되어 모순이다. 따라서 (나) → (다)에서 B가 모두 반응하고, 이때의 양적 관계는 다음과 같다.

	$A(g)$	+	$3B(g)$	⟶	$2C(g)$
반응 전(mol)	$\frac{2}{3}$		x		$\frac{2}{3}$
반응(mol)	$-\frac{x}{3}$		$-x$		$+\frac{2x}{3}$
반응 후(mol)	$\frac{2}{3}-\frac{x}{3}$		0		$\frac{2}{3}+\frac{2x}{3}$

반응 후 전체 기체의 양(mol)은 $\frac{2}{3}-\frac{x}{3}+\frac{2}{3}+\frac{2x}{3}=\frac{4}{3}+\frac{x}{3}=\frac{5}{3}$, $x=1$이다.

91 ㄷ. (나)에서 생성된 CH_4의 양(mol)은 $\frac{48\times10^{-3}\ L}{24\ L/mol}=0.002$ mol이다. 두 번째 화학 반응식에서 C와 CH_4의 반응 계수비는 1 : 1이므로 반응한 C의 양(mol)은 0.002 mol이다. C의 원자량이 12이므로 반응한 C의 질량은 $12\times0.002=0.024$ g이다. 반응 후 남은 C의 질량은 0.012 g이므로 (나)에서 혼합한 C의 질량은 24 mg+12 mg=36 mg이다. 따라서 $a=36$이다.

바로알기 | ㄱ. 두 번째 화학 반응식에서 H_2와 CH_4의 반응 계수비는 2 : 1이므로 반응한 H_2의 양(mol)은 0.004 mol이다. (가)에서 생성된 H_2가 (나)에서 모두 반응했으므로 (가)에서 생성된 H_2의 양(mol)은 0.004 mol이다.

ㄴ. 첫 번째 화학 반응식에서 M과 H_2의 반응 계수비는 1 : 1이므로 반응한 M의 양(mol)은 0.004 mol이다. 반응한 M의 질량이 w mg이므로 M의 원자량은 $\frac{\text{M의 질량}}{\text{M의 양(mol)}}=\frac{w\times10^{-3}}{0.004}=\frac{w}{4}$이다.

92 ㄱ. (다)에서 $CaCO_3$ w_1 g이 모두 반응하였으므로 반응한 $CaCO_3$의 양(mol)은 $\frac{w_1}{100}$ mol이다.

ㄴ. $CaCO_3$과 HCl이 반응하면 CO_2가 생성되고, 생성된 CO_2는 기체이므로 공기 중으로 날아간다. 질량 보존 법칙에 의해 '$w_1+w_2=w_3$+생성된 CO_2의 질량'이므로 $w_1+w_2>w_3$이다.

ㄷ. 화학 반응식에서 $CaCO_3$과 CO_2의 반응 계수가 같으므로 반응한 $CaCO_3$과 생성된 CO_2의 양(mol)이 같다. 생성된 CO_2의 질량은 $(w_1+w_2-w_3)$ g이고, CO_2의 분자량을 M이라고 하면 생성된 CO_2의 양(mol)은 $\frac{w_1+w_2-w_3}{M}$이다. 반응한 $CaCO_3$의 양(mol)은 $\frac{w_1}{100}$이므로 $\frac{w_1}{100}=\frac{w_1+w_2-w_3}{M}$, $M=\frac{100(w_1+w_2-w_3)}{w_1}$이다.

93 모범 답안 $CaCO_3$과 CO_2의 반응 몰비는 1 : 1이므로 발생한 CO_2의 양(mol)은 $\frac{w_1}{100}$ mol이다. 따라서 t ℃, 1 atm에서 발생한 CO_2의 부피는 $\left(\frac{w_1}{100}\times24\right)$ L이다.

94 ㄱ. $CaCO_3$과 HCl이 반응하면 생성된 CO_2가 공기 중으로 날아가므로 질량이 감소한다. 감소한 질량은 CO_2의 질량이므로 생성된 CO_2의 양(mol)은 $\frac{202.81-202.37}{44}=0.01$ mol이다.

화학 반응식에서 H_2O과 CO_2의 반응 계수가 같으므로 생성된 H_2O의 양(mol)은 0.01 mol이고, 질량은 18 g/mol×0.01 mol=0.18 g이다.

ㄴ. 20 ℃, 1 atm에서 기체 1 mol의 부피는 24 L이므로 생성된 CO_2의 부피는 0.01 mol×24 L/mol=0.24 L이다.

바로알기 | ㄷ. $CaCO_3$ 1.5 g은 $\frac{1.5\ g}{100\ g/mol}=0.015$ mol이며, 화학 반응식에서 $CaCO_3$과 CO_2의 반응 계수가 같으므로 반응한 $CaCO_3$의 양(mol)은 0.01 mol이다. 따라서 반응 후 남아 있는 $CaCO_3$의 양(mol)은 0.005 mol이다.

95 $Mg(s)$과 $HCl(aq)$이 반응하여 $H_2(g)$가 생성되는 반응의 화학 반응식은 다음과 같다.

$$Mg(s) + 2HCl(aq) \longrightarrow MgCl_2(aq) + H_2(g)$$

H_2 18 L의 양(mol)은 $\frac{3}{4}$ mol이고, 화학 반응식에서 Mg과 H_2의 반응 계수가 같으므로 필요한 Mg의 양(mol)은 $\frac{3}{4}$ mol이다. Mg의 원자량은 24이므로 Mg $\frac{3}{4}$ mol의 질량은 24 g/mol×$\frac{3}{4}$ mol=18 g이다.

모범 답안 H_2 18 L의 양(mol)은 $\frac{3}{4}$ mol이므로 필요한 Mg의 최소 양(mol)은 $\frac{3}{4}$ mol이며, Mg $\frac{3}{4}$ mol의 질량은 24 g/mol×$\frac{3}{4}$ mol=18 g이다.

04 용액의 농도

빈출 자료 보기 28쪽

96 (1) ○ (2) × (3) ○ (4) ○

97 (1) × (2) ○ (3) ×

96 (1) (가)에 녹아 있는 포도당의 양(mol)은 0.1 M×0.5 L=0.05 mol이다. 포도당의 분자량은 180이므로 질량은 0.05 mol×180 g/mol=9 g이다.

(3) (가)~(다)에 녹아 있는 포도당의 양(mol)은 각각 0.05 mol, 0.04 mol, 0.04 mol이므로 (가)~(다)를 혼합한 용액에 녹아 있는 포도당의 양(mol)은 0.13 mol이다. 혼합 용액의 부피가 1 L이므로 이 수용액의 몰 농도(M)는 $\frac{0.13\ mol}{1\ L}=0.13$ M이다.

(4) 제시된 실험 기구는 부피 플라스크이다.

바로알기 | (2) (나)에 녹아 있는 포도당의 양(mol)은 0.2 M×0.2 L=0.04 mol이고 (다)에 녹아 있는 포도당의 양(mol)은 0.4 M×0.1 L=0.04 mol이다. 따라서 (나)와 (다)를 혼합한 용액에 녹아 있는 포도당의 양(mol)은 0.08 mol이다.

97 (2) (가)의 수용액의 부피는 $\frac{60\ g}{1\ g/mL}=60$ mL이다.

바로알기 | (1) 10 % $NaOH(aq)$ 60 g에 녹아 있는 NaOH의 질량은 $\frac{10}{100}\times60\ g=6\ g$이다. NaOH의 화학식량은 40이므로 수용액에 녹아 있는 NaOH의 양(mol)은 $\frac{6\ g}{40\ g/mol}=0.15\ mol$이다.

(3) (가)와 (나) 수용액을 모두 혼합한 용액에 녹아 있는 NaOH의 양(mol)은 $0.15\ mol+0.5\ M\times0.1\ L=0.2\ mol$이다. 이 혼합 용액의 몰 농도(M)는 0.2 M이므로 $0.2\ M\times\frac{(160+x)}{1000}\ L=0.2\ mol$, $x=840$이다.

난이도별 필수 기출

29~31쪽

98 ⑤	99 ④	100 ①	101 ②	102 ④	103 ①
104 ②	105 해설 참조		106 ③	107 ③	108 ⑤
109 ②	110 ④	111 ①	112 ③		

98 ①, ② 퍼센트 농도는 $\frac{용질의\ 질량(g)}{용액의\ 질량(g)}\times100$으로 나타내므로 용액 100 g에 녹아 있는 용질의 질량을 백분율로 나타낸 것이다. 퍼센트 농도의 단위는 %이다.

③ 몰 농도는 $\frac{용질의\ 양(mol)}{용액의\ 부피(L)}$으로 나타내므로 용액 1 L에 녹아 있는 용질의 양(mol)을 의미한다.

④ 몰 농도의 단위는 M 또는 mol/L이다.

⑥ 용액에 녹아 있는 용질의 양(mol)은 몰 농도(M)×부피(L)이다. 0.1 M 포도당 수용액 0.1 L와 0.1 M 설탕 수용액 0.1 L에 녹아 있는 입자 수는 $0.1\ M\times0.1\ L=0.01\ mol$로 같다.

바로알기 | ⑤ 10 % 포도당 수용액 100 g에 녹아 있는 포도당의 질량은 $\frac{10}{100}\times100\ g=10\ g$이고, 10 % 설탕 수용액 100 g에 녹아 있는 설탕의 질량은 $\frac{10}{100}\times100\ g=10\ g$이다. 포도당 수용액과 설탕 수용액에 녹아 있는 용질의 질량은 같지만, 포도당과 설탕의 분자량이 다르므로 녹아 있는 입자 수는 다르다.

99 물을 모두 증발시키면 삼각 플라스크에는 $NaCl(s)$이 남아 있다. 삼각 플라스크의 질량은 505 g이므로 $NaCl(s)$의 질량은 $510.85\ g-505\ g=5.85\ g$이다. NaCl의 화학식량이 58.5이므로 NaCl 5.85 g은 $\frac{5.85\ g}{58.5\ g/mol}=0.1\ mol$이다. $NaCl(aq)$ 50 mL=0.05 L이므로 이 수용액의 몰 농도(M)$=\frac{0.1\ mol}{0.05\ L}=2\ M$이다.

100 (가) 0.5 M 설탕 수용액 500 mL에 녹아 있는 설탕의 양(mol)은 $0.5\ M\times0.5\ L=0.25\ mol$이다.

(나) 9 % 포도당 수용액 300 g에 녹아 있는 포도당의 질량은 $\frac{9}{100}\times300\ g=27\ g$이다. 포도당의 분자량이 180이므로 포도당 27 g의 양(mol)은 $\frac{27\ g}{180\ g/mol}=0.15\ mol$이다.

(다) 1 M 포도당 수용액 0.1 L에 녹아 있는 포도당의 양(mol)은 $1\ M\times0.1\ L=0.1\ mol$이다.

따라서 수용액에 녹아 있는 용질의 입자 수는 (가)>(나)>(다)이다.

101 1 M 포도당 수용액 800 mL에 녹아 있는 포도당의 양(mol)은 $1\ M\times0.8\ L=0.8\ mol$이고, 2 M 포도당 수용액 200 mL에 녹아 있는 포도당의 양(mol)은 $2\ M\times0.2\ L=0.4\ mol$이다. 혼합 용액에 녹아 있는 포도당의 양(mol)은 $0.8\ mol+0.4\ mol=1.2\ mol$이고, 혼합 용액의 부피는 $0.8\ L+0.2\ L=1\ L$이므로 몰 농도(M)는 $\frac{1.2\ mol}{1\ L}=1.2\ M$이다.

102 2.0 M 설탕 수용액 x mL에 녹아 있는 설탕의 양(mol)과 0.4 M 설탕 수용액 2 L에 녹아 있는 설탕의 양(mol)이 같다. 따라서 $2.0\ M\times\frac{x}{1000}\ L=0.4\ M\times2\ L$, $x=400$이다.

103 생성된 CO_2의 양(mol)은 $\frac{0.44\ g}{44\ g/mol}=0.01\ mol$이고, $CaCO_3$과 CO_2의 반응 계수비는 1 : 1이므로 반응한 $CaCO_3$의 양(mol)도 0.01 mol이다. 따라서 반응한 $CaCO_3$의 질량은 $0.01\ mol\times100\ g/mol=1\ g$이고, 반응 후 남은 $CaCO_3$의 질량은 5 g이므로 $a=5$이다. $HCl(aq)$과 CO_2의 반응 계수비는 2 : 1이므로 반응한 $HCl(aq)$의 양(mol)은 0.02 mol이고, $HCl(aq)$의 몰 농도(M)는 $\frac{0.02\ mol}{0.1\ L}=0.2\ M$이므로 $x=0.2$이다. 따라서 $x\times a=1$이다.

104 ① 0.5 M A 수용액 1 L에 녹아 있는 A의 양(mol)은 $0.5\ M\times1\ L=0.5\ mol$이다.

③ A의 화학식량은 180이므로 A 0.5 mol의 질량은 $0.5\ mol\times180\ g/mol=90\ g$이다. A 수용액의 밀도는 1.08 g/mL이므로 수용액 1 L의 질량은 $1000\ mL\times1.08\ g/mL=1080\ g$이다. 따라서 수용액의 퍼센트 농도(%)는 $\frac{90\ g}{1080\ g}\times100=\frac{25}{3}$ %이다.

④ 물을 추가하여도 녹아 있는 A의 양(mol)은 0.5 mol로 일정하므로 수용액의 부피를 4 L로 증가시킨 용액의 몰 농도(M)는 $\frac{0.5\ mol}{4\ L}=0.125\ M$이다.

⑤ 물을 증발시켜도 녹아 있는 A의 양(mol)은 일정하므로 수용액의 부피가 $\frac{1}{4}$로 감소하면 0.25 L가 되어 몰 농도(M)는 $\frac{0.5\ mol}{0.25\ L}=2\ M$이다.

바로알기 | ② A의 화학식량은 180이므로 A 0.5 mol의 질량은 90 g이다. 수용액 1 L에 녹아 있는 A의 질량은 90 g이므로 수용액 0.5 L에 녹아 있는 A의 질량은 절반인 45 g이다.

다른 해설 ④ 몰 농도(M)는 $\frac{용질의\ 양(mol)}{용액의\ 부피(L)}$이므로 몰 농도(M)는 수용액의 부피에 반비례한다. 수용액의 부피가 1 L에서 4 L로 4배가 되면 몰 농도(M)는 $\frac{1}{4}$배가 되어 $0.5\ M\times\frac{1}{4}=0.125\ M$이다.

⑤ 몰 농도는 수용액의 부피에 반비례하므로 수용액의 부피가 $\frac{1}{4}$배가 되면 몰 농도(M)는 4배가 되어 $0.5\ M\times4=2\ M$이다.

105 (1) 몰 농도(M)$=\frac{용질의\ 양(mol)}{용액의\ 부피(L)}$이므로 용질의 양(mol)은 몰 농도(M)×용액의 부피(L)이다. A 수용액에 녹아 있는 A의 양(mol)은 $x\ M\times1\ L=x\ mol$이고, B 수용액에 녹아 있는 B의 양(mol)은 $\frac{2}{3}x\ M\times1\ L=\frac{2}{3}x\ mol$이다. 수용액에 녹아 있는 용질의 몰비는 (가) : (나)$=x:\frac{2}{3}x=3:2$이다.

(2) 물질의 양(mol)$=\dfrac{\text{질량(g)}}{\text{분자량(g/mol)}}$이므로 질량(g)=물질의 양(mol)×분자량(g/mol)이다. 수용액에 녹아 있는 용질의 몰비는 A : B=3 : 2이고, 분자량비는 A : B=1 : 3이므로 수용액에 녹아 있는 용질의 질량비는 (가) : (나)=3×1 : 2×3=1 : 2이다.

모범 답안 (1) 수용액에 녹아 있는 용질의 몰비는 (가) : (나)$=x$ M×1 L : $\dfrac{2}{3}x$ M×1 L=3 : 2이다.

(2) 수용액에 녹아 있는 용질의 질량비는 수용액에 녹아 있는 용질의 몰비에 용질의 분자량비를 곱하여 구할 수 있다. 따라서 용질의 질량비는 (가) : (나)=3×1 : 2×3=1 : 2이다.

106 ㄱ. 퍼센트 농도(%)$=\dfrac{\text{용질의 질량(g)}}{\text{용액의 질량(g)}}\times100$이므로 (가)에서 설탕 수용액의 퍼센트 농도(%)는 $\dfrac{25\text{ g}}{450\text{ g}+25\text{ g}}\times100$(%)이고, (나)에서 포도당 수용액의 퍼센트 농도(%)는 $\dfrac{25\text{ g}}{450\text{ g}+25\text{ g}}\times100$(%)이다. 따라서 (가)와 (나)에서 수용액의 퍼센트 농도(%)는 같다.

ㄷ. 용질의 입자 수는 $\dfrac{\text{질량}}{\text{분자량}}$에 비례한다. 수용액에 녹아 있는 설탕과 포도당의 질량은 25 g으로 같지만, 용질의 분자량은 설탕이 포도당보다 크므로 용질의 입자 수는 (나)가 (가)보다 크다.

바로알기 | ㄴ. 몰 농도(M)$=\dfrac{\text{용질의 양(mol)}}{\text{용액의 부피(L)}}$이다. (가)와 (나)에서 수용액의 질량은 475 g으로 같고, 수용액의 밀도도 1 g/mL로 같으므로 수용액의 부피$\left(=\dfrac{\text{질량}}{\text{밀도}}\right)$는 (가)와 (나)에서 같다. 수용액에 녹아 있는 포도당의 양(mol)은 설탕의 양(mol)보다 크므로 수용액의 몰 농도(M)는 (나)가 (가)보다 크다.

다른 해설 ㄱ. 설탕 수용액과 포도당 수용액에서 수용액의 질량은 475 g (=450 g+25 g)으로 같고, 녹아 있는 설탕과 포도당의 질량은 25 g으로 같다. 퍼센트 농도(%)는 $\dfrac{\text{용질의 질량(g)}}{\text{용액의 질량(g)}}\times100$이므로 용액의 질량과 용질의 질량이 같은 설탕 수용액과 포도당 수용액의 퍼센트 농도(%)는 같다.

107 ㄱ. 용질의 질량(g)$=\dfrac{\text{퍼센트 농도(\%)}}{100}\times$용액의 질량(g)이므로 (가)에 녹아 있는 NaOH의 질량은 $\dfrac{1}{100}\times500=5$ g이다. 용질의 양(mol)=몰 농도(M)×용액의 부피(L)이므로 (나)에 녹아 있는 NaOH의 양(mol)은 0.2 M×0.25 L=0.05 mol이다. NaOH의 화학식량은 40이므로 (나)에 녹아 있는 NaOH의 질량은 0.05 mol×40 g/mol=2 g이다. 따라서 수용액에 녹아 있는 NaOH의 질량은 (가)가 (나)의 2.5배이다.

ㄷ. (가)의 질량은 500 g이고 (가)에 녹아 있는 NaOH의 질량은 5 g이므로 (가) 수용액 400 g을 취한 용액에는 NaOH 5 g$\times\dfrac{4}{5}=4$ g이 녹아 있고, NaOH 4 g의 양(mol)은 $\dfrac{4\text{ g}}{40\text{ g/mol}}=0.1$ mol이다. 따라서 (가) 수용액 400 g에 물을 넣어 500 mL로 만든 용액의 몰 농도(M)는 $\dfrac{0.1\text{ mol}}{0.5\text{ L}}=0.2$ M이다.

바로알기 | ㄴ. (나)의 밀도는 1 g/mL이므로 (나)의 질량은 250 mL×1 g/mL=250 g이고, (가)와 (나)의 혼합 용액의 질량은 500 g+250 g=750 g이다. (가)와 (나)의 혼합 용액에 녹아 있는 NaOH의 질량은 5 g+2 g=7 g이므로 (가)와 (나) 혼합 용액의 퍼센트 농도(%)는 $\dfrac{7\text{ g}}{750\text{ g}}\times100=\dfrac{14}{15}$ %이고, 이는 1 %보다 작다.

108 ㄱ. 1.5 M NaOH(aq) 20 mL에 녹아 있는 NaOH의 양(mol)은 1.5 M×0.02 L=0.03 mol이다. NaOH의 화학식량은 40이므로 (가)에 들어 있는 NaOH(s)의 질량은 0.03 mol×40 g/mol=1.2 g이다.

ㄴ. (나)에 들어 있는 NaOH(aq)의 부피는 100 mL이고, NaOH(aq)에 녹아 있는 NaOH의 양(mol)은 0.03 mol이므로 NaOH(aq)의 몰 농도(M)는 $\dfrac{0.03\text{ mol}}{0.1\text{ L}}=0.3$ M이다. 따라서 $x=0.3$이다.

ㄷ. 제시된 자료는 1.5 M NaOH(aq) 20 mL를 부피 플라스크에 넣고 수용액의 부피가 100 mL가 되도록 증류수를 채우면 x M NaOH(aq) 100 mL가 만들어지는 과정을 나타낸 것이다.

109 NaOH(aq)을 만들기 위해서 녹여야 하는 NaOH의 질량을 측정해야 하므로 가장 먼저 해야 하는 과정은 (가)이다. (가) 과정 후 NaOH을 녹이는 (다) 과정을 수행하며, (다) 과정 후 원하는 몰 농도(M)의 수용액을 만들기 위해 부피 플라스크로 옮기는 (나) 과정을 수행해야 한다. (나) 과정 후 정확한 실험을 위해 (마) 과정을 수행하고, 부피 플라스크의 표시선까지 증류수를 채워야 하므로 마지막으로 (라) 과정을 수행한다.

110 ㄱ. NaOH(aq)을 넣고 원하는 부피까지 증류수를 채우기 위해 사용하는 실험 기구는 부피 플라스크이다. 따라서 ㉠은 부피 플라스크이다.

ㄷ. NaOH(aq)에 녹아 있는 NaOH의 양(mol)은 $\dfrac{4\text{ g}}{40\text{ g/mol}}=$ 0.1 mol이고 NaOH(aq)의 부피는 100 mL이므로 몰 농도(M)는 $\dfrac{0.1\text{ mol}}{0.1\text{ L}}=1$ M이다.

바로알기 | ㄴ. (라)에서 증류수를 100 mL 넣으면 (다)에서 비커에 넣은 증류수와 (마)에서 비커를 씻어 부피 플라스크에 넣은 증류수의 부피 때문에 전체 수용액의 부피는 100 mL 이상이 된다. 따라서 (라)에서 넣은 증류수의 부피는 100 mL보다 작다.

111 ㄱ. 2 M 포도당 수용액 300 mL에 녹아 있는 포도당의 양(mol)은 2 M×0.3 L=0.6 mol이다. 포도당 0.6 mol을 녹여 수용액 x mL를 만들었을 때 수용액의 몰 농도(M)가 1.5 M이므로 $1.5\text{ M}=\dfrac{0.6\text{ mol}}{\frac{x}{1000}\text{ L}}$, $x=400$이다.

바로알기 | ㄴ. 2 M 포도당 수용액 200 mL에 녹아 있는 포도당의 양(mol)은 2 M×0.2 L=0.4 mol이며, 포도당의 분자량은 180이므로 포도당 0.4 mol의 질량은 0.4 mol×180 g/mol=72 g이다. 2.5 M 포도당 수용액 400 mL에 녹아 있는 포도당의 양(mol)은 2.5 M×0.4 L=1 mol이며, 포도당 1 mol의 질량은 1 mol×180 g/mol=180 g이다. 2 M 포도당 수용액 200 mL에 녹아 있는 포도당의 질량과 포도당 y g의 합은 2.5 M 포도당 수용액 400 mL에 녹아 있는 포도당의 질량과 같으므로 72 g$+y$ g=180 g, $y=108$이다.

(가)에서 만든 수용액에 녹아 있는 포도당의 양(mol)은 0.6 mol이고, (나)에서 만든 수용액에 녹아 있는 포도당의 양(mol)은 1 mol이므로 혼합 수용액에 녹아 있는 포도당의 양(mol)은 1.6 mol이다.

혼합 수용액의 부피는 400 mL+400 mL=800 mL이므로 몰 농도(M) $=\frac{1.6\ mol}{0.8\ L}$=2 M, z=2이다 따라서 $\frac{y}{z}=\frac{108}{2}$=54이다.

ㄷ. (다) 과정 후에 수용액의 몰 농도(M)는 2 M이므로 이 수용액 100 mL에 녹아 있는 포도당의 양(mol)은 2 M×0.1 L=0.2 mol이다.

다른 해설 ㄱ. 2 M 포도당 수용액 300 mL에 녹아 있는 포도당의 양(mol)과 1.5 M 포도당 수용액 x mL에 녹아 있는 포도당의 양(mol)은 같으므로 2 M×0.3 L=1.5 M×$\frac{x}{1000}$ L, x=400이다.

112 A 10 g을 녹인 수용액 10 mL에서 1 mL를 취한 수용액에 녹아 있는 A의 질량은 10 g×$\frac{1}{10}$=1 g이다. A의 화학식량이 40이므로 (가) 수용액에 녹아 있는 A의 양(mol)은 $\frac{1}{40}$ mol이다. (가) 수용액의 부피는 $\frac{1}{4}$ L(=0.25 L)이므로 (가) 수용액의 몰 농도(M) $x=\frac{\frac{1}{40}}{\frac{1}{4}}=\frac{1}{10}$이다. (가) 수용액의 밀도가 1.2 g/mL이므로 질량은 250 mL×1.2 g/mL=300 g이다. (가) 수용액에 녹아 있는 A의 질량은 1 g이므로 퍼센트 농도(%) $y=\frac{1}{300}\times100=\frac{1}{3}$이다. 따라서 $\frac{y}{x}=\frac{\frac{1}{3}}{\frac{1}{10}}=\frac{10}{3}$이다.

최고 수준 도전 기출 (01~04강) 32~33쪽

113 ⑤	114 ④	115 ③	116 ⑤	117 ③	118 ③
119 해설 참조	120 해설 참조				

113 ㄴ. (가)의 질량을 100 g이라고 하면 C의 질량은 75 g, H의 질량은 25 g이다. H와 C의 원자량은 각각 1, 12이므로 (가)에 포함된 C 원자와 H 원자의 몰비는 C : H=$\frac{75}{12}$: $\frac{25}{1}$=1 : 4이다. (가)는 분자 1개당 H 원자 수가 4이므로 (가)의 분자식은 CH_4이다. (나)에 포함된 C 원자와 H 원자의 몰비를 같은 형태로 구하면 C : H =$\frac{90}{12}$: $\frac{10}{1}$=3 : 4이다. (나)는 분자 1개당 H 원자 수가 4이므로 (나)의 분자식은 C_3H_4이다. 분자 1개당 C 원자 수는 (가) 1, (나) 3이므로 (나)가 (가)의 3배이다.

ㄷ. 분자량은 (가) 16, (나) 40이므로 (가)<(나)이다.

바로알기 | ㄱ. (가)의 분자식은 CH_4, (나)의 분자식은 C_3H_4이다.

114 ㄴ. CH_3COOH(아세트산)은 분자당 H 원자 수가 4, O 원자 수가 2이므로 1 mol에 들어 있는 $\frac{\text{H 원자 수}}{\text{O 원자 수}}=\frac{4}{2}$=2이다. $C_9H_8O_4$(아스피린)은 분자당 H 원자 수가 8, O 원자 수가 4이므로 1 mol에 들어 있는 $\frac{\text{H 원자 수}}{\text{O 원자 수}}=\frac{8}{4}$=2이다. 따라서 (가)와 (나)는 1 mol에 들어 있는 $\frac{\text{H 원자 수}}{\text{O 원자 수}}$가 같다.

ㄷ. CH_3COOH의 분자량은 60이고, $C_9H_8O_4$의 분자량은 180이다. 1 g에 들어 있는 C 원자 수는 $\frac{\text{분자당 C 원자 수}}{\text{분자량}}$에 해당하므로 CH_3COOH이 $\frac{2}{60}=\frac{1}{30}$이고, $C_9H_8O_4$이 $\frac{9}{180}=\frac{1}{20}$이다. 따라서 1 g에 들어 있는 C 원자 수는 (가)<(나)이다.

바로알기 | ㄱ. 1 mol의 질량비는 분자량비와 같으므로 (가) : (나)=60 : 180=1 : 3이다.

115 ㄱ. (가)는 P에서 X 1.5w g과 Y 1.5w g으로 이루어진다. (가)의 분자식이 X_2Y이면 Y의 원자량은 X의 2배이다. (나)는 Q에서 X $\frac{2}{3}w$ g과 Y w g으로 이루어진다. X와 Y의 질량비는 2 : 3이고, Y의 원자량은 X의 2배이므로 (나)의 화학식은 X_4Y_3, X_8Y_6 등이 되므로 (나)의 구성 원자 수는 5 이하라는 조건에 모순이다. 따라서 (가)의 분자식은 XY_2이고, X의 원자량은 Y의 2배이다. (나)에서 X와 Y의 질량비는 2 : 3이고 (나)의 구성 원자 수는 5 이하이므로 (나)의 분자식은 XY_3이다.

ㄷ. t ℃, 1 atm에서 기체 1 mol의 부피는 V L이므로 P에서 (가)의 양(mol)은 1.5 mol이다. (가)의 분자식은 XY_2이므로 X 원자의 양은 1.5 mol, Y 원자의 양은 3 mol이다. 따라서 P에서 X 원자와 Y 원자의 양(mol)의 합은 4.5 mol이다.

바로알기 | ㄴ. P와 Q에서 기체의 밀도비는 $\frac{1.5w+1.5w}{1.5V}$: $\frac{\frac{2}{3}w+w}{\frac{2}{3}V}$=4 : 5이다.

116 ⑤ (가)에 들어 있는 A와 B는 온도와 압력이 같고, (가)에 들어 있는 기체와 (나)에 들어 있는 B는 온도가 같지만 압력이 다르다. 꼭지를 열면 (나)에 있는 B는 압력이 변하지 않으므로 부피가 V L로 일정하지만, (가)에 들어 있는 A와 B는 압력이 변하면서 부피가 변한다. 꼭지를 열고 충분한 시간이 지났을 때 (나)의 부피가 4V L이므로 (가)와 (나)의 부피의 합은 V L+2V L+4V L=7V L이다. (나)에 있는 B의 부피가 V L로 일정하므로 (가)에 들어 있는 A와 B는 각각 2V L, 4V L가 된다. 따라서 A와 B의 부피는 각각 2V L, 5V L(=4V+V)이므로 A와 B의 부피비는 2 : 5이다.

바로알기 | ① 꼭지를 열면 (가)에 들어 있는 기체의 부피가 증가하므로 (가)에 들어 있는 기체의 압력은 (나)에서 피스톤에 작용하는 대기압보다 크다.

② 꼭지를 열고 충분한 시간이 지나면 모든 기체의 압력이 같아지므로 기체의 양(mol)과 부피가 비례한다. 꼭지를 열고 충분한 시간이 지났을 때 (가)에 들어 있는 기체의 부피는 2V L+4V L=6V L에 해당하고, (나)에 들어 있는 기체의 부피는 V L이므로 꼭지를 열기 전 전체 기체의 양(mol)은 (가) : (나)=6 : 1이다.

③ (가)에서 A와 B의 질량이 w g으로 같을 때 기체의 부피는 B가 A의 2배이다. 기체의 부피는 기체의 양(mol)에 비례하므로 기체의 분자량은 A가 B의 2배이다.

④ 꼭지를 열고 충분한 시간이 지났을 때 (가)에 들어 있는 B의 부피는 4V L에 해당하고, (나)에 들어 있는 B의 부피는 V L에 해당하므로 B의 양(mol)은 (가)가 (나)의 4배이다. 따라서 (나)에 들어 있는 B의 질량은 (가)에 들어 있는 B의 $\frac{1}{4}$배가 되므로 $x=\frac{w}{4}$이다.

117

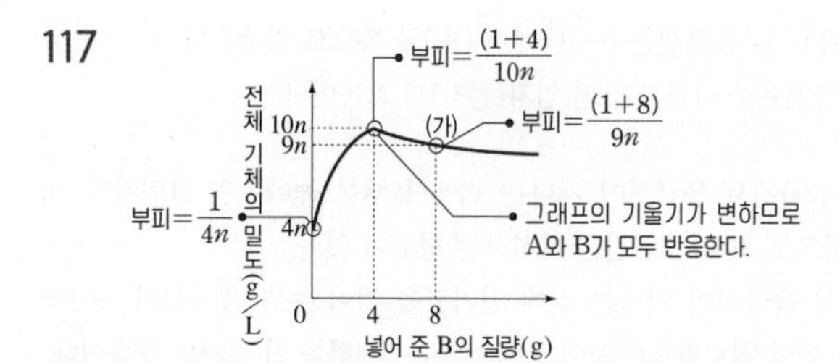

밀도$=\frac{질량}{부피}$이므로 부피$=\frac{질량}{밀도}$이다. B를 넣기 전, B 4 g을 넣었을 때, B 8 g을 넣었을 때의 부피비를 구하면 $\frac{1}{4n}:\frac{(1+4)}{10n}:\frac{(1+8)}{9n}$ $=1:2:4$이다. 온도와 압력이 일정할 때 기체의 부피는 기체의 양(mol)에 비례하므로 B를 넣기 전 A의 양(mol)을 N mol이라고 하면, B 4 g을 넣었을 때 기체의 양(mol)은 $2N$ mol, B 8 g을 넣었을 때 기체의 양(mol)은 $4N$ mol이다. 그래프에서 B 4 g을 넣었을 때 그래프의 기울기가 변하므로 이때 A와 B가 모두 반응하고 실린더에는 C만 존재한다. B 8 g을 넣었을 때 넣어 준 B 4 g은 반응하지 않으므로 B 4 g을 넣었을 때보다 증가한 기체의 양 $2N$ mol은 B 4 g의 양(mol)이다. B 4 g을 넣었을 때 A N mol과 B $2N$ mol이 반응하여 C $2N$ mol이 생성된다. 따라서 A~C의 반응 몰비는 1 : 2 : 2이므로 반응 계수비 $a:b:c=1:2:2$이다.

118 ㄱ. C_mH_n이 연소하면 C 원자는 CO_2가 되고 H 원자는 H_2O가 된다. C_mH_n 1분자에는 C 원자 수가 m개, H 원자 수가 n개 있으므로 C_mH_n 1분자를 연소시키면 CO_2 m개, H_2O $\frac{1}{2}n$개가 생성된다. CO_2 m개에는 O 원자가 $2m$개 있고, H_2O $\frac{1}{2}n$개에는 O 원자가 $\frac{1}{2}n$개 있으므로 반응한 O_2는 $\frac{1}{2}\left(2m+\frac{1}{2}n\right)=m+\frac{1}{4}n$개이다. 따라서 C_mH_n의 연소 반응은 다음과 같이 정리할 수 있다.

$$C_mH_n+\left(m+\frac{1}{4}n\right)O_2 \longrightarrow mCO_2+\frac{1}{2}nH_2O$$

반응 전과 후 기체의 부피가 일정하므로 반응물의 반응 계수 합은 생성물의 반응 계수 합과 같다. $1+\left(m+\frac{1}{4}n\right)=m+\frac{1}{2}n$, $n=4$이다.

화학 반응식에서 CO_2와 H_2O의 계수는 b로 같으므로 $m=\frac{1}{2}n=2$이다. 따라서 연소시키는 물질의 분자식은 C_2H_4이고, C_2H_4의 분자량은 28이므로 C_2H_4 1.4 g은 0.05 mol이다.

(가)에서 $\frac{O_2(g)의\ 양(mol)}{전체\ 물질의\ 양(mol)}=\frac{0.2\ mol}{0.2\ mol+0.05\ mol}=\frac{4}{5}$이다.

ㄷ. 질량 보존 법칙에 의해 반응 전과 후 기체의 질량은 같다. 반응 전과 후 기체의 부피가 같으므로 반응 전과 후 기체의 밀도는 같다.

바로알기 | ㄴ. C_2H_4 연소 반응의 화학 반응식은 다음과 같다.

$$C_2H_4+3O_2 \longrightarrow 2CO_2+2H_2O$$

C_2H_4과 O_2의 반응 계수비가 1 : 3이므로 C_2H_4 0.05 mol과 반응하는 O_2의 양은 0.15 mol이고, 반응 후 O_2 0.05 mol이 남는다. O_2의 분자량은 32이므로 남은 O_2의 질량 $x=0.05\ mol\times32\ g/mol=1.6$ g이다.

119 화학 반응식에서 반응물의 계수 합과 생성물의 계수가 같으므로 반응 전과 후 기체의 부피는 일정하며, 실험 Ⅰ과 Ⅱ에서 반응 전 전체 기체의 부피는 각각 6 L, 8 L이다. A의 분자량이 2이므로 실험 Ⅰ과 Ⅱ에서 A의 양(mol)은 각각 0.4 mol, 0.2 mol이다.

B 7.6 g을 n mol이라고 하면 반응 전 기체의 양(mol)은 실험 Ⅰ에서 A 0.4 mol, B n mol이고, 실험 Ⅱ에서 A 0.2 mol, B $3n$ mol이다. 기체의 부피와 기체의 양(mol)은 비례하므로 실험 Ⅰ과 Ⅱ의 반응 전 기체의 전체 부피비는 Ⅰ : Ⅱ$=0.4+n:0.2+3n=6:8$, $n=0.2$이다. B 7.6 g이 0.2 mol이므로 B의 분자량은 38이다. 실험 Ⅰ과 Ⅱ의 화학 반응에서 양적 관계는 다음과 같다.

[실험 Ⅰ]	$A(g)$	+	$B(g)$	⟶	$2C(g)$
반응 전(mol)	0.4		0.2		
반응(mol)	−0.2		−0.2		+0.4
반응 후(mol)	0.2		0		0.4

반응 후 A 0.2 mol이 남으므로 남은 A의 질량은 0.2 mol× 2 g/mol=0.4 g이다. 따라서 $x=0.4$이다.

[실험 Ⅱ]	$A(g)$	+	$B(g)$	⟶	$2C(g)$
반응 전(mol)	0.2		0.6		
반응(mol)	−0.2		−0.2		+0.4
반응 후(mol)	0		0.4		0.4

반응 후 B 0.4 mol이 남으므로 남은 B의 질량은 0.4 mol×38 g/mol =15.2 g이다. 따라서 $y=15.2$이다.

화학 반응식에서 'A의 분자량+B의 분자량=2×C의 분자량'이므로 C의 분자량은$=\frac{2+38}{2}=20$이다.

따라서 $\frac{x+y}{C의\ 분자량}=\frac{0.4+15.2}{20}=0.78$이다.

모범 답안 실험 Ⅰ에서 반응 후 A 0.2 mol이 남으므로 $x=0.4$이고, 실험 Ⅱ에서 반응 후 분자량이 38인 B 0.4 mol이 남으므로 $y=15.2$이다. C의 분자량은 $\frac{2+38}{2}=20$이므로 $\frac{x+y}{C의\ 분자량}=\frac{0.4+15.2}{20}=0.78$이다.

120 (1) 수용액 (가)에 녹아 있는 X의 질량은 $\frac{10}{100}\times100\ g=10\ g$이고, X의 양(mol)은 $\frac{10\ g}{100\ g/mol}=\frac{1}{10}$ mol이다. 수용액의 밀도는 d g/mL이므로 수용액 100 g의 부피는 $\frac{100}{d}$ mL이다. 따라서

수용액 (가)의 몰 농도(M)는 $\frac{\frac{1}{10}\ mol}{\left(\frac{100}{d}\times\frac{1}{1000}\right)L}=d$ M이다.

(2) 수용액 (나)에 녹아 있는 X의 양(mol)은 1 M×0.1 L=0.1 mol이다. X 10 g은 0.1 mol이므로 (나)에 X 10 g을 더 녹이면 용질의 양(mol)이 2배가 되므로 용액의 몰 농도(M)는 2배인 2 M이 된다.

(3) 수용액 (가)에 녹아 있는 X의 질량은 10 g이고, 수용액 (나)에 녹아 있는 X의 질량은 10 g이므로 수용액 (다)에 녹아 있는 X의 질량은 20 g이다. 수용액 (다)의 밀도는 1 g/mL이므로 질량은 500 g이다.

따라서 수용액 (다)의 퍼센트 농도(%)는 $\frac{20\ g}{500\ g}\times100=4$ %이다.

모범 답안 (1) 몰 농도(M)는 $\frac{\frac{1}{10}\ mol}{\left(\frac{100}{d}\times\frac{1}{1000}\right)L}=d$ M이다.

(2) X 10 g을 더 녹이면 용질의 양이 2배가 되므로 몰 농도(M)는 1 M의 2배인 2 M이 된다.

(3) 수용액 (다)에 녹아 있는 X의 질량은 20 g이고, 수용액 (다)의 질량은 500 g이므로 수용액 (다)의 퍼센트 농도(%)는 $\frac{20\ g}{500\ g}\times100=4$ %이다.

원자를 구성하는 입자의 발견

빈출 자료 보기 34쪽

121 (1) × (2) × (3) × (4) ○

122 (1) ○ (2) ○ (3) × (4) ○

121 (4) (가)~(다)의 실험 결과로 음극선은 전자의 흐름임을 알아내었다.

바로알기 | (1) (가)에서 음극선의 경로에 물체를 놓아두었을 때 그림자가 생기는 것으로 보아 음극선은 직진하는 성질이 있음을 알 수 있다.
(2) (나)에서 음극선의 경로에 전기장을 걸어 주었을 때 음극선이 (+)극 쪽으로 휘어지는 것으로 보아 음극선은 (−)전하를 띠고 있음을 알 수 있다.
(3) (다)에서 음극선의 경로에 바람개비를 놓았을 때 바람개비가 회전하는 것으로 보아 음극선은 질량을 가지고 있음을 알 수 있다.

122 (1) 이 실험에서 대부분의 알파(α) 입자들은 금박을 통과한다.
(2) 이 실험에서 알파(α) 입자 중 극소수는 크게 휘어지거나 튕겨 나온다.
(4) 실험 결과 원자의 중심에는 (+)전하를 띠는 입자가 존재함을 알게 되었다.

바로알기 | (3) 이 실험 결과로 원자핵의 존재가 제안되었다.

난이도별 필수 기출 35~37쪽

123 ①	124 ③	125 ③	126 ①	127 ②
128 해설 참조		129 ⑤	130 ③	131 ④, ⑤
132 ③	133 ①	134 ⑤		

123 제시된 실험은 톰슨의 음극선 실험이다. 톰슨은 음극선 실험으로 전자를 발견하였다.

124 러더퍼드는 알파(α) 입자 산란 실험으로 원자핵을 발견하였다.

125 ㄱ. 톰슨은 음극선 실험 결과를 해석하여 음극선은 전자의 흐름임을 밝혀내었다.
ㄴ. 톰슨은 실험 결과를 설명하기 위해 (+)전하를 띠는 공 모양의 물질 속에 전자가 박혀 있는 원자 모형을 제안하였다.

바로알기 | ㄷ. 알파(α) 입자는 금박을 통과하며 (+)전하를 띠는 원자핵의 영향을 받아 휘어지므로 (+)전하를 띤다.

126 ㄱ. 음극선이 지나가는 경로에 전기장을 걸어 주었을 때 (+)극 쪽으로 휘어지는 것으로 보아 이 입자는 (−)전하를 띤다.

바로알기 | ㄴ. 이 입자가 질량을 가지고 있는지를 확인하려면 음극선 경로에 바람개비 등을 두어 힘을 가하는지 확인해야 한다.
ㄷ. 전자의 흐름인 음극선이 직진하는 성질이 있는지 확인하려면 음극선 경로에 물체를 놓아두고 그림자가 생기는지 확인해야 한다.

127 ㄷ. 음극선의 진로에 설치한 바람개비가 돌아가는 것으로 보아 음극선은 질량을 가진 입자의 흐름이다.

바로알기 | ㄱ. 음극선은 (−)극에서 (+)극 쪽으로 방출된다.
ㄴ. 음극선은 (−)전하를 띤 입자(전자)의 흐름이다.

128 (가)에서 음극선이 지나는 길에 물체를 놓아두면 그림자가 생기는 것으로 보아 음극선은 직진하는 성질이 있다.
(나)에서 음극선이 지나는 길에 전기장을 걸어 주면 음극선이 (+)극 쪽으로 휘어지는 것으로 보아 음극선은 (−)전하를 띤 입자의 흐름이다.
(다)에서 음극선이 지나는 길에 바람개비를 놓아두면 바람개비가 회전하는 것으로 보아 음극선은 질량을 가진 입자의 흐름이다.

모범 답안 (가) 음극선은 직진하는 성질이 있다.
(나) 음극선은 (−)전하를 띤 입자의 흐름이다.
(다) 음극선은 질량을 가진 입자의 흐름이다.

129 ㄱ. 대부분의 알파(α) 입자들은 금박을 그대로 통과하였으므로 원자의 내부는 대부분 빈 공간이다.
ㄴ. (+)전하를 띠는 알파(α) 입자의 일부가 크게 휘는 것으로 보아 금 원자의 중심에는 (+)전하를 띠는 입자가 존재한다.
ㄷ. 극히 일부의 알파(α) 입자가 튕겨 나오는 것으로 보아 원자 중심에 있는 입자는 부피가 작고, 질량이 매우 크다.

130 러더퍼드는 알파(α) 입자 산란 실험 결과를 해석하여 원자 중심에는 부피가 매우 작고 질량이 매우 크며 (+)전하를 띠는 원자핵이 있고, 원자핵 주위를 전자가 돌고 있는 모형(③)을 제안하였다.

바로알기 | ①은 돌턴, ②는 톰슨, ④는 보어, ⑤는 현대의 전자 모형이다.

131 ①, ② (가)에서 음극선은 전자의 흐름이며, (+)극 쪽으로 휘는 것으로 보아 (−)전하를 띠고 있음을 알 수 있다.
③ (나)에서 발견된 입자는 (+)전하를 띠는 원자핵이다.
⑥ (가)에서 발견된 입자는 전자이고, (나)에서 발견된 입자는 원자핵이므로 질량은 (가)<(나)이다.

바로알기 | ④ (나)에서 발견된 입자는 원자 질량의 대부분을 차지한다.
⑤ (나)를 통해 전자가 원자핵 주위를 돌고 있는 원자 모형이 제안되었다.

132 ㄱ. A는 (−)극에 나와 (+)극 쪽으로 이동하는 것으로 보아 전자이다. 전자는 톰슨이 음극선 실험으로 발견한 입자이다.
ㄴ. B는 (+)극에서 (−)극 쪽으로 이동하는 입자인 양성자이다.

바로알기 | ㄷ. 양성자는 원자핵을 구성하는 입자이지만, 전자는 원자핵을 구성하는 입자가 아니다.

133 ㄱ. (가)는 보어의 원자 모형, (나)는 러더퍼드의 원자 모형, (다)는 톰슨의 원자 모형으로, 제안 순서는 (다) → (나) → (가)이다.

바로알기 | ㄴ. (가)는 보어의 원자 모형으로, 수소 원자의 불연속적인 선 스펙트럼을 설명하기 위해 제안된 모형이다. 실험 (라)를 통해 제안된 원자 모형은 (다)이다.
ㄷ. (가)~(다) 중 전자의 에너지 준위가 불연속적인 원자 모형인 것은 (가)이다.

134 원자핵을 포함한 원자 모형은 현대의 원자 모형과 보어의 원자 모형이므로 (다)는 톰슨의 원자 모형이다. 전자가 정해진 궤도를 돌고 있는 원자 모형은 보어의 원자 모형이므로 (가)는 보어의 원자 모형이고, (나)는 현대의 원자 모형이다.

ㄴ. (나)는 현대의 원자 모형으로, 전자의 에너지 준위가 불연속적이므로 수소 원자의 선 스펙트럼을 설명할 수 있다.

ㄷ. (다)는 톰슨이 제안한 원자 모형이다.

바로알기 | ㄱ. (가)는 보어의 원자 모형으로, 수소 원자의 불연속적인 선 스펙트럼을 설명하기 위해 제안된 모형이다.

06 원자 구조

빈출 자료 보기 39쪽

135 (1) ○ (2) × (3) ○ (4) ×

136 (1) × (2) ○ (3) × (4) ○

135 원자에서 양성자수는 전자 수와 같고, 질량수는 양성자수와 중성자수의 합이므로 X～Z에 대한 자료는 다음과 같다.

원자	X	Y	Z
중성자수	6	7	9
질량수	㉠ 12	13	17
전자 수	6	6	8
양성자수	6	6	8

(1) X와 Y는 양성자수가 같고 질량수가 다르므로 X와 Y는 동위 원소이다.

(3) Z의 양성자수는 전자 수와 같은 8이다.

바로알기 | (2) X의 양성자수와 중성자수는 각각 6이므로 질량수 ㉠은 12이다.

(4) Z^{2-}은 Z 원자가 전자 2개를 얻어 형성된 음이온이고, Z 원자는 전자 수가 8이므로 Z^{2-}의 전자 수는 10이다.

136 (2) 질량수는 (가)<(나)이고, 양성자수는 (가)=(나)이므로 중성자수는 (가)<(나)이다.

(4) $x+y=100$이므로 $y=100-x$이고, 평균 원자량이 35.5이므로 $35\times\frac{x}{100}+37\times\frac{100-x}{100}=35.5$이다. 이 식을 풀면 $x=75$, $y=25$이므로 $\frac{x}{y}=3$이다.

바로알기 | (1) (가)와 (나)는 동위 원소이므로 양성자수는 (가)와 (나)가 같다.

(3) 질량수는 (가)<(나)이다.

난이도별 필수 기출 40～45쪽

137 ③ 138 ② 139 ⑤ 140 ① 141 해설 참조
142 ④ 143 ⑤ 144 ⑤ 145 ④ 146 ③ 147 ④
148 ① 149 ④ 150 ⑤ 151 ⑤ 152 ④ 153 ③
154 ③ 155 해설 참조 156 ② 157 ④ 158 ②
159 ③ 160 ④ 161 ① 162 ⑤ 163 해설 참조
164 ③

137 ㄱ, ㄴ. 원자핵은 (+)전하를 띠며, 원자 질량의 대부분을 차지하고, 양성자와 중성자로 이루어져 있다.

바로알기 | ㄷ. 전자는 (−)전하를 띠며, 질량은 양성자나 중성자에 비해 매우 작지만 질량이 있다.

138 (가)는 (−)전하를 띠고 있으므로 전자이다. (나)는 (+)전하를 띠고 있으므로 양성자이고, 전하를 띠지 않는 (다)는 중성자이다.

ㄴ. 원자는 전기적으로 중성이므로 원자에서 양성자수와 전자 수는 같다. 즉, (가)와 (나)의 수는 같다.

바로알기 | ㄱ. 원자핵을 구성하는 입자는 양성자인 (나)와 중성자인 (다)이다.

ㄷ. 원자에서 양성자수와 중성자수가 항상 같은 것은 아니다.

139 A^-에서 양성자의 전하량은 $+14.4\times10^{-19}$ C이고, 양성자 1개의 전하량이 $+1.6\times10^{-19}$ C이다. 따라서 A^-의 양성자수는 $\frac{14.4\times10^{-19}}{1.6\times10^{-19}}=9$이다. A^-은 A 원자가 전자 1개를 얻어 형성된 음이온이므로 전자 수는 양성자수보다 1만큼 큰 10이다. 이때 A^-의 양성자수+중성자수+전자 수=29이므로 중성자수=29−(9+10)=10이다. A^-과 A 원자에서 양성자수와 중성자수는 같으므로 원자 A의 질량수는 9+10=19이다.

140 A의 질량수는 38이므로 B의 질량수도 38이다. 따라서 B의 중성자수 (가)=38−19=19이다.
B의 양성자수가 19이므로 B의 동위 원소인 C의 양성자수도 19이다. 따라서 C의 양성자수 (나)=19이다.
C의 원자 번호는 양성자수와 같은 19이므로 D의 양성자수는 19이다. 따라서 D의 전자 수는 D의 양성자수와 같은 19이므로 (다)=19이다.
(가)는 19, (나)는 19, (다)는 19이므로 $\frac{(나)+(다)}{(가)}=2$이다.

141 (1) $^{27}_{13}Al$에서 원자 번호는 13이고, 질량수가 27이다. 원자 번호는 원자의 양성자수와 같고, 질량수는 양성자수와 중성자수의 합과 같다. 따라서 중성자수는 27−13=14이다.
(2) $^{27}_{13}Al$은 전기적으로 중성인 원자이므로 원자에서 전자 수는 양성자수와 같다. 따라서 전자 수는 양성자수와 같은 13이다.

모범 답안 (1) 14, 질량수는 양성자수와 중성자수의 합이므로 중성자수는 27−13=14이다.
(2) 13, 원자에서 전자 수는 양성자수와 같기 때문이다.

142 물질 X에서 전자 수가 양성자수보다 1만큼 작으므로 원자가 전자 1개를 잃고 형성된 +1의 양이온이다. 또한 양성자수와 중성자수가 같으므로 질량수는 원자 번호의 2배이다. 이 조건을 만족하는 물질은 $^{22}_{11}Na^+$이다.

143 ㄱ. X의 이온에서 원자핵의 전하량이 $+1.28\times10^{-18}$ C이고, 양성자 1개의 전하량이 $+1.6\times10^{-19}$ C이므로 X의 이온에서 양성자수는 $\frac{1.28\times10^{-18}}{1.6\times10^{-19}}=8$이다. 이온은 원자에서 전자의 이동으로 생성되므로 이온과 원자에서 양성자수와 중성자수는 같다. 즉, X 원자에서 양성자수는 8이고, 중성자수는 8이므로 질량수는 16이다.
ㄴ. X 원자에서 양성자수가 8이고, X 이온의 전자 수가 10이므로 X 이온은 X 원자가 전자 2개를 얻어 형성된 음이온이다. 따라서 X 이온의 전하는 −2이다.

ㄷ. $^{18}_{8}O$는 양성자수가 8이고 중성자수가 10이므로 X 원자와 양성자수가 같고 질량수가 다르다. 즉, $^{18}_{8}O$는 X의 동위 원소이다.

144 C^-은 C 원자가 전자 1개를 얻어 형성된 음이온이므로 전자 수는 양성자수보다 1만큼 크다. 따라서 ㉡은 양성자이다.
A의 양성자수는 5이고, ㉠을 중성자라고 하면 ㉢이 전자가 되고 A의 전자 수 $a+1$은 양성자수와 같은 5이므로 $a=4$가 된다. B의 양성자수는 전자 수(㉢)와 같으므로 $\frac{1}{2}(a+b)=\frac{1}{2}(4+b)=8$이고, 이 식을 풀면 $b=12$가 되고, C는 원자 번호가 12인 3주기 원소가 되어 조건에 부합하지 않는다. 따라서 ㉠은 전자, ㉢은 중성자이다.
ㄱ. ㉠은 전자이다.
ㄴ. A의 전자 수는 양성자수와 같은 5이고, B의 양성자수는 $\frac{1}{2}(a+b)=\frac{1}{2}(5+b)=7$이므로 이 식을 풀면 $b=9$이다.
따라서 $a+b=5+9=14$이다.
ㄷ. A의 양성자수와 중성자수는 각각 5, 6이므로 질량수는 11이고, B의 양성자수와 중성자수는 각각 7, 8이므로 질량수는 15이며, C의 양성자수와 중성자수는 각각 9, 10이므로 질량수는 19이다. 따라서 질량수는 A<B<C이다.

145

원자	W	X	Y	Z
중성자수	12	12	18	20
질량수	24	23	35	37
양성자수 =질량수−중성자수	12	11	17	17
전자 수	10	11	17	18

• 양성자수와 전자 수가 같은 X, Y는 원자이고, W는 +2의 양이온, Z는 −1의 음이온이다.

ㄴ. Y는 원자이고, Z는 −1의 음이온이며, Y와 Z는 양성자수가 17로 같으므로 Y는 Z의 원자와 동위 원소이다.
ㄷ. W~Z 중 원자 번호가 가장 작은 원소는 양성자수가 가장 작은 X이다.
바로알기 | ㄱ. W는 양성자수가 12이고, X는 양성자수가 11로 서로 다른 원소이다.

146

• A^{2-}은 A 원자가 전자 2개를 얻어 형성된 음이온이다.
➔ A 원자의 전자 수는 8이고, 양성자수 또한 8이다.

이온	중성자수	전자 수
A^{2-}	8	10
B^+	12	10

• B^+은 B 원자가 전자 1개를 잃어 형성된 양이온이다.
➔ B 원자의 전자 수는 11이고, 양성자수 또한 11이다.

ㄱ. 원자핵을 구성하는 양성자수는 A<B이므로 원자핵의 전하량은 A<B이다.
ㄴ. A의 양성자수는 8, 중성자수는 8이므로 질량수는 16이다.
바로알기 | ㄷ. B의 양성자수는 11, 중성자수는 12로 같지 않다.

147 ㄱ. 전하가 없는 입자는 중성자이고, 원자핵의 성분인 입자는 양성자이다. 따라서 A는 양성자, B는 전자, C는 중성자이다.
ㄷ. Y 이온의 양성자수는 19이고, 전자 수는 18이므로 Y 이온은 Y 원자가 전자 1개를 잃고 형성된 +1의 양이온이다. 즉, Y 이온은 원자 번호가 19인 K의 양이온으로 $^{38}_{19}K^+$이다.
바로알기 | ㄴ. X 이온의 양성자수는 17이고, 이온과 원자의 양성자수는 같으므로 X의 원자 번호는 17이다.

148 $^{24}X^{2+}$의 질량수가 24이고 중성자수가 12이므로 양성자수는 $24-12=12$이다. 이로부터 X 원자의 전자 수는 양성자수와 같은 12이므로 $^{24}X^{2+}$의 전자 수는 10이다. 즉, $a=12$, $c=10$이다.
$^{35}Y^-$에서 질량수가 35이고 중성자수가 18이므로 양성자수는 17이고 Y 원자의 전자 수는 양성자수와 같은 17이다. $^{35}Y^-$의 양성자수 $b=17$이다. 따라서 $a+b+c=12+17+10=39$이다.

149 원자에서 전자 수=양성자수이고, 질량수는 양성자수+중성자수이므로 X 원자에서 양성자수를 x라고 하면 $\frac{x+6}{x}=2$이다. $x=6$이므로 X의 양성자수=전자 수=중성자수=6이다.
Y 원자의 양성자수를 y라고 하면 $\frac{y+7}{y}=2$이다. $y=7$이므로 Y의 양성자수=전자 수=중성자수=7이다.
Z 원자의 양성자수를 z라고 하면 $\frac{z+8}{z}=\frac{7}{3}$이다. $z=6$이므로 Z의 양성자수=전자 수=6이고, 중성자수는 8이다.
① X는 양성자수와 중성자수가 6으로 같다.
② Y는 양성자수와 중성자수가 7로 같으므로 Y의 원자 번호는 7이고, 질량수는 14이다. 따라서 Y는 $^{14}_{7}N$이다.
③ Z의 전자 수는 양성자수와 같은 6이다.
⑤ X와 Z는 양성자수가 6으로 같다.
⑥ Y와 Z는 질량수가 14로 같다.
바로알기 | ④ 전자 수는 X가 6이고, Y가 7이므로 전자 수는 Y가 X보다 크다.

150 X 원자에서 양성자수는 중성자수보다 1만큼 크고, $\frac{질량수}{전자 수}=\frac{3}{2}$이다. X 원자의 양성자수를 x라고 하면, 중성자수는 $x-1$이고 전자 수는 x이므로 $\frac{질량수}{전자 수}=\frac{x+(x-1)}{x}=\frac{3}{2}$, $x=2$이다. 즉, X의 양성자수와 전자 수는 2이고 중성자수는 1이다.
Y 원자에서 양성자수를 y라고 하면, 중성자수는 $y+1$이고 전자 수는 y이므로 $\frac{y+(y+1)}{y}=3$, $y=1$이다. 즉, Y의 양성자수와 전자 수는 1이고 중성자수는 2이다.
Z 원자에서 양성자수를 z라고 하면, 중성자수는 $z+2$이고 전자 수는 z이므로 $\frac{z+(z+2)}{z}=\frac{9}{4}$, $z=8$이다. 즉, Z의 양성자수와 전자 수는 8이고, 중성자수는 10이다.
ㄱ. 양성자수는 X>Y이므로 원자 번호는 X>Y이다.
ㄴ. Y의 질량수는 $1+2=3$이다.
ㄷ. Z의 중성자수는 10이다.

151

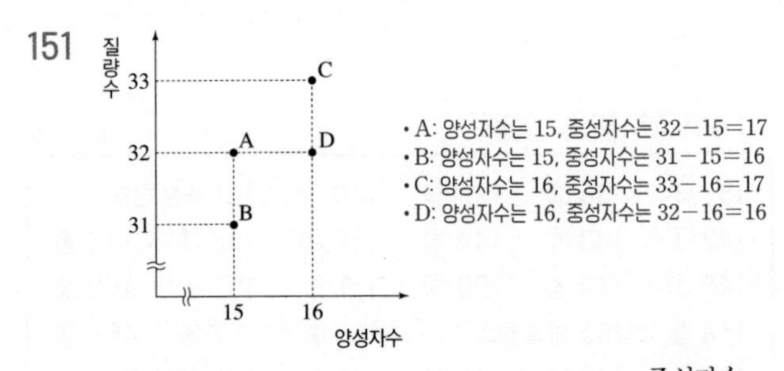

ㄴ. B와 D는 중성자수가 같고 양성자수는 B<D이므로 $\frac{중성자수}{양성자수}$는 B가 D보다 크다.

ㄷ. C의 전자 수는 양성자수와 같은 16이므로 C^{2-}의 전자 수는 18이다.

바로알기 | ㄱ. A와 D는 양성자수가 다르므로 서로 다른 원소이다.

152

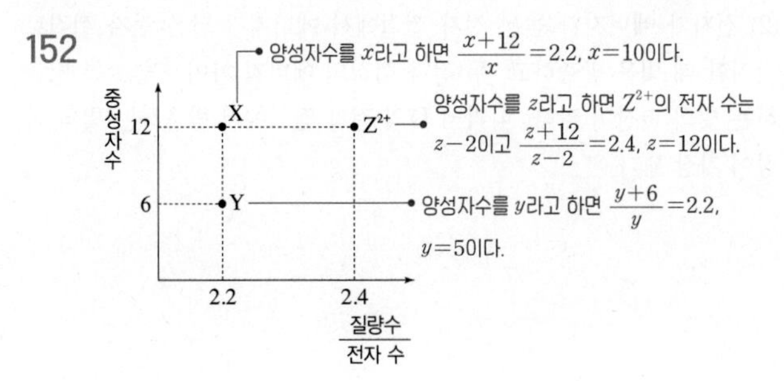

ㄱ. X의 양성자수는 10, 중성자수는 12이므로 질량수는 22이고, Y의 양성자수는 5, 중성자수는 6이므로 질량수는 11이다. 따라서 질량수의 비는 X : Y=2 : 1이다.

ㄷ. X의 전자 수는 양성자수와 같은 10이고, Z^{2+}의 전자 수는 10이므로 X와 Z^{2+}은 전자 수가 같다.

바로알기 | ㄴ. Y의 양성자수는 5이므로 원자 번호는 5이다.

153 C의 동위 원소인 ^{12}C와 ^{13}C는 양성자수가 같으므로 원자 번호와 전자 수, 화학적 성질은 같지만 중성자수는 다르다.

154 (가)는 전자 수가 1이므로 양성자수도 1이다. (나)는 전자 수가 1이므로 양성자수는 1이고, 원자핵을 구성하며 전하를 띠지 않는 중성자수는 2이다.

ㄱ. (가)와 (나)는 양성자수가 같고 중성자수가 다르므로 동위 원소이다.

ㄴ. (가)와 (나)는 양성자수가 1이므로 원자 번호가 1이다.

바로알기 | ㄷ. (가)의 질량수는 1이고, (나)의 질량수는 3이다.

155 원자의 평균 원자량은 동위 원소의 존재 비율을 고려하여 구한 평균값이다.

모범 답안 B의 평균 원자량은 $10\times\frac{20}{100}+11\times\frac{80}{100}=10.8$이다.

156 서로 다른 분자량의 분자는 각각 다음과 같은 조합에 의해서 생성된다.

H 원자	Cl 원자	HCl의 분자량
^{1}H	^{35}Cl	36
^{1}H	^{37}Cl	38
^{2}H	^{35}Cl	37
^{2}H	^{37}Cl	39
^{3}H	^{35}Cl	38
^{3}H	^{37}Cl	40

따라서 HCl의 분자량은 36, 37, 38, 39, 40의 5가지가 존재하므로 분자량이 서로 다른 HCl는 5종류이다.

157 X는 양성자수, 전자 수, 중성자수가 모두 1이다. Y는 양성자수와 전자 수가 2이고 중성자수가 1이며, Z는 양성자수, 전자 수, 중성자수가 모두 2이다.

ㄴ. Y와 Z는 양성자수가 같고 중성자수가 다르므로 동위 원소이다.

ㄷ. X의 질량수는 2이고, Z의 질량수는 4이다. 따라서 질량수의 비는 X : Z=1 : 2이다.

바로알기 | ㄱ. X와 Y는 양성자수가 다르므로 서로 다른 원소이다. 따라서 X와 Y는 화학적 성질이 다르다.

158 학생 C: X의 평균 원자량은 각 동위 원소의 존재 비율을 고려하여 구하므로 $35.0\times\frac{75}{100}+37.0\times\frac{25}{100}=35.5$이다.

바로알기 | 학생 A: 질량수는 ^{37}X가 ^{35}X보다 크다.

학생 B: ^{35}X와 ^{37}X는 동위 원소이므로 두 원자에서 양성자수는 같다.

159 ^{63}A의 양성자수가 29이고 질량수가 63이므로 중성자수는 63−29=34이고, ^{63}A의 동위 원소인 ^{65}A의 양성자수도 29이므로 중성자수인 $x=65-29=36$이다. A의 동위 원소는 ^{63}A와 ^{65}A만 존재하므로 ^{63}A의 존재 비율은 $(100-y)$ %이다. 따라서 A의 평균 원자량은 $63\times\frac{(100-y)}{100}+65\times\frac{y}{100}=63.6$이고, 이 식을 풀면 $y=30$이다. 따라서 $\frac{x}{y}=\frac{36}{30}=\frac{6}{5}$이다.

160 ㄱ. $^{1}_{1}H$와 $^{2}_{1}H$는 양성자수가 같고, $^{14}_{7}N$와 $^{15}_{7}N$의 양성자수도 같다. 따라서 NH_3 분자 1개의 핵전하량은 모두 같다.

ㄴ. NH_3 분자 중 질량수가 가장 작은 원자들의 조합은 $^{14}_{7}N$와 $^{1}_{1}H$ 3개로 구성된 분자이다. $^{14}_{7}N$ 1개에 포함된 중성자는 7개이고, $^{1}_{1}H$에는 중성자가 없으므로 분자 1개에 포함된 중성자수의 최솟값은 7이다.

ㄹ. 분자량이 다른 NH_3는 화학적 성질은 같고, 중성자수가 달라 물리적 성질이 다르다.

바로알기 | ㄷ. 서로 다른 분자량의 NH_3 분자는 각각 다음과 같은 조합에 의해서 생성된다.

N 원자	H 원자	H 원자	H 원자	NH_3의 분자량
$^{14}_{7}N$	^{1}H	^{1}H	^{1}H	17
$^{14}_{7}N$	^{1}H	^{1}H	^{2}H	18
$^{14}_{7}N$	^{1}H	^{2}H	^{2}H	19
$^{14}_{7}N$	^{2}H	^{2}H	^{2}H	20
$^{15}_{7}N$	^{1}H	^{1}H	^{1}H	18
$^{15}_{7}N$	^{1}H	^{1}H	^{2}H	19
$^{15}_{7}N$	^{1}H	^{2}H	^{2}H	20
$^{15}_{7}N$	^{2}H	^{2}H	^{2}H	21

이로부터 NH_3의 분자량은 17, 18, 19, 20, 21의 5가지이다.

161 (가)와 (나) 용기 속 기체의 온도와 압력, 부피가 같으므로 용기 속 기체의 양(mol)은 같다.

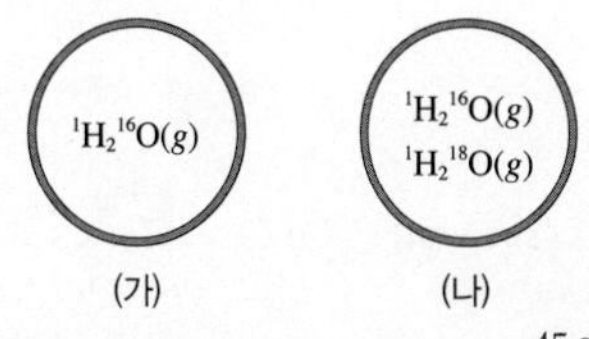

• $^{1}H_2{}^{16}O$의 분자량은 18이므로 45 g의 양(mol)은 $\frac{45\ g}{18\ g/mol}=2.5$ mol이다.
• $^{1}H_2{}^{18}O$의 분자량은 20이고, (나) 용기 속 전체 기체의 양(mol)은 2.5 mol이다.

ㄱ. (나)에 들어 있는 전체 기체의 양(mol)은 2.5 mol이다.

바로알기 | ㄴ. (나)에서 $^{1}H_2{}^{16}O$의 양(mol)을 x mol이라고 하면 $^{1}H_2{}^{18}O$의 양(mol)은 $(2.5-x)$ mol이다. 이때 (나)에 들어 있는 기체의 질량이 46 g이므로 $18\times x+20\times(2.5-x)=46$이고, 이 식을 풀면 $x=2$이다. 따라서 $^{1}H_2{}^{16}O(g)$의 양(mol)은 2 mol이다.

ㄷ. $^{1}H_2{}^{16}O$의 양(mol)은 2 mol, $^{1}H_2{}^{18}O$의 양(mol)은 0.5 mol이다. $^{1}H_2{}^{16}O$의 양성자수는 1×2+8=10, 중성자수는 8, $^{1}H_2{}^{18}O$의 양성자수는 1×2+8=10, 중성자수는 10이다. 이로부터 전체 양성자수가 10×2+10×0.5=25일 때, 전체 중성자수는 8×2+10×0.5=21이다. 따라서 전체 양성자수 : 전체 중성자수=25 : 21이다.

162 ㄱ. ^{10}B와 ^{11}B는 동위 원소이므로 화학적 성질이 같다.
ㄴ. 원자 1개의 질량은 원자량이 큰 ^{11}B가 ^{10}B보다 크다.
ㄷ. B의 평균 원자량은 $10\times a+11\times(1-a)=11-a$이다.

163 X의 동위 원소는 ^{a}X와 ^{a+2}X 2가지가 존재하고 각 존재 비율은 $\frac{3}{4}$, $\frac{1}{4}$이다.

모범 답안 X_2 분자 중 $^{a}X^{a+2}X$는 ^{a}X와 ^{a+2}X 또는 ^{a+2}X와 ^{a}X가 결합한 경우이므로 그 존재 비율은 $\frac{3}{4}\times\frac{1}{4}\times2=\frac{3}{8}$이다.

164 ㄱ. X_2 분자의 분자량이 서로 다른 종류가 3가지이므로 X의 동위 원소는 2가지가 존재한다. 이때 분자량은 $a<b<c$이고, 존재 비율은 $a : c=9 : 1$이므로 X의 동위 원소 중 원자량이 작은 원소와 원자량이 큰 원소의 존재 비율은 3 : 1이다.
ㄴ. X의 동위 원소 중 질량수가 작은 원소의 원자량은 $\frac{a}{2}$이고, 질량수가 큰 원소의 원자량은 $\frac{c}{2}$이다. 분자량이 b인 분자는 원자량이 $\frac{a}{2}$인 원자와 $\frac{c}{2}$인 원자가 결합한 것이므로 존재 비율은 $\frac{3}{4}\times\frac{1}{4}\times2=\frac{6}{16}$이다. 분자량이 a인 분자의 존재 비율은 $\frac{3}{4}\times\frac{3}{4}=\frac{9}{16}$이므로 x는 6이다.
바로알기 | ㄷ. X의 평균 원자량은 $\frac{a}{2}\times\frac{3}{4}+\frac{c}{2}\times\frac{1}{4}=\frac{3a+c}{8}$이다.

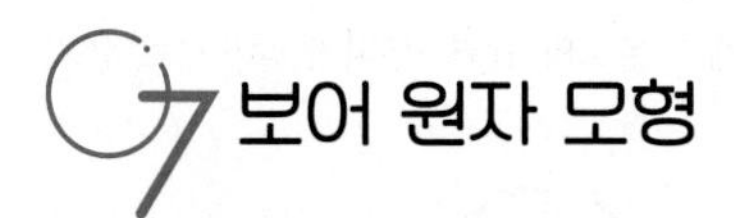

07 보어 원자 모형

빈출 자료 보기 46쪽

165 (1) × (2) × (3) ○ (4) ○ (5) ○

165 (3) 바닥상태 수소 원자에서 전자는 $n=1$인 전자 껍질에 들어 있고, B는 $n=1\rightarrow n=\infty$의 전자 전이이므로 B에서 흡수하는 에너지는 수소 원자의 이온화 에너지와 같다.

개념 보충
이온화 에너지
기체 상태의 원자 1몰에서 전자 1몰을 떼어낼 때 필요한 에너지

(4) $n\geq3$인 전자 껍질에서 $n=2$인 전자 껍질로 전이할 때 가시광선을 방출한다. 따라서 가시광선을 방출하는 전자 전이는 C이다.
(5) 빛을 방출하는 전자 전이는 A, C, D이고 전이 전후 전자 껍질의 에너지 차이가 가장 큰 것은 D이다. 따라서 가장 큰 에너지를 방출하는 전자 전이는 D이다.
바로알기 | (1) 전자가 에너지가 낮은 전자 껍질에서 에너지가 높은 전자 껍질로 전이할 때 빛을 흡수한다. 따라서 빛을 흡수하는 전자 전이는 B 1가지이다.
(2) 전자가 에너지가 높은 전자 껍질에서 에너지가 낮은 전자 껍질로 전이할 때 빛을 방출하고, 두 전자 껍질의 에너지 차이가 클수록 방출하는 빛의 파장이 짧다. 따라서 D의 전자 전이에서 방출하는 빛의 파장이 가장 짧다.

난이도별 필수 기출 47~49쪽

166 ③	167 ⑤	168 ⑤	169 ③	170 해설 참조
171 ⑥	172 ②	173 ⑤	174 ③, ⑤	175 ⑤
176 ③	177 ③			

166 ㄱ. 보어 원자 모형은 수소 원자의 선 스펙트럼을 설명하기 위해 제안되었다.
ㄴ. 보어 원자 모형에서 전자는 특정한 에너지를 가진 원형 궤도를 따라 운동한다.
ㄹ. 전자가 더 낮은 에너지 준위의 전자 껍질로 이동할 때에는 두 전자 껍질의 에너지 차이에 해당하는 에너지를 방출한다.
바로알기 | ㄷ. 원자핵에서 멀수록 핵과 전자 사이의 인력이 작아지므로 전자 껍질의 에너지 준위가 높다.

167 ㄱ. 전자 껍질 K, L, M, N은 각각 $n=1$, $n=2$, $n=3$, $n=4$인 전자 껍질이다. 따라서 주 양자수(n)가 클수록 에너지가 높아진다.
ㄴ. K 전자 껍질과 L 전자 껍질의 에너지 차이는 984 kJ/mol이고, L 전자 껍질과 M 전자 껍질의 에너지 차이는 182 kJ/mol이므로 주 양자수(n)가 클수록 에너지 준위 사이의 간격이 좁아진다.
ㄷ. N 전자 껍질과 L 전자 껍질의 에너지 차이는 246 kJ/mol이므로 수소 원자의 전자가 N 전자 껍질 → L 전자 껍질로 전이할 때에는 246 kJ/mol의 에너지를 방출한다.

168 ㄱ. 전자가 원자핵에 가까운 전자 껍질에 있을수록 에너지가 낮아 안정하다. 따라서 $n=1$인 전자 껍질에 전자가 있는 (가)가 $n=3$인 전자 껍질에 전자가 있는 (나)보다 안정하다.
ㄴ. 에너지는 (가)<(나)이므로 (가)에서 (나)로 전자가 전이할 때 에너지를 흡수한다.
ㄷ. (나)에서 (가)로의 전자 전이는 $n=3\rightarrow n=1$의 전이이므로 자외선을 방출한다.

169 ㄱ. A, B는 $n\geq2$인 전자 껍질에서 $n=1$인 전자 껍질로 전자가 전이하므로 자외선을 방출한다.
ㄴ. A에서 방출하는 빛의 에너지는 $E_{\infty}-E_1$이고, B에서 방출하는 빛의 에너지는 E_2-E_1이며, C에서 방출하는 빛의 에너지는 $E_{\infty}-E_2$이다. 따라서 A와 B의 에너지 차이는 $E_{\infty}-E_1-(E_2-E_1)=E_{\infty}-E_2$이므로 C의 에너지와 같다.
바로알기 | ㄷ. 전자 전이가 일어날 때 전자 껍질의 에너지 차이는 C가 D보다 크므로 방출하는 빛의 파장은 C가 D보다 짧다.

170 (1) a, b, c, d에서 방출하는 빛의 에너지는 다음과 같다.

a: $k-\frac{k}{2^2}=\frac{3k}{4}$, b: $k-\frac{k}{4^2}=\frac{15k}{16}$

c: $\frac{k}{2^2}-\frac{k}{4^2}=\frac{3k}{16}$, d: $\frac{k}{2^2}-\frac{k}{\infty}=\frac{k}{4}$

(2) a와 d에서 방출하는 빛에너지의 비는 $a:d=\frac{3k}{4}:\frac{k}{4}=3:1$이고, 빛의 파장은 에너지에 반비례한다.

모범 답안 (1) $b>a>d>c$

(2) a와 d에서 방출하는 빛에너지의 비는 $a:d=\frac{3k}{4}:\frac{k}{4}=3:1$이며, 빛의 파장은 에너지에 반비례하므로 방출하는 빛의 파장의 비는 $a:d=1:3$이다.

171 ① 에너지가 높은 전자 껍질에서 에너지가 낮은 전자 껍질로의 전이는 A, B, C, D이다. 따라서 에너지를 방출하는 전자 전이는 4가지이다.
② 수소 원자에서 전자는 1개이므로 바닥상태에서 전자는 $n=1$인 전자 껍질에 있다. 따라서 전자 전이 후 바닥상태가 되는 것은 A, B, C 3가지이다.
③ 라이먼 계열은 $n\geq2$인 전자 껍질에서 $n=1$인 전자 껍질로의 전이이므로 A, B, C에서 방출하는 빛은 라이먼 계열에 속한다.
④ D는 $n=4\rightarrow n=2$의 전이이므로 가시광선 영역에 해당하는 빛을 방출한다.
⑤ A에서 방출하는 에너지의 크기와 E에서 흡수하는 에너지의 크기는 $|E_4-E_1|$로 같다.
바로알기 | ⑥ D는 $n=4\rightarrow n=2$의 전이이므로 방출하는 에너지는 $\frac{k}{2^2}-\frac{k}{4^2}=\frac{3k}{16}$이고, C는 $n=2\rightarrow n=1$의 전이이므로 방출하는 에너지는 $k-\frac{k}{2^2}=\frac{3k}{4}$이다. 따라서 방출하는 에너지는 C가 D보다 크다.

172 ㄷ. 122 nm에 해당하는 빛은 $n=2\rightarrow n=1$의 전자 전이에 해당한다. 따라서 라이먼 계열 중 에너지가 가장 작다.
바로알기 | ㄱ. 라이먼 계열은 $n\geq2$인 전자 껍질에서 $n=1$인 전자 껍질로의 전자 전이에 의한 것으로, 해당 파장의 빛은 자외선 영역에 해당한다.
ㄴ. 95 nm에 해당하는 빛은 파장이 가장 짧으므로 방출하는 빛의 에너지는 가장 크다. 즉, $n=5\rightarrow n=1$의 전자 전이에 해당한다.

173 ① 제시된 선 스펙트럼은 가시광선 영역을 나타낸 것이므로 해당 스펙트럼은 발머 계열이다.
② 빛의 파장이 짧을수록 방출하는 빛의 에너지가 크므로 a~c 중 에너지가 가장 큰 것은 a이다.
③ b는 가시광선 영역의 선 중 파장이 두 번째로 길므로 전자가 $n=4\rightarrow n=2$로 전이할 때 방출하는 빛의 에너지이다.
④ b는 전자가 $n=4\rightarrow n=2$로 전이할 때 방출하는 빛의 에너지이므로 방출하는 에너지는 $\frac{k}{2^2}-\frac{k}{4^2}=\frac{3k}{16}$이다. c는 전자가 $n=3\rightarrow n=2$로 전이할 때 방출하는 빛의 에너지이므로 방출하는 에너지는 $\frac{k}{2^2}-\frac{k}{3^2}=\frac{5k}{36}$이다. 따라서 $b:c=\frac{3k}{16}:\frac{5k}{36}=27:20$이다.
바로알기 | ⑤ a는 가시광선 영역에 해당하고, $n=2\rightarrow n=1$로 전자 전이할 때 방출하는 빛의 에너지는 자외선 영역에 해당한다.
따라서 a는 $n=2\rightarrow n=1$의 전자 전이에서 방출하는 에너지보다 작다.

174 ③ A와 D는 각각 $n=\infty\rightarrow n=1$, $n=1\rightarrow n=\infty$의 전자 전이이므로 출입하는 빛은 모두 자외선이다.
⑤ 수소 방전관에서 방출하는 빛의 스펙트럼은 불연속적인 선 스펙트럼이므로 수소 원자의 에너지 준위는 불연속적이다.
바로알기 | ① A, B, C는 높은 에너지 준위의 전자 껍질에서 낮은 에너지 준위의 전자 껍질로 전자가 전이하므로 에너지를 방출하고, D는 낮은 에너지 준위의 전자 껍질에서 높은 에너지 준위의 전자 껍질로 전자가 전이하므로 에너지를 흡수한다.
② A가 B보다 방출하는 에너지가 크므로 빛의 진동수도 A가 B보다 크다.
④ C는 $n=3\rightarrow n=2$의 전이이므로 가시광선 영역 중 파장이 가장 긴 선에 해당한다. 따라서 (나)에서 해당하는 빛의 파장은 λ_3이다.

175 ㄱ. Ⅰ은 $n=4\rightarrow n=2$의 전이에 의한 선이므로 방출하는 빛의 에너지는 $\frac{k}{2^2}-\frac{k}{4^2}=\frac{3k}{16}$이고, Ⅱ는 $n=3\rightarrow n=2$의 전이에 의한 선이므로 방출하는 빛의 에너지는 $\frac{k}{2^2}-\frac{k}{3^2}=\frac{5k}{36}$이다. Ⅲ은 $n=2\rightarrow n=1$의 전이에 의한 선이므로 방출하는 빛의 에너지는 $k-\frac{k}{2^2}=\frac{3k}{4}$이다. 따라서 $x+y<z$이다.
ㄴ. $n=2\rightarrow n=4$로 전자가 전이할 때 흡수하는 에너지는 스펙트럼 선 Ⅰ에 의한 빛의 에너지와 크기가 같다.
ㄷ. Ⅰ~Ⅳ 중 전이하는 전자 껍질의 에너지 차이가 Ⅳ에서 가장 크므로 방출하는 빛의 파장은 Ⅳ에서 가장 짧다.

176

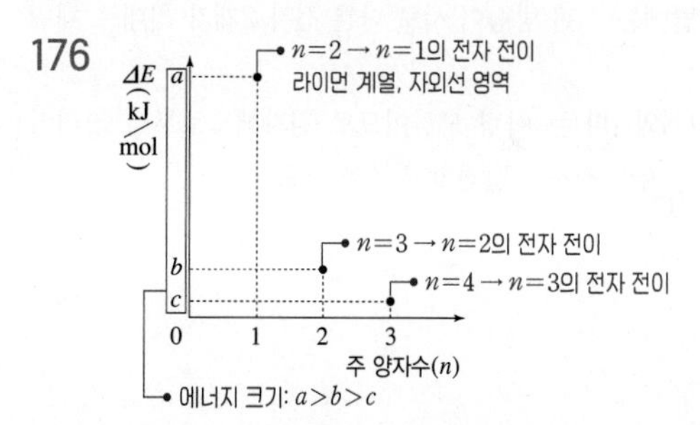

ㄱ. a는 $n=2\rightarrow n=1$의 전이에서 방출하는 에너지이므로 라이먼 계열에 속한다.
ㄴ. b는 $n=3\rightarrow n=2$의 전이에서 방출하는 에너지이고, c는 $n=4\rightarrow n=3$의 전이에서 방출하는 에너지이므로 $b+c$는 $n=4\rightarrow n=2$의 전이에서 방출하는 에너지와 같다. 따라서 $b+c$의 빛에너지는 가시광선 영역에 해당한다.
바로알기 | ㄷ. 전자 전이에서 방출하는 빛의 에너지가 $a>b>c$이므로 빛의 진동수는 $a>b>c$이다.

177 E_a는 $n=3\rightarrow n=1$의 전이이므로 방출하는 빛의 에너지는 $k-\frac{k}{3^2}=\frac{8k}{9}$이다.
E_b는 $n=3\rightarrow n=2$의 전이이므로 방출하는 빛의 에너지는 $\frac{k}{2^2}-\frac{k}{3^2}=\frac{5k}{36}$이다.
E_c는 $n=3\rightarrow n=\infty$의 전이이므로 흡수하는 빛의 에너지는 $\frac{k}{\infty^2}-\frac{k}{3^2}=-\frac{k}{9}$이다.

ㄱ. 방출하는 빛의 파장은 에너지에 반비례하므로 $\lambda_a : \lambda_b = \frac{9}{8k} : \frac{36}{5k}$ $=5 : 32$이다.
ㄴ. 선 스펙트럼에서 656 nm에 해당하는 선은 가시광선 영역 중 에너지가 가장 작은 것이므로 $n=3 \rightarrow n=2$의 전이에서 방출하는 빛에 의한 선이다. E_b는 $n=3 \rightarrow n=2$의 전이에서 방출하는 에너지이므로 656 nm에 해당하는 빛의 에너지는 E_b이다.
바로알기 | ㄷ. 수소 원자의 이온화 에너지는 $n=1 \rightarrow n=\infty$의 전자 전이에서 흡수하는 에너지이므로 $\frac{k}{\infty^2} - \frac{k}{1^2} = -k$에 해당한다. 이때 E_c는 $-\frac{k}{9}$이므로 수소 원자의 이온화 에너지 크기는 $|9E_c|$이다.

현대의 원자 모형

빈출 자료 보기 51쪽

178 (1) ○ (2) ○ (3) × (4) ○

178 (1) 에너지 준위는 (가)가 가장 높으므로 주 양자수(n)는 (가)가 가장 크다.
(2) (나)와 (다)는 모양과 오비탈의 크기가 같으므로 주 양자수(n)가 같다.
(4) 1개의 오비탈에는 스핀 방향이 서로 다른 전자 2개가 최대로 채워질 수 있다.
바로알기 | (3) (나)와 (다)는 아령 모양이므로 원자핵으로부터 거리가 같더라도 방향에 따라 전자를 발견할 확률이 다르다.

난이도별 필수 기출 52~55쪽

179 ③	180 ②	181 ②	182 ②, ⑥		183 ②
184 ⑤	185 ⑤	186 ②	187 ①	188 ④	189 ⑤
190 ③	191 해설 참조		192 ③	193 ④	194 ④
195 ②	196 ⑤	197 ③			

179 ㄱ. 현대의 원자 모형에서 오비탈은 원자핵 주위에서 전자가 발견될 확률을 의미한다.
ㄷ. 원자 내에 있는 전자의 상태는 주 양자수(n), 방위(부) 양자수(l), 자기 양자수(m_l), 스핀 자기 양자수(m_s)로 나타낸다.
바로알기 | ㄴ. 현대의 원자 모형은 모든 원자에 적용할 수 있다.

180 ㄷ. (가)와 (나)는 모두 전자가 발견될 확률 분포를 나타낸 것이다.
바로알기 | ㄱ. (가)는 전자가 발견될 확률을 점의 밀도로 나타낸 것으로, 진한 영역에서 전자가 발견될 확률이 높다.
ㄴ. (나)는 전자가 발견될 확률이 90 %인 영역의 경계면을 나타낸 것으로, 경계면 밖에서도 낮은 확률로 전자가 발견될 수 있다.

181 주 양자수(n)가 2인 전자 껍질에는 방위(부) 양자수(l)가 0인 오비탈과 1인 오비탈이 존재한다. $l=0$인 오비탈은 자기 양자수(m_l)가 0인 오비탈만 존재하고, $l=1$인 오비탈은 $m_l=-1, 0, +1$인 오비탈이 존재한다. 따라서 주 양자수(n)가 2인 전자 껍질에는 총 4개의 오비탈이 존재한다.

182 ② 주 양자수(n)가 1인 전자 껍질에는 방위(부) 양자수(l)가 0인 s 오비탈만 존재하고, $n=2$인 전자 껍질에는 $l=0$, $l=1$인 오비탈이 존재한다. 따라서 주 양자수(n)가 클수록 오비탈 수가 많아진다.
⑥ 1개의 오비탈에는 서로 다른 스핀을 갖는 전자가 최대 2개 들어갈 수 있다.
바로알기 | ① 주 양자수(n)는 오비탈의 에너지 준위를 결정한다.
③ 방위(부) 양자수(l)는 오비탈의 모양을 결정한다.
④ 자기 양자수(m_l)는 오비탈의 방향을 결정한다.
⑤ 주 양자수가 n일 때 방위(부) 양자수(l)는 0, 1, ⋯, $(n-1)$까지 n개 존재한다. 자기 양자수(m_l)는 l에 대해 $-l$부터 $+l$까지 $(2l+1)$개 존재한다.

183 M 전자 껍질은 주 양자수(n)가 3인 전자 껍질이다. $n=3$인 전자 껍질에서 가능한 방위(부) 양자수(l), 자기 양자수(m_l)의 조합은 다음과 같다.

l	0	1			2				
m_l	0	-1	0	$+1$	-2	-1	0	$+1$	$+2$

각 오비탈에는 스핀 방향이 반대인 전자가 2개까지 채워질 수 있다.
① $(3, 0, 0, +\frac{1}{2})$은 $3s$ 오비탈에 들어 있는 전자로, 가능한 양자수 조합이다.
③ $(3, 1, -1, +\frac{1}{2})$은 $3p$ 오비탈에 들어 있는 전자로, 가능한 양자수 조합이다.
④ $(3, 1, +1, -\frac{1}{2})$은 $3p$ 오비탈에 들어 있는 전자로, 가능한 양자수 조합이다.
⑤ $(3, 2, +2, +\frac{1}{2})$은 $3d$ 오비탈에 들어 있는 전자로, 가능한 양자수 조합이다.
바로알기 | ② $(3, 0, -1, -\frac{1}{2})$에서 $n=3$이고 $l=0$인 오비탈은 $3s$ 오비탈로, 가질 수 있는 m_l는 0뿐이므로 이 조합은 불가능하다.

184 ①, ② s 오비탈은 공 모양으로, 핵으로부터 거리가 같으면 방향에 관계없이 전자를 발견할 확률이 같다. 즉, 방향성이 없다.
③ p 오비탈의 방위(부) 양자수(l)는 1이므로 오비탈의 방향을 결정하는 자기 양자수(m_l)는 -1, 0, $+1$의 값을 갖는다. 따라서 p 오비탈은 에너지가 같고 방향이 다른 3개의 오비탈이 있다.
④ p 오비탈은 아령 모양이므로 원자핵으로부터 거리가 같더라도 방향에 따라 전자를 발견할 확률이 다르다.
⑥ 주 양자수(n)가 클수록 오비탈의 크기가 커지므로 오비탈의 에너지 준위가 높아진다.
바로알기 | ⑤ p 오비탈은 주 양자수(n)가 2인 전자 껍질부터 존재한다.

185 ㄴ. (가)와 (나)는 모두 공 모양인 s 오비탈이므로 방위(부) 양자수(l)는 0으로 같다.

ㄷ. (가)와 (나)의 방위(부) 양자수(l)가 0으로 같으므로 자기 양자수(m_l)도 0으로 같다.

바로알기 | ㄱ. 오비탈의 크기는 (가)<(나)이므로 주 양자수(n)는 (가)<(나)이다.

186 $_{2}He$ 원자의 전자는 2개이므로 바닥상태에서 2개의 전자는 모두 $1s$ 오비탈에 들어 있고, 각 전자의 스핀 방향은 반대이다.
이로부터 전자 A의 주 양자수(n) ㉠은 1이고, 방위(부) 양자수(l)가 0이므로 자기 양자수(m_l) ㉢은 0이다. 전자 B는 $1s$ 오비탈에 들어 있으므로 방위(부) 양자수(l) ㉡은 0이다. 또한 전자 A, B는 스핀 방향이 반대이므로 ㉣은 $-\frac{1}{2}$이다.

187 p 오비탈의 방위(부) 양자수(l)는 1이므로 자기 양자수(m_l)는 -1, 0, $+1$의 값을 갖는다. 즉, 방향이 서로 다른 3개의 오비탈이 존재하므로 ㉠과 ㉡은 각각 3이다.
L, M 전자 껍질의 오비탈 수는 각각 4, 9이고, 각 오비탈의 최대 수용 전자 수는 2이므로 ㉢은 8, ㉣은 18이다.
따라서 $\frac{㉠+㉡+㉢}{㉣}=\frac{3+3+8}{18}=\frac{7}{9}$이다.

188 ㄱ. 주 양자수(n)+방위(부) 양자수(l)의 합이 1인 조합은 (n, l)이 (1, 0)인 것 뿐이므로 (가)는 $1s$ 오비탈이다.
ㄷ. (가)와 (나)는 모두 s 오비탈이므로 방위(부) 양자수(l)는 0이다.
ㄹ. 주 양자수(n)+방위(부) 양자수(l)의 합이 3인 조합은 (n, l)이 (2, 1), (3, 0)이며, (n, l)이 (2, 1)인 오비탈은 $2p$ 오비탈이고, (n, l)이 (3, 0)인 오비탈은 $3s$ 오비탈이다. s 오비탈의 방위(부) 양자수(l)는 0이고, 자기 양자수(m_l)도 0이므로 (다)가 $3s$ 오비탈이라면 방위(부) 양자수(l)+자기 양자수(m_l)는 0이 된다. 따라서 (다)는 $2p$ 오비탈이므로 (다)는 아령 모양이다.

바로알기 | ㄴ. 주 양자수(n)+방위(부) 양자수(l)의 합이 2인 조합은 (n, l)이 (2, 0)인 것 뿐이므로 (나)는 $2s$ 오비탈이다. 이때 (n, l)이 (1, 1)인 것은 불가능한데, 그 까닭은 방위(부) 양자수(l)가 1인 p 오비탈은 n이 2인 전자 껍질부터 존재하기 때문이다. 오비탈의 크기는 주 양자수(n)가 클수록 크므로 오비탈의 크기는 (가)<(나)이다.

189 ① 주 양자수(n)가 1인 전자 껍질에는 방위(부) 양자수(l)가 0(㉠)인 s 오비탈이 존재하므로 (가)는 $1s$ 오비탈이다. 주 양자수(n)가 2인 전자 껍질에는 방위(부) 양자수(l)가 0, 1인 오비탈이 존재하는데 방위(부) 양자수(l)가 0인 오비탈의 자기 양자수(m_l)는 0(㉡)이므로 (나)는 $2s$ 오비탈이다. 즉, (가)와 (나)는 모두 s 오비탈이므로 오비탈의 모양은 공 모양으로 같다.
② (나)는 s 오비탈이므로 원자핵으로부터 거리가 같으면 방향에 관계없이 전자가 발견될 확률이 같다.
③ (다)는 방위(부) 양자수(l)가 1이므로 p 오비탈이다. p 오비탈은 아령 모양이므로 원자핵으로부터의 거리와 방향에 따라 전자 존재 확률이 다르다.
④ (라)는 방위(부) 양자수(l)가 2이므로 d 오비탈이다. d 오비탈은 주 양자수(n)가 3인 전자 껍질부터 존재하므로 ㉢은 3 이상의 자연수이다. 한편 같은 전자 껍질에서 에너지 준위는 d 오비탈이 p 오비탈보다 높으므로 (가)~(라) 중 에너지 준위는 (라)가 가장 높다.

바로알기 | ⑤ 각 오비탈에는 스핀 방향이 서로 반대인 전자가 최대 2개까지 들어간다. 따라서 각 오비탈에 최대로 들어가는 전자 수는 (가)와 (나)에서 같다.

190 ㄱ. (가)와 (나)는 모두 s 오비탈이므로 ㉠과 ㉡은 0으로 같다.
ㄴ. (라)는 d 오비탈이므로 ㉢은 3 이상의 자연수이다.

바로알기 | ㄷ. (라)는 d 오비탈로 방위(부) 양자수(l)가 2이므로 자기 양자수(m_l)는 -2, -1, 0, $+1$, $+2$의 5가지 값을 가질 수 있다.

191 $_{12}Mg$ 원자의 가장 바깥 전자 껍질에 들어 있는 전자를 오비탈로 나타내면 $3s$이므로 주 양자수(n)는 3이고, 방위(부) 양자수(l)는 0이다. 방위(부) 양자수(l)가 0인 경우 가질 수 있는 자기 양자수(m_l)는 0뿐이다. 스핀 자기 양자수(m_s)는 다른 양자수에 관계없이 $+\frac{1}{2}$, $-\frac{1}{2}$의 2가지 값을 갖는다.

모범 답안 $(3, 0, 0, +\frac{1}{2})$ 또는 $(3, 0, 0, -\frac{1}{2})$이다.

192 ㄱ. 전자 X의 방위(부) 양자수(l)가 2이므로 X가 들어 있는 오비탈은 d 오비탈이다. d 오비탈은 주 양자수(n)가 3인 전자 껍질부터 존재하므로 $x \geq 3$이다. 따라서 x의 최솟값은 3이다.
ㄴ. X는 d 오비탈에 들어 있으므로 자기 양자수(m_l)는 -2, -1, 0, $+1$, $+2$의 5가지 값을 갖는다. 따라서 X가 가질 수 있는 자기 양자수(m_l)의 값은 5가지이다.

바로알기 | ㄷ. x는 3이므로 주 양자수(n)가 4인 N 전자 껍질에 전자가 존재하지 않는다.

193 자료를 분석하면 다음과 같다.

- 오비탈의 주 양자수(n)의 총합은 7이고, 주 양자수(n)는 (다)가 가장 크다.
  ➜ 가능한 조합은 (2, 2, 3), (1, 2, 4), (1, 1, 5)이다.
- 오비탈의 방위(부) 양자수(l)는 (가)와 (다)가 같다.
  ➜ (가)와 (다)의 오비탈의 모양은 같다.
- 오비탈의 주 양자수(n)와 방위(부) 양자수(l)의 합($n+l$)은 (나)와 (다)가 같다.
  ➜ 가능한 (나)와 (다)의 조합은 ($2p$, $3s$), ($3p$, $4s$), ($4p$, $5s$)이다.
  ➜ 각 조건을 모두 만족하는 (가)~(다)는 각각 $2s$, $2p$, $3s$ 오비탈이다.

① (가)는 $2s$ 오비탈이므로 주 양자수(n)는 2이다.
② (가)는 $2s$ 오비탈, (나)는 $2p$ 오비탈이므로 (가)와 (나)는 주 양자수(n)가 모두 2이다. 따라서 같은 전자 껍질에 들어 있다.
③ (나)는 $2p$ 오비탈이므로 전자가 발견될 확률은 핵으로부터의 거리와 방향에 따라 변한다.
⑤ (나)는 $2p$ 오비탈이므로 방위(부) 양자수(l)가 1이고, (다)는 $3s$ 오비탈이므로 방위(부) 양자수(l)가 0이다. 따라서 방위(부) 양자수(l)는 (나)가 (다)보다 크다.
⑥ (가)~(다)는 각각 $2s$, $2p$, $3s$ 오비탈이므로 에너지 준위는 (가)<(나)<(다)이다.

바로알기 | ④ (다)는 $3s$ 오비탈이므로 방위(부) 양자수(l)가 0이다.

194 (가)~(다)는 L 전자 껍질과 M 전자 껍질에 있으므로 주 양자수(n)가 2 또는 3이다. $n=2$인 전자 껍질에는 $2s$, $2p$ 오비탈이 있고, $n=3$인 전자 껍질에는 $3s$, $3p$, $3d$ 오비탈이 있다.
(가)는 방향성이 없으므로 $2s$ 오비탈 또는 $3s$ 오비탈이다. (가)가 $2s$ 오비탈이면 (나)는 $2p$ 오비탈이고, (다)는 $3p$ 오비탈이다. (가)가 $3s$ 오비탈이면 (나)는 $3p$ 오비탈이고, (다)는 에너지 준위가 가장 높으면서 (나)와 방위 양자수(l)가 같은데 이 조건에 맞는 오비탈이 없다.
따라서 (가)는 $2s$ 오비탈, (나)는 $2p$ 오비탈, (다)는 $3p$ 오비탈이다.

ㄴ, ㄷ. (나)는 $2p$ 오비탈, (다)는 $3p$ 오비탈이므로 오비탈의 크기는 (나)<(다)이다.

바로알기 | ㄱ. (가)는 $2s$ 오비탈, (다)는 $3p$ 오비탈이므로 (가)는 공 모양이고, (다)는 아령 모양이다.

195 ㄷ. 공 모양인 (가)는 $2s$ 오비탈이므로 (가)에 전자가 들어 있는 수소 원자는 들뜬상태이다.

바로알기 | ㄱ. 공 모양인 (가)는 $2s$ 오비탈이고, 아령 모양인 (나)는 $2p$ 오비탈이다. 전자가 1개인 수소 원자에서 에너지 준위는 주 양자수(n)에 의해서만 결정되므로 에너지 준위는 (가)=(나)이다.

ㄴ. 1개의 오비탈에 최대로 채워질 수 있는 전자는 스핀 방향이 서로 다른 전자 2개이다.

196

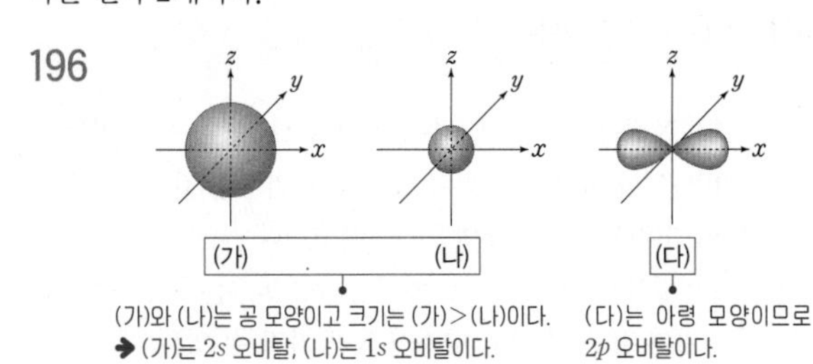

(가)와 (나)는 공 모양이고 크기는 (가)>(나)이다. ➔ (가)는 $2s$ 오비탈, (나)는 $1s$ 오비탈이다.

(다)는 아령 모양이므로 $2p$ 오비탈이다.

ㄴ. (가)와 (다)는 각각 $2s$ 오비탈과 $2p$ 오비탈이므로 주 양자수(n)가 2인 전자 껍질, 즉 L 전자 껍질에 존재한다.

ㄷ. 다전자 원자에서는 주 양자수(n)뿐만 아니라 방위(부) 양자수(l)에 따라서도 에너지 준위가 달라지므로 에너지 준위는 (가)<(다)이다. 따라서 (다)에서 (가)로 전자가 이동할 때 에너지를 방출한다.

바로알기 | ㄱ. (가)와 (나)는 주 양자수(n)가 각각 2, 1로 서로 다르다.

197 L 전자 껍질은 주 양자수(n)가 2인 전자 껍질이므로 (가)는 $2s$ 오비탈이고, (나)~(라)는 각각 방향이 서로 다른 $2p$ 오비탈이다.

③ 다전자 원자에서 오비탈의 에너지 준위는 (가)<(나)=(다)=(라)이므로 L 전자 껍질에 전자가 채워질 때 (가)부터 채워진다.

바로알기 | ① (가)는 공 모양이므로 핵으로부터 거리가 같으면 방향에 관계없이 전자가 발견될 확률이 같다. 즉, 방향성이 없다.

② (가)는 $2s$ 오비탈, (나)는 $2p$ 오비탈이므로 방위(부) 양자수(l)는 (가) 0, (나) 1이다. 따라서 방위(부) 양자수(l)는 (나)가 (가)보다 크다.

④ (나), (다), (라)는 방향만 다르고 에너지 준위는 모두 같다.

⑤ (나), (다), (라)는 방위(부) 양자수(l)가 1로 같고, 자기 양자수(m_l)는 −1, 0, +1로 서로 다르다.

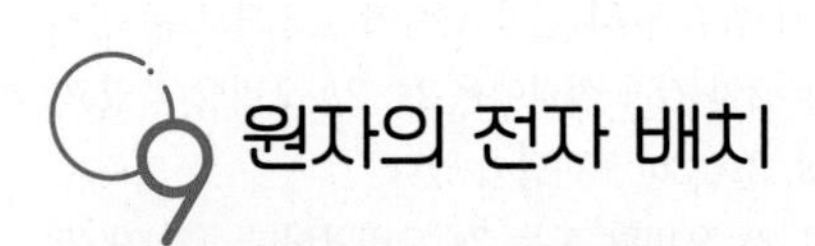

09 원자의 전자 배치

빈출 자료 보기 57쪽

198 (1) ○ (2) × (3) ○ (4) ○

199 (1) × (2) ○ (3) × (4) ○ (5) ×

198 (1) 3개의 $2p$ 오비탈은 에너지 준위가 같으므로 (가)는 쌓음 원리를 만족하는 전자 배치이다.

(3) (다)는 에너지 준위가 낮은 $2p$ 오비탈에 전자가 모두 채워지지 않고 $3s$ 오비탈에 전자가 채워졌으므로 들뜬상태의 전자 배치이다.

(4) (가)~(다)에서 1개의 오비탈에 채워진 전자 수가 최대 2개이며, 전자쌍의 스핀 방향이 서로 반대이므로 파울리 배타 원리를 만족한다.

바로알기 | (2) (나)에서 에너지 준위가 같은 $2p$ 오비탈에 채워진 전자들은 홀전자 수가 최대가 되는 전자 배치이므로 훈트 규칙을 만족한다.

199 (2) 원자 번호는 전자 수가 큰 X가 Y보다 크다.

(4) X와 Y의 바닥상태 전자 배치는 각각 다음과 같다.

X: $1s^2 2s^2 2p^6 3s^2 3p^6 4s^2$

Y: $1s^2 2s^2 2p^6 3s^2 3p^5$

전자가 들어 있는 오비탈 수는 X가 10이고, Y가 9이므로 X>Y이다.

바로알기 | (1) X^{2+}은 X 원자가 전자 2개를 잃고 형성된 양이온이므로 X는 4주기 2족 원소이다. Y^-은 Y 원자가 전자 1개를 얻어 형성된 음이온이므로 Y는 3주기 17족 원소이다.

(3) 원자가 전자 수는 X가 2이고 Y가 7이므로 X<Y이다.

(5) 바닥상태에서 홀전자 수는 X가 0이고 Y가 1이므로 X와 Y의 홀전자 수의 합은 1이다.

난이도별 필수 기출 58~63쪽

200 ③	201 ②	202 ④	203 ⑤	204 해설 참조
205 ⑤	206 해설 참조		207 해설 참조	208 ⑤
209 ②	210 ③	211 ⑤	212 ③	213 ④
214 해설 참조		215 ④	216 ⑤	217 ③	218 ③
219 ②	220 ②	221 ④	222 ③	223 ⑤	224 ③
225 ③				

200 ㄱ. 수소 원자에서 오비탈의 에너지 준위는 주 양자수(n)에 의해서만 결정되므로 에너지 준위는 $2s$ 오비탈이 $1s$ 오비탈보다 높다. 따라서 $1s$ 오비탈에서 $2s$ 오비탈로 전자가 전이할 때 에너지를 흡수한다.

ㄴ. $2s$ 오비탈과 $2p$ 오비탈의 주 양자수(n)가 같으므로 $2s$ 오비탈과 $2p$ 오비탈의 에너지 준위는 같다.

바로알기 | ㄷ. 수소 원자에서 오비탈의 에너지 준위는 주 양자수(n)에 의해서만 결정되므로 $3d$ 오비탈은 $4s$ 오비탈보다 에너지 준위가 낮다.

201 ㄷ. 다전자 원자에서는 주 양자수(n)가 같더라도 방위(부) 양자수(l)에 따라 에너지 준위가 다르다.

바로알기 | ㄱ. X 원자에서 오비탈의 에너지 준위가 $2s<2p$인 것으로 보아 X는 다전자 원자이다.

ㄴ. 다전자 원자에서는 주 양자수(n)뿐만 아니라 방위(부) 양자수(l)도 에너지 준위에 영향을 준다. 원자 X에서 오비탈의 에너지 준위는 $4s<3d$이므로 주 양자수(n)가 커도 항상 에너지 준위가 높지는 않다.

202 A^+은 A 원자가 전자 1개를 잃고 형성된 양이온이므로 바닥상태 A 원자의 전자 배치는 $1s^2 2s^2 2p^6 3s^1$이다. 이로부터 A의 원자가 전자 수는 1이고, 홀전자 수도 1이다.

203 ㄱ. 바닥상태 전자 배치이므로 $3p$ 오비탈에 들어 있는 전자는 홀전자이다. 따라서 홀전자 수는 3이다.
ㄴ. 전자가 들어 있는 오비탈은 $1s$, $2s$, $2p_x$, $2p_y$, $2p_z$, $3s$, $3p_x$, $3p_y$, $3p_z$이므로 오비탈수는 9이다.
ㄷ. L 전자 껍질은 주 양자수(n)가 2인 전자 껍질이므로 L 전자 껍질에 들어 있는 전자 수는 8이다.

204 (2) X와 주기율표에서 가장 가까운 비활성 기체는 Ne이므로 X의 안정한 이온은 전자 2개를 얻어 형성된 −2의 음이온이다.
모범 답안 (1) 6, 원자가 전자 수는 가장 바깥 전자 껍질에 채워진 전자이므로 주 양자수(n)가 2인 전자 껍질에 채워진 전자가 원자가 전자이다.
(2) $1s^2 2s^2 2p^6$

205 제시된 X 원자의 전자 배치에서 전자 3개를 쌓음 원리와 훈트 규칙을 적용하여 배치하면 $1s^2 2s^2 2p^6 3s^2 3p^1$이다.
ㄱ. 전자가 들어 있는 오비탈 수는 7이다.
ㄴ. 원자가 전자 수는 3이고 홀전자 수는 1이므로 원자가 전자 수는 홀전자 수의 3배이다.
ㄷ. X의 안정한 이온은 원자가 전자를 잃고 형성되므로 안정한 이온의 전자 배치는 $1s^2 2s^2 2p^6$이며, 이는 Ne의 전자 배치와 같다.

206 파울리 배타 원리에 따르면 한 오비탈에 들어갈 수 있는 전자 수는 최대 2이며, 이때 두 전자의 스핀 방향은 서로 반대여야 한다.
모범 답안 (가), $2s$ 오비탈에서 전자의 스핀 방향이 같으므로 이 전자 배치는 파울리 배타 원리에 위배되기 때문이다.

207 **모범 답안** (나), 에너지 준위가 낮은 $2s$ 오비탈에 전자를 모두 채우기 전에 $2p$ 오비탈에 전자가 채워졌으므로 쌓음 원리에 위배되는 들뜬상태이다.

208 ㄴ. B의 바닥상태 전자 배치는 $1s^2 2s^2 2p^4$이므로 A와 B는 바닥상태에서 홀전자 수가 2로 같다.
ㄷ. 방위(부) 양자수(l)가 0인 오비탈은 s 오비탈이다. 따라서 바닥상태에서 s 오비탈에 들어 있는 전자 수는 A와 B에서 4로 같다.
바로알기 | ㄱ. A의 전자 배치는 쌓음 원리, 훈트 규칙을 모두 만족하는 바닥상태이고, B의 전자 배치는 쌓음 원리에 위배되는 들뜬상태이다.

209 ① (가)는 에너지 준위가 낮은 $2s$ 오비탈에 전자를 모두 채우기 전에 $2p$ 오비탈에 전자가 채워졌으므로 들뜬상태이다.
③ 3개의 $2p$ 오비탈의 에너지 준위는 같으므로 (나)에서 p 오비탈에 있는 두 전자의 에너지는 같다.
④ (다)에서 에너지 준위가 같은 $2p$ 오비탈에 홀전자 수가 최대인 전자 배치가 아니므로 훈트 규칙에 위배된다.
⑤ (가)~(다)에서 1개의 오비탈에 채워진 전자 수가 최대 2개이며, 전자쌍의 스핀 방향이 서로 반대이므로 파울리 배타 원리를 모두 만족한다.
⑥ (가)~(다)에서 원자가 전자는 모두 주 양자수(n)가 2이다.
바로알기 | ② 3개의 $2p$ 오비탈의 에너지 준위는 같으므로 (나)는 쌓음 원리를 만족한다.

210 ㄱ. A와 D의 원자가 전자 수는 6으로 같으므로 같은 족 원소이다.
ㄴ. 홀전자 수는 A가 2, B가 3, C가 2, D가 2이므로 홀전자 수가 가장 큰 원소는 B이다.
바로알기 | ㄷ. 전자가 들어 있는 오비탈 수는 C가 8이고 D가 9이다.

211 ㄱ. (가)는 에너지 준위가 낮은 $2s$ 오비탈에 전자 2개를 채우기 전에 $2p$ 오비탈에 전자가 채워졌고, (나)는 에너지 준위가 낮은 $2p$ 오비탈에 전자 6개를 채우기 전에 $3s$ 오비탈에 전자가 채워졌으므로 쌓음 원리에 위배된다.
ㄴ. (가)의 전자 수는 7이므로 2주기 15족 원소이고, (다)의 전자 수는 15이므로 3주기 15족 원소이다. 즉, (가)와 (다)는 같은 족 원소로 원자가 전자 수가 같으므로 화학적 성질이 비슷하다.
ㄷ. 바닥상태에서 전자가 들어 있는 전자 껍질 수는 (나)와 (다)가 3으로 같다.

212 A^{2-}, B^-, C^{2+}의 전자 배치가 $1s^2 2s^2 2p^6$으로 동일하므로 바닥상태 A~C의 전자 배치는 각각 다음과 같다.
A: $1s^2 2s^2 2p^4$, B: $1s^2 2s^2 2p^5$, C: $1s^2 2s^2 2p^6 3s^2$
ㄱ. A와 B에서 전자가 들어 있는 오비탈 수는 5로 같다.
ㄷ. 원자가 전자는 B에서는 $2s$ 오비탈, $2p$ 오비탈에 들어 있고, C에서는 $3s$ 오비탈에 들어 있다. 따라서 원자가 전자가 들어 있는 오비탈의 주 양자수(n)는 B<C이다.
바로알기 | ㄴ. 홀전자 수는 A가 2이고, C는 0으로 서로 다르다.

213 학생 (나): B의 전자 배치에서 모든 오비탈에는 전자쌍이 들어 있으므로 스핀 자기 양자수(m_s)의 합은 0이다.
학생 (다): C^+은 C 원자가 전자 1개를 잃고 형성된 양이온이므로 C는 3주기 1족 원소이다. 따라서 전자가 들어 있는 전자 껍질 수는 C가 A보다 크다.
바로알기 | 학생 (가): A의 전자 배치에서 3개의 $2p$ 오비탈의 에너지 준위가 같으므로 A의 전자 배치는 바닥상태이다.

214 A는 Na(나트륨), B는 O(산소), C는 N(질소)이다.
모범 답안 (1)

	$1s$	$2s$	$2p$			$3s$
A	↑↓	↑↓	↑↓	↑↓	↑↓	↑
B	↑↓	↑↓	↑↓	↑	↑	
C	↑↓	↑↓	↑	↑	↑	

(2) A: $1s^2 2s^2 2p^6 3s^1$, B: $1s^2 2s^2 2p^4$, C: $1s^2 2s^2 2p^3$

215

원자	(가)	(나)	(다)	(라)
전자가 들어 있는 오비탈 수	3	4	5	5
홀전자 수	1	2	1	2
원자의 전자 배치	$1s^2 2s^2 2p^1$	$1s^2 2s^2 2p^2$	$1s^2 2s^2 2p^5$	$1s^2 2s^2 2p^4$

ㄴ. 원자가 전자 수는 (가) 3, (나) 4, (다) 7이므로 (가)와 (나)의 원자가 전자 수의 합은 (다)의 원자가 전자 수와 같다.
ㄷ. (라)에서 s 오비탈과 p 오비탈에 채워진 전자 수는 4로 같다.
바로알기 | ㄱ. 원자 번호는 전자 수가 가장 큰 (다)가 가장 크다.

216 s 오비탈의 전자 수와 p 오비탈의 전자 수가 같은 2, 3주기 원자의 전자 배치는 각각 $1s^2 2s^2 2p^4$, $1s^2 2s^2 2p^6 3s^2$이다. 전자 껍질 수가 A<B이므로 A의 전자 배치는 $1s^2 2s^2 2p^4$이고, B의 전자 배치는 $1s^2 2s^2 2p^6 3s^2$이다.
p 오비탈의 전자 수가 s 오비탈의 전자 수의 1.5배인 2, 3주기 원자의 전자 배치는 각각 $1s^2 2s^2 2p^6$, $1s^2 2s^2 2p^6 3s^2 3p^3$이다. 전자 껍질 수가 C<D이므로 C의 전자 배치는 $1s^2 2s^2 2p^6$이고, D의 전자 배치는 $1s^2 2s^2 2p^6 3s^2 3p^3$이다.

ㄱ. A의 전자 배치는 $1s^22s^22p^4$이므로 안정한 이온이 되어 비활성 기체와 같은 전자 배치를 가질 때 전자 2개가 $2p$ 오비탈에 채워진다.

ㄴ. B의 전자 배치는 $1s^22s^22p^63s^2$이므로 비활성 기체의 전자 배치를 갖는 안정한 이온이 되면 $1s^22s^22p^6$의 전자 배치를 갖는다. 따라서 C와 전자 배치가 같다.

ㄷ. 홀전자 수는 A가 2, B와 C가 0, D가 3이므로 A∼D 중 D가 가장 크다.

217 바닥상태인 (가)에서 p 오비탈의 전자 수가 6이고 홀전자 수가 1이므로 전자 배치는 $1s^22s^22p^63s^1$이다. 따라서 $a=5$이다.

바닥상태인 (나)에서 p 오비탈의 전자 수가 3이고 홀전자 수가 3이므로 전자 배치는 $1s^22s^22p^3$이다. 따라서 $b=4$이다.

바닥상태인 (다)에서 s 오비탈의 전자 수가 3이므로 전자 배치는 $1s^22s^1$이다. 따라서 $c=0$, $d=1$이다.

ㄱ. $a+b+c+d=5+4+0+1=10$이다.

ㄷ. 원자가 전자 수는 (나)가 5이고, (다)가 1이므로 (나)가 (다)보다 크다.

바로알기 | ㄴ. (가)는 3주기 원소이고, (나)는 2주기 원소이므로 전자가 들어 있는 전자 껍질 수는 (가)가 (나)보다 크다.

218 A는 2주기 원소이므로 s 오비탈의 전자 수는 3 또는 4이다. 홀전자 수는 1, 2, 3 중 하나이고, $\frac{s\text{ 오비탈에 들어 있는 전자 수}}{\text{홀전자 수}}=3$이므로 홀전자 수는 1이고, s 오비탈의 전자 수는 3이다. A의 전자 배치는 $1s^22s^1$이고, $y=1$이다.

B는 전자가 들어 있는 전자 껍질 수와 원자가 전자 수가 같으므로 2주기 원소이면 원자가 전자 수는 2이고, 3주기 원소이면 원자가 전자 수는 3이다. $\frac{s\text{ 오비탈에 들어 있는 전자 수}}{\text{홀전자 수}}=6$이므로 B의 전자 배치는 $1s^22s^22p^63s^23p^1$이고, $x=3$이다.

C는 3주기 원소이고 원자가 전자 수가 5이므로 C의 전자 배치는 $1s^22s^22p^63s^23p^3$이고, $z=\frac{s\text{ 오비탈에 들어 있는 전자 수}}{\text{홀전자 수}}=\frac{6}{3}=2$이다.

따라서 $x+y+z=3+1+2=6$이다.

219 K, L, M 전자 껍질은 각각 주 양자수(n)가 1, 2, 3인 전자 껍질이므로 A, B, C의 전자 배치는 다음과 같다.

A: $1s^22s^22p^1$,B: $1s^22s^22p^4$,C: $1s^22s^22p^63s^13p^1$

ㄱ. A, B는 모두 2주기 원소이다.

ㄴ. C의 전자 배치에서 에너지 준위가 낮은 $3s$ 오비탈에 전자 2개를 채우기 전에 $3p$ 오비탈에 전자가 채워졌으므로 들뜬상태이다.

바로알기 | ㄷ. A와 B는 쌓음 원리를 만족하지만 C의 전자 배치는 들뜬상태이므로 쌓음 원리를 만족하지 않는다.

220 A, B는 2주기 원자이므로 전자 수는 3∼10이고 전자 수의 비가 A : B=1 : 2이므로 A, B의 가능한 전자 수 조합은 (3, 6), (4, 8), (5, 10)이다. 또한 전자가 들어 있는 오비탈 수의 비는 A : B=1 : 2이므로 A, B의 가능한 전자 배치는 다음과 같다.

A: $1s^22s^1$, B: $1s^22s^22p^2$

ㄴ. 원자가 전자 수는 A가 1, B가 4이므로 원자가 전자 수는 B가 A의 4배이다.

바로알기 | ㄱ. 홀전자 수는 A가 1, B가 2이므로 B가 A의 2배이다.

ㄷ. B에서 s 오비탈의 전자 수는 4이고 p 오비탈의 전자 수는 2이므로 전자 수의 비는 s 오비탈 : p 오비탈=2 : 1이다.

221 $\frac{\text{전자가 들어 있는 } s\text{ 오비탈 수}}{\text{전자가 들어 있는 } p\text{ 오비탈 수}}=1$인 2, 3주기 원자의 전자 배치는 각각 $1s^22s^22p^2$, $1s^22s^22p^63s^1$, $1s^22s^22p^63s^2$이다. 이때 A와 C의 홀전자 수의 합이 3이므로 A, C의 전자 배치는 각각 $1s^22s^22p^2$와 $1s^22s^22p^63s^1$ 중 하나이다.

p 오비탈에 들어 있는 전자 수는 B가 C의 5배인데, C가 $1s^22s^22p^63s^1$이라고 하면 B의 p 오비탈에 들어 있는 전자 수는 30이 되어 A∼C가 2, 3주기 원소라는 조건에 부합하지 않는다. 이로부터 A는 $1s^22s^22p^63s^1$, C는 $1s^22s^22p^2$이고, B는 p 오비탈에 들어 있는 전자 수가 10인 $1s^22s^22p^63s^23p^4$이다.

ㄴ. A의 전자 배치는 $1s^22s^22p^63s^1$이다.

ㄷ. B와 C의 홀전자 수는 2로 같다.

바로알기 | ㄱ. 3주기 원소는 A, B 2가지이다.

222 방향에 관계없이 원자핵으로부터 같은 거리에서 전자를 발견할 확률이 항상 같은 오비탈(X)은 s 오비탈이고, 공간적인 방향이 3가지인 오비탈(Y)은 p 오비탈이므로 A∼C의 전자는 모두 s 오비탈과 p 오비탈에만 들어 있다. 또한 A∼C의 전자 배치에서 p 오비탈의 전자 수가 s 오비탈의 전자 수의 $\frac{3}{2}$배이므로 A∼C의 전자 배치는 각각 $1s^22s^22p^6$, $1s^22s^22p^63s^23p^3$, $1s^22s^22p^63s^23p^64s^2$ 중 하나이다. 이때 원자 번호는 A>B>C이므로 A는 $1s^22s^22p^63s^23p^64s^2$, B는 $1s^22s^22p^63s^23p^3$, C는 $1s^22s^22p^6$이다.

ㄱ. A의 전자 배치에서 홀전자가 없으므로 모든 전자의 스핀 자기 양자수(m_s)의 합은 0이다.

ㄷ. C는 비활성 기체이므로 원자가 전자 수는 0이다.

바로알기 | ㄴ. B의 전자 배치에서 홀전자 수는 3이고, 전자쌍이 들어 있는 오비탈 수는 6이므로 $\frac{\text{전자쌍이 들어 있는 오비탈 수}}{\text{홀전자 수}}$는 2이다.

223 바닥상태 원자 A에서 원자가 전자가 $2s$ 오비탈과 2개의 $2p$ 오비탈에 들어 있으므로 A의 전자 배치는 $1s^22s^22p^2$이다.

ㄱ. 홀전자 수는 쌍을 이루지 않은 전자 수로 2이다.

ㄴ. 원자가 전자 수는 주 양자수(n)가 2인 전자 껍질에 들어 있는 전자 수로 4이다.

ㄷ. s 오비탈의 전자 수는 4이고, p 오비탈의 전자 수는 2이므로 s 오비탈에 들어 있는 전자 수는 p 오비탈에 들어 있는 전자 수의 2배이다.

224 조건에 맞는 A∼D의 전자 배치는 다음과 같다.

A: $1s^22s^1$, B: $1s^22s^22p^2$, C: $1s^22s^22p^4$, D: $1s^22s^22p^3$

ㄱ. A에서 홀전자는 $2s$ 오비탈에 들어 있고, s 오비탈의 자기 양자수(m_l)는 0이다.

ㄴ. B와 C에서 홀전자는 $2p$ 오비탈에 들어 있으므로 홀전자가 들어 있는 오비탈의 주 양자수(n)+방위(부) 양자수(l) 값이 같다.

바로알기 | ㄷ. 원자 번호는 전자 수가 가장 큰 C가 가장 크다.

225 ㄱ. B의 전자 배치에서 $n=2$인 전자 껍질에는 전자가 최대 8개까지 채워질 수 있는데 7개만 채워지고 $n=3$인 전자 껍질에 전자가 채워졌으므로 B는 들뜬상태이다.

ㄷ. 원자가 전자 수는 A가 6이고, B가 1이므로 A가 B보다 크다.

바로알기 | ㄴ. 전자 수는 A가 8이고, B가 11이다. 따라서 A는 2주기 16족 원소이고, B는 3주기 1족 원소이다.

최고 수준 도전 기출 (05~09강)

64~65쪽

226 ③ 227 ③ 228 ④ 229 ② 230 ⑤ 231 ③
232 ④ 233 ②

226 ㄱ. 원자 모형 A, B, D에는 원자핵이 있고, C에는 원자핵이 없다. 따라서 (가)에 '알파(α) 입자 산란 실험 결과를 설명할 수 있는가?'를 적용할 수 있다.

ㄷ. C에서 전자는 원자 전체에 듬성듬성 박혀 있으므로 불연속적인 에너지 준위를 갖지 않는다. 따라서 C로는 수소 원자의 선 스펙트럼을 설명할 수 없으므로 C는 ㉡에 해당한다.

바로알기 | ㄴ. 수소 원자의 선 스펙트럼이 불연속적으로 나타나는 것은 전자의 에너지 준위가 불연속적이기 때문이다. 전자가 불연속적인 에너지 준위를 갖는 모형은 B, D이다. 따라서 ㉠에 해당하는 모형은 2가지이다.

227 원자에서 양성자수=전자 수이고, 질량수=양성자수+중성자이므로 $\frac{\text{중성자수}}{\text{질량수}}=\frac{1}{2}$인 원자에서 전자 수(=양성자수)와 중성자수가 같다. 따라서 ㉠, ㉡은 각각 A와 B 중 하나이다.

(가)가 전자라고 하면 전자 수(=양성자수)가 같은 원자가 ㉡, ㉢, ㉣ 3가지이므로 B는 C와 D의 동위 원소가 된다. 따라서 (가)는 중성자이고, (나)는 전자이다. ㉠과 전자 수(=양성자수)가 같은 ㉣은 동위 원소이므로 A는 ㉡, B는 ㉠, C는 ㉣, D는 ㉢이다.

ㄱ. (가)는 중성자, (나)는 전자이다.

ㄷ. D의 전자 수가 9이므로 양성자수는 9이다.

바로알기 | ㄴ. A~C의 질량수는 각각 20, 16, 18이므로 질량수의 비는 A : B : C=10 : 8 : 9이다.

228 두 용기 속 기체의 온도와 압력이 같으므로 용기에 들어 있는 기체의 분자 수비는 (가) : (나)=5 : 2이다. $^{1}H_2{}^{16}O$와 $^{2}H_2{}^{16}O$를 구성하는 원자의 양성자수와 중성자수는 다음과 같다.

원자	^{1}H	^{2}H	^{16}O
양성자수	1	1	8
중성자수	0	1	8

(가)의 $^{1}H_2{}^{16}O$ $5k$ mol에 들어 있는 양성자의 양(mol)은 $(1\times2+8)\times5k=50k$ mol이고, 중성자의 양(mol)은 $8\times5k=40k$ mol이다.

(나)의 $^{2}H_2{}^{16}O$ $2k$ mol에 들어 있는 양성자의 양(mol)은 $(1\times2+8)\times2k=20k$ mol이고, 중성자의 양(mol)은 $(1\times2+8)\times2k=20k$ mol이다. 따라서 $\frac{\text{전체 중성자수}}{\text{전체 양성자수}}$는 (가)에서는 $\frac{4}{5}$이고, (나)에서는 1이므로 $\frac{\text{전체 중성자수}}{\text{전체 양성자수}}$의 비는 (가) : (나)$=\frac{4}{5}$: 1=4 : 5이다.

229 ㄷ. 분자량은 $a<c$이므로 분자 1 g에 들어 있는 분자 수는 분자량이 a인 A_2 분자가 분자량이 c인 A_2 분자보다 크다.

바로알기 | ㄱ. 자연계에 존재하는 A_2 분자의 분자량이 3가지이므로 A의 동위 원소는 2가지이다. 분자량이 a인 A_2의 존재 비율이 $\frac{16}{25}$, 분자량이 c인 A_2의 존재 비율이 $\frac{1}{25}$이므로 원자량이 $\frac{a}{2}$인 A 동위 원소의 존재 비율은 $\frac{4}{5}$이고, 원자량이 $\frac{c}{2}$인 A 동위 원소의 존재 비율은 $\frac{1}{5}$이다. 즉, 자연계에는 원자량이 $\frac{b}{2}$인 A가 존재하지 않는다.

ㄴ. 동위 원소로 이루어진 분자이므로 분자량이 a인 A_2 분자의 양성자수와 분자량이 c인 A_2 분자의 양성자수는 같다.

230 $n\le4$이므로 $y+2\le4$, $x\le4$이어야 한다. 따라서 $y=1$ 또는 $y=2$이고, 4가지 전자 전이 중 빛을 흡수하는 전자 전이가 3가지이므로 $y=2$, $x=3$이다.

ㄱ. $x=3$이고, $y=2$이므로 $x+y=5$이다.

ㄴ. a~d는 각각 다음과 같다.

a: E_2-E_3, b: E_2-E_1, c: E_4-E_3, d: E_4-E_1

$(x+1)\rightarrow y$의 전자 전이는 $n=4\rightarrow n=2$의 전자 전이이며, 이때 방출하는 빛의 에너지는 E_2-E_4이다. $a-c=(E_2-E_3)-(E_4-E_3)$이므로 그 크기는 E_2-E_4와 같다.

ㄷ. 전자 전이에서 출입하는 빛에너지의 크기는 $c<a<b<d$이다. 빛의 파장은 에너지에 반비례하므로 파장은 $\lambda_c>\lambda_a>\lambda_b>\lambda_d$이다.

231 ① K 전자 껍질은 $n=1$인 전자 껍질이고, L 전자 껍질은 $n=2$인 전자 껍질이다. 이때 오비탈의 크기는 (가)<(나)이므로 (가)는 K 전자 껍질에 존재하는 $1s$ 오비탈로 에너지 준위가 가장 낮다.

② (나)는 $2s$ 오비탈이고, (다)~(마)는 아령 모양으로 L 전자 껍질부터 존재하는 $2p$ 오비탈이다. 즉, (나)와 (다)의 주 양자수(n)는 2로 같다.

④ p 오비탈의 방위(부) 양자수(l)는 1이고, 방향을 결정하는 자기 양자수(m_l)는 -1, 0, $+1$의 값을 가지므로 3가지 방향을 갖는다.

⑤ 전자가 (라)에서 (가)로 전이할 때 $n=2\rightarrow n=1$의 전이이므로 자외선 영역의 빛을 방출한다.

바로알기 | ③ 1개의 오비탈에 최대로 들어갈 수 있는 전자 수는 2로 같으므로 (가)와 (다)가 같다.

232 바닥상태 전자 배치에서 전자가 들어 있는 p 오비탈 수가 3인 원소는 2주기 15족, 2주기 16족, 2주기 17족, 2주기 18족, 3주기 1족, 3주기 2족 원소이다. s 오비탈의 전자 수<p 오비탈의 전자 수이므로 X는 2주기 17족, 2주기 18족, 3주기 1족 원소 중 하나이다. 바닥상태 2주기 17족, 2주기 18족, 3주기 1족 원소의 전자 배치와 $\frac{\text{전자가 들어 있는 }p\text{ 오비탈 수}}{\text{전자가 들어 있는 }s\text{ 오비탈 수}}$, $\frac{p\text{ 오비탈의 전자 수}}{s\text{ 오비탈의 전자 수}}$는 다음과 같다.

구분	2주기 17족 원소	2주기 18족 원소	3주기 1족 원소
전자 배치	$1s^22s^22p^5$	$1s^22s^22p^6$	$1s^22s^22p^63s^1$
$\frac{\text{전자가 들어 있는 }p\text{ 오비탈 수}}{\text{전자가 들어 있는 }s\text{ 오비탈 수}}$	$\frac{3}{2}$	$\frac{3}{2}$	1
$\frac{p\text{ 오비탈의 전자 수}}{s\text{ 오비탈의 전자 수}}$	$\frac{5}{4}$	$\frac{3}{2}$	$\frac{6}{5}$

따라서 $\frac{\text{전자가 들어 있는 }p\text{ 오비탈 수}}{\text{전자가 들어 있는 }s\text{ 오비탈 수}}<\frac{p\text{ 오비탈의 전자 수}}{s\text{ 오비탈의 전자 수}}$인 원소는 3주기 1족 원소이므로 전자 배치는 ④와 같다.

233 조건에 맞는 (가)~(다)의 전자 배치는 각각 다음과 같다.

(가) $1s^22s^22p^3$, (나) $1s^22s^22p^2$, (다) $1s^22s^22p^4$

ㄱ. 전자 수는 (가)>(나)이므로 원자 번호는 (가)>(나)이다.

ㄴ. 전자 수는 (가) 7, (다) 8이므로 (가)<(다)이다.

바로알기 | ㄷ. 홀전자 수는 (나)와 (다)가 2로 같고, 전자쌍이 들어 있는 오비탈 수는 (나)가 2, (다)가 3이다.

따라서 $\frac{\text{전자쌍이 들어 있는 오비탈 수}}{\text{홀전자 수}}$는 (나)가 (다)의 $\frac{2}{3}$배이다.

10 주기율표

빈출 자료 보기 66쪽

234 (1) ○ (2) × (3) × (4) ×

234 (1) A는 H(수소)로, 비금속 원소이다.

바로알기 | (2) B는 18족 원소로 가장 바깥 전자 껍질에 전자가 모두 채워져 있어 화학 결합에 참여하는 전자가 없다. 따라서 원자가 전자는 0으로, 원자가 전자 수가 가장 작다.

(3) C, D, E는 주기율표에서 같은 가로줄에 있는 원소이므로 같은 주기 원소이다.

(4) E와 F는 주기가 다르므로 전자가 들어 있는 전자 껍질 수가 다르며, 같은 족 원소이므로 원자가 전자 수가 같다.

난이도별 필수 기출 67~69쪽

235 ③	236 ③	237 ⑤, ⑥		238 ⑤	239 ⑤
240 ④	241 ②	242 ②	243 ①	244 ③	245 ③
246 ②	247 ①				

235 (가) 화학적 성질이 비슷한 원소를 3개씩 묶어 분류하여 세 쌍 원소설을 제안한 과학자는 되베라이너이다.

(나) 원소들을 원자량 순으로 배열했을 때 8번째마다 성질이 비슷한 원소가 나타난다는 것을 발견하여 옥타브설을 제안한 과학자는 뉴랜즈이다.

(다) 원소들을 원자량 순으로 배열하면 성질이 비슷한 원소가 주기적으로 나타난다는 것을 발견하고, 최초의 주기율표를 만든 과학자는 멘델레예프이다.

(라) 원소들을 원자 번호 순으로 배열하여 현대 주기율표를 완성하는 데 기여한 과학자는 모즐리이다.

236 ㄱ. 주기율표에 대한 이론을 주장한 과학자들을 시간 순서로 나열하면 되베라이너 → 멘델레예프 → 모즐리이다.

ㄷ. 멘델레예프는 당시까지 발견된 63종의 원소들을 원자량 순으로 배열할 때 화학적 성질이 비슷한 원소가 같은 세로줄에 오도록 하였다. 이때 아직 발견되지 않은 원소의 자리는 비워 두고 그 성질을 예측하였다.

바로알기 | ㄴ. 모즐리는 원자의 양성자수(=원자 번호)를 기준으로 원자 번호를 정하여 주기율표를 완성하였다.

237 ① 현대 주기율표는 원소들을 원자 번호 순으로 배열하여 만든다.

② 주기율표의 가로줄은 주기이며, 1~7주기가 있다.

③ 주기율표의 세로줄은 족이며, 1~18족이 있다.

④ 같은 족 원소들은 원자가 전자 수가 같아 화학적 성질이 비슷하다.

바로알기 | ⑤ 같은 주기 원소들은 전자가 들어 있는 전자 껍질 수가 같다.

⑥ 같은 족 원소들은 원자가 전자 수가 같다.

238 ㄱ. 제시된 원소들은 1족에 속하는 원소로, 원자가 전자 수는 족 번호의 끝자리 수와 같은 1이다.

ㄴ. 1족에 속하는 알칼리 금속 원소는 전자 1개를 잃고 양이온이 되어 비활성 기체와 같은 전자 배치를 가지려는 경향이 있다.

ㄷ. 알칼리 금속은 물과 반응하여 수소 기체를 발생시킨다.

239 ㄱ. 3주기 원소 중 원자가 전자 수가 7인 원소는 17족 원소이다.

ㄴ. 바닥상태 전자 배치는 $1s^22s^22p^63s^23p^5$이므로 홀전자 수는 1이다.

ㄷ. 전자 1개를 얻어 비활성 기체와 같은 전자 배치를 가지려는 경향이 있어 음이온이 되기 쉽다.

240 ④ D와 E의 바닥상태 전자 배치는 각각 $1s^22s^22p^4$, $1s^22s^22p^5$이므로 전자가 들어 있는 오비탈 수는 5로 같다.

바로알기 | ① A는 비금속 원소인 H(수소)이고, C는 알칼리 금속이므로 A와 C는 화학적 성질이 다르다.

② B는 비활성 기체로 가장 바깥 전자 껍질에 전자가 모두 채워져 있는 안정한 전자 배치를 가지므로 전자를 얻거나 잃으려는 경향이 없다.

③ C는 전자 1개를 잃고 B와 같은 전자 배치를 갖는 양이온이 되고, D와 E는 각각 전자 2개, 전자 1개를 얻어 2주기 18족 원소와 같은 전자 배치를 갖는 음이온이 된다.

⑤ F는 2족 원소로 바닥상태 전자 배치에서 홀전자 수가 0이다. 바닥상태 전자 배치에서 홀전자 수가 가장 큰 원소는 홀전자 수가 2인 D이다.

241 바닥상태 전자 배치에서 전자가 들어 있는 오비탈 수가 6인 원소의 전자 배치는 $1s^22s^22p^63s^1$ 또는 $1s^22s^22p^63s^2$이다. 따라서 A는 3주기 1족 원소이다. B는 A와 같은 족 원소이므로 B는 2주기 1족 원소이고, C는 B와 같은 주기 원소이므로 2주기 원소이다. 홀전자 수는 D가 E보다 크므로 D는 16족 원소이다. 이 조건을 만족하는 A~E의 주기율표 상의 위치는 다음과 같다.

주기 \ 족	1	2	13	14	15	16	17	18
2	B					D	C	
3	A						E	

ㄴ. D는 2주기 16족 원소로, 바닥상태 전자 배치는 $1s^22s^22p^4$이므로 $\frac{s \text{ 오비탈의 전자 수}}{p \text{ 오비탈의 전자 수}}=\frac{4}{4}=1$이다.

바로알기 | ㄱ. A와 B는 1족에 속하는 알칼리 금속이다.

ㄷ. C와 E는 같은 족 원소이므로 원자가 전자 수는 서로 같다.

242 ① (가)는 H(수소)로 비금속 원소이다.

③ (다)에 속한 원소는 금속 원소로, 비활성 기체와 같은 전자 배치를 갖는 안정한 이온이 될 때 가장 바깥 전자 껍질의 전자 2개를 잃으므로 원자보다 반지름이 작아진다.

④ (라)에 속한 원소는 원자가 전자 수가 7인 할로젠으로, 전자 1개를 얻어 비활성 기체와 같은 전자 배치를 가지려는 경향이 크다.

⑤ (마)에 속한 원소는 비활성 기체로 상온에서 기체 상태로 존재한다.

바로알기 | ② (나)는 1족 원소로 2주기 원소는 전자가 s 오비탈에만 존재하고, 3주기 이상의 원소에서는 p 오비탈에도 전자가 존재한다.

243 (가) A~F 중 비금속 원소는 A, C, D, E, F이다.

(나) A~F의 바닥상태 전자 배치는 각각 다음과 같다.

A: $1s^1$, B: $1s^22s^1$, C: $1s^22s^22p^2$, D: $1s^22s^22p^4$,

E: $1s^22s^22p^63s^23p^3$, F: $1s^22s^22p^63s^23p^6$

따라서 바닥상태 전자 배치에서 홀전자 수가 홀수인 것은 A, B, E이다.

(다) A~F의 바닥상태 전자 배치에서 전자가 들어 있는 p 오비탈 수는 각각 0, 0, 2, 3, 6, 6이므로 p 오비탈 수가 홀수인 것은 D이다.
벤 다이어그램의 ㉠ 영역에는 기준 (가)에 해당하는 A, C, D, E, F에서 (가)와 (나)에 공통으로 해당하는 A, E와 (가)와 (다)에 공통으로 해당하는 D를 제외한 C, F가 속한다.
㉡ 영역에는 (가)와 (다)에 공통으로 해당하는 D에서 (가), (나), (다)에 공통으로 해당하는 원소를 제외한 원소가 속하므로 D가 속한다.
㉢ 영역은 (가), (나), (다)에 공통으로 해당하는 원소인데 해당하는 원소가 없다.
㉣ 영역에는 (나)에 해당하는 A, B, E에서 (가)와 (나)에 공통으로 해당하는 A, E를 제외한 B가 속한다.
㉤ 영역에는 (다)에 해당하는 D에서 (가)와 (다)에 공통으로 해당하는 D를 제외하므로 해당하는 원소가 없다.
따라서 포함된 원자 수가 가장 큰 영역은 ㉠이다.

244 Li, F, Mg, Cl를 기준에 따라 분류하면 다음과 같다.

기준	예	아니요
금속 원소인가?	(가) Li, Mg	(나) F, Cl
2주기 원소인가?	(다) Li, F	(라) Mg, Cl

ㄱ. (가)와 (다)에 공통으로 해당하는 원소는 Li이고, Li은 알칼리 금속이다.
ㄴ. (나)에 해당하는 F과 Cl는 같은 족 원소이므로 원자가 전자 수가 같다.
바로알기 | ㄷ. (라)에 해당하는 원소는 Mg과 Cl 2가지이다.

245 A는 2주기 17족 원소, B는 3주기 2족 원소, C는 3주기 17족 원소이고, 전자 배치는 다음과 같다.
A: $1s^22s^22p^5$, B: $1s^22s^22p^63s^2$, C: $1s^22s^22p^63s^23p^5$
ㄱ. A와 C는 모두 17족에 속하는 같은 족 원소이다. 따라서 A와 C는 화학적 성질이 비슷하다.
ㄴ. B와 C의 전자 배치로부터 전자가 들어 있는 오비탈 수는 B가 6이고, C가 9이다. 따라서 전자가 들어 있는 오비탈 수의 비는 B : C =6 : 9=2 : 3이다.
바로알기 | ㄷ. A~C의 홀전자 수는 각각 1, 0, 1이므로 B가 가장 작다.

246 ㄷ. A~D의 원자가 전자 수는 각각 1, 7, 2, 1이므로 원자가 전자 수가 가장 큰 것은 B이다.
바로알기 | ㄱ. A는 H(수소)로 비금속 원소이고, D는 1족에 속하는 알칼리 금속이다.
ㄴ. B^-은 B 원자가 전자 1개를 얻어 형성된 음이온이므로 B의 전자 배치는 $1s^22s^22p^5$이다. C^{2+}은 C 원자가 전자 2개를 잃고 형성된 양이온이므로 C의 전자 배치는 $1s^22s^22p^63s^2$이다. 따라서 B는 2주기 원소이고, C는 3주기 원소이다.

247 ㄱ. C^{3+}은 C 원자가 전자 3개를 잃고 형성된 양이온이므로 C의 전자 배치는 $1s^22s^22p^63s^23p^1$이다. A의 전자 배치에서 가장 바깥 전자 껍질에 들어 있는 전자 수가 3이므로 A와 C는 원자가 전자 수가 3인 같은 족 원소이다.
바로알기 | ㄴ. D^{2-}은 D 원자가 전자 2개를 얻어 형성된 음이온이므로 D의 전자 배치는 $1s^22s^22p^4$이다. 따라서 A~D 중 A, B, D는 2주기 원소이고, C는 3주기 원소이다.
ㄷ. A~D 중 원자 번호가 가장 큰 것은 3주기 원소인 C이다.

11 유효 핵전하, 원자 반지름과 이온 반지름

빈출 자료 보기 71쪽

248 (1) ○ (2) × (3) ○
249 (1) × (2) ○ (3) × (4) ○ (5) ○

248 (1) 같은 주기에서 원자가 전자가 느끼는 유효 핵전하는 원자 번호가 클수록 크다.
(3) 같은 족에 속하는 2, 3주기 원소의 원자가 전자가 느끼는 유효 핵전하는 주기가 클수록 크다. 따라서 같은 족에서 원자 번호가 클수록 원자가 전자가 느끼는 유효 핵전하가 크다.
바로알기 | (2) 같은 주기에서는 원자 번호 증가에 따라 전자 수가 증가하지만 증가한 전자가 가장 바깥 전자 껍질에 채워지므로 가려막기 효과 증가보다 핵전하 증가 효과가 크다.

249 (2) 안정한 전자 배치를 갖는 양이온은 원자와 핵전하는 같지만 전자 껍질 수는 원자보다 작으므로 이온 반지름이 원자 반지름보다 작다. 따라서 원자 반지름이 이온 반지름보다 큰 B의 이온은 양이온이다.
(4) 안정한 전자 배치를 갖는 음이온은 원자와 핵전하는 같지만 전자 수는 크므로 원자보다 전자 간 반발력에 의해 이온 반지름이 원자 반지름보다 크다. 따라서 이온 반지름이 원자 반지름보다 큰 D의 이온은 음이온이다.
(5) 대체로 금속 원소는 전자를 잃고 양이온이 되고, 비금속 원소는 전자를 얻어 음이온이 된다. 원자 반지름이 이온 반지름보다 큰 A, B는 금속 원소이고, 이온 반지름이 원자 반지름보다 큰 C, D는 비금속 원소이다. 따라서 금속 원소와 비금속 원소의 수는 2로 같다.
바로알기 | (1) 같은 주기에서 원자 번호가 증가할수록 원자 반지름이 작아지므로 원자 반지름이 가장 작은 D의 원자 번호가 가장 크다.
(3) C는 전자를 얻어 음이온이 되는 2주기 비금속 원소로, 안정한 이온의 전자 배치는 2주기 18족 원소인 Ne과 같다.

난이도별 필수 기출 72~75쪽

250 ⑤ 251 ③ 252 해설 참조 253 ⑤ 254 ④
255 ⑤ 256 해설 참조 257 해설 참조 258 ④
259 ③ 260 ③ 261 ⑤ 262 ⑤ 263 ④ 264 ②
265 ① 266 ⑤ 267 ⑤

250 같은 주기에서 원자 번호가 커질수록 원자가 전자가 느끼는 유효 핵전하가 커지므로 2주기 원소 중 원자가 전자가 느끼는 유효 핵전하가 가장 큰 원소는 18족 원소인 Ne이다.

251 ㄱ. 같은 원자에서 원자핵에 가까이 있는 전자일수록 유효 핵전하가 크다. 따라서 전자가 느끼는 유효 핵전하는 $a<b$이다.
ㄴ. 전자들의 가려막기 효과는 안쪽 전자 껍질에 있는 전자가 같은 전자 껍질에 있는 전자보다 크다. 따라서 b에 대한 핵전하의 가려막기 효과는 d가 c보다 크다.

바로알기 | ㄷ. d는 같은 전자 껍질에 있는 전자의 가려막기 효과에 의해 실제로 느끼는 유효 핵전하는 $+11$보다 작다.

252 **모범 답안** (1) H 원자의 핵전하$=a$가 느끼는 유효 핵전하, 수소 원자는 전자가 1개이므로 전자 사이의 반발력이 존재하지 않기 때문이다.
(2) C 원자의 핵전하$>b$가 느끼는 유효 핵전하, 다전자 원자인 탄소 원자에는 전자 사이의 반발력이 존재하므로 전자의 가려막기 효과에 의해 원자가 전자가 느끼는 유효 핵전하는 원자핵의 핵전하보다 작기 때문이다.

253 ㄱ. A는 H(수소)로 비금속 원소이다.
ㄴ. B와 C의 전자 배치는 각각 $1s^22s^22p^4$, $1s^22s^22p^63s^1$이다. 따라서 홀전자 수는 B가 2, C가 1이므로 B가 C의 2배이다.
ㄷ. 원자가 전자가 느끼는 유효 핵전하는 같은 주기에서 원자 번호가 클수록 커지고, 같은 족에서도 원자 번호가 클수록 커진다. 따라서 A~D 중 원자가 전자가 느끼는 유효 핵전하가 가장 큰 것은 D이다.

254 O, F, Mg, Al 중 바닥상태에서 홀전자 수가 0인 원소 (나)는 Mg이고, 홀전자 수가 1인 (라)는 F, Al 중 하나이다.
원자가 전자가 느끼는 유효 핵전하는 같은 주기에서 원자 번호가 클수록 크고, 같은 족에서도 원자 번호가 클수록 크므로, 유효 핵전하가 (가), (다), (라) 중 가장 작은 (라)는 Al, 가장 큰 (가)는 F이고, (다)는 O이다.
ㄱ. (가)는 F이다.
ㄷ. (나)는 Mg으로 같은 주기 원소인 Al보다 원자 번호가 작으므로 원자가 전자가 느끼는 유효 핵전하는 (라)보다 작다. 따라서 c는 4.07보다 작다.
바로알기 | ㄴ. (가)인 F의 홀전자 수는 1이고, (다)인 O의 홀전자 수는 2이므로 $a+b=3$이다.

255 각 원자의 전자 배치는 (가) $1s^22s^22p^63s^1$, (나) $1s^22s^22p^3$, (다) $1s^22s^1$이다.

원자	(가)	(나)	(다)
s 오비탈에 들어 있는 전자 수	$a=5$	4	3
p 오비탈에 들어 있는 전자 수	6	3	$b=0$
홀전자 수	1	$c=3$	$d=1$

ㄱ. (가)~(다)의 전자 배치로부터 $a=5$, $b=0$, $c=3$, $d=1$이므로 $a>b+c+d$이다.
ㄴ. (가)와 (다)는 같은 족 원소이고, 같은 족에서 원자 번호가 클수록 원자가 전자가 느끼는 유효 핵전하가 크다. 따라서 원자가 전자의 유효 핵전하는 (가)>(다)이다.
ㄷ. (나)의 전자 배치에서 가장 바깥 전자 껍질에 채워진 전자 수는 5이므로 원자가 전자 수는 5이다.

256 **모범 답안** 원자 반지름은 같은 주기에서는 원자 번호가 클수록 작아지고, 같은 족에서는 원자 번호가 클수록 커진다. 이로부터 원자 반지름이 가장 큰 D는 Na, C는 Mg이고, 원자 반지름이 가장 작은 A는 F, B는 O이다.

257 A^{2-}은 A 원자가 전자 2개를 얻어 형성된 음이온이고, B^+은 B 원자가 전자 1개를 잃고 형성된 양이온이다.
모범 답안 $A^{2-}>B^+$, A^{2-}과 B^+은 전자 배치가 같으므로 전자 수가 같다. 따라서 원자 번호가 A<B이며, 원자 번호가 클수록 유효 핵전하가 커져 이온 반지름이 감소하기 때문이다.

258 ㄴ. 같은 주기에서 원자 번호가 커질수록 유효 핵전하가 증가하여 원자 반지름이 작아진다.
원자 번호는 금속 원소가 비금속 원소보다 작으므로 금속 원소의 원자가 비금속 원소의 원자보다 원자 반지름이 크다.
ㄷ. 같은 족에서 원자 번호가 커질수록 유효 핵전하의 증가 효과보다 전자 껍질 수의 증가 효과가 크기 때문에 원자 반지름이 증가한다.
바로알기 | ㄱ. 같은 족에서 원자 번호가 커질수록 원자 반지름이 커지므로 (가)는 3주기 원소이고, (나)는 2주기 원소이다.

259 ㄱ. 같은 주기에서 원자 번호가 커질수록 원자 반지름이 감소하는 것은 전자가 들어 있는 전자 껍질 수는 같고 유효 핵전하가 증가하기 때문이다. 따라서 원자 반지름이 A>B인 것은 유효 핵전하로 설명할 수 있다.
ㄷ. 같은 족에서 원자 번호가 커질수록 원자 반지름이 증가하는 것은 유효 핵전하의 증가 효과보다 전자 껍질 수의 증가 효과가 크기 때문이다. 따라서 원자 반지름이 B<D인 것은 전자 껍질 수 증가로 설명할 수 있다.
바로알기 | ㄴ. 원자 반지름은 B>C이고, 이는 B보다 C의 유효 핵전하가 증가하기 때문이므로 유효 핵전하로 설명할 수 있다.

260 ㄱ. A는 원자 반지름>이온 반지름이므로 안정한 이온은 양이온이다. 즉, A는 전자를 잃고 양이온이 되기 쉬운 금속 원소이다.
ㄷ. B와 C는 이온 반지름>원자 반지름이므로 안정한 이온은 음이온이다.
바로알기 | ㄴ. B와 C는 전자를 얻어 음이온이 되기 쉬운 비금속 원소이다. 이때 원자 반지름과 이온 반지름은 모두 B>C이므로 원자 번호는 B<C이다. 따라서 양성자수는 C가 B보다 크다.

261 O, F, Na, Mg의 안정한 이온의 전자 수는 같고 원자 번호는 O<F<Na<Mg이므로 이온 반지름은 O>F>Na>Mg이다. 이로부터 A는 Na, B는 Mg, C는 O, D는 F이다.
⑤ C와 D는 같은 2주기 원소이고 원자 번호는 C<D이므로 원자가 전자가 느끼는 유효 핵전하는 C<D이다.
바로알기 | ① A와 B는 3주기 금속 원소이므로 안정한 이온은 양이온이다. 따라서 원자 반지름>이온 반지름이므로 $\frac{\text{이온 반지름}}{\text{원자 반지름}}<1$이다.
② A는 3주기 원소, C는 2주기 원소이므로 서로 다른 주기 원소이다.
③ 원자 반지름은 B(Mg)가 C(O)보다 크다.
④ 바닥상태에서 홀전자 수는 B가 0, D가 1이다.
⑥ C(O)와 D(F)는 1 : 2로 결합하여 안정한 화합물을 형성한다.

262 2~4주기 1, 2, 17족 원소 중 이온이 되었을 때 전자 수가 같은 각 이온의 전자 배치는 Ne 또는 Ar이다. Ne의 전자 배치를 갖는 이온은 2주기 17족, 3주기 1족, 3주기 2족 원소의 이온이고, Ar의 전자 배치를 갖는 이온은 3주기 17족, 4주기 1족, 4주기 2족 원소의 이온이다.
A, B는 Ar의 전자 배치를 갖는 이온이 되는 원자이며, 이온 반지름이 A가 가장 작고, B가 가장 크므로 A는 4주기 2족 원소(Ca), B는 3주기 17족 원소(Cl)이다. 따라서 (가)는 2족, (나)는 1족, (다)는 17족 원소이다.
C~E는 Ne의 전자 배치를 갖는 이온이 되는 원자이며, 이온 반지름은 C<D<E이므로 C는 3주기 2족 원소(Mg), D는 3주기 1족 원소(Na), E는 2주기 17족 원소(F)이다.
ㄱ. A는 4주기 2족 원소이고 D는 3주기 1족 원소이므로 원자 번호는 A>D이다.

ㄴ. B와 C는 모두 3주기 원소이다.
ㄷ. A~E 중 원자 반지름이 가장 큰 것은 4주기 1족 원소인 A이고, 원자 반지름이 가장 작은 것은 2주기 17족 원소인 E이다.

263 O, F, Na, Mg, Al의 안정한 이온의 전자 배치는 Ne과 같으므로 이온 반지름은 원자 번호가 클수록 작다. 따라서 이온 반지름은 O>F>Na>Mg>Al이므로 A~E는 각각 Na, Mg, Al, O, F이다.
ㄴ. B, C는 각각 Mg과 Al으로 금속 원소이므로 전자를 잃고 양이온이 되기 쉽다.
ㄷ. D, E는 각각 O, F으로 비금속 원소이다. O, F 원자가 이온이 될 때는 전자를 얻어 음이온이 되므로 원자보다 전자 수가 커서 전자 사이의 반발력이 증가한다.
바로알기 | ㄱ. 원자 번호는 C가 가장 크다.

264 원자 번호는 N<O<F이고 (가)의 크기는 N>O>F, (나)의 크기는 N<O<F이다. 따라서 (가)는 원자 반지름이고, (나)는 원자가 전자가 느끼는 유효 핵전하이다.
ㄱ. (가)는 원자 반지름을 나타낸 것이다.
ㄴ. N, O, F은 2주기 원소이고, Na, Mg, Al은 3주기 원소이다. F에서 Na으로 될 때 (가)인 원자 반지름이 크게 증가하는 까닭은 전자 껍질 수가 증가하기 때문이다. 또한 F에서 Na으로 될 때 (나)인 원자가 전자가 느끼는 유효 핵전하가 크게 감소하는 까닭도 전자 껍질 수가 증가하기 때문이다.
바로알기 | ㄷ. O와 Mg이 각각 Ne과 같은 전자 배치를 갖는 이온이 되었을 때 전자 수가 같으므로 원자 번호가 클수록 이온 반지름이 감소한다. 따라서 원자 번호가 O<Mg이므로 이온 반지름은 O>Mg이다.

265 바닥상태 N, F, Na, S의 원자가 전자 수와 홀전자 수, (원자가 전자 수−홀전자 수)는 다음과 같다.

구분	N	F	Na	S
원자가 전자 수	5	7	1	6
홀전자 수	3	1	1	2
원자가 전자 수−홀전자 수	2	6	0	4

이로부터 A는 Na, B는 N, C는 S, D는 F이다.
ㄷ. 바닥상태 A와 C의 전자 배치는 다음과 같다.
A: $1s^22s^22p^63s^1$, C: $1s^22s^22p^63s^23p^4$
이로부터 전자가 들어 있는 오비탈 수는 A가 6이고, C가 9이므로 전자가 들어 있는 오비탈 수는 C가 A의 1.5배이다.
바로알기 | ㄱ. A는 Na이고 D는 F이므로 A와 D의 안정한 이온의 전자 배치는 Ne과 같다. 이때 원자 번호는 A>D이므로 이온 반지름은 A<D이다.
ㄴ. B와 D는 2주기 원소이고 원자 번호는 B<D이므로 원자가 전자가 느끼는 유효 핵전하는 B<D이다.

266 자료를 분석하면 다음과 같다.

- 전자가 들어 있는 전자 껍질 수는 B가 A보다 크다.
➔ 원자의 주기는 A<B이다.
- p 오비탈에 들어 있는 전자 수는 B가 A의 2배이다.
- A^-과 C^{2+}의 전자 배치는 Ne과 같다.
➔ A는 2주기 17족 원소이고, C는 3주기 2족 원소이다.
➔ A의 전자 배치는 $1s^22s^22p^5$이므로 B의 전자 배치는 $1s^22s^22p^63s^23p^4$이다.

ㄱ. A^-은 A 원자가 전자 1개를 얻고 형성된 것이고 A^-의 전자 배치가 Ne과 같으므로 A의 전자 배치는 $1s^22s^22p^5$이다. 즉, A는 2주기 17족 원소이다.
ㄴ. B는 3주기 16족 원소이므로 안정한 이온은 음이온이다. 따라서 B가 이온이 될 때 전자 껍질 수는 변하지 않는다.
ㄷ. A는 비금속 원소이므로 $\frac{\text{이온 반지름}}{\text{원자 반지름}}>1$이고, C는 금속 원소이므로 $\frac{\text{이온 반지름}}{\text{원자 반지름}}<1$이다. 따라서 A는 C보다 $\frac{\text{이온 반지름}}{\text{원자 반지름}}$이 크다.

267 안정한 이온의 전자 수가 10인 A, B의 이온은 Ne의 전자 배치를 갖는다. 이때 A의 이온은 $\frac{\text{원자 반지름}}{\text{이온 반지름}}>1$이므로 A는 3주기 금속 원소이고, B의 이온은 $\frac{\text{원자 반지름}}{\text{이온 반지름}}<1$이므로 B는 2주기 비금속 원소이다.
안정한 이온의 전자 수가 18인 C, D의 이온은 Ar의 전자 배치를 갖는다. 이때 C의 이온은 $\frac{\text{원자 반지름}}{\text{이온 반지름}}>1$이므로 C는 4주기 금속 원소이고, D의 이온은 $\frac{\text{원자 반지름}}{\text{이온 반지름}}<1$이므로 D는 3주기 비금속 원소이다.
ㄴ. 원자 반지름이 가장 큰 원소는 4주기 금속 원소인 C이다.
ㄷ. C 이온과 D 이온은 전자 수가 같고, 원자 번호는 C가 D보다 크므로 이온 반지름은 D가 C보다 크다.
바로알기 | ㄱ. A는 3주기 원소이고, B는 2주기 원소이다.

12 이온화 에너지

빈출 자료 보기 77쪽
268 (1) ○ (2) × (3) × (4) ○
269 (1) × (2) × (3) × (4) × (5) × (6) ○

268 (1) 같은 주기에서 원자 번호가 커질수록 원자 반지름은 작아지고 원자가 전자가 느끼는 유효 핵전하는 증가하므로 이온화 에너지가 대체로 커진다.
(4) 제2 이온화 에너지는 +1의 양이온에서 전자를 떼어 낼 때 필요한 에너지이므로 같은 주기에서는 원자가 전자 수가 1인 1족 원소가 가장 큰 값을 가지며, 같은 족에서는 원자 번호가 커질수록 그 값이 감소한다. 따라서 제2 이온화 에너지가 가장 큰 원소는 2주기 1족 원소인 C이다.
바로알기 | (2) 같은 족에서 원자 번호가 커질수록 전자 껍질 수가 증가하여 원자핵과 전자 사이의 인력이 감소하므로 이온화 에너지가 작아진다.
(3) 이온화 에너지가 작을수록 전자를 떼어 내기 쉽다. 즉 A~T 중 양이온이 되기 가장 쉬운 원소는 이온화 에너지가 가장 작은 S이다.

269 (6) A~C의 원자가 전자 수는 각각 2, 1, 3이므로 원자가 전자 수는 C가 B의 3배이다.

바로알기 | (1), (2) A는 $E_1 < E_2 \ll E_3$이므로 2족 원소이고, B는 $E_1 \ll E_2$이므로 1족 원소이며, C는 $E_1 < E_2 < E_3 \ll E_4$이므로 13족 원소이다. 따라서 원자 번호는 B가 가장 작다.

(3) 바닥상태에서 홀전자 수는 A가 0, B가 1, C가 1이므로 A가 가장 작다.

(4) B의 원자가 전자 수는 1이므로 B가 안정한 이온이 되는 데 필요한 최소 에너지는 E_1이다. 즉 B가 안정한 이온이 되는 데 필요한 최소 에너지는 496 kJ/mol이다.

(5) 원자 번호는 B<A<C이므로 원자 반지름은 B가 가장 크다.

난이도별 필수 기출

78~83쪽

270 ①	271 ②	272 ④	273 ③	274 ②	275 ③
276 해설 참조		277 ③	278 ④	279 ②	280 ③
281 ⑤	282 ④	283 ④	284 ①	285 ③	286 ②
287 ④	288 ③	289 ②	290 ③	291 ②	292 ⑤
293 해설 참조		294 ②, ⑥		295 ③	

270 ② 이온화 차수가 커질수록 전자 수가 감소하여 전자 사이의 반발력이 감소하고, 유효 핵전하가 증가하므로 이온화 에너지가 커진다.

③ 같은 족에서 원자 번호가 커질수록 원자 반지름이 커져 원자핵과 전자 사이의 인력이 감소하므로 이온화 에너지는 작아진다.

④ 이온화 에너지는 원자핵과 인력이 작용하고 있는 전자 1개를 떼어 낼 때 필요한 에너지이므로 원자핵과 전자 사이의 인력이 커질수록 이온화 에너지가 커진다.

⑤ 같은 주기에서 금속 원소는 비금속 원소보다 원자 반지름은 크고, 원자가 전자가 느끼는 유효 핵전하는 작다. 따라서 같은 주기에서 금속 원소는 비금속 원소보다 이온화 에너지가 작다.

바로알기 | ① 이온화 에너지가 클수록 전자를 떼어 내는 데 많은 에너지가 필요하므로 양이온이 되기 어렵다.

271 같은 주기에서 이온화 에너지는 원자 번호가 커질수록 대체로 증가하지만 전자 배치의 특성으로 2족 원소가 13족 원소보다 크다. 따라서 이온화 에너지는 Al<Mg<Si이고, 원자가 전자가 느끼는 유효 핵전하는 Mg<Al<Si이므로 Si의 이온화 에너지와 원자가 전자가 느끼는 유효 핵전하를 나타내면 (나) 영역에 위치한다.

272 ①~⑤는 모두 2주기 원소이고, 차례대로 2족, 13족, 14족, 15족, 16족 원소이다. 따라서 이온화 에너지가 가장 큰 원소는 ④의 전자 배치를 갖는 15족 원소이다.

273 A는 2주기 16족 원소, B는 2주기 17족 원소, C는 3주기 1족 원소, D는 3주기 2족 원소이다.

ㄷ. 이온화 에너지는 C<D<A<B이므로 그림과 같은 경향을 나타낸다.

ㄹ. 원자가 전자가 느끼는 유효 핵전하는 C<D<A<B이므로 그림과 같은 경향을 나타낸다.

바로알기 | ㄱ. 원자 반지름은 B<A<D<C이다.

ㄴ. 이온 반지름은 D<C<B<A이다.

274 He, O, F, Na, Mg, Cl 중 이온화 에너지가 가장 작은 원소는 Na이므로 Na과 비활성 기체인 He은 서로 맞은편에 있다. F과 Cl는 같은 족 원소로 원자가 전자 수가 같으므로 Na 옆에는 F과 Cl가 있다. He을 제외한 원소 중 원자 반지름이 가장 작은 원소는 F이므로 F의 맞은편에는 금속 원소인 Mg이 있다. 각 조건에 맞는 원소들의 배치는 다음과 같다.

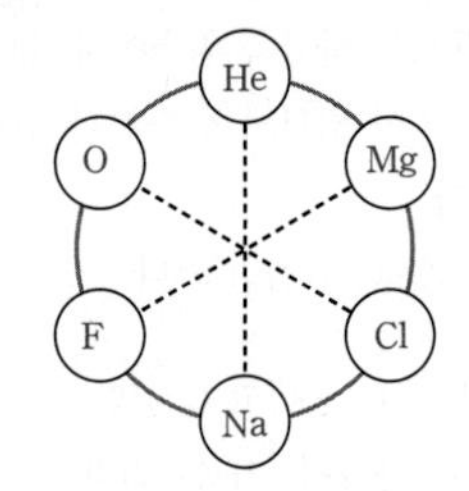

따라서 Cl의 맞은편에 위치하는 원소는 O이다.

275 Li, Be, B, C는 모두 2주기 원소이며, 2족 원소인 Be이 13족 원소인 B보다 이온화 에너지가 크므로 이온화 에너지는 Li<B<Be<C이다. 따라서 W~Z는 각각 Li, B, Be, C이다.

ㄱ. 원자 반지름이 가장 작은 것은 원자 번호가 가장 큰 Z이다.

ㄴ. 원자 번호가 X>Y이므로 원자가 전자가 느끼는 유효 핵전하는 X>Y이다.

바로알기 | ㄷ. 바닥상태에서 W의 전자 배치는 $1s^2 2s^1$, X의 전자 배치는 $1s^2 2s^2 2p^1$이므로 바닥상태에서 홀전자 수는 W와 X가 모두 1로 같다.

276 (1) 이온화 에너지가 작을수록 전자를 떼어 내기 쉬우므로 양이온이 되기 쉽다.

모범 답안 (1) Na

(2) 같은 족에서 원자 번호가 커질수록 전자 껍질 수가 증가하므로 원자핵과 전자 사이의 인력이 작아지기 때문이다.

277 같은 주기에서는 원자 번호가 커질수록 이온화 에너지가 대체로 커지지만 예외로 2족 원소보다 13족 원소가, 15족 원소보다 16족 원소가 이온화 에너지가 작다. 이때 A~E는 원자 번호가 연속이므로 C는 15족, D는 16족 원소이고, A는 13족, B는 14족, E는 17족 원소이다.

ㄱ. 이온화 에너지가 A<B이므로 A는 B보다 양이온이 되기 쉽다.

ㄷ. C는 15족 원소이므로 p 오비탈에 홀전자만 존재하고, D는 16족 원소이므로 p 오비탈에 전자쌍이 존재한다. 따라서 D에서는 쌍을 이룬 전자 사이의 반발력 때문에 전자 1개를 떼어 내는 데 필요한 에너지(이온화 에너지)가 C보다 작다.

바로알기 | ㄴ. B는 14족 원소이고, E는 17족 원소이므로 바닥상태에서 홀전자 수는 각각 2, 1이다. 따라서 홀전자 수는 B가 E보다 크다.

278 같은 족에서 원자 번호가 커질수록 이온화 에너지가 작아지므로 A는 3주기 원소이고, B와 C는 2주기 원소이다.

ㄴ. 3주기 15족 원소인 A는 3주기 16족 원소보다 이온화 에너지가 크다.

ㄷ. B와 C는 같은 주기 원소이고, 원자 번호는 B<C이므로 원자 반지름은 B>C이다.

바로알기 | ㄱ. A는 3주기 원소이다.

279 2주기 원소의 원자 반지름은 원자 번호가 클수록 작다. 또한 제시된 이온화 에너지 변화로부터 A~G는 각각 F, O, N, C, B, Be, Li이다.

ㄷ. C는 N이고, F는 Be이므로 바닥상태에서 홀전자 수는 C가 3, F가 0이다. 따라서 바닥상태에서 홀전자 수는 C>F이다.

바로알기 | ㄱ. A, B는 각각 F, O로 모두 비금속 원소이다.

ㄴ. 원자 번호가 가장 큰 원소는 원자 반지름이 가장 작고, 이온화 에너지가 가장 큰 A이다.

280

A와 C는 (가)>(나)이고, 이온화 에너지가 작다.
➔ A, C는 양이온이 되기 쉬운 금속 원소이다.

원소	이온화 에너지 (kJ/mol)
A	496
B	1251
C	578

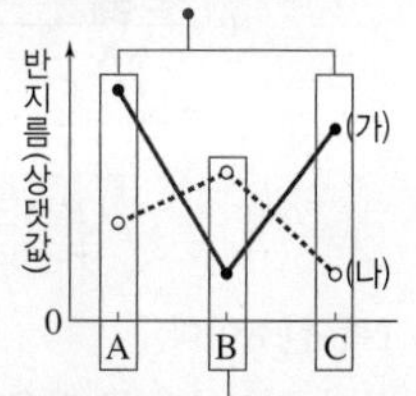

B는 (가)<(나)이고, 이온화 에너지가 크다.
➔ B는 음이온이 되기 쉬운 비금속 원소이다.

ㄱ. C가 A보다 이온화 에너지가 크므로 A는 C보다 양이온이 되기 쉽다.

ㄴ. 금속 원소인 A와 C는 원자 반지름보다 이온 반지름이 작으므로 (가)는 원자 반지름이고, (나)는 이온 반지름이다.

바로알기 | ㄷ. B는 원자 반지름보다 이온 반지름이 크므로 비금속 원소이다.

281 비활성 기체를 제외한 원자 번호가 연속인 2, 3주기 바닥상태의 원자 A~F 중 $\frac{\text{이온 반지름}}{\text{원자 반지름}}>1$인 원소는 비금속 원소이므로 2주기 비금속 원소이고, $\frac{\text{이온 반지름}}{\text{원자 반지름}}<1$인 원소는 금속 원소이므로 3주기 금속 원소이다. 이때 가능한 A~F는 N, O, F, Na, Mg, Al이고, 이들의 이온화 에너지는 F>N>O>Mg>Al>Na이므로 A~F는 각각 F, O, N, Al, Mg, Na이다.

ㄱ. A와 B는 각각 F, O이며, 같은 주기에서 원자 번호가 클수록 원자 반지름이 작으므로 원자 반지름은 A<B이다.

ㄴ. E와 F는 각각 Mg, Na이므로 이온의 전자 배치는 Ne과 같고, 원자 번호는 Na<Mg이므로 이온 반지름은 E<F이다.

ㄷ. C와 D는 각각 N, Al이고 각 원자의 전자 배치는 다음과 같다.

C: $1s^22s^22p^3$ D: $1s^22s^22p^63s^23p^1$

따라서 $\frac{p\text{ 오비탈에 들어 있는 전자 수}}{s\text{ 오비탈에 들어 있는 전자 수}}$는 C가 $\frac{3}{4}$이고, D가 $\frac{7}{6}$이므로 C<D이다.

282 원자가 가질 수 있는 원자가 전자 수는 0~7이고, A~C에는 비활성 기체가 없으므로 x는 4보다 크고 7보다 작은 자연수이다.

x가 5일 때 B의 전자 수는 11이며, 전자 배치는 $1s^22s^22p^63s^1$이므로 원자가 전자 수와 홀전자 수가 1로 같아 적절하지 않다.

x가 6일 때 A의 전자 수는 9이며, 전자 배치는 $1s^22s^22p^5$이므로 원자가 전자 수가 7이다. 따라서 제시된 자료에 적합하므로 $x=6$이다.

이를 통해 A는 F이고, B는 Mg, C는 S이다.

ㄴ. A는 2주기 17족 원소이고, B는 3주기 2족 원소이다. 같은 주기에서 원자 번호가 클수록 이온화 에너지가 크므로 B는 3주기 17족 원소보다 이온화 에너지가 작다. 또한 같은 족에서 원자 번호가 작을수록 이온화 에너지가 크므로 A가 3주기 17족 원소보다 이온화 에너지가 크다. 따라서 이온화 에너지는 A가 B보다 크다.

ㄷ. B는 Mg이고, C는 S이므로 B와 C가 결합한 화합물의 화학식은 BC(MgS)이다.

바로알기 | ㄱ. A는 전자 수가 9이므로 F이다.

283 2주기 원소 중 (홀전자 수+원자가 전자 수)가 같은 원자가 3개인 경우는 N, O, F이므로 $a=8$이다. N, O, F 중 전자쌍이 들어 있는 오비탈 수가 4인 원자의 전자 배치는 $1s^22s^22p^5$이므로 X는 F, 전자쌍이 들어 있는 오비탈 수가 2인 원자의 전자 배치는 $1s^22s^22p^3$이므로 Y는 N이다. 따라서 Z는 O이며, O 원자의 전자 배치는 $1s^22s^22p^4$이므로 $b=3$이다.

ㄴ. 이온화 에너지는 X(F)>Y(N)>Z(O)이다.

ㄷ. X~Z가 안정한 이온이 되었을 때 전자 수는 모두 10으로 같다.

바로알기 | ㄱ. $a=8$, $b=3$이므로 $a+b=11$이다.

284 원자 번호가 연속인 2주기 원소 A~C의 원자 번호가 A<B<C이고, 제1 이온화 에너지가 A<C<B이므로 B와 C는 각각 2족, 13족 또는 15족, 16족 원소 중 하나이다. 또한 제2 이온화 에너지가 B<C<A이므로 A는 1족 원소이다. 따라서 A~C는 각각 Li, Be, B이다.

285 원자 번호가 연속인 2주기 원소 중 홀전자 수가 0, 1, 2인 원소는 Be, B, C 또는 O, F, Ne이다. 이온화 에너지가 B<C이므로 B는 F이 아니다. 따라서 A~D 중 3가지는 Be, B, C이며, 이때 D의 이온화 에너지가 B보다 크므로 B는 Li이고, D는 B(붕소), A는 Be, C는 C(탄소)이다.

① D는 B(붕소)이므로 홀전자 수 x는 1이다.

② A는 Be으로 제1 이온화 에너지는 D인 B(붕소)보다 크므로 $y>1.5$이다.

④ 원자 번호는 B<C이므로 원자가 전자가 느끼는 유효 핵전하는 B<C이다.

⑤ 제2 이온화 에너지는 +1의 양이온에서 전자 1개를 떼어 낼 때 필요한 에너지이다. A인 Be과 D인 B(붕소)의 +1의 양이온의 전자 배치는 각각 $1s^22s^1$, $1s^22s^2$이다. 따라서 제2 이온화 에너지는 A<D이다.

바로알기 | ③ A는 Be이고 B는 Li이므로 원자 반지름은 A<B이다.

286 O, F, Na의 제1 이온화 에너지는 Na<O<F이고, 제2 이온화 에너지는 F<O<Na이다. 또한 1족 원소인 Na의 제1 이온화 에너지≪제2 이온화 에너지이므로 C는 Na이고, A는 F, B는 O이다.

ㄷ. A~C의 안정한 이온의 전자 배치는 모두 Ne과 같고, 원자 번호는 O가 가장 작으므로 Ne의 전자 배치를 갖는 이온의 반지름이 가장 큰 것은 B이다.

바로알기 | ㄱ. 원자 번호는 A>B이므로 원자가 전자가 느끼는 유효 핵전하는 A>B이다.

ㄴ. 원자 반지름은 3주기 원소인 C가 2주기 원소인 B보다 크다.

287 원자 번호가 W<Y이고, 제1 이온화 에너지는 W>Y인 W, Y는 (Be, B)와 (N, O) 조합 중 하나이다. 바닥상태 X의 전자 배치에서 전자가 들어 있는 오비탈 수가 9이므로 X는 15족 이상의 원소이다. 따라서 $n=15$이고, W는 N, Y는 O, X는 P, Z는 S이다.

ㄴ. 바닥상태의 전자 배치에서 홀전자 수는 W가 3이고, Y가 2이므로 홀전자 수는 W가 Y의 1.5배이다.

ㄷ. 제2 이온화 에너지는 3주기 16족 원소인 Z가 3주기 15족 원소인 X보다 크다.

바로알기 | ㄱ. W는 15족 원소이므로 $n=15$이다.

288 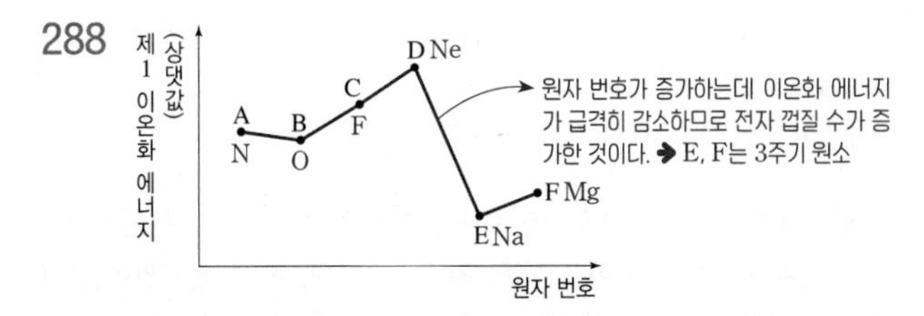

A~F는 차례대로 N, O, F, Ne, Na, Mg이다.

① B는 O이고, F는 Mg이며, 각 원자의 전자 배치는 다음과 같다.

O: $1s^22s^22p^4$　　Mg: $1s^22s^22p^63s^2$

따라서 B와 F는 s 오비탈에 들어 있는 전자 수와 p 오비탈에 들어 있는 전자 수가 같으므로 $\frac{p \text{ 오비탈에 들어 있는 전자 수}}{s \text{ 오비탈에 들어 있는 전자 수}}$는 1로 같다.

② C는 A보다 원자가 전자가 느끼는 유효 핵전하가 크기 때문에 전자를 떼어 내기 어려우므로 이온화 에너지가 더 크다.

④ D는 비활성 기체이므로 원자가 전자 수가 0이다.

⑤ E와 F는 3주기 원소로 같은 주기 원소이다.

바로알기 | ③ 제2 이온화 에너지는 +1의 양이온에서 전자 1개를 떼어 낼 때 필요한 에너지이다. B와 C의 +1의 양이온의 전자 배치는 각각 $1s^22s^22p^3$, $1s^22s^22p^4$이다. p 오비탈에 전자가 쌍을 이루고 있을 때 전자 사이의 반발력 때문에 전자를 떼어 내기가 더 쉬우므로 제2 이온화 에너지는 B가 C보다 크다.

289 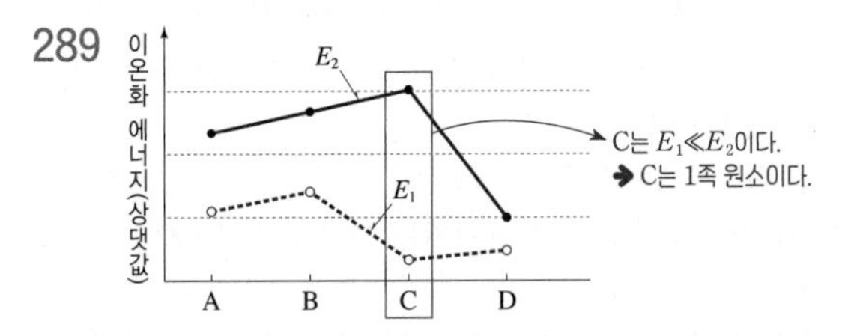

A~D의 원자 번호가 연속이므로 C는 3주기 1족 원소이고, A와 B는 각각 2주기 17족과 18족 원소, D는 3주기 2족 원소이다.

ㄴ. C와 D는 같은 3주기 원소이고, 원자 번호는 C<D이므로 원자 반지름은 C>D이다.

바로알기 | ㄱ. A와 B는 같은 2주기 주기 원소이고, 원자 번호는 A<B이므로 원자가 전자가 느끼는 유효 핵전하는 A<B이다.

ㄷ. B는 비활성 기체이므로 다른 원자와 화학 결합을 하지 않는다.

290 원자 번호가 8~14인 원소는 O, F, Ne, Na, Mg, Al, Si이고, 이들 원소의 제2 이온화 에너지는 원자에서 전자 1개를 잃은 양이온에서 전자 1개를 떼어 낼 때 필요한 에너지이므로 Mg<Si<Al<F<O<Ne<Na이다. 따라서 a~g는 각각 Mg, Si, Al, F, O, Ne, Na이다.

① a는 Mg이고, d는 F이다.

② 원자 번호가 가장 큰 원소는 원자 번호가 14인 b이다.

④ 원자 반지름이 가장 큰 것은 3주기 원소 중 원자 번호가 가장 작은 g이다.

⑤ 제1 이온화 에너지가 가장 큰 것은 2주기 18족 원소인 f이다.

바로알기 | ③ c는 Al으로 3주기 원소이고, e는 O로 2주기 원소이다.

291 B, C, Na 중 제1 이온화 에너지(E_1)≪제2 이온화 에너지(E_2)인 원소는 Na이므로 $\frac{\text{제1 이온화 에너지}}{\text{제2 이온화 에너지}}$가 가장 작은 것은 Na이다. 또한 E_1은 B<C이고 E_2는 B>C이므로 $\frac{\text{제1 이온화 에너지}}{\text{제2 이온화 에너지}}$는 B<C이다. 따라서 X는 C, Y는 Na, Z는 B이다.

ㄷ. Y는 Na으로 3주기 원소이고, Z는 B으로 2주기 원소이므로 바닥상태에서 전자가 들어 있는 전자 껍질 수는 Y가 Z보다 크다.

바로알기 | ㄱ. X는 C이다.

ㄴ. X는 C로 2주기 원소이고, Y는 Na으로 3주기 원소이다.

292 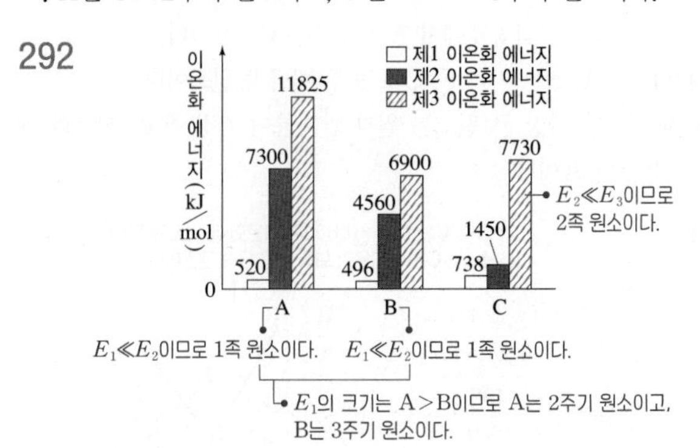

① A는 1족 원소이다.

② 원자 반지름이 가장 큰 것은 3주기 1족 원소인 B이다.

③ A는 2주기 원소이고, B는 3주기 원소이므로 원자가 전자가 들어 있는 오비탈의 주 양자수(n)는 B가 A보다 크다.

④ C는 2족 원소이므로 바닥상태 전자 배치에서 홀전자 수가 0이다.

바로알기 | ⑤ B는 1족 원소이므로 안정한 이온이 되기 위해 필요한 에너지는 E_1인 496 kJ/mol이다. C는 2족 원소이므로 안정한 이온이 되기 위해 필요한 최소 에너지는 $E_1+E_2=(738+1450)$ kJ/mol= 2188 kJ/mol이다. 따라서 안정한 이온이 되기 위해 필요한 최소 에너지는 C가 B보다 크다.

293 (1) X의 순차 이온화 에너지가 $E_1<E_2<E_3 \ll E_4$이므로 X의 원자가 전자 수는 3이다. 따라서 X는 3주기 13족 원소이다.

모범 답안 (1) $1s^22s^22p^63s^23p^1$

(2) X는 Ne과 같은 전자 배치를 갖는 이온이 될 때 전자 3개를 잃어야 하므로 필요한 최소 에너지는 $E_1+E_2+E_3=(578+1817+2745)$ kJ/mol =5140 kJ/mol이다.

(3) 이온화 차수가 커질수록 전자 수가 작아지고, 전자 사이의 반발력이 작아져 전자가 느끼는 유효 핵전하가 증가하기 때문이다.

294 순차 이온화 에너지 크기 변화에서 A는 $E_1 \ll E_2$이므로 1족 원소, B는 $E_2 \ll E_3$이므로 2족 원소, C는 $E_3 \ll E_4$이므로 13족, D는 $E_2 \ll E_3$이므로 2족 원소이다. 같은 2족 원소인 B와 D에서 E_1의 크기는 B<D이므로 B는 3주기 원소이고, D는 2주기 원소이다.

① A는 $E_1 \ll E_2$이므로 1족에 속하는 금속 원소이다. 따라서 안정한 이온은 양이온이므로 원자 반지름이 안정한 이온의 반지름보다 크다.

③ C는 13족 원소이므로 원자가 전자 수는 3이다.

④ A는 1족 원소이고, C는 13족 원소이므로 바닥상태에서 홀전자 수는 1로 같다.

⑤ B와 D는 모두 2족 원소이다.

바로알기 | ② B는 3주기 원소이다.

⑥ D는 2족 원소이므로 안정한 이온이 되기 위해 전자 2개를 잃어야 한다. 따라서 필요한 최소 에너지는 E_1+E_2이므로 (806+1758) kJ/mol=2564 kJ/mol이다.

295 F, Ne, Na, Mg, Al의 제1 이온화 에너지는 Na<Al<Mg<F<Ne이므로 A는 Na, B는 Al, C는 Mg, D는 F, E는 Ne이다.

ㄱ. A는 Na이고, D는 F이므로 원자 번호는 A가 D보다 크다.

ㄴ. B는 Al이고, C는 Mg이므로 B와 C는 모두 3주기 원소이다.

바로알기 | ㄷ. 핵전하량이 가장 큰 것은 원자 번호가 가장 큰 B이다.

최고 수준 도전 기출 (10~12강)

84~85쪽

296 해설 참조	297 ④	298 해설 참조		
299 해설 참조	300 ②	301 ②	302 ③	303 ①

296 멘델레예프는 원소들을 원자량 순서로 배열하고, 화학적 성질이 비슷한 원소를 같은 세로줄에 오도록 배열하여 주기율표를 만들었는데, 몇몇 원소들의 성질이 주기성에서 벗어났다. 원소들의 화학적 성질은 양성자수(=전자 수)에 의해 결정되기 때문이다. 모즐리는 X선 연구를 통해 원소의 양성자수를 결정하는 방법을 알아내고, 양성자수를 기준으로 원자 번호를 정한 후 원자 번호 순서로 주기율표를 완성하여 멘델레예프의 주기율표가 지닌 문제점을 해결하였다.

모범 답안 모즐리는 양성자수를 기준으로 원자 번호를 정하고, 원자 번호 순서로 주기율표를 완성하였다.

297 ㄴ. B와 D는 금속 원소로 비금속 원소인 산소와 반응하여 화합물을 생성할 때 전자를 잃고 산화된다.

ㄷ. C는 비금속 원소이고, D는 금속 원소이다. 따라서 C는 D보다 전자를 얻어 환원되기 쉽다.

바로알기 | ㄱ. B와 D는 알칼리 금속이고, A는 비금속 원소인 H이다.

개념 보충

산화 환원 반응

구분	산화	환원
산소의 이동	물질이 산소를 얻는 반응	물질이 산소를 잃는 반응
전자의 이동	물질이 전자를 잃는 반응	물질이 전자를 얻는 반응
동시성	산화 환원 반응에서 산소를 얻거나 전자를 잃는 물질이 있으면 반드시 산소를 잃거나 전자를 얻는 물질이 있다. ➔ 산화 환원 반응은 항상 동시에 일어난다.	

298 (2) 바닥상태 3주기 원자 중 홀전자 수가 1인 원소는 Na, Al, Cl이고, 홀전자 수가 2인 원소는 Si, S이며, 홀전자 수가 3인 원소는 P이다. 같은 주기에서 원자 번호가 커질수록 가려막기 효과가 커진다.

모범 답안 (1) ㉠ Z(핵전하), ㉡ Z^*(원자가 전자가 느끼는 유효 핵전하), 원자가 전자가 느끼는 유효 핵전하는 전자 사이의 반발력에 의한 가려막기 효과로 인해 핵전하보다 작기 때문이다.
(2) A: Al, B: Na, C: S, D: Si, E: P

299 원자 반지름이 이온 반지름보다 큰 A와 B는 금속 원소이고, 원자 반지름이 이온 반지름보다 작은 C와 D는 비금속 원소이다. 이때 각 원자의 안정한 이온의 전자 배치가 Ne과 같으므로 A, B는 3주기 원소이고, C, D는 2주기 원소이다. 또한 원자 반지름은 A<B이므로 원자 번호는 A>B이다. 따라서 원자 번호가 가장 큰 것은 A이다.

모범 답안 A, A와 B는 3주기 금속 원소, C와 D는 2주기 비금속 원소이고, 원자 반지름은 A<B이므로 원자 번호는 A가 가장 크다.

300 원자 번호가 17, 19, 20인 원소는 각각 3주기 17족 원소인 Cl, 4주기 1족 원소인 K, 4주기 2족 원소인 Ca이다. Ar과 같은 전자 배치를 갖는 이온이 될 때 3주기 17족 원소인 Cl는 음이온이 되고, 4주기 1족 원소인 K과 4주기 2족 원소인 Ca은 모두 양이온이 되므로 $\frac{\text{이온 반지름}}{\text{원자 반지름}}>1$인 C는 비금속 원소인 Cl이다. 이로부터 A와 B는 각각 K과 Ca 중 하나인데, 이온 반지름은 K>Ca이고, 원자가 전자가 느끼는 유효 핵전하는 K<Ca이므로 $\frac{\text{이온 반지름}}{Z^*}$이 작은 A가 Ca이고, B는 K이다.

ㄷ. A~C의 안정한 이온의 전자 배치는 Ar으로 모두 같으므로 이온 반지름은 원자 번호가 클수록 작다. 따라서 이온 반지름은 A<B<C이다.

바로알기 | ㄱ. 원자 반지름은 4주기 1족 원소인 B가 가장 크다.

ㄴ. A와 B는 같은 주기 원소이고, 원자 번호는 A>B이므로 원자가 전자가 느끼는 유효 핵전하는 A>B이다.

301 원자 C에서 D로 될 때 그 값이 크게 증가하는 (가)는 원자 반지름이다. 2주기 원소에서 3주기 원소로 될 때 전자가 들어 있는 전자 껍질 수가 증가하기 때문이다. 따라서 A~C는 2주기 원소이고, D~F는 3주기 원소이다. A~F에서 그 크기가 작아지는 (다)는 이온 반지름이다. A~F의 이온의 전자 배치는 Ne과 같고, 원자 번호가 클수록 핵전하가 커져서 이온 반지름이 작아지기 때문이다. 따라서 나머지 (나)는 원자가 전자가 느끼는 유효 핵전하이다.

ㄷ. A → F로 갈수록 (다) 이온 반지름이 감소하는 까닭은 A~F의 전자 수는 일정하지만 원자 번호가 증가할수록 핵전하가 증가하기 때문이다.

바로알기 | ㄱ. (가)는 원자 반지름이고, (나)는 원자가 전자가 느끼는 유효 핵전하이다.

ㄴ. A~C는 2주기 비금속 원소이다.

302 빗금 친 부분의 원소 중 홀전자 수가 3인 원소는 2주기 15족 원소이다. 홀전자 수가 2인 원소 중 원자 반지름이 B보다 큰 D는 3주기 16족 원소이고, A와 E 중에서 B보다 원자 반지름이 작은 A는 2주기 16족 원소이므로 홀전자 수는 2이다. 홀전자 수를 나타내지 않은 나머지 E는 홀전자 수가 0이어야 하므로 E는 2주기 2족 원소이다. 홀전자 수가 1인 원소는 각각 2, 3주기 1족, 2주기 13족 원소인데, 이온화 에너지로부터 G는 3주기 1족, F는 2주기 1족, C는 2주기 13족 원소이다.

원소 A~G의 위치를 주기율표에 나타내면 다음과 같다.

주기＼족	1	2	13	14	15	16	17	18
2	F	E	C		B	A		
3	G					D		

ㄱ. F는 2주기 1족 원소이므로 원자 반지름은 E보다 크고, G보다 작다. 따라서 $112<x<186$이다.

ㄴ. B는 2주기 15족 원소이므로 이온화 에너지는 2주기 16족 원소인 A보다 크다. 따라서 y는 1314보다 크다.

바로알기 | ㄷ. A는 2주기 16족 원소로 비금속 원소이고, E는 2주기 2족 원소로 금속 원소이다.

303 원자 번호가 3, 4, 11, 12, 13인 원소는 각각 Li, Be, Na, Mg, Al이다. 이들 원소 중 제1 이온화 에너지가 가장 큰 원소는 Be이고, 가장 작은 원소는 Na이므로 B는 Na이고 E는 Be이다. 이들 원소 중 제2 이온화 에너지가 가장 큰 원소는 Li이고, 가장 작은 원소는 Mg이므로 A는 Li이고, D는 Mg이며, 나머지 C는 Al이다.

ㄱ. A는 Li이고 B는 Na이므로 A와 B는 같은 족 원소이다.

바로알기 | ㄴ. 제3 이온화 에너지는 +2의 양이온에서 전자 1개를 떼어 낼 때 필요한 에너지이다. C인 Al과 E인 Be의 +2의 양이온의 전자 배치는 각각 $1s^22s^22p^63s^1$, $1s^2$이다. 따라서 제3 이온화 에너지는 E가 C보다 크다.

ㄷ. B, C, D는 각각 Na, Al, Mg이므로 원자가 전자가 느끼는 유효 핵전하는 B<D<C이다.

13 이온 결합

빈출 자료 보기 87쪽

304 (1) ○ (2) ○ (3) ○ (4) ○ (5) ○ (6) × (7) × (8) ○

304 A는 원자 번호가 11인 Na, B는 원자 번호가 17인 Cl, (가)는 이온 결합 물질인 NaCl이다.

바로알기 | (6) 이온 결합 물질은 액체 상태에서 전기 전도성이 있지만, 고체 상태에서 전기 전도성이 없다. 따라서 (가)는 고체 상태에서 전기 전도성이 없다.

(7) (가)가 생성될 때 Na은 전자를 잃어 Na^+이 되고, Cl는 전자를 얻어 Cl^-이 된다. 따라서 전자는 A(Na)에서 B(Cl)로 이동한다.

난이도별 필수 기출 88~93쪽

305 ⑥	306 ⑤	307 해설 참조		308 ②	309 ④
310 해설 참조		311 ⑤	312 ③	313 ①	314 ⑤
315 ④	316 ③	317 ④	318 ②	319 ③	320 ⑤
321 ④	322 ③	323 ④	324 ②	325 ②, ⑤	
326 ④	327 ③	328 ④	329 ③	330 해설 참조	
331 ①	332 ③				

305 ⑥ 물에 전자의 흐름인 전류를 흘려 주었더니 공유 결합을 구성하는 H 원자와 O 원자가 분해되므로 화학 결합에 전자가 관여함을 알 수 있다.

바로알기 | ① 순수한 물에는 이온과 같이 전하를 띠는 입자가 없으므로 전류가 거의 흐르지 않는다.

② 물을 전기 분해하면 (+)극에서 O_2 기체가 발생하고, (−)극에서 H_2 기체가 발생한다.

③ (−)극에서 발생한 H_2 기체는 불에 잘 탈 수 있는 성질(가연성)이 있다.

④ 물은 H 원자 2개와 O 원자 1개로 구성되므로 물을 전기 분해하면 발생하는 H_2 기체와 O_2 기체의 몰비는 2 : 1이다. 같은 온도와 압력에서 기체의 몰비는 부피비와 같으므로 (+)극에서 생성된 O_2 기체와 (−)극에서 생성된 H_2 기체의 부피비는 1 : 2이다.

⑤ 물을 전기 분해하면 H_2 기체와 O_2 기체가 생성되므로 물은 H 원자와 O 원자로 이루어진 화합물임을 알 수 있다.

306 물을 전기 분해하면 각 전극에서 일어나는 반응은 다음과 같다.

(−)극: $4H_2O + 4e^- \longrightarrow 2H_2 + 4OH^-$

(+)극: $2H_2O \longrightarrow O_2 + 4H^+ + 4e^-$

ㄴ. (+)극에서 생성된 H^+에 의해 용액의 액성은 산성이다. BTB 용액은 산성에서 노란색, 중성에서 초록색, 염기성에서 파란색을 나타내므로 용액의 색은 노란색으로 변한다.

ㄷ. ㉢과 ㉣은 각각 H_2, O_2이다.

바로알기 | ㄱ. 생성된 기체의 부피 비는 ㉠이 다른 극의 2배이므로 ㉠은 (−)극이다.

307 순수한 물에는 이온과 같은 전하를 띠는 입자가 없기 때문에 전류가 흐를 수 없다. 물을 전기 분해하기 위해서는 물에 전류가 흘러야 하므로 전류가 흐를 수 있도록 전해질인 황산 나트륨을 넣어 준다.

모범 답안 순수한 물은 전기가 통하지 않으므로 전해질인 황산 나트륨을 넣어 전류가 흐르도록 하기 위해서이다.

308 ㄷ. 물을 전기 분해할 때 넣어주는 이온 결합 물질은 물보다 전기 분해가 잘 되지 않아야 한다. 물보다 전기 분해가 잘 되지 않는 이온 결합 물질에는 알칼리 금속의 양이온과 다원자 음이온으로 이루어진 이온 결합 물질이 포함된다. 따라서 황산 나트륨 대신 수산화 나트륨을 사용해도 같은 실험 결과를 얻을 수 있다.

바로알기 | ㄱ. 생성된 기체의 양(mol)은 B에서가 A에서의 2배이므로 A에 모인 기체는 O_2이고, B에 모인 기체는 H_2이다.

ㄴ. 물을 전기 분해하면 (+)극에서 O_2 기체가 생성되고, (−)극에서 H_2 기체가 생성되므로 B는 전원 장치의 (−)극에 연결되어 있다.

309 물을 전기 분해하면 (−)극에서 H_2 기체가 발생하고, (+)극에서 O_2 기체가 발생하며, 발생하는 기체의 몰비는 $H_2 : O_2 = 2 : 1$이다. B극에서 발생하는 기체의 양(mol)이 A극에서 발생하는 기체의 양(mol)보다 2배 많으므로 A극은 (+)극, B극은 (−)극이다.

ㄴ. B극에서 발생한 H_2 기체에 성냥불을 가까이 하면 '펑' 소리를 내며 탄다. 이처럼 H_2 기체는 불에 잘 탈 수 있는 성질(가연성)이 있다.

ㄷ. 물에 녹아 이온을 만들어 전류가 흐르도록 하는 물질을 전해질이라고 한다. 황산 나트륨은 물에 녹아 이온을 만들어 물에 전류가 흐를 수 있도록 하므로 전해질이다.

바로알기 | ㄱ. (+)극에서 일어나는 반응은 $2H_2O \longrightarrow O_2 + 4H^+ + 4e^-$이므로 A극에서는 전자를 잃는 반응이 일어난다.

310 (1) 염화 나트륨 용융액을 전기 분해하면 각 전극에서 일어나는 반응은 다음과 같다.

(−)극: $2Na^+ + 2e^- \longrightarrow 2Na$

(+)극: $2Cl^- \longrightarrow Cl_2 + 2e^-$

(−)극과 (+)극에서 일어나는 화학 반응식을 더해 주면 전체 화학 반응식이 된다.

모범 답안 (1) $2NaCl \longrightarrow 2Na + Cl_2$

(2) (+)극에서는 Cl^-이 전자를 잃는 반응이 일어나 Cl_2 기체가 발생하고, (−)극에서는 Na^+이 전자를 얻는 반응이 일어나 Na이 생성된다.

311 ① A가 전자 1개를 잃으면 A^+이 생성되므로 A는 전자 배치가 $1s^2 2s^2 2p^6 3s^1$인 Na이다. B가 전자를 1개 얻으면 B^-이 생성되므로 B는 전자 배치가 $1s^2 2s^2 2p^6 3s^2 3p^5$인 Cl이다. A(Na)는 금속 원소이다.

② A(Na)와 B(Cl)는 모두 3주기 원소이다.

③ AB(NaCl) 용융액에는 Na^+과 Cl^-이 있으므로 전원을 연결하면 전류가 흐른다.

④ AB(NaCl) 용융액을 전기 분해하면 (−)극에서 A(Na)가 생성되고, (+)극에서 $B_2(Cl_2)$ 기체가 발생한다.

바로알기 | ⑤ AB(NaCl) 용융액을 전기 분해하면 각 전극에서 일어나는 반응은 다음과 같다.

(−)극: $2Na^+ + 2e^- \longrightarrow 2Na$

(+)극: $2Cl^- \longrightarrow Cl_2 + 2e^-$

AB(NaCl) 용융액을 전기 분해할 때 생성되는 물질의 양(mol)은 A(Na)가 $B_2(Cl_2)$의 2배이다. 따라서 생성되는 물질의 몰비는 (+)극 : (−)극 $= B_2(Cl_2) : A(Na) = 1 : 2$이다.

312

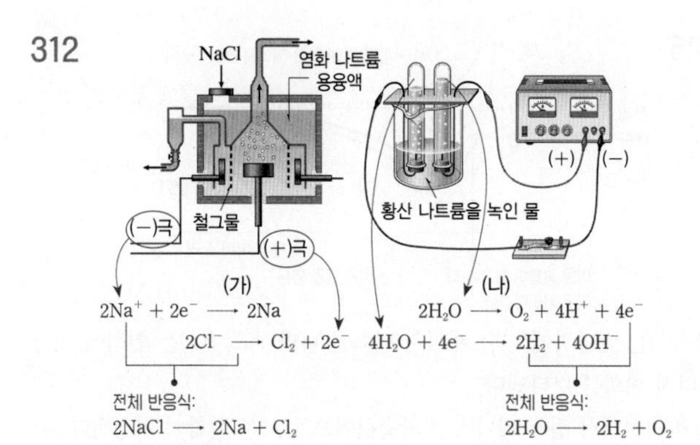

ㄱ. (가)의 (−)극에서는 Na, (+)극에서는 Cl_2 기체가 생성된다.

ㄷ. 염화 나트륨은 이온 결합 물질이고, 물은 공유 결합 물질이다. 염화 나트륨과 물은 모두 전류를 흐르게 하였을 때 화학 결합이 끊어져 성분 원소로 분해되므로 화학 결합에 전자가 관여함을 알 수 있다.

바로알기 | ㄴ. (나)의 (−)극에서 H_2 기체가 발생하고, (+)극에서 O_2 기체가 발생한다. H_2 기체는 불에 잘 타는 가연성 기체이고, O_2 기체는 불에 잘 탈 수 있도록 도와주는 조연성 기체이다. 따라서 (나)의 (+)극에서 조연성 기체가 발생한다.

313 ㄱ. 전기 분해하면 (−)극에서 전자를 얻는 반응이 일어나고, (+)극에서 전자를 잃는 반응이 일어난다. 산화 반응은 전자를 잃는 반응이고, 환원 반응은 전자를 얻는 반응이므로 (+)극에서는 산화 반응이 일어난다.

바로알기 | ㄴ. 물을 전기 분해하면 각 전극에서 일어나는 반응은 다음과 같다.

(−)극: $4H_2O + 4e^- \longrightarrow 2H_2 + 4OH^-$

(+)극: $2H_2O \longrightarrow O_2 + 4H^+ + 4e^-$

염화 나트륨 용융액을 전기 분해하면 각 전극에서 일어나는 반응은 다음과 같다.

(−)극: $2Na^+ + 2e^- \longrightarrow 2Na$

(+)극: $2Cl^- \longrightarrow Cl_2 + 2e^-$

물 x mol을 전기 분해하면 (+)극에서 발생한 O_2 기체의 양(mol)은 $\frac{1}{2}x$ mol이고, 염화 나트륨 용융액 x mol을 전기 분해하면 (+)극에서 발생한 Cl_2 기체의 양(mol)은 $\frac{1}{2}x$ mol이다. 따라서 (+)극에서 발생한 기체의 양(mol)은 물과 염화 나트륨 용융액이 같다.

ㄷ. 물을 전기 분해하면 (−)극에서 생성되는 물질은 H_2 기체이고, 염화 나트륨 용융액을 전기 분해하면 (−)극에서 생성되는 물질은 Na이다. 따라서 (−)극에서 기체가 발생하는 것은 물을 전기 분해할 때 1가지이다.

314 ㄴ. 원소는 가장 바깥 전자 껍질에 전자를 가득 채워 비활성 기체와 같은 전자 배치를 만들면 안정해지므로 18족을 제외한 원자들은 화학 결합을 통해 비활성 기체와 같은 전자 배치를 이룬다.

ㄷ. 비금속 원자는 전자를 얻어 옥텟 규칙을 만족하는 비활성 기체의 전자 배치를 갖는다.

ㄹ. 금속 원자는 원자가 전자를 잃어 옥텟 규칙을 만족하는 비활성 기체의 전자 배치와 같아지고, 양이온이 된다.

바로알기 | ㄱ. 비활성 기체 중에서 He은 가장 바깥 전자 껍질에 2개의 전자가 채워져 있다. 따라서 모든 비활성 기체의 가장 바깥 전자 껍질에 8개의 전자가 채워져 있는 것은 아니다.

315

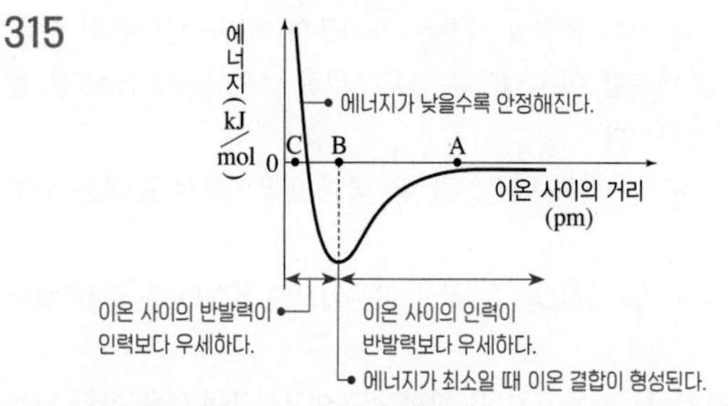

ㄴ. B 지점에서 이온 사이의 거리에 따른 에너지가 최솟값을 가지므로 인력과 반발력이 균형을 이루어 이온 사이의 결합이 가장 안정해지고, 이온 결합이 형성된다.

ㄷ. 이온 사이의 거리가 너무 가까워지면 전자 사이의 반발력과 원자핵 사이의 반발력이 증가하므로 이온 사이의 반발력이 커진다. 따라서 이온 사이의 반발력은 C 지점이 B 지점보다 크다.

바로알기 | ㄱ. A 지점에서 B 지점으로 갈수록 이온 사이의 정전기적 인력이 커져 에너지가 낮아지므로 안정해진다.

316 ㄱ. 이온 결합 물질을 구성하는 양이온의 총 전하량의 합과 음이온의 총 전하량의 합이 0이므로 이온 결합 물질은 전기적으로 중성이다.

ㄷ. 양이온은 (+)전하를 띠고, 음이온은 (−)전하를 띠므로 양이온과 음이온 사이에는 서로 잡아당기는 정전기적 인력이 작용한다.

바로알기 | ㄴ. XY_2가 전기적으로 중성이므로 X^{2+} 1개와 Y^- 2개의 전하량의 합은 0이다. 따라서 XY_2를 구성하는 X^{2+}과 Y^-은 1 : 2의 개수비로 결합한다.

317 제시된 반응의 화학 반응식은 다음과 같다.

$$2Na + F_2 \longrightarrow 2NaF$$

ㄴ. ㉠은 금속 원소인 Na과 비금속 원소인 F으로 이루어진 화합물이므로 이온 결합 물질이다. 이온 결합 물질은 수용액 상태에서 전기 전도성이 있다.

ㄷ. ㉠을 구성하는 양이온은 Na^+이고, 음이온은 F^-이다. Na은 원자 번호가 11이므로 전자 수가 11이다. Na^+은 Na이 전자 1개를 잃어 생성되므로 Na^+의 전자 수는 10이다. F은 원자 번호가 9이므로 전자 수가 9이다. F^-은 F이 전자 1개를 얻어 생성되므로 F^-의 전자 수는 10이다. Na^+과 F^-의 전자 수는 모두 10이므로 옥텟 규칙을 만족하는 Ne의 전자 배치와 같다.

바로알기 | ㄱ. ㉠은 이온 결합 물질이다.

318 이온 결합 물질은 금속 원소와 비금속 원소로 이루어진 물질이고, 공유 결합 물질은 비금속 원소로 이루어진 물질이다. 제시된 물질을 구성하는 원소 중 Cl, H, C, O, F은 비금속 원소이고, Ca은 금속 원소이다. 금속 원소와 비금속 원소로 이루어진 $CaCO_3$은 이온 결합 물질이고, 비금속 원소로 이루어진 Cl_2, HCl, CO_2, H_2O, OF_2는 공유 결합 물질이다. 따라서 이온 결합 물질은 $CaCO_3$ 1가지이다.

319 A는 전자 수가 8이므로 원자 번호가 8인 O이고, B는 전자 수가 13이므로 원자 번호가 13인 Al이다. A(O)는 비금속 원소이고, B(Al)는 금속 원소이므로 A(O)와 B(Al)가 반응하여 생성되는 화합물은 이온 결합을 한다. 이온 결합을 형성할 때 A(O)는 전자를 2개 얻어 A^{2-}(O^{2-})이 되고, B(Al)는 전자를 3개 잃어 B^{3+}(Al^{3+})이 되며 이온 결합 물질은 전기적으로 중성이므로 A와 B로 이루어진 화합물의 화학식은 B_2A_3(Al_2O_3)이다.

320 ⑤ 이온 결합 물질의 이름은 '음이온의 이름+양이온의 이름'이다. Na^+은 나트륨 이온, F^-은 플루오린화 이온이므로 NaF은 플루오린화 나트륨이다.

바로알기 | ① K^+은 칼륨 이온, Cl^-은 염화 이온이므로 KCl은 염화 칼륨이다.

② K^+은 칼륨 이온, NO_3^-은 질산 이온이므로 KNO_3은 질산 칼륨이다.

③ Na^+은 나트륨 이온, O^{2-}은 산화 이온이므로 Na_2O은 산화 나트륨이다.

④ Mg^{2+}은 마그네슘 이온, SO_4^{2-}은 황산 이온이므로 $MgSO_4$은 황산 마그네슘이다.

321 이온 결합 물질의 녹는점은 이온 사이의 거리가 비슷한 경우에는 이온의 전하량이 클수록 높고, 이온의 전하량이 같을 경우에는 이온 사이의 거리가 짧을수록 높다. 이온의 전하량은 MgO, CaO이 크고, 이온 반지름은 Mg^{2+} < Ca^{2+}이므로 이온 사이의 거리는 MgO < CaO이다. 따라서 녹는점이 가장 높을 것으로 예상되는 물질은 MgO이다.

322 ㄱ. 결합을 형성할 때 Na은 전자를 잃어 Na^+이 되고, Cl는 전자를 얻어 Cl^-이 되므로 Na에서 Cl로 전자가 이동한다.

ㄴ. Na이 전자를 잃고 Na^+이 되면 전자 껍질 수가 감소하므로 반지름이 줄어든다. 따라서 반지름은 Na > Na^+이다.

바로알기 | ㄷ. NaCl은 Na^+과 Cl^-으로 이루어져 있고, 전기적으로 중성이므로 NaCl 결정은 Na^+과 Cl^-이 1 : 1의 개수비로 연속적으로 결합하여 이루어져 있다.

323

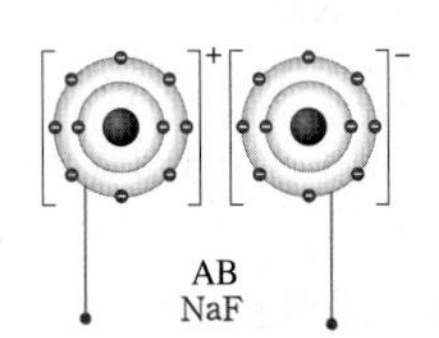

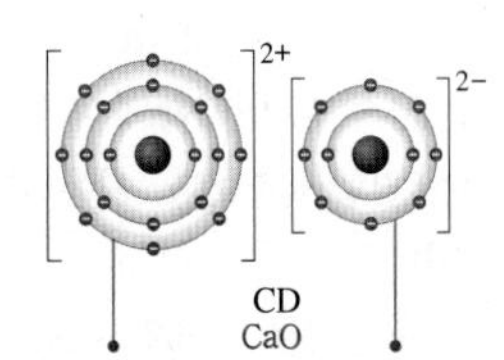

A~D는 각각 Na, F, Ca, O이다.

ㄱ. $A_2D(Na_2O)$는 금속 원소인 Na과 비금속 원소인 O로 이루어졌으므로 이온 결합 물질이다.

ㄷ. $CB_2(CaF_2)$는 금속 원소인 Ca과 비금속 원소인 F으로 이루어졌으므로 이온 결합 물질이다. 이온 결합 물질은 액체 상태에서 전기 전도성이 있다.

바로알기 | ㄴ. 원자 번호는 B(F)가 9, D(O)가 8이다. 따라서 원자 번호는 B(F) > D(O)이다.

324 A~E는 각각 H, O, F, Na, Mg이다.

ㄴ. DC(NaF)는 금속 원소인 Na과 비금속 원소인 F으로 이루어졌으므로 이온 결합 물질이다. 이온 결합 물질은 단단하지만, 외부에서 힘이나 충격을 가하면 이온 층이 밀리면서 두 층의 경계면에서 같은 전하를 띤 이온이 만나 반발력이 작용하므로 부스러지기 쉽다.

바로알기 | ㄱ. A(H)와 C(F)는 비금속 원소이므로 공유 결합을 형성한다.

ㄷ. EB(MgO)는 금속 원소인 Mg과 비금속 원소인 O로 이루어졌으므로 이온 결합 물질이다. 이온 결합 물질은 고체 상태에서 전기 전도성이 없지만, 액체 상태에서 전기 전도성이 있다.

325

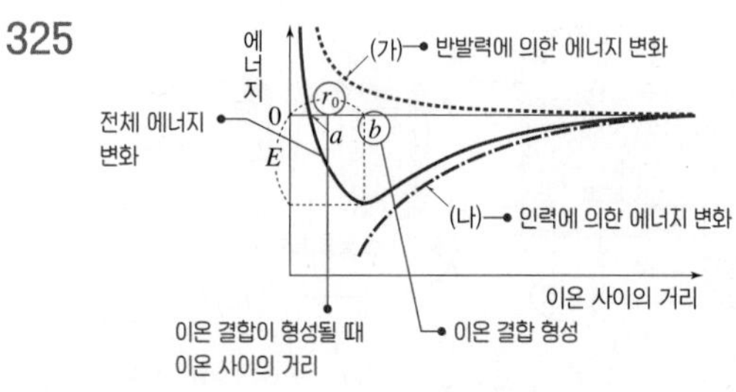

① (가)는 반발력에 의한 에너지 변화를 나타내고, (나)는 인력에 의한 에너지 변화를 나타낸다.

③ b 지점에서 전체 에너지가 최솟값이므로 이온 결합이 형성된다. 따라서 b 지점에서 NaCl이 생성된다.

④ b 지점에서 NaCl이 생성될 때 전체 에너지는 E만큼 감소하므로 NaCl이 생성될 때 E의 에너지를 방출한다.

⑥ 이온 반지름은 Cl^- < Br^-이므로 이온 사이의 거리는 NaCl < NaBr이다. 따라서 NaBr의 결합 길이는 r_0보다 크다.

바로알기 | ② 두 이온 사이의 거리가 r_0일 때 인력과 반발력이 균형을 이루어 이온 결합이 형성된다. 두 이온 사이의 거리가 너무 가까운 a 지점에서는 반발력이 크게 작용한다.

⑤ NaCl에서 이온 사이의 거리가 r_0이므로 Na^+의 반지름과 Cl^-의 반지름의 합이 r_0이다. 반지름은 Na^+ < Cl^-이므로 Na^+의 반지름은 $\frac{r_0}{2}$보다 작다.

326

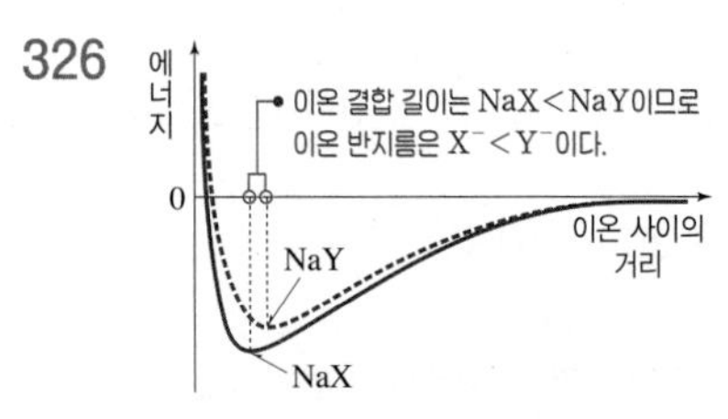

ㄴ. 이온 결합이 형성될 때 이온 사이의 거리는 NaX < NaY이다. NaX에서 이온 사이의 거리는 Na^+ 반지름과 X^- 반지름의 합이고, NaY에서 이온 사이의 거리는 Na^+ 반지름과 Y^- 반지름의 합이다. 따라서 이온 반지름은 X^- < Y^-이다.

ㄷ. 이온 결합이 형성될 때 더 많은 에너지를 방출할수록 안정해지므로 이온 결합력은 NaX > NaY이고, 녹는점은 NaX > NaY이다.

바로알기 | ㄱ. X와 Y는 2, 3주기 임의의 할로젠이고, 이온 반지름은 X^- < Y^-이므로 X는 2주기 17족 원소이고, Y는 3주기 17족 원소이다. 따라서 원자 번호는 X < Y이다.

327 ㄱ. 이온 결합 물질은 고체 상태에서 전기 전도성이 없고, 액체 상태에서 전기 전도성이 있으므로 온도를 높여 액체가 되었을 때 전기 전도도가 크게 상승한다. 실험 결과 t ℃일 때 전기 전도도가 크게 증가하므로 t ℃는 녹는점이다.

ㄴ. 이온 결합 물질은 고체 상태에서 힘을 가하면 쉽게 부스러진다. NaCl은 t ℃보다 낮은 온도에서 고체 상태이므로 힘을 가하면 쉽게 쪼개지거나 부스러진다.

바로알기 | ㄷ. NaCl의 녹는점은 801 ℃이다. 이온 반지름은 Na^+ > Mg^{2+}, Cl^- > O^{2-}이므로 이온 사이의 거리는 NaCl > MgO이고, 이온의 전하량은 NaCl < MgO이므로 녹는점은 NaCl < MgO이다. 따라서 MgO의 녹는점은 801 ℃보다 높다.

328 ㄴ. 이온의 전하량은 CaO과 MgO이 같다. 이온 사이의 거리가 가까울수록 녹는점이 높으므로 ㉡ < 240이다.

ㄷ. NaF을 구성하는 이온은 Na^+과 F^-이고, CaO을 구성하는 이온은 Ca^{2+}과 O^{2-}이다. 이온 사이 거리가 비슷하고, 이온의 전하량은 NaF<CaO이므로 두 물질의 녹는점을 비교하면 이온의 전하량이 녹는점에 미치는 영향을 알 수 있다.

바로알기 | ㄱ. 이온의 전하량은 KI과 NaF이 같다. 이온 사이의 거리는 KI>NaF이므로 이온 결합력은 KI<NaF이고, 녹는점은 KI<NaF이다. 따라서 ㉠<996이다.

329 ㄱ. 할로젠의 원자 번호는 F<Cl<Br<I이므로 이온 반지름은 F^-<Cl^-<Br^-<I^-이다. 따라서 이온 사이의 거리는 NaCl<NaI이고, ㉠<㉡이다.

ㄴ. 이온 결합 물질의 녹는점이 높을수록 이온 결합력이 크고, 이온 사이의 정전기적 인력이 크다. 녹는점은 NaCl>NaBr이므로 이온 사이의 정전기적 인력은 NaCl>NaBr이다.

바로알기 | ㄷ. 이온의 전하량이 같을 경우 이온 사이의 거리가 멀수록 녹는점이 낮다. NaF과 KF은 이온의 전하량이 같고, 이온 반지름이 Na^+<K^+이므로 이온 사이의 거리는 NaF<KF이다. 따라서 녹는점은 NaF>KF이다.

330 Na과 할로젠으로 구성된 이온 결합 물질에서 이온 사이의 거리는 NaF<NaCl<NaBr<NaI이고, 녹는점은 NaF>NaCl>NaBr>NaI이다.

모범 답안 이온 사이의 거리가 가까울수록 녹는점이 높다.

331 ㄱ. A는 양성자수가 전자 수보다 2 크므로 A의 전하는 +2, B는 양성자수가 전자 수보다 1 크므로 B의 전하는 +1, C는 전자 수가 양성자수보다 1 크므로 C의 전하는 −1, D는 전자 수가 양성자수보다 2 크므로 D의 전하는 −2이다. 이온의 전하량은 AD가 BC보다 크므로 녹는점은 AD>BC이다.

바로알기 | ㄴ. 이온 사이의 결합력이 클수록 녹는점이 높다. 녹는점은 AD>BC이므로 이온 사이의 결합력은 AD>BC이다.

ㄷ. AD와 BC는 모두 이온 결합 물질이다. 이온 결합 물질은 고체 상태에서 전기 전도성이 없다.

332 각 실험에서 일어나는 반응은 다음과 같다.

(가) $2Na(s) + Cl_2(g) \longrightarrow 2NaCl(s)$

(나) $2Na(s) + 2H_2O(l) \longrightarrow 2NaOH(aq) + H_2(g)$

X와 Y는 각각 NaCl, NaOH이다.

ㄱ. NaCl은 Na^+과 Cl^-의 결합으로 이루어지고, NaOH은 Na^+과 OH^-의 결합으로 이루어지므로 X와 Y는 모두 이온 결합 물질이다.

ㄴ. X를 구성하는 입자는 Na^+과 Cl^-이다. Na^+의 전자 배치는 Ne과 같고, Cl^-의 전자 배치는 Ar과 같으므로 Na^+과 Cl^-은 모두 옥텟 규칙을 만족한다.

바로알기 | ㄷ. Y를 구성하는 원소는 Na, O, H 3가지이다.

14 공유 결합과 금속 결합

빈출 자료 보기

95쪽

333 (1) ○ (2) × (3) ×

334 (1) ○ (2) × (3) ○ (4) ×

333 A는 C(탄소), B는 O(산소), C는 H(수소), D는 N(질소)이다.

바로알기 | (2) $B_2(O_2)$는 원자 사이에 2중 결합이 있으므로 공유 전자쌍 수가 2이고, $D_2(N_2)$는 원자 사이에 3중 결합이 있으므로 공유 전자쌍 수가 3이다. 따라서 공유 전자쌍 수는 $B_2(O_2)$<$D_2(N_2)$이다.

(3) 비공유 전자쌍 수는 $AB_2(CO_2)$가 4, CAD(HCN)가 1이다.

334 **바로알기 |** (2) 금속 양이온은 이동할 수 없으므로 X에 전원을 연결하여도 ㉠은 (−)극 쪽으로 이동하지 않는다.

(4) 금속에 힘을 가하면 모양이 변하지만, 금속 결합이 유지되도록 자유 전자가 금속 양이온 사이를 이동하므로 금속은 쉽게 부서지지 않고 펴지거나 길어지는 성질을 나타낸다.

난이도별 필수 기출

96~99쪽

335 ③	336 ④	337 ③	338 ⑤	339 ⑤	340 ③
341 ④	342 ③	343 ②	344 ②	345 ②	346 ④
347 ①	348 ②, ③		349 ②	350 ②	351 ③

335 ㄱ. 금속 원소는 금속 결합을 하고, 금속 원소와 비금속 원소는 이온 결합을 하며, 비금속 원소와 비금속 원소는 공유 결합을 한다. 따라서 비금속 원소 사이에 형성되는 결합은 공유 결합이다.

ㄷ. 두 원자 사이에 공유 전자쌍이 1개 있으면 단일 결합이고, 공유 전자쌍이 2개 있으면 2중 결합이며, 공유 전자쌍이 3개 있으면 3중 결합이다.

바로알기 | ㄴ. 공유 결합은 두 원자가 전자를 공유하면서 이루어지는 결합이다. 한 원자에서 다른 원자로 전자가 이동하면서 이루어지는 결합은 이온 결합이다.

336 ④ 공유 결정은 구성 원자가 모두 공유 결합으로 연결되어 있으므로 녹는점이 매우 높다. 분자 결정은 구성 입자가 분자로 이루어져 있고, 분자 사이에는 화학 결합이 존재하지 않으므로 녹는점이 낮다. 따라서 녹는점은 공유 결정이 분자 결정보다 높다.

바로알기 | ① 공유 결합 물질은 대부분 물에 잘 녹지 않는다. 예외적으로 HCl와 NH_3 등은 물에 잘 녹는다.

② 공유 결합 물질 중 공유 결정은 구성 입자가 분자를 이루지 않고, 구성 원자가 모두 그물처럼 결합하고 있는 구조이다.

③ 액체 상태에서 전기 전도성이 있는 물질은 금속, 이온 결합 물질이다. 공유 결합 물질은 액체 상태에서 전기 전도성이 없다.

⑤ 분자 결정에서 분자 사이의 인력은 실제 화학 결합이 아니므로 공유 결정에서 원자 사이의 공유 결합력보다 약하다.

개념 보충

공유 결합 물질

구분	공유 결정	분자 결정
특징	다이아몬드, 흑연, 석영 등과 같이 구성 원자가 모두 공유 결합으로 연결되어 있다.	물, 이산화 탄소 등과 같이 원자가 공유 결합하여 만들어진 분자로 이루어진다.
녹는점	매우 높다.	낮다.

337 ③ O_2의 공유 전자쌍 수는 2, 비공유 전자쌍 수는 4이다.

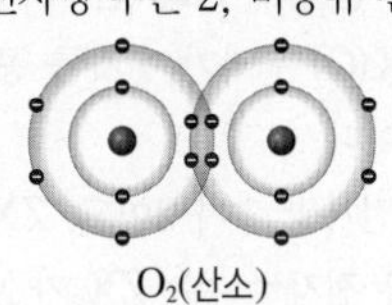

O_2(산소)

바로알기 | ① H_2의 공유 전자쌍 수는 1, 비공유 전자쌍 수는 0이다.

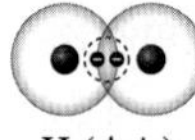

H_2(수소)

② N_2의 공유 전자쌍 수는 3, 비공유 전자쌍 수는 2이다.

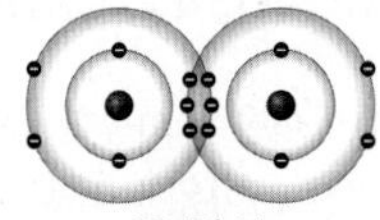

N_2(질소)

④ H_2O의 공유 전자쌍 수는 2, 비공유 전자쌍 수는 2이다.

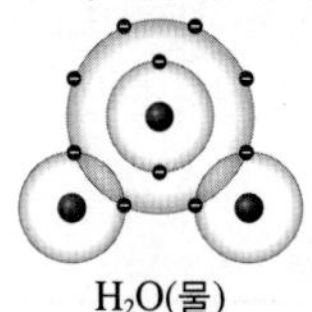

H_2O(물)

⑤ HCN의 공유 전자쌍 수는 4, 비공유 전자쌍 수는 1이다.

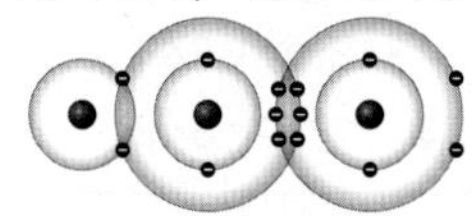

HCN(사이안화 수소)

개념 보충

분자를 구성하는 원자의 공유 전자쌍 수

원자	H	B	C	N	O	F
공유 전자쌍 수	1	3	4	3	2	1

분자를 구성하는 원자의 비공유 전자쌍 수

원자	H	B	C	N	O	F
비공유 전자쌍 수	0	0	0	1	2	3

338 ① 1개의 O 원자가 2개의 H 원자와 각각 전자를 1개씩 공유하여 공유 결합을 형성한다.

② H_2O 분자 1개를 구성하는 H 원자는 2개, O 원자는 1개이다.

③ H_2O에서 O 원자는 H 원자로부터 전자 2개를 공유받아 가장 바깥 전자 껍질에 전자가 8개이므로 같은 주기 비활성 기체인 Ne과 같은 전자 배치를 이룬다.

④ H_2O에서 H 원자는 O 원자로부터 1개의 전자를 공유받아 가장 바깥 전자 껍질에 전자가 2개이므로 같은 주기 비활성 기체인 He과 같은 전자 배치를 이룬다.

바로알기 | ⑤ H_2O 분자에서 H 원자와 O 원자 사이에 공유 전자쌍 수는 1이므로 H 원자와 O 원자는 단일 결합을 형성한다.

339

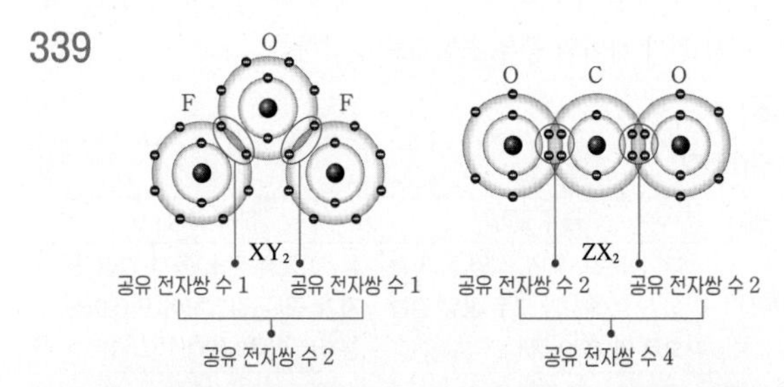

ㄱ. XY_2는 OF_2이므로 X와 Y는 각각 O, F이다. ZX_2는 CO_2이므로 Z는 C이다. X~Z는 모두 2주기 원소이다.

ㄴ. $XY_2(OF_2)$는 X(O) 원자와 Y(F) 원자가 전자를 공유하고, $ZX_2(CO_2)$는 Z(C) 원자와 X(O) 원자가 전자를 공유하므로 XY_2와 ZX_2는 모두 공유 결합 물질이다.

ㄷ. $XY_2(OF_2)$는 공유 전자쌍 수가 2이고, $ZX_2(CO_2)$는 공유 전자쌍 수가 4이다. 따라서 공유 전자쌍 수는 ZX_2가 XY_2의 2배이다.

340

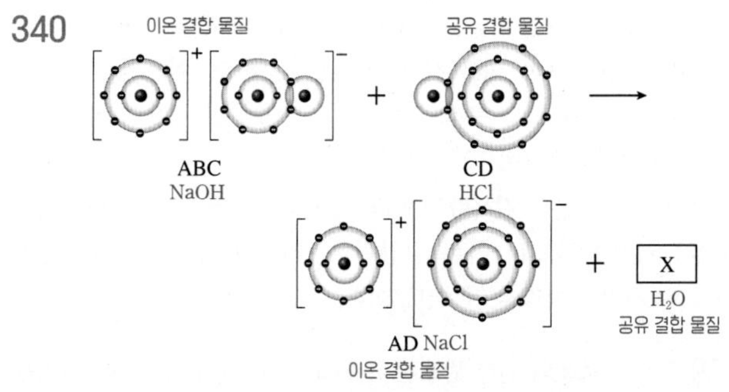

ㄱ. A~D는 각각 Na, O, H, Cl이므로 제시된 화학 반응식을 완성하면 $NaOH + HCl \longrightarrow NaCl + H_2O$이다. 따라서 X는 H_2O이다. H_2O을 구성하는 원소는 모두 비금속 원소이므로 X는 공유 결합 물질이다.

ㄴ. H_2O의 중심 원자는 O 원자이고, O 원자는 가장 바깥 전자 껍질에 전자가 8개 있으므로 옥텟 규칙을 만족한다.

바로알기 | ㄷ. H_2O은 공유 전자쌍 수가 2, 비공유 전자쌍 수가 2이므로 $\frac{\text{공유 전자쌍 수}}{\text{비공유 전자쌍 수}}=1$이다.

341 (가)와 (나)의 분자식은 각각 FCN, C_2F_2이고, 결합 모형은 다음과 같다.

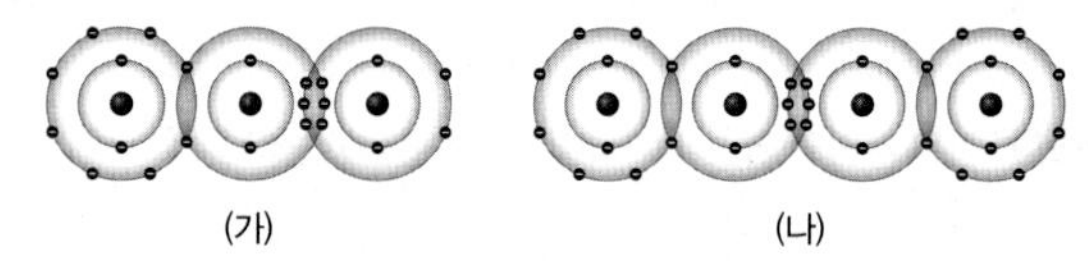

ㄴ. (가)와 (나)에는 모두 3중 결합이 있다.

ㄷ. 공유 전자쌍 수는 (가)가 4, (나)가 5이므로 (가)<(나)이다.

바로알기 | ㄱ. (가)의 중심 원자는 C이다.

342 ㄱ. A~D는 각각 C, N, O, F이다. A(C)와 C(O)로 이루어진 화합물인 $AC_2(CO_2)$에서 A(C)와 C(O)는 가장 바깥 전자 껍질에 전자가 8개 있으므로 옥텟 규칙을 만족한다.

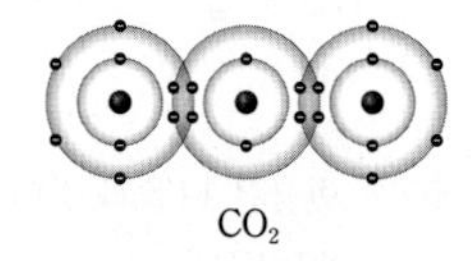

CO_2

ㄴ. $B_2(N_2)$는 공유 전자쌍 수가 3, $D_2(F_2)$는 공유 전자쌍 수가 1이다. 따라서 공유 전자쌍 수는 $B_2(N_2)$가 $D_2(F_2)$보다 크다.

바로알기 | ㄷ. A(C)와 D(F)로 이루어진 화합물에서 공유 전자쌍은 A(C)와 D(F) 원자 사이, A(C) 원자와 A(C) 원자 사이에 존재하고, 비공유 전자쌍은 D(F) 원자에 3개씩 존재한다. 따라서 $A_2D_4(C_2F_4)$에서 공유 전자쌍 수는 6, 비공유 전자쌍 수는 12이므로 공유 전자쌍 수는 비공유 전자쌍 수의 $\frac{1}{2}$배이다.

343

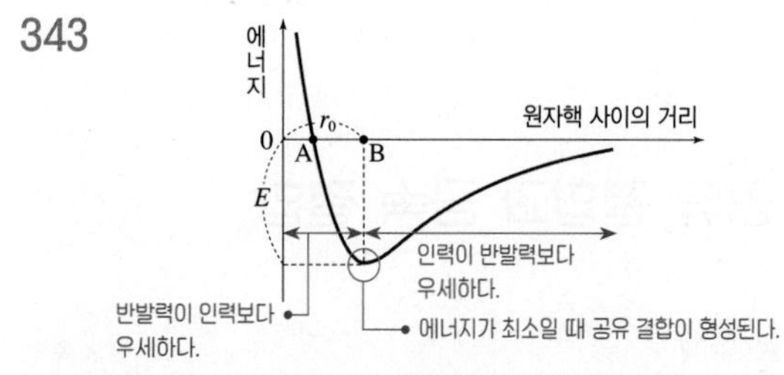

ㄷ. 원자핵 사이의 거리가 r_0보다 짧을 때 두 원자핵 사이에서 두 원자의 전자 사이에서 반발력이 크게 작용하므로 반발력이 인력보다 크게 작용한다.

바로알기 | ㄱ. 원자핵 사이의 거리가 r_0일 때 에너지가 최소이므로 B 지점에서 공유 결합이 형성된다.
ㄴ. 원자핵 사이의 거리가 r_0일 때 에너지가 가장 낮다.

344

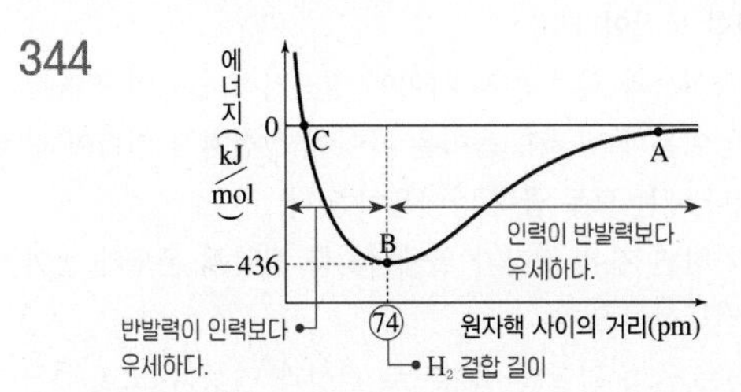

ㄱ. 에너지가 최소인 지점에서 H_2의 공유 결합이 형성되므로 B 지점에서 공유 결합이 형성된다. 두 원자가 공유 결합을 이룰 때 원자핵 사이의 거리는 결합 길이에 해당한다. 따라서 H_2의 결합 길이는 74 pm이다.
ㄴ. 공유 결합이 형성되는 B 지점에서 에너지의 크기는 H_2의 결합 에너지이다. B 지점에서 에너지의 크기는 $|-436\ kJ/mol|=436\ kJ/mol$이므로 H_2의 결합 에너지는 436 kJ/mol이다.
바로알기 | ㄷ. 공유 결합이 형성되는 위치보다 원자핵 사이의 거리가 가까우면 반발력이 인력보다 우세하고, 원자핵 사이의 거리가 멀면 인력이 반발력보다 우세하다. A~C 중 반발력이 인력보다 우세한 것은 C이다.

345

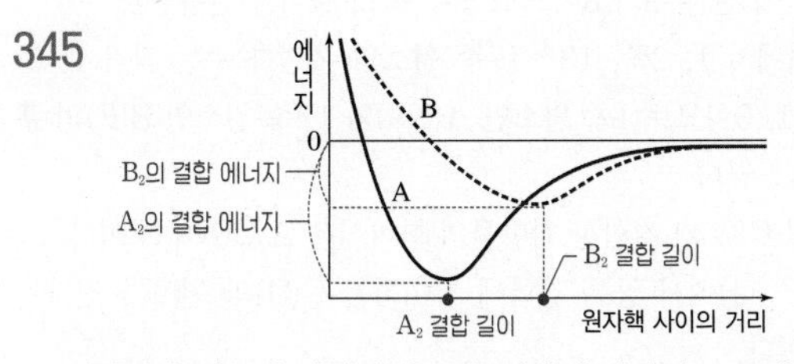

ㄴ. 에너지가 최소인 지점에서 공유 결합이 형성되므로 결합 에너지는 $A_2>B_2$이다.
ㄷ. 결합 에너지가 클수록 공유 결합을 끊는 데 많은 에너지가 필요하고, 공유 결합력과 공유 결합 세기가 크다. 따라서 공유 결합 세기는 $A_2>B_2$이다.
바로알기 | ㄱ. 에너지가 최소인 지점에서 원자핵 사이의 거리가 결합 길이에 해당하므로 결합 길이는 $A_2<B_2$이다.
ㄹ. 같은 원자 2개가 단일 결합한 경우 결합 길이의 $\frac{1}{2}$은 원자 반지름에 해당한다. 따라서 구성 원자의 반지름은 $A_2<B_2$이다.

346 ㄴ. X~Z는 원자가 전자 수가 같으므로 같은 족 원소이다. 같은 족 원소의 2원자 분자에서 공유 결합의 세기가 강할수록 서로 강하게 끌어당기므로 공유 결합 길이가 짧아진다. 따라서 (가)~(다) 중 공유 결합의 세기는 공유 결합 길이가 가장 짧은 (가)가 가장 강하다.
ㄷ. 원자 반지름은 X<Y<Z이다. 원자 반지름이 클수록 공유 결합 길이가 길므로 결합 길이는 HX<HZ이다. 따라서 HZ의 결합 길이는 128 pm보다 길다.
바로알기 | ㄱ. 같은 족 원소는 원자 번호가 클수록 원자 반지름이 크고, 공유 결합 길이가 길다. 따라서 원자 번호는 X<Y<Z이다.

347 (가)는 C(흑연), (나)는 C(다이아몬드)이다.
ㄱ. (가)와 (나)의 구성 원소는 C이므로 (가)와 (나)의 완전 연소 생성물은 CO_2이다.
바로알기 | ㄴ. (가)는 고체 상태에서 전기 전도성이 있지만, (나)는 고체 상태에서 전기 전도성이 없다.
ㄷ. (가)는 C 원자 1개와 결합하는 C 원자 수가 3이고, (나)는 C 원자 1개와 결합하는 C 원자 수가 4이다.

348 (가)는 C(다이아몬드), (나)는 C(흑연), (다)는 CO_2이다.
① (가)~(다)를 구성하는 원소는 모두 비금속 원소이므로 (가)~(다)는 모두 공유 결합 물질이다.
④ (가)와 (나)를 구성하는 원자는 C 원자뿐이므로 (가)와 (나) 모두 1 g에 포함된 원자 수는 $\frac{1}{\text{C 원자량}}\times N_A$이다.
⑤ (가)와 (나)는 공유 결정이고, (다)는 분자 결정이다. 공유 결정은 녹는점이 매우 높지만, 분자 결정은 녹는점이 낮다. 따라서 녹는점은 (가)>(다)이다.
⑥ (다)는 고체에서 기체로 상태가 변하므로 승화성 물질이다.
바로알기 | ② (가)와 (나)는 구성 입자가 원자이고, (다)는 구성 입자가 분자이다. 따라서 (가)~(다) 중 구성 입자가 분자인 물질은 (다) 1가지이다.
③ (가)~(다) 중 고체 상태에서 전기 전도성이 있는 물질은 (나) 1가지이다.

349 ㄷ. 금속에 열을 가하면 자유 전자가 열을 전달하므로 열전도성이 크다. A는 금속이므로 열전도성이 크다.
바로알기 | ㄱ. ㉠은 금속 양이온, ㉡은 자유 전자이다.
ㄴ. A에 전압을 걸어 주면 자유 전자인 ㉡이 (+)극 쪽으로 이동하면서 전류가 흐른다.

350

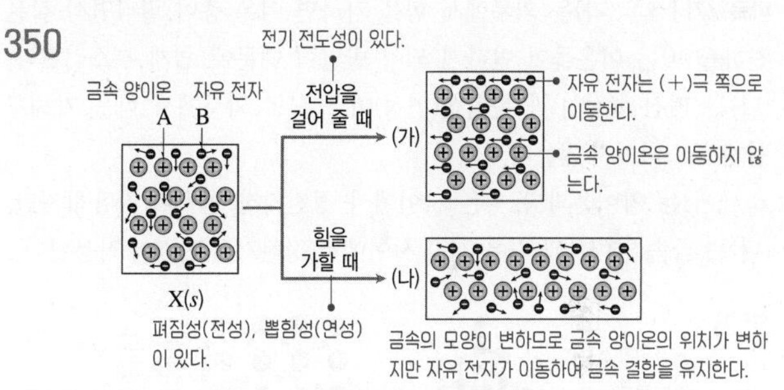

① X(s)는 금속 양이온인 A와 자유 전자인 B로 이루어져 있으므로 금속 결합 물질이다. 따라서 X(s)는 광택을 띤다.
③ X(s)에 전압을 걸어 주면 자유 전자가 이동하여 전류가 흐른다. X(s)의 전기 전도성은 (가)로 설명할 수 있다.
④ X(s)에 힘을 가하면 자유 전자가 이동하여 금속 결합을 유지시키므로 부스러지거나 쪼개지지 않고 펴진다. 이러한 성질을 전성(펴짐성)이라고 한다.
⑤ 자유 전자에 의해 금속의 전기 전도성과 펴짐성이 나타나므로 대부분의 금속의 특성은 자유 전자에 의해 나타난다.
바로알기 | ② A는 금속 양이온이고, B는 자유 전자이다.

351 ㉠은 금속 양이온, ㉡은 자유 전자이다.
ㄱ. ㉠은 (+)전하를 띠고, ㉡은 (−)전하를 띠므로 ㉠과 ㉡ 사이에는 정전기적 인력이 작용한다.
ㄴ. 금속을 가열하면 열에너지를 자유 전자인 ㉡이 전달하므로 금속은 쉽게 뜨거워진다.
바로알기 | ㄷ. 금속 A는 양이온이 +1의 전하이고, 금속 B는 양이온이 +2의 전하이므로 녹는점은 금속 B가 금속 A보다 높다.

개념 보충

금속의 녹는점
금속의 녹는점은 금속 결합의 세기가 강할수록 높아진다. 금속 결합의 세기는 금속 양이온의 전하가 클수록, 금속 양이온의 반지름이 작을수록 강하다.

15 화학 결합과 물질의 성질

빈출 자료 보기 100쪽

352 (1) ○ (2) × (3) ○ (4) ○

353 (1) ○ (2) ○ (3) × (4) ○

352 **바로알기 |** (2) (나)는 다이아몬드로 공유 결정이다.

353 **바로알기 |** (3) Na과 Fe은 금속 결합을 하고, 녹는점과 끓는점이 높을수록 화학 결합의 세기가 강하므로 화학 결합의 세기는 Na<Fe이다.

난이도별 필수 기출 101~103쪽

354 ① 355 ③ 356 ③ 357 ③ 358 ② 359 ⑤
360 ② 361 ② 362 ② 363 ③ 364 ③, ⑦
365 ①

354 (가)는 이온 결정, (나)는 금속 결정이다.
ㄱ. (가)와 (나)는 모두 액체 상태에서 전기 전도성이 있다.
바로알기 | ㄴ. (가)는 외부에서 힘을 가하면 이온 층이 밀리면서 같은 전하를 띠는 이온들이 만나게 되어 반발력 때문에 쉽게 부스러진다. (나)는 펴짐성(전성)과 뽑힘성(연성)이 크므로 외부에서 힘을 가해도 쉽게 부스러지지 않는다.
ㄷ. (가)는 양이온과 음이온 사이에서 정전기적 인력이 작용하지만, (나)는 금속 양이온과 자유 전자 사이에서 정전기적 인력이 작용한다.

355

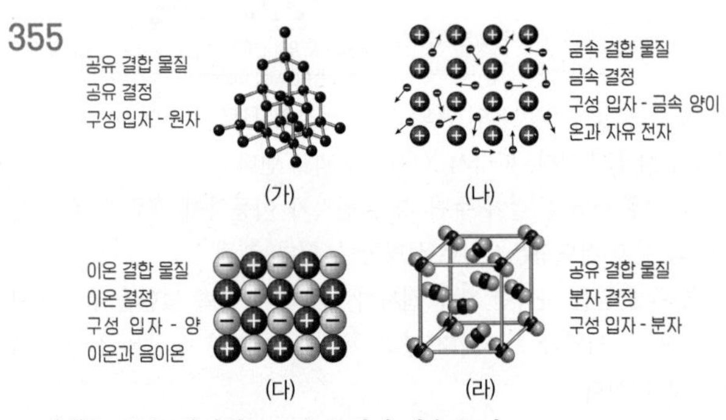

ㄱ. (가)는 공유 결정이므로 녹는점이 매우 높다.
ㄴ. (가)와 (라)는 원자와 원자 사이에 공유 결합이 있는 공유 결합 물질이다. 공유 결합 물질에는 공유 결정과 분자 결정이 있다.
바로알기 | ㄷ. (나)는 금속 결합 물질이고, (다)는 이온 결합 물질이다. 금속 결합 물질은 고체 상태에서 전기 전도성이 있지만, 이온 결합 물질은 고체 상태에서 전기 전도성이 없다.

356 (가)는 힘을 가해도 부스러지지 않으므로 금속 결합 물질이고, (나)는 힘을 가하면 쉽게 쪼개지므로 이온 결합 물질이다.
ㄱ. 금속은 자유 전자가 빛을 흡수하여 모두 반사하므로 광택이 있다. 따라서 (가)는 광택이 있다.
ㄴ. NaCl은 금속 원소인 Na과 비금속 원소인 Cl의 화합물이므로 이온 결합 물질이다. 따라서 NaCl은 (나)에 해당한다.
바로알기 | ㄷ. (가)는 금속 결합을 하고, (나)는 이온 결합을 하므로 (가)와 (나)는 화학 결합의 종류가 다르다.

357 (가)는 고체 상태에서 전기 전도성이 있고, 온도가 높을수록 전기 전도도가 감소하므로 금속 결합 물질이다. (나)는 고체 상태에서 전기 전도성이 없지만, 온도를 높여 액체 상태가 되면 전기 전도성이 있으므로 이온 결합 물질이다.
ㄱ. (가)는 금속 양이온과 자유 전자 사이에 정전기적 인력이 작용하고, (나)는 금속 양이온과 비금속 음이온 사이에 정전기적 인력이 작용하므로 (가)와 (나)에는 모두 금속 양이온이 있다.
ㄴ. (가)에 열을 가하면 자유 전자가 열에너지를 전달해 온도가 높아지므로 (가)는 열전도성이 있다.
바로알기 | ㄷ. (가)는 금속 결합 물질이므로 전성과 연성이 크고, (나)는 이온 결합 물질이므로 힘을 가하면 쉽게 부스러진다. 전성과 연성은 (가)가 (나)보다 크다.

358 A~C는 각각 Na, F, O이다.
① (가)의 생성물은 NaF이고, NaF은 금속 원소와 비금속 원소의 화합물이므로 이온 결합 물질이다.
③ 상온에서 이온 결합 물질은 대부분 고체 상태로 존재하고, 분자를 이루는 공유 결합 물질은 대부분 기체 또는 액체 상태로 존재하므로 녹는점은 이온 결합 물질이 공유 결합 물질보다 높다. 따라서 녹는점은 (가)>(나)이다.
④ (가)와 (나)에서 생성된 화합물을 구성하는 이온과 원자는 가장 바깥 전자 껍질에 전자 수가 8이므로 모두 옥텟 규칙을 만족한다.
⑤ 바닥상태에서 1, 2족, 13~17족 원소의 홀전자 수는 각각 1, 0, 1, 2, 3, 2, 1, 0이므로 1족 원소인 A(Na)와 17족 원소인 B(F)의 홀전자 수는 1로 같다.
⑥ A(Na)와 C(O)가 결합한 화합물의 화학식은 A_2C(Na_2O)이다.
바로알기 | ② (나)에서 공유 결합에 참여하는 C(O)의 원자가 전자는 6개 중 2개이다.

359 화합물 ABC는 NaOH이고, A~C는 각각 Na, O, H이다.
ㄱ. A(Na)와 C(H)는 1족 원소이다.
ㄴ. B(O)와 C(H) 사이에 공유 전자쌍 수가 1이므로 B(O)와 C(H) 사이에는 공유 결합이 형성된다.
ㄷ. ABC는 A^+(Na^+)과 BC^-(OH^-)으로 이루어진 이온 결합 물질이다. 이온 결합 물질은 액체 상태에서 전기 전도성이 있다.

360 A~C는 각각 Li, Na, F이다.
ㄴ. 화합물 BC(NaF)를 구성하는 이온은 Na^+과 F^-이다. Na^+과 F^-의 전자 배치는 모두 Ne과 같고, Na^+과 F^-은 가장 바깥 전자 껍질에 전자 수가 8이므로 옥텟 규칙을 만족한다.
바로알기 | ㄱ. A(Li)는 금속 원소이고, C(F)는 비금속 원소이므로 A(Li)와 C(F)는 이온 결합을 통해 안정한 화합물을 생성한다.
ㄷ. C_2(F_2)에는 공유 전자쌍 수가 1이므로 단일 결합이 존재한다.

361 A^{2-}의 양성자수를 a라고 하면 전자 수는 $a+2$이므로 $\frac{\text{양성자수}}{\text{전자 수}}=\frac{a}{a+2}=0.8$, $a=8$이다. B^-의 양성자수를 b라고 하면 전자 수는 $b+1$이므로 $\frac{\text{양성자수}}{\text{전자 수}}=\frac{b}{b+1}=0.9$, $b=9$이다. C^+의 양성자수를 c라고 하면 전자 수는 $c-1$이므로 $\frac{\text{양성자수}}{\text{전자 수}}=\frac{c}{c-1}=1.1$, $c=11$이다. D^{2+}의 양성자수를 d라고 하면 전자 수는 $d-2$이므로 $\frac{\text{양성자수}}{\text{전자 수}}=\frac{d}{d-2}=1.2$, $d=12$이다. A~D는 각각 O, F, Na, Mg이다.

ㄱ. $A_2(O_2)$에서 공유 전자쌍 수는 2, 비공유 전자쌍 수는 4이므로 $\frac{\text{비공유 전자쌍 수}}{\text{공유 전자쌍 수}}=2$이다.

ㄴ. $B^-(F^-)$과 $D^{2+}(Mg^{2+})$은 전자 수가 모두 10이므로 바닥상태의 전자 배치는 Ne과 같다.

바로알기 | ㄷ. $AB_2(OF_2)$는 구성 원소가 모두 비금속 원소이므로 공유 결합 물질이고, $C_2A(Na_2O)$는 구성 원소가 금속 원소와 비금속 원소이므로 이온 결합 물질이다. 따라서 $AB_2(OF_2)$와 $C_2A(Na_2O)$의 화학 결합의 종류는 서로 다르다.

362 2주기 원자의 홀전자 수, *s* 오비탈과 *p* 오비탈에 들어 있는 전자 수와 관련된 자료는 다음과 같다.

원자	Li	Be	B	C	N	O	F	Ne
홀전자 수	1	0	1	2	3	2	1	0
s 오비탈에 들어 있는 전자 수	3	4	4	4	4	4	4	4
p 오비탈에 들어 있는 전자 수	0	0	1	2	3	4	5	6
$\frac{s\text{ 오비탈에 들어 있는 전자 수}}{p\text{ 오비탈에 들어 있는 전자 수}}$	—	—	4	2	$\frac{4}{3}$	1	0.8	$\frac{2}{3}$

X는 O이고, Z는 F이다. 2주기 원소 중 홀전자 수와 원자가 전자 수가 같은 원소는 Li이므로 Y는 Li이다.

ㄴ. X(O)와 Y(Li)의 화합물은 이온 결합 물질이고, 구성 이온이 $X^{2-}(O^{2-})$과 $Y^+(Li^+)$이다. Y(Li)와 Z(F)의 화합물은 이온 결합 물질이고, 구성 이온이 $Y^+(Li^+)$과 $Z^-(F^-)$이다. 이온의 전하량 크기는 $X^{2-}(O^{2-})$이 $Z^-(F^-)$보다 크므로 녹는점은 X(O)와 Y(Li)의 화합물이 Y(Li)와 Z(F)의 화합물보다 높다.

바로알기 | ㄱ. X(O)와 Y(Li)의 화합물은 이온 결합 물질이므로 Y(Li)에서 X(O)로 전자가 이동하여 양이온과 음이온이 형성된 후, 이온 사이의 정전기적 인력에 의해 결합을 형성한다. 전자쌍을 공유하면서 화합물을 생성하는 물질은 공유 결합 물질이다.

ㄷ. X(O)와 Z(F)의 화합물은 공유 결합 물질이므로 액체 상태에서 전기 전도성이 없다.

363 ㄱ. 4가지 물질 중 2가지 물질이 (가)에 의해 분류되고, I_2이 (가)의 분류 기준에 해당하는 물질이므로 (가)에는 '공유 결합 물질인가?'가 적절하다.

ㄴ. A는 SiO_2, B는 Fe이다. $A(SiO_2)$는 흑연, 다이아몬드와 같은 공유 결정이므로 원자 간 공유 결합으로 이루어져 있다.

바로알기 | ㄷ. 고체 상태에서 전기가 통하는 B(Fe)는 금속 결합 물질이므로 전성과 연성이 크다. 외부에서 힘을 가하면 이온 결합 물질인 KCl이 B(Fe)보다 쉽게 쪼개진다.

364 공유 결합 물질 중 상온(25 °C)에서 기체 또는 액체로 존재하는 물질은 분자 결정이다.

전기 전도성으로부터 화학 결합의 종류를 알 수 있다.

물질	녹는점(°C)	끓는점(°C)	전기 전도성		
			고체	액체	
A	802	1413	없음	있음	이온 결합
B	−114	78.8	없음	없음	공유 결합
C	97.8	882	있음	있음	금속 결합
D	1670	2250	없음	없음	공유 결합

공유 결합 물질 중 공유 결정은 다른 물질에 비해 녹는점과 끓는점이 매우 높다.

① 이온 결합 물질은 고체 상태에서 전기 전도성이 없고, 액체 상태에서 전기 전도성이 있으므로 A는 이온 결합 물질이다. 이온 결합 물질의 수용액은 전기 전도성이 있다.

② A는 이온 결합 물질이므로 구성 원소가 금속 원소와 비금속 원소이다.

④ 상온(25 °C)은 B의 녹는점보다 높고 끓는점보다 낮으므로 B는 상온에서 액체 상태로 존재한다.

⑤ B와 D는 고체 상태와 액체 상태에서 모두 전기 전도성이 없으므로 모두 공유 결합 물질이다.

⑥ C는 고체 상태와 액체 상태에서 모두 전기 전도성이 있으므로 금속 결합 물질이고, 자유 전자가 존재한다.

⑧ 녹는점과 끓는점은 D가 가장 높으므로 화학 결합의 세기는 D가 가장 강하다.

바로알기 | ③ B는 녹는점과 끓는점이 낮으므로 공유 결합 물질 중 분자 결정이다. D는 녹는점과 끓는점이 매우 높으므로 공유 결합 물질 중 공유 결정이다.

⑦ C는 금속 결합 물질이므로 펴짐성(전성)과 뽑힘성(연성)이 크다. 따라서 C에 힘을 가하면 쉽게 부스러지지 않는다.

365 O, F, Na, Mg 중 2가지 원소로 이루어지면서 구성 원자의 입자 수가 3 이하인 화합물의 화학식은 NaF, MgO, Na_2O, MgF_2, OF_2이다. (가)~(라)의 화학식은 각각 BA, AC_2, BC_2, D_2A이므로 BA는 MgO이다. (가)~(라)에서 O를 포함한 물질은 3가지이므로 A는 O이다. A는 O, B는 Mg, C는 F, D는 Na이다.

ㄷ. C(F)와 D(Na)로 이루어진 화합물은 DC(NaF)이므로 C(F)와 D(Na)가 1 : 1의 개수비로 결합한다.

바로알기 | ㄱ. B는 Mg이다.

ㄴ. (가)~(라)의 화학식은 각각 BA(MgO), $AC_2(OF_2)$, $BC_2(MgF_2)$, $D_2A(Na_2O)$이므로 이온 결합 물질은 (가), (다), (라) 3가지이다.

최고 수준 도전 기출 (13~15강)

104~105쪽

366 ⑤ 367 ③ 368 ① 369 ① 370 ② 371 ① 372 ① 373 ③

366 ① 물을 전기 분해하면 H 원자와 O 원자 사이의 공유 결합이 끊어지면서 성분 원소로 분해된다. 결합 A는 공유 결합이고, 결합 B는 분자 사이의 인력이므로 H_2O을 전기 분해하면 (가)의 결합 A가 끊어진다.

② 물을 전기 분해하면 각 극에서 일어나는 반응은 다음과 같다.

(−)극: $4H_2O + 4e^- \longrightarrow 2H_2 + 4OH^-$

(+)극: $2H_2O \longrightarrow O_2 + 4H^+ + 4e^-$

(나)의 (−)극에서 전자를 얻는 환원 반응이 일어난다.

③ (나)의 X에서 모은 기체는 O_2이고, Y에서 모은 기체는 H_2이다. O_2에는 2중 결합이 있으므로 (나)의 X에서 모은 기체에는 다중 결합이 있다.

④ BTB 용액은 산성에서 노란색, 중성에서 초록색, 염기성에서 파란색을 나타낸다. (나)의 (−)극에서 OH^-이 생성되므로 BTB 용액을 넣으면 (−)극 주위가 푸른색으로 변한다.

바로알기 | ⑤ 물을 전기 분해하면 생성되는 기체의 몰비는 $H_2 : O_2 = 2 : 1$이다. (+)극과 (−)극에서 각각 O_2, H_2 기체가 생성되므로 물을 전기 분해할 때 생성되는 기체의 분자 수는 (−)극이 (+)극의 2배이다.

367 ㄱ. $H_2O(l)$과 $KCl(l)$을 전기 분해할 때 일어나는 반응의 전체 화학 반응식은 다음과 같다.

$$2H_2O(l) \longrightarrow 2H_2(g) + O_2(g)$$
$$2KCl(l) \longrightarrow 2K(l) + Cl_2(g)$$

화학 반응식의 계수비로부터 $H_2O(l)$ x mol을 전기 분해하면 (−)극에서 $H_2(g)$ x mol이 생성되고, (+)극에서 $O_2(g)$ $\frac{1}{2}x$ mol이 생성된다. $KCl(l)$ y mol을 전기 분해하면 (−)극에서 $K(l)$ y mol이 생성되고, (+)극에서 $Cl_2(g)$ $\frac{1}{2}y$ mol이 생성된다. $x>y$이므로 (−)극에서 a mol 생성된 물질은 $H_2(g)$이고, b mol 생성된 물질은 $K(l)$이다. (+)극에서 b mol 생성된 물질은 $O_2(g)$이고, c mol 생성된 물질은 $Cl_2(g)$이다. $a=x$, $b=\frac{1}{2}x=y$, $c=\frac{1}{2}y$이므로 $a\times c=b^2$이다.

ㄴ. (가)는 $O_2(g)$이다.

바로알기 | ㄷ. $x=2y$이므로 $KCl(l)$ x mol을 모두 전기 분해하면 (−)극에서 $K(l)$ a mol이 생성된다.

368 (가)에서 A 1 mol이 생성될 때 Cl_2 기체 $\frac{1}{2}$ mol이 생성되므로 (가)의 화학식 ACl이다. (나)에서 B 1 mol이 생성될 때 Cl_2 기체 $\frac{3}{2}$ mol이 생성되므로 (나)의 화학식은 BCl_3이다. (다)에서 C 1 mol이 생성될 때 Cl_2 기체 1 mol이 생성되므로 (다)의 화학식은 CCl_2이다.

ㄱ. (가)는 ACl이므로 (가)를 구성하는 이온 수는 양이온과 음이온이 같다.

바로알기 | ㄴ. (가)~(다)에서 금속 양이온은 각각 A^+, B^{3+}, C^{2+}이므로 A~C는 각각 3주기 1족, 13족, 2족 원소이다. 전자 수가 같을 때 이온 반지름은 원자 번호가 작을수록 크므로 A>C>B이다.

ㄷ. 이온화 에너지는 1족 원소<13족 원소<2족 원소이므로 A<B<C이다.

369 AC, BC, BD는 모두 이온 결합 물질이므로 고체 상태에서 전기 전도성이 없고, 액체 상태에서 전기 전도성이 있다. 가열했을 때 전기 전도도가 크게 증가할 때의 온도는 각 물질의 녹는점이다. 녹는점은 AC<BC<BD이다.

ㄱ. 알칼리 금속 이온의 전하는 +1, 할로젠 이온의 전하는 −1이므로 AC, BC, BD의 이온의 전하량은 같다. 이온의 전하량이 같을 때 이온 사이의 거리가 길수록 녹는점이 낮아지므로 이온 사이의 거리는 AC>BC>BD이다. AC와 BC에서 음이온의 종류는 같고 이온 사이의 거리는 AC>BC이므로 이온 반지름은 A>B이다. 같은 족 원소는 이온 반지름이 클수록 원자 반지름이 크므로 원자 반지름은 A>B이다.

바로알기 | ㄴ. BC와 BD에서 양이온의 종류는 같고, 이온 사이 거리는 BC>BD이므로 이온 반지름은 C>D이다.

ㄷ. 이온 사이의 거리는 AC>BD이다.

370 ㄴ. 에너지가 최소일 때 2개의 H 원자가 H_2의 공유 결합을 형성한다. 이때 436 kJ/mol의 에너지를 방출한다. $2H(g) \longrightarrow H_2(g)$의 반응이 일어날 때 436 kJ/mol의 에너지를 방출하므로 $H_2(g) \longrightarrow 2H(g)$의 반응이 일어날 때 436 kJ/mol의 에너지를 흡수한다.

바로알기 | ㄱ. 원자핵 사이의 거리가 a pm일 때 반발력이 인력보다 우세하게 작용한다. 인력과 반발력이 균형을 이루는 지점은 에너지가 최소 지점인 원자핵 사이의 거리가 74 pm일 때이다.

ㄷ. H_2에서 공유 결합 길이는 74 pm이다. H의 원자 반지름은 공유 결합 길이의 $\frac{1}{2}$이므로 37 pm이다.

371 ㄱ. W는 $1s^22s^22p^3$인 N, X는 $1s^22s^22p^4$인 O, Y는 $1s^22s^22p^5$인 F, Z는 $1s^22s^22p^63s^2$인 Mg이다. $W_2Y_2(N_2F_2)$는 N 원자 사이에 2중 결합이 있다.

바로알기 | ㄴ. X(O)와 Z(Mg)가 결합한 화합물 ZX(MgO)는 이온 결합 물질이다. ZX(MgO)는 $Z^{2+}(Mg^{2+})$과 $X^{2-}(O^{2-})$의 정전기적 인력으로 결합이 형성되므로 공유 전자쌍이 없다.

ㄷ. $Y_2(F_2)$의 공유 전자쌍 수는 1, 비공유 전자쌍 수는 6이다. 따라서 $Y_2(F_2)$의 비공유 전자쌍 수는 공유 전자쌍 수의 6배이다.

372 A는 $1s^22s^1$인 Li, B는 $1s^22s^22p^2$인 C(탄소), C는 $1s^22s^22p^4$인 O, D는 $1s^22s^22p^5$인 F, E는 $1s^22s^22p^63s^2$인 Mg이다.

ㄱ. (가)는 금속 원소 A(Li)와 비금속 원소 C(O)로 이루어졌으므로 이온 결합 물질이고, (나)는 비금속 원소 B(C)와 C(O)로 이루어졌으므로 공유 결합 물질이며, (다)는 금속 원소 E(Mg)와 비금속 원소 D(F)로 이루어졌으므로 이온 결합 물질이다. (가)~(다) 중 공유 결합 물질은 (나) 1가지이다.

바로알기 | ㄴ. (가)의 화학식은 $A_2C(Li_2O)$이므로 $x=2$, $y=1$이다. (나)의 화학식은 $BC_2(CO_2)$이고, (다)의 화학식은 $ED_2(MgF_2)$이다. (나)에는 2중 결합이 있으므로 다중 결합이 있는 화합물은 (나) 1가지이다.

ㄷ. $x=2$, $y=1$이므로 $x>y$이다.

373 ① ㉠은 금속 결정이므로 전기 전도성이 있다.

② ㉡은 공유 결합 물질로 O 원자 사이에 있는 공유 전자쌍 수는 2이다.

④ ㉠은 금속이므로 힘을 가하면 펴짐성(전성), 뽑힘성(연성)이 크기 때문에 부스러지지 않지만, ㉢은 이온 결합 물질이므로 외부에서 힘을 가하면 쉽게 부스러지거나 쪼개진다.

⑤ 공유 결합 물질 중 공유 결정은 녹는점이 매우 높지만, 분자 결정은 녹는점이 낮다. 금속 결합을 하는 금속 결정과 이온 결합을 하는 이온 결정은 분자 결정보다 녹는점이 높다. ㉠~㉢은 각각 금속 결정, 분자 결정, 이온 결정이므로 녹는점이 가장 낮은 것은 ㉡이다.

바로알기 | ③ ㉢은 이온 결정이므로 분자로 존재하지 않는다.

16 결합의 극성과 루이스 전자점식

빈출 자료 보기 107쪽

374 (1) ○ (2) × (3) ○ (4) × (5) ○ (6) ×

374 원자가 전자 수는 X가 5, Y가 6, Z가 7이므로 X~Z는 각각 N, O, F이다.

바로알기 | (2) Z(F)는 원자가 전자 수가 7이므로 Z(F) 원자 2개는 각각 전자 1개씩을 공유하여 분자를 형성한다. $Z_2(F_2)$에는 단일 결합이 있다.

(4) 같은 주기에서 원자 번호가 클수록 전기 음성도가 크므로 전기 음성도는 X(N)<Z(F)이다.

(6) 전기 음성도는 Y(O)<Z(F)이므로 $YZ_2(OF_2)$에서 Y(O)는 부분적인 양전하(δ^+)를 띠고, Z(F)는 부분적인 음전하(δ^-)를 띤다.

난이도별 필수 기출

108~113쪽

375 ①	376 ③	377 해설 참조	378 ②	379 ②
380 ③	381 해설 참조	382 ④	383 ③	384 ②
385 ⑤	386 ③	387 해설 참조	388 ④	389 ⑤
390 ⑤	391 ②	392 ⑤	393 ①	394 ②
395 ①, ④	396 ⑤	397 ②	398 해설 참조	
399 해설 참조	400 ④	401 ④, ⑥		402 ⑤
403 해설 참조				

375 ① 전기 음성도는 F(플루오린)이 4.0으로 가장 크다.

바로알기 | ② 전기 음성도의 기준이 되는 원소는 F이다.

③ 같은 족에서 원자 번호가 커질수록 전기 음성도는 대체로 감소한다.

④ 같은 주기에서 원자 번호가 커질수록 전기 음성도는 대체로 증가한다.

⑤ 전기 음성도는 공유 전자쌍을 끌어당기는 상대적인 힘의 크기를 나타낸다.

개념 보충

대표적인 원소의 전기 음성도

- 전기 음성도의 주기성: 주기율표의 오른쪽 위로 갈수록 전기 음성도가 대체로 커진다.
- F은 전기 음성도가 4.0으로 최댓값을 가지고, 2주기 원소는 F으로부터 원자 번호가 1씩 감소할 때마다 전기 음성도가 0.5씩 감소한다.

원소	Li	Be	B	C	N	O	F
전기 음성도	1.0	1.5	2.0	2.5	3.0	3.5	4.0

- H의 전기 음성도는 2.1로 C, N, O, F보다 전기 음성도가 작다.

376 (가)는 분자 내에 부분적인 양전하(δ^+)와 부분적인 음전하(δ^-)가 없으므로 무극성 공유 결합이다. (나)는 분자 내에 부분적인 양전하(δ^+)와 부분적인 음전하(δ^-)가 있으므로 극성 공유 결합이다. (다)는 (+) 전하를 띠는 양이온과 (−)전하를 띠는 음이온으로 이루어져 있으므로 이온 결합이다.

제시된 물질 중 무극성 공유 결합을 하는 분자는 I_2, O_2, N_2, Cl_2이고, 극성 공유 결합을 하는 분자는 HI, NH_3, CO, HBr, H_2O, HCl이며, 이온 결합 물질은 NaCl, KCl, NaF, KBr, LiF이다. 따라서 (가)~(다)의 옳은 예는 각각 N_2, CO, NaF이다.

377 전기 음성도는 Na<H<Cl이므로 구성 원소의 전기 음성도 차이는 HCl<NaCl이다. HCl는 공유 결합 물질이고, NaCl은 이온 결합 물질이므로 이온 결합 물질이 공유 결합 물질보다 구성 원소의 전기 음성도 차이가 크다.

모범 답안 구성 원소의 전기 음성도 차이는 이온 결합 물질인 NaCl이 공유 결합 물질인 HCl보다 크다.

378 XY에서 X가 부분적인 양전하(δ^+)를 띠고, Y가 부분적인 음전하(δ^-)를 띠므로 전기 음성도는 X<Y이고, XY는 공유 결합 물질이다. 공유 결합 물질의 구성 원자는 비금속 원소이므로 X는 H, Y는 F이다. ZY에서 Z는 양이온, Y는 음이온으로 존재하므로 Z는 Li이다.

ㄴ. 전기 음성도는 Z(Li)<X(H)<Y(F)이다.

바로알기 | ㄱ. X(H)는 비금속 원소이다.

ㄷ. Y(F)의 원자가 전자 수는 7이고, Z(Li)의 원자가 전자 수는 1이다.

379

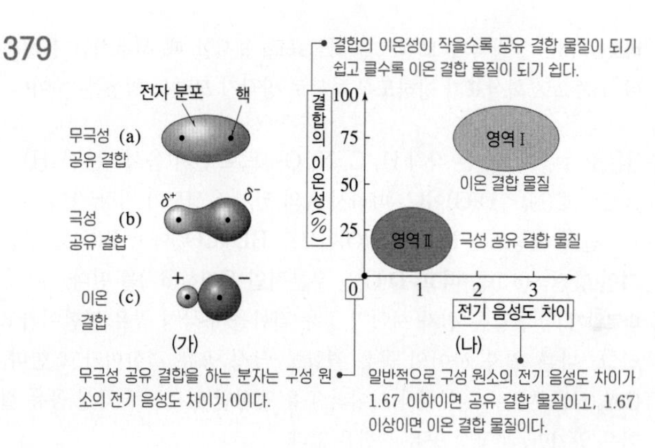

ㄷ. 영역 Ⅰ에 속하는 물질은 결합의 이온성과 구성 원소의 전기 음성도 차이가 크므로 이온 결합 물질이다. 영역 Ⅱ에 속하는 물질은 공유 결합 물질 중 극성 공유 결합을 하는 분자이다. (a)~(c)는 각각 무극성 공유 결합, 극성 공유 결합, 이온 결합을 나타낸다. 극성 공유 결합을 하는 분자인 HCl는 영역 Ⅱ에 속하고 (b)와 같은 결합을 한다.

바로알기 | ㄱ. 영역 Ⅰ에 속하는 물질의 결합 유형은 (c)에 해당한다.

ㄴ. 영역 Ⅰ에 속하는 물질은 이온 결합 물질이므로 이온 결합을 한다.

380 ㄱ. B_2와 BC는 고체와 액체 상태에서 전기 전도성이 없으므로 공유 결합 물질이다. B_2는 같은 원자의 공유 결합으로 이루어졌으므로 무극성 공유 결합을 하는 분자이고, BC는 다른 원자의 공유 결합으로 이루어졌으므로 극성 공유 결합을 하는 분자이다. AC는 고체 상태에서 전기 전도성이 없지만, 액체 상태에서 전기 전도성이 있으므로 이온 결합 물질이다. (가)~(다)는 각각 무극성 공유 결합을 하는 분자, 극성 공유 결합을 하는 분자, 이온 결합 물질에 해당하므로 (가)는 B_2, (나)는 BC, (다)는 AC이다.

ㄴ. B와 C는 공유 결합 물질의 구성 원소이므로 비금속 원소이다. A와 C는 이온 결합 물질의 구성 원소이므로 각각 금속 원소, 비금속 원소 중 하나이다. B와 C는 비금속 원소이므로 A는 금속 원소이다. 2주기 원소의 전기 음성도는 비금속 원소가 금속 원소보다 크므로 전기 음성도는 A<C이다.

바로알기 | ㄷ. AB는 금속 원소인 A와 비금속 원소인 B로 이루어졌으므로 이온 결합 물질이다. 따라서 AB는 액체 상태에서 전기 전도성이 있다.

381 2원자 분자에서 전기 음성도가 큰 원자는 부분적인 음전하(δ^-)를 띠고, 전기 음성도가 작은 원자는 부분적인 양전하(δ^+)를 띤다. XY에서 X는 부분적인 음전하(δ^-)를 띠므로 전기 음성도는 X>Y이고, XZ에서 X는 부분적인 음전하(δ^-)를 띠므로 전기 음성도는 X>Z이다. YZ에서 Z는 부분적인 음전하(δ^-)를 띠므로 전기 음성도는 Y<Z이다. 따라서 전기 음성도는 X>Z>Y이다.

모범 답안 2원자 분자에서 전기 음성도가 큰 원자가 부분적인 음전하(δ^-)를 띠므로 전기 음성도는 X>Z>Y이다.

382 ㄴ. 쌍극자 모멘트는 두 전하 사이의 거리 r이 클수록, 전하량 크기 q가 클수록 큰 값을 가진다. 쌍극자 모멘트 값이 클수록 결합의 극성이 커지므로 r이 클수록 결합의 극성이 커진다.

ㄷ. HCl는 극성 공유 결합을 하는 분자이므로 H가 부분적인 양전하(δ^+), Cl가 부분적인 음전하(δ^-)를 띠고, 쌍극자 모멘트가 0보다 크다. Cl_2는 무극성 공유 결합을 하는 분자이므로 부분적인 양전하(δ^+)와 음전하(δ^-)를 띠는 원자가 없다. Cl_2는 쌍극자 모멘트가 0이므로 쌍극자 모멘트는 HCl>Cl_2이다.

바로알기 | ㄱ. 쌍극자 모멘트를 화살표로 표시할 때 부분적인 음전하(δ^-) 쪽으로 화살표가 향하도록 하므로 쌍극자 모멘트 방향은 ㉠이다.

383 ㄱ. A~D는 각각 H, C, N, O이므로 전기 음성도는 $A(H)<B(C)<C(N)<D(O)$이다. 따라서 A의 전기 음성도가 가장 작다.

ㄷ. 전기 음성도는 $B(C)<D(O)$이므로 $BD_2(CO_2)$에서 B(C)는 부분적인 양전하(δ^+)를 띠고, D(O)는 부분적인 음전하(δ^-)를 띤다.

바로알기 | ㄴ. 같은 원자 사이의 공유 결합을 무극성 공유 결합이라고 하고, 다른 원자 사이의 공유 결합을 극성 공유 결합이라고 한다. $CA_3(NH_3)$에는 다른 원자 사이의 공유 결합만 있으므로 극성 공유 결합은 있지만, 무극성 공유 결합은 없다.

384 ㄷ. (가)에서 쌍극자 모멘트를 나타내는 화살표가 X를 향하므로 전기 음성도는 $X>Y$이고, (나)에서는 화살표가 Y를 향하므로 전기 음성도는 $Y>Z$이다. 따라서 전기 음성도는 $X>Y>Z$이다.

바로알기 | ㄱ. (가)는 XY_2이므로 가능한 분자식은 OF_2, SF_2, OCl_2, SCl_2이다. 전기 음성도는 $X>Y$이므로 (가)는 OCl_2이고, X와 Y는 각각 O, Cl이다. Y(Cl)는 3주기 원소이다.

ㄴ. (나)에서 Z는 4개의 원자와 공유 결합하므로 C 또는 Si이다. 원자가 전자 수는 X(O)가 6, Y(Cl)가 7, Z(C 또는 Si)가 4이다. 따라서 원자가 전자 수는 $Y>X>Z$이다.

385 ㄱ. 전기 음성도는 $H<Cl<F$이고, 구성 원자의 전기 음성도 차이는 $HX<HY<HZ$이므로 X~Z는 각각 H, Cl, F이다.

ㄴ. $HX(H_2)$에는 같은 원자 사이의 공유 결합인 무극성 공유 결합이 있다.

ㄷ. HY(HCl)에서 전기 음성도가 큰 Y(Cl)는 부분적인 음전하(δ^-)를 띤다.

386 AB, AC, AD 중 전기 음성도 차이는 AD가 가장 크고 D는 17족 원소이므로 D는 F이고, A는 Na이다. 전기 음성도 차이는 $AB<AC$이므로 B는 H, C는 Cl이다.

ㄱ. AB(NaH)는 금속 원소인 A(Na)와 비금속 원소인 B(H)로 이루어졌으므로 이온 결합 물질이다.

ㄷ. 같은 주기에서 원자 번호가 클수록 원자 반지름이 작아지므로 원자 반지름은 $A(Na)>C(Cl)$이다. 같은 족에서 원자 번호가 클수록 원자 반지름이 커지므로 원자 반지름은 $C(Cl)>D(F)$이다. 1주기 원소인 B(H)는 원자 반지름이 가장 작으므로 원자 반지름은 $A>C>D>B$이다.

바로알기 | ㄴ. 전기 음성도는 주기율표의 오른쪽 위로 갈수록 커지므로 $A<B<C<D$이다.

387 (1) 쌍극자 모멘트의 크기는 부분 전하의 크기와 두 전하 사이의 거리의 곱과 같고 두 전하 사이의 거리는 결합 길이에 해당하므로 AB의 쌍극자 모멘트의 크기를 약 $0.2\times128=25.6$이라고 하면 AC의 쌍극자 모멘트의 크기는 약 $0.4\times93=37.2$이다. 따라서 쌍극자 모멘트의 크기는 $AB<AC$이다.

(2) 전기 음성도는 $H<Cl<F$이므로 전기 음성도 차이가 가장 큰 AC는 HF이다. 원자 반지름은 $H<F<Cl$이므로 화합물의 결합 길이가 가장 긴 BC는 FCl이다. A~C는 각각 H, Cl, F이므로 전기 음성도는 $A(H)<B(Cl)<C(F)$이다.

모범 답안 (1) $AB<AC$, 부분 전하의 크기와 결합 길이의 곱은 쌍극자 모멘트의 크기에 비례하기 때문이다.
(2) $A<B<C$

388 같은 주기의 원소는 원자 번호가 클수록 전기 음성도가 크다. 전기 음성도는 $A<B<C<D<E$이므로 원자 번호는 $A<B<C<D<E$이다. 2주기 원소의 홀전자 수는 다음과 같다.

원소	Li	Be	B	C	N	O	F
홀전자 수	1	0	1	2	3	2	1

A는 Li, B는 Be, C는 C(탄소), D는 N, E는 O이다.

ㄴ. B는 2주기 원소 중 홀전자 수가 0이므로 Be이다.

ㄷ. $CE_2(CO_2)$의 공유 전자쌍 수는 4이고, $D_2(N_2)$의 공유 전자쌍 수는 3이므로 공유 전자쌍 수는 $CE_2(CO_2)$가 $D_2(N_2)$보다 크다.

바로알기 | ㄱ. A(Li)는 1족 원소이다.

389 ㄱ. (다)에서 전기 음성도는 $X<Z$이다. (나)에서 O와 결합한 Z가 부분적인 양전하(δ^+)를 띠므로 전기 음성도는 $O>Z$이다. (가)에서 O와 결합한 Y가 부분적인 음전하(δ^-)를 띠므로 전기 음성도는 $O<Y$이다. 4가지 원소의 전기 음성도는 $X<Z<O<Y$이므로 Y의 전기 음성도가 가장 크다.

ㄴ. 전기 음성도는 $X<O$이므로 (가)와 (나)에서 X는 모두 부분적인 양전하(δ^+)를 띤다.

ㄷ. X, Y, Z는 모두 단일 결합을 하고, 분자를 구성하는 비금속 원소이므로 각각 H, F, Cl 중 하나이다. 전기 음성도는 $H<Cl<F$이므로 X는 H이다. X(H)는 1족 원소이다.

390 ㄱ. X~Z는 분자에서 옥텟 규칙을 만족하고 2개의 원자와 공유 결합하므로 각각 C, N, O 중 하나이다. 전기 음성도는 $C<N<O$이므로 X~Z는 각각 C, N, O이다. (가)의 구조식은 H−C≡C−H이고, (나)의 구조식은 H−N=N−H이며, (다)의 구조식은 H−O−O−H이다. 공유 전자쌍 수는 (가)가 5이고, (나)가 4이다.

ㄴ. 전기 음성도는 X, Y, Z가 모두 H보다 크므로 각 분자에서 X, Y, Z는 모두 부분적인 음전하(δ^-)를 띤다.

ㄷ. 비공유 전자쌍 수는 (가)가 0, (나)가 2, (다)가 4이다. 따라서 비공유 전자쌍 수는 (다)가 가장 크다.

개념 보충

구성 원자가 옥텟 규칙을 만족하는 분자의 공유 전자쌍 수와 비공유 전자쌍 수

구성 원자의 원자가 전자 수의 합(a)과 공유 전자 수를 더하면 구성 원자가 옥텟 규칙을 만족하기 위해서 필요한 전자 수($8n$)와 같으므로 공유 전자 수$=8n-a$, 공유 전자쌍 수$=\frac{8n-a}{2}$이다. 구성 원자의 공유 전자 수와 비공유 전자 수의 합은 구성 원자의 원자가 전자 수의 합(a)과 같으므로 비공유 전자 수$=a-$공유 전자 수$=a-$공유 전자쌍 수$\times2=2a-8n$, 비공유 전자쌍 수$=\frac{2a-8n}{2}$이다.

구성 원자 수	구성 원자의 원자가 전자 수 합	공유 전자쌍 수	비공유 전자쌍 수
n	a	$\frac{8n-a}{2}$	$\frac{2a-8n}{2}$

391 H, O, F 중 2가지 원소로 이루어진 화합물은 H_2O, H_2O_2, HF, OF_2, O_2F_2이다. (나)에서 A와 C의 구성 원자 수비는 2 : 1이고, (다)에서 B와 C의 구성 원자 수비는 2 : 1이므로 (나)와 (다)는 각각 H_2O, OF_2 중 하나이다. (나)와 (다)에서 공통 원소인 C는 O이고, (나)에서 C(O)는 부분적인 양전하(δ^+)를 띠므로 (나)는 OF_2이고, (다)는 H_2O이다. (가)는 A와 B의 구성 원자 수비가 1 : 1이므로 HF이다. 따라서 A~C는 각각 F, H, O이다.

ㄷ. $\frac{\text{비공유 전자쌍 수}}{\text{공유 전자쌍 수}}$는 (가)가 $\frac{3}{1}=3$, (나)가 $\frac{8}{2}=4$, (다)가 $\frac{2}{2}=1$이다. 따라서 $\frac{\text{비공유 전자쌍 수}}{\text{공유 전자쌍 수}}$는 (다)<(가)<(나)이다.

바로알기 | ㄱ. (가)~(다)의 공유 결합은 모두 다른 원자 사이의 공유 결합이므로 무극성 공유 결합을 포함하는 분자는 없다.

ㄴ. A~C는 각각 F, H, O이므로 전기 음성도는 A(F)>C(O)>B(H)이다.

392 O, F, Na, Mg의 전기 음성도는 F>O>Mg>Na이므로 A~D는 각각 Na, Mg, O, F이다.

ㄱ. B(Mg)와 D(F)로 이루어진 화합물의 화학식은 BD_2(MgF_2)이다.

ㄴ. 같은 원자 사이의 공유 결합을 무극성 공유 결합이라고 하고, 다른 원자 사이의 공유 결합을 극성 공유 결합이라고 한다. C_2D_2(O_2F_2)에는 O 원자 사이의 공유 결합이 있으므로 무극성 공유 결합이 있다.

ㄷ. O, F, Na, Mg의 이온의 전자 배치는 모두 같고 원자핵의 전하량은 원자 번호가 작을수록 작으므로 이온 반지름은 B(Mg)<A(Na)<D(F)<C(O)이다.

393 ㉠은 HCl, ㉡은 N_2H_4, ㉢은 C_2H_4이다. ㉠~㉢의 구조식은 다음과 같다.

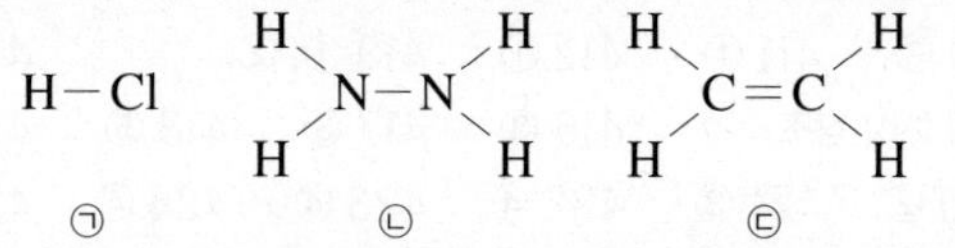

```
          H       H     H       H
           \     /       \     /
H－Cl       N－N          C＝C
           /     \       /     \
          H       H     H       H
  ㉠           ㉡             ㉢
```

ㄱ. ㉡에는 N 원자 사이의 공유 결합이 있고, ㉢에는 C 원자 사이의 공유 결합이 있으므로 무극성 공유 결합이 있는 분자는 ㉡과 ㉢ 2가지이다.

바로알기 | ㄴ. 다중 결합이 있는 분자는 ㉢ 1가지이다.

ㄷ. 분자에서 H와 C에는 비공유 전자쌍이 없고, N와 Cl에는 비공유 전자쌍 수가 각각 1, 3이다. 비공유 전자쌍 수는 ㉠이 3, ㉡이 2, ㉢이 0이다. 따라서 비공유 전자쌍 수가 가장 큰 분자는 ㉠이다.

394 분자에서 H는 부분적인 양전하(δ^+)를 띠므로 O, F, S, Cl의 전기 음성도는 H보다 크다. O, F, S, Cl의 전기 음성도가 클수록 H와의 전기 음성도 차이가 크다. 전기 음성도는 F>O>Cl>S이므로 W~Z는 각각 S, O, Cl, F이다.

ㄴ. W(S)는 3주기 원소이다.

바로알기 | ㄱ. H_aW는 H_2S이므로 $a=2$이고, H_bX는 H_2O이므로 $b=2$이다. H_cY는 HCl이므로 $c=1$이고, H_dZ는 HF이므로 $d=1$이다. 따라서 $b>c$이다.

ㄷ. $\frac{\text{비공유 전자쌍 수}}{\text{공유 전자쌍 수}}$는 H_aW(H_2S)가 $\frac{2}{2}=1$, H_dZ(HF)가 $\frac{3}{1}=3$이다.

395 (가)와 (나)에서 모든 원자는 옥텟 규칙을 만족하므로 원소 A~D는 각각 C, O, N, F 중 하나이다. (나)는 CD_3이고, 이에 해당하는 분자는 NF_3이다. C와 D가 각각 N, F이므로 A와 B는 C, O 중 하나이다. (가)는 AB_2이고, 이에 해당하는 분자는 CO_2이다.

② 원자 번호는 A(C)<C(N)<B(O)<D(F)이다.

③ 비공유 전자쌍 수는 (가)가 4이고, (나)가 10이다. 따라서 비공유 전자쌍 수의 비는 (가) : (나)=4 : 10=2 : 5이다.

⑤ 전기 음성도는 A(C)<C(N)<B(O)<D(F)이므로 (가)에서 중심 원자인 A(C)와 (나)에서 중심 원자인 C(N)는 모두 부분적인 양전하(δ^+)를 띤다.

⑥ 결합의 쌍극자 모멘트의 합이 0이면 무극성 분자이고, 0보다 크면 극성 분자이다. (가)는 무극성 분자이므로 쌍극자 모멘트 합이 0이고, (나)는 극성 분자이므로 쌍극자 모멘트 합이 0보다 크다. 따라서 쌍극자 모멘트 합은 (가)<(나)이다.

바로알기 | ① (가)에는 다른 원자 사이의 공유 결합만 있으므로 무극성 공유 결합이 없다.

④ (가)에는 C와 O 사이에 2중 결합이 있지만, (나)에는 N와 F 사이에 단일 결합만 있다.

개념 보충

분자의 쌍극자 모멘트

• 무극성 분자: 분자의 쌍극자 모멘트(쌍극자 모멘트의 합)가 0이다. 예를 들어 CO_2는 결합의 쌍극자 모멘트가 0이 아니지만 쌍극자 모멘트의 합이 0이므로 무극성 분자이다.

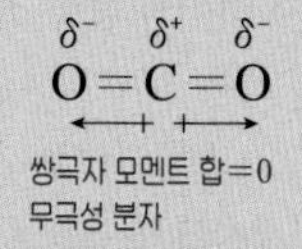

δ^- δ^+ δ^-
O＝C＝O
쌍극자 모멘트 합=0
무극성 분자

• 극성 분자: 분자의 쌍극자 모멘트(쌍극자 모멘트의 합)가 0보다 크다.

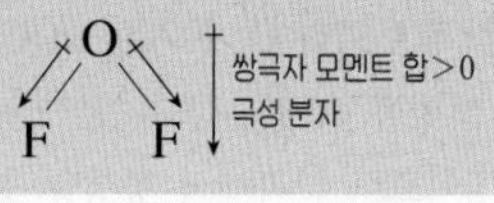

O
F F
쌍극자 모멘트 합>0
극성 분자

396 ㉦은 홀전자 수가 1이고 홀전자 수가 2인 ㉥보다 전기 음성도가 크므로 Cl이다. ㉣은 ㉦과 같은 족인 2주기 원소이므로 F이다. ㉠, ㉡은 2주기 원소이고, 홀전자 수가 1이므로 각각 Li, B 중 하나이다. 전기 음성도는 Li<B이므로 ㉠은 B, ㉡은 Li이다. ㉤은 홀전자 수가 1이고, 전기 음성도가 ㉡보다 크고, ㉠보다 작으므로 Al이다. ㉥은 ㉦보다 전기 음성도가 작고 홀전자 수가 2이므로 Si 또는 S이고, ㉢은 ㉥과 같은 족 원소이므로 C 또는 O이다.

ㄱ. ㉤은 Al, ㉡은 Li이므로 b=13, c=1이고 b+c=14이다.

ㄴ. 전기 음성도는 C(또는 O)<F이므로 ㉢<㉣이다.

ㄷ. ㉡㉣은 LiF이고, ㉡㉦은 LiCl이다. 구성 원소의 전기 음성도 차이가 클수록 결합의 이온성이 커진다. 전기 음성도는 Li<Cl<F이므로 결합의 이온성은 ㉡㉣>㉡㉦이다.

397 ② H, B, N, O, F, Na의 원자가 전자 수는 각각 1, 3, 5, 6, 7, 1이다. N_2의 루이스 전자점식은 ②와 같다.

바로알기 | ①, ③, ④, ⑤의 루이스 전자점식은 다음과 같다.

① H : H ③ $[Na]^+[:\ddot{\underset{..}{F}}:]^-$ ④ H : B : H (B 아래 : H) ⑤ $:\ddot{\underset{..}{F}}:\ddot{\underset{..}{O}}:\ddot{\underset{..}{F}}:$

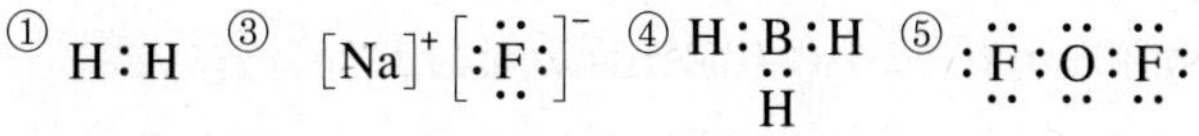

398 전기 음성도는 H<Cl이므로 HCl에서 H는 부분적인 양전하(δ^+)를 띠고, Cl는 부분적인 음전하(δ^-)를 띤다. 쌍극자 모멘트를 화살표로 나타낼 때에는 화살표가 부분적인 음전하(δ^-)를 띠는 부분을 향하도록 그려준다.

답 ⟶
H－Cl

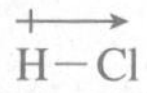

399 H, C, N, F의 원자가 전자 수는 각각 1, 4, 5, 7이므로 C_2F_4와 HCN의 루이스 전자점식은 다음과 같다.

답

분자	C_2F_4	HCN
루이스 전자점식	$:\ddot{F}::\ddot{F}:$ / $:\ddot{\underset{..}{F}}:\ddot{C}::\ddot{C}:\ddot{\underset{..}{F}}:$	H:C⋮⋮N:

400 (가)의 전하가 -1이므로 (가)는 AB에 전자 1개가 추가되어 만들어진 이온이다. A는 원자가 전자 수가 6인 O이고, B는 원자가 전자 수가 1인 H이다. BC에서 C의 원자가 전자 수가 7이므로 C는 F이다. 따라서 (가)는 OH^-이고, (나)는 HF이다.
ㄴ. 1 mol에 들어 있는 전자의 양(mol)은 (가)와 (나)가 10 mol로 같다.
ㄷ. $AC_2(OF_2)$의 $\frac{\text{비공유 전자쌍 수}}{\text{공유 전자쌍 수}}=\frac{8}{2}=4$이다.
바로알기 | ㄱ. A(O)는 16족 원소이다.

401 (가)는 H_2O, (나)는 CO_2이므로 A~C는 각각 H, O, C이다.
① A(H)는 1족 원소이다.
② $B_2(O_2)$에는 2중 결합이 있으므로 다중 결합이 있다.
③ A~C의 원자가 전자 수의 합은 $1+6+4=11$이다.
⑤ $C_2A_2(C_2H_2)$에는 C 원자 사이의 공유 결합이 있으므로 무극성 공유 결합이 있다.
바로알기 | ④ 원자 반지름은 A(H)<B(O)<C(C)이다.
⑥ 공유 전자쌍 수는 (가)가 2이고, (나)가 4이다.

402 ㄱ. A~D는 각각 C, N, O, F이다. A(C)는 원자가 전자 수가 4이므로 분자에서 형성할 수 있는 공유 전자쌍 수가 4이다. B(N)는 원자가 전자 수가 5이므로 분자에서 형성할 수 있는 공유 전자쌍 수가 3이다. C(O)는 원자가 전자 수가 6이므로 분자에서 형성할 수 있는 공유 전자쌍 수가 2이다. D(F)는 원자가 전자 수가 7이므로 분자에서 형성할 수 있는 공유 전자쌍 수가 1이다. 따라서 형성할 수 있는 공유 전자쌍 수는 A가 가장 크다.
ㄴ. A(C) 1개와 C(O)로 이루어진 화합물은 $AC_2(CO_2)$이므로 $x=2$이다. A(C) 1개와 D(F)로 이루어진 화합물은 $AD_4(CF_4)$이므로 $y=4$이다. 따라서 $2x=y$이다.
ㄷ. 분자에서 N, O, F에 있는 비공유 전자쌍 수는 각각 1, 2, 3이므로 $B_2D_2(N_2F_2)$에서 비공유 전자쌍 수는 $2\times1+2\times3=8$이고, $CD_2(OF_2)$에서 비공유 전자쌍 수는 $2+2\times3=8$이다.

403 모범 답안 MgO, A~D는 각각 Na, Mg, O, F이므로 만들 수 있는 이온 결합 화합물은 NaF, Na_2O, MgO, MgF_2이다. 이온 결합 물질에서 이온의 전하량이 가장 큰 것은 MgO이므로 녹는점은 MgO이 가장 높다.

17 분자의 구조

빈출 자료 보기 115쪽

404 (1) ○ (2) ○ (3) ○ (4) × (5) ○ (6) × (7) ×

404 한 원자의 공유 전자쌍은 다른 원자와 전자를 1개씩 공유하여 이루어지고, 비공유 전자쌍은 공유하지 않은 전자 2개로 이루어진다. 중심 원자에 있는 (공유 전자쌍 수)+(비공유 전자쌍 수×2)는 중심 원자의 원자가 전자 수와 같다. (가)는 중심 원자의 원자가 전자 수가 2이므로 $BeCl_2$이다. (나)는 중심 원자의 원자가 전자 수가 4이므로 CCl_4이다. (다)는 중심 원자의 원자가 전자 수가 6이므로 OCl_2이다.
바로알기 | (4) (나)의 구조는 정사면체이므로 결합각이 109.5°이고, (다)의 구조는 굽은 형이므로 결합각이 약 104.5°이다. 따라서 결합각은 (나)>(다)이다.
(6) (가)에서 Be의 공유 전자쌍 수는 2, 비공유 전자쌍 수는 0이므로 Be의 가장 바깥 전자 껍질의 전자 수는 4이다. 따라서 (가)의 중심 원자는 옥텟 규칙을 만족하지 않는다.
(7) Cl는 비공유 전자쌍 수가 3이므로 분자의 비공유 전자쌍 수는 중심 원자의 비공유 전자쌍 수+Cl의 비공유 전자쌍 수이다. (가)의 비공유 전자쌍 수는 $2\times3=6$이고, (나)의 비공유 전자쌍 수는 $4\times3=12$이다. (다)의 비공유 전자쌍 수는 $2+2\times3=8$이다. (가)의 $\frac{\text{비공유 전자쌍 수}}{\text{공유 전자쌍 수}}=\frac{6}{2}=3$, (나)의 $\frac{\text{비공유 전자쌍 수}}{\text{공유 전자쌍 수}}=\frac{12}{4}=3$, (다)의 $\frac{\text{비공유 전자쌍 수}}{\text{공유 전자쌍 수}}=\frac{8}{2}=4$이다.

난이도별 필수 기출 116~123쪽

405 ③, ⑤		406 ①	407 ③	408 ②	409 ③
410 ③	411 ①	412 ①	413 ①, ②		414 ③
415 해설 참조		416 ③	417 ③	418 ⑤	419 ①
420 ②	421 ③	422 ④	423 ④	424 ④	425 ②
426 ③	427 ⑤	428 ③	429 ③	430 ①	431 ②
432 ④	433 ③	434 ②	435 ④	436 ④	

405 ③ 중심 원자의 공유 전자쌍 수가 2일 때, 분자 구조는 직선형 또는 굽은 형이므로 모든 구성 원자는 동일 평면에 존재한다.
⑤ 전자쌍 사이의 반발력은 비공유 전자쌍−비공유 전자쌍>비공유 전자쌍−공유 전자쌍>공유 전자쌍−공유 전자쌍이므로 중심 원자에 비공유 전자쌍 수가 클수록 전자쌍 사이의 반발력이 커져서 공유 전자쌍 사이의 결합각이 작아진다.
바로알기 | ① 전자쌍들은 반발력이 최소가 되는 방향으로 배치된다.
② 비공유 전자쌍 사이의 반발력이 공유 전자쌍 사이의 반발력보다 크다.
④ 중심 원자의 공유 전자쌍 수가 같더라도 비공유 전자쌍 수가 다르면 분자의 구조가 다르다.

406 ㄱ. CH_4의 중심 원자에 공유 전자쌍 수가 4이고, CH_4은 정사면체 구조이므로 결합각이 109.5°이다. NH_3의 중심 원자에 공유 전자쌍 수가 3, 비공유 전자쌍 수가 1이고, NH_3는 삼각뿔형 구조이므로 결합각이 107°이다. 결합각은 CH_4>NH_3이다.
바로알기 | ㄴ. NH_3에 비공유 전자쌍 수가 1뿐이므로 ㉡은 비공유 전자쌍이 될 수 없고, 공유 전자쌍이다. ㉢은 공유 전자쌍이다.
ㄷ. BeH_2과 BH_3에는 공유 전자쌍만 있으므로 BeH_2과 BF_3의 결합각 차이는 (나)가 아닌 공유 전자쌍 사이의 반발력 때문이다.

407 ㄱ. X가 C일 때 분자식은 CH_4이고, 결합각이 109.5°이다. X가 N일 때 분자식은 NH_3이고, 결합각이 107°이다. X가 O일 때 분자식은 H_2O이고, 결합각이 104.5°이다. X가 O일 때 결합각이 가장 작다.
ㄷ. CH_4, NH_3, H_2O에 있는 극성 공유 결합 수는 각각 4, 3, 2이므로 극성 공유 결합 수가 가장 큰 화합물은 CH_4이다.

바로알기 | ㄴ. CH_4은 정사면체 구조이고, NH_3는 삼각뿔형 구조이므로 모두 입체 구조이며, H_2O은 굽은 형 구조이므로 평면 구조이다. 모든 공유 전자쌍이 동일 평면에 위치하는 분자는 H_2O 1가지이다.

개념 보충

CH_4, NH_3, H_2O의 분자 모형과 결합각

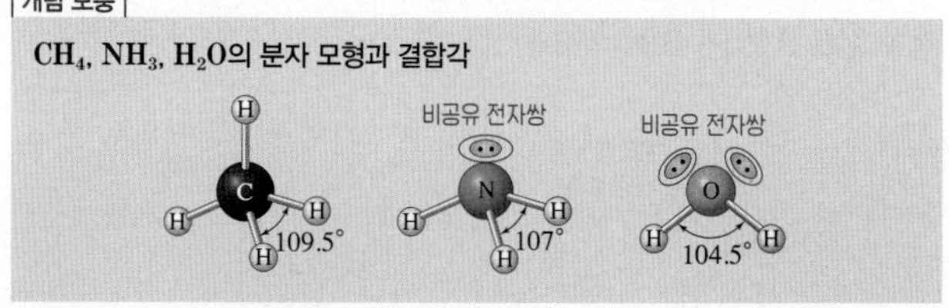

408 ① A~D는 각각 C, N, O, F이므로 전기 음성도는 A(C)<B(N)<C(O)<D(F)이다.

③ 결합각을 구할 때 다중 결합은 단일 결합처럼 생각한다. $AC_2(CO_2)$에서 C에는 2중 결합이 2개 있으므로 결합각을 구할 때 C에 단일 결합이 2개 있는 것과 같으므로 결합각이 180°이다. $A_2D_2(C_2F_2)$의 구조는 $F-C\equiv C-F$이고, C에 단일 결합이 2개 있는 것과 같으므로 결합각이 180°이다. $AC_2(CO_2)$와 $A_2D_2(C_2F_2)$는 결합각이 180°이므로 모두 직선형 구조이다.

④ $AD_4(CF_4)$는 정사면체 구조이므로 결합각이 109.5°이고, $CD_2(OF_2)$는 굽은 형 구조이므로 결합각이 약 104.5°이다. 따라서 결합각은 $AD_4(CF_4)>CD_2(OF_2)$이다.

⑤ $BD_3(NF_3)$에서 N에 공유 전자쌍 수가 3, 비공유 전자쌍 수가 1이므로 $BD_3(NF_3)$의 구조는 삼각뿔형이다.

⑥ $ACD_2(COF_2)$의 구조식은 다음과 같다.

```
     :O:
      ||
  ..      ..
 :F - C - F:
  ..      ..
```

$ACD_2(COF_2)$의 $\dfrac{\text{비공유 전자쌍 수}}{\text{공유 전자쌍 수}}=\dfrac{8}{4}=2$이다.

바로알기 | ② $AC_2(CO_2)$의 공유 전자쌍 수는 4이고, $CD_2(OF_2)$의 공유 전자쌍 수는 2이다.

409 X~Z는 각각 C, O, F이다. (가)를 구성하는 원자는 C, O이고, 3원자 분자이므로 $XY_2(CO_2)$이다. (나)를 구성하는 원자는 O, F이고, 3원자 분자이므로 $YZ_2(OF_2)$이다.

ㄱ. 분자 1 mol에 들어 있는 Y(O) 원자 수는 (가)에서 $2\times N_A$이고, (나)에서 $1\times N_A$이다.

ㄷ. (가)에서 O의 비공유 전자쌍 수가 2이므로 비공유 전자쌍 수는 $2\times2=4$이다. (나)에서 O의 비공유 전자쌍 수가 2, F에 비공유 전자쌍 수가 3이므로 비공유 전자쌍 수는 $2+2\times3=8$이다. 따라서 비공유 전자쌍 수는 (나)가 (가)의 2배이다.

바로알기 | ㄴ. (가)는 직선형 구조이고, (나)는 굽은 형 구조이므로 결합각은 (가)가 180°, (나)가 약 104.5°이다. 따라서 결합각은 (가)>(나)이다.

410 바닥상태 전자 배치는 A가 $1s^22s^22p^3$, B가 $1s^22s^22p^4$, C가 $1s^22s^22p^63s^23p^5$이다. A~C는 각각 N, O, Cl이다.

ㄱ. $BC_2(OCl_2)$의 구조는 굽은 형이다.

ㄴ. $\dfrac{\text{비공유 전자쌍 수}}{\text{공유 전자쌍 수}}$는 $B_2(O_2)$가 $\dfrac{4}{2}=2$이고, $A_2C_2(N_2Cl_2)$가 $\dfrac{8}{4}=2$이다.

바로알기 | ㄷ. $A_2C_2(N_2Cl_2)$에서 A(N)에는 비공유 전자쌍이 있으므로 ∠AAC(NNCl)은 180°보다 작다.

411 N와 H로 이루어진 4원자 분자는 NH_3, N_2H_2이다. NH_3는 N 1개와 H 3개로 구성되고, N_2H_2는 N 2개와 H 2개로 구성되므로 일정량의 N와 결합한 H의 질량비는 $NH_3:N_2H_2=3:1$이다. 따라서 (가)는 N_2H_2, (나)는 NH_3이다. (다)는 N와 H로 이루어진 6원자 분자이고, 일정량의 N와 결합한 H의 질량이 (가)의 2배이므로 N_2H_4이다.

ㄱ. 같은 원자 사이의 공유 결합을 무극성 공유 결합이라고 한다. 무극성 공유 결합이 존재하는 분자는 (가)와 (다)이다.

바로알기 | ㄴ. 비공유 전자쌍 수는 (가)가 2이고, (나)가 1이다. 따라서 비공유 전자쌍 수는 (가)>(나)이다.

ㄷ. (가)는 N 원자와 N 원자가 2중 결합으로 연결되고, N 원자에 비공유 전자쌍이 1개 있으므로 굽은 형 구조를 이루어서 평면 구조이다. (다)는 N와 공유 결합한 2개의 H와 1개의 N가 삼각뿔형 구조를 이루므로 입체 구조이다.

412 H_3O^+에서 O는 공유 전자쌍 수가 3, 비공유 전자쌍 수가 1이므로 결합각이 약 107°이다. NH_4^+에서 N는 공유 전자쌍 수가 4이므로 결합각이 109.5°이다. NO_2^+에서 N는 전자 1개를 잃은 상태에서 O 2개와 공유 결합했으므로 NO_2^+의 구조는 CO_2와 같은 직선형 구조이다. NO_2^+의 결합각은 180°이므로 결합각은 $H_3O^+<NH_4^+<NO_2^+$이다.

413 ③ H_2S와 NOF은 중심 원자에 비공유 전자쌍이 있으므로 굽은 형 구조이다. 따라서 구조가 굽은 형인 분자는 H_2S, NOF 2가지이다.

④ 같은 원자 사이의 공유 결합을 무극성 공유 결합이라고 한다. C_2H_4에서 C 원자 사이에 공유 결합이 있으므로 무극성 공유 결합이 존재하는 분자는 C_2H_4 1가지이다.

⑤ 분자에서 H와 Be은 가장 바깥 전자 껍질에 전자 수가 각각 2, 4이므로 옥텟 규칙을 만족하지 않는다. 따라서 구성 원자가 모두 옥텟 규칙을 만족하는 분자는 CF_4, NOF 2가지이다.

⑥ $\dfrac{\text{비공유 전자쌍 수}}{\text{공유 전자쌍 수}}$는 CF_4가 $\dfrac{12}{4}=3$, H_2S가 $\dfrac{2}{2}=1$이다.

바로알기 | ① 평면 구조인 분자는 H_2S, C_2H_4, NOF, BeH_2 4가지이다.

② 결합각이 180°인 분자는 직선형 구조인 BeH_2뿐이다.

414

BF_3 (가) + NH_3 (나) ⟶ NH_3BF_3 (다)

120° α, β 107°, 약 109.5° γ

(가): 공유 전자쌍 수가 3이므로 결합각이 120°이다.

(나): 공유 전자쌍 수가 3, 비공유 전자쌍 수가 1이므로 결합각이 107°이다.

(다): 공유 전자쌍 수가 4이므로 결합각이 약 109.5°이다.

ㄱ. (가)는 평면 삼각형 구조, (나)는 삼각뿔형 구조이다. (다)에서 B와 N에는 모두 공유 전자쌍 수가 4이므로 B와 N의 공유 전자쌍은 모두 사면체 구조를 이룬다. (가)는 평면 구조, (나)와 (다)는 입체 구조이다.

ㄷ. NH_3BF_3에서 B와 N는 공유 전자쌍 수가 4이고, F은 공유 전자쌍 수가 1, 비공유 전자쌍 수가 3이므로 모두 옥텟 규칙을 만족한다.

바로알기 | ㄴ. 전기 음성도는 B<F, H<N이므로 (다)에서 B는 부분적인 양전하(δ^+)를 띠고, N는 부분적인 음전하(δ^-)를 띤다.

개념 보충

배위 결합
공유 결합은 한 원자와 다른 원자가 전자를 1개씩 공유하여 이루어지지만, 배위 결합은 한 원자가 다른 원자에게 전자 2개를 공유하면서 이루어지는 결합이다. 즉 배위 결합은 한 원자가 다른 원자에게 비공유 전자쌍을 일방적으로 제공하면서 이루어진다.

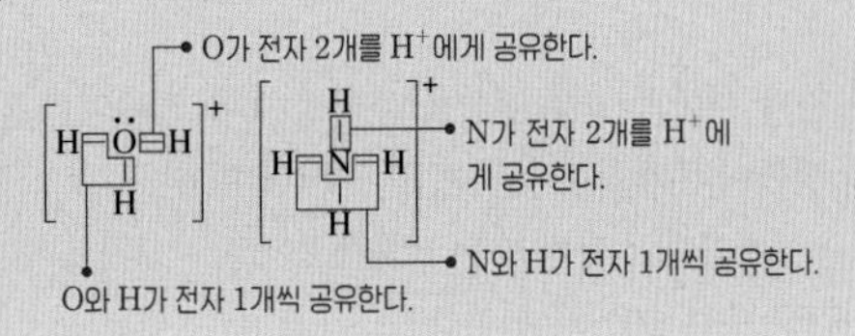

415 모범 답안 $\alpha > \gamma > \beta$, BF_3는 평면 삼각형 구조이므로 결합각 α는 120°, NH_3는 삼각뿔형 구조이므로 결합각 β는 107°, NH_3BF_3에서 중심 원자 B에 있는 공유 전자쌍은 사면체 구조를 이루므로 결합각 γ는 약 109.5°이다.

416 왼쪽에 있는 C에는 공유 전자쌍 수가 4이므로 α는 약 109.5°이다. 결합각을 구할 때 다중 결합은 단일 결합처럼 생각한다. 중앙에 있는 C에는 공유 전자쌍 수가 3인 것과 같으므로 β는 약 120°이다. N에는 공유 전자쌍 수가 3, 비공유 전자쌍 수가 1이므로 γ는 약 107°이다. 따라서 결합각 크기는 $\beta > \alpha > \gamma$이다.

417 전자가 들어 있는 전자 껍질 수는 X와 Y가 같고, Z가 가장 크므로 X와 Y는 2주기 원소이고, Z는 3주기 원소이다. 2주기 원소 중 3개의 원자와 공유 결합하는 원자는 B와 N이고, 3주기 원소 중 단일 결합을 하는 원자는 Cl이다. (가)와 (나)는 각각 BCl_3, NCl_3 중 하나이고, 결합각은 BCl_3가 120°, NCl_3가 약 107°이다. 결합각은 $\alpha < \beta$이므로 (가)는 NCl_3, (나)는 BCl_3이다.
ㄱ. (가)의 비공유 전자쌍 수는 10, (나)의 비공유 전자쌍 수는 9이다.
ㄴ. (나)는 평면 삼각형 구조이다.
바로알기 | ㄷ. X~Z는 각각 N, B, Cl이므로 원자가 전자 수는 각각 5, 3, 7이다. 따라서 원자가 전자 수는 Y(B)가 가장 작다.

418 ㄱ. H_2O에는 공유 전자쌍 수가 2, 비공유 전자쌍 수가 2이므로 H_2O의 결합각은 104.5°이다. H_3O^+에는 공유 전자쌍 수가 3, 비공유 전자쌍 수가 1이므로 H_3O^+의 결합각은 약 107°이다.
ㄴ. 다른 원자 사이의 공유 결합을 극성 공유 결합이라고 한다. 극성 공유 결합 수는 H_2O이 2, H_3O^+이 3이다.
ㄷ. $\frac{\text{공유 전자쌍 수}}{\text{비공유 전자쌍 수}}$는 H_2O이 $\frac{2}{2}=1$이고, H_3O^+이 $\frac{3}{1}=3$이다.

419 ㄱ. H_2O의 결합각 α는 104.5°이다. H_2CO_3에서 C는 3개의 공유 결합을 하는 것과 같으므로 결합각 β는 약 120°이다. 결합각은 $\alpha < \beta$이다.
바로알기 | ㄴ. H_2O은 굽은 형 구조이고, CO_2는 직선형 구조이다. 따라서 반응물은 2가지 모두 평면 구조이다.
ㄷ. H_2CO_3의 구조에서 같은 원자 사이의 결합이 없으므로 H_2CO_3에는 무극성 공유 결합이 없다.

420 (가)는 OH^-이고, (나)는 H_2O이므로 A와 B는 각각 O, H이다.
ㄷ. $B_2A_2(H_2O_2)$의 구조는 H−O−O−H이므로 $\frac{\text{비공유 전자쌍 수}}{\text{공유 전자쌍 수}} = \frac{4}{3} > 1$이다.

바로알기 | ㄱ. (나)에서 A(O)에 비공유 전자쌍이 있으므로 (나)의 구조는 굽은 형이다.
ㄴ. A(O)는 원자 번호가 8이므로 전자 수가 $8 \times N_A$이고, B(H)는 원자 번호가 1이므로 전자 수가 $1 \times N_A$이다. 원자 1 mol에 들어 있는 전자 수는 A(O)가 B(H)의 8배이다.

421

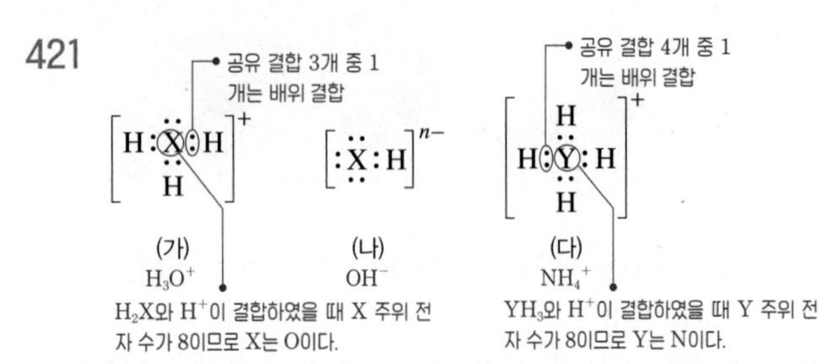

ㄱ. (가)는 H_3O^+이므로 X는 O이다. X(O)의 원자가 전자 수는 6이고, H의 원자가 전자 수는 1이므로 (나)는 OH^-이고, $n=1$이다.
ㄷ. (가)는 H_3O^+, (다)는 NH_4^+이고, Y는 N이다. (가)는 중심 원자에 공유 전자쌍 수가 3, 비공유 전자쌍 수가 1이므로 (가)는 삼각뿔형 구조이다. (다)는 중심 원자에 공유 전자쌍 수가 4이므로 정사면체 구조이다.
바로알기 | ㄴ. 원자가 전자 수는 X(O) > Y(N)이다.

422 ㄴ. (가)는 HCN, (나)는 CH_2O이다. (가)는 직선형 구조이고, (나)는 평면 삼각형 구조이므로 모두 평면 구조이다.
ㄷ. (가)의 결합각은 180°이고, (나)의 결합각은 약 120°이다. 따라서 결합각은 (가) > (나)이다.
바로알기 | ㄱ. $\frac{\text{비공유 전자쌍 수}}{\text{공유 전자쌍 수}}$는 (가)가 $\frac{1}{4}$이고, (나)가 $\frac{2}{4}=\frac{1}{2}$이다. 따라서 $\frac{\text{비공유 전자쌍 수}}{\text{공유 전자쌍 수}}$는 (가) < (나)이다.

423 ㄴ. (가)와 (나)에서 X는 공유 전자쌍 수가 4이므로 C이고, (다)에서 Y는 공유 전자쌍 수가 2이므로 O이다. (나)에서 X는 비공유 전자쌍이 없고 결합하는 2개의 H, 1개의 X가 평면 삼각형 구조를 이룬다. (나)의 ∠HXX는 약 120°이다. (다)에서 옥텟 규칙을 만족하는 Y는 1개의 H, 1개의 Y와 결합하고 비공유 전자쌍 수가 2이므로 굽은 형 구조를 이룬다. ∠HYY는 약 104.5°이다.
ㄷ. $XH_2Y_2(CH_2O_2)$의 구조식은 다음과 같다.

$$
\begin{array}{c} :\!Y\!: \\ \| \\ H-X-\ddot{\underset{..}{Y}}-H \end{array}
$$

$XH_2Y_2(CH_2O_2)$의 공유 전자쌍 수는 5이다.
바로알기 | ㄱ. (가)는 평면 삼각형 구조이므로 평면 구조이다. (나)에서 X는 비공유 전자쌍이 없고 결합하는 2개의 H, 1개의 X가 평면 삼각형 구조를 이루므로 (나)는 평면 구조이다. (다)는 다음과 같이 H−O−O와 O−O−H가 서로 다른 평면에 위치하므로 입체 구조이다.

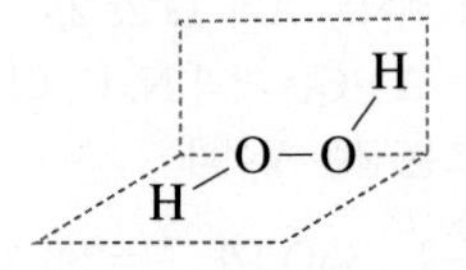

424 (나)는 O=C=O, F−O−F가 가능하고, (가)는 H−C≡C−H, H−N=N−H, H−O−O−H가 가능하다. 결합각은 $\alpha < \beta$이므로 (가)는 H−N=N−H이고, (나)는 O=C=O이다.

X~Z는 각각 N, C, O이고, (다)의 구조식은 H−C≡N이다.

ㄴ. (가)는 N 원자와 N 원자가 2중 결합으로 연결되고, N 원자의 비공유 전자쌍 수는 1이므로 굽은형 구조를 이루어서 평면 구조이다. (나)와 (다)는 직선형 구조이므로 모두 평면 구조이다.

ㄷ. $\frac{\text{비공유 전자쌍 수}}{\text{공유 전자쌍 수}}$는 (가)가 $\frac{2}{4}=\frac{1}{2}$, (나)가 $\frac{4}{4}=1$, (다)가 $\frac{1}{4}$이다.

따라서 (가)~(다) 중 $\frac{\text{비공유 전자쌍 수}}{\text{공유 전자쌍 수}}$는 (다)가 가장 작다.

바로알기 | ㄱ. Y는 C(탄소)이다.

425 (가)는 공유 전자쌍 수가 3, 비공유 전자쌍 수가 1이므로 X는 N이고 분자식이 $XH_3(NH_3)$이다. (나)는 공유 전자쌍 수와 비공유 전자쌍 수가 같으므로 공유 전자쌍 수와 비공유 전자쌍 수가 2이다. Y는 O이고, (나)는 분자식이 $H_2Y(H_2O)$이다. (다)는 공유 전자쌍 수가 1, 비공유 전자쌍 수가 3이므로 Z는 F이고, 분자식이 HZ(HF)이다.

ㄷ. (가)는 삼각뿔형 구조이고, (나)는 굽은 형 구조이며, (다)는 직선형 구조이다. 따라서 입체 구조인 분자는 (가) 1가지이다.

바로알기 | ㄱ. $a=3$, $b=2$, $c=1$이므로 $a>b>c$이다.

ㄴ. (가)의 결합각은 107°이고, (나)의 결합각은 104.5°이다. 따라서 결합각은 (가)>(나)이다.

426 분자에서 X~Z에 있는 비공유 전자쌍 수를 각각 x, y, z라고 하면 (가)에서 $x+y+2z=8$, (나)에서 $x+4z=12$, (다)에서 $y+2z=8$이다. 이 식을 풀면 $x=0$, $y=2$, $z=3$이다. X~Z는 각각 C, O, F이다. (가)~(다)는 각각 COF_2, CF_4, OF_2이다.

ㄱ. 공유 전자쌍 수는 (가)가 4, (나)가 4이다.

ㄷ. (가)는 평면 삼각형 구조, (나)는 정사면체 구조, (다)는 굽은 형 구조이다. 따라서 입체 구조는 (나) 1가지이다.

바로알기 | ㄴ. 결합각은 (나)가 109.5°, (다)가 약 104.5°이다. 따라서 결합각은 (나)>(다)이다.

427 C, N, F 중 2가지 원자가 1 : 1의 개수비로 결합한 분자의 분자식은 C_2N_2(N≡C−C≡N), C_2F_2(F−C≡C−F), N_2F_2(F−N=N−F)가 가능하다. 비공유 전자쌍 수는 C_2N_2가 2, C_2F_2가 6, N_2F_2가 8이므로 (가)와 (나)에 해당하는 분자는 각각 N_2F_2, C_2F_2이다.

ㄱ. (가)는 N 원자 사이에 2중 결합이 있어 각 N 원자와 공유 결합한 2개의 원자가 굽은 형 구조를 이루므로 평면 구조이다. C_2F_2는 직선형 구조이므로 평면 구조이다.

:F̤̈/N̈=N̈\F̤̈:　　　:F̤̈−C≡C−F̤̈:

(가)　　　(나)

ㄴ. (가)와 (나)의 공통 원소인 Y는 F이고, X와 Z는 각각 N, C이다. 전기 음성도는 Y(F)>X(N)>Z(C)이므로 (가)와 (나)에서 Y(F)는 모두 부분적인 음전하(δ^-)를 띤다.

ㄷ. (가)의 공유 전자쌍 수는 4이고, (나)의 공유 전자쌍 수는 5이다. $a=4$, $b=5$이므로 $b-a=1$이다.

428 ㄱ, ㄴ. (가)는 H_2O, (나)는 PH_3, (다)는 CH_2Cl_2, (라)는 CO_2이다. (가)는 굽은 형 구조, (나)는 삼각뿔형 구조, (다)는 사면체 구조, (라)는 직선형 구조이므로 평면 구조는 (가)와 (라)이고, 입체 구조는 (나)와 (다)이다.

바로알기 | ㄷ. (다)에서 Cl의 비공유 전자쌍 수는 3이므로 (다)의 비공유 전자쌍 수는 2×3=6이다. (라)에서 O의 비공유 전자쌍 수는 2이므로 (라)의 비공유 전자쌍 수는 2×2=4이다. 비공유 전자쌍 수의 비는 (다) : (라)=6 : 4=3 : 2이다.

429 HCN, NH_3, NF_3의 공유 전자쌍 수(a), 비공유 전자쌍 수(b), 공유 전자쌍 수와 비공유 전자쌍 수의 차의 절댓값($|a-b|$)은 다음과 같다.

분자	HCN	NH_3	NF_3
공유 전자쌍 수(a)	4	3	3
비공유 전자쌍 수(b)	1	1	10
$\|a-b\|$	3	2	7

(가)~(다)는 각각 NH_3, NF_3, HCN이다.

ㄱ. (가)와 (나)는 삼각뿔형 구조이고, (다)는 직선형 구조이다.

ㄴ. 결합각은 (가)와 (나)가 약 107°, (다)가 180°이다. 따라서 (가)~(다) 중 결합각은 (다)가 가장 크다.

바로알기 | ㄷ. $\frac{\text{비공유 전자쌍 수}}{\text{공유 전자쌍 수}}$는 (가)가 $\frac{1}{3}$, (나)가 $\frac{10}{3}$, (다)가 $\frac{1}{4}$이다. 따라서 (가)~(다) 중 $\frac{\text{비공유 전자쌍 수}}{\text{공유 전자쌍 수}}$는 (다)가 가장 작다.

430 X가 C인 화합물의 분자식은 C_2H_2이고, X가 N인 화합물의 분자식은 N_2H_2이며, X가 O인 화합물의 분자식은 H_2O_2이다.

ㄱ. C_2H_2에서 C는 비공유 전자쌍이 없고, N_2H_2에서 N는 비공유 전자쌍 수가 1이며, H_2O_2에서 O에는 비공유 전자쌍 수가 2이다. 반발력은 비공유 전자쌍−비공유 전자쌍>비공유 전자쌍−공유 전자쌍>공유 전자쌍−공유 전자쌍이므로 결합각은 $x>y>z$이다.

바로알기 | ㄴ. N_2H_2의 공유 전자쌍 수는 4이고, H_2O_2의 공유 전자쌍 수는 3이다.

ㄷ. ㉠과 ㉡은 평면 구조이고, ㉢은 입체 구조이다.

431 3가지 분자의 비공유 전자쌍 수는 3, 4, 6이므로 분자식이 X_2인 (가)와 Z_2인 (다)는 비공유 전자쌍 수가 각각 4, 6 중 하나이다. X_2와 Z_2는 각각 O_2, F_2 중 하나이다. 분자식이 XY(또는 YX)인 (나)의 공유 전자쌍 수가 3이므로 (나)의 분자식은 HF이고, X와 Y는 각각 F, H이다. Z는 O이다.

ㄴ. 공유 전자쌍 수는 (가)가 1이고, (다)가 2이다. 따라서 공유 전자쌍 수는 (가)<(다)이다.

바로알기 | ㄱ. 원자가 전자 수는 Y(H)가 1, Z(O)가 6이다. 따라서 원자가 전자 수는 Y<Z이다.

ㄷ. 분자 YZX(HOF)에서 중심 원자인 O에 비공유 전자쌍이 있으므로 YZX(HOF)의 구조는 굽은 형이다.

432 C와 H는 각각 공유 전자쌍 수가 4, 1이다. 공유 전자쌍 수가 6인 X의 분자식은 C_2H_4이다.

ㄴ. X에서 C는 2개의 H와 단일 결합, 1개의 C와 2중 결합을 하므로 C에 공유 결합한 원자는 평면 삼각형 구조를 이룬다. 따라서 X는 평면 구조이다.

ㄷ. X에서 ∠HCH는 약 120°이다. Y는 분자식이 C_2H_6이고, C는 3개의 H, 1개의 C와 단일 결합을 하므로 C에 공유 결합한 원자는 사면체 구조를 이룬다. Y에서 ∠HCH의 크기는 약 109.5°이다. 따라서 결합각은 X>Y이다.

바로알기 | ㄱ. $a=2$, $b=4$, $c=7$이므로 $a+b<c$이다.

개념 보충

탄화수소의 공유 전자쌍 수

- 분자식이 C_nH_{2n+2}인 분자의 공유 전자쌍 수: 그림과 같이 C 원자에 공유 전자쌍이 3개씩 존재하고, 마지막에 공유 전자쌍이 1개 추가되므로 공유 전자쌍 수는 $3n+1$이다.

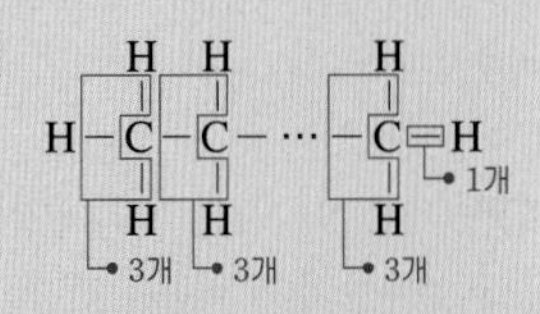

- 분자식이 C_nH_{2n}인 분자의 공유 전자쌍 수 : C_nH_{2n+2}에서 H 원자 2개가 빠져나가면 C_nH_{2n}이 된다. H 원자 2개가 빠져나가면 공유 전자쌍 수가 2개 감소하지만, C 원자 사이에 2중 결합이 1개 추가되므로 C_nH_{2n}의 공유 전자쌍 수는 $3n$이다.

433 BeH_2은 직선형 구조이므로 결합각이 180°, CH_4은 정사면체 구조이므로 결합각이 109.5°, NF_3는 삼각뿔형 구조이므로 결합각이 약 107°이다. 비공유 전자쌍 수는 BeH_2과 CH_4이 0, NF_3가 10이다. (가)~(다)는 각각 NF_3, CH_4, BeH_2이다.

ㄱ. $\frac{\text{비공유 전자쌍 수}}{\text{공유 전자쌍 수}}$는 (가)와 O_2F_2가 $\frac{10}{3}$으로 같다.

ㄴ. (나)의 분자 구조는 정사면체이다.

바로알기 | ㄷ. (다)의 공유 결합은 다른 원자 사이의 공유 결합이므로 (다)에는 극성 공유 결합만 있다.

434 H, C, O, F 중 2가지 원소로 이루어지면서 3원자 분자는 H_2O, CO_2, OF_2이다. $\frac{\text{비공유 전자쌍 수}}{\text{공유 전자쌍 수}}$는 H_2O이 $\frac{2}{2}=1$, CO_2가 $\frac{4}{4}=1$, OF_2가 $\frac{8}{2}=4$이다. H_2O의 구조는 굽은 형이므로 결합각이 104.5°, CO_2의 구조는 직선형이므로 결합각이 180°, OF_2의 구조는 굽은 형이므로 결합각이 약 104.5°이다. (가)~(다)는 각각 CO_2, H_2O, OF_2이다.

ㄷ. 전기 음성도는 O<F이므로 (다)의 중심 원자인 O는 부분적인 양전하(δ^+)를 띤다.

바로알기 | ㄱ. (나)에는 단일 결합만 존재한다.

ㄴ. 비공유 전자쌍 수는 (가)가 4, (다)가 8이다. 따라서 비공유 전자쌍 수는 (다)가 (가)의 2배이다.

435 CF_4는 정사면체 구조이므로 결합각이 109.5°이고, BF_3는 평면 삼각형 구조이므로 결합각이 120°이다. NF_3는 삼각뿔형 구조이므로 결합각이 약 107°이다. (가)~(다)는 각각 NF_3, BF_3, CF_4이다.

ㄴ. 비공유 전자쌍 수는 (가)가 10, (다)가 12이므로 (가)<(다)이다.

ㄷ. $\frac{\text{비공유 전자쌍 수}}{\text{공유 전자쌍 수}}$는 (나)가 $\frac{9}{3}=3$, (다)가 $\frac{12}{4}=3$으로 같다.

바로알기 | ㄱ. (가)는 입체 구조이고, (나)는 구성 원자가 모두 동일 평면에 있는 평면 구조이다.

436 (가)에서 중심 원자는 A이고, A의 비공유 전자쌍 수가 2이므로 (가)의 분자식은 OF_2이고, A와 B는 각각 O, F이다. (나)에서 C는 C(탄소), N 중 하나이다. C가 N이면 (다)의 분자식은 NOF가 되어 A와 D가 같은 원자가 되므로 모순이다. 따라서 (나)와 (다)의 분자식은 각각 CF_4, FCN이고, C와 D는 각각 C, N이다.

ㄴ. 결합각은 (가)가 약 104.5°, (나)가 109.5°이다. 따라서 결합각은 (가)<(나)이다.

ㄷ. (가)는 굽은 형 구조이므로 평면 구조이고, (다)는 직선형 구조이므로 평면 구조이다. 따라서 (가)와 (다)는 구성 원자가 모두 동일 평면에 있는 평면 구조이다.

바로알기 | ㄱ. $l=2$, $m=4$, $n=1$이므로 $m-l-n=1$이다.

08 분자의 극성과 성질

빈출 자료 보기 125쪽

437 (1) ○ (2) × (3) × (4) × (5) ○

437 (1) 극성 분자의 액체 줄기에 대전체를 가까이 하면 액체 줄기가 대전체 쪽으로 휘어지지만, 무극성 분자의 액체 줄기에 대전체를 가까이 하면 액체 줄기가 휘어지지 않는다. (가)는 극성 분자이므로 액체 줄기에 (+)대전체를 가까이 가져가면 부분적인 음전하(δ^-)를 띠는 O 원자쪽이 대전체 쪽으로 배열되므로 액체 줄기가 휜다.

(5) (가)는 극성 분자, (나)는 무극성 분자, (다)는 무극성 분자이다. 극성 분자는 결합의 쌍극자 모멘트 합이 0보다 크고, 무극성 분자는 결합의 쌍극자 모멘트 합이 0이다. 따라서 결합의 쌍극자 모멘트 합은 (가)가 가장 크다.

바로알기 | (2) (나)는 무극성 분자이므로 분자 내 부분적인 양전하(δ^+)와 부분적인 음전하(δ^-)를 띠는 부분이 없다. (나) 기체를 전기장 속에 넣으면 무질서하게 분자가 배열한다.

(3) 분자량이 비슷할 경우 극성 분자의 끓는점이 무극성 분자보다 높다. NH_3는 극성 분자이고, (다)는 무극성 분자이다. NH_3와 (다)의 분자량이 비슷하므로 끓는점은 NH_3가 (다)보다 높다.

(4) 극성 물질은 극성 용매에 잘 용해되고, 무극성 물질은 무극성 용매에 잘 용해된다. (가)는 극성 분자이고, (다)는 무극성 분자이므로 (가)와 (다)는 잘 섞이지 않는다.

난이도별 필수 기출 126~133쪽

438 ⑤	439 ③	440 ②, ④	441 ①	442 ②
443 ③	444 ③	445 ②	446 ③	447 ①
448 ③	449 ④	450 해설 참조	451 ③	452 ③
453 ⑤	454 ④	455 ⑤	456 ④	457 ②
458 ③	459 ①	460 ②	461 해설 참조	462 ②, ③
463 ①	464 해설 참조	465 ③	466 ⑤	467 ⑤
468 해설 참조	469 해설 참조	470 ①	471 ②, ⑤	472 ②
473 ②				

438 무극성 분자는 쌍극자 모멘트 합이 0이다. H_2, Cl_2, BF_3, CH_4은 무극성 분자이므로 쌍극자 모멘트 합이 0이고, H_2O은 극성 분자이므로 쌍극자 모멘트 합이 0보다 크다.

개념 보충

구성 원자 수에 따른 대표적인 무극성 분자

- 같은 원자로 이루어진 2원자 분자는 모두 무극성 분자이다.
  예 H_2, N_2, O_2, F_2, Cl_2 등
- 3원자 분자 중 무극성 분자에는 CO_2가 있다.
- 4원자 분자 중 무극성 분자에는 BF_3, BCl_3가 있다.
- 5원자 분자 중 무극성 분자에는 CH_4, CF_4, CCl_4가 있다.

439 ㄱ. 극성 분자라도 같은 원자 사이의 공유 결합이 있는 분자는 무극성 공유 결합이 있다. 예를 들어 H_2O_2와 같은 경우 극성 분자이지만 무극성 공유 결합이 있다.

ㄷ. 분자의 쌍극자 모멘트는 분자 내 결합의 쌍극자 모멘트 합과 같다. 2원자 분자에는 공유 결합이 1가지 밖에 없으므로 결합의 쌍극자 모멘트가 분자의 쌍극자 모멘트와 같다. 무극성 공유 결합은 결합의 쌍극자 모멘트가 0이므로 무극성 공유 결합으로 이루어진 2원자 분자는 모두 분자의 쌍극자 모멘트가 0이다. 분자의 쌍극자 모멘트가 0인 분자는 무극성 분자이다.

바로알기 | ㄴ. 극성 공유 결합으로 이루어진 다원자 분자라도 결합의 쌍극자 모멘트 합이 0이면 무극성 분자이다. 대표적인 예로는 CO_2가 있다.

440 ② BH_3는 평면 삼각형 구조, HCN는 직선형 구조, CH_2Cl_2은 사면체 구조, HCHO는 평면 삼각형 구조, NH_3는 삼각뿔형 구조이다. 이 중 입체 구조인 분자는 CH_2Cl_2, NH_3 2가지이다.

④ 분자에서 N, Cl, O는 비공유 전자쌍 수가 각각 1, 3, 2이므로 비공유 전자쌍이 존재하는 분자는 HCN, CH_2Cl_2, HCHO, NH_3 4가지이다.

바로알기 | ① 무극성 분자는 BH_3 1가지이다.

③ 평면 삼각형 구조인 분자는 BH_3, HCHO 2가지이다.

⑤ 다른 원자 사이의 공유 결합은 모든 분자에 있으므로 극성 공유 결합을 포함하는 분자는 5가지이다.

⑥ 같은 원자 사이의 공유 결합이 있는 분자는 없으므로 무극성 공유 결합을 포함하는 분자는 없다.

개념 보충

평면 구조인 분자

구성	구성 원자 수가 3 이하인 분자	직선형 구조인 분자	평면 삼각형 구조인 분자
예	H_2, HCN, H_2O, CO_2 등	C_2H_2 등	BF_3, HCHO 등

441 C_2H_6에서 C 원자 사이에 공유 결합이 있고, H_2O_2에서 O 원자 사이에 공유 결합이 있으므로 무극성 공유 결합이 있는 분자는 C_2H_6, H_2O_2이다. 비공유 전자쌍이 있는 분자는 H_2S, H_2O_2, CO_2이다. 쌍극자 모멘트 합이 0인 무극성 분자는 C_2H_6, BeH_2, CO_2이다. A에만 해당하는 분자는 없고, B에만 해당하는 분자는 H_2S이며, C에만 해당하는 분자는 BeH_2이다. 따라서 A~C에 들어갈 화합물의 수는 각각 0, 1, 1이다.

442 NOF의 구조식은 O=N−F이고, HCN의 구조식은 H−C≡N이며, CO_2의 구조식은 O=C=O이다. 모두 평면 구조이고, 다중 결합이 있다. NOF과 HCN는 극성 분자이고, HCN와 CO_2는 직선형 구조이다. 쌍극자 모멘트 합이 0인 분자는 CO_2뿐이다. 따라서 (가)에 해당하는 기준은 '극성 분자이다'이고, (나)에 해당하는 기준은 '직선형 구조이다'이다.

443 $CHCl_3$은 중심 원자에 비공유 전자쌍이 없고, 사면체 구조이므로 입체 구조이며, 극성 분자이다. BCl_3는 중심 원자에 비공유 전자쌍이 없고, 평면 삼각형 구조이므로 평면 구조이며, 무극성 분자이다. NF_3는 중심 원자에 존재하는 비공유 전자쌍 수가 1이고, 삼각뿔형 구조이므로 입체 구조이며, 극성 분자이다. H_2O은 중심 원자에 존재하는 비공유 전자쌍 수가 2이고, 굽은 형 구조이므로 평면 구조이며, 극성 분자이다. ㉠은 H_2O이고, ㉡은 BCl_3이다.

ㄱ. 결합각은 ㉠이 104.5°이고, ㉡이 120°이다.

ㄴ. H_2O은 평면 구조이고, NF_3는 입체 구조이므로 (가)에 '평면 구조인가?'를 적용할 수 있다.

바로알기 | ㄷ. BCl_3는 무극성 분자이고, $CHCl_3$은 극성 분자이므로 (나)에 '극성 분자인가?'를 적용할 수 없고, '무극성 분자인가?'를 적용할 수 있다.

444 CH_2Cl_2, CH_2O는 극성 분자이므로 분자의 쌍극자 모멘트가 0보다 크고, BF_3는 무극성 분자이므로 분자의 쌍극자 모멘트가 0이다. 구성 원자 수는 CH_2O와 BF_3가 4이고, CH_2Cl_2가 5이다. (가)~(다)는 각각 CH_2O, BF_3, CH_2Cl_2이다.

ㄱ. (가)에서 C와 O의 공유 결합은 2중 결합이므로 (가)에는 다중 결합이 있다.

ㄴ. (가)와 (나)는 평면 삼각형 구조이다.

바로알기 | ㄷ. 비공유 전자쌍 수는 (나)가 9이고, (다)가 6이다. 따라서 비공유 전자쌍 수의 비는 (나) : (다)=9 : 6=3 : 2이다.

445 (가)에서 A가 부분적인 음전하(δ^-)를 띠므로 전기 음성도는 A>B이고, (나)에서 C가 부분적인 음전하(δ^-)를 띠므로 전기 음성도는 A<C이다. (가)는 3원자 분자이고, 직선형 구조이며, 전기 음성도는 A>B이므로 CO_2이다. (나)는 3원자 분자이고, 굽은 형 구조이며, 전기 음성도는 A<C이므로 OF_2이다.

ㄷ. $\frac{\text{비공유 전자쌍 수}}{\text{공유 전자쌍 수}}$는 (가)가 $\frac{4}{4}=1$이고, (나)가 $\frac{8}{2}=4$이다. 따라서 $\frac{\text{비공유 전자쌍 수}}{\text{공유 전자쌍 수}}$는 (나)가 (가)의 4배이다.

바로알기 | ㄱ. 전기 음성도는 (가)에서 A>B이고, (나)에서 A<C이므로 B<A<C이다.

ㄴ. A~C는 각각 O, C, F이므로 원자 번호는 B(C)가 가장 작다.

446 A와 B의 원자가 전자 수는 각각 4, 7이므로 A는 C, B는 Cl이다. A(C)는 바닥상태에서 전자가 들어 있는 s 오비탈 수가 2이다. C는 A(C)와 바닥상태에서 전자가 들어 있는 s 오비탈 수가 같으므로 O이고, D는 S이다.

ㄱ. 원자 번호는 C(O)<D(S)이다.

ㄴ. $AD_2(CS_2)$의 구조식은 S=C=S이므로 $AD_2(CS_2)$는 직선형 구조이고, 결합각이 180°이다. $CB_2(OCl_2)$는 굽은 형 구조이므로 결합각이 약 104.5°이다. 따라서 결합각은 $AD_2(CS_2)>CB_2(OCl_2)$이다.

바로알기 | ㄷ. $AD_2(CS_2)$는 무극성 분자이다. $DB_2(SCl_2)$는 굽은 형 구조이므로 극성 분자이다.

447 A는 바닥상태 전자 배치가 $1s^22s^2$이므로 Be, B는 바닥상태 전자 배치가 $1s^22s^22p^2$이므로 C(탄소), C는 바닥상태 전자 배치가 $1s^22s^22p^5$이므로 F, D는 바닥상태 전자 배치가 $1s^22s^22p^4$이므로 O이다.

ㄱ. $B_2C_2(C_2F_2)$의 구조식은 F−C≡C−F이고, $B_2C_2(C_2F_2)$에는 C 원자 사이의 공유 결합이 있으므로 무극성 공유 결합이 있다.

바로알기 | ㄴ. $BC_2D(CF_2O)$에서 C는 2개의 F과 단일 결합을 하고, 1개의 O와 2중 결합을 하므로 평면 삼각형 구조이다.

ㄷ. $AC_2(BeF_2)$는 무극성 분자이고, 쌍극자 모멘트 합이 0이다. $DC_2(OF_2)$는 굽은 형 구조이므로 극성 분자이고, 쌍극자 모멘트 합이 0보다 크다.

448 ㄱ. H_2O은 굽은 형 구조이다. H_3O^+에서 O는 공유 전자쌍 수가 3, 비공유 전자쌍 수가 1이므로 H_3O^+은 삼각뿔형 구조이다.

ㄷ. BF_4^-에서 B는 공유 전자쌍 수가 4이고 비공유 전자쌍 수가 0이므로 BF_4^-은 정사면체 구조이다. 따라서 BF_4^-의 결합각은 109.5°이다.

바로알기 | ㄴ. H_2O는 굽은 형 구조이므로 극성 분자이고, BF_3는 결합각이 120°인 평면 삼각형 구조이므로 무극성 분자이다. 쌍극자 모멘트 합은 $H_2O > BF_3$이다.

449 화학 반응식을 완성하면 다음과 같다.

$$2NaHCO_3 \longrightarrow Na_2CO_3 + CO_2 + H_2O$$

ㄴ. ㉠은 H_2O이므로 굽은 형 구조이다.

ㄷ. $\frac{\text{비공유 전자쌍 수}}{\text{공유 전자쌍 수}}$는 H_2O이 $\frac{2}{2}=1$이고, CO_2는 $\frac{4}{4}=1$이다. 따라서 ㉠과 CO_2의 $\frac{\text{비공유 전자쌍 수}}{\text{공유 전자쌍 수}}$는 1로 같다.

바로알기 | ㄱ. H_2O은 극성 분자이므로 쌍극자 모멘트 합은 0보다 크다.

450 (1) C=O 사이에 전자 밀도가 C−H 사이보다 크므로 C=O에서 공유 전자쌍의 반발력이 C−H에서 공유 전자쌍의 반발력보다 크다.

(2) HCHO의 부분적인 전하와 쌍극자 모멘트(μ)를 표시하면 다음과 같다.

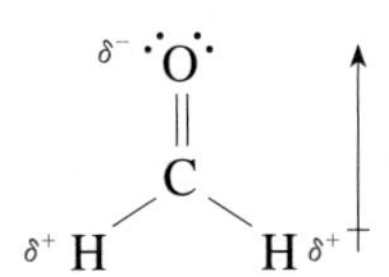

모범 답안 (1) $\alpha > \beta$

(2) 전기 음성도는 H<C<O이므로 O는 부분적인 음전하(δ^-)를 띠고, H는 부분적인 양전하(δ^+)를 띤다. 쌍극자 모멘트 합이 0보다 크므로 HCHO는 극성 분자이다.

451 ㄱ. $\frac{\text{비공유 전자쌍 수}}{\text{공유 전자쌍 수}}$는 CF_4가 $\frac{12}{4}=3$, NF_3가 $\frac{10}{3}$, OF_2가 $\frac{8}{2}=4$이다. (나)는 $\frac{\text{비공유 전자쌍 수}}{\text{공유 전자쌍 수}}$가 가장 크므로 OF_2이다. CF_4는 정사면체 구조이므로 결합각이 109.5°이고, NF_3는 삼각뿔형 구조이므로 결합각이 약 107°이다. 따라서 결합각은 $CF_4 > NF_3$이므로 (가)는 CF_4, (다)는 NF_3이다. (가)는 무극성 분자이므로 쌍극자 모멘트 합이 0이다.

ㄴ. (나)의 분자 구조는 굽은 형이다.

바로알기 | ㄷ. (다)는 삼각뿔형 구조이므로 입체 구조이다.

452 A는 BeH_2, B는 CH_4, C는 H_2O이다.

ㄱ. A의 구조는 직선형, B의 구조는 정사면체, C의 구조는 굽은 형이다.

ㄷ. 결합각은 A가 180°, B가 109.5°, C가 104.5°이다. 따라서 결합각은 A>B>C이다.

바로알기 | ㄴ. A와 B는 무극성 분자, C는 극성 분자이다.

개념 보충

2주기 원소의 H(수소) 화합물의 구조와 결합각

H−Be−H 180° 직선형 구조

BH_3 120° 평면 삼각형 구조

CH_4 109.5° 정사면체 구조

NH_3 107° 삼각뿔형 구조

H_2O 104.5° 굽은 형 구조

453 (가)는 2주기 원자 3개로 구성되어 있고, $\frac{\text{비공유 전자쌍 수}}{\text{공유 전자쌍 수}}=1$이므로 공유 전자쌍 수와 비공유 전자쌍 수가 같은 CO_2이다. (나)는 $\frac{\text{비공유 전자쌍 수}}{\text{공유 전자쌍 수}}=3$이므로 비공유 전자쌍 수가 공유 전자쌍 수의 3배이다. 2주기 원자 중 F은 분자에서 공유 전자쌍 수가 1, 비공유 전자쌍 수가 3이므로 (나)는 중심 원자에 비공유 전자쌍이 없고, F과 공유 결합해야 하므로 CF_4이다. X~Z는 각각 C, O, F이다. (다)는 $\frac{\text{비공유 전자쌍 수}}{\text{공유 전자쌍 수}}=4$이므로 OF_2이고, (라)는 구성 원자 수가 4이므로 COF_2이다.

ㄱ. ㉠=3이고, ㉡$=\frac{8}{4}=2$이다. 따라서 ㉠−㉡=1이다.

ㄴ. CO_2, CF_4, OF_2, COF_2 중 극성 분자는 OF_2, COF_2 2가지이다.

ㄷ. CO_2는 직선형 구조, CF_4는 정사면체 구조, OF_2는 굽은 형 구조, COF_2는 평면 삼각형 구조이다. 이 중 평면 구조는 CO_2, OF_2, COF_2 3가지이다.

454 C, N, F 중 2가지 원소로 이루어지고, 구성 원자 수가 5 이하인 분자는 CF_4, C_2N_2, C_2F_2, NF_3, N_2F_2이다. (나)는 X와 Y의 구성 원자 수비가 4 : 1이므로 CF_4이고, X와 Y는 각각 F, C이다. (가)는 X와 Y가 1 : 1의 원자 수비로 결합하고 있고, $\frac{\text{비공유 전자쌍 수}}{\text{공유 전자쌍 수}}=1.2$이므로 C_2F_2이고, (다)는 X와 Z가 1 : 1의 원자 수비로 결합하고 있으므로 N_2F_2이고, Z는 N이다.

ㄴ. (가)와 (나)는 무극성 분자이므로 쌍극자 모멘트 합이 모두 0이다.

ㄷ. 같은 원자 사이의 공유 결합을 무극성 공유 결합이라고 하므로 무극성 공유 결합이 있는 분자는 (가)와 (다) 2가지이다.

바로알기 | ㄱ. $\frac{\text{비공유 전자쌍 수}}{\text{공유 전자쌍 수}}$는 (나)가 $\frac{12}{4}=3$, (다)가 $\frac{8}{4}=2$이다. 따라서 ㉠>㉡이다.

455 2주기 원소 중 분자에서 옥텟 규칙을 만족하는 원자의 전기 음성도는 C<N<O<F이다. (가)의 분자식이 WX_2이므로 (가)는 CO_2 또는 OF_2이다. 전기 음성도는 W<Y<X이므로 (가)가 OF_2이면 Y에 해당하는 원자가 없으므로 모순이다. (가)는 CO_2이고, W와 X는 각각 C, O이다. Y는 W(C)보다 전기 음성도가 크고 X(O)보다 전기 음성도가 작으므로 N이다. (나)의 분자식은 YZ_3이므로 (나)는 NF_3이고, Z는 F이다. (다)의 분자식은 ZWY(FCN)이다.

ㄱ. 쌍극자 모멘트 합이 0인 분자는 (가)이다.

ㄴ. (나)의 구조는 삼각뿔형이다. H_3O^+은 H_2O에서 O의 비공유 전자쌍에 H^+이 결합한 구조이다. H_3O^+은 중심 원자인 O에 공유 전자쌍 수가 3, 비공유 전자쌍 수가 1이므로 삼각뿔형 구조이다. 따라서 (나)와 H_3O^+의 구조는 모두 삼각뿔형이다.

ㄷ. (다)의 $\frac{\text{비공유 전자쌍 수}}{\text{공유 전자쌍 수}}=\frac{4}{4}=1$이다.

456 XF_2의 구조를 가지는 분자는 무극성 분자인 BeF_2과 극성 분자인 OF_2이다. YF_3의 구조를 가지는 분자는 무극성 분자인 BF_3와 극성 분자인 NF_3이다. ZF_4의 구조를 가지는 분자는 무극성 분자인 CF_4이다. (가)는 쌍극자 모멘트 합이 0이므로 무극성 분자이고, $ZF_4(CF_4)$이다. (나)와 (다)는 쌍극자 모멘트 합이 0보다 크므로 극성 분자이고, 각각 OF_2, NF_3 중 하나이다. 전기 음성도는 N<O<F이므로 구성 원소의 전기 음성도 차가 큰 (나)가 NF_3이고, (다)가 OF_2이다.

ㄴ. (나)는 삼각뿔형 구조이다.

ㄷ. $X_2(O_2)$의 구조식은 O=O이므로 $X_2(O_2)$에는 2중 결합이 있다.

바로알기 | ㄱ. 비공유 전자쌍 수는 (가)가 12, (나)가 10, (다)가 8이다. 따라서 비공유 전자쌍 수는 (가)가 가장 크다.

457 (가)는 2주기 원소를 포함하고, 비공유 전자쌍 수가 없으므로 CH_4이다. (나)는 비공유 전자쌍 수가 1이므로 NH_3, PH_3 중 하나이다. (다)는 비공유 전자쌍 수가 2이므로 H_2O, H_2S 중 하나이고, (라)는 비공유 전자쌍 수가 3이므로 HF, HCl 중 하나이다. (가)는 CH_4이고, (나)는 (가)보다 구성 원소의 전기 음성도 차가 크므로 NH_3이며, (다)는 (나)보다 구성 원소의 전기 음성도 차가 작으므로 H_2S이다. (라)는 (나)보다 구성 원소의 전기 음성도 차가 크므로 HF 또는 HCl이다.

ㄴ. (나)는 극성 분자이므로 쌍극자 모멘트 합은 0보다 크고, (가)는 무극성 분자이므로 쌍극자 모멘트 합은 0이다. 따라서 쌍극자 모멘트 합은 (가)<(나)이다.

바로알기 | ㄱ. (다)의 중심 원자는 S(황)이다.

ㄷ. (가)는 정사면체 구조이므로 입체 구조이고, (나)는 삼각뿔형 구조이므로 입체 구조이다. (다)는 굽은 형 구조이므로 평면 구조이고, (라)는 직선형 구조이므로 평면 구조이다. 따라서 평면 구조는 (다)와 (라) 2가지이다.

458 2주기 원소에서 홀전자 수는 다음과 같다.

원소	Li	Be	B	C	N	O	F
홀전자 수	1	0	1	2	3	2	1

전기 음성도는 Li<Be<B<C<N<O<F이다. A~E의 원자 번호가 연속이므로 A~E는 각각 F, B, O, C, N이다.

ㄱ. $BA_3(BF_3)$의 결합각은 120°이고, $EA_3(NF_3)$의 결합각은 약 107°이다. 따라서 결합각은 $BA_3 > EA_3$이다.

ㄴ. $DC_2(CO_2)$는 대칭 구조인 직선형 구조이고, $DA_4(CF_4)$는 정사면체 구조이므로 무극성 분자이다. 무극성 분자의 분자의 쌍극자 모멘트는 0이므로 DC_2와 DA_4의 쌍극자 모멘트 합은 0으로 같다.

바로알기 | ㄷ. ECA(NOF)의 비공유 전자쌍 수는 6이고, ADE(FCN)의 비공유 전자쌍 수는 4이다. 따라서 비공유 전자쌍 수는 ECA가 ADE의 $\frac{3}{2}$배이다.

459 기체 상태인 극성 분자를 전기장에 넣으면 부분적인 양전하(δ^+)를 띠는 원자가 (−)극을 향하고, 부분적인 음전하(δ^-)를 띠는 원자가 (+)극을 향하면서 일정하게 배열한다. 제시된 보기에서 극성 분자는 H_2O이고, 무극성 분자는 CO_2, I_2이다. $H_2O(s)$은 고체 상태이므로 입자의 배열이 자유롭게 변할 수 없으므로 제시된 자료의 분자에 해당되지 않는다. 따라서 제시된 자료의 분자는 $H_2O(g)$이다.

460 $A(l)$의 액체 줄기는 대전체 쪽으로 휘었으므로 A는 극성 분자이고, $B(l)$의 액체 줄기는 대전체 쪽으로 휘지 않았으므로 B는 무극성 분자이다.

ㄷ. 극성 분자인 $A(g)$를 전기장 속에 넣으면 부분적인 양전하(δ^+)를 띠는 원자는 (−)극을 향하고, 부분적인 음전하(δ^-)를 띠는 원자는 (+)극을 향하면서 일정한 방향으로 배열한다.

바로알기 | ㄱ. 극성 분자와 무극성 분자는 서로 잘 섞이지 않으므로 $A(l)$와 $B(l)$는 서로 잘 섞이지 않는다.

ㄴ. 분자량이 비슷할 경우 부분적인 양전하(δ^+)와 음전하(δ^-)를 띤 극성 분자가 무극성 분자보다 끓는점이 높다. 따라서 끓는점은 A>B이다.

461 극성 물질은 극성 용매에 잘 용해되고, 무극성 물질은 극성 용매에 잘 용해되지 않는다.

모범 답안 $A(l)$, 물은 극성 분자로 극성 분자는 극성 분자와 잘 섞이기 때문이다.

462 ② 물줄기에 대전체를 가까이 가져갔더니 물줄기가 대전체 쪽으로 휘어지므로 물은 극성 분자이다. 물은 극성 분자이므로 쌍극자 모멘트 합은 0보다 크다.

③ 전기 음성도는 H<O이므로 물에서 H는 부분적인 양전하(δ^+)를 띠고, O는 부분적인 음전하(δ^-)를 띤다. 물에 (−)대전체를 가까이 가져가면 부분적인 양전하(δ^+)를 띠는 H가 대전체를 향하여 배열한다.

바로알기 | ① 물 분자와 같이 분자, 화합물은 전기적으로 중성이다.

④ C_6H_6(벤젠)은 무극성 분자이므로 액체 줄기에 대전체를 가까이 가져가도 액체 줄기가 휘지 않는다.

⑤ 이 실험은 물이 극성 분자인지 무극성 분자인지를 확인하는 실험이다.

⑥ (−)대전체 대신 (+)대전체를 물줄기에 가까이 가져가면 부분적인 음전하(δ^-)를 띠는 O 원자가 (+)대전체에 끌리므로 물줄기는 같은 방향으로 휘어진다.

463 $XH_3(g)$는 전기장에서 일정한 배열을 나타내므로 극성 분자이고, $YH_4(g)$는 전기장에서 일정한 배열을 나타내지 않으므로 무극성 분자이다.

ㄱ. X와 Y는 2주기 원소이므로 XH_3는 삼각뿔형 구조인 NH_3이고, YH_4는 정사면체 구조인 CH_4이다. 따라서 XH_3와 YH_4는 모두 입체 구조이다.

바로알기 | ㄴ. XH_3는 극성 분자이고, C_6H_{14}(헥세인)은 무극성 분자이다. 극성 분자와 무극성 분자는 서로 잘 섞이지 않으므로 XH_3는 C_6H_{14}에 잘 용해되지 않는다.

ㄷ. YH_4는 무극성 분자이므로 액체 줄기에 (+)대전체를 가까이 가져가도 액체 줄기가 휘어지지 않는다.

464 XH_3와 YH_4는 각각 극성 분자인 NH_3, 무극성 분자인 CH_4이다.

모범 답안 $XH_3 > YH_4$, 분자량이 비슷한 경우 극성 분자가 무극성 분자보다 끓는점이 높기 때문이다.

465 글리세롤은 극성 분자인 물과 잘 섞이므로 글리세롤은 극성 분자이고, 헥세인은 물과 잘 섞이지 않으므로 헥세인은 무극성 분자이며, 벤젠과 글리세롤은 잘 섞이지 않으므로 벤젠은 무극성 분자이다.

ㄱ. 물은 극성 분자이고, 벤젠은 무극성 분자이므로 서로 잘 섞이지 않는다. 글리세롤은 극성 분자이고, 헥세인은 무극성 분자이므로 서로 잘 섞이지 않는다. 따라서 (가)와 (나)는 모두 '×'이다.

ㄷ. 헥세인과 벤젠은 무극성 분자이므로 쌍극자 모멘트 합은 모두 0으로 같다.

바로알기 | ㄴ. 글리세롤은 극성 분자이고, I_2은 무극성 분자이므로 서로 잘 섞이지 않는다. 따라서 글리세롤에 I_2을 넣으면 잘 용해되지 않는다.

466 ㄱ. 시험관 Ⅰ과 Ⅱ에서 CCl_4의 액체층이 아래쪽에 위치하므로 밀도는 $H_2O < CCl_4$이다.

ㄴ. H_2O은 극성 분자이므로 쌍극자 모멘트 합은 0보다 크고, CCl_4는 무극성 분자이므로 쌍극자 모멘트 합이 0이다. 따라서 쌍극자 모멘트 합은 $H_2O > CCl_4$이다.

ㄷ. 시험관 Ⅰ에서 H_2O의 색이 푸른색으로 변하였으므로 X는 극성 분자인 H_2O에 녹았음을 알 수 있다. X는 이온 결합 물질인 $CuCl_2$이다.

시험관 Ⅱ에서 CCl_4의 색이 보라색으로 변하였으므로 Y는 무극성 분자인 CCl_4에 녹았음을 알 수 있다. Y는 무극성 분자인 I_2이다.

467 ㄱ. (가)에서 H_2O의 액체층이 아래쪽에 있으므로 밀도는 $C_6H_{14} < H_2O$이다. (나)에서 CCl_4의 액체층이 아래쪽에 있으므로 밀도는 $H_2O < CCl_4$이다. 따라서 밀도는 $C_6H_{14} < H_2O < CCl_4$이다.
ㄴ. H_2O은 극성 분자이고, H_2O과 잘 섞이지 않는 C_6H_{14}과 CCl_4는 모두 무극성 분자이다.
ㄷ. H_2O과 C_6H_{14}은 잘 섞이지 않고, 밀도는 $C_6H_{14} < H_2O$이므로 (나)의 시험관에 C_6H_{14}을 시험관 벽을 타고 흘러내리게 넣으면 H_2O이 C_6H_{14}과 CCl_4가 섞이지 않도록 막기 때문에 CCl_4, H_2O, C_6H_{14} 3개의 층으로 분리된다.

468 모범 답안 2개의 층, 무극성 분자인 C_6H_{14}과 CCl_4는 서로 잘 섞이지만, 극성 분자인 H_2O은 잘 섞이지 않으므로 H_2O의 액체층과 C_6H_{14}과 CCl_4의 혼합 액체층으로 분리된다.

469 모범 답안 CH_4, 분자량이 비슷한 경우 분자의 극성이 클수록 끓는점이 높으므로 무극성 분자인 CH_4은 극성 분자인 NH_3보다 끓는점이 낮다.

470 ㄱ. (가)는 정사면체 구조이므로 무극성 분자이다. (나)와 (다)는 사면체 구조이고, 전기 음성도는 $H < C < Cl$이므로 Cl는 부분적인 음전하(δ^-)를, H는 부분적인 양전하(δ^+)를 띠는 극성 분자이다. C_6H_{14}(헥세인)은 무극성 분자이므로 (가)에는 잘 녹지만, (나)에는 잘 녹지 않는다. 따라서 C_6H_{14}(헥세인)에 대한 용해도는 (가) > (나)이다.
바로알기 | ㄴ. (가)는 무극성 분자이고, (다)는 극성 분자이다.
ㄷ. 전기장 속에서 일정한 방향으로 배열되는 분자는 극성 분자인 (나)와 (다) 2가지이다.

471 ② (가)와 (나)의 분자식은 C_2H_6O로 같다.
⑤ (가)와 (나)에서 O에 비공유 전자쌍이 있으므로 (가)와 (나)는 모두 극성 분자이다. 따라서 (가)와 (나)는 모두 쌍극자 모멘트 합이 0보다 크다.
바로알기 | ① (가)는 극성 분자이므로 극성 분자인 물에 잘 용해된다.
③ (가)와 (나)는 분자식이 같으므로 분자량이 같다. 따라서 (가)와 (나)의 녹는점과 끓는점 차이는 분자량의 크기로 설명할 수 없다.
④ (가)와 Na의 반응은 다음과 같다.

$$2C_2H_5OH + 2Na \longrightarrow 2C_2H_5ONa + H_2$$

그러나 (나)는 Na과 반응하지 않는다.

472 AB_2에서 A는 원자가 전자 수가 4이므로 C(탄소)이고, B는 원자가 전자 수가 6이므로 O이다. CD에서 C는 원자가 전자 수가 1이므로 H이고, D는 원자가 전자 수가 7이므로 F이다. (가)는 C와 F이 1 : 1의 개수비로 결합한 화합물이므로 (가)는 C_2F_2이다. (나)는 O와 H가 1 : 1의 개수비로 결합한 화합물이므로 H_2O_2이다.
ㄴ. (나)는 극성 분자이다. 따라서 (나)는 극성 분자인 물에 대한 용해성이 크다.
바로알기 | ㄱ. (가)의 구조식은 $F-C\equiv C-F$이므로 (가)는 직선형 구조인 무극성 분자이다. 무극성 분자는 전기장 속에서 일정한 방향으로 배열하지 않는다.
ㄷ. (가)는 직선형 구조이므로 평면 구조이다. (나)의 구조는 다음과 같이 H가 서로 다른 평면에 위치하므로 입체 구조이다.

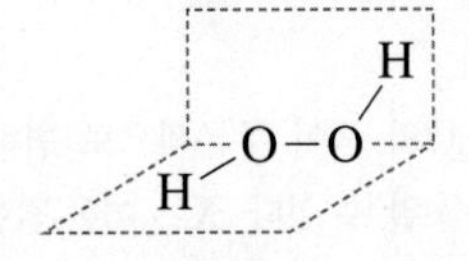

473 구성 원자 수가 6 이하인 C의 H(수소) 화합물은 분자식이 CH_4, C_2H_2, C_2H_4이다. CH_4, C_2H_2, C_2H_4의 공유 전자쌍 수는 각각 4, 5, 6이고, $\frac{\text{비공유 전자쌍 수}}{\text{공유 전자쌍 수}}$는 모두 0이다. 구성 원자 수가 6 이하인 N의 H(수소) 화합물은 분자식이 NH_3, N_2H_2, N_2H_4이다. NH_3, N_2H_2, N_2H_4의 공유 전자쌍 수는 각각 3, 4, 5이고, $\frac{\text{비공유 전자쌍 수}}{\text{공유 전자쌍 수}}$는 각각 $\frac{1}{3}$, $\frac{1}{2}$, $\frac{2}{5}$이다. 구성 원자 수가 6 이하인 O의 H(수소) 화합물은 분자식이 H_2O, H_2O_2이다. H_2O과 H_2O_2의 공유 전자쌍 수는 각각 2, 3이고 $\frac{\text{비공유 전자쌍 수}}{\text{공유 전자쌍 수}}$는 각각 1, $\frac{4}{3}$이다. 구성 원자 수가 6 이하인 F의 H(수소) 화합물은 HF이다. HF의 공유 전자쌍 수는 1이고, $\frac{\text{비공유 전자쌍 수}}{\text{공유 전자쌍 수}}$는 3이다. (가)와 (나)의 공유 전자쌍 수의 비는 2 : 1이고, (나)와 (다)의 $\frac{\text{비공유 전자쌍 수}}{\text{공유 전자쌍 수}}$의 비는 2 : 1이므로 (가)~(다)는 각각 CH_4, H_2O, N_2H_2이다.
ㄷ. (다)에는 N 원자 사이의 공유 결합이 있으므로 무극성 공유 결합이 있다.
바로알기 | ㄱ. (가)는 정사면체 구조이므로 입체 구조이다. (나)는 굽은 형 구조이므로 평면 구조이다. (다)는 N에 결합한 H와 N가 굽은 형 구조를 이루므로 평면 구조이다. 따라서 입체 구조는 (가) 1가지이다.
ㄴ. (가)는 무극성 분자이고, (나)는 극성 분자이므로 서로 잘 섞이지 않는다.

최고 수준 도전 기출 (16~18강)

134~135쪽

474 ④ 475 ① 476 ① 477 ④ 478 ⑤ 479 ③
480 ⑤ 481 ③

474 (가)는 비공유 전자쌍이 없으므로 X는 C이다. (가)는 구성 원자 수가 4 이하이고 공유 전자쌍 수가 5이므로 구조식이 $H-C\equiv C-H$인 C_2H_2이다. (가)에서 구성 원자의 원자가 전자 수의 합 $a=10$이다. (다)는 공유 전자쌍 수가 3이므로 NH_3 또는 H_2O_2이다. (다)가 NH_3이면 (다)의 비공유 전자쌍 수는 1이고, (나)의 비공유 전자쌍 수는 $\frac{1}{2}$이므로 모순이다. (다)는 구조식이 $H-O-O-H$인 H_2O_2이고, 비공유 전자쌍 수 $2c=4$, 구성 원자의 원자가 전자 수의 합 $b=14$이다. (나)는 공유 전자쌍 수와 비공유 전자쌍 수가 각각 4, 2이고, 구성 원자의 원자가 전자 수의 합이 $\frac{10+14}{2}=12$이므로 구조식이 $H-N=N-H$인 N_2H_2이다.
ㄴ. X~Z는 각각 C, N, O이므로 전기 음성도는 $X < Y < Z$이다.
ㄷ. (가)~(다)에는 모두 같은 원자 사이의 공유 결합이 있으므로 모두 무극성 공유 결합이 있다.
바로알기 | ㄱ. $a+b+c=10+14+2=26$이다.

475 ㄱ. 2주기에서 원자 번호가 클수록 전기 음성도가 커지고 원자 반지름이 작아진다. (가)는 이온 반지름이고, (나)는 원자 반지름이다.

바로알기 | ㄴ. 금속 원소는 원자 반지름>이온 반지름이고, 비금속 원소는 원자 반지름<이온 반지름이므로 A는 2주기 금속 원소이고, B~D는 2주기 비금속 원소이다. 전기 음성도는 B<C<D이고, F의 전기 음성도가 4.0이므로 B~D는 각각 N, O, F이다. 이온화 에너지는 2주기 금속 원소<O<N<F이므로 A<C<B<D이다.

ㄷ. 화합물 BCD(NOF)에서 중심 원자인 N에 비공유 전자쌍이 있으므로 BCD는 극성 분자이다. 따라서 BCD는 쌍극자 모멘트 합이 0보다 크다.

476 ㄱ. (가)의 공유 전자쌍 수는 5이므로 $x=5$이다. (나)는 공유 전자쌍 수가 7이므로 C_2H_6이고, $n=2$이다. (다)는 공유 전자쌍 수가 9이므로 C_3H_6이고, $m=3$이다. (가)~(다)의 구조식은 다음과 같다.

```
              H  H         H  H  H
              |  |         |  |  |
H-C≡C-H    H-C-C-H     H-C=C-C-H
              |  |               |
              H  H               H
  (가)         (나)          (다)
```

따라서 $x=n+m$이다.

바로알기 | ㄴ. (나)에는 단일 결합만 있다.

ㄷ. C와 H로 이루어진 화합물을 탄화수소라고 하고, 탄화수소는 무극성 분자이다. 따라서 (가)~(다)는 모두 무극성 분자이다.

477 (가)~(다)는 각각 CO_2, OF_2, FCN, NOF 중 하나이다. CO_2, OF_2, FCN, NOF는 중심 원자에 있는 비공유 전자쌍 수가 각각 0, 2, 0, 1이다. 공유 결합에서 산화수는 전기 음성도가 큰 원자가 공유 전자쌍을 모두 차지한다고 가정하고 구한다. 전기 음성도는 C<N<O<F이므로 중심 원자의 산화수는 CO_2가 +4, OF_2가 +2, FCN이 +4, NOF이 +3이다.

중심 원자에 있는 비공유 전자쌍 수는 (가)<(나)이므로 이에 해당하는 분자 (가)와 (나)는 각각 CO_2, NOF 또는 CO_2, OF_2 또는 FCN, NOF 또는 FCN, OF_2 또는 NOF, OF_2이다. CO_2와 FCN은 중심 원자의 산화수가 +4로 가장 크므로 중심 원자의 산화수는 (가)<(다)라는 조건을 만족시킬 수 없으므로 모순이다. (가)와 (나)는 각각 NOF, OF_2이고, (다)의 쌍극자 모멘트 합이 0보다 크므로 (다)는 FCN이다.

ㄴ. (가)와 (나)는 굽은 형 구조이지만, 중심 원자에 있는 비공유 전자쌍 수는 (나)가 (가)보다 크므로 결합각은 (가)>(나)이다. (다)는 직선형 구조이므로 결합각이 180°이다. 따라서 결합각은 (나)가 가장 작다.

ㄷ. $\frac{\text{비공유 전자쌍 수}}{\text{공유 전자쌍 수}}$는 (가)가 $\frac{6}{3}=2$이고, (다)가 $\frac{4}{4}=1$이다.

바로알기 | ㄱ. (가)~(다)는 모두 극성 분자이므로 (가)~(다) 중 무극성 분자는 없다.

478 금속 원소의 홀전자 수는 0 또는 1이고, X~Z의 홀전자 수의 합은 4이므로 X~Z의 홀전자 수는 각각 1, 1, 2 또는 0, 2, 2 또는 0, 1, 3 중 하나이다.

(i) X~Z의 홀전자 수가 각각 1, 1, 2이면 X~Z 중 금속 원소는 홀전자 수가 1인 Li이다. 전자가 들어 있는 p 오비탈 수는 Y와 Z가 같고, 제1 이온화 에너지는 Y<Z이므로 Y와 Z는 각각 O, F이다. 전자가 모두 채워진 오비탈 수는 X(Li)와 Y(O)가 같지 않으므로 모순이다.

(ii) X~Z의 홀전자 수가 각각 0, 2, 2 중 하나이면 X~Z는 각각 Be, C, O 중 하나이다. 전자가 들어 있는 p 오비탈 수는 Be이 0, C가 2, O가 3이므로 전자가 들어 있는 p 오비탈 수는 Y와 Z가 같다는 조건에 모순이다.

(iii) X~Z의 홀전자 수가 각각 0, 1, 3 중 하나이면 X~Z 중 금속 원소는 홀전자 수가 0인 Be이다. 전자가 들어 있는 p 오비탈 수는 Y와 Z가 같고, 제1 이온화 에너지는 Y<Z이므로 Y와 Z는 각각 N, F이다. 전자가 모두 채워진 오비탈 수는 X와 Y가 같으므로 X는 Be이다.

ㄱ. X~Z는 각각 Be, N, F이므로 원자가 전자 수는 X<Y<Z이다.

ㄴ. X(Be)의 H(수소) 화합물은 BeH_2이다. BeH_2은 무극성 분자이므로 쌍극자 모멘트 합은 0이다.

ㄷ. Y(N)와 Z(F)가 1 : 1로 결합한 화합물은 $Y_2Z_2(N_2F_2)$이다. $Y_2Z_2(N_2F_2)$에는 N 원자 사이의 공유 결합이 있으므로 무극성 공유 결합이 있다.

479 화학 반응 모형을 화학 반응식으로 나타내면 다음과 같다.

$$HCN + H_2O \longrightarrow H_3O^+ + CN^-$$

ㄱ. (가)는 HCN이다. (가)의 구조식은 H−C≡N이므로 분자 구조는 직선형이다.

ㄷ. $\frac{\text{공유 전자쌍 수}}{\text{비공유 전자쌍 수}}=\frac{4}{1}=4$이다.

바로알기 | ㄴ. 전기 음성도는 H<C<N이므로 HCN에서 H와 C는 부분적인 양전하(δ^+)를 띠고, N는 부분적인 음전하(δ^-)를 띤다. HCN는 극성 분자이다.

480 ㄱ. ㉠은 H_2O이고, ㉡은 $COCl_2$이다. $\frac{\text{비공유 전자쌍 수}}{\text{공유 전자쌍 수}}$는 ㉠이 $\frac{2}{2}=1$이고, ㉡이 $\frac{8}{4}=2$이다. 따라서 $\frac{\text{비공유 전자쌍 수}}{\text{공유 전자쌍 수}}$는 ㉠이 ㉡의 $\frac{1}{2}$배이다.

ㄴ. ㉡은 극성 분자이므로 전기장 속에서 부분적인 양전하(δ^+)를 띠는 부분은 (−)극 쪽을 향하고, 부분적인 음전하(δ^-)를 띠는 부분은 (+)극 쪽을 향하여 일정한 방향으로 배열한다.

ㄷ. ㉠은 굽은 형 구조이므로 결합각이 104.5°이고, ㉡은 평면 삼각형 구조이므로 결합각이 약 120°이다. 따라서 결합각은 ㉠<㉡이다.

481 (가)는 결합각이 180°이고, $\frac{\text{비공유 전자쌍 수}}{\text{공유 전자쌍 수}}=1$이므로 CO_2이다. (나)와 (다)는 CF_4, NF_3, OF_2 중 하나이다. 중심 원자에 비공유 전자쌍이 있는 분자는 1개이므로 (나)와 (다)는 CF_4, NF_3 또는 CF_4, OF_2 중 하나이다. 결합각은 CF_4가 가장 크므로 (나)는 CF_4이다. $\frac{\text{비공유 전자쌍 수}}{\text{공유 전자쌍 수}}$는 NF_3가 $\frac{10}{3}$, OF_2가 4이고, $b<4$이므로 (다)는 NF_3이다. (라)는 구성 원소 수가 3이고, 결합각이 180°이며, $\frac{\text{비공유 전자쌍 수}}{\text{공유 전자쌍 수}}=1$이므로 FCN이다. (마)는 구성 원소 수가 3이고, 중심 원자에 비공유 전자쌍이 없어야 하며, $\frac{\text{비공유 전자쌍 수}}{\text{공유 전자쌍 수}}=2$이므로 COF_2이다.

ㄱ. $a=3$이고, $b=\frac{10}{3}$이므로 $a<b$이다.

ㄴ. (다)는 삼각뿔형 구조이므로 결합각이 약 107°이고, (마)는 평면 삼각형 구조이므로 결합각이 약 120°이다.

ㄷ. (가)~(마) 중 평면 구조는 (가), (라), (마) 3가지이다.

바로알기 | ㄹ. (가)~(마) 중 무극성 분자는 (가), (나) 2가지이다.

19 동적 평형

빈출 자료 보기 137쪽

482 (1) ○ (2) ○ (3) ○ (4) × (5) ○ (6) × (7) ×

482 **바로알기 |** (4) (다)에서 동적 평형 상태에 도달하였으므로 정반응과 역반응이 같은 속도로 일어난다.

(6) (가)에서 (다)로 되는 동안 정반응 속도는 점점 느려지고 역반응 속도는 점점 빨라지다가 (다)에서 정반응 속도와 역반응 속도가 같아진다. 따라서 정반응 속도는 (나) > (다)이다.

(7) NO_2 분자 2개가 반응하여 N_2O_4 분자 1개를 생성하므로 기체 분자 수가 감소하다가 동적 평형에 도달한 때부터는 일정해진다. 따라서 전체 기체 분자 수는 (가) > (다)이다.

난이도별 필수 기출 138~141쪽

483 ③	484 ②, ④		485 ①	486 ⑤	487 ⑤
488 ①	489 ②	490 ⑤	491 ②	492 ③	493 ⑤
494 ④	495 해설 참조		496 ③	497 ③	498 ①
499 ②	500 ①				

483 ㄱ. 정반응은 반응물이 생성물로 되는 반응이다.

ㄷ. 가역 반응은 정반응과 역반응이 모두 일어날 수 있는 반응이다. 즉, 반응 용기에 반응물을 넣어 주면 반응 초기에는 정반응이 일어나다가 생성물이 생성된 이후 역반응이 일어난다.

바로알기 | ㄴ. 비가역 반응은 정반응만 일어나거나 역반응이 거의 일어나지 않는 반응이므로 생성물이 반응물로는 되지 않는다.

484 ② 연료의 연소 반응은 비가역 반응으로 역반응이 일어나기 어렵다.

④ 금속과 산이 반응하여 기체가 발생하는 반응은 비가역 반응으로 역반응이 일어나기 어렵다.

바로알기 | ① 석회암이 이산화 탄소가 녹은 물과 반응하여 탄산수소 칼슘 수용액을 만드는 반응에 의해 석회 동굴이 형성된다. 또한 이 반응의 역반응으로 탄산수소 칼슘 수용액에서 물이 증발하고 이산화 탄소가 빠져나가 탄산 칼슘이 석출되는 반응에 의해 종유석과 석순이 생성된다. 따라서 석회 동굴 생성 반응은 가역적으로 일어난다.

③ 수증기가 물로 액화되는 반응과 물이 수증기로 기화되는 반응은 가역적으로 일어난다.

⑤ 염화 코발트와 물이 반응하여 염화 코발트 육수화물을 생성하는 반응은 가역적으로 일어난다.

485 ① NO_2가 N_2O_4를 생성하는 반응과 N_2O_4가 분해되어 NO_2를 생성하는 반응은 가역적으로 일어난다.

바로알기 | ② CH_4의 연소 반응은 정반응만 일어나는 비가역 반응이다.

③ 금속과 산이 반응하여 기체가 발생하는 반응은 정반응만 일어나는 비가역 반응이다.

④ 산과 염기의 중화 반응은 정반응만 일어나는 비가역 반응이다.

⑤ 두 수용액이 반응하여 앙금을 생성하는 반응은 정반응만 일어나는 비가역 반응이다.

486 ㄱ. $CuSO_4 \cdot 5H_2O$(황산 구리(Ⅱ) 오수화물)을 가열하면 H_2O이 떨어져 나가는 정반응이 일어나고, $CuSO_4$(황산 구리(Ⅱ)) 결정에 H_2O을 떨어뜨리면 $CuSO_4 \cdot 5H_2O$이 생성되는 역반응이 일어난다.

ㄴ, ㄷ. 흰색 결정은 $CuSO_4 \cdot 5H_2O$에서 H_2O이 떨어져 나간 $CuSO_4$이고, 여기에 H_2O(X)을 떨어뜨리면 $CuSO_4$가 H_2O과 반응하여 다시 푸른색의 $CuSO_4 \cdot 5H_2O$이 생성된다.

487 ㄱ. 염화 코발트 육수화물($CoCl_2 \cdot 6H_2O(s)$)의 생성과 분해 반응은 정반응과 역반응이 모두 일어날 수 있는 가역 반응이다. 탄산 칼슘이 이산화 탄소가 녹은 물에 용해되는 반응과 탄산 칼슘 수용액에서 물과 이산화 탄소가 빠져나가 탄산 칼슘이 생성되는 반응 또한 가역 반응이다.

ㄴ. ㉠과 ㉢은 반응물이 생성물로 되는 정반응이다.

ㄷ. 반응 ㉣에 의해 종유석, 석순, 석주 등이 생성된다.

488 ㄱ. 동적 평형에서는 정반응 속도와 역반응 속도가 같다.

바로알기 | ㄴ. 동적 평형은 정반응과 역반응이 모두 일어날 수 있는 가역 반응에서만 도달할 수 있다.

ㄷ. 동적 평형은 정반응과 역반응이 같은 속도로 일어나는 상태이다.

489 ㄴ. (나)에서 액체의 양이 일정하므로 액체 A와 기체 A는 동적 평형을 이룬다. 즉 (나)에서 A의 증발 속도와 응축 속도가 같고, (가)와 (나)에서 증발 속도가 같으므로 응축 속도는 (가) < (나)이다. 응축 속도는 용기 속 기체의 양에 비례하므로 기체 A의 양은 (가) < (나)이다.

바로알기 | ㄱ. 일정한 온도에서 액체의 증발 속도는 일정하므로 액체 A의 증발 속도는 (가) = (나)이다.

ㄷ. (나)에서 액체 A와 기체 A가 동적 평형을 이루므로 (나)에서 A의 증발 속도와 응축 속도가 같다.

490 ⑤ 수면의 높이는 물의 양에 비례하며 물의 양은 (가) > (나) > (다)이므로 수면의 높이는 (가) > (나) > (다)이다.

바로알기 | ① 일정 온도에서 액체의 증발 속도는 일정하므로 증발 속도는 (가) = (나) = (다)이다.

② (나)에서 증발 속도 > 응축 속도이므로 (나)는 동적 평형에 도달하기 이전 상태이다.

③ (다)에서 증발 속도 = 응축 속도이므로 동적 평형에 도달하였다. 따라서 (다) 이후 물 분자 수와 수증기 분자 수는 일정하다.

④ (다)에서 물의 양과 수증기의 양이 다르기 때문에 농도는 같지 않다.

⑥ 응축 속도는 용기 속 수증기의 양이 클수록 크다. 따라서 응축 속도는 (가) < (나)이다.

491

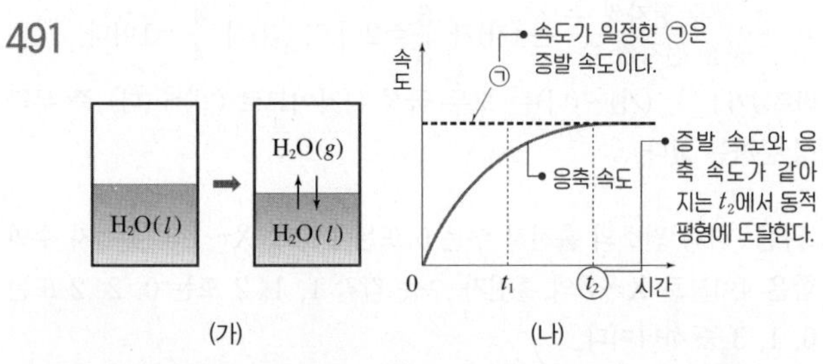

ㄴ. t_1은 동적 평형에 도달하기 이전 상태이므로 용기 속 $H_2O(l)$의 양(mol)은 t_1일 때가 t_2일 때보다 많다.

바로알기 | ㄱ. ㉠은 속도가 일정한 것으로 보아 증발 속도이다.

ㄷ. t_2에서 동적 평형에 도달하므로 증발과 응축이 같은 속도로 일어난다.

492 ㄱ, ㄴ. 녹지 않은 설탕이 가라앉은 것으로 보아 설탕의 용해와 석출이 동적 평형을 이룬 상태이므로 이후 용액 속 용질의 양은 일정하다. 즉 설탕물의 농도는 일정하고, 고체 상태의 설탕의 양도 일정하다.
바로알기 | ㄷ. 이 상태에서는 용해와 석출이 같은 속도로 일어난다.

493 ⑤ 설탕 분자의 석출 속도는 (가)<(나)<(다)이다.
바로알기 | ① (가)에서 석출도 일어난다. 단, 용질이 용액 속으로 녹아 들어가는 용해 속도가 용액 속 용질이 석출되는 속도보다 빠르다.
② (가)와 (나)에서는 용해되는 설탕 분자가 석출되는 설탕 분자보다 많다.
③ 동적 평형 상태인 (다)에 도달하기 전까지는 용해 속도>석출 속도이므로 설탕물의 농도는 (나)<(다)이다.
④ (다)는 용해 평형을 이룬 상태이므로 이후 설탕을 더 넣어도 용액 속 용질의 양은 증가하지 않는다. 즉 설탕물의 몰 농도(M)는 일정하다.
⑥ 일정한 온도에서 용질의 용해 속도는 같으므로 설탕의 용해 속도는 (가)=(나)=(다)이다.

494 ㄱ. (가)는 녹지 않은 NaCl이 가라앉은 것으로 보아 용해 평형을 이룬 상태이다. 따라서 NaCl의 용해 속도와 석출 속도는 같다.
ㄷ. (나)에는 화학식량이 큰 $^{24}NaCl$이 용해되어 있으므로 $NaCl(aq)$의 밀도는 (나)에서가 (가)에서보다 크다.
바로알기 | ㄴ. 용해 평형을 이룬 (가)에 용질을 더 넣어 주어도 용액 속 용질의 양(mol)은 일정하므로 $NaCl(aq)$의 몰 농도(M)는 (가)와 (나)에서 같다.

495 모범 답안 포화 수용액에서 NaCl의 용해와 석출은 같은 속도로 끊임없이 일어나고 있으므로 ^{24}Na은 가라앉아 있는 $NaCl(s)$과 수용액 속에 모두 존재한다.

496 ㄱ. 제시된 반응은 정반응과 역반응이 모두 일어날 수 있는 가역 반응이다.
ㄷ. 충분한 시간이 흐르면 동적 평형에 도달하므로 용기 속 NO_2와 N_2O_4의 양은 일정하게 유지된다. 따라서 NO_2와 N_2O_4의 농도는 일정하게 유지된다.
바로알기 | ㄴ. 충분한 시간이 흐르면 동적 평형에 도달해 용기 속 NO_2와 N_2O_4의 양은 일정하게 유지되므로 밀폐 용기의 색은 연한 적갈색을 띤다.

497 ㄱ. (가)는 동적 평형에 도달하기 이전 상태이므로 정반응 속도는 역반응 속도보다 크다.
ㄴ. (가)에서 (나)로 될 때 적갈색이 옅어졌으므로 용기 속 NO_2의 농도가 작을수록 용기의 적갈색이 옅어진다. (나)에서 (다)로 될 때 NO_2가 4개 감소하고 N_2O_4가 2개 생성되므로 용기의 적갈색이 더 옅어진다.
바로알기 | ㄷ. (다)에서 용기 속 물질의 양은 NO_2가 N_2O_4보다 크므로 농도는 NO_2가 N_2O_4보다 크다.

498

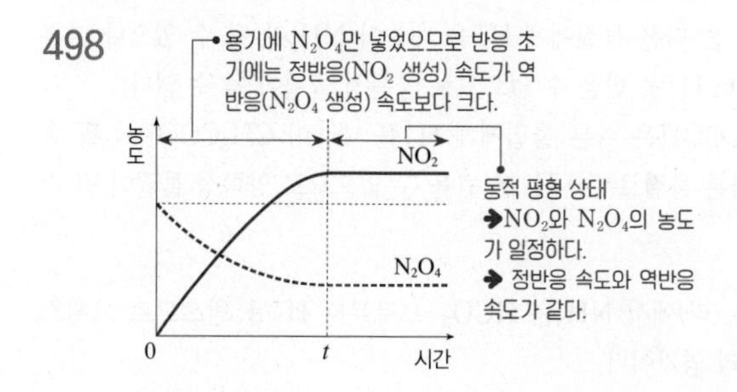

ㄱ. t 이후 N_2O_4와 NO_2의 농도가 일정한 구간에서 두 물질이 동적 평형을 이루고 있다. 이때 NO_2의 농도가 N_2O_4의 농도보다 크다.
바로알기 | ㄴ. t 이후 N_2O_4와 NO_2의 농도가 일정한 것은 N_2O_4가 NO_2를 생성하는 정반응과 NO_2가 N_2O_4를 생성하는 역반응이 같은 속도로 일어나고 있기 때문이다.
ㄷ. 반응 초기부터 동적 평형에 도달하는 t까지 N_2O_4가 NO_2를 생성하는 정반응의 속도는 점차 감소하고, NO_2가 N_2O_4를 생성하는 역반응의 속도는 점차 증가하다가 t에서 정반응 속도와 역반응 속도가 같아진다. 따라서 t 이전까지는 $N_2O_4(g)$ 생성 속도가 $NO_2(g)$ 생성 속도보다 작다.

499 ㄴ. 반응 용기에 I_2과 H_2를 넣고 반응시킬 때 정반응이 우세하게 일어나다가 생성된 HI가 분해되는 역반응이 일어난다.
바로알기 | ㄱ. 보라색을 띠는 I_2과 H_2가 반응하여 HI를 생성하는 반응과 HI가 분해되어 I_2과 H_2를 생성하는 반응은 가역적으로 일어난다. 따라서 반응 용기에 I_2과 H_2를 넣고 반응시킬 때 초기에는 정반응이 우세하게 일어나므로 보라색이 옅어지다가 동적 평형에 도달하면 옅은 보라색이 일정하게 유지된다.
ㄷ. $I_2(g) + H_2(g) \longrightarrow 2HI(g)$ 반응에서 반응 계수비는 반응하는 물질 사이의 양적 관계를 의미하며, 동적 평형에 도달했을 때 용기 속에 존재하는 물질의 양에 대한 정보는 알 수 없다.

500

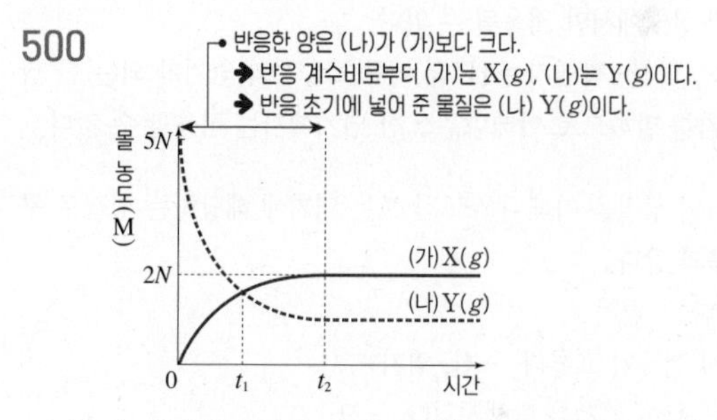

ㄱ. 동적 평형에 도달할 때까지 반응한 물질의 양(mol)은 X : Y= 1 : 2이다. 그래프에서 반응한 (가)와 (나)의 양(mol)으로 보아 (가)는 $X(g)$, (나)는 $Y(g)$이다.
바로알기 | ㄴ. t_1은 동적 평형에 도달하기 이전 상태이므로 정반응 속도와 역반응 속도가 같지 않다.
ㄷ. 화학 반응식의 계수비는 반응의 양적 관계를 의미하는 것으로 동적 평형 상태에서 각 물질의 농도비가 아니다. 즉 $\frac{[X]}{[Y]}=\frac{1}{2}$이 아니다. t_2 이후는 동적 평형 상태이므로 [X]와 [Y]는 t_2일 때와 같다. 또한 동적 평형에 도달할 때까지 반응한 물질의 양(mol)은 X : Y= 1 : 2이고, t_2일 때 [X]=2N M이므로 [Y]=N M이다. 따라서 t_2 이후 $\frac{[X]}{[Y]}=2$로 일정하다.

20 산 염기의 정의

빈출 자료 보기 142쪽

501 (1) × (2) × (3) ○ (4) ○ (5) ○ (6) × (7) × (8) ○

501 **바로알기 |** (1) (가)에서 HS^-은 H_2O로부터 H^+을 받으므로 브뢴스테드·로리 염기이다.

(2) (가)에서 H_2O은 HS^-에게 H^+을 내놓으므로 브뢴스테드 · 로리 산이다.

(6) (다)에서 $N_2H_2CH_2COOH$은 OH^-에게 H^+을 내놓으므로 브뢴스테드 · 로리 산이다.

(7) (다)에서 NaOH이 수용액에서 내놓은 OH^-이 다른 물질로부터 H^+을 받으므로 NaOH은 아레니우스 염기이다.

난이도별 필수 기출

143~145쪽

502 ③	503 ②	504 ③	505 ⑤	506 ①	507 ④
508 해설 참조		509 ③	510 ①	511 ④, ⑤	
512 ②	513 ⑤				

502 ㄱ. 브뢴스테드 · 로리 염기는 다른 물질로부터 H^+을 받는 물질이다.

ㄴ. 아레니우스 산은 수용액에서 H^+을 내놓는 물질이다. 한편 브뢴스테드 · 로리 산은 다른 물질에게 H^+을 내놓을 수 있는 물질이므로 아레니우스 산은 브뢴스테드 · 로리 산으로 작용할 수 있다.

ㄷ. 아레니우스 산, 염기는 각각 수용액에서 H^+, OH^-을 내놓는 물질로 수용액 상태에서만 적용될 수 있다.

바로알기 | ㄹ. 짝산-짝염기는 H^+의 이동으로 산과 염기가 되는 한 쌍의 산과 염기를 말하므로 아레니우스 산 염기에서는 적용할 수 없다.

503 제시된 성질을 아레니우스 산 또는 염기에 해당하는 성질로 구분하면 다음과 같다.

- 쓴맛이 난다. – 염기
- 수용액에서 전류가 흐른다. – 산, 염기
- 금속과 반응하여 기체를 발생시킨다. – 산
- 페놀프탈레인 용액을 붉게 변화시킨다. – 염기
- 푸른색 리트머스 종이를 붉게 변화시킨다. – 산
- 머리카락을 녹여 막힌 하수구를 뚫을 수 있다. – 염기

이로부터 산의 성질에만 적용되는 것은 2가지, 염기의 성질에만 적용되는 것은 3가지, 산의 성질과 염기의 성질에 모두 적용되는 것은 1가지이다. 따라서 (가)~(다)에 해당하는 성질의 개수는 각각 2, 1, 3이다.

504 ㄱ. HCl은 H_2O에 H^+을 줄 수 있으므로 브뢴스테드 · 로리 산이다.

ㄷ. $HNO_3(aq)$에도 푸른색 리트머스 종이를 붉게 변화시킬 수 있는 H^+이 존재하므로 $HCl(aq)$ 대신 $HNO_3(aq)$을 사용해도 실험 결과는 같다.

바로알기 | ㄴ. $HCl(aq)$ 속 H^+이 (−)극 쪽으로 이동하면서 푸른색 리트머스 종이를 붉게 변화시키므로 실에서부터 (−)극 쪽으로 색이 변한다.

505

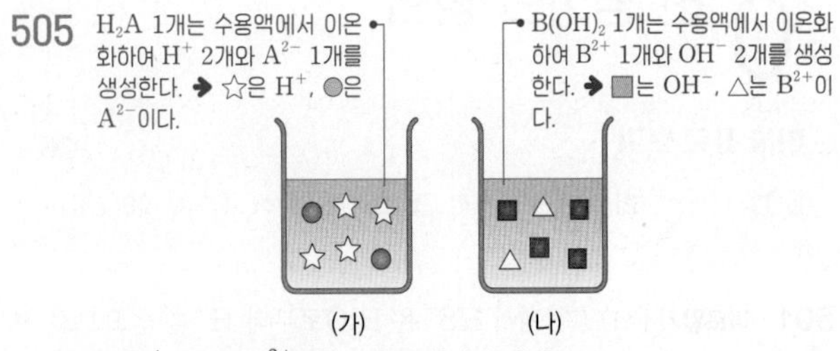

ㄱ. ☆은 H^+, △는 B^{2+}으로 모두 양이온이다.

ㄴ. (가)는 산성 용액으로 $Mg(s)$을 넣어 주면 H^+이 전자를 얻어 $H_2(g)$로 발생하므로 ☆의 수가 줄어든다.

ㄷ. (나)가 염기성을 띠는 것은 OH^-인 ■ 때문이다.

506 아레니우스 염기는 수용액에서 OH^-을 내놓는 물질이다. NaOH은 물에 녹아 OH^-을 내놓으므로 아레니우스 염기를 포함하는 반응(A)은 (가)이다.

브뢴스테드 · 로리 염기는 다른 물질로부터 H^+을 받는 물질이다. (나)에서 H_2O은 HF로부터 H^+을 받아 H_3O^+을 생성하므로 H_2O은 브뢴스테드 · 로리 염기로 작용한다. (다)에서 NH_3는 HCl로부터 H^+을 받아 NH_4^+을 생성하므로 NH_3는 브뢴스테드 · 로리 염기로 작용한다. 따라서 브뢴스테드 · 로리 염기를 포함하는 반응(B)은 (나), (다)이다.

507 (가)에서 H_2O은 HS^-으로부터 H^+을 받아 H_3O^+을 생성하므로 H_2O이 브뢴스테드 · 로리 염기로 작용한다.

(나)에서 CO_3^{2-}은 H_2O로부터 H^+을 받아 HCO_3^-을 생성하므로 CO_3^{2-}이 브뢴스테드 · 로리 염기로 작용한다.

(다)에서 H_2O은 CH_3COOH으로부터 H^+을 받아 H_3O^+을 생성하므로 H_2O이 브뢴스테드 · 로리 염기로 작용한다.

508 (가)에서 H^+을 내놓는 브뢴스테드 · 로리 산은 $H_2PO_4^-$이고, H^+을 받는 브뢴스테드 · 로리 염기는 H_2O이다.

(나)에서 H^+을 내놓는 브뢴스테드 · 로리 산은 H_2O이고, H^+을 받는 브뢴스테드 · 로리 염기는 $H_2PO_4^-$이다. 따라서 $H_2PO_4^-$과 H_2O은 산으로도 작용하고 염기로도 작용하는 양쪽성 물질이다.

모범 답안 $H_2PO_4^-$, H_2O, $H_2PO_4^-$은 (가)에서 브뢴스테드 · 로리 산으로 작용하고 (나)에서 브뢴스테드 · 로리 염기로 작용하기 때문이다. H_2O은 (가)에서 브뢴스테드 · 로리 염기로 작용하고 (나)에서 브뢴스테드 · 로리 산으로 작용하기 때문이다.

509 ㄱ. (가)의 정반응에서 NH_3는 H_2O로부터 H^+을 받으므로 브뢴스테드 · 로리 염기이다.

ㄴ. (가)에서 H_2O이 NH_3에게 H^+을 내놓아 OH^-으로 되므로 H_2O과 OH^-은 H^+의 이동에 따라 산과 염기가 되는 짝산-짝염기이다. 즉 OH^-은 H_2O의 짝염기이고, H_2O은 OH^-의 짝산이다.

ㄷ. (나)에서 HCl는 수용액에서 H^+을 내놓으므로 아레니우스 산이다.

바로알기 | ㄹ. (나)에서 H_2O은 HCl로부터 H^+을 받으므로 브뢴스테드 · 로리 염기이다.

510 ① HS^-은 다른 물질에게 H^+을 내놓아 S^{2-}이 될 수 있고, 다른 물질로부터 H^+을 받아 H_2S가 될 수도 있다. 따라서 HS^-은 브뢴스테드 · 로리 산으로도 염기로도 모두 작용할 수 있는 양쪽성 물질이다.

바로알기 | ② CO_3^{2-}은 다른 물질로부터 H^+을 받아 HCO_3^-으로 될 수 있으나 다른 물질에게 H^+을 내놓을 수 없으므로 양쪽성 물질이 될 수 없다.

③ H_3O^+은 다른 물질에게 H^+을 내놓아 H_2O이 될 수 있으나 다른 물질로부터 H^+을 받을 수 없으므로 양쪽성 물질이 될 수 없다.

④ NH_4^+은 다른 물질에게 H^+을 내놓아 NH_3가 될 수 있으나 다른 물질로부터 H^+을 받을 수 없으므로 양쪽성 물질이 될 수 없다.

⑤ CH_3COOH은 다른 물질에게 H^+을 내놓아 CH_3COO^-이 될 수 있으나 다른 물질로부터 H^+을 받을 수 없으므로 양쪽성 물질이 될 수 없다.

511 ④ (라)에서 NH_3는 HCO_3^-으로부터 H^+을 받으므로 브뢴스테드 · 로리 염기이다.

⑤ (라)에서 HCO_3^-이 H^+을 내놓으면 CO_3^{2-}이 되고, CO_3^{2-}이 H^+을 받으면 HCO_3^-이 되므로 HCO_3^-과 CO_3^{2-}은 짝산-짝염기이다.

바로알기 | ① (가)에서 NH_3는 수용액에서 H^+을 내놓지 않으므로 아레니우스 산이 아니다.

② (나)에서 HCN는 H_2O에게 H^+을 내놓으므로 브뢴스테드·로리 산이다.

③ (다)에서 HCO_3^-은 H_3O^+으로부터 H^+을 받으므로 브뢴스테드·로리 염기이다.

⑥ H_2O은 (가)에서는 브뢴스테드·로리 산으로 작용하고, (나)에서는 브뢴스테드·로리 염기로 작용한다. HCO_3^-은 (다)에서는 브뢴스테드·로리 염기로 작용하고, (라)에서는 브뢴스테드·로리 산으로 작용한다. 따라서 (가)~(라)의 반응물 중 양쪽성 물질은 H_2O과 HCO_3^-으로 2가지이다.

512

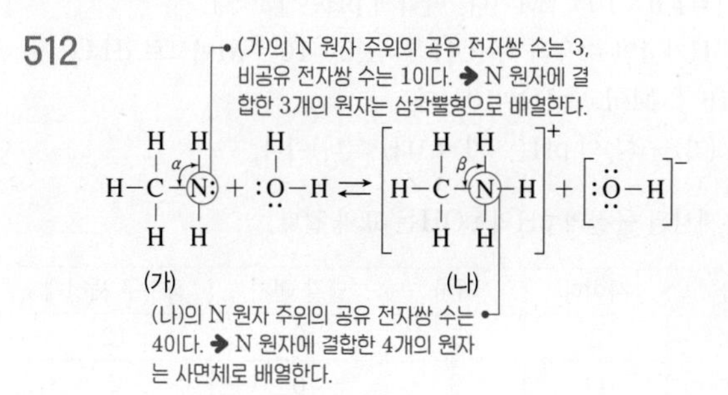

ㄷ. (가)가 H^+을 받으면 (나)가 되므로 (나)는 (가)의 짝산이다.

바로알기 | ㄱ. 결합각은 α가 β보다 작다.

ㄴ. (가)는 H_2O로부터 H^+을 받으므로 브뢴스테드·로리 염기이다.

513 ㄱ. (가)의 반응에서 반응 전후 원자의 종류와 수가 같도록 X의 화학식을 완성하면 HNO_3이다. (가)에서 X(HNO_3)는 수용액에서 H^+을 내놓으므로 아레니우스 산이다.

ㄴ. (나)의 반응에서 반응 전후 원자의 종류와 수가 같도록 Y의 화학식을 완성하면 H_2O이다. (나)에서 Y(H_2O)는 $(CH_3)_2NH$에게 H^+을 내놓으므로 브뢴스테드·로리 산이다.

ㄷ. X(HNO_3)와 Y(H_2O)가 반응할 때 H_2O은 HNO_3에게 H^+을 받아 H_3O^+이 되므로 Y(H_2O)는 브뢴스테드·로리 염기이다.

21 물의 자동 이온화와 pH

빈출 자료 보기 147쪽

514 (1) × (2) ○ (3) ○ (4) ○ (5) × (6) ○ (7) × (8) ×

514 **바로알기 |** (1) pH가 7 이하인 산성 용액은 (가) 1가지이다.

(5) (가)의 $[H_3O^+]=1.0\times10^{-3}$ M, (나)의 $[H_3O^+]=1.0\times10^{-7}$ M이므로 $[H_3O^+]$는 (가)가 (나)의 10^4배이다.

(7) 온도가 같으면 수용액에서 물의 자동 이온화 상수(K_w)는 같다.

(8) pOH는 (가)가 11이고, (나)가 7이다. pOH가 1만큼 작을수록 $[OH^-]$는 10배만큼 크므로 $[OH^-]$는 (나)가 (가)의 10000배이다.

난이도별 필수 기출 148~151쪽

515 ③ 516 ⑤ 517 ⑤ 518 ③ 519 ② 520 ④
521 ② 522 ② 523 ② 524 ① 525 해설 참조
526 ③ 527 ② 528 ⑤ 529 ③ 530 ③
531 ④, ⑤

515 ㄱ. 어느 한 H_2O 분자가 H^+을 내놓고 OH^-이 되면 어느 한 H_2O 분자는 H^+을 받아 H_3O^+이 되므로 평형 상태에서 $[H_3O^+]=[OH^-]$이다.

ㄷ. 순수한 물에서 물 분자 중 극히 일부만 자동 이온화하므로 $[H_3O^+]$와 $[OH^-]$는 매우 작다.

바로알기 | ㄴ. 물의 자동 이온화 정도는 온도에 따라 다르므로 $[H_3O^+]$와 $[OH^-]$의 곱은 온도에 따라 다르다.

516 ㄱ. 어느 한 H_2O 분자가 H^+을 내놓고 OH^-이 되면 어느 한 H_2O 분자는 H^+을 받아 H_3O^+이 되므로 H_2O은 브뢴스테드·로리 산과 염기로 모두 작용한다.

ㄴ. 25 ℃에서 물이 자동 이온화하여 생성된 H_3O^+의 몰 농도(M)와 OH^-의 몰 농도(M) 곱을 나타낸 이온화 상수(K_w)가 1.0×10^{-14}이므로 25 ℃ 순수한 물에서 $[H_3O^+][OH^-]=1.0\times10^{-14}$이다.

ㄷ. 25 ℃ 순수한 물에서 $[H_3O^+][OH^-]=1.0\times10^{-14}$이고, $[H_3O^+]=[OH^-]$이므로 $[H_3O^+]=1.0\times10^{-7}$ M이다.

517 ① 온도가 높을수록 K_w가 커지므로 $[H_3O^+]$는 25 ℃일 때가 10 ℃일 때보다 크다. 따라서 pH는 25 ℃일 때가 10 ℃일 때보다 작다.

② K_w는 50 ℃일 때가 10 ℃일 때보다 크므로 순수한 물에서 전체 이온 수는 50 ℃일 때가 10 ℃일 때보다 크다.

③ t ℃일 때 $K_w=[H_3O^+][OH^-]=1.0\times10^{-15}$이므로 pH+pOH=15이다.

④ t ℃일 때 $[H_3O^+][OH^-]=1.0\times10^{-15}$이고 중성 용액에서는 $[H_3O^+]=[OH^-]=1.0\times10^{-7.5}$이다. 산성 용액에서는 $[H_3O^+]>[OH^-]$이므로 $[OH^-]<1.0\times10^{-7.5}$ M이다.

⑥ 50 ℃일 때 $[H_3O^+][OH^-]=5.5\times10^{-14}$이므로 $[H_3O^+]>1.0\times10^{-7}$ M이다. 따라서 pH는 7보다 작다.

바로알기 | ⑤ 10 ℃일 때 $[H_3O^+][OH^-]=2.9\times10^{-15}$이고 중성 용액에서는 $[H_3O^+]=[OH^-]$이다. 따라서 pH가 7인 용액은 $[H_3O^+]=1.0\times10^{-7}$ M이므로 10 ℃일 때 산성 용액이다.

518 ㄱ. 25 ℃에서 수용액의 $K_w=[H_3O^+][OH^-]=1.0\times10^{-14}$이고, (가)에서 $[H_3O^+]=1.0\times10^{-3}$ M이므로 $[OH^-]=1.0\times10^{-11}$ M이다.

ㄷ. (가)의 pH는 3이고, (나)의 pH는 5이므로 pH는 (가)<(나)이다.

바로알기 | ㄴ. (나)에서 $[OH^-]=1.0\times10^{-9}$ M이므로 $[H_3O^+]=1.0\times10^{-5}$ M이고, $[H_3O^+]>[OH^-]$이다. 따라서 (나)는 산성이다.

519 ㄴ. (나)의 pH=5이므로 $[H_3O^+]=1.0\times10^{-5}$ M이다.

ㄹ. (다)와 (라) 수용액의 온도가 25 ℃로 같으므로 두 수용액의 $[H_3O^+]$ $[OH^-]$ 값은 K_w와 같다.

바로알기 | ㄱ. 25 ℃에서 $K_w=[H_3O^+][OH^-]=1.0\times10^{-14}$이므로 pH+pOH=14이다. 이로부터 pOH는 (가)가 11, (나)가 9이므로 $[OH^-]$는 (가)가 1.0×10^{-11} M, (나)가 1.0×10^{-9} M이다. 따라서 $[OH^-]$는 (나)가 (가)의 100배이다.

ㄷ. (나)는 pH가 5인 산성 용액이므로 증류수를 넣어 희석하더라도 pH가 8인 염기성 용액이 되지는 않는다.

520 25 °C에서 수용액 속 $K_w=[H_3O^+][OH^-]=1.0\times10^{-14}$이다.

수용액	(가)	(나)	(다)
$[H_3O^+]$(M)	1.0×10^{-8}	1.0×10^{-6}	1.0×10^{-4}
$[OH^-]$(M)	1.0×10^{-6}	1.0×10^{-8}	1.0×10^{-10}
pH	8	6	4
pOH	6	8	10

pH$=-\log[H_3O^+]$이고, 25 °C에서 pH+pOH=14이다.

ㄴ. (가)~(다)의 pOH는 각각 6, 8, 10이므로 pOH는 (다)가 가장 크다.
ㄷ. (나)와 (다)는 모두 산성 용액이므로 (나)와 (다)를 혼합한 용액은 산성이다.
바로알기 | ㄱ. $[H_3O^+]$는 (가)가 1.0×10^{-8} M, (나)가 1.0×10^{-6} M이므로 $[H_3O^+]$는 (나)가 (가)의 100배이다.

521

용액	(가)	(나)	(다)
부피	600 mL	3.0 L	200 mL
pH	2	3	4
$[H_3O^+]$(M)	1.0×10^{-2}	1.0×10^{-3}	1.0×10^{-4}
H_3O^+의 양(mol)	6×10^{-3}	3×10^{-3}	2×10^{-5}

ㄴ. H_3O^+의 양(mol)은 (가)가 (나)의 2배이다.
바로알기 | ㄱ. $[H_3O^+]$는 (가)가 (다)의 100배이다.
ㄷ. (가)~(다) 모두 $[H_3O^+]$가 1.0×10^{-7} M보다 크므로 $[OH^-]$는 모두 1.0×10^{-7} M보다 작다.

522 ㄴ. $[H_3O^+]=0.2$ M이고, $K_w=[H_3O^+][OH^-]=1.0\times10^{-14}$이므로 $[OH^-]=5\times10^{-14}$ M이다.
바로알기 | ㄱ. 0.2 M HCl(*aq*) 속 $[H_3O^+]=0.2$ M이므로 pH$=1-\log2=1-0.3=0.7$이다.
ㄷ. 물을 더 넣으면 $[H_3O^+]$가 감소하므로 $[OH^-]$는 증가한다.

523

두 수용액에 공통으로 존재하는 ●은 H^+이다.

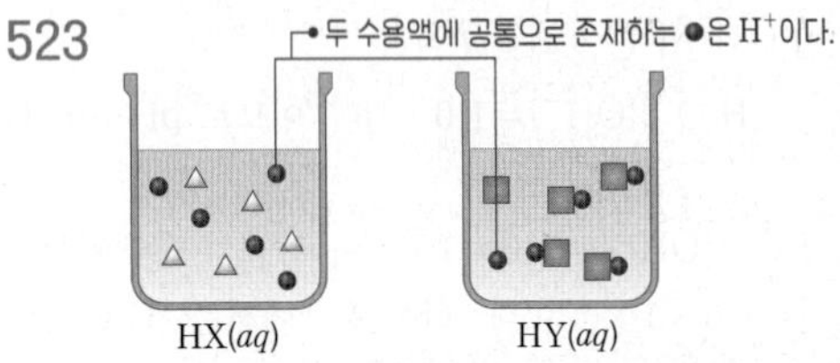

ㄱ. 같은 부피의 수용액 속 H^+ 수는 HX(*aq*)>HY(*aq*)이므로 $[H_3O^+]$가 HX(*aq*)>HY(*aq*)이고, pH는 HX(*aq*)<HY(*aq*)이다.
ㄴ. pH는 HX(*aq*)<HY(*aq*)이고 pOH=14−pH이므로 pOH는 HX(*aq*)>HY(*aq*)이다. 따라서 $[OH^-]$는 HX(*aq*)<HY(*aq*)이다.
바로알기 | ㄷ. 같은 부피에 녹인 HX와 HY 분자 수는 5로 같으므로 두 수용액의 몰 농도(M)는 같다.
ㄹ. 두 수용액의 온도가 같으므로 물의 이온화 상수(K_w)는 같다.

524

두 수용액에 공통으로 존재하는 ○은 H^+이다.

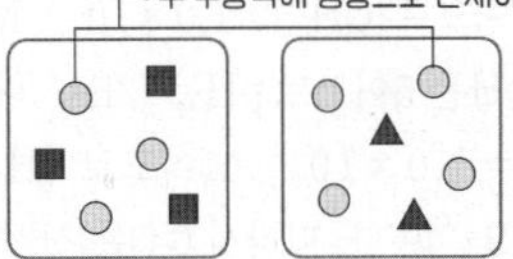

(가) HX(*aq*) (나) H_2Y(*aq*)

ㄱ. $[H_3O^+]$는 (가)<(나)이므로 pH는 (가)>(나)이다.
바로알기 | ㄴ. (가)에 녹인 HX 입자 수가 3일 때 (나)에 녹인 H_2Y 입자 수는 2이다. 즉 두 수용액의 부피가 같으므로 몰 농도(M)의 비는 (가) : (나)=3 : 2이다.
ㄷ. (가)와 (나)에서 같은 부피 속 H_3O^+의 몰비는 (가) : (나)=3 : 4이다. 따라서 (가) 40 mL 속 H_3O^+의 양(mol)과 (나) 30 mL 속 H_3O^+의 양(mol)은 같다. 이때 부피는 (가) 40 mL>(나) 30 mL이므로 $[H_3O^+]$는 (가) 40 mL<(나) 30 mL이다. 따라서 pH는 (가) 40 mL>(나) 30 mL이므로 pOH는 (가) 40 mL<(나) 30 mL이다.

다른 해설 $[H_3O^+]$는 (가)<(나)이며, 부피가 달라져도 $[H_3O^+]$는 변하지 않는다. 따라서 pH는 (가) 40 mL>(나) 30 mL이고, 따라서 pOH는 (가) 40 mL<(나) 30 mL이다.

525 **모범 답안** 수용액 1 L에 녹아 있는 OH^-의 양(mol)이 2.5×10^{-5} mol이므로 $[OH^-]=2.5\times10^{-5}$ M이다. 25 °C에서 $K_w=[H_3O^+][OH^-]=1.0\times10^{-14}$이므로 $[H_3O^+]=\frac{1.0\times10^{-14}}{2.5\times10^{-5}}=4\times10^{-10}$(M)이다.

526 0.01 M H_2SO_4(*aq*) 1 L 속 $[H_3O^+]=0.02$ M이고 $K_w=[H_3O^+][OH^-]=1.0\times10^{-14}$이므로 $[OH^-]=5.0\times10^{-13}$ M이다.

527 (가) $[OH^-]=1.0\times10^{-12}$ M인 HBr(*aq*) 속 $[H_3O^+]=1.0\times10^{-2}$ M이므로 pH는 2이다.
(나) 2가 염기인 0.05 M $Ba(OH)_2$(*aq*) 속 $[OH^-]=0.1$ M이므로 $[H_3O^+]=1.0\times10^{-13}$ M이다. 따라서 pH는 13이다.
(다) pOH가 4인 수용액 속 $[OH^-]=1.0\times10^{-4}$ M이므로 $[H_3O^+]=1.0\times10^{-10}$ M이고 pH는 10이다.
따라서 (가)~(다)의 pH는 (가)<(다)<(나)이다.

528 제시된 물질의 pH와 pOH는 표와 같다.

물질	사이다	커피	달걀 흰자	하수구 세정제
pH	3	5	8	12
pOH	11	9	6	2

ㄱ. pOH가 가장 큰 것은 사이다이다.
ㄴ. $[H_3O^+]<[OH^-]$인 물질은 달걀 흰자와 하수구 세정제이다.
ㄷ. pOH는 커피가 사이다보다 2만큼 작으므로 $[OH^-]$는 커피가 사이다의 100배이다.

529 NaOH 0.002 g의 양(mol)은 5×10^{-5} mol이고 수용액의 부피가 0.5 L이므로 수용액 속 $[OH^-]=1.0\times10^{-4}$ M이다. 즉 pOH는 4이다. 25 °C에서 pH+pOH=14이므로 pH는 10이다.

530 ㄱ. 0.1 M NaOH(*aq*) 100 mL 속 NaOH의 양(mol)은 0.01 mol이므로 증류수를 가해 희석한 수용액 (나)에서 NaOH(*aq*)의 몰 농도(M)는 0.01 M이다.
ㄷ. $[H_3O^+]$는 (가)가 1.0×10^{-13} M이고, (나)가 1.0×10^{-12} M이다. 따라서 $[H_3O^+]$는 (가)가 (나)의 $\frac{1}{10}$배이다.
바로알기 | ㄴ. (가)의 $[OH^-]=0.1$ M이고 (나)의 $[OH^-]=0.01$ M이므로 pOH는 (가)가 1, (나)가 2이다.

531 ① 순수한 물에서 H_2O이 자동 이온화하여 H_3O^+과 OH^-을 내놓으므로 OH^-이 존재한다.
② pH가 3인 수용액 속 $[H_3O^+]=1.0\times10^{-3}$ M이고, 25 °C에서 $[H_3O^+][OH^-]=1.0\times10^{-14}$이므로 $[OH^-]=1.0\times10^{-11}$ M이다.
③ (나)에 물을 넣으면 $[H_3O^+]$가 감소하므로 pH가 증가하고 pOH는 감소한다.
⑥ (나)에서 $[H_3O^+]=1.0\times10^{-3}$ M이므로 (나) 50 mL 속 H_3O^+의 양(mol)은 5×10^{-5} mol이다. 또한 (다)에서 $[OH^-]=1.0\times10^{-2}$ M이므로 5 mL 속 OH^-의 양(mol)은 5×10^{-5} mol이다. 따라서 (나) 50 mL와 (다) 5 mL를 혼합한 용액은 중성 용액이므로 pH는 7이다.
바로알기 | ④ (다)의 pH가 12이므로 pOH는 2이다. 즉 $[OH^-]=1.0\times10^{-2}$ M이고, NaOH(*aq*)의 몰 농도(M)는 1.0×10^{-2} M이다.
⑤ (라)에서 0.01 M H_2SO_4(*aq*) 속 $[H_3O^+]=0.02$ M이다. (나)에서 $[H_3O^+]=1.0\times10^{-3}$ M이므로 $[H_3O^+]$는 (라)가 (나)의 20배이다.

22 중화 반응

빈출 자료 보기 153쪽

532 (1) ○ (2) ○ (3) × (4) ○ (5) ○ (6) ○ (7) × (8) × (9) ×

532 (1) $NaOH(aq)$ 80 mL에 $HCl(aq)$을 조금씩 넣을 때 그 수가 감소하는 C는 $NaOH(aq)$ 속 OH^-이고, 일정 구간 존재하지 않다가 어느 순간부터 그 수가 증가하는 D는 H^+이므로 C와 D는 반응에 참여하는 이온이다.

(2) (나)에서 OH^-인 C의 수가 0이 되므로 (나)는 중화점이다.

(4) B는 넣어 준 $HCl(aq)$의 부피에 관계없이 그 수가 일정하므로 반응에 참여하지 않는 Na^+이다.

(5) $NaOH(aq)$ 속 OH^-이 넣어 준 H^+ 수만큼 반응하여 소모될 때 소모된 OH^- 수만큼 Cl^-이 첨가되므로 중화점까지 전체 이온 수는 같다.

(6) (가)는 중화점 이전, (나)는 중화점, (다)는 중화점 이후 용액이므로 생성된 물 분자 수는 (가)<(나)=(다)이다.

바로알기 | (3) $NaOH(aq)$ 80 mL를 완전 중화시키는 데 사용된 $HCl(aq)$의 부피가 40 mL이므로 몰 농도(M)는 $HCl(aq)$이 $NaOH(aq)$의 2배이다.

(7) (가)는 중화 반응이 절반 진행된 지점이고, B는 구경꾼 이온이므로 (가)에서 생성된 물의 양(mol)은 B의 양(mol)의 절반이다.

(8) (다)는 중화점 이후 $HCl(aq)$을 10 mL 더 넣어 준 지점이다. (나)는 중화점이므로 B(Na^+)의 수와 A(Cl^-)의 수는 같다. 또한 (다)는 산성 용액이므로 전체 이온 수는 $HCl(aq)$ 50 mL에 들어 있는 이온 수와 같다. (다)에서 전체 이온 수를 $5N$이라고 하면 B의 수는 $2N$이므로 전체 이온 수는 B의 수의 2.5배이다.

(9) Na^+의 수는 (가)와 (나)에서 같고, Cl^-의 수는 (나)가 (가)의 2배이므로 $\frac{Na^+\text{의 수}}{Cl^-\text{의 수}}$는 (가)가 (나)의 2배이다.

난이도별 필수 기출 154~163쪽

533 ③ 534 ③ 535 알짜 이온 반응식: $H^+ + OH^- \longrightarrow H_2O$, 구경꾼 이온: Ca^{2+}, Cl^- 536 ⑤ 537 ② 538 ②
539 ⑤ 540 ③ 541 ② 542 ② 543 ① 544 ⑤
545 ① 546 ③ 547 ④ 548 ② 549 ④ 550 ①
551 ⑤ 552 ③ 553 ① 554 ① 555 ③ 556 ③
557 ① 558 ③ 559 ④ 560 ⑤ 561 ① 562 ③
563 ② 564 ④, ⑥ 565 ① 566 ① 567 ①
568 ④ 569 해설 참조 570 해설 참조 571 ③
572 ⑥ 573 ① 574 ③

533 ㄱ. 석회 가루는 생석회(CaO)가 주성분으로 물에 녹아 염기성을 띠므로 산성화된 토양에 뿌려 중화시킨다.

ㄴ. 소다는 물에 녹아 염기성을 띠므로 김치의 신맛을 내는 젖산을 중화시킨다.

바로알기 | ㄷ. 머리카락의 주성분은 단백질이므로 염기가 주성분인 하수구 세정제를 사용하여 녹인다. 이는 염기의 성질을 이용한 사례이다.

534 ㄱ. 0.1 M $HCl(aq)$ 100 mL에 들어 있는 H^+의 양(mol)은 0.01 mol이고, 0.2 M $Ca(OH)_2(aq)$ 50 mL에 들어 있는 OH^-의 양(mol)은 2×0.2 mol/L$\times0.05$ L$=0.02$ mol이다. 산이 내놓은 H^+과 염기가 내놓은 OH^-은 1 : 1의 몰비로 반응하여 H_2O을 생성하므로 생성된 H_2O의 양(mol)은 0.01 mol이다.

ㄴ. 혼합 용액 속에는 반응하지 않고 남은 OH^-이 존재하므로 혼합 용액은 염기성이다. 따라서 BTB 용액을 떨어뜨리면 파란색을 띤다.

바로알기 | ㄷ. 혼합 용액은 염기성이며, 여기에 염기인 $NaOH(aq)$을 더 넣어 주면 용액에는 구경꾼 이온인 Ca^{2+}, Cl^-, Na^+ 외에도 중화 반응에 참여하는 OH^-이 존재한다.

535 반응에 실제로 참여한 이온들로만 중화 반응을 나타내면 $H^+ + OH^- \longrightarrow H_2O$이다. 반응에 참여하지 않고 반응 전후 그대로 남아 있는 구경꾼 이온은 Ca^{2+}과 Cl^-이다.

모범 답안 알짜 이온 반응식: $H^+ + OH^- \longrightarrow H_2O$
구경꾼 이온: Ca^{2+}, Cl^-

536 0.1 M $H_2SO_4(aq)$ 200 mL에 들어 있는 H^+의 양(mol)은 2×0.1 mol/L$\times0.2$ L$=0.04$ mol, 0.3 M $NaOH(aq)$ 300 mL에 들어 있는 OH^-의 양(mol)은 1×0.3 mol/L$\times0.3$ L$=0.09$ mol이다. 산이 내놓은 H^+과 염기가 내놓은 OH^-은 1 : 1의 몰비로 반응하므로 혼합 용액에는 반응하지 않고 남은 OH^-이 0.05 mol 존재한다. 또한 혼합 용액의 부피는 0.5 L이므로 $[OH^-]=0.1$ M이다. 이로부터 pOH$=1$이고, 25 ℃에서 pH$+$pOH$=14$이므로 pH$=13$이다.

537 ㄷ. 0.02 M $HCl(aq)$ 50 mL에 들어 있는 H^+의 양(mol)은 1×0.02 mol/L$\times0.05$ L$=0.001$ mol이다. 이 양은 (나) 속 OH^-의 양(mol)과 같으므로 (나)에 0.02 M $HCl(aq)$ 50 mL를 넣어 주면 혼합 용액은 중성이 된다.

바로알기 | ㄱ. $Na(s)$과 $H_2O(l)$의 반응의 화학 반응식은 다음과 같다.

$2Na(s) + 2H_2O(l) \longrightarrow H_2(g) + 2Na^+(aq) + 2OH^-(aq)$

Na의 원자량이 23이므로 23 mg의 양(mol)은 0.001 mol이다. 이때 반응 몰비는 Na : H_2=2 : 1이므로 생성되는 기체(H_2)의 양(mol)은 0.0005 mol이다.

ㄴ. 반응 후 용액 속 OH^-의 양(mol)은 반응한 Na의 양(mol)과 같은 0.001 mol이다. 이때 증류수를 첨가하여 수용액의 부피가 1 L가 되었으므로 용액 속 $[OH^-]=0.001$ M이다. 이로부터 pOH$=3$이고 25 ℃에서 pH$+$pOH$=14$이므로 (나)의 pH$=11$이다.

538

$HCl(aq)$과 $NaOH(aq)$의 몰 농도(M)의 비가 1 : 2이므로 2 : 1의 부피비로 완전 중화된다.

혼합 용액	(가)	(나)	(다)	(라)
$HCl(aq)$(mL)	10	25	30	40
$NaOH(aq)$(mL)	40	25	20	10
반응한 $HCl(aq)$의 부피(mL)	10	25	30	20
반응한 $NaOH(aq)$의 부피(mL)	5	12.5	15	10

ㄷ. 몰 농도(M)는 $NaOH(aq)$이 $HCl(aq)$의 2배이므로 혼합 용액 속 전체 이온 수는 $NaOH(aq)$이 가장 많이 남은 (가)에서 가장 크다.

바로알기 | ㄱ. 반응한 $HCl(aq)$의 부피는 (가)에서 10 mL이고 (라)에서 20 mL이므로 생성된 물 분자 수는 (라)가 (가)의 2배이다.

ㄴ. (가), (나), (다)에서는 $NaOH(aq)$이 각각 35 mL, 12.5 mL, 5 mL 남고, (라)에서는 $HCl(aq)$이 20 mL 남는다. 따라서 산성 용액은 (라) 1가지이다.

539 ㄱ. $NaOH(aq)$과 $H_2SO_4(aq)$은 같은 부피로 완전 중화되고, H_2SO_4은 2가 산이므로 몰 농도(M)의 비는 $H_2SO_4(aq)$: $NaOH(aq)$ =1 : 2이다.

ㄴ. A~C 중 완전 중화된 용액이 B이므로 혼합 용액의 온도는 B가 가장 높다.

ㄷ. A에서는 $H_2SO_4(aq)$이 남고, C에서는 $NaOH(aq)$이 남는다. 즉 A~C의 액성은 각각 산성, 중성, 염기성이므로 pH는 $A<B<C$이다.

540 (가)에서 0.2 M $HCl(aq)$ 10 mL와 0.1 M $H_2SO_4(aq)$ 30 mL에 들어 있는 H^+의 양(mol)은 $(1\times0.2\times10+2\times0.1\times30)\times10^{-3}$ $=8\times10^{-3}$(mol)이다. (나)에서 0.3 M $NaOH(aq)$ 20 mL에 들어 있는 OH^-의 양(mol)은 $1\times0.3\times20\times10^{-3}=6\times10^{-3}$(mol)이다. 따라서 과정 (나)가 끝난 혼합 용액에는 H^+이 2×10^{-3} mol 존재하므로 완전 중화시키기 위해서는 OH^- 2×10^{-3} mol이 필요하다.

③ 0.1 M $Ca(OH)_2(aq)$ 10 mL에 들어 있는 OH^-의 양(mol)은 $2\times0.1\times10\times10^{-3}=2\times10^{-3}$(mol)이다.

바로알기 | ①, ② 산 수용액이므로 중화시킬 수 없다.

④ 0.1 M $KOH(aq)$ 10 mL에 들어 있는 OH^-의 양(mol)은 $1\times0.1\times10\times10^{-3}=1\times10^{-3}$(mol)이다.

⑤ 0.1 M $NaOH(aq)$ 15 mL에 들어 있는 OH^-의 양(mol)은 $1\times0.1\times15\times10^{-3}=1.5\times10^{-3}$(mol)이다.

541 ㄴ. (가)에 들어 있는 H^+의 양(mol)은 0.2 mol이고 (나)에 들어 있는 OH^-의 양(mol)은 0.2 mol이다. 산의 H^+과 염기의 OH^-은 1 : 1의 몰비로 반응하므로 (다)에서 생성된 물의 양(mol)은 0.2 mol이다.

바로알기 | ㄱ. (가) 용액은 전기적으로 중성이므로 입자 A의 전하는 −2이다.

ㄷ. (가)는 산성 용액이고, (다)는 중성 용액이므로 pOH는 (가)>(다)이다.

542

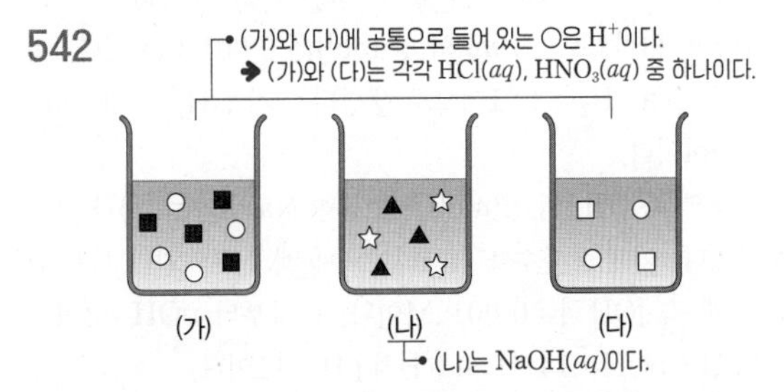

ㄴ. 수용액의 pH는 염기성 용액인 (나)가 가장 크고, H^+의 농도가 작은 (다)가 (가)보다 크다. 따라서 수용액의 pH는 (가)<(다)<(나)이다.

바로알기 | ㄱ. (나)는 염기성 용액이므로 $Mg(s)$을 넣어도 기체가 발생하지 않는다.

ㄷ. (가)에는 H^+ 수가 4, (나)에는 OH^- 수가 3, (다)에는 H^+ 수가 2 들어 있다. 산이 내놓은 H^+과 염기가 내놓은 OH^-은 1 : 1의 개수비로 반응하므로 (가)와 (나)를 혼합하면 총 이온 수는 8이다. (가)와 (다)는 모두 산성 용액으로 서로 반응하지 않으므로 이온 수는 각 용액 속 이온 수의 합인 12이다.

543

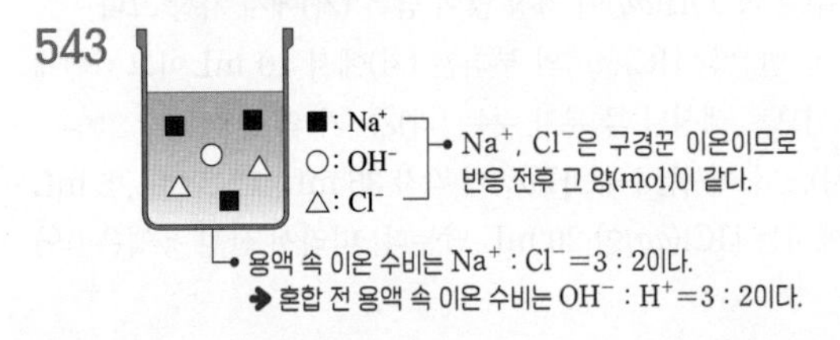

ㄱ. 용액 속 이온 수비는 $Na^+ : Cl^-=3 : 2$이므로 혼합 전 0.1 M $HCl(aq)$ 300 mL 속 H^+(또는 Cl^-)과 0.2 M $NaOH(aq)$ x mL 속 OH^-(또는 Na^+)의 몰비는 2 : 3이다. 이때 혼합 전 0.1 M $HCl(aq)$ 300 mL 속 H^+(또는 Cl^-)의 양(mol)이 0.03 mol이므로 혼합 전 0.2 M $NaOH(aq)$ x mL 속 OH^-(또는 Na^+)의 양(mol)은 0.045 mol이다. 즉 $1\times0.2\ mol/L\times x\times10^{-3}\ L=0.045$ mol이므로 이 식을 풀면 $x=225$이다.

바로알기 | ㄴ. 혼합 용액이 염기성이므로 생성된 물의 양(mol)은 산 수용액 속 H^+의 양(mol)과 같은 0.03 mol이다.

ㄷ. 혼합 용액에 들어 있는 OH^-의 양은 $(0.045-0.03)$ mol= 0.015 mol이다. 0.1 M $HCl(aq)$ 100 mL에 들어 있는 H^+의 양(mol)은 0.01 mol이므로 혼합 용액에 0.1 M $HCl(aq)$ 100 mL를 넣으면 OH^-이 남아 염기성 용액이 된다.

544 (가)와 (나)에서 각 이온의 총 이온 수는 다음과 같다.

	(가)	(나)	변화량
▲	6×20=120	4×30=120	일정
□	6×20=120	1×30=30	90 감소
●		3×30=90	90 증가

이온 수가 일정한 ▲은 Cl^-, 감소한 □은 H^+, 증가한 ●은 Na^+이다.

ㄱ. $HCl(aq)$ 20 mL에 들어 있는 H^+ 수가 120일 때 $NaOH(aq)$ 10 mL에 들어 있는 Na^+ 수가 90이므로 단위 부피당 이온 수비는 $HCl(aq)$: $NaOH(aq)$=60 : 90=2 : 3이다.

ㄴ. (나)에 $NaOH(aq)$ 10 mL를 추가하면 Na^+ 수와 OH^- 수가 90씩 추가되므로 (다)에서 OH^- 수는 60이다. 즉 (다)는 염기성 용액이므로 페놀프탈레인 용액을 떨어뜨리면 붉은색으로 변한다.

ㄷ. (다)에서 Na^+ 수는 180이고, OH^- 수는 60이므로 $\frac{Na^+\ 수}{OH^-\ 수}=3$이다.

545

(가), (나)에서 $NaOH(aq)$의 부피가 같으므로 (가)에서는 $HCl(aq)$이, (나)에서는 $NaOH(aq)$이 모두 반응한다.

혼합 용액		(가) (OH^-이 남음)	(나) (H^+이 남음)
혼합 전 용액의 부피(mL)	$HCl(aq)$	100	200
	$NaOH(aq)$	200	200
중화 반응에서 생성된 물의 양(mol)		0.04	0.06

생성된 물의 양(mol)이 (나)가 (가)의 1.5배이다.
➜ 반응한 산과 염기의 양이 (나)가 (가)의 1.5배이다.

ㄱ. (가)에서 $HCl(aq)$이 모두 반응하고 $NaOH(aq)$이 남는다. 따라서 (가)는 염기성이다.

바로알기 | ㄴ. (가)에서 $HCl(aq)$ 100 mL가 반응할 때 생성된 물의 양(mol)이 0.04 mol이고, (나)에서 생성된 물의 양(mol)은 (가)의 1.5배이므로 반응한 $HCl(aq)$의 부피는 (가)의 1.5배인 150 mL이다. 즉 $HCl(aq)$ 150 mL와 $NaOH(aq)$ 200 mL가 완전 중화되므로 $HCl(aq)$ 150 mL와 $NaOH(aq)$ 200 mL를 혼합한 용액은 중성이다.

ㄷ. $HCl(aq)$ 150 mL와 $NaOH(aq)$ 200 mL가 반응하면 완전 중화되므로 몰 농도(M)의 비는 $HCl(aq)$: $NaOH(aq)$=4 : 3이다. 이때 (가)는 염기성이고, (나)는 산성이므로 (가)의 총 이온 수는 혼합 전 $NaOH(aq)$에 들어 있는 총 이온 수와 같고 (나)의 총 이온 수는 혼합 전 $HCl(aq)$에 들어 있는 총 이온 수와 같다. 따라서 총 이온 수는 (가)가 (나)의 $\frac{3}{4}$배이다.

546 단위 부피당 생성된 물 분자 수×혼합 용액의 부피

혼합 용액	혼합 전 용액의 부피(mL)			단위 부피당 생성된 물 분자 수	생성된 물 분자 수
	$HCl(aq)$	$NaOH(aq)$	$KOH(aq)$		
(가)	10	5	0	$2N$	$30N$
(나)	5	0	5	$6N$	$60N$
(다)	15	10	5	$5N$	$150N$

$HCl(aq)$의 양은 (가)가 (나)의 2배인데 생성된 물의 양은 (나)가 (가)의 2배이므로 (가)의 $NaOH(aq)$ 5 mL에 들어 있는 OH^- 수는 $30N$이다. (다)에서 $NaOH(aq)$ 10 mL에 들어 있는 OH^- 수는 $60N$이므로 $KOH(aq)$ 5 mL에 들어 있는 OH^- 수는 $90N$ 이상이다. 따라서 (나)에서 $HCl(aq)$ 5 mL에 들어 있는 H^+ 수는 $60N$이다.

(다)에서 $HCl(aq)$ 15 mL에 들어 있는 H^+ 수가 $180N$이므로 $KOH(aq)$ 5 mL에 들어 있는 OH^- 수는 $90N$이다.

ㄱ. (나)에서 $HCl(aq)$ 5 mL에 들어 있는 H^+ 수는 $60N$이고, $KOH(aq)$ 5 mL에 들어 있는 OH^- 수는 $90N$이므로 (나)에는 반응하지 않고 남은 OH^-이 $30N$ 들어 있다. 즉 (나)는 염기성이다.

ㄴ. $HCl(aq)$ 5 mL에 들어 있는 H^+ 수는 $60N$이고, $NaOH(aq)$ 5 mL에 들어 있는 OH^- 수는 $30N$이다. 같은 부피 속에 들어 있는 이온 수는 $HCl(aq)$이 $NaOH(aq)$의 2배이므로 몰 농도(M)의 비는 $HCl(aq)$: $NaOH(aq)$=2 : 1이다.

바로알기 | ㄷ. $HCl(aq)$ 10 mL에 들어 있는 H^+ 수는 $120N$이고, $NaOH(aq)$ 5 mL에 들어 있는 OH^- 수는 $30N$이므로 (가)에는 H^+이 $90N$ 남아 있다. 한편 (나)에는 OH^-이 $30N$ 남아 있고, (다)에는 H^+이 $30N$ 남아 있다. 따라서 (가)와 (나)를 혼합할 때와 (나)와 (다)를 혼합할 때 추가로 생성되는 물 분자 수는 $30N$으로 같다.

547 Na^+은 구경꾼 이온이므로 혼합 용액 속 Na^+ 수는 $NaOH(aq)$의 부피에 비례한다. 따라서 (가)에서 Na^+ 수를 $5N$이라고 하면 (나)에서 Na^+ 수는 $2N$이다. (나)에서 Na^+ 수가 $2N$이므로 H^+ 수는 $10N$이고, 혼합 전 $HCl(aq)$ 80 mL에 들어 있는 H^+ 수는 $12N$이다. (가)에서 $HCl(aq)$ 20 mL에 들어 있는 H^+ 수는 $3N$이고, $NaOH(aq)$ 100 mL에 들어 있는 OH^- 수는 $5N$이다.

④ 각 수용액 100 mL에 들어 있는 양이온 수는 $HCl(aq)$이 $15N$, $NaOH(aq)$이 $5N$이므로 혼합 전 단위 부피당 이온 수비는 $HCl(aq)$: $NaOH(aq)$=3 : 1이다.

바로알기 | ① (가)에는 반응하지 않은 OH^-이 $2N$ 남아 있으므로 (가)는 염기성이다.

② (가)는 염기성, (나)는 산성이므로 혼합 용액 속 총 이온 수는 (가)에서는 반응 전 $NaOH(aq)$ 100 mL에 들어 있는 총 이온 수와 같고, (나)에서는 반응 전 $HCl(aq)$ 80 mL에 들어 있는 총 이온 수와 같다. 즉 $NaOH(aq)$ 100 mL에 들어 있는 총 이온 수는 $10N$이고, $HCl(aq)$ 80 mL에 들어 있는 총 이온 수는 $24N$이므로 총 이온 수비는 (가) : (나)$=10N : 24N=5 : 12$이다.

③ 생성된 물 분자 수는 (가)에서 $3N$, (나)에서 $2N$이므로 생성된 물 분자 수비는 (가) : (나)=3 : 2이다.

⑤ (가)와 (나)를 혼합하면 $NaOH(aq)$ 140 mL와 $HCl(aq)$ 100 mL가 반응한다. 즉 OH^- $5N\times\frac{140}{100}=7N$과 H^+ $3N\times\frac{100}{20}=15N$이 반응하므로 혼합 용액은 산성이 된다.

⑥ Na^+과 Cl^-은 구경꾼 이온이므로 반응에 참여하지 않고, 반응 후에도 용액에 그대로 남아 있다. 따라서 (가)와 (나)를 혼합한 용액에 존재하는 Na^+과 Cl^-의 개수비는 $Na^+ : Cl^-=7N : 15N=7 : 15$이다.

개념 보충

혼합 용액의 액성과 총 이온 수

- 산성 용액: 혼합 용액의 액성이 산성이고 반응한 산과 염기가 모두 1가인 경우, 용액 속 총 이온 수는 혼합 전 산 수용액 속 총 이온 수와 같다.
- 염기성 용액: 혼합 용액의 액성이 염기성이고 반응한 산과 염기가 모두 1가인 경우, 용액 속 총 이온 수는 혼합 전 염기 수용액 속 총 이온 수와 같다.
- 중성 용액: 혼합 용액의 액성이 중성이고 반응한 산과 염기가 모두 1가인 경우, 용액 속 총 이온 수는 혼합 전 산 수용액 또는 염기 수용액 속 총 이온 수와 같다.

548 단위 부피당 이온 수×혼합 용액의 부피

혼합 용액	혼합 전 용액의 부피(mL)			단위 부피당 이온 수	총 이온 수
	$HCl(aq)$	$NaOH(aq)$	$KOH(aq)$		
(가)	10	0	20	$2N$	$60N$
(나)	10	10	0	$5N$	$100N$
(다)	10	10	20	$3N$	$120N$

(나)와 (다)에서 $HCl(aq)$과 $NaOH(aq)$의 부피가 같고, 총 이온 수는 (다)가 (나)보다 $20N$만큼 크다. 따라서 $KOH(aq)$ 20 mL에 들어 있는 총 이온 수는 $20N$이다. 즉 K^+, OH^- 수는 각각 $10N$이다.

(가)의 총 이온 수가 $60N$이므로 $HCl(aq)$ 10 mL에 들어 있는 총 이온 수는 $60N$이다. 즉 H^+, Cl^- 수는 각각 $30N$이다.

(나)의 총 이온 수가 $100N$이므로 $NaOH(aq)$ 10 mL에 들어 있는 총 이온 수는 $100N$이다. 즉 Na^+, OH^- 수는 각각 $50N$이다.

ㄷ. (다)에는 반응하지 않고 남은 OH^-이 $30N$ 있고, $HCl(aq)$ 10 mL에 들어 있는 H^+ 수는 $30N$이므로 (다)에 $HCl(aq)$ 10 mL를 혼합한 용액은 중성이다.

바로알기 | ㄱ. 각 수용액 10 mL에 들어 있는 총 이온 수는 $KOH(aq)$이 $10N$이고, $HCl(aq)$이 $60N$이다. 따라서 몰 농도(M)의 비는 $HCl(aq)$: $KOH(aq)$=6 : 1이다.

ㄴ. (가)에는 반응하지 않고 남은 H^+이 $20N$ 있고, (나)에는 반응하지 않고 남은 OH^-이 $20N$ 있다. 즉 (가)와 (나)를 혼합한 용액은 중성이다.

549 (가)를 산성이라고 하면, 혼합 용액 속 전체 이온 수는 $HCl(aq)$ 10 mL에 들어 있는 전체 이온 수와 같으므로 $HCl(aq)$ 10 mL에 들어 있는 전체 이온 수는 $20N$이고, (나)에서 전체 이온 수는 $40N$ 이상이 되어야 하므로 모순이다. 따라서 (가)는 염기성이고, 생성된 물 분자 수가 $9N$이므로 $HCl(aq)$ 10 mL에 들어 있는 H^+, Cl^- 수는 각각 $9N$이다.

(나)에서 $HCl(aq)$ 20 mL에 들어 있는 전체 이온 수는 $36N$이고 생성된 물 분자 수가 $16N$이므로 (나)는 산성이다.

ㄴ. (가)에서 $NaOH(aq)$ 10 mL에 들어 있는 OH^- 수를 a, $KOH(aq)$ 10 mL에 들어 있는 OH^- 수를 b라고 하자.

(가)는 염기성이므로 (가)에서 전체 이온 수는 혼합 전 염기 수용액 속 전체 이온 수와 같다. 따라서 $a+3b=10N$이다. …①

(나)는 산성이므로 염기 수용액 속 OH^- 수는 생성된 물 분자 수와 같은 $16N$이다. 따라서 $2a+4b=16N$이다. …②

①, ②를 풀면 $a=4N$, $b=2N$이다.

이로부터 각 수용액 10 mL에 들어 있는 전체 이온 수는 $HCl(aq)$은 $18N$, $NaOH(aq)$은 $8N$, $KOH(aq)$은 $4N$이다. 따라서 단위 부피당 이온 수는 $HCl(aq)$이 $KOH(aq)$의 4.5배이다.

ㄷ. $HCl(aq)$ 10 mL에 들어 있는 H^+ 수와 Cl^- 수는 각각 $9N$이고, $NaOH(aq)$ 15 mL에 들어 있는 Na^+ 수와 OH^- 수는 각각 $6N$, $KOH(aq)$ 30 mL에 들어 있는 K^+ 수와 OH^- 수는 각각 $6N$이므로 각 수용액을 혼합한 용액은 염기성 용액이다.

따라서 혼합 용액에 들어 있는 양이온 수는 혼합 전 염기 수용액에 들어 있는 양이온 수의 합인 $12N$이다.

바로알기 | ㄱ. (가)는 염기성이고, (나)는 산성이다.

550 (가)에서 Cl^- 수가 생성된 물 분자 수의 4배이므로 (가)는 산성 용액이다. $HCl(aq)$ 10 mL에 들어 있는 H^+ 수와 Cl^- 수를 각각 $4N$이라고 하면 $NaOH(aq)$ x mL에 들어 있는 Na^+ 수와 OH^- 수는 각각 N이다.

(다)에서 $HCl(aq)$ 15 mL에 들어 있는 H^+ 수와 Cl^- 수는 각각 $6N$이고 생성된 물 분자 수는 $5N$이다. 즉 $NaOH(aq)$ $2x$ mL에 들어 있는 Na^+ 수와 OH^- 수는 각각 $2N$이므로 $KOH(aq)$ x mL에 들어 있는 K^+ 수와 OH^- 수는 각각 $3N$이다.

ㄱ. (나)에서 $HCl(aq)$ 5 mL에 들어 있는 H^+ 수와 Cl^- 수는 각각 $2N$이고, $KOH(aq)$ x mL에 들어 있는 K^+ 수와 OH^- 수는 각각 $3N$이다. 따라서 (나)에서 용액 속 Cl^- 수와 생성된 물 분자 수는 모두 $2N$이므로 ㉠은 1이다.

바로알기 | ㄴ. x mL에 들어 있는 이온 수는 $NaOH(aq)$이 $2N$일 때 $KOH(aq)$은 $6N$이므로 같은 부피 속 이온 수는 $KOH(aq)$이 $NaOH(aq)$의 3배이다.

ㄷ. (나)에는 반응하지 않은 OH^- 수가 N이고, (다)에는 반응하지 않은 H^+ 수가 N이므로 (나)와 (다)를 혼합한 용액은 중성이다.

551 (가)와 (나)에서 생성된 물 분자 수가 같으므로 $HCl(aq)$ 5 mL에 들어 있는 H^+ 수($=Cl^-$ 수)가 $2N$이고, $NaOH(aq)$ 10 mL에 들어 있는 OH^- 수($=Na^+$ 수)가 $2N$이다.

ㄱ. $NaOH(aq)$ 15 mL에 들어 있는 Na^+ 수와 OH^- 수는 각각 $3N$이므로 (가)에서 Na^+ 수는 $3N$, OH^- 수는 N, Cl^- 수는 $2N$이다. 따라서 ㉠은 Na^+이다.

ㄴ. $HCl(aq)$ 10 mL에 들어 있는 H^+ 수와 Cl^- 수는 각각 $4N$이고, $NaOH(aq)$ 5 mL에 들어 있는 Na^+ 수와 OH^- 수는 각각 N이다. 따라서 (다)에서 $x=N$이다.

ㄷ. (다)에서 생성된 물 분자 수는 N이므로 $y=N$이다.

552 (가)와 (나)는 각각 산성 또는 염기성이고, 염기의 부피가 (나)에서가 (가)에서의 2배이고 산의 부피는 (나)에서가 (가)에서의 2배보다 작다. 그런데 염기가 2가 염기이므로 (나)에는 OH^-이 남아 있다.

1 M $B(OH)_2(aq)$ 50 mL와 100 mL에 들어 있는 OH^-의 양(mol)은 각각 $2\times1\times50\times10^{-3}=0.1$(mol), $2\times1\times100\times10^{-3}=0.2$(mol)이다. 또한 x M $HA(aq)$ 60 mL와 80 mL에 들어 있는 H^+의 양(mol)은 각각 $1\times x\times60\times10^{-3}=0.06x$(mol), $1\times x\times80\times10^{-3}=0.08x$(mol)이다.

ㄱ, ㄴ. (나)에서 OH^-의 양(mol)은 $0.2-0.08x=2n$(mol)…①이다. 또한 (가)에서 산 수용액의 부피가 (나)의 절반보다 크므로 (가)에서 많은 이온은 H^+이다. 이로부터 (가)에서 H^+의 양(mol)은 $0.06x-0.1=n$(mol)…②이다.

①, ②를 풀면 $n=0.02$, $x=2$이다.

바로알기 | ㄷ. (가)는 산성이므로 (가)에서 생성된 물의 양(mol)은 반응한 1 M $B(OH)_2(aq)$ 50 mL 속 OH^-의 양(mol)과 같다. (나)는 염기성이므로 (나)에서 생성된 물의 양(mol)은 반응한 2 M $HA(aq)$ 80 mL 속 H^+의 양(mol)과 같다. 따라서 (가)에서 생성된 물의 양은 $2\times1\times50\times10^{-3}=0.1$(mol), (나)에서 생성된 물의 양은 $1\times2\times80\times10^{-3}=0.16$(mol)로, (나)가 (가)의 1.6배이다.

553

(가)와 (나)에서 H^+ 또는 OH^- 수가 같고, 염기 수용액의 부피는 (가)<(나)이다. ➜ (가)에서는 H^+ 수가 $40N$이고, (나)에서는 OH^- 수가 $40N$이다.

혼합 용액	혼합 전 용액의 부피(mL)			단위 부피당 H^+ 또는 OH^-의 수	H^+ 또는 OH^- 수
	$HCl(aq)$	$NaOH(aq)$	$KOH(aq)$		
(가)	10	10	0	$2N$	$40N$
(나)	10	30	0	N	$40N$
(다)	10	30	10	N	$50N$
(라)	30	15	90	xN	

(다)에서 OH^- 수가 $50N$이고, (나)는 염기성 용액이다.

ㄱ. $HCl(aq)$ 10 mL에 들어 있는 H^+ 수를 a, $NaOH(aq)$ 10 mL에 들어 있는 OH^- 수를 b라고 하면, (가)에서 $a-b=40N$, (나)에서 $3b-a=40N$이고, 이 식을 풀면 $a=80N$, $b=40N$이다. 따라서 (다)에서 $KOH(aq)$ 10 mL에 들어 있는 OH^- 수는 $10N$이다. 이로부터 총 이온 수는 (가)에서 $160N$, (나)에서 $240N$, (다)에서 $260N$이므로 총 이온 수비는 (가) : (나) : (다)=8 : 12 : 13이다.

바로알기 | ㄴ. $HCl(aq)$ 30 mL에 들어 있는 H^+ 수는 $240N$, $NaOH(aq)$ 15 mL에 들어 있는 OH^- 수는 $60N$, $KOH(aq)$ 90 mL에 들어 있는 OH^- 수는 $90N$이다. 이로부터 (라)에 들어 있는 H^+ 수는 $90N$이고 혼합 용액의 부피가 135 mL이므로 단위 부피당 H^+ 수는 $\frac{90N}{135\text{ mL}}$이다. 즉 x는 2보다 작다.

ㄷ. $HCl(aq)$ 10 mL에 들어 있는 H^+ 수($=Cl^-$ 수)는 $80N$, $NaOH(aq)$ 30 mL에 들어 있는 OH^- 수($=Na^+$ 수)는 $120N$, $KOH(aq)$ 20 mL에 들어 있는 OH^- 수($=K^+$ 수)는 $20N$이다.

따라서 혼합 용액 속 OH^- 수는 $60N$이고, Na^+ 수+K^+ 수+Cl^- 수는 $220N$이므로 $\frac{Na^+\text{ 수}+K^+\text{ 수}+Cl^-\text{ 수}}{H^+\text{ 수 또는 }OH^-\text{ 수}}$는 5보다 작다.

554 (가)가 산성이라면 $HCl(aq)$ 10 mL 속 H^+ 수는 혼합 용액 속 양이온 수와 같은 $2N$이고, (나)에서 $HCl(aq)$ 20 mL 속 H^+ 수는 $4N$이 되므로 혼합 용액 속 양이온 수는 $4N$보다 커야 한다. 따라서 (가)는 염기성이고, $NaOH(aq)$ 30 mL 속 Na^+ 수는 $2N$이다.

(나)가 산성이라면 $HCl(aq)$ 20 mL 속 H^+ 수는 N이고, (다)에서 $HCl(aq)$ 30 mL 속 H^+ 수는 $1.5N$이 되어 자료에 부합한다.

(나)가 염기성이라면 $KOH(aq)$ 15 mL 속 K^+ 수는 N이고, (다)에서 $KOH(aq)$ 25 mL 속 K^+ 수는 $\frac{5}{3}N$이며, $NaOH(aq)$ 10 mL 속 Na^+ 수는 $\frac{2}{3}N$이므로 혼합 용액 속 양이온 수는 $\frac{7}{3}N$이므로 자료에 부합하지 않는다.

ㄱ. (가)는 염기성이다.

바로알기 | ㄴ. (나)와 (다)는 산성이므로 $HCl(aq)$ 20 mL에 들어 있는 H^+ 수는 N이고, $HCl(aq)$ 30 mL에 들어 있는 H^+ 수는 $1.5N$이다. (라)에서 염기 수용액의 합은 (다)와 같고 산 수용액의 부피는 (다)의 절반이므로 혼합 용액 속 양이온 수는 $1.5N$보다 클 수 없다. 즉 $x<2N$이다.

ㄷ. (다)와 (라)의 염기 수용액 속 OH^- 수가 같고, 산 수용액 속 H^+ 수는 (다)>(라)이므로 생성된 물 분자 수는 (다)=(라)이거나 (다)>(라)이다.

555 (가)에서 Cl^- 수를 20이라고 하면 (다)에서 Na^+ 수가 20이다. 따라서 (가)에서 $HCl(aq)$ 10 mL 속 H^+ 수($=Cl^-$ 수)는 20이고, (다)에서 $NaOH(aq)$ 20 mL 속 OH^- 수($=Na^+$ 수)는 20이다.

ㄱ. $HCl(aq)$ 10 mL 속 H^+ 수가 20이고 (나) 용액 속 H^+ 수가 10이므로 $NaOH(aq)$ x mL 속 OH^- 수는 10이다. 따라서 $x=10$이다. $NaOH(aq)$ 40 mL 속 OH^- 수는 40이고, $HCl(aq)$ 10 mL 속 H^+ 수는 20이므로 (라)에서 OH^- 수는 20이다. 즉 $y=20$이다. 따라서 $x+y=10+20=30$이다.

ㄴ. $HCl(aq)$ 10 mL 속 H^+ 수가 20이고 $NaOH(aq)$ 20 mL 속 OH^- 수도 20이므로 (다)에는 구경꾼 이온인 Na^+과 Cl^-만 존재한다.

바로알기 | ㄷ. $HCl(aq)$ 10 mL 속 H^+ 수는 20이고, $NaOH(aq)$ 5 mL, 10 mL, 40 mL 속 OH^- 수는 각각 5, 10, 40이므로 (가)에는 H^+ 수가 15, (나)에는 H^+ 수가 10, (라)에는 OH^- 수가 20 존재한다. 따라서 (가), (나), (라)를 혼합한 용액 속 H^+ 수가 5이므로 혼합 용액을 완전 중화시키려면 $NaOH(aq)$ 5 mL가 필요하다.

556 (가) 용액에서 H^+ 수와 Cl^- 수는 각각 $60N$이고, ㉠은 H^+ 또는 Cl^-이다.
(나) 용액의 ㉡ 수는 ㉠ 수와 다르므로 ㉡은 Cl^-이 될 수 없다. 만약 ㉡이 Na^+이라면 (나)와 (다)에서 Na^+ 수비는 1 : 3이어야 한다. 따라서 ㉢이 Na^+이다.
(다) 용액에서 $NaOH(aq)$ 30 mL 속 Na^+ 수가 $135N$이므로 (나)에서 넣어 준 Na^+ 수($=OH^-$ 수)는 $45N$이다. (나) 용액에서 ㉡ 수가 $15N(=60N-45N)$이므로 ㉡은 H^+이다. (다) 용액에서 Na^+ 수는 $135N$이고, OH^- 수는 $75N(=135N-60N)$이다.
(라) 용액에서 ㉣은 $75N-60N=15N$이므로 ㉣은 OH^-이다.
ㄱ. ㉢은 Na^+으로 중화 반응에 참여하지 않는 구경꾼 이온이다.
ㄷ. (라) 용액은 $HCl(aq)$ 40 mL와 $NaOH(aq)$ 30 mL를 혼합한 용액과 같으므로 혼합 전 H^+ 수($=Cl^-$ 수)는 $120N$이고, OH^- 수($=Na^+$ 수)는 $135N$이다. 따라서 (라) 용액에서 OH^- 수는 $15N$이고, Na^+ 수$+Cl^-$ 수는 $255N$이므로 $\frac{Na^+ \text{ 수}+Cl^- \text{ 수}}{H^+ \text{ 또는 } OH^- \text{ 수}}=17$이다.

바로알기 | ㄴ. $HCl(aq)$ 20 mL에 들어 있는 H^+ 수는 $60N$이고 $NaOH(aq)$ 10 mL에 들어 있는 OH^- 수는 $45N$이므로 몰 농도(M)의 비는 $HCl(aq)$: $NaOH(aq)$ $=30:45=2:3$이다.

557 $HCl(aq)$, $HNO_3(aq)$, $NaOH(aq)$ 혼합 용액에 존재 가능한 이온은 H^+, Cl^-, NO_3^-, Na^+, OH^-이다. (가)~(다)에 존재하는 이온의 종류가 4가지이므로 (가)~(다)는 각각 산성이거나 염기성이다. 또한 $HCl(aq)$의 부피가 일정하므로 Cl^- 수는 (가)~(다)에서 같고, NO_3^- 수비는 (가) : (나) : (다)$=4:3:2$, Na^+ 수비는 $2:3:1$이다.
(다)에서 4가지 이온의 이온 수를 각각 $4N$, $4N$, $4N$, $4N$이라고 하면, (가)에서 4가지 이온의 이온 수는 각각 $8N$, $8N$, $4N$, $4N$이다. (다)에 넣어 준 $HNO_3(aq)$과 $NaOH(aq)$의 부피는 각각 (가)의 절반이므로 (가)의 $8N$에서 (나)의 $4N$으로 감소하는 이온은 각각 NO_3^-과 Na^+이고, (가)에서 이온 수가 $4N$인 이온은 Cl^-과 H^+이다. 즉 Na^+ 수가 NO_3^- 수와 Cl^- 수의 합보다 작으므로 (가)는 산성이다.
ㄱ. $HCl(aq)$ x mL 속 H^+ 수($=Cl^-$ 수)는 $4N$이고, $HNO_3(aq)$ 10 mL 속 H^+ 수($=NO_3^-$ 수)는 $4N$이며, $NaOH(aq)$ 5 mL 속 OH^- 수($=Na^+$ 수)는 $4N$이다. 이로부터 (나)에서 $HCl(aq)$ x mL 속 H^+ 수($=Cl^-$ 수)는 $4N$이고, $HNO_3(aq)$ 15 mL 속 H^+ 수($=NO_3^-$ 수)는 $6N$이며, $NaOH(aq)$ 15 mL 속 OH^- 수($=Na^+$ 수)는 $12N$이다. 따라서 (나)에서 OH^- 수는 $2N$, Na^+ 수는 $12N$, Cl^- 수는 $4N$, NO_3^- 수는 $6N$이며, 각 이온 수의 비율은 OH^-이 $\frac{1}{12}$, Na^+이 $\frac{1}{2}$, Cl^-이 $\frac{1}{6}$, NO_3^-이 $\frac{1}{4}$이다. 따라서 ㉠은 NO_3^- 수의 비율이다.

바로알기 | ㄴ. $HNO_3(aq)$ 10 mL 속 H^+ 수($=NO_3^-$ 수)는 $4N$이고, $NaOH(aq)$ 5 mL 속 OH^- 수($=Na^+$ 수)는 $4N$이므로 단위 부피당 이온 수는 $NaOH(aq)$이 $HNO_3(aq)$의 2배이다.
ㄷ. (가)와 (다)는 산성이고, (나)는 염기성이다. 이때 단위 부피당 H^+ 수는 (가)<(다)이므로 pH는 (다)<(가)<(나)이다.

558

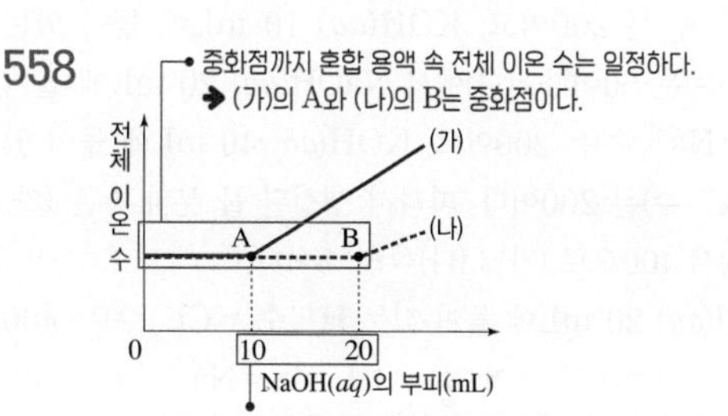

$HCl(aq)$: $NaOH(aq)$의 반응 부피비는 (가)에서 1 : 1이고, (나)에서 1 : 2이다.
➔ $NaOH(aq)$의 몰 농도(M)의 비는 (가) : (나)$=2:1$이다.

ㄱ. $NaOH(aq)$의 몰 농도(M)는 (가)가 (나)의 2배이다.
ㄴ. (가)와 (나)에서 $HCl(aq)$의 몰 농도(M)와 부피가 같으므로 생성된 물의 양(mol)은 A와 B에서 같다.

바로알기 | ㄷ. (가)와 (나)에서 $HCl(aq)$의 몰 농도(M)와 부피가 같으므로 용액 속 Cl^- 수는 같다. 그런데 혼합 용액의 부피비는 A : B$=2:3$이므로 Cl^-의 몰 농도(M)의 비는 A : B$=3:2$이다.

559 ㄱ. Na^+과 Cl^-은 구경꾼 이온이므로 혼합 용액 속 이온 수는 넣어 준 각 수용액의 부피에 비례한다. 즉 (가)와 (나)에서 Cl^- 수비는 (가) : (나)$=3:1$이므로 $2\times(30+x):4\times(10+y)=3:1$이다. 또한 (가)와 (나)에서 Na^+ 수비는 $3\times(30+x):2\times(10+y)=x:y$이다. 이 두 식을 풀면 $x=90$, $y=10$이며, $x=9y$이다.
ㄴ. (가)에서 Na^+ 수는 $3\times120=360$이고, Cl^- 수는 $2\times120=240$이다. $HCl(aq)$ 30 mL에 들어 있는 H^+ 수는 240이고, $NaOH(aq)$ 90 mL에 들어 있는 OH^- 수는 360이므로 $HCl(aq)$ 10 mL에 들어 있는 H^+ 수는 80이고, $NaOH(aq)$ 20 mL에 들어 있는 OH^- 수는 80이다. 따라서 이 두 용액의 혼합 용액은 중성이다.

바로알기 | ㄷ. (가)는 염기성이므로 전체 이온 수는 혼합 전 $NaOH(aq)$ 90 mL에 들어 있는 전체 이온 수인 720이다. (나)는 산성이므로 전체 이온 수는 혼합 전 $HCl(aq)$ 10 mL에 들어 있는 전체 이온 수인 160이다. 따라서 전체 이온 수는 (가)가 (나)의 4.5배이다.

560

혼합 용액		(가)	(나)
혼합 전 용액의 부피(mL)	$HCl(aq)$	20	40
	$NaOH(aq)$	20	20
	$KOH(aq)$	10	x
단위 부피당 양이온 모형 (양이온: H^+, Na^+, K^+)		● ▲ ● □ ● □ ● □	□ □ □ ● ▲ ● □ ▲

(가)와 (나)에 존재하는 양이온의 종류가 3가지이므로 (가)와 (나)는 모두 산성이다.

(가)에서 (나)로 될 때 □와 ▲의 농도는 증가하고 ●의 농도는 감소한다. (가)와 (나)에서 Na^+ 수는 같고 용액의 부피는 (가)<(나)이므로 그 농도가 감소하는 ●은 Na^+이다. 혼합 전 $NaOH(aq)$의 부피는 (가)와 (나)에서 같고, ●의 농도가 (가)가 (나)의 2배이므로 전체 부피는 (나)가 (가)의 2배이다. 따라서 $x=40$이다.
(가)와 (나)의 각 이온 수를 계산하면 다음과 같다.
(가) ● 수: $4\times50=200$, □ 수: $3\times50=150$, ▲ : $1\times50=50$
(나) ● 수: $2\times100=200$, □ 수: $4\times100=400$, ▲ : $2\times100=200$

위에서 그 수가 4배가 되는 ▲는 K^+이고, □는 H^+이다.
① ●은 Na^+이다.
② $x=40$이다.
③ (가)와 (나)는 모두 산성 용액이므로 생성된 물 분자 수는 염기 수용액 속 OH^- 수와 같다. (가)에서 $NaOH(aq)$ 20 mL에 들어 있는 OH^- 수($=Na^+$ 수)는 200이고, $KOH(aq)$ 10 mL에 들어 있는 OH^- 수($=K^+$ 수)는 50이다. (나)에서 $NaOH(aq)$ 20 mL에 들어 있는 OH^- 수($=Na^+$ 수)는 200이고, $KOH(aq)$ 40 mL에 들어 있는 OH^- 수($=K^+$ 수)는 200이다. 따라서 생성된 물 분자 수는 (가)에서 250, (나)에서 400으로 (가) : (나)=5 : 8이다.
④ (가)에서 $HCl(aq)$ 20 mL에 들어 있는 H^+ 수($=Cl^-$ 수)는 400이고, $NaOH(aq)$ 20 mL에 들어 있는 OH^- 수($=Na^+$ 수)는 200, $KOH(aq)$ 20 mL에 들어 있는 OH^- 수($=K^+$ 수)는 100이다. 따라서 단위 부피당 이온 수비는 $HCl(aq)$: $NaOH(aq)$: $KOH(aq)$= 4 : 2 : 1이다.
바로알기 | ⑤ 단위 부피당 H^+(□)수는 (가)<(나)이므로 pH는 (가)>(나)이다.

561 용액의 액성에 따라 용액에 존재하는 이온의 종류를 정리하면 다음과 같다.

구분	산성일 때	중성일 때	염기성일 때
양이온	H^+, Na^+	Na^+	Na^+
음이온	Cl^-, NO_3^-	Cl^-, NO_3^-	Cl^-, NO_3^-, OH^-

용액은 전기적으로 중성이고 양이온과 음이온의 전하가 모두 +1 또는 −1이므로 용액 속 양이온 수와 음이온 수는 같다.
• (가)와 (나)가 산성일 때 (H^+ 수$+Na^+$ 수)$=$(Cl^- 수$+NO_3^-$ 수)
• (가)와 (나)가 중성일 때 Na^+ 수$=$(Cl^- 수$+NO_3^-$ 수)
• (가)와 (나)가 염기성일 때 Na^+ 수$=$(Cl^- 수$+NO_3^-$ 수$+OH^-$ 수)
혼합 용액에서 어느 한 이온의 비율이 $\frac{1}{2}$인 경우는 용액에 들어 있는 양이온이나 음이온의 종류가 1가지이어야 한다. 따라서 (나)는 (가)보다 첨가한 $HNO_3(aq)$의 부피가 크므로 (가)는 염기성이고, X 이온은 Na^+이다.
단위 부피를 1 mL라고 하면 X 이온 수는 (가)에서 $\frac{4}{3}N\times(x+10)$, (나)에서 $N\times(x+20)$이며, 이 값은 서로 같다. 따라서 $\frac{4}{3}N\times(x+10)=N\times(x+20)$이므로 이 식을 풀면 $x=20$이다.
(가)에서 Na^+ 수는 $\frac{4}{3}N\times(20+10)=40N$이고, (다)에서 Na^+ 수는 $\frac{2}{3}N\times(20+y)=40N$이므로 이 식을 풀면 $y=40$이다.
ㄱ. X 이온은 Na^+이다.
바로알기 | ㄴ. (가)는 염기성이다.
ㄷ. $x=20$이고, $y=40$이므로 $\frac{y}{x}=2$이다.

562 (가)에서 총 이온 수가 N이므로 Na^+ 수와 OH^- 수는 각각 $\frac{N}{2}$이다. (나)에서 넣어 준 $H_2SO_4(aq)$ V_2 mL 속에 들어 있는 SO_4^{2-} 수를 x라고 하면 H^+ 수는 $2x$이고, (나)에 들어 있는 Na^+ 수$=\frac{N}{2}$, SO_4^{2-} 수$=x$, H^+ 수$=2x-\frac{N}{2}$이고, 총 이온 수가 $3N$이므로 $x=N$이다.
(다)에서 넣어 준 $Ca(OH)_2(aq)$ V_1 mL 속에 들어 있는 Ca^{2+} 수를 y라고 하면 OH^- 수는 $2y$이고, $CaSO_4$은 물에 녹지 않는 앙금이므로 (다)에 들어 있는 Na^+ 수$=\frac{N}{2}$, Ca^{2+} 수$=yN$, OH^- 수$=2y-\frac{3N}{2}$이고, 총 이온 수가 $4N$이므로 $y=2N$이다.
또한 (가)~(다)에서 단위 부피당 총 이온 수가 같으므로 $\frac{N}{V_1}=\frac{3N}{V_1+V_2}$이고, 이 식을 풀면 $2V_1=V_2$이다.
따라서 몰 농도(M)의 비는 $NaOH(aq)$: $H_2SO_4(aq)$: $Ca(OH)_2(aq)$ $=\frac{\frac{N}{2}}{V_1}:\frac{N}{2V_1}:\frac{2N}{V_1}=1:1:4$이다.

563

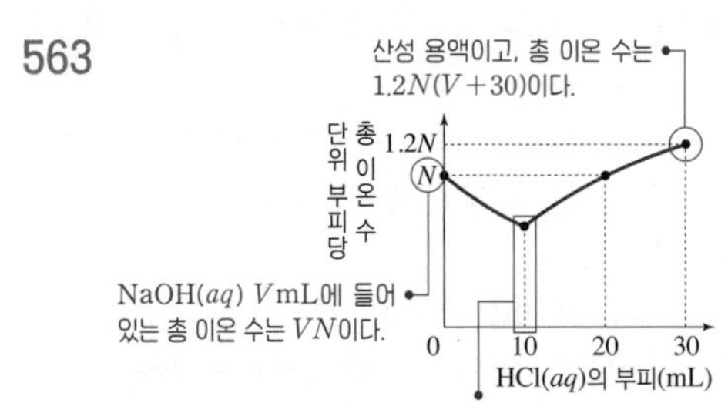

중화점까지 총 이온 수는 일정하고 부피는 증가하므로 단위 부피당 이온 수가 최소인 지점이 중화점이다. ➔ 중화점까지 총 이온 수는 VN으로 일정하다.

반응 전 $HCl(aq)$ 10 mL 속 총 이온 수는 VN이므로 $HCl(aq)$ 30 mL에 들어 있는 총 이온 수는 $3VN$이다. 산성인 혼합 용액 속 총 이온 수는 반응 전 $HCl(aq)$ 속 총 이온 수와 같으므로 $1.2N(V+30)=3VN$이고, 이 식을 풀면 $V=20$이다.
ㄴ. $NaOH(aq)$ $V(=20)$ mL에 들어 있는 총 이온 수는 VN이고, $HCl(aq)$ 30 mL에 들어 있는 총 이온 수는 $3VN$이다. 즉 단위 부피에 들어 있는 총 이온 수는 $HCl(aq)$이 $NaOH(aq)$의 2배이다.
바로알기 | ㄱ. $V=20$이다.
ㄷ. $HCl(aq)$ a mL를 넣은 혼합 용액은 염기성이므로 중화점 이전 용액이다. 따라서 용액 속 총 이온 수는 반응 전 $NaOH(aq)$ 20 mL에 들어 있는 총 이온 수인 $20N$과 같다. 즉 $\frac{5}{6}N\times(20+a)=20N$이고, 이 식을 풀면 $a=4$이다. 한편 $HCl(aq)$ 10 mL 속 총 이온 수가 $20N$이므로 $HCl(aq)$ b mL 속 총 이온 수는 $2bN$이다. $HCl(aq)$ b mL를 넣은 혼합 용액은 산성이므로 용액 속 총 이온 수는 반응 전 $HCl(aq)$ b mL에 들어 있는 총 이온 수와 같다. 즉 $\frac{4}{3}N\times(20+b)=2bN$이고, 이 식을 풀면 $b=40$이다. 따라서 $a+b=44$이다.

564

구분	(가)	(나)	(다)	(라)	(마)
$HCl(aq)$의 부피(mL)	10	20	30	40	50
$NaOH(aq)$의 부피(mL)	50	40	30	20	10
혼합 용액의 최고 온도(°C)	25.5	26.5	27.5	28.5	26.5

혼합 용액의 온도가 가장 높은 용액이 중화점이다.
➔ $HCl(aq)$과 $NaOH(aq)$은 2 : 1의 부피비로 반응한다.
➔ 몰 농도(M)의 비는 $HCl(aq)$: $NaOH(aq)$=1 : 2이다.

① (라)는 중화점 용액으로 수용액의 전기 전도도가 가장 작다.
② 몰 농도(M)의 비는 $HCl(aq)$: $NaOH(aq)$=1 : 2이다.
③ (가)에서 반응한 $HCl(aq)$은 10 mL이고 (마)에서 반응한 $HCl(aq)$은 20 mL이므로 생성된 물 분자 수는 (마)가 (가)보다 많다.

⑤ (다)는 $NaOH(aq)$ 15 mL가 반응하지 않고 남아 있는 염기성 용액이므로 (다)에 페놀프탈레인 용액을 떨어뜨리면 붉은색으로 변한다.

바로알기 | ④ (나)는 염기성이므로 총 이온 수는 혼합된 염기성 용액인 $NaOH(aq)$ 40 mL 속의 이온 수와 같고, (마)는 산성이므로 총 이온 수는 혼합된 산성 용액인 $HCl(aq)$ 50 mL 속의 이온 수와 같다. 이때 수용액의 몰 농도(M)는 $NaOH(aq)$이 $HCl(aq)$의 2배이므로 총 이온 수는 (나)>(마)이다.

⑥ (나)에는 $NaOH(aq)$ 30 mL가 반응하지 않고 남아 있고, (라)는 중화 반응이 완결된 용액이다. 따라서 (나)와 (라) 두 수용액을 혼합해도 중화 반응이 일어나지 않으므로 용액의 온도는 올라가지 않는다.

565 혼합 용액의 온도가 최고인 지점이 중화점이다.
➜ 반응 부피비는 $HCl(aq)$: $NaOH(aq)$=1 : 2이다.
➜ 몰 농도(M)의 비는 $HCl(aq)$: $NaOH(aq)$=2 : 1이다.

온도(℃) 31, 28, 25 / P, Q / — 실험 Ⅰ, ---- 실험 Ⅱ
➜ 반응 부피비는 $HCl(aq)$: $NaOH(aq)$=2 : 1이다.
➜ 몰 농도(M)의 비는 $HCl(aq)$: $NaOH(aq)$=1 : 2이다.
$HCl(aq)$(mL) 0 10 20 30 40 50 60
$NaOH(aq)$(mL) 60 50 40 30 20 10 0

ㄱ. 실험 Ⅱ의 Q에서는 $NaOH(aq)$ 15 mL가 반응하지 않고 남는다. 즉 Q에서 혼합 용액은 염기성이다.

바로알기 | ㄴ. 실험 Ⅰ과 Ⅱ에서 사용한 $NaOH(aq)$이 같으므로 $HCl(aq)$의 몰 농도(M)는 Ⅰ에서가 Ⅱ에서의 4배이다.

ㄷ. P와 Q는 모두 염기성이므로 P와 Q에서 혼합 용액 속 양이온 수는 혼합한 $NaOH(aq)$ 속의 Na^+ 수와 같다. 또한 두 실험에서 $NaOH(aq)$의 몰 농도(M)는 같으므로 P와 Q에서 혼합 용액 속 양이온 수비는 5 : 3이다.

566

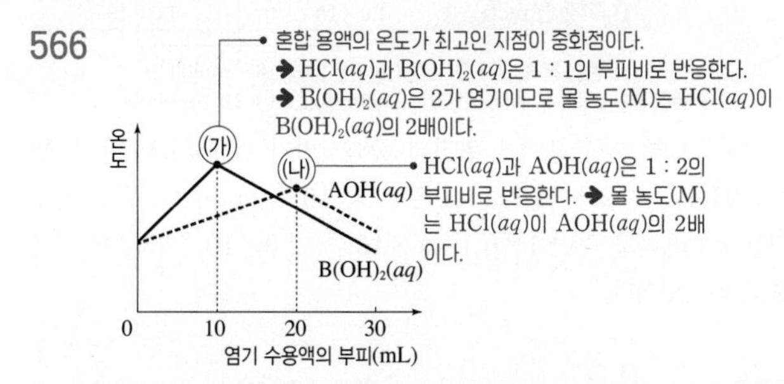

ㄱ. (가)와 (나)에서 사용한 $HCl(aq)$의 몰 농도(M)가 같으므로 몰 농도(M)는 $B(OH)_2(aq)$과 $AOH(aq)$이 같다.

바로알기 | ㄴ. (가)와 (나)는 모두 중화점이고, 반응한 $HCl(aq)$의 양(mol)이 같으므로 생성된 물 분자 수는 (가)=(나)이다.

ㄷ. (가)와 (나)는 중화점이고 $AOH(aq)$과 $B(OH)_2(aq)$의 몰 농도(M)가 같고, 부피는 $AOH(aq)$이 $B(OH)_2(aq)$의 2배이므로 용액에 들어 있는 A^+ 수는 B^{2+} 수의 2배이다. (나)에서 A^+ 수를 $2k$라고 하면 Cl^- 수 또한 $2k$이며, (가)에서 B^{2+} 수는 k이고, Cl^- 수는 $2k$이다. 따라서 단위 부피당 이온 수는 (가) : (나)=$\frac{3k}{20}$: $\frac{4k}{30}$=9 : 8이다.

567

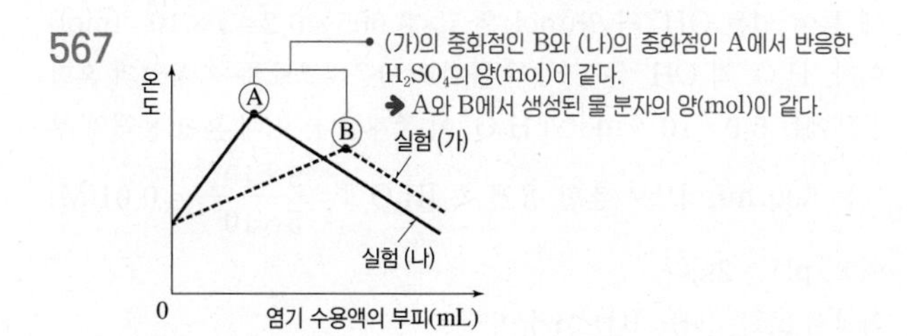

ㄱ. A와 B에서 생성된 물 분자 수는 같다.

바로알기 | ㄴ. A에서 Ca^{2+}과 SO_4^{2-}이 앙금인 $CaSO_4$을 형성하므로 이온이 없고, B에는 Na^+과 SO_4^{2-}이 존재한다. 따라서 단위 부피당 이온 수는 A<B이다.

ㄷ. A에는 이온이 없으므로 전기 전도성이 없고, B에는 Na^+, SO_4^{2-}이 존재하므로 전기 전도성이 있다.

568 ㄴ. x M $CH_3COOH(aq)$ 50 mL를 중화시키는 데 사용된 0.4 M $NaOH(aq)$의 부피가 10 mL이므로 양적 관계는 $1 \times x \times 50 = 1 \times 0.4 \times 10$이며, 이 식을 풀면 $x=0.08$이다.

ㄷ. 산성 용액에 염기성 용액을 넣어 중화시키고, 중화점까지 반응을 진행시켰으므로 (나)에서 혼합 용액의 pH는 점점 증가한다.

바로알기 | ㄱ. 용액의 부피를 측정하여 다른 용기로 옮길 때 사용하는 실험 기구인 ㉠은 '피펫'이다. 또한 중화 적정 실험을 할 때 표준 용액을 넣어 사용하는 실험 기구인 ㉡은 '뷰렛'이다.

569 **모범 답안** 뷰렛의 꼭지 아랫부분에 용액을 채우지 않고 실험을 진행할 때 꼭지를 열면 꼭지 아래 빈 공간에 $NaOH(aq)$이 채워지게 되어 실험에서 측정된 부피는 적정에 사용된 $NaOH(aq)$의 실제 부피보다 커지게 된다. 따라서 실제 $CH_3COOH(aq)$의 농도보다 크게 측정된다.

570 **모범 답안** x M $NaOH(aq)$ 20 mL를 적정하는 데 사용된 0.1 M $H_2SO_4(aq)$의 부피는 18.6 mL−8.6 mL=10.0 mL이다. 이로부터 중화 반응의 양적 관계는 $1 \times x \times 20 = 2 \times 0.1 \times 10$이고, 이 식을 풀면 $x=0.1$이다. 따라서 $NaOH(aq)$의 몰 농도(M)는 0.1 M이다.

571

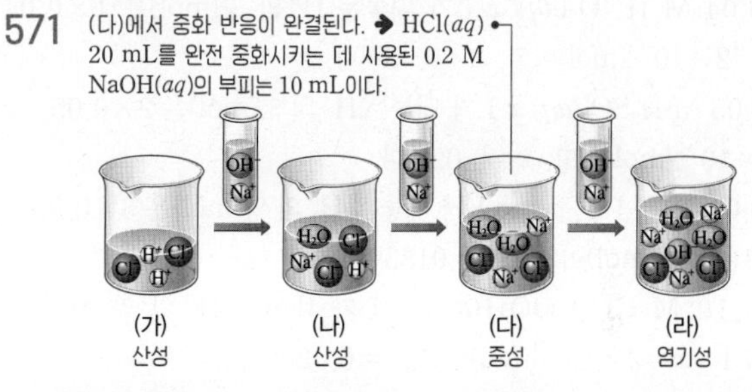

ㄱ. $HCl(aq)$의 몰 농도(M)를 x M이라고 하면 중화 반응의 양적 관계는 $1 \times x \times 20 = 1 \times 0.2 \times 10$이며, 이 식을 풀면 $x=0.1$이다.

ㄷ. (라)에는 0.2 M $NaOH(aq)$ 5 mL가 남아 있다. 즉 (라)에 들어 있는 OH^-의 양(mol)은 $1 \times 0.2 \times 5 \times 10^{-3} = 1 \times 10^{-3}$(mol)이다. 또한 0.1 M $H_2SO_4(aq)$ 5 mL가 내놓는 H^+의 양(mol)은 $2 \times 0.1 \times 5 \times 10^{-3} = 1 \times 10^{-3}$(mol)이다. 따라서 (라)에 0.1 M $H_2SO_4(aq)$ 5 mL를 넣은 용액은 중성이다.

바로알기 | ㄴ. (가)~(다)의 총 이온 수는 같고 부피는 (가)<(나)<(다)이므로 단위 부피당 총 이온 수는 (다)가 가장 작다. (라)는 중화점 이후 반응하지 않은 $NaOH(aq)$이 존재하므로 단위 부피당 총 이온 수는 (다)보다 크다.

572

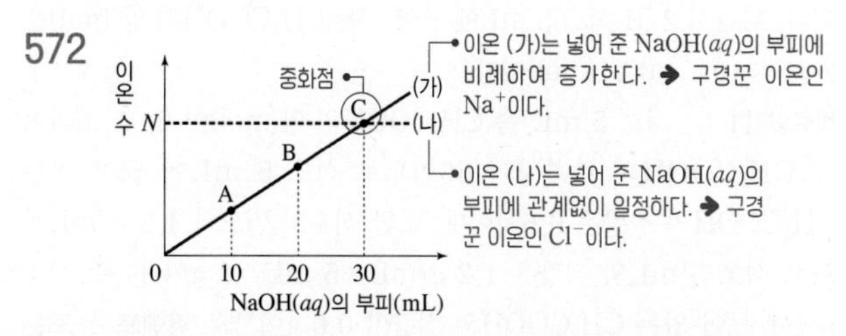

반응 전 $HCl(aq)$ 속 Cl^- 수는 H^+ 수와 같고, 반응 전 Na^+ 수는 OH^- 수와 같으므로 Na^+ 수와 Cl^- 수가 같아지는 지점이 중화점이다.

즉 0.3 M HCl(aq) 20 mL와 완전 중화되는 x M NaOH(aq)의 부피는 30 mL이다.

① (가) Na^+과 (나) Cl^-은 구경꾼 이온이다.

② 0.3 M HCl(aq) 20 mL와 완전 중화되는 x M NaOH(aq)의 부피는 30 mL이므로 $1\times0.3\times20=1\times x\times30$이고, 이 식을 풀면 $x=0.2$이다.

③ A는 중화 반응이 $\frac{1}{3}$ 진행된 지점이고, 반응 전 0.3 M HCl(aq) 20 mL에 들어 있는 H^+의 양(mol)은 0.006 mol이므로 A까지 생성된 물의 양(mol)은 0.002 mol이다.

④ B는 중화 반응이 $\frac{2}{3}$ 진행된 지점이므로 용액 속 이온 수비는 H^+ : Na^+=1 : 2이다. 따라서 $\frac{Na^+ \text{ 수}}{H^+ \text{ 수}}=2$이다.

⑤ C는 중화점이므로 용액에는 구경꾼 이온인 Na^+과 Cl^- 2가지만 존재한다.

바로알기 | ⑥ A, B는 모두 중화점 이전 용액이므로 용액 속 총 이온 수는 반응 전 HCl(aq) 속 총 이온 수와 같다. 즉 총 이온 수는 A와 B가 같다. 이때 혼합 용액의 부피비가 A : B=3 : 4이므로 단위 부피당 총 이온 수비는 A : B=4 : 3이다.

573 0.1 M NaOH(aq) 20 mL에 들어 있는 OH^-의 양(mol)은 $1\times0.1\times20\times10^{-3}=2\times10^{-3}$(mol)이다. 따라서 각 산 수용액이 내놓는 H^+의 양(mol)은 2×10^{-3} mol이어야 한다.

중화점까지 사용된 산 수용액의 부피를 x L라고 하자.

① 0.04 M HNO_3(aq) x L가 내놓는 H^+의 양(mol)은 $1\times0.04\times x=2\times10^{-3}$(mol)이고, $x=0.05$이다.

② 0.05 M H_2SO_4(aq) x L가 내놓는 H^+의 양(mol)은 $2\times0.05\times x=2\times10^{-3}$(mol)이고, $x=0.02$이다.

③ 0.05 M H_3PO_4(aq) x L가 내놓는 H^+의 양(mol)은 $3\times0.05\times x=2\times10^{-3}$(mol)이고, $x≒0.0133$이다.

④ 0.10 M CH_3COOH(aq) x L가 내놓는 H^+의 양(mol)은 $1\times0.1\times x=2\times10^{-3}$(mol)이고, $x=0.02$이다.

⑤ 0.15 M HCl(aq) x L가 내놓는 H^+의 양(mol)은 $1\times0.15\times x=2\times10^{-3}$(mol)이고, $x≒0.0133$이다.

따라서 ①의 산 수용액의 부피가 가장 크다.

574 ㄱ. 식초를 $\frac{1}{10}$로 묽힌 용액 50 mL를 중화시키는 데 사용된 0.1 M NaOH(aq)의 부피가 100 mL이므로 묽힌 식초 용액의 몰 농도(M)를 x M이라고 하면 다음 관계식이 성립한다.

$1\times x\times50=1\times0.1\times100$

이 식을 풀면 $x=0.2$이다.

ㄴ. 식초를 $\frac{1}{10}$로 묽혔으므로 묽히기 전 식초의 몰 농도(M)는 2 M이다. 따라서 2 M 식초 5 mL에 들어 있는 CH_3COOH의 양(mol)은 $2\times5\times10^{-3}=0.01$(mol)이다.

바로알기 | ㄷ. 식초 5 mL 속 CH_3COOH의 양(mol)이 0.01 mol이고 CH_3COOH의 분자량이 60이므로 식초 5 mL에 들어 있는 CH_3COOH의 질량은 0.6 g이다. 또한 식초의 밀도가 1.2 g/mL이므로 식초 5 mL의 질량은 1.2 g/mL×5 mL=6 g이다. 즉 식초 6 g에 들어 있는 CH_3COOH의 질량이 0.6 g이므로 퍼센트 농도는 $\frac{0.6}{6}\times100=10$(%)이다.

최고 수준 도전 기출 (19~22강)

164~165쪽

575 ④ 576 ② 577 ④ 578 ① 579 ⑤ 580 ② 581 ⑤

575

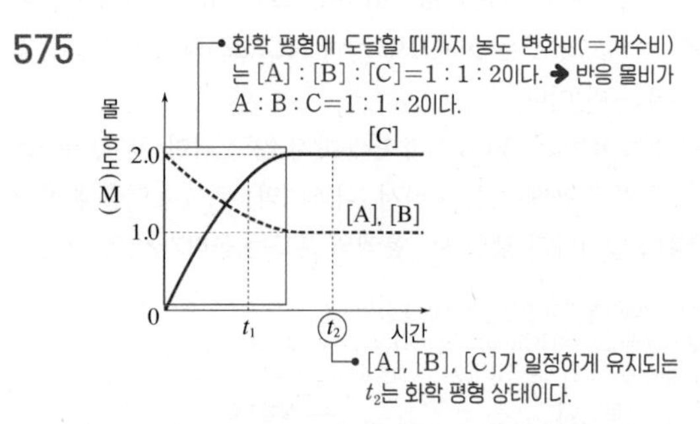

ㄴ. 평형에 도달할 때까지 반응물인 A, B의 몰 농도(M)는 감소하고, 생성물인 C의 몰 농도(M)는 증가한다. 즉 평형에 도달할 때까지 정반응 속도는 감소하고, 역반응 속도는 증가하다가 화학 평형 상태에서 정반응 속도와 역반응 속도가 같아진다. 이로부터 평형에 도달하기 이전 상태인 t_1에서 정반응 속도는 역반응 속도보다 크다.

ㄷ. t_2에서 반응물과 생성물의 몰 농도(M)의 비는 [A] : [B] : [C]=1 : 1 : 2이므로 반응물과 생성물의 부피비는 1 : 1이다.

바로알기 | ㄱ. A(g)와 B(g)가 반응하여 C(g)가 생성되는 반응에서 계수비는 A : B : C=1 : 1 : 2이므로 화학 반응식은 다음과 같다.

$$A(g) + B(g) \rightleftharpoons 2C(g)$$

576

용액	(가)	(나)
부피	100 mL	1 L
pH	2	3
$[H_3O^+]$(M)	1.0×10^{-2}	1.0×10^{-3}
H_3O^+의 양(mol)	1.0×10^{-3}	1.0×10^{-3}

(가)와 (나)의 혼합 용액 속 H_3O^+의 양(mol)은 2.0×10^{-3} mol이다.
➔ 완전 중화시키기 위해 필요한 OH^-의 양(mol)도 2.0×10^{-3} mol이다.

(가)와 (나)의 혼합 용액을 완전히 중화시키기 위해 필요한 0.1 M NaOH(aq) 속 OH^-의 양(mol)은 2.0×10^{-3} mol이므로 필요한 부피를 x mL라고 하면 $1\times0.1\times x\times10^{-3}=2.0\times10^{-3}$이고, 이 식을 풀면 $x=20$이다.

577 (가) $\frac{[H_3O^+]}{[OH^-]}=1\times10^6$인 용액에서 $[OH^-]=a$ M이라고 하면 $[H_3O^+]=1\times10^6\times a$ M이다. 이때 $[H_3O^+][OH^-]=1\times10^6\times a^2=1.0\times10^{-14}$이고, 이 식을 풀면 $a=1.0\times10^{-10}$이므로 $[H_3O^+]=1.0\times10^{-4}$ M이고 pH는 4이다.

(나) 0.2 M HCl(aq) 200 mL에 들어 있는 H_3O^+의 양(mol)은 4×10^{-2} mol이고 증류수를 첨가한 후 전체 부피가 400 mL이므로 $[H_3O^+]=\frac{4\times10^{-2}}{4\times10^{-1}}=0.1$(M)이다. 따라서 (나)의 pH는 1이다.

(다) 0.01 M H_2SO_4(aq) 300 mL에 들어 있는 H_3O^+의 양(mol)은 $2\times0.01\times0.3=6\times10^{-3}$(mol)이고, 0.005 M NaOH($aq$) 200 mL에 들어 있는 OH^-의 양(mol)은 $1\times0.005\times0.2=1\times10^{-3}$(mol)이다. H_3O^+과 OH^-은 1 : 1의 몰비로 반응하므로 두 수용액의 혼합 용액에는 5.0×10^{-3} mol의 H_3O^+이 존재한다. 이때 혼합 용액의 부피는 500 mL이므로 혼합 용액 속 $[H_3O^+]=\frac{5\times10^{-3}}{5\times10^{-1}}=0.01$(M)이고, pH는 2이다.

따라서 pH는 (나)<(다)<(가)이다.

578 중화점에서 생성된 물 분자 수($2N$)는 반응한 $HCl(aq)$ 속 H^+ 수 또는 $Ca(OH)_2(aq)$ 속 OH^- 수와 같다.

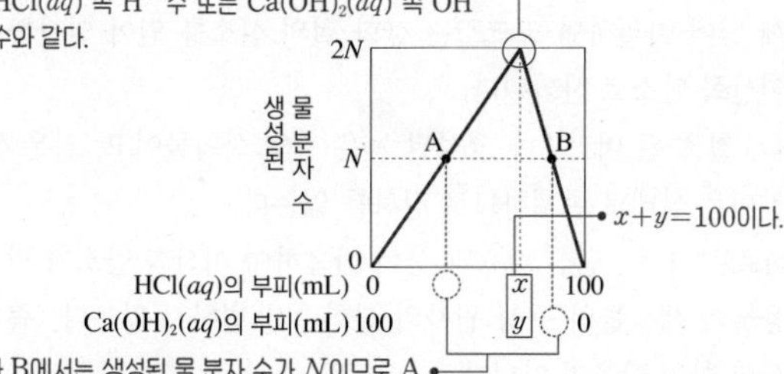

A와 B에서는 생성된 물 분자 수가 N이므로 A에서 반응한 $HCl(aq)$의 부피는 $\frac{x}{2}$ mL, B에서 반응한 $Ca(OH)_2(aq)$의 부피는 $\frac{y}{2}$ mL이다.

ㄱ. $HCl(aq)$ x mL에 녹인 용질 HCl 수는 $2N$이고, $Ca(OH)_2(aq)$ y mL에 녹인 용질 $Ca(OH)_2$ 수는 N이므로 몰 농도(M)의 비는 $HCl(aq) : Ca(OH)_2(aq) = \frac{2N}{x} : \frac{N}{y} = 2y : x$이다.

바로알기 | ㄴ. A에서 반응한 $HCl(aq)$ 속 H^+ 수는 N이므로 수용액 속 Cl^- 수는 N이다. 한편 $Ca(OH)_2(aq)$ y mL 속 OH^- 수는 $2N$이고, A에서 넣어 준 $Ca(OH)_2(aq)$의 부피는 y mL보다 크므로 넣어 준 $Ca(OH)_2(aq)$ 속 OH^- 수는 $2N$보다 크다.

ㄷ. A는 염기성 용액이므로 용액 속 양이온은 Ca^{2+}뿐이다. 이때 $Ca(OH)_2(aq)$의 부피는 $\left(\frac{x}{2}+y\right)$ mL이고, 1 mL 속 Ca^{2+} 수는 $\frac{N}{y}$이므로 A에서 Ca^{2+} 수는 $\frac{N}{y}\times\left(\frac{x}{2}+y\right)=\left(1+\frac{x}{2y}\right)N$이다. B는 산성 용액이므로 용액 속 양이온은 Ca^{2+}과 H^+이며, Ca^{2+} 수는 $\frac{N}{y}\times\frac{y}{2}=\frac{N}{2}$, H^+ 수는 $\frac{2N}{x}\left(x+\frac{y}{2}\right)-N=\left(1+\frac{y}{x}\right)N$이다. 따라서 B에서 전체 양이온 수는 $\left(1.5+\frac{y}{x}\right)N$이다. 이때 $x>2y$이므로 전체 양이온 수는 A>B이다.

579 (나)에 존재하는 이온의 가짓수가 3이므로 (나)는 산성 또는 염기성이다. 산과 염기가 모두 1가 산이므로 산성일 때 수가 가장 큰 이온은 Cl^-이고, 염기성일 때 수가 가장 큰 이온은 Na^+이다.

산성일 때	염기성일 때
$H^+ : Na^+ : Cl^- = 1 : 1 : 2$	$Cl^- : OH^- : Na^+ = 1 : 1 : 2$

(나)가 산성이라면 (다)에 존재하는 이온 수가 증가하는 것은 H^+이고, (나)에는 없고 (다)에는 존재하는 이온은 NO_3^-이므로 이온 수비는 $NO_3^- : Na^+ : Cl^- : H^+ = 1 : 1 : 2 : 2$가 된다.
이로부터 $NaOH(aq)$ V_1 mL에 들어 있는 Na^+ 수와 OH^- 수를 각각 $10N$이라고 하면 $HCl(aq)$ 10 mL에 들어 있는 H^+ 수와 Cl^- 수는 각각 $20N$이고, $HNO_3(aq)$ 10 mL에 들어 있는 H^+ 수와 NO_3^- 수는 각각 $10N$이다.
(라)에서 이온 수비가 1 : 1 : 2 : 4이므로 $NaOH(aq)$ V_2 mL에 들어 있는 Na^+ 수와 OH^- 수가 각각 $30N$이면 이온 수비는 $NO_3^- : OH^- : Cl^- : Na^+ = 1 : 1 : 2 : 4$가 되고 V_2가 V_1보다 크므로 조건에 부합한다.
ㄱ. (나)는 산성이다.
ㄴ. 각 수용액 10 mL에 들어 있는 이온 수는 $HCl(aq)$이 $HNO_3(aq)$의 2배이므로 몰 농도(M)는 $HCl(aq)$이 $HNO_3(aq)$의 2배이다.
ㄷ. $NaOH(aq)$에 들어 있는 이온 수는 V_2 mL일 때가 V_1 mL일 때의 3배이므로 $\frac{V_2}{V_1}=3$이다.

580 (가)와 (나)에 존재하는 이온의 가짓수가 3이므로 각각 산성 또는 염기성이다. 또한 (가)와 (나)에 모두 존재하고 그 비율이 감소하는 A는 Na^+, (가)에는 존재하지만 (나)에는 존재하지 않는 B는 OH^-, 이온 수 비율이 증가하는 C는 SO_4^{2-}, (나)에는 존재하지만 (가)에는 존재하지 않는 D는 H^+이다.
0.2 M $H_2SO_4(aq)$ 50 mL에 들어 있는 H^+의 양(mol)은 $2\times0.2\times50\times10^{-3}=2\times10^{-2}$(mol)이고, SO_4^{2-}의 양(mol)은 1×10^{-2} mol이며, 1 M $H_2SO_4(aq)$ 50 mL에 들어 있는 H^+의 양(mol)은 $2\times1\times50\times10^{-3}=1\times10^{-1}$(mol)이고, SO_4^{2-}의 양(mol)은 5×10^{-2} mol이다.
(가)에서 $C(SO_4^{2-})$의 양(mol)이 1×10^{-2} mol이므로 Na^+의 양(mol)은 3배인 3×10^{-2} mol이다. 즉 x M $NaOH(aq)$ 100 mL에 들어 있는 OH^-의 양(mol)이 3×10^{-2} mol이므로
$1\times x\times100\times10^{-3}=3\times10^{-2}$이고, 이 식을 풀면 $x=0.3$이다.
ㄴ. $x=0.3$이다.
바로알기 | ㄱ. A는 Na^+이다.
ㄷ. $C(SO_4^{2-})$의 양(mol)은 (가)에서 1×10^{-2} mol이고, (나)에서 6×10^{-2} mol이므로 (나)가 (가)의 6배이다.

581

$NaOH(aq)$의 부피(mL)	0	V	$2V$	$3V$
단위 부피당 X 이온 수	$\frac{3}{2}n$	$\frac{4}{5}n$	x	$\frac{6}{25}n$
X 이온 수	$\frac{3}{2}n\times10$ $=15n$	$\frac{4}{5}n\times$ $(10+V)$	$x\times$ $(10+2V)$	$\frac{6}{25}n\times$ $(10+3V)$

단위 부피당 이온 수×혼합 용액의 부피

X 이온은 $NaOH(aq)$을 첨가하기 이전부터 존재하므로 H^+ 또는 Cl^-이다. Cl^-이라면 그 수가 일정해야 하는데, 그 수가 일정하지 않으므로 X 이온은 H^+이다.
(나)에서 $NaOH(aq)$을 V mL 가했을 때와 $3V$ mL 가했을 때 X 이온(H^+) 수 변화로부터 다음 식이 성립한다.

$$15n-\frac{4}{5}n(10+V) : 1 = 15n-\frac{6}{25}n(10+3V) : 3$$

이 식을 풀면 $V=5$이므로 (나)에서 X 이온(H^+) 수는 다음과 같다.

$NaOH(aq)$의 부피(mL)	0	V	$2V$	$3V$
X 이온(H^+) 수	$15n$	$12n$	$20x$	$6n$

(다)에서 Y 이온은 $KOH(aq)$을 V mL까지 첨가할 때 존재하지 않다가 그 이후 존재하므로 Y 이온은 반응에 참여하는 OH^-이다.
(다)에서 $KOH(aq)$ V mL에 들어 있는 OH^- 수는 (나)의 혼합 용액 속 H^+ 수와 같은 $6n$이다.
① X 이온은 H^+이다.
② $V=5$이다.
③ (나)에서 감소한 X 이온(H^+) 수는 첨가한 $NaOH(aq)$ 부피에 비례하므로 $(15n-12n)=(12n-20x)$이고, 이 식을 풀면 $x=\frac{9}{20}n$이다.
④ $KOH(aq)$ V mL에 들어 있는 OH^- 수가 $6n$이므로 $KOH(aq)$ $4V$ mL에 들어 있는 OH^- 수는 $24n$이다. 이때 (다)에서 OH^- 수 y는 $KOH(aq)$ $3V$ mL에 들어 있는 OH^- 수와 같으므로 $y=18n$이다.
바로알기 | ⑤ $HCl(aq)$ 10 mL에 들어 있는 H^+ 수는 $15n$이고, $KOH(aq)$ 5 mL에 들어 있는 OH^- 수는 $6n$이므로 몰 농도(M)의 비는 $HCl(aq) : KOH(aq) = 15 : 12 = 5 : 4$이다.

23 산화 환원 반응

빈출 자료 보기 167쪽

582 (1) × (2) ○ (3) × (4) ○ (5) ×

582 (2) (가)에서 O의 산화수는 H_2O_2에서 -1, O_2에서 0, H_2O에서 -2이다. 즉 H_2O_2의 O는 산화되기도 하고 환원되기도 하므로 환원제와 산화제로 모두 작용한다.
(4) (다)에서 S의 산화수는 SO_2에서 $+4$, H_2S에서 -2, S에서 0이다. 즉 SO_2은 자신이 환원되면서 H_2S를 산화시키는 산화제로 작용한다.
바로알기 | (1) 어떤 물질이 산소를 얻거나 전자를 잃어 산화되면 다른 물질은 산소를 잃거나 전자를 얻어 환원되므로 산화와 환원은 항상 동시에 일어난다.
(3) (나)에서는 SO_2의 S은 산화수가 증가하므로 SO_2은 자신이 산화되면서 다른 물질을 환원시키는 환원제로 작용한다. 또한 O의 산화수는 O_2에서 0, SO_3에서 -2로 O의 산화수는 감소한다. 따라서 O_2는 자신이 환원되면서 다른 물질을 산화시키는 산화제로 작용한다.
(5) 산화되기 쉬운 물질일수록 다른 물질을 환원시키는 능력이 크다. (나)에서 산화되는 물질은 SO_2이고, (다)에서 산화되는 물질은 H_2S이다. 즉 환원시키는 능력은 (나)에서는 $SO_2 > O_2$이고, (다)에서는 $H_2S > SO_2$이므로 $H_2S > SO_2 > O_2$이다.

난이도별 필수 기출 168~175쪽

583 ④, ⑤		584 ③	585 ②	586 ②, ④
587 ②	588 ⑤	589 해설 참조		590 ①	591 ⑤
592 ④	593 ③	594 ⑤	595 ②	596 ②	597 ②
598 ①	599 ④	600 ①	601 ⑤	602 ②, ⑥	
603 ③	604 ⑤	605 ①	606 ②	607 해설 참조	
608 ③	609 ③	610 해설 참조		611 ③	612 ⑤
613 ①	614 ②	615 ③, ④		616 ⑤	617 ③
618 ④	619 ②				

583 ① 어떤 물질이 산소를 잃는 반응은 환원 반응이다.
② 연료의 연소 반응은 물질 사이에 산소가 이동하는 산화 환원 반응이다.
③ 어떤 물질이 산소를 얻어 산화되면 다른 물질은 산소를 잃고 환원되므로 산화 환원 반응은 항상 동시에 일어난다.
⑥ 비금속 원자 사이에 공유 결합이 형성될 때 전기 음성도가 작은 원자는 전기 음성도가 큰 원자에게 전자를 잃는 것과 같으므로 산화된다.
바로알기 | ④ 산화 환원 반응은 항상 동시에 일어나므로 자신이 환원되는 물질은 다른 물질을 산화시키는 산화제로 작용한다.
⑤ 산소가 관여하지 않더라도 전자가 이동하거나 산화수가 변하는 원자를 포함하는 반응은 모두 산화 환원 반응이다.

584 ㄱ. 산화 철은 철의 산화물로 용광로에 산화 철과 코크스를 함께 넣어 가열하면 코크스는 산화 철의 산소를 얻어 일산화 탄소 또는 이산화 탄소로 산화된다.
ㄴ. 철로 된 머리핀에 생성된 녹은 철의 산화물이고, 철은 산화물에서 양이온 상태로 존재하므로 전자를 잃는다.
바로알기 | ㄷ. 탄산 칼슘과 산이 반응하여 이산화 탄소가 발생할 때 반응물과 생성물의 구성 원자의 산화수가 변하지 않는다. 즉 이 반응은 산화 환원 반응이 아니다.

585 ① 산화수는 전기 음성도가 큰 원자가 전자쌍을 모두 가져간다고 가정했을 때의 가상적인 전하로, 산화수가 증가하는 원자는 전자를 잃는 것과 같다. 즉 산화수가 증가하는 원자를 포함한 물질은 산화된다.
③ 홑원소 물질을 구성하는 원자에서는 전자쌍의 치우침이 없으므로 구성 원자의 산화수는 0이다.
④ 화합물은 전기적으로 중성이므로 구성 원자의 산화수의 총합은 0이다.
⑤ 다원자 이온을 구성하는 각 원자의 산화수의 총합은 그 이온의 전하와 같다.
바로알기 | ② H(수소)는 비금속 원소 중 전기 음성도가 작아 공유 결합 화합물에서는 $+1$의 산화수를 가지지만, 금속과 결합한 이온 결합 물질에서는 금속 원자보다 전기 음성도가 커서 -1의 산화수를 가진다.

586 ① CH_4에서 H의 산화수가 $+1$이고 화합물의 산화수 합은 0이므로 C의 산화수는 -4이다.
③ H_2SO_4에서 H의 산화수는 $+1$, O의 산화수는 -2이므로 S의 산화수는 $+6$이다.
⑤ $K_2Cr_2O_7$에서 K의 산화수는 $+1$, O의 산화수는 -2이므로 Cr의 산화수를 x라고 하면 $2+2x+7\times(-2)=0$에서 $x=+6$이다.
⑥ $KMnO_4$에서 K의 산화수는 $+1$, O의 산화수는 -2이므로 Mn의 산화수를 x라고 하면 $1+x+4\times(-2)=0$에서 $x=+7$이다.
바로알기 | ② CH_3OH의 구조식은 다음과 같다.

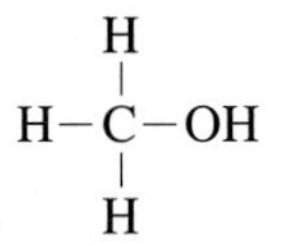

C−H 결합에서는 전자쌍을 C 원자가 가져오고, C−O 결합에서는 전자쌍을 O 원자가 가져간다고 하면 C의 산화수는 -2이다.
④ $Na_2S_2O_3$에서 Na의 산화수는 $+1$, O의 산화수는 -2이므로 S의 산화수를 x라고 하면 $2+2x+3\times(-2)=0$에서 $x=+2$이다.
다른 해설 ② 화합물에서 산화수의 총합은 0이고, CH_3OH에서 H의 산화수는 $+1$, O의 산화수는 -2이므로 C의 산화수는 -2이다.

587 (가)에서 H의 산화수가 $+1$이고 화합물의 산화수 합은 0이므로 Cl의 산화수는 -1이다.
(나)에서 H의 산화수는 $+1$, O의 산화수는 -2이므로 Cl의 산화수는 $+1$이다.
(다)에서 Na의 산화수는 $+1$이므로 H의 산화수는 -1이다.
(라)는 홑원소 물질이므로 H의 산화수는 0이다.
따라서 산화수가 같은 것은 (가), (다)이다.

588 화합물에서 H의 산화수는 $+1$이고, O의 산화수는 -2이며 화합물의 산화수 합은 0이다. N의 산화수는 NO에서 $+2$, N_2O에서 $+1$, NO_2에서 $+4$, N_2O_4에서 $+4$, HNO_3에서 $+5$이다.
따라서 N의 산화수가 가장 큰 것은 ⑤ HNO_3이다.

589 O는 F 다음으로 전기 음성도가 큰 원자이므로 F을 제외한 다른 원자와 결합한 화합물에서 대체로 산화수는 −2이다. 그런데 F과 결합한 OF_2에서는 산화수가 +2이고, 과산화물(−O−O−의 결합이 있는 물질)에서는 산화수가 −2가 아니다. 즉 H−O−O−H에서는 산화수가 −1이고, F−O−O−F에서는 산화수가 +1이다.

모범 답안 H_2O_2에서 O의 산화수는 −1이다. O_2에서 O의 산화수는 0이다. O_2F_2에서 O의 산화수는 +1이다. OF_2에서 O의 산화수는 +2이다. 중 2가지

590 제시된 물질을 구성하는 원자의 전기 음성도는 $H<S<O<F$이다. 즉 O의 산화수는 SO_4^{2-}에서 −2, OF_2에서 +2, H_2O_2에서 −1이다. 따라서 O 원자의 산화수 크기는 $SO_4^{2-}<H_2O_2<OF_2$이다.

591 ⑤ CH_3CHO의 구조식은 다음과 같다.

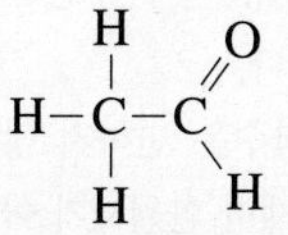

```
     H     O
     |    //
  H—C—C
     |    \
     H     H
```

CH_3CHO에서 H의 산화수는 +1, O의 산화수는 −2이고, 왼쪽 C의 산화수는 −3, 오른쪽 C의 산화수는 +1이다. 따라서 X<Y이다.

바로알기 | ① BF_3에서 B의 산화수는 +3이고, F의 산화수는 −1이다. 따라서 X>Y이다.

② BeH_2에서 전기 음성도는 Be<H이므로 H의 산화수는 −1이고, Be의 산화수는 +2이다. 따라서 X>Y이다.

③ Fe_2O_3에서 O의 산화수는 −2이고, Fe의 산화수는 +3이다. 따라서 X>Y이다.

④ CO_2에서 O의 산화수는 −2이고, C의 산화수는 +4이다. 따라서 X>Y이다.

592 H−C 결합에서 전자쌍을 C가 가져가고, C=O, C−O 결합에서 전자쌍을 O가 가져가므로 (A)의 산화수는 −3이고, (B)의 산화수는 +3이다.

593 (가)에서 X의 산화수가 −1이므로 X−Z 결합에서 전자쌍을 Z가 가져가고, X−Y 결합에서 전자쌍을 X가 가져간다. 따라서 전기 음성도는 Y<X<Z이다. (나)에서도 전기 음성도가 Y<X<Z이므로 Y−X 결합에서 전자쌍을 X가 가져가고, X=Z 결합에서 전자쌍을 Z가 가져간다. 따라서 (나)에서 X의 산화수는 0이다.

594

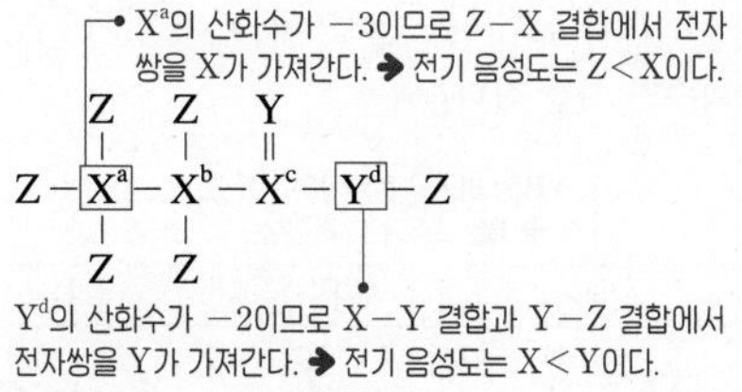

X^a의 산화수가 −3이므로 Z−X 결합에서 전자쌍을 X가 가져간다. ➔ 전기 음성도는 Z<X이다.

```
     Z    Z    Y
     |    |    ||
Z — [Xa] — Xb — Xc — [Yd] — Z
     |    |
     Z    Z
```

Y^d의 산화수가 −2이므로 X−Y 결합과 Y−Z 결합에서 전자쌍을 Y가 가져간다. ➔ 전기 음성도는 X<Y이다.

ㄱ. 전기 음성도는 Z<X<Y이다.

ㄴ. 전기 음성도가 Z<X<Y이므로 X^b에서 X−Z 결합의 전자쌍을 X가 모두 가져가 X^b의 산화수 ㉠은 −2이다. X^c에서 X=Y 결합의 전자쌍과 X−Y 결합의 전자쌍을 Y가 모두 가져가므로 X^c의 산화수 ㉡은 +3이다. 따라서 ㉠+㉡=(−2)+3=1이다.

ㄷ. 전기 음성도는 Z가 가장 작으므로 분자에서 Z의 산화수는 +1로 모두 같다.

595 분자를 구성하는 X, Y는 비금속 원소이므로 X, Y의 전기 음성도는 H보다 크다. 따라서 (나)에서 X의 산화수는 −4이다. X의 산화수는 (가)에서가 (나)에서보다 크므로 (가)에서 X=Y 결합의 전자쌍을 Y가 가져간다. 즉 (가)에서 X의 산화수는 0이고, Y의 산화수는 −2이며 전기 음성도는 X<Y이다.

Y의 산화수는 (가)에서 −2이고 (다)에서가 (가)에서보다 크므로 Y−Z 결합의 전자쌍을 Z가 가져간다. 따라서 전기 음성도는 Y<Z이다.

ㄴ. (다)에서는 H−X 결합의 전자쌍을 X가 가져가고, X−Y 결합의 전자쌍을 Y가 가져가므로 X의 산화수는 −2이다.

바로알기 | ㄱ. 전기 음성도는 X<Y<Z이므로 X~Z 중 Z가 가장 크다.

ㄷ. XZ_4에서 X의 산화수는 +4이므로 (나)에서와 같지 않다.

596 (가)에서 B의 산화수가 −2이므로 전기 음성도는 A<B이다. (나)에서 C의 산화수가 +2이므로 A−C 결합에서는 전자쌍을 C가 가져오고, C≡D 결합에서는 전자쌍을 D가 가져간다. 이로부터 전기 음성도는 A<C<D이다. (다)에서 C의 산화수가 0이고, 전기 음성도가 A<C이므로 C−A 결합의 전자쌍을 C가 가져오고, E−C 결합의 전자쌍을 E가 가져간다. 이로부터 전기 음성도는 C<E이다.

ㄴ. (가)~(다)에서 중심 원자가 옥텟 규칙을 만족하므로 B는 2주기 16족 원소이고, C는 2주기 14족 원소이다. 이때 A는 H이므로 (다)에서 중심 원자 C와 단일 결합을 형성하는 E는 2주기 17족 원소이다. 따라서 전기 음성도는 E가 가장 크다.

바로알기 | ㄱ. A~E 중 A의 전기 음성도가 가장 작으므로 A는 1주기 원소인 H이다.

ㄷ. C_2E_2에서 E의 산화수는 −1이므로 C의 산화수는 +1이다.

597 A~C의 산화수는 A가 가장 크고 C가 가장 작으므로 전기 음성도는 A<B<C이다.

② A−B 결합의 전자쌍을 B가 가져가고, B−C 결합의 전자쌍을 C가 가져가므로 A의 산화수는 +1, C의 산화수는 −1, B의 산화수는 0이다. 따라서 ②는 제시된 자료에 부합하는 화합물이다.

바로알기 | ① A−B 결합의 전자쌍을 B가 가져가고, B=C 결합의 전자쌍을 C가 가져가므로 A의 산화수는 +1, B의 산화수는 0이 되고 C의 산화수는 −2가 된다.

③ A−B 결합의 전자쌍을 B가 가져가고, B=C 결합과 B−C 결합의 전자쌍을 C가 가져가므로 A의 산화수는 +1, C의 산화수는 각각 −2와 −1, B의 산화수는 +2가 된다.

④ A−B 결합의 전자쌍을 B가 가져가고, B−C 결합의 전자쌍을 C가 가져가고, C−A 결합의 전자쌍을 C가 가져가므로 A의 산화수는 +1, C의 산화수는 −2, B의 산화수는 −2가 된다.

⑤ A−B 결합의 전자쌍을 B가 가져가고, B−C 결합의 전자쌍을 C가 가져가므로 A의 산화수는 +1, C의 산화수는 −2, B의 산화수는 −2가 된다.

598 전기 음성도는 H<C<O이므로 H−C 결합의 전자쌍을 C가 가져가고, C=O 결합과 C−O 결합의 전자쌍을 O가 가져간다. 따라서 반응물에서 C의 산화수는 −2이고, 생성물에서 C의 산화수는 +2이다. 즉 C의 산화수 변화는 4 증가이다.

599 전기 음성도는 H<C<O이므로 ㉠의 산화수는 −2, ㉡의 산화수는 −3, ㉢의 산화수는 −1, ㉣의 산화수는 +3이다.

ㄴ. O의 산화수는 O_2에서 0이고 생성물에서 −2이므로 O_2는 자신이 환원되면서 다른 물질을 산화시키는 산화제이다.

ㄷ. ㉠~㉣의 산화수 합은 (−2)+(−3)+(−1)+3=−3이다.

바로알기 | ㄱ. H, O의 산화수는 H_2O에서 각각 +1, −2이고, C_2H_5OH에서도 각각 +1, −2이다. 즉 H_2O은 산화되거나 환원되지 않는다.

600 X에 비공유 전자쌍이 1개 있다. ➔ X는 2주기 15족 원소 / Z에 비공유 전자쌍이 2개 있다. ➔ Z는 2주기 16족 원소

화합물	XH_3	YH_4	ZF_2
중심 원자의 산화수	a	b	c

Y에는 비공유 전자쌍이 없다. ➔ Y는 2주기 14족 원소

ㄱ. 전기 음성도는 H가 가장 작다. XH_3에서 H의 산화수는 +1이므로 X의 산화수는 −3이고, YH_4에서 H의 산화수는 +1이므로 Y의 산화수는 −4이다. 따라서 $a>b$이다.

바로알기 | ㄴ. X는 2주기 15족, Y는 2주기 14족, Z는 2주기 16족 원소이므로 원자 번호는 Y<X<Z이다.

ㄷ. ZF_2에서 Z의 산화수는 +2이고, XZ(NO)에서 Z의 산화수는 −2이다.

601 ㄱ. NX_3^-에서 N의 산화수가 +5이므로 X의 산화수는 −2이고, NY_4^+에서 N의 산화수가 −3이므로 Y의 산화수는 +1이다. 이로부터 NX_2에서 X의 산화수는 −2이므로 N의 산화수는 +4이다. 따라서 $a=+4$이다.

ㄴ. NX_3^-에서는 음의 산화수를 갖는 X가 N보다 전기 음성도가 크고, NY_4^+에서는 음의 산화수를 갖는 N가 Y보다 전기 음성도가 크다. 이로부터 전기 음성도는 Y<N<X이다.

ㄷ. 전기 음성도는 Y<X이므로 Y_2X에서 Y의 산화수는 +1로 NY_4^+에서와 같다.

602 ① 이 반응에서 Al의 산화수는 0에서 +3으로 증가하고, Br의 산화수는 0에서 −1로 감소하므로 이 반응은 산화 환원 반응이다.

③ 이 반응에서 C의 산화수는 −4에서 +4로 증가하고, O의 산화수는 0에서 −2로 감소하므로 이 반응은 산화 환원 반응이다.

④ 이 반응에서 Cu의 산화수는 +2에서 0으로 감소하고, C의 산화수는 0에서 +4로 증가하므로 이 반응은 산화 환원 반응이다.

⑤ 이 반응에서 O의 산화수는 −2에서 0으로 증가하므로 이 반응은 산화 환원 반응이다.

바로알기 | ② 이 반응에서 H, Cl, N의 산화수는 변하지 않으므로 이 반응은 산화 환원 반응이 아니다.

⑥ 이 반응에서 구성 원자의 산화수는 변하지 않으므로 이 반응은 산화 환원 반응이 아니다.

603 ㄱ. (가)에서 Zn의 산화수는 0에서 +2로 증가하므로 산화된다.

ㄷ. (다)에서 Mn의 산화수는 MnO_2에서 +4이고, $MnCl_2$에서 +2이다. 즉 Mn의 산화수는 2 감소한다.

바로알기 | ㄴ. (나)에서 Fe은 전자를 잃고 산화되고, Ag^+은 Fe이 내놓은 전자를 얻어 Ag으로 환원된다. 즉 전자는 Fe에서 Ag^+으로 이동한다.

604 자신이 환원되면서 다른 물질을 산화시키는 물질이 산화제이다.

(가)에서 H의 산화수는 +1에서 0으로 감소하므로 H_2SO_4은 환원된다. 따라서 (가)에서 H_2SO_4은 산화제이다.

(나)에서 Ag의 산화수는 +1에서 0으로 감소하므로 $AgNO_3$은 환원된다. 따라서 (나)에서 $AgNO_3$은 산화제이다.

(다)에서 Mn의 산화수는 +4에서 +2로 감소하므로 MnO_2는 환원된다. 따라서 (다)에서 MnO_2는 산화제이다.

605 ㄱ. (가)에서 ㉠은 홑원소 물질인 S이므로 산화수는 0이고, ㉡은 SO_2이고 SO_2에서 S의 산화수는 +4이다. 즉 (가)에서 ㉠이 ㉡으로 될 때 산화수는 4 증가한다.

바로알기 | ㄴ. (나)에서 O의 산화수는 O_2에서 0이고, SO_3에서 −2이다. 즉 O_2는 자신이 환원되면서 다른 물질을 산화시키는 산화제이다.

ㄷ. (다)에서 S의 산화수는 SO_3에서 +6이고, H_2SO_4에서도 +6이다. 따라서 (다)에서 ㉢은 산화수 변화가 없으므로 산화되거나 환원되지 않는다.

606 ㄴ. (나)에서 H_2O 1 mol이 생성될 때 SO_2 0.5 mol과 H_2S 1 mol이 반응하므로 H_2O 1 mol이 생성될 때 반응한 반응물의 전체 양(mol)은 1.5 mol이다.

바로알기 | ㄱ. (가)에서 S의 산화수는 SO_2에서 +4이고, H_2SO_3에서도 +4이다. 즉 SO_2의 구성 원자는 산화수 변화가 없으므로 SO_2은 산화되거나 환원되지 않는다.

ㄷ. (다)에서 H, O의 산화수는 변하지 않으므로 H_2O은 산화되거나 환원되지 않는다. 즉 산화제나 환원제가 아니다.

607 환원되기 쉬운 경향을 가진 물질일수록 자신이 환원되면서 다른 물질을 산화시키는 산화제로 작용한다. 또한 같은 원소를 포함한 경우 높은 산화수를 가진 것이 낮은 산화수를 가진 것보다 환원되려는 경향이 커서 산화제의 세기가 크다. 같은 주기에서 전기 음성도는 원자 번호가 클수록 크므로 전기 음성도는 S<Cl이고, 따라서 Cl_2는 S을 포함한 물질보다 강한 산화제이다. S의 산화수는 SO_2에서 +4이고, H_2S에서 −2이므로 S의 산화수가 큰 SO_2이 H_2S보다 강한 산화제이다.

모범 답안 환원되기 쉬운 경향을 가진 물질일수록 자신이 환원되면서 다른 물질을 산화시키는 산화제로 작용한다. (나)에서는 SO_2이 환원되고 H_2S가 산화되므로 SO_2이 H_2S보다 강한 산화제이다. (다)에서는 SO_2이 산화되고 Cl_2가 환원되므로 Cl_2가 SO_2보다 강한 산화제이다. 따라서 산화제의 세기는 $H_2S<SO_2<Cl_2$이다.

608 A~E는 1, 2주기 원소이므로 A는 2주기 17족, B는 2주기 15족, C는 2주기 16족, D는 2주기 14족, E는 1주기 1족 원소이다. 즉 전기 음성도는 E<D<B<C<A이다.

ㄱ. B의 산화수는 (가)에서 +3, (나)에서 −3이다.

ㄷ. (가)에서 C의 산화수는 −2이고, (나)에서 D의 산화수는 +2이므로 (가)에서 C의 산화수와 (나)에서 D의 산화수 합은 0이다.

바로알기 | ㄴ. (가)에서 A의 산화수는 −1이고, C의 산화수는 −2이다. 따라서 C의 산화수가 가장 작다.

609

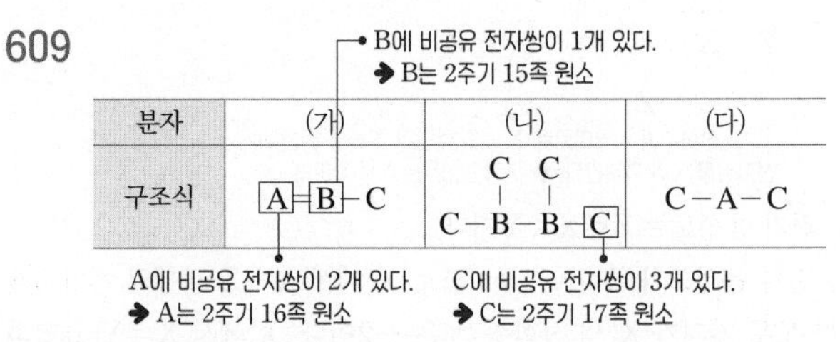

ㄱ. A~C 중 원자 번호는 C가 가장 크다.

ㄴ. 전기 음성도는 B<A<C이므로 (가)에서 A의 산화수는 −2이고, (다)에서 A의 산화수는 +2이다. 따라서 (가)와 (다)에서 A의 산화수의 합은 0이다.

바로알기 | ㄷ. 전기 음성도는 B<C이므로 B−C 결합의 전자쌍을 C가 모두 가져간다. 이로부터 B의 산화수는 (나)에서 +2이다. 또한 B_2A_4에서 A의 산화수는 −2이므로 B의 산화수는 +4이다.

610 Sn의 산화수는 Sn^{2+}에서 +2이고, Sn^{4+}에서 +4이다. 또한 Mn의 산화수는 MnO_4^-에서 +7이고, Mn^{2+}에서 +2이다. 즉 Sn의 산화수는 2 증가하고, Mn의 산화수는 5 감소한다. 감소한 산화수와 증가한 산화수가 같도록 계수를 맞추면 다음과 같다.

$$5Sn^{2+} + 2MnO_4^- + cH^+ \longrightarrow 5Sn^{4+} + 2Mn^{2+} + fH_2O$$

이때 산화수 변화가 없는 H, O 원자 수가 반응물과 생성물에서 같도록 계수를 맞추면 다음과 같다.

$$5Sn^{2+} + 2MnO_4^- + 16H^+ \longrightarrow 5Sn^{4+} + 2Mn^{2+} + 8H_2O$$

모범 답안 (1) $a=5$, $b=2$, $c=16$, $d=5$, $e=2$, $f=8$

(2) 산화제: MnO_4^-, 환원제: Sn^{2+}, Mn의 산화수는 +7에서 +2로 감소하므로 MnO_4^-은 자신이 환원되면서 다른 물질을 산화시킨다. 한편 Sn의 산화수는 +2에서 +4로 증가하므로 Sn^{2+}은 자신이 산화되면서 다른 물질을 환원시킨다.

611 Cu의 산화수는 Cu에서 0, Cu^{2+}에서 +2로 2 증가한다. 또한 N의 산화수는 NO_3^-에서 +5, NO_2에서 +4로 1 감소한다. 감소한 산화수와 증가한 산화수가 같도록 계수를 맞추면 다음과 같다.

$$Cu(s) + bH^+(aq) + 2NO_3^-(aq) \longrightarrow Cu^{2+}(aq) + 2NO_2(aq) + dH_2O(l)$$

이때 산화수 변화가 없는 H, O 원자 수가 반응물과 생성물에서 같도록 계수를 맞추면 다음과 같다.

$$Cu(s) + 4H^+(aq) + 2NO_3^-(aq) \longrightarrow Cu^{2+}(aq) + 2NO_2(aq) + 2H_2O(l)$$

ㄷ. Cu와 NO_2의 계수비가 1 : 2이므로 NO_2 1 mol이 생성될 때 반응한 Cu의 양(mol)은 0.5 mol이다.

바로알기 | ㄱ. $a=1$, $b=4$, $c=2$, $d=2$이므로 $a+b>c+d$이다.

ㄴ. N의 산화수는 감소하므로 NO_3^-은 자신이 환원되면서 다른 물질을 산화시키는 산화제이다.

612 ㄱ. Mn의 산화수는 $KMnO_4$에서 +7, $MnCl_2$에서 +2로 5 감소한다. 또한 Cl의 산화수는 HCl에서 −1, Cl_2에서 0이므로 1 증가한다. 그런데 Cl_2에서 Cl 원자 수가 2이므로 총 산화수 증가는 2이다. 감소한 산화수와 증가한 산화수가 같고, 산화수 변화가 없는 H, O의 원자 수가 반응물과 생성물에서 같도록 계수를 맞추면 다음과 같다.

$$2KMnO_4(aq) + 16HCl(aq) \longrightarrow 2KCl(aq) + 2MnCl_2(aq) + 8H_2O(l) + 5Cl_2(aq)$$

즉 $a=2$, $b=16$, $e=8$이므로 $\frac{b}{a\times e}=1$이다.

ㄴ. (가)에서 Mn의 산화수는 $KMnO_4$에서 +7, $MnCl_2$에서 +2로 감소한다. 또한 O의 산화수는 H_2O_2에서 −1, O_2에서 0으로 증가한다. 즉 $KMnO_4$은 자신이 환원되면서 다른 물질을 산화시키는 산화제이다. (나)에서도 Mn의 산화수가 감소하므로 $KMnO_4$은 자신이 환원되면서 다른 물질을 산화시키는 산화제이다.

ㄷ. 0.2 M $KMnO_4$ 100 mL에 들어 있는 $KMnO_4$의 양(mol)은 0.02 mol이다. (가)에서 반응 몰비는 $KMnO_4$: HCl=2 : 6이므로 필요한 HCl의 양(mol)은 0.06 mol이고, (나)에서 반응 몰비는 $KMnO_4$: HCl=2 : 16이므로 필요한 HCl의 양(mol)은 0.16 mol이다.

613 ㄱ. (나)에서 화학 반응식을 완성하면 다음과 같다.

$$Fe_2O_3 + 3CO \longrightarrow 2Fe + 3CO_2$$

따라서 $a=1$, $b=3$, $c=2$, $d=3$이므로 $a+b+c+d=9$이다.

바로알기 | ㄴ. CO와 Fe의 반응 몰비가 3 : 2이므로 56 g의 Fe, 즉 1 mol의 Fe을 얻는 데 필요한 CO의 양(mol)은 1.5 mol이다. 또한 (가)에서 C와 CO의 반응 계수가 같으므로 1.5 mol의 CO를 얻기 위해 필요한 C의 양(mol)은 1.5 mol이고, C의 원자량이 12이므로 질량은 18 g이다.

ㄷ. (가)와 (나)는 구성 원자의 산화수가 변하는 산화 환원 반응이고, (다)는 구성 원자의 산화수가 변하지 않으므로 산화 환원 반응이 아니다.

614 ㄴ. 반응이 일어나는 동안 용액 속 Cu^{2+} 수가 감소하므로 수용액의 푸른색이 옅어진다.

바로알기 | ㄱ. 비커 속에서 일어나는 반응은 다음과 같다.

$$Zn(s) + CuSO_4(aq) \longrightarrow ZnSO_4(aq) + Cu(s)$$

즉 Zn은 자신이 산화되면서 다른 물질을 환원시키는 환원제이다.

ㄷ. Zn 1개가 반응하여 Zn^{2+} 1개를 생성할 때 Cu^{2+} 1개가 반응하여 Cu로 석출되므로 용액 속 전체 이온 수는 일정하다.

615 비커 속에서 일어나는 알짜 이온 반응식은 다음과 같다.

$$Cu(s) + 2Ag^+(aq) \longrightarrow Cu^{2+}(aq) + 2Ag(s)$$

③ 반응이 일어나면 수용액 속 Ag^+ 2개가 Cu^{2+} 1개로 교체되는 것과 같으므로 수용액 속 양이온 수는 감소한다.

④ 수용액 속 Cu^{2+} 수가 증가하므로 수용액의 색깔이 푸르게 변한다.

바로알기 | ① 전자를 잃고 산화되는 정도는 Cu가 Ag보다 크므로 반응성은 Cu>Ag이다.

② 반응이 일어나면 수용액 속 Ag^+ 2개가 감소할 때 Cu^{2+} 1개가 생성되므로 수용액의 질량은 반응 전보다 감소한다.

⑤ 전자는 Cu에서 Ag^+으로 이동한다. 이때 NO_3^-은 반응에 참여하지 않는다.

⑥ $AgNO_3$은 자신이 환원되면서 다른 물질을 산화시키는 산화제로 작용한다.

616

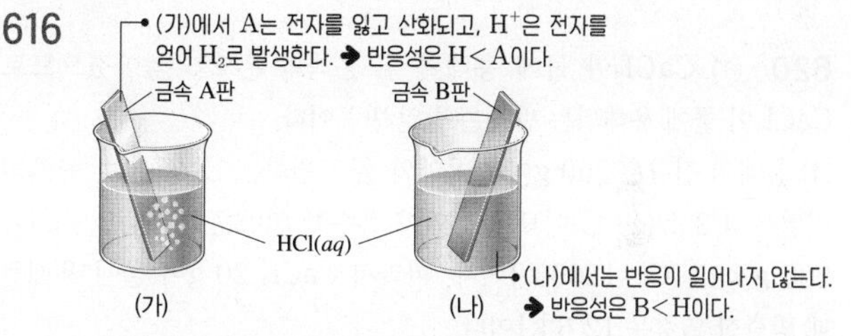

ㄱ. 반응성은 B<H<A이므로 A는 B보다 산화되기 쉽고, B 이온은 A 이온보다 환원되기 쉽다.

ㄴ. (가)에서 A는 전자를 잃고 양이온이 되므로 A의 산화수는 증가한다.

ㄷ. (가)에서 반응이 일어나는 동안 H^+ 수가 감소하므로 $[H^+]$가 감소한다. 따라서 수용액의 pH는 증가한다.

617 ㄱ. Cl_2를 넣었을 때 KX(*aq*)에서 일어난 반응의 화학 반응식은 다음과 같다.

$$2KX + Cl_2 \longrightarrow 2KCl + X_2$$

즉 Cl_2는 전자를 얻어 환원되므로 산화제이다.

ㄴ. Cl_2를 넣었을 때 KX(*aq*)에서는 반응이 일어났으므로 반응성은 $X_2<Cl_2$이고, KY(*aq*)과는 반응하지 않았으므로 반응성은 $Cl_2<Y_2$이다. 이로부터 반응성은 $X_2<Cl_2<Y_2$이다.

바로알기 | ㄷ. 반응성은 $X_2<Y_2$이므로 KY(*aq*)에 X_2를 넣으면 반응이 일어나지 않는다.

618 ㄱ. 반응 전후 원자의 종류와 수가 같도록 계수를 맞추면 다음과 같다.

$$3Ag_2S + 2Al \longrightarrow 6Ag + Al_2S_3$$

즉 $a=3$, $b=2$, $c=6$, $d=1$이므로 $a\times b=c\times d$이다.

ㄷ. Ag_2S과 Al_2S_3의 계수비가 3 : 1이므로 Ag_2S 0.6 mol이 반응할 때 생성된 Al_2S_3의 양(mol)은 0.2 mol이다.

바로알기 | ㄴ. Al은 전자를 잃고 산화되므로 자신이 산화되면서 다른 물질을 환원시키는 환원제이다.

619

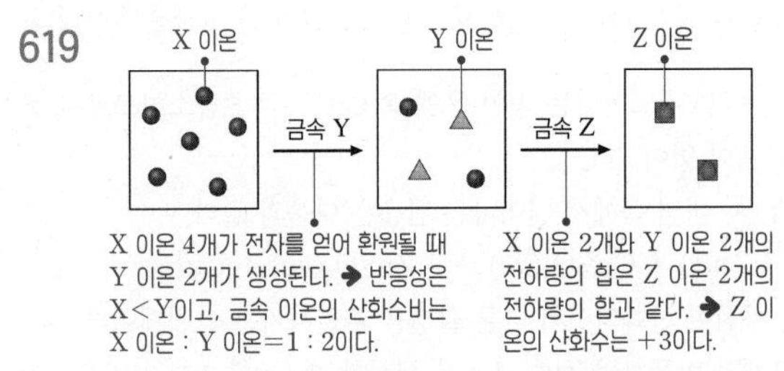

ㄷ. X 이온의 산화수가 +1일 때 Z 이온의 산화수는 +3이다. 산화된 물질이 잃은 전자의 양과 환원된 물질이 얻은 전자의 양이 같으므로 9 mol의 X 이온을 환원시키기 위해 필요한 Z의 양(mol)은 3 mol이다.

바로알기 | ㄱ. 금속 Z를 넣었을 때 X 이온(●)은 전자를 얻어 환원되므로 ●은 산화제로 작용한다.

ㄴ. X 이온(●), Y 이온(▲), Z 이온(■)의 산화수비는 ● : ▲ : ■ =1 : 2 : 3이므로 산화수가 가장 큰 것은 ■이다.

24 열의 출입

빈출 자료 보기 177쪽

620 (1) ○ (2) × (3) × (4) ○ (5) × (6) ×

620 (1) $CaCl_2$이 물에 용해된 후 용액의 온도가 높아졌으므로 $CaCl_2$이 물에 용해되는 반응은 발열 반응이다.

(4) 용액의 질량은 200 g이고 용액의 온도 변화는 15 ℃이며, 용액의 비열은 4.2 J/(g·℃)이므로 용액이 흡수한 열량은 4.2 J/(g·℃)× 200 g×15 ℃=12600 J이다. 따라서 $CaCl_2$ 20 g이 물에 용해될 때 방출한 열량은 12.6 kJ이다.

바로알기 | (2) $CaCl_2$의 용해 반응은 발열 반응이므로 반응물의 에너지 합이 생성물의 에너지 합보다 크다.

(3) 열량계가 단열되지 않았다면 열이 주위로 방출되므로 주위의 온도는 올라갈 것이다.

(5) $CaCl_2$ 20 g이 물에 용해될 때 방출한 열량은 12.6 kJ이므로 1 g이 물에 용해될 때 방출한 열량은 0.63 kJ/g이다.

(6) $CaCl_2$ 1 mol이 물에 용해될 때 방출한 열량을 구하려면 $CaCl_2$ 20 g에 해당하는 양(mol)을 알아야 한다. 이때 필요한 자료는 $CaCl_2$의 화학식량이다.

난이도별 필수 기출 178~181쪽

621 ⑤ 622 ③ 623 ③ 624 ③ 625 ③ 626 ⑤
627 ② 628 ④, ⑥ 629 ③ 630 ③
631 해설 참조 632 ⑤ 633 해설 참조 634 ④
635 ⑤ 636 ③

621 ㄱ. 화학 반응이 일어날 때 열을 방출하는 반응이 발열 반응이다.

ㄴ, ㄷ. 흡열 반응은 화학 반응이 일어날 때 열을 흡수하는 반응이므로 주위의 온도가 낮아진다. 따라서 흡열 반응을 이용하면 냉찜질 주머니를 만들 수 있다.

622 ㄱ. 뷰테인의 연소 반응(㉠)은 열을 주위로 방출하는 발열 반응이다. 철가루와 산소의 반응(㉡)을 손난로를 만드는 데 이용하는 것으로 보아 이 반응은 열을 방출하는 발열 반응이다. 물이 증발할 때 주위가 시원해지는 것으로 보아 물의 증발 과정(㉢)은 열을 흡수하는 흡열 반응이다. 따라서 ㉠~㉢ 중 발열 반응은 ㉠, ㉡ 2가지이다.

ㄴ. ㉠ 반응은 발열 반응으로 열을 주위로 방출하므로 반응이 일어나면 주위의 온도가 높아진다.

바로알기 | ㄷ. ㉢ 반응은 흡열 반응이므로 생성물의 에너지 합은 반응물의 에너지 합보다 크다.

623 화학 반응이 일어날 때 주위의 온도가 올라가는 반응은 발열 반응이다.

ㄱ. 물이 응고되어 얼음이 되는 과정은 발열 반응이다.

ㄴ. 철이 산화되어 붉은 녹을 생성하는 반응은 발열 반응이다.

바로알기 | ㄷ. 물의 전기 분해 반응은 외부에서 전류를 흘려 주어야 일어나는 반응으로 흡열 반응이다.

624

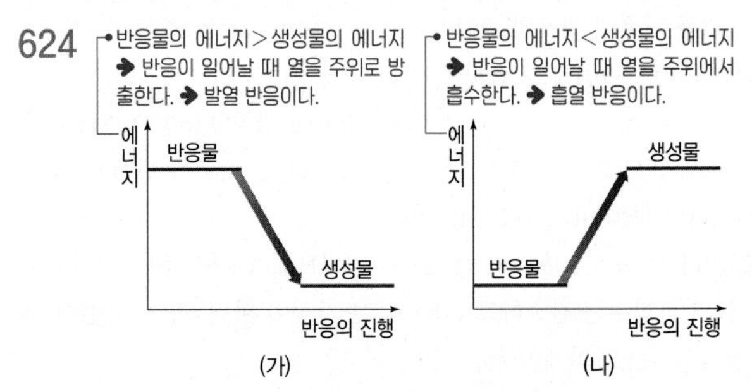

ㄱ. (나)는 흡열 반응으로 주위에서 열을 흡수하는 반응이다.

ㄴ. 중화 반응은 반응이 일어날 때 열을 방출하는 발열 반응이므로 에너지 변화 그래프는 (가)와 같은 모양이다.

바로알기 | ㄷ. 금속과 산의 반응은 발열 반응이므로 에너지 변화 그래프는 (가)와 같은 모양이다.

625 ㄱ. 금속과 산의 반응은 발열 반응이므로 반응이 일어날 때 열을 방출한다.

ㄷ. 수증기가 액체인 물로 되는 반응은 발열 반응이므로 이 반응과 열의 출입 방향이 같다.

바로알기 | ㄴ. $HCl(aq)$에 $Zn(s)$을 넣어 주면 Zn이 전자를 잃고 산화되고 $HCl(aq)$ 속 H^+이 전자를 얻어 H_2로 된다. 이때 반응이 일어나는 동안 $[H^+]$가 감소하여 pH가 증가한다.

626 ㄱ, ㄷ. $NH_4NO_3(s)$의 용해 반응을 냉각 팩에 이용하는 것으로 보아 이 반응은 흡열 반응이다. 따라서 생성물의 에너지 합이 반응물의 에너지 합보다 크고, 반응물이 생성물보다 안정하다.

ㄴ. 탄산수소 나트륨의 열분해 반응은 주위로부터 열을 흡수하는 흡열 반응으로 이 반응과 열의 출입 방향이 같다.

627 ㄴ. (나) 반응은 중화 반응으로 발열 반응이다. 따라서 반응물의 에너지 합이 생성물의 에너지 합보다 크다.

바로알기 | ㄱ. (가)는 메테인의 연소 반응으로 반응이 일어날 때 열을 방출한다.

ㄷ. (다)는 $NH_4NO_3(s)$의 용해 반응으로 흡열 반응이다. 따라서 반응이 일어나면 주위의 온도가 낮아진다.

628 ①, ② 삼각 플라스크 속에서 반응이 일어나면서 주위의 온도가 낮아져 나무판 위의 물이 얼었다. 즉 $Ba(OH)_2 \cdot 8H_2O(s)$과 $NH_4NO_3(s)$의 반응은 열을 흡수하는 흡열 반응이다.
③ 나무판 위의 물이 액체에서 고체로 응고되는 반응은 열을 방출하는 발열 반응이다.
⑤ $Ba(OH)_2 \cdot 8H_2O(s)$과 $NH_4NO_3(s)$의 반응에서 반응물과 생성물을 구성하는 원자의 종류와 수가 같도록 계수를 맞추면 다음과 같다.

$$Ba(OH)_2 \cdot 8H_2O(s) + 2NH_4NO_3(s) \longrightarrow Ba(NO_3)_2(aq) + 10H_2O(l) + 2NH_3(g)$$

$NH_4NO_3(s)$과 $NH_3(g)$의 반응 계수가 2로 같으므로 $NH_4NO_3(s)$ 3 mol이 모두 반응하면 $NH_3(g)$ 3 mol이 생성된다.
바로알기 | ④ Ba의 산화수는 반응물과 생성물에서 모두 +2로 변하지 않는다.
⑥ $CaCl_2(s)$의 용해 반응은 발열 반응이므로 $Ba(OH)_2 \cdot 8H_2O(s)$과 $NH_4NO_3(s)$ 대신 $CaCl_2(s)$과 $H_2O(l)$로 같은 실험 결과를 얻을 수 없다.

629 ㄱ. (가)는 통열량계이고, (나)는 간이 열량계이다.
ㄴ. (가)는 단열 용기로 처리되어 있어 (나)보다 열 손실이 적다.
바로알기 | ㄷ. (가)의 통열량계는 기체가 발생하는 화학 반응에서 출입하는 열을 측정하기에 적합하다. 따라서 연소 반응에서 출입하는 열량을 측정하기에는 (나)보다 (가)가 적합하다.

630 일정 질량의 $CaCl_2$을 일정량의 물에 녹일 때 출입하는 열은 물이 흡수하거나 물로부터 흡수하므로 물이 얻거나 잃은 열량은 $CaCl_2$이 물에 용해될 때 얻거나 잃은 열량과 같다. 물이 얻거나 잃은 열량은 '용액의 비열×용액의 질량×용액의 온도 변화'로 구할 수 있다. 이때 구한 열량은 일정 질량의 $CaCl_2$이 물에 용해될 때 출입하는 열량이므로 이로부터 $CaCl_2$ 1 mol이 물에 용해될 때 출입하는 열량을 구하려면 $CaCl_2$의 화학식량이 필요하다. 따라서 필요한 자료는 용액의 비열, 용액의 질량(=물의 질량+용해된 $CaCl_2$의 질량), 용액의 온도 변화, $CaCl_2$의 화학식량이다.
바로알기 | ③ 물의 분자량은 $CaCl_2$ 1 mol이 물에 용해될 때 출입하는 열량을 측정하는 데 사용되지 않는다.

631 열량의 측정값이 이론값보다 작게 측정된 것은 화학 반응에서 출입하는 열의 손실이 생긴 경우이다.
모범 답안 $CaCl_2(s)$이 물에 용해될 때 방출한 열의 일부가 실험 기구의 온도를 변화시키는 데 쓰였거나 열량계 밖으로 빠져나가는 등 열 손실이 발생했기 때문이다.

632 ㄱ. $NH_4NO_3(s)$의 용해 반응에서 온도가 낮아진 것으로 보아 이 반응은 흡열 반응이다. 따라서 열량계를 단열 처리하지 않았다면 주위로부터 열을 흡수하므로 주위의 온도는 내려갔을 것이다.
ㄴ. 물과 $NH_4NO_3(s)$의 질량 합이 100 g이고, 용액의 온도 변화는 3.5 ℃이며, 수용액의 비열이 4.2 J/(g·℃)이므로 출입한 열량은 4.2 J/(g·℃)×100 g×3.5 ℃=1470 J=1.47 kJ이다.
ㄷ. $NH_4NO_3(s)$ 4 g의 양(mol)은 0.05 mol이다. 즉 $NH_4NO_3(s)$ 0.05 mol이 용해될 때 출입하는 열량이 1.47 kJ이므로 $NH_4NO_3(s)$ 1 mol이 용해될 때 출입하는 열량은 29.4 kJ/mol이다.

633 연소한 과자의 질량은 7 g이고, 물의 밀도가 1 g/mL이므로 물 100 mL의 질량은 100 g이다. 과자 7 g이 연소할 때 방출한 열이 모두 물의 온도를 높이는 데 사용되어 물의 온도를 5 ℃ 높였으므로 물이 흡수한 열량은 4.2 J/(g·℃)×100 g×5 ℃=2100 J이다. 따라서 과자 1 g이 연소할 때 출입하는 열량은 300 J, 즉 0.3 kJ이다.
모범 답안 연소한 과자의 질량은 7 g이고, 물 100 mL의 질량은 100 g이다. 과자 7 g이 연소할 때 방출한 열량은 4.2 J/(g·℃)×100 g×5 ℃=2100 J이므로 과자 1 g이 연소할 때 출입하는 열량은 0.3 kJ/g이다.

634 알코올램프의 실험 전후 질량 차는 연소한 C_2H_5OH의 질량과 같으므로 연소한 C_2H_5OH의 질량은 23 g이다. C_2H_5OH이 연소할 때 발생한 열을 물이 모두 흡수하므로 물이 흡수한 열량은 4 J/(g·℃)×100 g×6 ℃=2400 J이다. 연소한 C_2H_5OH 23 g의 양(mol)은 0.5 mol이므로 C_2H_5OH 1 mol이 연소할 때 발생하는 열량은 4800 J/mol이다.

635 ㄱ. CH_3COOH이 연소할 때 물의 온도가 높아졌으므로 CH_3COOH의 연소 반응은 열을 주위로 방출하는 발열 반응이다.
ㄴ. 방출한 열은 물과 통열량계에 모두 흡수되었다고 가정했으므로 물이 흡수한 열량은 4 kJ/(kg·℃)×0.8 kg×10 ℃=32 kJ이고, 통열량계가 흡수한 열량은 1 kJ/℃×10 ℃=10 kJ이다.
ㄷ. CH_3COOH 3 g이 연소할 때 발생한 열량이 42 kJ이며, CH_3COOH의 질량이 3 g이므로 연소한 CH_3COOH의 양(mol)은 0.05 mol이다. 따라서 CH_3COOH 1 mol이 연소할 때 발생하는 열량은 840 kJ/mol이다.

636 ㄱ. X가 연소할 때 방출하는 열은 20 kJ/g이므로 1 g의 X가 연소할 때 방출하는 열은 20 kJ이고 이 열은 열량계가 모두 흡수한다. 이때 열량계의 열용량을 C라고 하면 C kJ/℃×4 ℃=20 kJ이므로 열량계의 열용량 C는 5 kJ/℃이다.
ㄴ. Y 1 g이 연소할 때 온도 변화가 10 ℃이고, 열량계의 열용량 C는 5 kJ/℃이므로 Y 1 g이 연소할 때 방출하는 열은 5 kJ/℃×10 ℃=50 kJ/g이다.
바로알기 | ㄷ. X 1 g이 연소할 때 방출하는 열은 20 kJ이고, Y 1 g이 연소할 때 방출하는 열은 50 kJ이므로 실험 Ⅲ에서 시료가 연소할 때 방출한 열의 총합은 70 kJ이다. 이때 열량계의 열용량 C는 5 kJ/℃이므로 5 kJ/℃×x ℃=70 kJ이고, 이 식을 풀면 온도 변화 x=14(℃)이다.

최고 수준 도전 기출 (23~24강)

182~183쪽

637 ② 638 ② 639 ① 640 ④ 641 ③ 642 ⑤ 643 ③

637 NH_4NO_3에서 H의 산화수는 +1이고, O의 산화수는 −2이며, 화합물을 구성하는 원자의 산화수의 총합은 0이다. 이로부터 ㉠은 −3, ㉡은 +5이다. KO_2에서 K의 산화수는 +1이므로 ㉢은 $-\frac{1}{2}$이다. CH_2CHCH_3의 구조식은 다음과 같으며,

```
H     H
|     |
C ═ C ─ C ─ H
㉣ | ㉤ | ㉥
H   H   H
```

전기 음성도는 C>H이므로 ㉣은 −2, ㉤은 −1, ㉥은 −3이다.
ㄴ. ㉠~㉥을 모두 곱한 값은 −45이다.

바로알기 | ㄱ. ㉠~㉥ 중 양의 값을 갖는 것은 ㉡ 1가지이다.
ㄷ. ㉠~㉥ 중 가장 큰 값은 +5이고, 가장 작은 값은 −3이다. 따라서 그 차는 8이다.

638

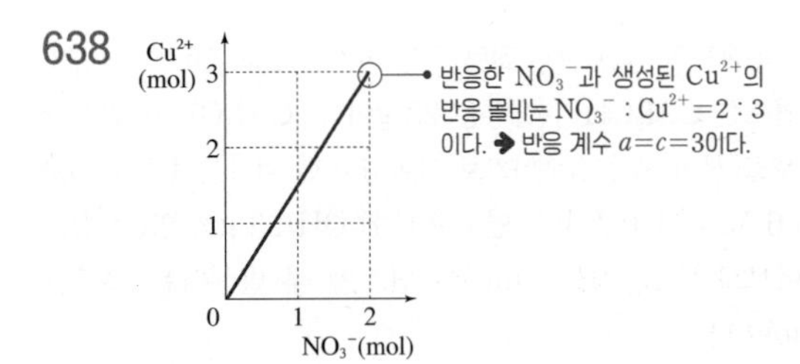

Cu의 산화수는 0에서 +2로 2 증가하고, Cu의 계수가 3이므로 총 산화수는 6 증가한다. N의 산화수는 NO_3^-에서 +5이고, NO_3^-의 계수가 2이므로 반응한 N 원자 수는 2이고 총 산화수는 6 감소한다. 질소 산화물 X에서 N의 산화수를 x라고 하면 $2(5-x)=6$이고, x는 2이므로 질소 산화물에서 O의 산화수는 −2이다. 따라서 X의 화학식은 NO이다.
X의 화학식이 NO이므로 제시된 반응의 화학 반응식은 다음과 같다.

$$3Cu(s) + bH^+(aq) + 2NO_3^-(aq) \longrightarrow 3Cu^{2+}(aq) + 2NO(aq) + eH_2O(l)$$

산화수 변화가 없는 H, O의 반응 전후 원자 수가 같도록 계수를 맞추면 다음과 같다.

$$3Cu(s) + 8H^+(aq) + 2NO_3^-(aq) \longrightarrow 3Cu^{2+}(aq) + 2NO(aq) + 4H_2O(l)$$

ㄷ. 이 반응에서 환원제는 자신이 산화되는 Cu이다. Cu와 X의 반응 몰비는 Cu : X=3 : 2이므로 환원제 0.6 mol이 모두 반응할 때 생성된 X의 양(mol)은 0.4 mol이다.
바로알기 | ㄱ. X의 화학식은 NO이다.
ㄴ. $a=3, b=8, c=3, d=2, e=4$이므로 $a+b+c-d-e=8$이다.

639 제시된 반응의 산화 환원 반응식에서 Fe의 산화수는 +2에서 +3으로 1 증가하고, Mn의 산화수는 MnO_4^-에서 +7, Mn^{2+}에서 +2로 5 감소한다. 이때 증가한 산화수와 감소한 산화수가 같도록 계수를 맞추면 다음과 같다.

$$5Fe^{2+}(aq) + MnO_4^-(aq) + cH^+(aq) \longrightarrow 5Fe^{3+}(aq) + Mn^{2+}(aq) + fH_2O(l)$$

산화수 변화가 없는 H, O의 반응 전후 원자 수가 같도록 계수를 맞추면 다음과 같다.

$$5Fe^{2+}(aq) + MnO_4^-(aq) + 8H^+(aq) \longrightarrow 5Fe^{3+}(aq) + Mn^{2+}(aq) + 4H_2O(l)$$

ㄱ. $a=5, b=1, c=8, d=5, e=1, f=4$이므로
$a+b+c+d+e+f=24$이다.
바로알기 | ㄴ. (가)에서 $[H^+]$와 $[Fe^{2+}]$가 0.2 M로 같고 수용액의 부피는 100 mL이므로 수용액 속 H^+의 양(mol)과 Fe^{2+}의 양(mol)은 각각 0.02 mol이다. (나)에서 $[MnO_4^-]$가 0.02 M이고, 수용액의 부피는 100 mL이므로 수용액 속 MnO_4^-의 양(mol)은 0.002 mol이다.
산화 환원 반응식에서 MnO_4^-과 H^+의 반응 몰비는 1 : 8이므로 MnO_4^- 0.002 mol이 모두 반응할 때 H^+은 0.016 mol 반응하고 0.004 mol이 남는다. 또한 MnO_4^- 0.002 mol이 반응할 때 Mn^{2+}은 0.002 mol 생성된다. 따라서 (다)에서 H^+의 양(mol)은 Mn^{2+}의 양(mol)의 2배이다.
ㄷ. MnO_4^-과 Fe^{3+}의 반응 몰비는 1 : 5이므로 MnO_4^- 0.002 mol이 모두 반응할 때 Fe^{3+} 0.01 mol이 생성된다. 이때 (다) 수용액의 부피가 200 mL이므로 (다)에서 $[Fe^{3+}]=\frac{0.01\ mol}{0.2\ L}=0.05$ M이다.

640 Al(s)과 HCl(aq)의 반응의 화학 반응식은 다음과 같다.

$$2Al(s) + 6HCl(aq) \longrightarrow 2AlCl_3(aq) + 3H_2(g)$$

ㄱ. Al 13.5 g의 양(mol)은 0.5 mol이고, 2 M HCl(aq) 300 mL에 들어 있는 H^+의 양(mol)은 0.6 mol이다. 이때 Al(s)과 HCl(aq)의 반응 몰비가 1 : 3이므로 HCl(aq) 속 H^+ 0.6 mol이 모두 반응하여 H_2 기체 0.3 mol을 생성한다.
ㄷ. H^+ 0.6 mol과 반응한 Al의 양(mol)은 0.2 mol이므로 Al 0.3 mol은 반응하지 않고 남는다. 즉 반응 후 Al(s) 0.3 mol×27 g/mol=8.1 g이 남는다.
바로알기 | ㄴ. Al(s)은 자신이 산화되면서 다른 물질을 환원시키는 환원제로 작용한다.

641 $0\sim t_1$까지는 이온 수가 감소하다가 $t_1\sim t_2$에서 증가한다. 따라서 $0\sim t_1$까지는 반응한 금속 이온 수가 생성된 C 이온 수보다 크고, $t_1\sim t_2$에서는 반응한 금속 이온 수보다 생성된 금속 C 이온 수가 크다. 즉 금속 C 이온의 산화수는 +2이고, $0\sim t_1$까지 반응한 이온은 A^+, $t_1\sim t_2$에서 반응한 이온은 B^{3+}이다.

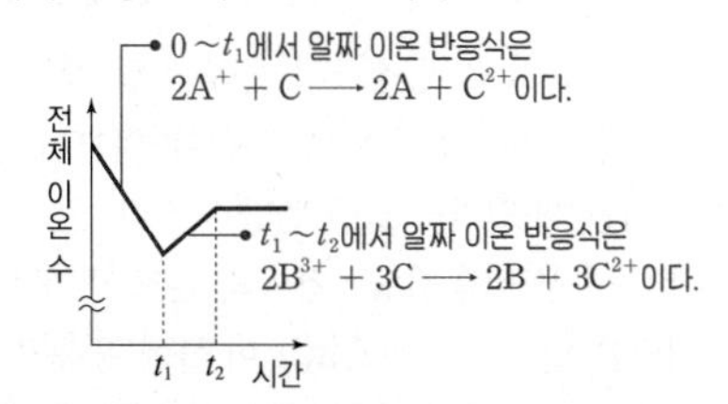

$0\sim t_1$에서 수용액의 밀도가 증가하므로 A^+ 2개의 질량보다 C^{2+} 1개의 질량이 크다. 즉 원자량은 A<C이다.
$t_1\sim t_2$에서 수용액의 밀도가 감소하므로 B^{3+} 2개의 질량보다 C^{2+} 3개의 질량이 작다. 즉 원자량은 C<B이다.
ㄱ. 원자량은 A<C<B이다.
ㄷ. 이온의 산화수는 A<C<B이다.
바로알기 | ㄴ. B^{3+}보다 A^+이 먼저 반응했으므로 반응성은 A<B이며, C가 A^+과 B^{3+}을 모두 환원시켰으므로 반응성은 A<B<C이다.

642 (가)에서 통열량계에 9.0 kJ의 열량을 공급했을 때 온도가 5 ℃ 높아졌으므로 물을 포함한 통열량계의 열용량은 1.8 kJ/℃이다. 이 통열량계에 나프탈렌 12.8 g, 즉 0.1 mol을 넣고 연소시킬 때 온도가 30 ℃ 높아졌으므로 나프탈렌 0.1 mol이 연소할 때 방출한 열량은 1.8 kJ/℃×30 ℃=54 kJ이다. 따라서 나프탈렌 1 mol이 연소할 때 발생하는 열량은 540 kJ/mol이다.

643 ㄱ. (가)에서 A(s)가 용해될 때 온도가 낮아졌으므로 A(s)의 용해 반응은 흡열 반응이다.
ㄴ. (나)에서 B(s)가 용해될 때 온도가 높아졌으므로 B(s)의 용해 반응은 발열 반응이다. 즉 반응물의 에너지 합이 생성물의 에너지 합보다 크다.
바로알기 | ㄷ. 같은 양(mol)의 용질을 녹였을 때 온도 변화량은 같고, 수용액의 비열은 (가)와 (나)에서 같으므로 각 용질이 용해될 때 출입하는 열량은 같다. 이때 화학식량은 A>B이므로 1 g의 양(mol)은 A<B이다. 따라서 각 물질 1 g을 물에 녹일 때 출입하는 열량은 A<B이고, 물의 온도 변화는 B(s)를 녹였을 때가 더 크다.